University of Winnipeg, 515 Portage Ave.. Winnipeg, MB. R3B 2E9 Canada

HISTOIRE DES FRANÇAIS XIXe-XXe siècles

◆ ◆

LA SOCIÉTÉ

Par
Ronald Hubscher (Amiens)
Louis Bergeron (Paris, EHESS)
Yves Lequin (Lyon II)
Henri Morsel (Grenoble)

D'après la maquette de Michel Cabaud,
mise en page de Pascale Faye

Yves LEQUIN

HISTOIRE DES FRANÇAIS XIXe-XXe siècles

♦ ♦

LA SOCIÉTÉ

ARMAND COLIN

INTRODUCTION

A peine la mutation de l'économie s'annonce-t-elle que la France subit dans toute leur brutalité les premiers effets explosifs des contradictions qu'elle fait naître dans la société ! A Lyon, en 1831, des milliers de tisseurs en soierie vont jusqu'à prendre les armes contre l'ordre établi au nom de leurs prétendus intérêts collectifs, comme disait la loi. Les observateurs du temps ne se trompent pas sur le sens de la révolte des canuts, même s'ils trouvent mal leurs mots pour en dire la nouveauté ! Ils n'en étaient guère — les plus attentifs d'entre eux — qu'à pressentir un changement aux signes ambigus de la pauvreté et de la richesse. Voilà qu'ils découvrent soudain l'orage grossi par les nouveaux partages du pouvoir économique, quelques mois à peine après la révolution de Juillet. Le politique n'est plus seul à tracer les débats et à orienter les convulsions de la cité ; c'est une menace de guerre sociale qui point à l'horizon.

La force de la crise révèle, pour un instant, ce qu'un regard déformé par les enjeux de la grande Révolution n'avait pas su voir, l'entrée de la France dans la société industrielle. Sans doute celle-ci était-elle déjà présente au XVIIIe siècle, par pans entiers ; mais elle n'occupait pas le devant de la scène, et la législation héritée d'un autre temps empêchait que n'éclatent les contradictions dont elle était déjà porteuse. En 1830 comme en 1789, on en est encore à vouloir libérer les chances de l'individu des entraves de la naissance, toujours promptes à resurgir ; du coup, on passe à côté des liens qui sont en train de les enfermer dans les contraintes de la condition économique et de la division du travail. Ailleurs — du côté des libéraux anglais dès le début du XIXe siècle —, d'autres avaient déjà repéré l'irréductible opposition des intérêts matériels et son inévitable aggravation. Mais l'antagonisme grandissant des classes sociales — on dira bientôt la lutte des classes — n'avait guère séduit des écrivains français plus portés, de J.-B. Say à F. Bastiat, à voir dans la révolution industrielle — du moins ce qu'on a longtemps appelé ainsi — l'accoucheuse d'une économie et d'une société d'harmonie. Les faits, dès la Restauration, ne leur donnent pourtant guère raison. De même, la vieille société d'ordres ne meurt peut-être pas tout à fait des textes révolutionnaires, dans la pratique des gens comme dans les représentations d'une communauté. De plus en plus, au fur et à mesure qu'avance le XIXe siècle, c'est la classe sociale qui fait l'identité première des individus et guide l'essentiel de leur destinée, personnelle et collective. Peut-être plus que la Révolution qui, au-delà de ses péripéties et de leur symbolique, avait adapté le droit au fait, c'est l'émergence de cette société de classes qui fait entrer, presque en même temps que l'Angleterre, la France dans l'époque contemporaine.

Toute une historiographie s'est d'ailleurs appliquée à montrer sa réalité et ses logiques : la séparation et l'homogénéité grandissante des groupes sociaux et la permanence de leurs affrontements à travers la conjoncture différentielle des prix et des revenus, les cahots du court terme, la régularité et l'aggravation des crises qui mettent à mal le fallacieux consensus des temps de quiétude. Plus on avance avec elle dans le XIXe et le XXe siècle, plus la société française paraît se rapprocher d'un inévitable déchirement. Au moins, en tout cas, jusqu'à la seconde guerre mondiale : les événements du Front populaire gonflent à l'échelle de la nation tout entière des séparatismes sociaux et des conflits civils mûris depuis plusieurs décennies.

Cependant, l'éclatement — la révolution pour parler clair — n'est pas venu, malgré tant de répétitions générales. Pas plus que dans aucun autre des pays industrialisés où la baisse à long terme des prix à la consommation contribuait à désamorcer, depuis les années 1890-1900, les tensions de la société ; la France participe de cette destinée commune avec, aussi, les progrès d'une législation protectrice du travail et des travailleurs et, finalement, une certaine forme d'intégration par les chemins les plus détournés, on le verra. Mais elle n'en est pas arrivée là de la même manière, et c'est son originalité.

A la veille de la seconde guerre mondiale, les manuels de géographie montrent comment la France a bel et bien épousé son temps. Les chiffres de la production industrielle qu'ils alignent — charbon, acier, bauxite — et les classements qu'ils en font entre les nations la mettent parmi les toutes premières. Rarement en tête, mais qu'importe : elle figure aussi parmi les meilleures pour l'agriculture, où d'autres sont absentes. La paysannerie y a gardé toute sa place, ses entreprises ne sont ni trop grandes ni trop petites. Somme toute, la France a su raison garder en se transformant : être (presque) partout le second, c'est à l'évidence mieux que d'être une fois ou deux le premier. A la démesure allemande d'hier — dont on sait ce qu'elle a donné —, à celle des États-Unis d'aujourd'hui — dont on découvre alors le nouveau visage avec quelque condescendance —, s'oppose le sens français de la modération. Le climat lui-même n'y est-il pas tempéré, ni trop chaud ni trop froid ? Un hasard heureux n'a-t-il pas placé les Français sur le 45e parallèle, à mi-chemin du pôle et de l'équateur ? Les synergies d'une certaine géographie tracent la voie de sagesse et d'équilibre qu'ils ont su se choisir.

Il faudra une défaite militaire et une invasion pour que cette satisfaction de soi cède la place à un examen de conscience drastique d'où sortira une France nouvelle. Pourtant, au-delà des dérives rhétoriques du discours, il y avait sans doute là une conscience intuitive de la voie française vers la société industrielle. C'est elle qu'une historiographie récente s'applique à explorer, avec, souvent, le regard neuf de l'étranger : c'est un Américain, D. Landes, qui a renouvelé l'étude du patronat, même si ceux qui s'y sont livrés après lui ne disent pas la même chose ; c'est E. Weber qui, plus récemment, a proposé une vision neuve — même si elle est contestable — du monde paysan, etc. Au-delà, toute une série de champs que l'on croyait à découvert se révèlent encore en friche. Et en gros, une historiographie plus attentive à la longue durée et à la prégnance des structures, moins directement liée aussi aux analyses partisanes — même si elle s'inscrit très fortement dans les débats du présent —, fait sortir peu à peu la société française d'un double légendaire, noir ou doré. Prenons un seul exemple, qui brise bien des certitudes. L'évolution du capitalisme c'est, en bonne théorie, la concentration et l'anonymat grandissants de la propriété et du pouvoir économique ; l'une et l'autre se vérifient bien dans l'ascension d'une bourgeoisie dynamique, cosmopolite, de plus en plus étroite et fermée : les deux cents familles... Mais voilà que l'on découvre que c'est souvent la survie des réformes familiales qui assure son succès. Et, plus largement, la propriété — une autre bien sûr — se diffuse auprès d'un nombre grandissant de Français : la paysannerie parcellaire, qui rêvait depuis longtemps de la terre ; plus tard, le monde composite des boutiquiers, des employés et des ouvriers qualifiés de l'univers pavillonnaire.

Les mots et les concepts en apparence les plus simples n'ont pas le même sens selon le regard que l'on jette sur les choses, la propriété, la famille, les sociabilités, les modes d'existence et les manières de vivre. Derrière les faux-semblants de la communauté nationale, la société industrielle relance le thème des deux Frances, selon des critères qui ne doivent plus rien à l'histoire et à la géographie. Deux, ou trois, ou quatre ? Si l'on en croit E. Weber, jusqu'à la fin du XIXe siècle, la paysannerie demeure une France sauvage — déjà, l'abbé Grégoire, à la fin du XVIIIe siècle —, étrangère en son propre pays ; pour d'autres, c'est en elle que prennent racine tous les nouveaux partages. Multiples, sans doute, à la mesure des séparations sociales qui se développent ; mais à leur pas. Donc une, aussi, par les échanges qui s'y font et par les antagonismes d'intérêt eux-mêmes qui, on le sait, lient en même temps qu'ils opposent, et parce que le destin des individus joue au moins autant de la différenciation des groupes sociaux qu'il pâtit de leur ossification.

Au verso
Le mythe de la paysannerie exprimé par un peintre naïf : un jeune ramoneur savoyard joue de la vielle devant une famille de paysans berrichons. Bourges, musée de Berry, 1840.

LIVRE I

La France paysanne : réalités et mythologies

Il n'est pas nécessaire de remonter au-delà de deux ou trois générations pour découvrir chez nombre de citadins l'ancêtre en sabots. A regarder les chiffres de la population, on s'en convainc aisément. En 1846, les trois quarts des 35 402 000 Français sont des ruraux, en majorité paysans ; ils sont encore 56 % en 1911 sur une population globale de 39 602 000 individus, 48 % en 1936 et 44 % en 1954, recul très lent si on le compare à celui des autres nations industrielles. Malgré les difficultés à cerner la population active agricole en raison du rôle économique joué par les femmes et les enfants, on peut l'estimer, au milieu du XIXe siècle, à 52 % de la population active totale, soit 14,3 millions de personnes, à 42 % en 1911, à 36 % en 1936 et à 31 % en 1954. Par ailleurs, en 1852, l'agriculture représente en valeur constante 69 % du produit physique, 48 % en 1892, 40 % en 1912. Une France paysanne ? Cette affirmation vécue pendant une grande partie du XIXe siècle, progressivement infirmée par l'évolution économique et sociale, s'avère tenace à travers la permanence d'une sensibilité terrienne et le mythe d'une France profonde, conservatoire des valeurs traditionnelles incarnées par la paysannerie, force vive et saine de la nation dont le régime de Vichy fera l'apologie. Et pourtant, les hommes de la campagne n'ont pas tenu dans la société française la place que leur poids numérique semblait leur conférer de droit. Rarement ils ont occupé des postes de responsabilité nationale sans avoir à renier leur origine et sans endosser l'habit de citadin ; il est vrai qu'ils ont longtemps mobilisé toute leur énergie à conquérir un sol avidement convoité, symbole à leurs yeux de l'indépendance. Marginalisés, dominés, les paysans sont paradoxalement mal connus et mal compris par les gens de la ville, bien que ceux-ci aient fréquemment une ascendance terrienne, affichée en cas de réussite sociale, occultée le plus souvent ; de toute façon, la société globale a toujours d'eux une vision stéréotypée, qu'elle soit valorisante ou dévalorisante. Le paysan est autre, et on met l'accent sur sa spécificité, modelée par la forte emprise d'un milieu naturel qui forge ses représentations et ses comportements.

1
L'identité de l'homme et de la terre

A la fois cadre de vie et force productive, la terre conditionne l'existence du paysan et façonne son destin. Solidement ancré, de façon très affective, dans son terroir, l'homme des champs entretient une relation privilégiée avec l'espace environnant, relation qui s'inscrit dans le cycle des saisons et l'univers cosmique. Les productions sont imposées par le sol, le climat, l'exposition, et l'agriculteur vit dans l'incertitude des récoltes et de la fécondité des reproducteurs. Mais cette sujétion à l'égard d'une nature encore souveraine n'est pas simple soumission ; même s'il doit composer avec elle, il s'efforce de la dompter, dans un perpétuel affrontement, de maîtriser ses caprices, de reconquérir quotidiennement une végétation rebelle à sa volonté. Alors la vie, au rythme du ciel, et la dépendance à l'égard du milieu naturel font du paysan un observateur-né. Tout est signe pour lui, décodé à l'intérieur de son univers symbolique, et l'interprétation de ces signes — température, couleur du ciel et du soleil —, difficilement compréhensibles pour ceux qui ne mènent pas la vie de l'agriculteur, lui permet d'organiser ses activités en conséquence.

ESPACES, TEMPS, TRAVAUX

Le chez-moi

La représentation que se fait du système espace-temps l'homme de la campagne, à Nouville en Normandie comme dans le mont Lozère, est déterminée par ses repères personnels ; il se meut dans un espace défini qui rayonne à partir d'un noyau, le « chez-moi ». Cet espace est extensible, multidimensionnel et se présente comme une succession de trois sphères aux limites floues qui n'ont pas la même signification sur le plan affectif ou utilitaire. La sphère des espaces étrangers, le « au loin » mal connu ou inconnu — entre la province ou le département voisin et le pays étranger, il n'y a guère de différence d'essence —, recouvre une image incertaine rattachée à de vagues réminiscences scolaires. Cet au loin, où les gens ne s'habillent ni ne parlent comme ici, commence immédiatement après une zone de transition mouvante, les environs qui englobent les communes où l'on se rend épisodiquement pour des déplacements plus ou moins obligatoires ou intéressés : affaires à régler au chef-lieu de canton, marchés, foires. Des relations affectives, il est vrai assez lâches, s'intègrent dans cet espace où s'inscrivent les réseaux de parentèles. Vient ensuite le territoire du travail, délimité sinon protégé par des bornes, des haies, des landes ou des bois, parfaitement connu de tous, en sorte que sur un rayon de quelques kilomètres chacun peut citer de mémoire le nom des propriétaires et des exploitants, « ceux qui ont du grand » et ceux qui font « de la petite culture ». Entre ce territoire et le « près de chez soi » se situe un nouvel espace de transition où l'on va souvent sans être obligé de fermer sa maison. Cet espace, lorsqu'il est situé à l'intérieur du village, n'est pas un lieu de circulation quelconque ; il est souvent traversé par une frontière invisible, comme celle qui sépare le haut et le bas du village, et seule une raison bien précise peut justifier son franchissement. La sphère la plus importante de ce système spatial correspond au « chez-moi » formé d'éléments gigognes : la maison, la cour, le jardin, le verger et parfois l'ensemble de l'exploitation.

L'espace vécu par les villageois de Vercourt, commune des confins du Marquenterre et du Ponthieu, est tout à fait exemplaire. Au nord, l'Authie, distante de six kilomètres, sépare le département de la Somme de celui du Pas-de-Calais ; il s'agit bien d'une limite, car des villages situés sur la rive droite on se contente de dire : « C'est le Pas-de-Calais par là » ; le patois y est différent puisqu'un *ko* (chat) devient un *koe*. Toutefois, leurs habitants, les « boyaux rouges », ont une réputation de cordialité, entretenue par des relations épisodiques ; en revanche, elles sont inexistantes vers l'est avec les communes distantes d'une douzaine de kilomètres en raison de la présence de la forêt de Crécy, autrefois beaucoup plus étendue : l'obstacle physique est devenu frontière psychologique, et on ne se marie pas au-delà ; parlant de ces villages, les vieux disent : « C'est la forêt par là », et tout naturellement leurs habitants ont une mauvaise image de marque. Au sud, les paysans du Vimeu n'ont pas meilleure réputation ; ils sont arriérés, leur patois est très lourd ; en fait, on n'en sait pas grand-chose, car on ne les fréquente pas. Cette différence, fortement perçue par les Vercourtois, disparaît dans l'espace de la zone familière groupant une dizaine de villages autour du bourg de Rue. L'aire matrimoniale recoupe très largement cet espace où l'on connaît les individus personnellement ou par ouï-dire, grâce au réseau de parentèle ou de relations. De 1792 à 1890, 73 % des futurs conjoints sont domiciliés à Vercourt et dans les communes voi-

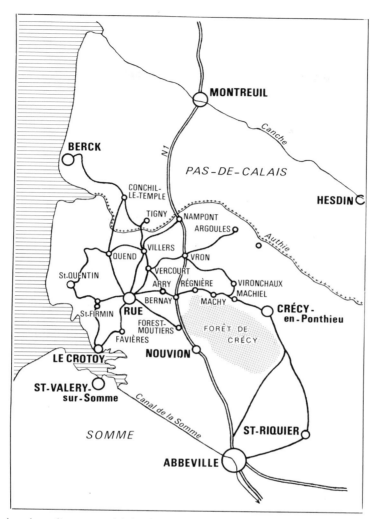

Croquis de situation : l'espace social d'un village picard. D'après A. Morel, Études rurales, *n° 45, janvier-mars 1972.*

sines, 81 % dans la région de Rue ; de 1890 à 1952, les pourcentages atteignent encore respectivement 55 % et 64 %. Au-delà de cette zone, les connaissances sont plus vagues, « c'est du côté de », et les villes voisines d'Abbeville, Montreuil, Hesdin servent de points de repère ; ensuite, c'est pratiquement l'inconnu.

A une époque où le travail de la terre est essentiellement basé sur l'effort physique, c'est le corps qui sert de référence à un système de mesures dont la logique est fondée sur les capacités individuelles. Mesures subjectives, puisqu'elles dépendent du sexe, de l'âge, de la résistance et de la vigueur de chacun, mais mesures vécues et, par conséquent, étonnamment exactes. Le « près » ou le « loin » sont fonction non seulement de la distance réelle à parcourir, mais plus encore de l'effet à produire. Cette façon expérimentale, biologique d'appréhender les choses, se retrouve dans la perception du temps.

Pour l'homme de la terre, le temps n'est jamais un élément neutre, mais profondément ancré dans la continuité de l'existence familiale. L'avenir n'est pas l'année suivante, mais plutôt le fils, l'héritier qui va reprendre l'exploitation. Le passé, ce n'est pas non plus en 1800 ou en 1900, mais l'époque « de mon jeune âge, de mon père, de mon grand-père », riche de faits, de traditions, d'exemples qui constituent la saga familiale et dans laquelle le paysan se situe en témoin. Ce temps approprié s'intègre harmonieusement dans le temps écologique qui est celui de l'année agricole.

Le cycle sans fin du travail

Épousant la succession des saisons, le travail agricole suit le rythme biologique imposé par le milieu dans toute une chaîne d'opérations dont chacune a pour but de préparer l'étape suivante. Le cultivateur en est le maître d'œuvre — « chaque jour il faut que je me trace le lendemain », dit un vieux paysan lozérien — et la diversité de ses activités, qu'il organise comme il l'entend, est aux antipodes d'un travail en miettes, ainsi que le montre le calendrier agricole dans le Calvados vers le milieu du XIXe siècle : septembre, fin de la moisson, battage des grains, récolte du sarrasin, début des labours d'automne, semailles du seigle ; octobre, fin de la récolte du sarrasin, battage, plantation du colza, labours, fumure, semailles des céréales d'hiver, récolte des pommes à cidre ; novembre, labours, semailles, battage, fin de la récolte des pommes à cidre, brassage ; décembre, battage des grains ; janvier, *idem* ; février, labours de printemps, semailles de l'avoine, des légumes secs et des trèfles ; mars, labours des terres destinées au sarrasin, semailles d'avoine, trèfle, légumes secs, pommes de terre ; avril, semailles d'orge et pommes de terre ; mai, *idem* ; juin, semailles de sarrasin, fenaison, coupe du colza ; juillet, fenaison, moisson des seigle, méteil, blés hâtifs ; août, moisson des blés, orge, avoine. Dans le Var, au début du XXe siècle, d'une vendange à l'autre, les vignerons doivent labourer et déchausser de décembre à mai. En même temps, jusqu'en février, ils taillent la vigne, détruisent les sarments, préparent les piquets qui soutiendront les jeunes plants. Au printemps, ils binent, multiplient les traitements anticryptogamiques ; le désherbage, essentiellement travail de femmes, se poursuit jusqu'au mois de juillet.

L'activité agricole n'autorise guère de coupure entre le travail et la vie personnelle. Le paysan ne se repose pratiquement jamais et son besoin d'autonomie l'oblige à une grande polyvalence : travail de la terre, soin des animaux, réparation des outils, entretien des bâtiments, le paysan est bricoleur par nécessité. Les moments de détente eux-mêmes ont encore un but utilitaire. A la veillée, les femmes filent, brodent, les hommes pèlent les châtaignes, nettoient les noix, travaillent le bois, réparent harnais et outils. Activités de travail et de loisir finissent par se confondre : en Bretagne, pour faire le sol d'une cour de ferme, on invite les voisins à danser sur la terre glaise fraîchement déposée afin de la tasser. Chaque famille délègue un ou plusieurs de ses membres pour « travailler à danser » et on piétine en mesure, au son de la musique, pour aplanir la terre sous les sabots ; on dira de ceux qui ont dépensé leurs forces sans compter : « Ils ont bien peiné à danser ». Dans une société où tout repose sur l'endurance physique, vigueur et santé sont facilement confondues. Chez un homme, le teint vermeil est un signe favorable. Malgré une hostilité traditionnelle à la conscription, le conseil de révision est un test médical attentivement suivi par les familles. Être bon pour le service, c'est recevoir un brevet de bonne santé. En revanche, l'ajournement suppose des tares visibles ou cachées, une moindre aptitude au travail, donc un obstacle possible au mariage. Chez les femmes, les rougeaudes sont fort appréciées, car leur apparence témoigne de leur vitalité et de leur force. Nombre de proverbes valorisent la femme robuste, donc travailleuse : « Une ménagère qui travaille bien vaut son plein d'argent » (Bretagne) ; « Le corps vaut plus que la dot » (Gascogne). Outre les qualités professionnelles, des critères subtils permettent aux fermiers bretons de juger la valeur de leurs futurs domestiques. L'art de danser la gavotte, la force et l'adresse aux jeux populaires sont de véritables mises à l'épreuve en public, car ils révèlent des qualités individuelles qui se retrouvent dans le travail : « Un gaillard qui ne faiblit pas des jambes, qui se tient le torse raide jusqu'au dernier éclat de la bombance, celui-là fera un bon valet de labour. Une fille qui danse juste et qui contrôle constamment ses gestes, celle-là travaillera vite et sans perdre de temps, sans casser de vaisselle, sans bavardage vain. » Toujours valorisée, l'ardeur à la tâche débouche naturellement sur une mystique de l'effort laborieux non dépourvue d'arrière-pensées, qui tend à faire du seul individu l'artisan de sa réussite ou de son échec, l'insuccès n'étant que le fruit de la paresse. Le travail, c'est encore la vertu, car le journalier courageux n'a pas le temps de penser à « faire le mal », d'aller au cabaret, d'écouter des propos séditieux, bref de s'adonner au vice. Cette idéologie de l'effort acceptée et véhiculée, qui incite les individus à se refuser tout répit, favorise le maintien d'un *statu quo* social et tend à bloquer toute solution collective d'émancipation des « petits ».

L'économie traditionnelle qui se perpétue dans l'Ouest, le Sud-Ouest, le Centre, les régions montagneuses, fort avant dans le XIXe siècle, s'accompagne d'une débauche de travail. Elle est rendue possible par la prolifération des « hommes-souris » en cette période de surcharge démographique : la population augmente en effet de 16,2 % entre 1821 et 1846, et la densité rurale s'élève à 47,9 habitants au km² en 1836, avec de fortes variations régionales, sinon locales, ainsi dans certaines communes du Grésivaudan où on atteint 100 à 120 habitants au km². Cette démultiplication du travail s'explique aussi par la faiblesse de l'outillage et par la pauvreté. Faute d'attelage, le micro-exploitant tire la charrue. Le portage est fréquent : autour de Ligny-en-Barrois, sous la monarchie de Juillet, l'été, « chaque paysan rapporte le soir une charge souvent énorme et les femmes et les enfants en état de travailler utilisent de la même manière leur dernière marche de la journée ». En montagne, du fait de l'absence de chemin et de la rudesse de pentes inaccessibles aux bêtes de somme, on ramène à dos d'homme « le foin et les céréales faits en septembre, descendus dans des draps ou des filets jusque dans les fermes des fonds de vallée ». Dans les Pyrénées, la grande extension des cultures en terrasses protégées par des murettes est une conséquence de l'exiguïté des lopins. Les murs confectionnés avec de la terre et des cailloux se dégradent rapidement et leur entretien exige des journées entières de travail. Après les pluies, il faut remonter la terre, reconstruire les murettes. Il n'entre dans cet effort incessant, acharné, aucune préoccupation de rentabilité, la rémunération du labeur, la rationalité économique étant des notions étrangères à la mentalité paysanne : on a calculé qu'en Lozère, le coût de l'élevage de deux cochons était deux fois supérieur à celui du prix de vente, compte tenu du ramassage des châtaignes, de leur préparation et du minimum de soins à donner aux bêtes.

Ce dur labeur, l'exposition répétée aux intempéries provoquent à la longue ankylose des membres, cassure et déformation des corps ; nul mieux que Millet n'a su exprimer l'inéluctable fatalité qui maintient le paysan dans le cycle sans fin du travail et du repos insuffisant. La lourdeur des personnages du *Semeur*, des *Botteleurs*, des *Ramasseurs de fagots*, des *Deux Bêcheurs* exprime la pénibilité de leur tâche. Avec *L'Homme*

En montagne, on ramène le foin à dos d'homme. Vallée de Belleville, vers 1950.

à la houe « dont on a entendu les han ! depuis le matin et qui tâche de se redresser un instant pour souffler » (Millet) et *Le Vigneron*, le peintre a su rendre de façon saisissante l'accablement de ces deux laborieux s'accordant un bref instant de repos.

L'insertion progressive des régions agricoles les plus avancées dans l'économie de marché, au cours du dernier tiers du XIXe siècle, et le dépeuplement rural s'accompagnent d'une rationalisation des conditions de travail et d'une moindre dispersion des énergies ; pourtant, l'effort reste toujours aussi intense. Les maraîchers des marais de Saint-Omer et des hortillonnages de la Somme ne cessent de bêcher et de planter ; leur production est fondée sur une utilisation massive d'engrais et de boues qui permet d'obtenir trois récoltes par an. Dans le canton d'Aire (Pas-de-Calais), l'engraissement des veaux est une activité rémunératrice exigeant des soins multiples et contraignants. Quant aux horaires de travail, ils se compliquent tout en devenant plus stricts, en particulier dans les zones irriguées du Vaucluse et du Roussillon où ils subissent les impératifs de la répartition alternée de l'eau. La commercialisation nécessite des déplacements plus fréquents, une présence assidue sur les marchés ; il en résulte une perte de temps qui doit ensuite être rattrapée. A quarante kilomètres à la ronde, les Artésiens se mettent en route dès la nuit pour se rendre au marché d'Arras afin de vendre œillette et froment sur la Grand-Place. Le souci d'efficacité et de rendement entraîne parallèlement l'essor de la mécanisation : entre 1882 et 1892, le nombre des semoirs mécaniques a augmenté de 79 %, celui des faucheuses a doublé, celui des moissonneuses a

Par Millet, le peintre du rude labeur paysan, L'Homme à la houe, *1862, musée de Colmar.*

progressé de moitié et le parc des batteuses à vapeur s'est accru de 30 %. Les grandes fermes de l'Artois, du Soissonnais, de la Brie et de la Beauce ont été parmi les premières à s'équiper. Cette mécanisation provoquant une réduction du nombre des ouvriers agricoles ne signifie nullement un allégement du travail de ceux qui restent, car il faut rentabiliser les machines comme le montre, dès 1874, l'utilisation de moissonneuses de 3 heures du matin à 9 heures du soir, dans une exploitation de la région de Senlis.

Modelées sur le calendrier agricole, les journées des ouvriers sont de 14 heures en été et de 11 heures en hiver ; en réalité, elles sont coupées par des temps de repos. Au moment des gros travaux, on en compte sept : trois pour les repas et quatre de 10 à 20 minutes, les « fumers ». En hiver, les pauses sont ramenées à cinq. Au long de l'année, la période de repos oscille donc entre 4 h 10 et 3 h 25, ce qui n'empêche pas les ouvriers de manquer de zèle aux dires de leurs employeurs. Dans les domaines où le propriétaire n'est pas toujours présent, l'accomplissement des tâches est moins rapide ; celui d'un vignoble de Sablet, résidant à Orange, le déplore en 1891 : 28 février, « De plus en plus, il est à reconnaître que l'œil et l'aide du maître font plus que doubler le travail » ; 10 mars, « Peu content du travail de la journée. Quand j'ai manqué une semaine, il faut à mon personnel quelques jours d'entraînement » ; 9 mai, « Lever de bonne heure. Me suis aperçu que la matinée serait propice pour soufrer. Quand les hommes sont arrivés, j'avais parcouru bien quelques rangées. A 9 heures du matin, c'était fini. Si je n'avais pas été là, l'opération ne se serait pas faite ou on aurait mis

La Batteuse, *1895, par Albert Rigolot.*

trois ou quatre fois plus de temps ». En 1866, la Société d'agriculture de Saint-Pol-sur-Ternoise déclare : « La somme de travail des ouvriers à la journée diminue presque dans la même proportion que l'augmentation de leur salaire. » Le 10 novembre 1867, *L'Écho du Var* expose le point de vue d'exploitants mécontents : « Les cultivateurs-propriétaires, le matin, marchent d'un pas alerte vers leur champ. Chemin faisant, ils rattrapent et dépassent les journaliers bien moins pressés d'arriver sur le chantier et qui prendront leur temps pour se mettre à la besogne, et qui ménageront leur peine durant la journée. » Paresse ? Non point, car « la grande majorité de nos employés agricoles travaille pour elle le matin, travaille encore pour elle le soir, et vient dans la journée se reposer chez le maître ». Cet aménagement ne peut cependant s'exercer chez le petit agriculteur cultivant son bien avec l'aide d'un ou deux ouvriers. Dans ce cas, il n'y a pas de différence entre le patron et ses employés abattant l'ouvrage côte à côte.

MANGER, S'HABILLER, HABITER

L'acharnement au travail sert avant tout à subsister et pourtant, durant la première moitié du XIXᵉ siècle, se nourrir c'est d'abord se priver : dans certaines régions des Alpes ou du Massif central, pendant l'hiver, des paysans pauvres demeurent couchés, fort avant dans la matinée, serrés les uns contre les autres pour se réchauffer afin de moins manger. L'insécurité du lendemain est permanente, la pénurie toujours menaçante, rythmée par de tragiques disettes — 1812, 1816-1817, 1829-1830, 1846,

1853-1855 — qui laissent des traces dans la mentalité collective. La naissance d'un marché national sous le Second Empire entraîne leur disparition et favorise, en même temps que la hausse des prix, une augmentation de la production. La ration alimentaire s'accroît alors en quantité et en qualité, grâce aux récoltes de l'exploitation familiale. A partir des années 1880, se développe une phase transitoire caractérisée par une autoconsommation diversifiée et l'accès aux produits alimentaires commercialisés. La Grande Guerre marque un tournant décisif, avec l'insertion du monde agricole dans la civilisation contemporaine et l'apparition de nouveaux usages alimentaires et culinaires. Le fossé se comble définitivement dans les années 1950 entre l'alimentation paysanne et citadine.

Il faut manger pour vivre

Dans le système archaïque de pénurie relative, la frugalité imputable à la faiblesse des rendements l'emporte, comme la monotonie des mets. Le cloisonnement des régions implique une rigidité de l'éventail des choix alimentaires, même si partout se développe la polyculture, car l'idéal de l'autosubsistance répond parfaitement aux conditions économiques et à la psychologie collective de l'époque. Durant une large fraction du XIXᵉ siècle, le régime alimentaire est presque exclusivement végétarien et s'organise autour de la consommation de farine cuite provenant de différentes céréales. Aliment essentiel, le pain occupe la première place, tant sur le plan nutritionnel que symbolique. La consommation d'un adulte varie de 700 g à plus d'un kg par jour et représente, vers 1850, près des deux tiers du budget consacré à l'alimentation. Ce pain noir ou bis, avec une dominante de seigle ou d'orge, est obtenu à partir de farines grossières mal tamisées, faiblement blutées. Pour le commun des paysans, la pain de froment est une friandise. La plupart des ménages préparent et cuisent leur pain eux-mêmes ; mais sa fabrication, qui nécessite à la fois vigueur et tour de main, donne parfois lieu à des déboires qu'on pallie quand c'est possible en recourant au chaufournier, comme en Ille-et-Vilaine, ou mieux encore au boulanger qui, dans le Var, vient chercher la pâte à domicile. Le pain se consomme rassis, par économie, en raison de la rareté du bois et de la durée de sa fabrication. Aussi la fréquence des cuissons est-elle très variable selon les exploitations, les périodes de l'année et les régions ; une à deux fois par semaine dans le Toulousain, une douzaine de fois par an dans les Alpes, une fois par an dans le Dévoluy. Un complément de céréales est fourni par des galettes épaisses, surtout à base de sarrasin : grapiau du Morvan, galetou du Massif central, crêpe bretonne. Les céréales entrent aussi dans la confection de bouillies de maïs dans le Sud-Ouest, d'avoine en Corrèze, d'orge en Savoie, de châtaigne et de maïs dans les pays du nord de la Garonne.

L'emploi d'un pain dur comme la pierre, souvent moisi, s'explique parce qu'il sert à tremper la soupe, pivot des repas quotidiens. Entre deux modèles de base : soupe maigre à l'eau et au sel parsemée de quelques oignons, et soupe grasse aromatisée au lard avec des pommes de terre et des choux, il existe tous les intermédiaires. La consommation des légumes, second élément fondamental de l'alimentation paysanne, peut atteindre plusieurs centaines de grammes par jour. Il s'agit surtout de pommes de terre ; d'abord élément de substitution en cas de mauvaise récolte, son usage devient quotidien, allégeant du même coup la ration de pain.

La pénurie de laitages est la règle. Elle résulte, en particulier dans les plaines céréalières et les pays de vignoble, de l'insuffisance numérique d'un troupeau par ailleurs

Cuisson traditionnelle des crêpes en Bretagne. Sud-Finistère, vers 1950.

chétif puisque mal nourri, mal sélectionné et utilisé au travail. Sur une production déjà limitée, le prélèvement des citadins est lourd ; parce qu'ils ont besoin de numéraire, les paysans vendent à la ville ou au bourg leur lait, leur crème et une grande partie du beurre ; ils se contentent le plus souvent des sous-produits du lait : lait caillé en Bretagne, lait écrémé en Aveyron, fromages maigres. La consommation d'œufs et de volailles est, elle aussi, freinée par leur commercialisation. Pour les ruraux, la viande c'est d'abord le porc, nourri avec les restes. Valeur symbole aussi forte que le pain, sa possession est garante d'une année « douce » où l'on ne manquera pas. Cependant, comme pour les céréales, la nature de l'alimentation carnée est tributaire de la production locale. La France du bœuf se situe au nord d'une ligne Nantes-Lyon dans les zones herbagères et fourragères ; la France du porc correspond à l'Est et au Nord-Est d'une part, au Midi, au sud d'une ligne Bordeaux-Briançon, d'autre part, ce qui s'explique ici par le rôle des terres incultes, là par celui des pommes de terre et du maïs. Dans les Alpes du sud, le Midi méditerranéen, la Corse, ovins et caprins occupent la première place dans l'alimentation carnée. De toute façon, manger de la viande est un luxe associé à l'idée de fête. En 1852, la consommation annuelle d'une famille de journaliers de cinq personnes est estimée à 18 kg dans le Nord et le Nord-Est, 13 kg dans les Pyrénées, 7 kg en Bretagne et 5 kg dans onze départements de la Sarthe à l'Isère. Dans ce système alimentaire, l'apport calorifique est tout juste suffisant en temps ordinaire, ce qui entraîne une sous-alimentation chronique, génératrice de carences, cependant partiellement comblées par les produits du braconnage (gibier, poisson) et de la cueillette (champignons, escargots, herbes et fruits sauvages).

Ce n'est pas dans la boisson que les paysans trouvent une compensation à la frugalité et à la monotonie de la nourriture. L'eau, ordinairement tirée des puits ou recueillie dans des citernes, parfois puisée dans des mares, est mesurée dans les régions de terrain perméable et de fort ensoleillement. Pourtant, même si elle ne manque pas, il faut l'économiser, car souvent on doit la chercher loin de la maison. On connaît sa valeur et on l'épargne, comme dans le Limousin où l'on en boit simplement en quittant la table ; parfois, comme en Auvergne, pour lui donner du corps, on lui ajoute un filet de vinaigre. L'usage des boissons alcoolisées reste localisé, pour l'essentiel, aux régions de production ; cela est vrai pour le vin, la bière et le cidre. Autour de Narbonne, le vin est donné à peu près à discrétion au moment de la moisson, tandis que dans les grandes exploitations de Brie et de Beauce, seuls les charretiers en reçoivent. Tradition alimentaire et usage du vin peuvent s'épauler comme en Provence, où l'on mange plus épicé qu'ailleurs. Souvent ce vin est de médiocre qualité, car les vignerons, mais aussi les producteurs non spécialisés, commercialisent leur récolte et ne conservent que ce qui est invendable. Enfin, il existe tout un éventail de boissons « appauvries » de fabrication domestique, sous-produits du vin, de la bière ou du cidre.

Cependant, le régime alimentaire se transforme peu à peu avec l'élévation générale du niveau de vie. Déjà, les migrants temporaires ont donné le branle ; ils reviennent au pays avec des besoins, contractés en ville, qu'il est relativement possible de satisfaire, grâce aux gains rapportés à la maison. De leur côté, les fonctionnaires diffusent de nouveaux comportements. Il faudrait aussi pouvoir mesurer l'influence du service militaire obligatoire sur les habitudes alimentaires. En outre, le décloisonnement des campagnes favorise les échanges à grande distance, permettant par exemple aux départements septentrionaux de recevoir le « gros rouge » du Midi. Partout le régionalisme recule, la composition des repas se modifie. Les bouillies ne constituent plus le plat principal mais sont réintroduites sous forme de mets sucrés ; le dessert fait son apparition et s'élargit aux pâtisseries à base d'œufs : flans et galettes. L'usage du café au lait le matin accompagné de tartines beurrées, dans le Nord et l'Est de la France, concrétise la notion de petit déjeuner. La généralisation de la culture du blé, donc du pain de froment, relègue au second plan des productions jadis vitales, comme celle de la châtaigne. Les huiles locales — œillette, noix — s'effacent devant l'huile d'olive et surtout d'arachide dont le prix est compétitif. Considérés jadis comme un luxe, volailles et lapins apparaissent le dimanche sur la table familiale. On prend l'habitude de consommer de la charcuterie confectionnée par le boucher qui vient à domicile quand on tue le cochon. Le vin se répand largement hors de la zone viticole. En Bretagne et en Normandie, le cidre est d'usage courant. Le changement le plus significatif, car il témoigne d'une transformation de mentalités, est l'habitude de s'approvisionner chez les commerçants : épiciers où l'on achète des pâtes, des conserves, du poisson séché, du sucre dont la confection des confitures répand l'emploi, du savon ; boulangers qui apparaissent vers 1880 dans les villages des régions ouvertes, au tournant du siècle dans les zones isolées ; bouchers dont la viande fait partout reculer le porc. La fréquentation des cafés devient plus habituelle. Dans le canton d'Apt, entre 1877 et 1897, la quantité de limonade consommée a triplé et, à partir de 1893, la demande de bière a également augmenté. Au début du XXᵉ siècle, les apéritifs comme le Pernod semblent avoir conquis les ruraux et s'être diffusés assez largement. L'élargissement de l'éventail des denrées mises à la disposition des ménagères marque le début d'une véritable cuisine ; elles essaient les recettes insérées dans les journaux agricoles ou de mode. Les plats mijotés sont particulièrement appréciés, en sorte que la cuisson à l'eau n'est plus prépondérante. Une innovation technique, la cuisinière à feu continu remplaçant l'antique chaudron à l'âtre a permis la naissance de cette « nouvelle cuisine ».

Mais c'est la Grande Guerre qui marque une rupture décisive avec la nourriture traditionnelle. Les paysans mobilisés pendant quatre ans sont soumis à une alimentation uniforme, citadine par ses horaires et son contenu, créant des habitudes irréversibles. Dans l'entre-deux-guerres, l'importance grandissante de la commercialisation des produits du sol vulgarise le maniement de l'argent qui pénètre aussi grâce aux pensions d'invalidité, aux subventions et allocations diverses de l'État. De plus, les conditions de vente changent : les coopératives étendent partout leur réseau de distribution, et même les hameaux reçoivent la visite de commerçants motorisés. A leur tour, les paysans deviennent des consommateurs à part entière, exigeant dorénavant la variété. Le système alimentaire des campagnes tend à s'uniformiser, à s'aligner sur le modèle urbain, même si la période de l'Occupation, durant laquelle d'ailleurs le paysan prend une revanche sur les citadins, marque un retour provisoire à une alimentation plus rustique.

Le vêtement : de la fabrication au prêt-à-porter

Initialement, comme pour l'alimentation, l'idéal vestimentaire est de vivre de son « soi ». On s'efforce de produire la matière première, laine, chanvre et lin, et de la transformer. Le filage est la besogne des femmes, mais on a recours au tisserand, qui vient souvent à domicile, pour fabriquer des toiles et des étoffes grossières comme le droguet, si raide et si rêche qu'il provoque des maladies de peau. Après 1830, les cotonnades, en raison de leur faible prix, se répandent dans les campagnes du Nord et, vers 1850, elles sont d'usage courant ; mais les habits de coton protègent mal du froid et des intempéries. Les enfants en souffrent particulièrement et Toinou rappelle dans *Le cri d'un enfant auvergnat* qu'il fallait cheminer dans la neige glacée, sans manteau ni lainage.

Souvent, les vêtements sont inconfortables, comme ces vastes limousines dont se couvrent les bergers et qui absorbent l'humidité ; d'ailleurs, quand il pleut, on se contente de jeter quelque vieux sac sur ses épaules. D'un bout de l'année à l'autre, on porte généralement les mêmes vêtements, de jour comme de nuit. Imprégnés de sueur et de saleté, ils ne sont lavés que deux ou trois fois par an. Bien entendu, une nette distinction oppose habits de tous les jours et « habits du dimanche ».

Ordinairement, le vêtement masculin se compose d'une veste courte ou d'un gilet, parfois d'une chemise de chanvre, d'une culotte ou d'un pantalon et de sabots ; un bonnet de laine ou un chapeau de feutre complète l'ensemble. A partir du milieu du siècle, la blouse de grosse toile bleue va camper la silhouette type du paysan. Le costume de fête, commandé au moment du mariage, transmis parfois aux descendants, s'inspire d'abord de l'habit à la française, puis entre 1840 et 1870 du costume bourgeois : jaquette et pantalon noirs, chemise blanche, col dur, cravate noire, chapeau. Les femmes mettent corsage ou chemise, jupe et tablier, mouchoir de cou, bonnet ou coiffe. Les souliers sont portés dans des circonstances exceptionnelles. Les plus démunis des paysans sont vêtus de hardes rapiécées, et encore n'en disposent-ils pas toujours en suffisance. Fréquemment, au début du Second Empire, les instituteurs évoquent parmi les causes de l'absentéisme scolaire le manque de vêtements ; celui de Ruyaulcourt, dans le Pas-de-Calais, note que « c'est l'extrême pauvreté des familles qui ne leur permet pas de fournir à leurs enfants [...] une chemise, une blouse ou une paire de sabots ; il existe des enfants littéralement nus qui ne sortent jamais de leurs chaumières ». Dans ce même département, en 1848, le juge de paix du canton de Vimy constate que « l'ouvrier peut rarement se procurer du linge et les vêtements qui paraissent indispensables, et les ménagères sont souvent obligées de passer la nuit du samedi au dimanche pour blanchir et réparer les uniques vêtements de leurs maris et enfants ». En fait, nombre de familles vivent de la charité privée et de dons ; d'après l'instituteur de Douriez, il n'est pas rare, dans les ménages de journaliers, que la mère raccommode, taille, rapièce dans du « vieux », car « dans bien des maisons opulentes de la localité, on lui donne de vieilles défroques ». On comprend, dans ces conditions, le souci des jeunes domestiques de voir figurer, dans les contrats de louée, la fourniture de sabots ou de vêtements. Plus tard, quand tous les petits paysans sont convenablement vêtus, leur costume continue à porter la marque de la distinction sociale. L'écrivain Louis Pergaud, dans ses nouvelles villageoises, évoque les deux enfants d'un gros cultivateur moitié paysan, moitié « Monsieur » : « Ils ne portaient pas de blouses comme les autres gosses ; ils étaient chaussés, non de brodequins à gros clous, mais de souliers à bout pointu ; ils avaient des casquettes à visière de cuir et galon d'or, comme les collégiens ou les ''séminards'', et ils suivaient la mode en arborant des pantalons courts avec en été des chaussettes laissant voir leurs mollets, ce qui ne se faisait pas à la campagne. » Plus subtile mais non moins réelle, la distance sociale s'inscrit en Bretagne sur les robes des jeunes filles par la hauteur du velours garnissant le dos et par les broderies des manches. Au-delà des clivages sociaux, les costumes ont leur âge d'or vers 1860-1870, années d'apogée de la civilisation paysanne ; ils acquièrent leurs lettres de noblesse et vont permettre aux folkloristes de définir une typologie régionale, rapidement stéréotypée et fossilisée par la carte postale, alors que la réalité est déjà autre.

Dans le dernier tiers du XIXᵉ siècle, le costume traditionnel subit le choc de la concurrence urbaine. Dans le Limousin, où l'émigration des maçons est active, « les ouvriers reviennent au pays pompeusement parés de vêtements achetés à la ville ou rapportent robes et étoffes diverses aux femmes demeurées au pays ». Les couturières, à l'écoute de la ville, sont les agents actifs de l'évolution du vêtement féminin. Bientôt, les silhouettes des journaux de mode de la capitale pénètrent dans leur atelier. Des couches rurales aisées, le modèle gagne les couches populaires en se simplifiant. Il se dessine manifestement chez les femmes une aspiration au changement et une volonté de valoriser la toilette, associées à la revendication du droit de s'aligner sur la ville, en rejetant les particularismes provinciaux. Le changement s'effectue enfin dans le sens d'une diversification de la garde-robe et d'un plus grand confort : l'usage des dessous se répand vers 1890, et il est d'abord le fait des jeunes. A la même époque, dans les campagnes largement ouvertes aux influences urbaines, comme dans le nord du Bassin parisien, les ruraux sont familiarisés avec le prêt-à-porter ; chaussures, costumes, pantalons de travail en velours, casquettes, robes, tabliers sont achetés sur les marchés et par correspondance. Chacun fait tout venir de Paris, constate avec aigreur le baron de France : « Nos paysannes écrivent au *Printemps* et au *Bon Marché* pour commander leurs vêtements. » Elles ont aussi la ressource de se rendre dans les magasins du bourg voisin. Avec un décalage chronologique, l'onde de choc de la révolution vestimentaire gagne le reste du pays ; entre les deux guerres, le paysan endimanché, guindé dans ses habits citadins — costume marine pour les hommes, robes imprimées et chapeaux à fleurs pour les femmes —, en est le symbole.

Des maisons exiguës, humides, faiblement éclairées et peu aérées, protégeant mal des intempéries et du froid, tel est le cadre de vie, dans les deux premiers tiers du XIXe siècle, d'une majorité de paysans qui s'entassent ordinairement dans une pièce unique au sol de terre battue. Cette salle commune est le lieu de convergence des activités familiales ; le mobilier y est souvent rudimentaire, fonctionnel ou plurifonctionnel ; ainsi le coffre contient des objets, sert de siège et de marchepied pour accéder à un lit surélevé par rapport au sol. Dans le Limousin, les habitations modestes n'ont qu'une table, deux bancs, un coffre, une maie, un lit. Les villageois plus aisés possèdent un bahut, surmonté parfois d'un vaisselier, une pendule et une armoire bourrée de linge, dont l'importance est partout signe d'aisance. La même différence existe pour la vaisselle : elle est en terre chez les journaliers du Beaujolais, en faïence chez les vignerons. Mais il y a aussi, au moins dans la première moitié du XIXe siècle, une population flottante, marginale, qui vit dans des abris sommaires, des huttes, des maisons abandonnées, délabrées : charbonniers, bûcherons, hommes des marais, familles de métayers expulsés comme celle de Jacquou le Croquant, personnes âgées. Dans les Hautes-Alpes, on signale au début de la Restauration un habitat troglodyte, tandis que, dans les Deux-Sèvres, l'homme des marais monte et démonte son logis en roseaux au gré des circonstances.

Sous une apparente variété, l'architecture de la maison rurale peut se réduire à quelques modèles fondamentaux qui n'excluent pas les nuances régionales. La maison-bloc à terre ou maison élémentaire, la plus commune, se compose d'une salle unique, dans laquelle hommes et bêtes peuvent cohabiter. A la limite, l'homme se case en surcharge, dans les espaces libres laissés par les animaux qui ont la priorité, comme on en a des exemples en montagne, mais aussi en Bretagne ou dans les Landes. A partir du modèle de base, la maison-bloc peut présenter une plus grande complexité, en particulier avec le prolongement du toit : maison basque qui groupe grange-étable, écurie et logis, maison du Bas-Quercy avec logis, étable, grange et pressoir, maison lorraine toute en profondeur avec le logis et la grange-étable. La maison en hauteur se caractérise par un escalier extérieur donnant accès au logis situé à l'étage et s'ouvrant sur une galerie. Elle est répandue dans tout le Sud-Est, une partie du Massif central et du Bassin aquitain, les pays de vignoble ; le chalet alpin appartient également à ce genre d'habitat, plus courant dans les régions où la place de la petite propriété est importante, où le morcellement du sol est intense. Les fermes peuvent enfin être divisées en plusieurs bâtiments du type maison-cour : « masure » cauchoise, ferme à cour ouverte flamande, ferme refermée sur une cour intérieure comme en Picardie, en Beauce ou dans le Kochersberg.

Qu'elles soient en ordre « serré », en ordre « lâche » ou dispersées, les maisons ont une structure apparente. Guidés par un souci d'économie, dépendants de moyens de transport mal adaptés à l'acheminement de pondéreux, enclavés dans leur village, les paysans ont utilisé les matériaux disponibles sur place. Nombre de constructions reflètent la dominante lithographique locale : granit de Bretagne, moellons de la Meuse, grès vosgien en Lorraine, calcaire grossier et meulière de l'Île-de-France. Les maisons en pisé sont très répandues, avec leur variante de luxe, la maison à colombage dans les régions où l'on peut associer bois et argile : Normandie, Alsace, Pays basque. Le toit de chaume est très commun en raison de son faible coût et de ses qualités thermiques. En 1856, il couvre 20 % des maisons, mais ce pourcentage est beaucoup plus élevé dans une zone allant de la Bretagne à la frontière belge, ainsi que dans les pays de métayage.

Dans la salle unique de cette ferme bretonne cohabitent porcs et famille. La mère, tout en filant, balance le berceau de l'enfant pour l'endormir. Dessin d'Olivier Perrin pour la Galerie des mœurs, usages et coutumes des Bretons d'Armorique, 1808.

Les couvertures minérales, comme les ardoises, sont également très employées en Bretagne ou dans les Ardennes. Dans le Dauphiné, en Lozère, on fait appel aux pierres plates, les « lauzes » ; mais en raison de leurs poids, ces couvertures exigent des murs épais et des charpentes à gros équarrissage ; cela favorise le développement de la tuile dont l'usage se généralise au XIXᵉ siècle : tuiles rondes dans le Midi sur des toits à faible pente, tuiles plates dans le Nord.

La diversité de l'habitat rural peut s'expliquer à certains égards par sa fonction économique d'atelier agricole, la dimension et la morphologie de l'édifice exprimant l'importance de l'exploitation et la nature du système cultural ; cette explication trop déterministe a été complétée par des analyses ethnologiques mettant l'accent sur les particularismes locaux. Mais surtout, la maison est un reflet du statut social, comme le montre la coexistence au sein d'un même village de différents types de constructions. En 1814, le préfet du Gers distingue quatre types d'habitations selon le niveau social de la population ; dans le Cambrésis, à la fin du XIXᵉ siècle, on trouve quatre types de maisons dans certains villages : celle du tisseur, du journalier, du ménager, du cultivateur ; le passage de l'une à l'autre est assimilé à un changement de statut social. En Alsace et en Artois, le paysan aisé habite une maison à cour fermée, l'ouvrier agricole une maison élémentaire ; dans le Mâconnais, à trois milieux sociaux correspondent trois habitats : maison de vigneron en hauteur, « cour » de grande exploitation, maison

Toit de lauzes, causse du Larzac.

bourgeoise ou à « girouettes » du notable. D'une façon générale, les maisons de propriétaires offrent entre elles des analogies transrégionales exprimant davantage l'unité d'un groupe social que d'un milieu géographique : aspect résidentiel, logement sur deux niveaux, fréquente disposition centrale du couloir et de l'escalier, jardin d'agrément — privilège de ceux qui ont les moyens de laisser une parcelle improductive. Quand, à la fin du XIXᵉ siècle, l'exode des notables s'amplifie et que certaines de leurs maisons passent aux mains d'exploitants moyens, ces acquisitions représentent une consécration sociale. Au même moment, la poussée de la construction en hauteur concrétise la réussite et l'ascension sociale, une maison à deux étages symbolisant, aux yeux des paysans, la demeure des couches privilégiées de la population. Reflet de l'environnement, l'habitat « doit à son caractère durable d'être un témoin privilégié de l'évolution sociale, avec des étapes successives d'aspects changeants et d'aspects persistants des genres de vie qui s'incarnent dans des formes bâties ».

La vétusté de l'habitat rural s'exprime dans des chiffres : en 1946, l'âge moyen des logements est de 120 ans dans le centre du Bassin parisien, le Nord-Est, les Alpes, d'une centaine d'années en Bretagne. Néanmoins, le patrimoine immobilier s'est lentement transformé, surtout entre 1870 et 1910. L'exode rural diminue le surpeuplement des maisons ; la révolution ferroviaire entraîne l'emploi plus général de matériaux de bonne qualité, grâce à une spectaculaire réduction du prix des transports ; l'enrichissement des campagnes, la croissance des revenus liée à l'expansion économique de la fin du XIXᵉ siècle, permettent d'envisager l'amélioration de la condition humaine après avoir privilégié celle des bêtes et de l'exploitation.

Le changement se traduit par une percée de la pierre et de la brique, au détriment du pisé et du bois. Les toitures en chaume reculent devant l'ardoise et plus encore la tuile, qui progresse dans tout le pays, notamment dans les départements septentrionaux. Les « nouveaux toits » limitent les risques d'incendie — le rôle dissuasif des compagnies d'assurances en ce qui concerne l'emploi du chaume est indéniable — mais libèrent aussi un espace utile pour emmagasiner davantage de récoltes ou pour récupérer les eaux de pluie, entraînant de sérieux progrès de l'hygiène, car, quand le puits était tari, on buvait l'eau souillée des mares. Le nombre des ouvertures augmente et on utilise le verre à vitre. La poussée de la construction en hauteur s'accompagne de la diffusion de la cave, utile pour conserver les pommes de terre et le vin. Parallèlement, l'intérieur du logis devient plus spacieux : on ajoute des chambres à l'étage ; on dort mieux, sommiers et matelas remplacent planches et paillasses. Entre les deux guerres, la maison avec cuisine-salle commune et une ou deux chambres est le modèle courant, en 1946 la moyenne est de 2,7 pièces par habitation. Au tournant du XXe siècle, l'une d'elles fait fonction de salle à manger-salon, « façade de la famille à l'usage du monde extérieur », où l'on met ce que l'on a de plus précieux. En outre, la diffusion du plâtre, en fin de siècle, permet de monter des cloisons et de faire des plafonds ; le carrelage et le dallage se substituent à la terre battue dans la cuisine et le parquetage fait son apparition dans la pièce d'apparat. Tandis que le poêle en fonte commence à se répandre dans les campagnes de la région parisienne en liaison avec les grandes expositions de 1867 et 1878, et qu'on le trouve dans le Pas-de-Calais vers 1895, la lampe à pétrole, dans sa suspension de porcelaine, devient le symbole du progrès. Partout, l'ameublement s'améliore : bahut, vaisselier, commode, armoire en fruitier ; les années 1860-1870 correspondent à l'âge d'or d'un artisanat rural à la technique parfaitement maîtrisée. Mais déjà vers 1900, se profilent les meubles modernes fabriqués industriellement : l'inévitable table de nuit en noyer, le buffet Henri II en chêne et l'armoire à glace, meubles qui viennent prendre leur place dans les nouvelles pièces.

L'évolution des conditions d'habitat est plus rapide aux environs des grandes villes et dans les régions facilement accessibles que dans les zones excentrées. D'où le décalage chronologique du progrès qui marque une pause entre les deux guerres et dont on mesure les limites. En 1940, le pourcentage d'habitations séculaires varie de 37 à 84 % selon les régions et tombe rarement en dessous de 45 %. Le parc immobilier s'est peu renouvelé depuis 1914. On vit sur l'acquis. La grande nouveauté, c'est l'électrification due au développement du réseau à partir de 1921. En 1946, 82 % des logements ont l'électricité, mais seulement 20 % d'entre eux disposent de l'eau courante et moins de 4 % du tout-à-l'égout. A cette date, les campagnes n'ont pas achevé leur longue marche vers le progrès.

Ferme à toit de chaume dans la Haute-Loire. Village de Moudeyres, vers 1950.

SOCIABILITÉS VILLAGEOISES

Homme d'un terroir, le paysan est aussi l'homme d'une communauté. Le village forme un microcosme social intégrant fortement l'individu ; chacun se connaît et vit sous le regard des autres. Fortes contraintes, mais aussi traditions de solidarité se mêlent, donnant naissance à une sociabilité campagnarde avec ses règles non écrites mais empreintes d'un conformisme strict.

Groupe domestique

Cette sociabilité s'organise d'abord autour du groupe parental dont la solidarité sous-tend les relations sociales à l'intérieur et hors du village. La spécificité du groupe s'exprime dans des cérémonies à caractère familial, où la communauté villageoise est prise à témoin. Deux cérémonies, le mariage et le baptême, concrétisent la vitalité et la continuité d'une famille. Par le biais du mariage, ouverture sur de nouveaux cousinages, s'étend le réseau des alliances ; dans le Châtillonnais, on dit : « On est proche de loin ». Au demeurant, le mariage peut être un « renchaînement d'alliance » entre deux familles auparavant alliées ; tout risque, tant économique que social, est alors évité. Les noces, où se resserrent et se renouent les liens familiaux, ont une fonction exemplaire, car elles permettent l'appariement judicieux des cavaliers et cavalières, principalement du couple d'honneur. L'usage de mettre ensemble les deux plus proches célibataires de chaque famille et de même niveau généalogique que les mariés, érigés en modèle, est une incitation à quitter le célibat dont le statut est très discriminant dans la société rurale. Dès la fin du XIXe siècle, la photographie de la noce, mémoire visuelle de la famille, trônant en bonne place dans la maison, donne la mesure de la parentèle. La disposition des parents, qu'on retrouve dans le cortège nuptial et lors du banquet autour des jeunes mariés, répond à un certain ordonnancement qui symbolise le poids familial dans les mécanismes de constitution du couple. Témoignages de leur pérennité au sein de la collectivité, la naissance et le baptême d'un enfant, surtout s'il s'agit d'un garçon, enracinent encore davantage l'alliance de deux familles. Le choix des parrains et marraines met en œuvre des stratégies complexes d'équilibre à maintenir entre chaque lignée.

Mais c'est à l'occasion du décès de l'un de ses membres que le groupe parental donne toute la mesure de sa solidarité. Chaque maison envoie au moins un représentant aux obsèques, en « mission officielle ». C'est en effet autour de la mort, et par le culte des morts, que le groupe familial se met le plus volontiers en représentation et que les rituels de sociabilité s'exercent le plus efficacement. Les derniers moments du mourant ne lui appartiennent pas. En Bretagne, et aussi ailleurs, la cérémonie de l'extrême-onction se déroule en public. Le défunt, dans ses meilleurs habits, placé sur un lit de parade, est présenté pour la dernière fois à la communauté ; il peut recevoir honorablement, tandis que la maîtresse de maison donne à boire et à manger au rythme des visites qui se succèdent. Quant au repas d'enterrement, il doit être convenable pour maintenir la réputation de la famille. La mort ne rompt pas les liens familiaux. A Minot dans le Châtillonnais, chaque « maison » possède son coin de cimetière où reposent plusieurs générations d'ascendants, de descendants et de collatéraux. Si mari et femme partagent une sépulture, l'un d'eux ne le doit qu'au titre d'allié, car les conjoints dont les familles ont leurs « portions » rejoignent chacun leur lignée : « On s'enterre en famille ». Comme la différenciation sociale apparaît dans la localisation

Au lavoir de Concarneau, les langues s'actionnent, aussi vives que les battoirs.

géographique et l'ornementation des monuments funéraires, il n'est pas faux de dire que « la géographie des morts reflète la morphologie de l'espace social des vivants ». A la Toussaint, la famille retrouve son unité autour des tombes de la « maison » ; c'est le retour éphémère mais obligé des parents de la diaspora, reçus par ceux qui sont restés au village et à qui incombe l'entretien de l'espace parental au cimetière. Ainsi, au travers des étapes de l'existence d'un individu, se maintient la conscience d'une commune appartenance.

Esprit de clocher et dévotions communes

A côté d'une sociabilité centrée sur le groupe parental et un ensemble de cousinages, d'alliances et de coteries, existe une sociabilité communautaire. Très vivante, parfois très pesante, elle intègre fortement l'individu et développe chez lui une sensibilité particulière, donnant naissance à « l'esprit de clocher ». Cette sociabilité communautaire a pour fondement le travail, clef de voûte d'une société où l'oisiveté n'a pas sa place. Nul exemple n'illustre mieux cette forme de sociabilité active à base utilitaire que celui des femmes. En dehors de l'entraide entre voisines lors d'un accouchement et de la messe, véritable « sortie », la plupart des réunions féminines s'organisent autour de tâches ménagères : rencontres près de la fontaine, du four communal ou encore au lavoir, au ruisseau, qui deviennent le siège d'un tribunal féminin improvisé où les langues s'actionnent, aussi vives que les battoirs. Deux ou trois fois par an, « les grandes lessives » sont l'occasion d'un vaste rassemblement qui rompt avec le quotidien ; elles durent trois jours, en Bretagne, et les femmes des villages des environs viennent prêter main-forte, à charge de revanche. Dans l'Aubrac, au début du XXe siècle, dans une importante exploitation, plus de trois cents draps sont lavés à la fois, ce qui mobilise une vingtaine de personnes. Dans les régions d'élevage du ver à soie, les femmes s'invitent pour décoconner, et c'est la fête, on sert café et biscuits. Les « covizés » de l'Auvergne sont de véritables assemblées de travail groupant en été, sur une placette ou dans une cour, les femmes d'un quartier : elles ravaudent du linge ou font de la dentelle tout en conversant.

La sociabilité communautaire transparaît tout au long des étapes qui rythment le calendrier agricole et s'exprime essentiellement en termes d'échanges de services. L'achèvement des grands cycles agraires s'accompagne de réjouissances collectives, manifestations obligées du savoir-vivre de celui qui a été aidé ; les plantureux repas de la batteuse ou des vendanges, véritables fêtes du travail, se déroulent dans une atmosphère de liesse. La mise à mort du cochon entraîne également tout un rituel. L'inexistence des techniques du froid oblige à consommer rapidement les morceaux périssables et l'on invite en conséquence des voisins et amis, à charge de revanche, bien entendu. Ces trippées, comme on les nomme dans le Pas-de-Calais, sont un des rares moments de la gastronomie campagnarde pendant lequel on mange de la viande à satiété.

Les veillées elles-mêmes ont une justification économique, nous l'avons vu. Veiller, c'est aussi économiser puisque plusieurs familles utilisent ensemble lumière et chaleur de l'une d'elles. Durant une bonne moitié du XIXe siècle, toujours par souci d'économie, car se chauffer devant l'âtre est un luxe, on recherche la chaleur animale ou naturelle en se groupant dans les étables, les bergeries ou, comme dans la Marne, dans les caves à vin creusées dans la craie.

Les activités laborieuses sont soutenues par les récits du conteur, dépositaire du folklore et de souvenirs, qui véhiculent une sagesse traditionnelle et perpétuent une culture nourrissant une réflexion commune fondée sur l'expérience des générations antérieures. Peu à peu, l'aspect festif de la veillée l'emporte sur les autres. On y joue aux cartes, on y danse. Avant l'apparition du bal du samedi soir et en attendant la saison des fêtes votives, vivier des mariages, la veillée est une occasion privilégiée pour la jeunesse de se rencontrer sous l'œil vigilant des commères. En ce sens, elle assure le rôle d'une agence matrimoniale ; elle a également une fonction d'intégration en rassemblant adultes, enfants et vieillards. Pourtant, vers 1880, le rythme des veillées s'espace et cette forme de rassemblement de la communauté se désagrège, signe du déclin de sa fonction productive, mais aussi de l'attrait grandissant du café, distraction totalement coupée de la vie professionnelle.

La crainte des fléaux naturels anéantissant récoltes et bétail, la peur des maladies invalidantes ont été pendant des siècles la hantise des paysans. Elles ont engendré une série de croyances, de dévotions dont certaines plongent leurs racines dans un passé parfois très reculé, mais qui ont été intégrées dans le cycle liturgique de l'Église. De là est née une religion populaire accordant une grande place au surnaturel. Il en découle une sociabilité de la ferveur, notamment dans les processions où la communauté villageoise est profondément soudée. Mais Dieu est loin et les saints, plus proches, sont des intercesseurs efficaces. Cette religion populaire épouse strictement le cycle agraire. Dans le Pas-de-Calais, elle se déroule de la Saint-Éloi d'hiver au mois d'août. Le 1er décembre, après une messe en l'honneur du saint patron protecteur des chevaux et de leurs utilisateurs, les animaux mangent du pain bénit afin d'être préservés des maladies, et on ne les fait pas travailler de la journée. Prières et processions de printemps ont pour but

La veillée villageoise. Gravure colorée, Lille, XIXe siècle. Paris, musée des Arts et Traditions populaires.

d'obtenir une croissance favorable des plantes et une bonne récolte ; en été, les processions ont un caractère plus pressant : il faut assurer une bonne moisson et la préserver.

Malgré la réserve de l'Église, la dévotion aux saints guérisseurs est profondément vécue par les paysans. Vers 1860, ces saints sont l'occasion d'une centaine de pèlerinages dans le Pas-de-Calais. Il arrive que les saints locaux soient de pures créations de l'imaginaire populaire ; en Saintonge, Saint-Pissoux guérit de l'incontinence urinaire et Saint-Lacolique des maux d'estomac. Dans le Limousin, le culte des « bonnes fontaines » est particulièrement vivace : on en dénombre 124 en Corrèze, 131 en Haute-Vienne, et un saint y est souvent associé. Les grands rassemblements bretons sont les pardons. Celui de Notre-Dame-de-Penhors est l'un des plus fréquentés et après la procession de l'après-midi règne une atmosphère de fête foraine ; fêtes profane et religieuse sont en effet imbriquées depuis des temps très reculés. Partout, les grandes fêtes populaires ont une connotation religieuse : kermesses de Flandre, ducasses du Nord, votos du Sud-Ouest. Face à ce mélange des genres, l'Église, d'abord conciliante, cherche à dissocier fêtes sacrées et fêtes profanes ; elle y parvient, non sans résistances, dans le dernier tiers du XIXe siècle. Mais, coupés des réjouissances populaires, les pèlerinages traditionnels sont menacés de déclin, d'autant que plus les hommes accédaient à la connaissance et maîtrisaient la nature, moins ils avaient besoin d'intercesseurs. En Sologne, Saint-Viâtre, guérisseur de la malaria, fut très atteint dans sa réputation par les travaux de drainage et l'usage grandissant de la quinine. Les progrès de la médecine vétérinaire, l'implantation de médecins font tomber en désuétude certains rituels de pèlerinages. A la magie se substitue la rationalité. Mais le phénomène est lent et se développe inégalement selon les régions, leur religiosité, leur indifférentisme, voire leur anticléricalisme.

Hommes, femmes et jeunes

La communauté villageoise sécrète d'autres formes de sociabilité, plus sélectives que les précédentes, qui se fondent sur un clivage des sexes et des générations. Face à une sociabilité féminine d'ordre strictement utilitaire, la sociabilité masculine prend des formes plus diversifiées. Elle peut s'inscrire dans des structures religieuses, l'idéal chrétien de piété et de charité animant de nombreuses confréries : Pénitents de Provence, Charités normandes, Charitables du Pas-de-Palais ; les statuts de ces associations, fréquemment composées de cultivateurs aisés, prévoient le service des morts et l'assistance aux malades. La sociabilité masculine a ses espaces comme la forge et, bien sûr, le cabaret et le café. Ces derniers deviennent de véritables lieux de plaisir, comme le note Mistral, « les paysans après souper vont faire leur partie de billard, de manille ou d'un autre jeu de cartes quelconque ». Condamnés par les notables et tenus en suspicion par les pouvoirs publics jusque sous la Troisième République, les cafés sont étroitement surveillés. Ce sont en effet des lieux de contact privilégiés entre population sédentaire et population mouvante, entre paysans, rouliers et colporteurs, où l'information circule par le canal oral, les journaux et les libelles séditieux, où, la boisson aidant, les esprits s'échauffent et en viennent inévitablement à devenir critiques. C'est donc tout naturellement que, plus tard, les candidats députés y installeront leurs permanences. Finalement, par bien des côtés, la sociabilité masculine des cabarets, ouverture sur la société globale, s'oppose à la sociabilité familiale des veillées, symbole du repliement paysan. On pourrait évoquer, pour le Midi méditerranéen, une forme populaire du cercle bourgeois, la chambrée instituée par un groupe d'hommes qui se connaissent et se choisissent pour passer ensemble leurs loisirs. On n'en dénombre pas moins de 707 dans le Var, en 1836, et il en existe parfois plusieurs par village. Écoles de civilité et de civisme, perméables aux influences idéologiques de la bourgeoisie et ouvertes aux nouveautés, elles deviennent des foyers d'intense discussion politique au début de la Troisième République, avant de se fondre dans les cafés ou d'être éliminées par les associations sportives ou syndicales.

Somme toute, à une « sociabilité féminine, exclusive des hommes, inscrite dans l'espace villageois et organisée autour des éléments, eau, fil, correspond une sociabilité masculine autour du feu et de l'alcool ». Même dichotomie dans le discours : « A elles le familial, le sexuel, à eux le social, le public, le technique, l'économique, le politique. »

Au groupe des jeunes est laissé le champ des réjouissances de la communauté : fêtes locales, carnaval, parades en l'honneur d'un membre de la hiérarchie politique ou religieuse, plus tard 14 Juillet, mais aussi fêtes de la jeunesse, Saint-Nicolas, Sainte-Catherine, banquet des conscrits où, à la fin du XIXe siècle, sont invitées les filles de même âge, ce qui établit tout au long de la vie la solidarité des âges, soulignée par le langage : c'est mon conscrit, c'est ma conscrite. De plus, ils sont les ordonnateurs des rituels d'intégration et de passage : parodie d'enterrement de la vie de garçon en Vivarais, cérémonial de la jarretière dérobée à la mariée marquant le droit des jeunes sur l'épousée, irruption dans la chambre nuptiale, où l'on fait boire aux époux un breuvage épicé ou vinaigré afin de renouveler leurs ardeurs. Mais la jeunesse exerce aussi une fonction de censure qui s'exprime surtout à propos des cas de déviance, dans les rituels de charivari, façon de punir par le vacarme, la chanson satirique, les jonchées injurieuses, les contrevenants à la morale communautaire. L'homme âgé épousant une jeune fille ou le contraire — « jeune gars, vieille guenon, mariage de démon », dit un proverbe normand —, le remariage de veufs ou de veuves, mal vu, car les vieux garçons

Costume paysan des environs de Douarnenez. Aquarelle d'Hippolyte Lalaisse (1812-1884).

Courbet : Les Cribleuses de blé, *1855, fragment. Nantes, musée des Beaux-Arts.*

et les veufs n'ont pas à concurrencer les jeunes, l'union d'adultérins notoires après la mort du conjoint, un remariage trop précoce, la différence de statut social entre l'homme et la femme considérée comme une remise en cause de la communauté, sont autant de singularités qui doivent être sanctionnées. Le mariage avec un étranger, transgression de la règle de l'endogamie, est aussi une atteinte à la communauté des jeunes, soit que la fille quitte le village, soit que l'homme se marie « en gendre », ce qui risque de faire passer le bien en des mains étrangères. Les relations entre époux n'échappent pas non plus à la vigilance des jeunes. L'adultère féminin, la femme dominatrice sont l'objet de sanctions. L'asouade consiste à promener le mari battu sur un âne monté à l'envers, et symbolise le renversement de l'ordre établi ; il en est de même quand la femme domine l'homme sur le plan sexuel : quand « la poule chante plus haut que le coq ». En Bourgogne sévit un charivari à l'encontre du maître exploiteur qui met à la charrue un garçon non « avoyé », c'est-à-dire qui n'a pas encore mué ; le matin, le mauvais maître peut trouver un jeune poulet attaché aux mancherons de la charrue, allusion directe à l'abus incriminé. Enfin, un boycottage très efficace est organisé contre les patrons « doguins » qui ne trouvent plus ni auxiliaire, ni commis. La communauté des jeunes joue alors le rôle d'un syndicat, et les coutumes tiennent lieu de réglementation du travail. Les jeunes sont également dépositaires de la violence communautaire, garante de la protection du territoire communal et des droits collectifs contre les villages voisins. De rudes affrontements ont pu cristalliser une hostilité tenace entre habitants de communes voisines. Sobriquets, échanges d'injures, bagarres, comportement brutal lors de compétitions sportives sont l'héritage édulcoré de conflits lointains, à demi oubliés, de querelles de clocher, de procès et de luttes pour l'usage des eaux, des bois ou des pâturages.

Cette délégation d'autorité à une jeunesse investie d'une série de missions sociales n'est-elle pas, cependant, une soupape pour canaliser son agressivité et désarmer des revendications autrement dangereuses pour l'équilibre de la collectivité villageoise que ces défoulements bruyants ? N'est-ce pas une compensation à son exclusion du véritable pouvoir, le pouvoir économique accaparé par les chefs de ménage qui confisquent son travail au bénéfice exclusif de l'exploitation sur laquelle les jeunes, éternels mineurs, n'ont aucun droit de regard ?

A la fin du XIXᵉ siècle, le déclin des formes traditionnelles de sociabilité est devenu visible dans bien des campagnes françaises. Les cérémonies officielles entrent en compétition avec les fêtes locales ; le 14 Juillet, marqué par un banquet, un bal, des illuminations, un feu d'artifice et un défilé animé par la clique et les pompiers, remplace la procession religieuse supprimée par les municipalités républicaines. L'influence de la ville favorise le processus de désagrégation de l'ancienne sociabilité, indirectement en vidant les villages d'une partie de leur jeunesse, directement par la diffusion de modèles urbains de loisir dont les promenades à vélo, le football, le bal-dancing, le café et plus tard le cinéma sont les meilleurs exemples. Conservatoire de traditions et de rituels dont la signification finit par échapper au plus grand nombre, le village, sous l'influence de ses éléments les plus dynamiques, ne s'en ouvre pas moins largement à une nouvelle sociabilité. Rappelons cependant que, si le XIXᵉ siècle a vu le plein épanouissement de la solidarité et de la cohérence villageoises, elles ne doivent pas masquer les tensions internes. Rivalités familiales, atteintes à la réputation, agressions contre le patrimoine, querelles d'intérêts sont source de conflits, et nourrissent des haines et des ressentiments durables, dans un monde qui reste encore trop replié sur lui-même, et dans lequel le recours à la violence n'est pas exceptionnel. C'est la face cachée de la sociabilité villageoise.

Sociabilité masculine : la partie de cartes dans un café de Seine-et-Marne, vers 1950.

HIÉRARCHIES ET POUVOIRS

Hiérarchies et propriété

Si les formes de la production et l'organisation du travail agricole peuvent entraîner une relative uniformisation des conditions d'existence, si la sociabilité semble effacer les distances sociales, si l'usage du patois parlé indistinctement par tous les éléments de la société paysanne crée une connivence et une solidarité par rapport au hors groupe, ils ne doivent pas masquer pour autant la réalité d'une hiérarchie fortement perçue par les ruraux. Elle repose sur la maîtrise des moyens de production, en l'occurrence sur la terre, valeur symbole dans cette société du XIXᵉ siècle. C'est si vrai que le critère adopté par les grandes enquêtes agricoles en 1862, 1882 et 1892 repose sur la distinction entre propriétaires et non-propriétaires. Le tableau ci-contre indique les chiffres pour 1862.

De fait, le contrôle du sol confère un triple pouvoir : économique, social et politique, surtout durant la période du suffrage censitaire. Ce sont donc les rapports économiques et juridiques des hommes producteurs à la terre, force productive, qui éclairent les composantes et la hiérarchie de la société rurale. C'est autour de la possession de la

Propriétaires		3 799 759
cultivant exclusivement leurs biens		1 812 573
cultivant leurs biens et travaillant comme : fermiers		648 836
	métayers	203 860
	journaliers	1 134 490
Non-propriétaires		3 563 306
Régisseurs		10 215
Fermiers		386 533
Métayers		201 527
Journaliers		869 254
Domestiques		2 095 777

terre que se nouent les relations, les réseaux de dépendance entre individus, que naissent les tensions et les antagonismes.

Les propriétaires-rentiers du sol, dont les revenus sont constitués par le prélèvement de la rente foncière sur la communauté villageoise, représentent un groupe privilégié de nobles et de roturiers, membres de la bourgeoisie urbaine et rurale. Ils incarnent un idéal auquel aspirent les plus aisés des paysans. Un patriciat foncier, à la tête de propriétés dépassant plusieurs centaines d'hectares, donne le ton ; il a un pouvoir le plus souvent hérité, comme le nom et la fortune, bénéficie d'une tradition familiale concrétisée par le château et le réseau de parentèle ; bref, il dispose d'un capital social. Même si certains de ses membres entretiennent des rapports de familiarité avec les villageois, tout les sépare de la population. Au-dessous de ces personnages importants s'affirme tout un groupe de petits notables, propriétaires de quelques dizaines d'hectares, venus d'horizons très divers : membres des professions libérales, officiers retraités, propriétaires vivant sur leurs terres, « demi-bourgeois restés établis au village », comme Frédéric Mistral. Ce sont les « Messieurs ». Ils sont allés au collège et affichent leur statut social en portant redingote et chapeau noir, mais ils continuent à parler familièrement patois avec les paysans. Rejetés dans l'ombre par les plus riches et les plus en vue, leur influence n'est pas négligeable dans la mesure où leurs fonctions de maire, de juge de paix, de délégué cantonal inspirent crainte et respect.

Formant le gros des bataillons de la population agricole, propriétaires-cultivateurs, fermiers, métayers ont en commun la direction et la mise en valeur de l'exploitation. Si on se réfère au recensement de 1851, et en ne tenant compte que de la population masculine adulte, on obtient : 35,7 % de propriétaires-exploitants, 13 % de fermiers, 7 % de métayers et 44,3 % de salariés. En réalité, la distance sociale est considérable entre le gros fermier ou le grand propriétaire-exploitant de Beauce ou de Picardie, et le petit viticulteur du Midi ou le métayer misérable des Landes ou du Bourbonnais.

Dans le Pas-de-Calais, les capitaines d'agriculture assoient leur puissance sur une activité à la fois agricole et industrielle. C'est le cas de Guislain Decrombecque, surnommé le Premier agriculteur de France, qui remporte le premier prix à l'Exposition universelle de 1867 à Billancourt. En 1868, outre sa ferme de 450 hectares produisant céréales, plantes fourragères, betteraves et engraissant annuellement 700 têtes de gros bétail, il possède une brasserie, une sucrerie, une distillerie, une raffinerie, un gazomètre, une boucherie, un four à chaux, une briqueterie, une fabrique d'acide, un atelier de maréchal-ferrant, un atelier de charron, un moulin à farine, un moulin au noir animal ; il emploie plus de 300 personnes. Déjà en 1835, l'agriculture industrielle était

La visite de « Notre maîtresse » à ses fermiers. Lithographie d'Eugène Lami, milieu du XIXᵉ siècle.

parvenue à sa plus haute expression sur les vastes exploitations de Crespel-Dellisse, propriétaire de 9 sucreries et de 11 domaines agricoles répartis sur quatre départements du Nord. En 1849, les 7 fermes du Pas-de-Calais, d'une étendue de 1 209 hectares, fournissent blé et betteraves, et comptent 2 918 bêtes ; elles disposent d'un matériel ultramoderne. Dans le Soissonnais, le Multien, le Valois, de grands fermiers issus d'anciennes familles de laboureurs, tels les Ferté détenant 17 fermes d'une superficie de 5 300 hectares, contrôlent le pays. Alliés les uns aux autres par des mariages, ils forment un milieu homogène et cohérent. On peut en dire autant des gros herbagers du Cotentin. Ces gentlemen-farmers, anciens élèves d'une école d'agriculture, ne travaillent pas manuellement, vivent dans une maison spacieuse, confortable, séparée des logements des domestiques, et mettent leurs enfants dans des pensions privées. Parfaitement au courant de l'évolution des marchés et des techniques, ce sont des expérimentateurs servant de modèles à leurs concitoyens. Leur ouverture d'esprit, leur compétence, leurs capacités de producteurs liées à leurs grandes possibilités d'investissement expliquent qu'ils dirigent leurs fermes selon les principes de la rationalité économique. Riche héritage, stratégie matrimoniale, savoir technique leur permettent de concentrer des pouvoirs sociaux, économiques, politiques à travers les sociétés d'agriculture, les syndicats et les mandats de maire, de conseiller d'arrondissement, de conseiller général.

L'influence des gros exploitants n'est pas à la mesure de leur importance numérique et, en fait, c'est la masse des petits et moyens cultivateurs qui modèle le paysage social des campagnes françaises. A vrai dire, entre eux, les limites sont floues et varient avec le type de culture pratiquée : 10 hectares de vignes, d'herbages ou de céréales ne représentent pas des réalités sociales équivalentes. Néanmoins, tous jouissent d'une indépendance économique de principe puisque, en année normale, ils vivent des seuls fruits de l'exploitation. Les bricoliers de Brie cultivent 15 à 20 hectares, avec un attelage de deux à trois chevaux ; sur 12 à 40 hectares, les domaniers du Massif central utilisent deux à six paires de bœufs, tandis que dans le Roussillon, les pagès mettent en valeur de 5 à 40 hectares.

Entre ces exploitants indépendants et le prolétariat agricole, on trouve une catégorie d'individus qui, faute de posséder une exploitation de taille suffisante pour en vivre, sont obligés d'avoir une activité de complément. Généralement issus de la plèbe rurale, ce sont parfois aussi des cadets de famille écartés au moment de la succession de la direction de la ferme paternelle et ayant acheté un lopin de terre, noyau d'une future exploitation. Ce groupe d'exploitants, salariés à temps partiel, est hétérogène dans la mesure où certains participent des catégories inférieures, alors qu'un plus petit nombre a décollé et est engagé dans un processus d'ascension sociale menant à l'indépendance économique. Ainsi, le ménager picard ou artésien, insuffisamment pourvu, est contraint de s'embaucher dans une ferme à la journée ; ne possédant ni chevaux, ni assez de matériel agricole, il recourt aux services de son employeur. Dans le Pas-de-Calais, entre 1851 et 1911, un tiers des ménagers parviennent à s'intégrer au monde des petits cultivateurs ; en revanche, 20 % retombent au rang de journaliers, preuve de la précarité de leur position. La situation des loueurs de locaterie du Bourbonnais est inférieure à celle des métayers ; affermant 2 ou 3 hectares, possédant deux ou trois vaches, ils recherchent les travaux saisonniers apportant un complément de ressources et sont toujours à la merci d'une résiliation de leur location. Plus dépendants encore, les estivandiers, solatiers ou métiviers du Midi aquitain sont liés par un contrat annuel. Dès que le

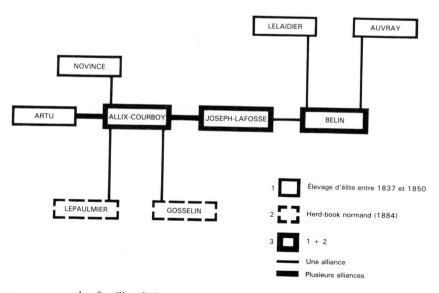

Alliances entre grandes familles d'éleveurs du Cotentin (1800-1900). D'après Alain Guillemain, « Le pouvoir et l'innovation », Les Notables de la Manche et le développement de l'agriculture, thèse dactyl., 1980, p. 365.

maître du domaine a besoin de leurs bras, ils doivent se mettre à sa disposition avec femme et enfants. Propriétaires de leur logis et de quelques quartiers de terre, ils reçoivent des parcelles de maïs à cultiver dont ils partagent le produit avec le patron.

Le groupe des salariés à plein temps se décompose en personnel d'encadrement et d'exécution. Régisseurs, chefs de culture, forcément peu nombreux, assument une fonction de direction technique. Adjoints de l'exploitant dans les grandes fermes capitalistes, leur responsabilité est plus étendue lorsqu'un propriétaire absentéiste leur donne la gestion d'un domaine dont il se contente de toucher le revenu. Bien représenté en Bretagne, au sud de la Loire, fréquent dans le Midi, un groupe beaucoup plus étoffé, celui des maîtres-valets, grangers et autres gagés, se voit confier des attributions d'une nature différente. Le gagé du Beaujolais est responsable d'un vigneronnage. Comme un vigneron, il dirige l'exploitation mais, contrairement à ce dernier, les frais de culture ne sont pas à sa charge ; il reçoit un salaire fixe et du vin pour sa consommation familiale. Le bayle du Gard, le ramonet du Biterrois, le païre du Montpellierais, autant de noms de pays pour désigner le maître-travailleur ou le maître-valet, dont le statut social dans la hiérarchie villageoise est proche de celui du métayer. Il doit travailler au profit du propriétaire, moyennant des gages en argent et en nature. Le maître fournit les semences, surveille les travaux, paie en cas de besoin les ouvriers supplémentaires et prend la totalité de la récolte.

Travaillant à plein temps sur le domaine, les domestiques qu'on recrute à l'année dans les louées, où chacun d'eux porte les marques distinctives de sa spécialité, constituent un monde hiérarchisé où l'on fait carrière selon un cursus qui se déroule de l'enfance à la vieillesse. L'expérience, le savoir-faire, la force déterminent le passage d'un stade à l'autre. Cette hiérarchie varie selon l'importance de la ferme, la nature de ses activités, et repose sur une distinction entre domestiques qualifiés et non qualifiés. D'une façon générale, la responsabilité du cheptel vif confère une prééminence à ceux qui en ont la responsabilité, comme les vachers et les bergers. Dans les grosses exploitations, le premier valet ou grand valet a le pas sur les charretiers, les valets de charrue et les valets de cour. C'est un personnage, expert dans son métier, capable de diriger les autres, et par conséquent traité avec égard par tous. Dans le Var, un système non codifié de promotion interne permet aux meilleurs ouvriers, remarqués pour leur assiduité et leur compétence, d'accéder aux fonctions de maître-vigneron ayant sous ses ordres une dizaine de salariés. Dans les milieux populaires à famille nombreuse, les enfants sont mis en service le plus tôt possible. C'est la promesse de quelques sous et la perspective d'avoir une bouche de moins à nourrir. En Beauce, après la première communion, ces « vaque à tout » aident l'un ou l'autre dans leur tâche, jusqu'à 16 ou 17 ans, l'âge d'« aller en charrue ». Partout, leur condition est très dure : rudoyés et maltraités par les maîtres, ils subissent de surcroît les brimades des domestiques. La hiérarchie féminine est beaucoup plus écrasée, car les travaux dans lesquels les femmes sont cantonnées n'exigent ni initiative, ni savoir-faire. Ordinairement, elles sont servantes de cour, après avoir quelquefois commencé par garder les oies, puis les moutons, enfin les vaches ; au mieux, elles sont servantes de maison. A la différence des domestiques attachés à l'exploitation et bénéficiant d'une sécurité alimentaire précieuse en période de haut prix du pain, les manouvriers quêtent en permanence le travail et sont soumis à un dur chômage saisonnier. L'exemple de Gilbert Cloquet, héros du *Blé qui lève* de René Bazin, est typique. Réputé bon ouvrier, il peut tabler sur une cinquantaine de journées de travail en forêt, du 15 novembre au milieu du mois de mars. En avril, il se loue dans les fermes pour le labour de printemps, mais c'est un mois mal rétribué. En mai, il retourne dans les bois pour l'abattage et l'écorçage des baliveaux de chêne. Puis viennent les semaines d'intense activité, récolte de foin en juin, celles de blé et d'avoine en juillet-août. Ensuite, c'est le repos forcé. « Et en cherchant et en se proposant çà et là pour la récolte des pommes de terre et les semailles d'automne, il gagne la Toussaint, saison où il s'enfonce de nouveau dans les bois. Souvent il doit faire trois ou quatre kilomètres matin et soir pour gagner le chantier et en revenir. »

Évoquons brièvement les artisans, les commerçants intimement mêlés à la population agricole dont ils ne se distinguent pas toujours, menant parfois de front leur activité professionnelle et la mise en valeur d'une petite exploitation. Au milieu du XIXe siècle, dans le Pas-de-Calais, mais il serait aisé d'extrapoler, ils se répartissent en trois niveaux reflétant les besoins économiques des campagnes. Dans 60 % des communes figure un premier groupe avec les cabaretiers, maréchaux, cordonniers, charrons, meuniers, maçons, charpentiers. Un second groupe de métiers a une implantation de 30 à 60 % : celui des tailleurs, épiciers, tonneliers, menuisiers, bourreliers, brasseurs ; enfin, le troisième ensemble se situe en dessous du seuil des 30 % et recouvre toutes les autres activités, comme les boulangers, bouchers, couvreurs, voituriers, etc.

✳

De l'inégale répartition du sol découlent les rapports entre groupes sociaux. Face à une masse de défavorisés qui possèdent peu, un noyau de « gros » qui accaparent beaucoup fait la loi. Le rentier du sol occupe une position de force vis-à-vis des quêteurs de terre, particulièrement nombreux en période de surcharge démographique. Le contrat de bail est la pierre de touche des relations entre propriétaire et fermier dont les intérêts divergent par définition. Entre 1850 et 1880, époque de haute conjoncture et d'expansion économique, le propriétaire est gagnant. La vive compétition pour la terre et l'espoir de profits accrus incitent les fermiers, notamment ceux engagés dans les nouvelles structures de production, à accepter les hausses de loyer lors du renouvellement de leur bail, avec un effet d'entraînement dans les régions où l'archaïsme des systèmes culturaux domine encore largement. Par le biais du contrat de location, pouvant contenir toute une série de clauses restrictives — interdiction de dessoler, maintien de la jachère —, le propriétaire pèse aussi sur le devenir économique de l'entreprise. Aux yeux des bailleurs, ces diverses obligations sont des précautions indispensables pour protéger leur capital foncier contre la tentation des fermiers de tirer le maximum du sol avec le minimum d'investissement, notamment d'engrais, en fin de location, dans l'incertitude qu'ils sont d'être reconduits dans le domaine. Les contraintes sont encore plus strictes dans le système du métayage qui fait participer le propriétaire aux profits de l'exploitation, le métayer lui abandonnant la moitié au moins des fruits de son travail. En outre, dans les monts du Lyonnais, le métayer doit approvisionner la table du maître, tant à la ville qu'à la campagne, transporter les meubles d'une maison à l'autre, entretenir le parc, envoyer sa femme faire les gros ménages. L'exemple le plus achevé de la dépendance du métayer est celui du Bourbonnais, où de nombreux propriétaires absentéistes ont transféré leur autorité à des fermiers généraux qui en usent largement. La situation de ces métayers s'est détériorée, car la superficie disponible pour chacun s'est considérablement réduite, leur nombre passant de 8 000 au début du XIXe siècle à 17 000 entre 1870 et 1914, et la brièveté des baux — un an — constitue une menace permanente. Ils sont soumis à de nombreuses obligations et servitudes rappelant les injustices de l'Ancien Régime : impôt colonique, à la fois loyer et participation à l'impôt foncier, servines évoquant le champart, charrois pour l'entretien des chemins et des bâtiments, labours sur la réserve du maître. Le non-respect des clauses est sanctionné par des amendes ; on y ajoute parfois l'interdiction de braconner, de chasser

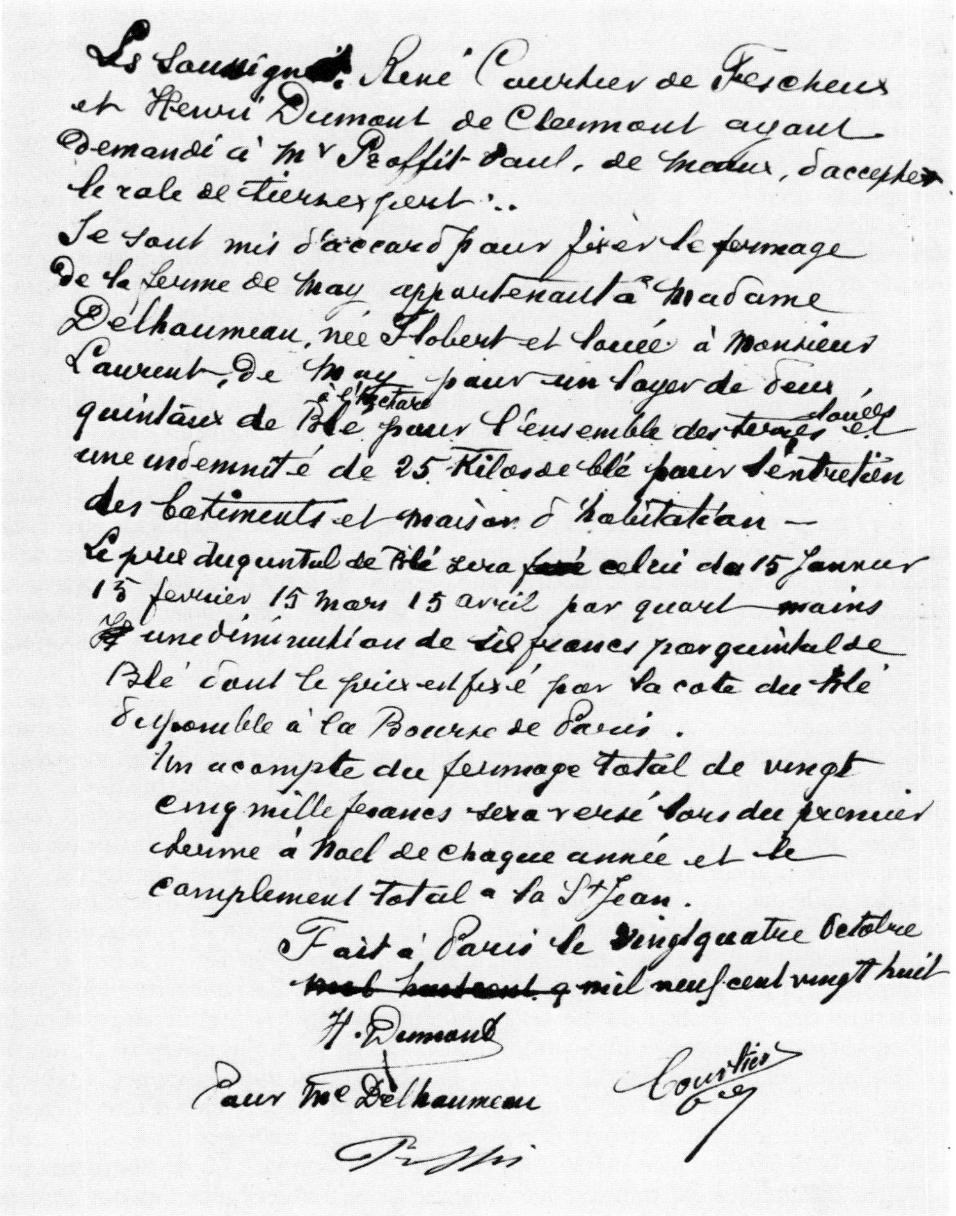

Les Soussignés René Courtier de Fescheux et Henri Dumont de Clermont ayant demandé à Mr Proffit-Paul, de Meaux, d'accepter le rôle de tiersexpert...

Se sont mis d'accord pour fixer le fermage de la ferme de May, appartenant à Madame Delhoumeau, née Flobert et louée à Monsieur Laurent, de May, pour un loyer de deux quintaux de Blé à l'Hectare pour l'ensemble des terres louées et une indemnité de 25 Kilos de blé pour l'entretien des bâtiments et maison d'habitation —

Le prix du quintal de Blé sera fixé celui du 15 Janvier 15 février 15 mars 15 avril par quart moins une diminution de dix francs par quintal de Blé dont le prix est fixé par la cote du Blé déjà emblé à la Bourse de Paris.

Un acompte du fermage total de vingt cinq mille francs sera versé dans les premiers termes à Noel de chaque année et le complément total à la St Jean.

Fait à Paris le vingtquatre Octobre mil huit cent q mil neuf cent vingt huit

H. Dumont

Pour Me Delhoumeau

Proffit

Courtier

Un contrat de fermage, signé le 24 octobre 1928. Le loyer est payé en quintaux de blé.

ou de pêcher, de ramasser du bois mort sans permission du maître qui s'arroge le droit de venir surveiller le dimanche la composition des repas. Le métayer n'est donc pas un associé, selon les vues des doctrinaires du catholicisme social, mais un simple travailleur manuel sans initiative.

Il arrive souvent que la location des terres s'inscrit dans les structures de l'exploitation familiale, car de nombreux petits propriétaires sont obligés de louer quelques hectares en raison de l'insuffisance de leur bien. En 1834, le marquis d'Havrincourt afferme 240 hectares à 236 exploitants artésiens, et le marquis de Caussans, dans le Vaucluse, donne en location, jusqu'en 1880, une partie de ses terres à une cinquantaine de fermiers. Un rentier du sol peut ainsi, en louant par petits lots, consolider son influence, se constituer une clientèle lui donnant un pouvoir social à la mesure de son domaine. Si des relations de confiance peuvent s'établir entre propriétaires et exploitants, comme le prouve la succession de dynasties de fermiers et de métayers sur le même domaine, les bailleurs sont tentés de tirer avantage de la situation quand une vive concurrence entre locataires impose une sélection parmi les candidats. Le propriétaire peut se permettre de faire monter les enchères, voire d'augmenter le fermier en place ou même le renvoyer s'il trouve mieux. Dans la logique de ce système, le régisseur d'un grand domaine viticole proche de Cavaillon divisé en onze fermes peut écrire à son maître, en 1925 : « Nous avons plusieurs excellents fermiers que nous tenons en haleine. » Le rôle de bailleur de fonds renforce encore le pouvoir des rentiers du sol. A Minot, en Côte-d'Or, l'ancien notaire Villerey, à la tête de 118 hectares en 1866, prête de petites sommes les mauvaises années à des cultivateurs en difficulté, ce qui favorise ses ambitions d'homme public. En 1851, dans le Pas-de-Calais, les propriétaires représentent 40 % des prêteurs, les cultivateurs et les ménagers 64 % des emprunteurs. L'endettement des paysans est une plaie des campagnes françaises au XIXe siècle, comme le révèle l'exemple du vigneron du Beaujolais : dans la première moitié du XIXe siècle, il doit faire face à des charges si lourdes qu'il ne peut les assumer qu'en demandant des avances au propriétaire ; en cas de mauvaise récolte ou de mévente, il « commence une nouvelle année avec un endettement de plusieurs centaines de francs, dont il ne se libérera jamais », et qui l'attache à son vigneronnage ou le réduit à l'état de tâcheron non payé que le propriétaire emploie à sa convenance. Lors des crises viticoles de 1880, 1892 et 1900-1907 ce processus d'endettement réapparaîtra.

Pouvoirs et clientèles

En l'absence de perspective d'emploi dans les secteurs secondaire et tertiaire, la dépendance économique du prolétariat rural est entière. Une forte concurrence pour l'embauche pèse sur les salaires et les gages. Le salaire réel du journalier normand fléchit de l'indice 100 en 1813 à l'indice 92 en 1840. En cas de récolte déficitaire, la flambée du prix du pain pénalise rudement le manouvrier ; il doit demander des avances de grain au patron qui se fait payer au prix du marché, c'est-à-dire au prix fort. Il en résulte un endettement pour plusieurs années et une sujétion accrue. La hantise des travailleurs de la terre est celle de la vieillesse, car le maître n'est pas en peine d'embauche si leurs forces les abandonnent. Ils deviennent alors « chercheurs de pain », la mendicité étant souvent la seule issue. A la veille de la guerre de 1914 en Bretagne, dans le Pays gallo, les tâcherons âgés passent à intervalle régulier dans les fermes où ils ont travaillé, et « trouvent naturel de mendier contre la récompense de leurs quarante ou cinquante ans de travail [...]. Chaque famille de cultivateur aisé donne son pain avec ses légumes à son pauvre attitré ». Bienheureux ceux qui peuvent s'employer tant qu'il leur reste des forces, comme dans l'Allier où des journaliers de 70 ans battent encore au fléau. La transformation des systèmes culturaux, la modification de l'outillage ou la mécanisation se répercutent sur les possibilités d'embauche. En Normandie, le couchage systématique des labours en herbe pèse sur l'emploi. Dans le Vermandois, le remplacement, vers 1830, de la faucille par la serpe et la faux entraîne la diminution du nombre des moissonneurs. La diffusion des faucheuses ou des moissonneuses est encore une façon de peser sur les salaires des ouvriers.

Bénéficiant d'une relative sécurité de l'emploi, le domestique de ferme est traité en éternel mineur. Nourri, logé, il vit en vase clos dans l'entière dépendance du maître, sous son étroit contrôle, et ne peut même pas disposer librement de son argent, dont son patron est souvent le dépositaire, sinon le gestionnaire. Comme le montre l'excellente analyse de P.-J. Hélias dans *Le Cheval d'orgueil*, la vie des domestiques est transparente, « publique ». La puissance des grands exploitants débouche sur un encadrement idéologique ; selon le journal radical-socialiste *Le Briard*, en 1906 : « Il y a certaines fermes où l'ouvrier n'est pas libre de lire le journal qui lui convient si ce journal n'est pas d'opinion réactionnaire. Et pendant la période électorale les grands fermiers ne se gênent pas pour faire pression sur les ouvriers. »

La taille des exploitations est susceptible de modifier la nature et la qualité des relations entre patrons et ouvriers. Dans les zones de grande culture du Bassin parisien, surtout à partir de 1840, les gros fermiers mènent une offensive pour supprimer les droits collectifs — vaine pâture, usage des communaux — indispensable aux masses populaires rurales. Malgré de sérieuses résistances, le mouvement est très avancé dans le dernier tiers du XIXᵉ siècle. Réduits à leur seule dimension, les lopins des ouvriers ne leur permettent plus de vivre, et le nombre des journaliers-propriétaires diminue rapidement : dans l'Oise, il passe de 11 381 en 1862 à 6 641 en 1892 et à 3 300 en 1912 ; en Seine-et-Marne, les effectifs tombent de 60 % en 1862 à 31 % en 1912. Le développement du machinisme accélère le processus de formation d'un authentique prolétariat. L'ouvrier, logé gratuitement dans une des maisons du village appartenant à la ferme, est contraint de la quitter s'il est renvoyé. Le recours aux immigrés achève la destructuration du milieu populaire villageois. En Seine-et-Marne, le pourcentage de travailleurs nés hors du département passe de 15 % en 1861 à 33 % en 1911 et à 45 % en 1931 ; d'abord Français des régions agricoles pauvres, ils viennent ensuite de Belgique, puis de Pologne. Finalement, on en arrive à un extrême schématisme des relations sociales. L'ouvrier agricole micropropriétaire ou artisan disparaît, tandis que se retrouvent face à face les grands exploitants et une masse ouvrière indifférenciée. En revanche, dans les petites et moyennes exploitations, le travail continue à se faire en commun, la distance sociale s'abolit dans la besogne, les rapports restent plus familiers.

Face au pouvoir du propriétaire foncier et du gros exploitant, une résistance passive ou active peut se manifester, mais les acquis ne sont jamais définitifs. L'absentéisme est préjudiciable au pouvoir du propriétaire ; le fermier peut faire preuve de mauvais vouloir pour payer son loyer et, par son inertie, est finalement gagnant, malgré le recours éventuel à des mesures coercitives. La gestion lointaine profite aussi au métayer, si le régisseur est tenté d'exploiter sa position pour tromper son employeur. Une nécessaire complicité se noue alors avec le locataire qui parvient à duper le maître en trichant sur les livraisons. La crise économique de la fin du XIXᵉ siècle met durablement le propriétaire sur la défensive ; elle conforte en revanche la position du fermier, désormais capable d'imposer ses prétentions. Il réclame une baisse du loyer ou menace d'abandonner l'exploitation ; si le rentier du sol refuse, il doit se résigner à subir la

Laborieux jusqu'au bout. Village de Craponne, Haute-Loire, vers 1950.

« grève du fermier », comme on l'appelle en Normandie : il ne trouve plus de preneur. La rente foncière subit donc une baisse inéluctable, de 30 % en Normandie, de 35 à 50 % dans le Pas-de-Calais. Entre les deux guerres, le fermier est encore gagnant, il profite doublement de l'inflation : comme preneur en raison de la durée du bail, comme producteur et comme vendeur grâce à la hausse des prix. Les propriétaires s'efforcent de remédier à l'érosion de leurs revenus en substituant le paiement en nature à celui en argent. Malgré la stabilisation de 1935-1936 et une consolidation de la rente en francs constants, la « rente foncière reste une catégorie de revenu retardataire ». Moindre docilité aussi des métayers, tels ceux du Lyonnais qui, dans une conjoncture favorable, après 1860, se sont libérés de leurs dettes. Certains ont accédé à la petite propriété, d'autres sont partis, ceux qui restent entretiennent habilement la menace d'un départ pour obtenir du propriétaire un substantiel allégement des charges. La résistance peut revêtir également la forme syndicale. En 1904, sous l'impulsion d'un métayer, Michel Bernard, et d'Émile Guillaumin, est créé le Syndicat des cultivateurs de Bourbon-l'Archambault, noyau de la Fédération des travailleurs de la terre, fondée en 1905, et qui groupe en 1906 environ 800 adhérents. En dépit de la faiblesse des effectifs, l'existence même des syndicats est une provocation aux yeux des propriétaires.

Le prolétariat agricole profite pour sa part de la forte demande en main-d'œuvre des industries et de certaines cultures peuplantes, vigne et betterave. Les salaires, longtemps bloqués, progressent, en particulier dans les périodes de hausse du revenu agricole. Dans la seconde moitié du XIXe siècle, le salaire d'un manouvrier du Loir-et-Cher augmente de 100 %, les gages d'un domestique de 130 %, ceux d'une servante triplent. En cas de désaccord avec le maître, le départ est désormais possible : l'exode

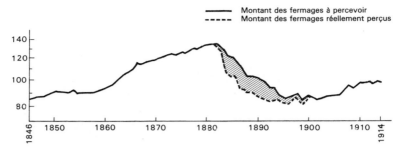

Montant des fermages des hospices de Saint-Omer. Indices calculés sur la base 1846-1914 = 100. D'après R. Hubscher, « La rente foncière dans le département du Pas-de-Calais », Revue historique, avril-juin 1971, p. 383.

rural est une forme de grève déguisée. Le ralentissement du rythme de travail, l'augmentation abusive des pauses dans les grandes fermes est un autre aspect de résistance. Cette résistance se développe plus ouvertement dans l'organisation syndicale fondée sur la lutte des classes, en réponse aux syndicats professionnels dominés par les notables agrariens. Les ouvriers de la viticulture en 1891, les bûcherons du Cher en 1894 et les résiniers Landais en 1905 ont montré la voie ; en 1920, la Fédération cégétiste de l'agriculture compte 30 000 membres. Parallèlement, des grèves éclatent, essentiellement dans les régions de grande propriété du Bassin parisien, du Midi viticole, des Landes, du Centre forestier ; elles rassemblent des effectifs limités, 6 000 personnes en moyenne, mais avec des temps forts en 1904 (50 000), 1911, 1921, 1935. Le mouvement est lancé, et les grandes grèves de 1936-1937 dans le Nord et le Bassin parisien, et de 1937-1938 dans le Roussillon le confirment.

Pour tenter de neutraliser les tensions entre bailleurs et locataires, exploitants et ouvriers, et pour maintenir leur tutelle, les propriétaires aisés et les gros agriculteurs ont cherché à systématiser les relations de type clientéliste. Le clientélisme peut se définir comme « un échange de biens et de services inégaux entre un inférieur et un supérieur, inclus dans une relation interpersonnelle ». Ce rapport contractuel est informel et tacite. Le patron se crée des obligations à l'égard de ses protégés, afin qu'ils lui soient redevables. Ce processus d'échanges est la condition même de l'existence de son pouvoir. Rien ne montre mieux les mécanismes du pouvoir clientéliste et notabiliaire que cette déclaration, faite en 1887 à un journaliste par un grand propriétaire corse de la région de Saint-Florent : « Vous voyez notre maison [...]. Un de mes frères gère nos propriétés ; moi, en ma qualité d'aîné, j'ai la direction politique. Je donne ma vie et je pourrais presque dire notre fortune à nos clients, et nos clients nous donnent leurs voix [...]. Nos propriétés sont louées à une cinquantaine de colons à des conditions assez douces et dont nous n'exigeons pas toujours la rigoureuse exécution. Ces cinquante ménages qui vivent parmi nous, nous sont entièrement dévoués. Voilà bien près de deux cents voix déjà [...]. Dans certains villages, nos terres sont si bien mêlées à celles du reste des habitants que, si nous les interdisions aux bêtes, le pâturage serait impossible à tout le monde. Le sol reste en friche souvent deux ans sur trois ; pendant ce temps, nous laissons librement pâturer. Nos bois sont de même à l'abandon : y va ramasser qui veut de nos amis. Cette tolérance, indispensable à leur genre d'existence, nous attache encore trois cents autres électeurs. Ils forment, avec les premiers, le noyau de nos fidèles, de ceux dont nous sommes sûrs. Jadis, ils nous auraient suivis à la

Prolétariat agricole : La Paye des moissonneurs, *tableau de L. Lhermitte, 1882.*

guerre : maintenant, ils nous suivent au scrutin. » Le patron se fixe deux objectifs prioritaires : dans une société où l'industrialisation marginalise les notables traditionnels, demeurer un personnage en conservant son prestige et son autorité grâce à l'appui d'une clientèle, et préserver sa situation matérielle, fondement de sa puissance sociale. Pour parvenir à ces buts, une véritable stratégie est mise en œuvre. Le pouvoir patronal puise volontiers sa légitimité dans une idéologie inspirée des thèses de Le Play sur le patronage social. Il s'agit de substituer aux rapports de force une collaboration confiante entre les groupes sociaux, ce qui n'exclut pas une conception élitiste de la société. C'est au groupe dirigeant qu'il incombe de commander, de guider le peuple en exaltant les vertus cardinales que sont la religion, la famille, la propriété, le travail, mais il doit donner le bon exemple. Un paternalisme autoritaire découle naturellement de ces principes. Encore faut-il faire reconnaître l'ordre naturel qui s'exprime dans ces rapports, à travers les signes de la supériorité économique, sociale, culturelle du patron. Il vit dans un château ou une demeure, donne du travail, décide du bien-être de l'ouvrier ou du petit exploitant en leur laissant le libre usage de quelques lopins de terre ou de ses pâturages, prête à ses protégés matériel et attelage, leur avance de l'argent, paie des remplaçants pour leurs fils qui ont tiré un mauvais numéro ; il innove dans le domaine agricole, les paysans attendant les résultats des nouvelles pratiques et ne les adoptant qu'en cas de succès, car ils considèrent que les risques et les échecs doivent être à sa charge. Le patron est également nanti d'un capital social indispensable à son pouvoir : réseau familial, parentèle, relations fonctionnent remarquablement bien chez les

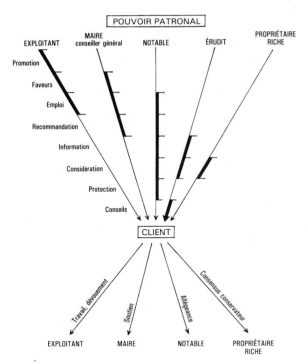

POUVOIR PATRONAL

EXPLOITANT MAIRE conseiller général NOTABLE ÉRUDIT PROPRIÉTAIRE RICHE

Promotion
Faveurs
Emploi
Recommandation
Information
Considération
Protection
Conseils

CLIENT

Travail, dévouement Soutien Allégeance Consensus conservateur

EXPLOITANT MAIRE NOTABLE PROPRIÉTAIRE RICHE

D'après A. Morel, « L'exercice du pouvoir dans un village picard », AESC, janvier-février 1975, p. 170.

nobles, dans les dynasties des fermiers capitalistes du Bassin parisien ou dans la société corse avec ses lignages, ses clans rassemblés autour du *capi partitu*. La prise de responsabilités dans les sociétés d'agriculture, les syndicats agricoles, le bureau de bienfaisance renforce ce capital. Il dispose aussi d'un capital politique par l'exercice d'un mandat, consolidé par un réseau d'entraide : par exemple, une trentaine de familles nobles du département de la Manche se partagent dix mairies et huit sièges de conseillers généraux. Il jouit enfin d'un capital culturel, symbolisé par le savoir et la maîtrise de la parole. Il exerce donc le rôle de médiateur entre la société rurale et la société globale. On lui demande conseil en cas de démêlés avec l'administration. Il use de ses relations personnelles avec la bourgeoisie rurale, les industriels, les fonctionnaires, afin d'obtenir des emplois pour ses clients ; le contrôle personnel ou indirect de la mairie lui permet d'appuyer leurs demandes ou requêtes, de les recruter comme fonctionnaires ruraux, de fermer les yeux sur les délits mineurs, d'apprécier l'indigence de telle ou telle famille donnant droit à la scolarité gratuite ou à l'assistance médicale, de sélectionner les ménages aptes à recevoir en nourrice les enfants de l'Assistance publique. Le patron entend être largement remboursé de ses prestations. Il ne dédaigne pas les marques extérieures de respect : on le vouvoie, il tutoie. Dans un village picard, les clients enlèvent leur béret en entrant dans son parc, laissent leur bicyclette à la grille et vont à pied jusqu'à sa demeure. En Anjou, on dit encore entre les deux guerres : « Je suis dans la

Il faut « bien voter » : avant et après l'élection. Supplément du Petit Journal, *2 septembre 1893.*

sujétion de Monsieur X », tandis qu'en Poitou, chaque fermier doit venir avec une paire de bœufs pour tirer le char funèbre, et doit placer une pièce de drap noir sur ses épaules pour porter le deuil de celui qu'on appelle « Nôtre Maître » jusqu'à la Quatrième République. Le patron tire des avantages économiques du clientélisme : barrage aux revendications et solution au manque de main-d'œuvre ; quand il a besoin d'un coup de main, il sollicite le fils ou la femme de son protégé qui n'ose pas refuser. Il entend contrôler idéologiquement son monde qu'il soumet à des pressions insidieuses mais impératives : obligation de mettre les enfants à l'école religieuse, de « bien voter », comme dans la Nièvre où la veille des élections, des châtelains n'hésitent pas à passer dans les métairies ou à y envoyer le régisseur pour distribuer leur bulletin ; un système de signes conventionnels permet de vérifier les votes. Souvent, le patron s'appuie sur un homme de confiance, agent de propagande et de renseignements qui l'aide à tenir le village.

Le cas d'Eugène B. est exemplaire à tous égards. Gros cultivateur à Moyenneville dans l'Oise, avant et après la première guerre mondiale, il crée des emplois en finançant une briqueterie, accorde des avantages en nature : logement, nourriture, système de primes, fonde une caisse de secours mutuel et une caisse de retraite, une école religieuse pour filles, l'œuvre du trousseau pour les jeunes filles ; ses fils n'hésitent pas à faire monter dans leur voiture un de leurs ouvriers qui a besoin d'aller à Compiègne. Ses protégés le récompensent en le nommant maire, bien avant la guerre, et, alors qu'ils votaient majoritairement radical-socialiste et socialiste, dans les années 1920, il n'y a plus qu'une seule liste politique, celle de Monsieur B. Ainsi est conservé le *statu quo* par le contrôle des forces de contestation pouvant remettre en question le consensus social.

ÊTRE SON PROPRE MAÎTRE

A la conquête de la terre

Inlassablement, une lente et patiente conquête du sol est menée par la paysanne-rie. La possession de la terre est souvent présentée comme une passion dévorante qui peut entraîner les pires excès et à laquelle le paysan est prêt à tout sacrifier. Pour nombre d'agronomes, le complexe du propriétaire est une entrave au progrès agricole, car il limite un capital d'exploitation déjà insuffisant. En réalité, les paysans ont bien des raisons d'acheter de la terre. En période de croissance démographique, pour ceux qui en sont privés ou mal pourvus et dont l'emploi est incertain, avoir de la terre, c'est avant tout s'assurer une sécurité matérielle. Un ou deux hectares de plus, c'est le pain pour l'année et le moyen d'échapper à l'endettement quand le prix du froment double en temps de crise, c'est la possibilité de faire moins de journées chez les autres. A quoi sert d'ailleurs d'accroître le cheptel vif et mort, si la taille de l'exploitation ne permet pas leur utilisation ou l'amortissement des investissements ? La possession de la terre favorise aussi la promotion individuelle et donne la considération sociale. Enfin et sur-tout, elle est le plus sûr moyen de s'affranchir de la tutelle des notables ; ce rêve d'indépendance, magnifié par Michelet, est particulièrement vif chez les petits fermiers et métayers affamés de terre. « La liberté au village est inscrite dans le cadastre. »

La Révolution française libérant la terre des servitudes qui pesaient sur elle, affran-chissant juridiquement les paysans, n'avait nullement résolu le problème de l'inégale répartition de la propriété dont ils possédaient seulement un peu plus du tiers. Cette inégalité s'inscrit dans les statistiques fiscales et dans le cadastre. En 1826, plusieurs millions de petits propriétaires contrôlent 17 % de la fortune foncière, sur un total de 6 200 000, et 100 000 privilégiés, le tiers. Dans le Roussillon, en 1830, 87 % des pro-priétaires détiennent moins de 5 hectares, soit 24 % du sol ; à l'opposé, 4 % de gros possédants en ont 63 %. En Côte-d'Or, 77 % de petits propriétaires disposent de 20 % du terroir, 8 % de grands de 55 %. Dans le haut Var, 92 % des cotes foncières sont inférieures à 5 hectares et forment un peu plus du quart de la superficie des terres. Dans le Pas-de-Calais, 90 % de petits et 2 % de grands propriétaires se partagent éga-lement le sol. Au cours d'un large XIXe siècle, la terre passe progressivement aux mains de ceux qui la travaillent ; et pourtant, la concentration foncière n'est pas profondé-ment entamée, car en 1884, 3 % des propriétaires ont autant de terres à eux seuls que les 97 % restants, tandis qu'en 1914, les grands domaines pèsent toujours d'un poids très lourd, 150 000 propriétaires rentiers ou exploitants détenant 45 % de la surface agricole utile. Bien que propriétés bâtie et non bâtie ne soient pas différenciées, et mal-gré l'existence de cotes multiples, le sens de l'évolution est clair. De 10 millions de cotes en 1826, on passe à 13 millions en 1858 et à 14 millions en 1884. Incontestable-ment, les défrichements, le partage successoral, tous deux amplifiés par la pression démographique, favorisent le morcellement du sol, mais le rôle des transactions est essentiel. Sous la monarchie de Juillet, dans la région alpine, un certain nombre de grands domaines disparaissent, victimes d'une importante spéculation dont les bandes noires et autres notaires sont les bénéficiaires ; ils sont revendus en « parties brisées » à de nombreux petits paysans et même à des ouvriers agricoles animés d'une véritable frénésie d'achat, grâce à un large et long crédit personnalisé ; les cotes foncières aug-mentent de 22,4 % entre 1826 et 1848 et le mouvement, légèrement ralenti, se pour-

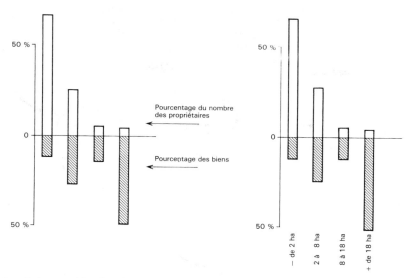

Répartition de la propriété dans la plaine roussillonnaise en 1836-1838. A gauche, d'après les mutations par décès ; à droite, d'après le cadastre napoléonien. D'après Geneviève Gavignaud, La Propriété en Roussillon, thèse dactyl., *1980, p. 399.*

suit de 1825 à 1870. Dans les Pyrénées-Orientales, l'accroissement est de 67 % entre 1835 et 1884. Durant la première moitié du siècle, l'atomisation du sol se renforce au profit des petits propriétaires, surtout microparcellaires. Le développement des cultures commerciales, telles que les oléagineux dans les départements septentrionaux, la garance dans le Vaucluse, la sériciculture en Provence rhodanienne et en Languedoc, et plus encore la vigne, culture du pauvre, dont la superficie gagne 20 % en un demi-siècle, procurent quelque argent et rendent possible l'acquisition de nombreuses parcelles. La diffusion du travail industriel, notamment textile, dans les campagnes, a les mêmes effets par le biais des salaires distribués. Cet intense morcellement du sol se traduit par une réduction de la contenance moyenne des cotes foncières qui passe de 4,48 hectares en 1851 à 3,50 en 1881, d'où l'importance des modes de faire-valoir mixtes et le chiffre élevé de propriétaires-locataires. Mais au sein de la paysannerie, la lutte est sévère pour l'appropriation de la terre, il y a des gagnants et des perdants. A partir de la seconde moitié du XIXe siècle — et le phénomène s'accélère dans les années 1870 —, la micropropriété est pratiquement éliminée et la petite propriété recule en liaison avec le déclin du travail industriel à domicile, la restriction des droits collectifs. La crise du phylloxéra, générale après 1875, engendre la ruine de nombreux petits vignerons, insuffisamment pourvus de capitaux pour reconstituer leur vignoble. L'exode rural active le processus des ventes. C'est bien l'élimination du semi-prolétariat rural, le nombre des journaliers-propriétaires passant de 1 134 000 en 1862 à 727 374 en 1882 et à 260 000 en 1929. Si une fraction d'entre eux s'est hissée au rang d'exploitants indépendants, la majorité est victime de l'évolution conjoncturelle et structurelle. Le cadastre en porte témoignage, le morcellement du sol est stoppé, le nombre des propriétaires est en recul. Dans le Calvados et la Seine-Inférieure, la petite propriété diminue de plus de 10 % entre 1892 et 1914 ; dans le Vaucluse, vers 1930, la perte est de

La vigne, culture du pauvre. Près de Cucugnan, dans l'Aude, l'outillage n'a guère changé depuis cent ans.

38 % au-dessous d'1 hectare, de 28 % de 1 à 5 hectares, la catégorie des 5 à 10 hectares maintient solidement ses positions, le gain est de 5 % de 10 à 30 hectares, et de 13 % au-delà de 30 hectares. Une redistribution des cartes s'est opérée au sein de la paysannerie ; la moyenne propriété et la frange supérieure de la petite propriété profitent de ce recul, comme elles bénéficient du désinvestissement des rentiers du sol, amorcé sous le Second Empire, en raison de l'attraction exercée par les valeurs mobilières ; le mouvement s'accélère lors de la crise des années 1880 qui déclenche la déroute de la rente foncière ; il continue après la guerre de 1914, faute d'une rémunération correcte du capital foncier. A chacune de ces occasions, ceux des paysans qui avaient pu s'enrichir pendant les périodes de croissance, ou tout au moins avaient réussi à épargner à force de privations ou en s'endettant, se portent acquéreurs. Les enquêtes agricoles enregistrent cette accession à l'indépendance ; entre 1862 et 1892, on note 400 000 propriétaires de plus cultivant exclusivement leurs biens, tandis que le nombre des fermiers et métayers recule. Toutefois, dans les régions d'agriculture capitaliste du Bassin parisien ou d'élevage spéculatif comme le pays d'Auge, où la terre est chère, l'accès à la propriété est très difficile. Dans ce cas, on cherche à arrondir son exploitation par location, ou à entrer dans une plus grande ferme. C'est toujours le souci d'autonomie qui prévaut. Après 1918, la paysannerie, largement libérée de sa dette hypothécaire par l'inflation et aidée par les caisses de crédit agricole, reprend son mouvement séculaire d'achat, d'autant plus facilement que nombre de veuves de guerre ont abandonné la terre. A Minot, dans le Châtillonnais, des cultivateurs s'approprient alors quatre grosses métairies, détenues par la famille Mairetet depuis trois siècles. Ainsi la déprolétarisation des campagnes et l'effacement des rentiers du sol valorisent la catégorie des exploitants indépendants, dont les trois quarts sont recensés comme propriétaires en 1929. Ils façonnent l'image des campagnes françaises, et l'exploitation familiale, qui triomphe jusque dans les années 1940, en est le symbole.

Indépendance économique et subordination familiale

Accéder à la propriété du sol, maintenir ou agrandir l'exploitation, limiter l'éclatement du patrimoine au moment de sa transmission, tels sont les principes qui régissent les stratégies matrimoniale, familiale et celles des forces productives.

La stratégie matrimoniale est une composante essentielle du comportement socio-économique paysan. Le cas de la famille Brioche, de Nouville, est tout à fait exemplaire d'une ascension sociale par le mariage, et d'une volonté d'agrandissement du bien patrimonial, sous l'autorité du chef de ménage qui maintient les enfants adultes sous sa tutelle. En 1900, le ménager Roger Brioche, fils de bûcheron, possède 4,50 hectares, un âne et trois vaches nourris sur le marais communal. Intégré dans un système de prestations-échanges, il fait l'aoûteux dans une ferme de 30 hectares, ce qui lui permet d'emprunter un cheval pour ses labours, jusqu'en 1921 où il en achète un. En 1922, sa femme hérite de son père, couvreur en chaume, une maison et 8 hectares, et le couple en achète 5. En 1924, Brioche acquiert 3,65 hectares de « prés flottants » dans les marais, il peut désormais intensifier son élevage. Les granges sont transformées en étable et on construit un hangar métallique. Son fils Pierre se marie avec la fille d'un propriétaire de Ronny qui apporte en dot une belle pâture ; ils auront trois enfants. Pierre reste chez son père comme héritier-associé. L'exploitation s'agrandit encore en 1925, 1926, 1931, 1935 ; il en devient le maître à la mort de son père. Son fils aîné, Roger II, épouse la fille unique d'un propriétaire de Ronny ; sa fille Léone se marie

Le mari moissonne à la faux. La femme met le blé en gerbes.

avec un fermier et s'installe sur les biens de sa mère à Ronny ; le dernier fils, Lucien, reste à la ferme avec ses parents et devient à son tour héritier-associé. Cette famille applique une règle fondamentale du mariage dans la société rurale : l'endogamie socio-professionnelle, car, à chaque génération, la concordance des niveaux sociaux est parfaite. Dans les années 1940, à Nouville, l'homogamie est encore très répandue, « on sait qu'on doit épouser dans son rang, on sait qu'on peut difficilement épouser ceux d'un autre rang » ; sur cent mariages célébrés entre 1931 et 1949, six seulement unissent des individus de milieux différents. Jamais un cultivateur n'a épousé une femme travaillant dans l'usine de verrerie ; on retrouve la même attitude dans des villages du Finistère, où les garçons préfèrent rester fermiers célibataires plutôt que de se marier avec des filles de journalier devenues ouvrières d'usine. Bien entendu, la stratégie matrimoniale ne fonctionne qu'à partir d'un certain niveau social ; le prolétariat agricole, dépourvu des moyens de production, en est exclu. Les coutumes locales, certains systèmes de dévolution des biens, exercent leur influence sur le choix du conjoint. Au Pays basque, le lignage prime sur les individus. L'un des enfants est fait héritier ; incarnant la maison, il en reçoit les attributs : patrimoine, nom, mais aussi honneur familial. De ce fait, il est soumis à des règles d'alliance déterminées. S'il s'agit d'une héritière, elle épouse un cadet et reçoit la direction du ménage. Les autres enfants doivent émigrer, à moins qu'ils ne trouvent un héritier ou une héritière à épouser. Qu'il y ait amour ou non, à travers le mariage on vise la valorisation de l'exploitation familiale, car il existe une liaison fondamentale entre l'unité économique d'exploitation et le ménage. « Mariage, ménage », dicton artésien, a son répondant en Catalogne : « Mari et femme tiennent dans un pot. » C'est en effet la force de travail familiale qui compense la faiblesse des capitaux, l'outillage souvent rudimentaire, et réduit ou évite le recours à la main-d'œuvre salariée. C'est dire le poids décisif du travail de la femme, et des enfants qui entrent dans la vie active entre 7 et 13 ans.

Une vision traditionnelle de la répartition sexuelle des tâches à la campagne, largement véhiculée par les folkloristes, montre les femmes confinées dans les besognes domestiques, donc improductives, alors que les hommes travaillant aux champs sont par excellence des producteurs. Rien n'est moins conforme à la vérité, car si on ne dispute pas aux femmes les domaines auxquels elles seraient vouées par leur condition, on en exige très naturellement une force d'appoint, sinon même de remplacement, dans toutes les activités de l'exploitation. Elles ont le « dedans et le dehors ». La ménagère règne dans la maison, a la charge du feu, accomplit plusieurs fois par jour, et en toutes saisons, la corvée d'eau indispensable pour la nourriture des hommes et des animaux dont elle est responsable. Le rôle de mère et d'éducatrice lui est abandonné sans réserve. A ces activités ménagères, fortement valorisées par les proverbes : « Femme qui travaille à la maison ne fait pas souvent parler d'elle » (basse Bretagne), ou « Bonne femme dans la maison vaut mieux que ferme et que cheval » (basse Auvergne),

La ménagère a la charge de la corvée d'eau. En Sologne, fin du XIXᵉ siècle.

viennent s'ajouter des fonctions productrices. Elle seule actionne le rouet ; l'enclos est également un espace féminin, dans la mesure où l'épouse veille sur le jardin et entretient la basse-cour dont la production est commercialisée et autoconsommée, fournissant ainsi les seules rentrées régulières d'argent frais au long de l'année, puisque récoltes et bétail sont vendus à des dates déterminées. A ces tâches qui lui sont propres s'ajoute sa collaboration aux travaux masculins, qui s'étend tout au long du calendrier agricole. Sous la monarchie de Juillet, des officiers d'état-major, parcourant les villages de l'intérieur du Var et des Bouches-du-Rhône pour préparer le cantonnement des troupes, constatent que les femmes « partagent avec les hommes les plus durs travaux ; comme eux elles sèment, travaillent la terre, mènent la charrue, et vont à plusieurs lieues dans les bois pour former un modique fagot ». Que dire enfin des paysannes des environs d'Ax-les-Thermes, remontant la terre arrachée des terrasses dans des hottes accrochées à leurs épaules ! Il arrive que les femmes remplacent les hommes à la tête de l'exploitation, dans les villages où se pratique, chaque année, l'émigration temporaire. Cette relève, les femmes l'assurent aussi par deux fois lors des conflits mondiaux. Aidées des enfants et des vieillards, elles prennent en main la ferme et affirment une fois de plus le rôle fondamental du travail féminin dans le ménage paysan.

La large diffusion du dicton : « Quand le coq a chanté, la poule doit se taire » affirme à l'évidence, comme en étant la norme dans la société paysanne, le principe de l'autorité masculine dans le couple. Bien d'autres proverbes disent que les maris doivent commander : « A la table et au lit, la droite appartient au mari » (Catalogne), « Le chapeau doit commander à la coiffe » (Bretagne). La réalité est plus nuancée. Des coutumes auxquelles se plient les jeunes mariés, à leur arrivée dans la maison où se déroule le repas de noce, suggèrent que le problème de l'autorité se pose pour chaque couple nouvellement constitué ; ainsi l'une d'elles veut qu'ils engagent une lutte pour s'emparer d'un pantalon ou d'un balai, symboles de la répartition des tâches et du pouvoir dans le ménage. Le thème de la culotte est d'ailleurs vulgarisé par de nombreuses estampes et images d'Épinal. Au demeurant, la femme dispose d'un pouvoir économique important, dans la mesure où elle tient, généralement, les cordons de la bourse ; mais dans cette société dominée par des valeurs masculines, elle agit discrètement, et laisse à son époux les apparences de la décision et le rôle public de représentant de la maison, comme par exemple sur le foirail. Tacitement accepté, le pouvoir féminin au sein du ménage est cependant cantonné et ne saurait s'exercer ouvertement hors des limites de la maison, comme le traduit l'effacement des fonctions sociales de la femme.

Locataire ou propriétaire, le paysan est confronté au problème de l'équilibre à maintenir entre les forces productives et la taille de l'exploitation. Petite, elle incite à des pratiques malthusiennes ; plus grande, elle favorise l'accroissement de la famille. La dimension des ménages tend donc à se mouler sur celle de l'exploitation : en Vendée, le ménage compte en moyenne trois personnes chez les manouvriers et les bordiers, contre cinq pour les métayers et les fermiers. D'une façon générale, les familles à structure complexe se maintiennent mieux chez les exploitants suffisamment pourvus de terre. Dans la recherche de l'équilibre démo-économique, l'âge respectif des membres du groupe familial est décisif, puisqu'il détermine le potentiel de forces productives susceptibles d'être utilisées pour la mise en valeur du sol. C'est ce qui explique la variété des situations, la souplesse des solutions adoptées selon les nécessités du moment, le recours aux domestiques lorsque les enfants sont trop jeunes pour apporter une aide efficace, les ascendants trop âgés, les collatéraux absents. Plusieurs combinaisons sont possibles (cf. figure p. 56).

Des paysannes beauceronnes font une pause pour la collation.

Le cas n° 1, le plus fréquent, correspond à l'exploitation familiale classique. Main-d'œuvre indispensable, les enfants subissent fort avant dans leur vie la sujétion paternelle. Dans l'exemple n° 2, le pouvoir de décision est transféré au fils, du vivant des parents, entre 1881 et 1891, mais sa tâche est alourdie en raison de l'âge des ascendants et de la présence d'une vieille tante. On est au bord de l'équilibre entre forces productives et dimension de l'exploitation. Vraisemblablement, à la mort des parents, la solution adoptée sera le mariage, dont la fonction économique apparaît dans le cas n° 3 où un agriculteur de 53 ans, vivant avec sa mère, convole avec une jeune femme après le décès de celle-ci ; le lien matrimonial est un substitut au lien parental. La situation n° 4 montre l'association d'un collatéral au noyau initial ; elle se révèle avantageuse sur le plan de la capacité de travail, à cause de la différence d'âge entre le défunt et son beau-frère. Après la disparition de la mère, il y a de fortes chances pour que le frère et la sœur conservent l'héritage en indivision. L'exemple n° 5 offre une évolution intéressante de la structure du groupe familial. Un fermier-propriétaire, avec une nombreuse progéniture, dirige un domaine relativement vaste. En 1872, cette famille est élargie : le fils aîné prend la relève du père décédé, aidé de ses frères et sœurs. Outre leur mère âgée, ils hébergent trois neveu et nièces dont l'aînée peut apporter un concours efficace. En 1881, l'optimum d'efficience est atteint, comme en 1851. Au travers des transformations internes du groupe, l'adaptation des structures familiales à la taille de l'exploitation est remarquable et évite le recours à des domestiques. Le maintien en

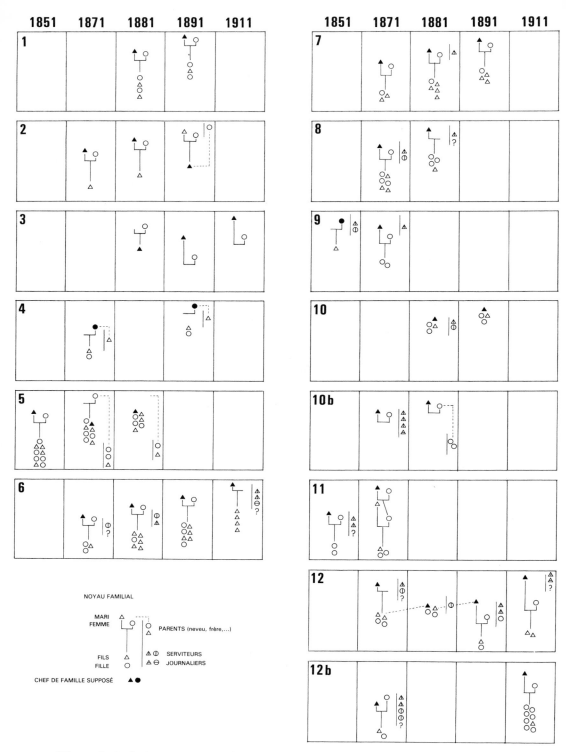

D'après R. Hubscher, « *Structures familiales et forces productives* », in : L'Agriculture et la Société rurale dans le Pas-de-Calais, pp. *684-685*.

indivis du bien paternel, s'il traduit la cohésion des collatéraux, implique néanmoins le sacrifice des destins individuels ; à une exception près, le célibat, condition indispensable à ce type d'organisation, est érigé en règle commune, sinon impérative. Lorsque la main-d'œuvre familiale n'est pas à même de remplir sa fonction, l'emploi d'un personnel gagé est inévitable, jusqu'au moment où le travail peut être assuré par le groupe parental. L'exemple classique est celui du couple avec des enfants en bas âge mobilisant la mère ; le recours à des salariés est indispensable, et cesse avec l'entrée dans la vie active de la seconde génération. Le cas n° 8 se rattache à ce schéma ; le père, épaulé par ses trois filles, peut se passer d'une servante. La fonction économique de la femme se manifeste clairement dans le cas n° 9. Le passage de l'état de célibataire à celui de chef de ménage permet de supprimer la servante. Les modèles nos 10 et 10 bis illustrent deux types de gestion par collatéraux ; le concours apporté par des cadets ou des nièces entraîne la disparition du personnel ancillaire. Le passage d'une famille nucléaire à une famille polynucléaire (cas n° 11), par le mariage de la fille aînée, suivi de cohabitation, permet de supprimer deux domestiques masculins. Exemple n° 12 : en 1872, un exploitant de 70 ans est aidé par ses quatre enfants célibataires et deux domestiques. Dix ans après, l'aîné dirige la ferme, secondé par ses frères et sœurs ; le personnel gagé peut être comprimé. L'association est brisée avec le décès de l'aîné et le mariage tardif du puîné, qui, seul maître de la ferme, est contraint d'engager trois auxiliaires. Veuf, il se remarie ; en 1911, ses deux garçons du second lit sont capables de le seconder, le personnel est réduit. Le cas n° 12 bis s'apparente à ce type. Tous ces exemples montrent que l'émancipation économique de paysans ne s'est pas accompagnée de l'indépendance des membres de la cellule familiale, soumis aux impératifs de l'exploitation. Ainsi s'affirme la contradiction entre l'accession à la propriété et l'assujettissement des personnes. Dans le Pas-de-Calais, entre 1851 et 1911, les enfants ayant dépassé la trentaine et vivant sous le toit paternel représentent 22 % des garçons chez les cultivateurs, et 9 % seulement chez les journaliers.

Jusqu'à un âge avancé, les anciens conservent leur autorité, décident de l'avenir de leurs enfants, peuvent avancer ou différer leur mariage en fonction des circonstances, voire leur imposer le célibat, si la fratrie est nombreuse. Cette primauté de la géronto-cratie constitue un frein au progrès. Dans le Bourbonnais, jusqu'à sa mort, le père demeure le maître incontesté auquel sont soumis fils et gendre. Quand arrive enfin la succession, l'héritier atteint la cinquantaine. Souvent usé, habitué à obéir, il adopte à son tour une attitude timorée devant l'innovation. Ce souci de se maintenir en place le plus tard possible, et qui s'explique en partie par la crainte d'une déchéance en cas d'abandon du bien, entraîne des tensions entre générations et la frustration des jeunes. Le partage anticipé devient une réalité quand les exigences des enfants se font trop pressantes, lorsque les forces manquent aux parents ou que l'un d'eux meurt. S'ils transmettent intégralement leurs biens à leurs enfants et vivent chez eux, ils tombent entièrement sous leur coupe et, malgré certaines outrances, la figure du père Fouan dans *La Terre* n'est pas un pur produit de l'imagination de l'écrivain. Aussi cherchent-ils à en conserver une partie pour s'assurer une relative indépendance matérielle, ou donnent-ils leurs terres en fermage aux héritiers. Toutefois, dans le dernier tiers du XIXe siècle, on assiste à un relâchement des liens de solidarité familiale. L'individu tend à s'affranchir du groupe, moins d'enfants adultes restent au foyer paternel ; dans le Pas-de-Calais, le pourcentage des hommes dans ce cas baisse de plus de 60 % ; le Vaucluse présente un phénomène similaire. Or, ce sont des régions d'agriculture intensive et commercialisée, stimulant l'esprit d'entreprise et, par conséquent, l'aspiration des jeunes à se constituer en ménage distinct.

2
Les paysans
et la société englobante

Un monde paysan autonome, évoluant au rythme de ses structures, ou un monde des campagnes dominé sinon colonisé par la ville, ces interprétations antinomiques sont couramment avancées aux XIXᵉ et XXᵉ siècles — la seconde étant la plus fréquemment admise. Elles sont trop schématiques. Si la société paysanne est une société d'interconnaissance, elle ne vit pas pour autant en marge de la communauté nationale. Les relations avec la société englobante ont toujours existé, soit directement par le biais de la foire ou d'une migration, soit médiatisées par le notaire, le marchand local, voire le maire. Ces relations sont dominées par les liens tissés entre ville et campagne, liens qui se resserrent au XIXᵉ siècle en raison de l'expansion urbaine, et dans la mesure où l'agriculture s'intègre au système économique dominant dont elle épouse l'évolution générale. Ceci en dépit d'un certain freinage lié à des pesanteurs structurelles, imputables à l'importance de la petite production marchande caractéristique d'un système polyculture-élevage d'autoconsommation. Les ventes, limitées, conçues en termes d'échange simple, visent en effet moins le profit que l'acquisition des moyens de production, voire de subsistance. Le producteur échange les fruits de son travail contre des objets nécessaires, de valeur égale, l'argent « ne jouant dans l'opération que le rôle d'un pur moyen de circulation ». Voilà qui donne créance à la thèse de l'autonomie du monde paysan, si l'on ignore l'existence de grandes exploitations céréalières, par exemple sur les plateaux à limon du Bassin parisien, dont la production est orientée depuis fort longtemps par le marché de la capitale, et si l'on oublie aussi que, dès le XVIIIᵉ siècle, les bovins auvergnats et, à partir de 1820, les bœufs gras du Charolais alimentent les marchés de Sceaux et de Poissy. C'est nier surtout qu'au XIXᵉ siècle, des couches de plus en plus larges de producteurs entrent en contact avec le mode de production capitaliste et s'insèrent dans les circuits de l'échange. Le nombre des exploitants commercialisant leur production augmente, ceux qui se contentent de vendre leur surplus le font en quantité croissante.

VILLES ET CAMPAGNES : UNE INTERDÉPENDANCE ?

Les rapports fort complexes entre ville et campagne doivent donc s'analyser davantage en termes d'interdépendance que d'opposition. Bien plus que juxtaposition, il y a interpénétration. Ainsi, dans l'ancien régime économique caractérisé par la primauté de l'agriculture et le poids de la population rurale, un déficit de la récolte provoque une flambée des prix et entraîne l'arrêt quasi total de l'achat de produits textiles par les paysans, donc le chômage urbain. De même, l'effondrement des prix agricoles dans les années 1930 est considéré comme l'un des principaux facteurs de la prolongation de la crise économique. Inversement, la large diffusion du travail artisanal et industriel dans les campagnes, au XIXᵉ siècle, les intègre dans un espace économique élargi dont elles subissent l'influence, et les fait participer aux vicissitudes d'une conjoncture de plus en plus étrangère aux fluctuations de la production agricole. En outre, par le biais de la rente foncière, nombre de citadins sont solidaires, sinon dépendants, du revenu agricole : dans le Bas-Languedoc, « chaque flambée du prix du vin se transmet à la ville où elle se concrétise aussitôt par l'accroissement des dépenses somptuaires, la multiplication des commerces de luxe [...]. Chaque dépression du prix du vin est au contraire le signal du chômage urbain et de l'ouverture de nombreuses faillites ». Enfin, les intérêts des couches dominantes de la société, urbaines ou rurales, coïncident le plus souvent, quand ce ne sont pas parfois les mêmes, en raison d'une imbrication des actifs fonciers, industriels ou financiers favorisée par les réseaux de parentèles et d'alliances. Banquiers ou industriels sont à la tête de grands domaines, tandis que des rentiers du sol, nobles ou bourgeois, participent au monde des affaires. Le marquis de Vogüé, grand propriétaire dans le Berry, président de la Société des agriculteurs de France, veille aux destinées de Suez et de Saint-Gobain. Dans les régions d'agriculture capitaliste, tel le Pas-de-Calais, noblesse et bourgeoisie terriennes réalisent la parfaite synthèse des intérêts de la grande culture, de l'industrie agricole et du négoce. Le marquis d'Havrincourt est à la tête, en 1868, de 1 140 hectares, d'une sucrerie, d'une raffinerie (140 employés) dont les déchets servent à engraisser des bœufs expédiés au marché de Poissy. Havrincourt assume de nombreuses fonctions : membre de la Société centrale d'agriculture du Pas-de-Calais, de la Société nationale des agriculteurs de France, du conseil d'administration de l'École de Grignon dont il est cofondateur, il exerce des responsabilités au Conseil central des fabricants de sucre. Conseiller général, plusieurs fois député, sénateur de 1886 à 1891, il défend au Parlement l'industrie sucrière. Dans les années 1860, Pilat, maire de Brebières, président de la Société centrale d'agriculture du Pas-de-Calais, possède avec son frère, outre deux exploitations, une grosse sucrerie et trois grands moulins : « Il a gagné des millions en envoyant de la farine à Paris et à Londres. » Le cas de la famille Porion est un bon exemple d'une stratégie qui ne sépare

Jules Méline, le « sauveur des agriculteurs », ministre de l'Agriculture (1883-1885 et 1915-1916) et président du Conseil (1896) fait établir des tarifs douaniers qui protègent l'agriculture française.

pas intérêt agricole et intérêt industriel. Eugène Porion, cultivateur-manufacturier, diversifie ses activités — distillerie, fabrication d'engrais et extraction d'huile à partir des résidus de céréales et de tourteaux — et dirige en agronome émérite une vaste exploitation axée sur la production de blé et de betterave. Il fait travailler près de 350 personnes, dont certaines glissent de l'activité agricole à l'activité industrielle ou inversement. Les présidences de la Société d'agriculture de Saint-Omer, de l'Association générale des distillateurs de France et de la Chambre de commerce de Saint-Omer lui permettent de défendre à la fois ses intérêts d'agriculteur, d'industriel et de négociant.

La solidarité des détenteurs du pouvoir économique, intéressés à la paix sociale tant à la ville qu'à la campagne, s'exprime dans un même discours idéologique et un système de valeurs largement diffusés dans toutes les couches de la société pour justifier leur situation dominante et maintenir l'ordre établi, en désamorçant la contestation et les tensions sociales dont on a vu qu'elles étaient loin d'épargner le monde rural, même si elles n'apparaissent pas aussi clairement que dans la société industrielle. Cette solidarité transsectorielle des couches sociales dirigeantes apparaît à maintes reprises à propos de l'instauration ou du maintien des droits protectionnistes. C'est un industriel du textile, Pouyer-Quertier, qui suscite, en 1879, l'adhésion des agrariens en faveur d'un retour au protectionnisme après l'intermède libre-échangiste des années 1860-1880. En effet, dès 1879, les filateurs normands songent, en raison de la concurrence étrangère, à solliciter l'alliance agricole pour défendre leurs acquis. Pouyer-Quertier est leur porte-parole. Il fonde une Association de l'industrie et de l'agriculture. Jules Méline, chantre du protectionnisme, salué comme le sauveur de l'agriculteur, s'est en réalité d'abord occupé des intérêts du textile vosgien avant ceux de l'agriculture. Il était de bonne politique de tenter de faire coïncider les causes agricoles et industrielles afin de mettre au service de l'ensemble des couches dominantes l'infanterie paysanne. Il n'en existe pas moins des intérêts contradictoires entre négociants, industriels importateurs de produits agricoles et agriculteurs, ainsi qu'entre lobbies agricoles antagonistes. Les agrariens savent aussi, comme nous le verrons, mobiliser la paysannerie derrière eux au nom de l'unité du monde agricole. La tâche leur est facilitée, car dans la société rurale, aux statuts et hiérarchies subtils, les oppositions sont moins tranchées que dans la société industrielle. Une masse de propriétaires parcellaires sont à la fois salariés et exploitants, d'autres sont propriétaires-locataires. Du fait de cette fluidité des situations, les paysans sont tiraillés entre des attitudes contradictoires, en fonction de la conjoncture, selon le sentiment qu'ils ont d'être d'abord des salariés ou des locataires, ou d'abord des possédants. De sorte qu'ils n'ont pas souvent une conscience claire de leur appartenance à un groupe déterminé, ni une idéologie cohérente.

Mais n'est-ce pas à bon droit que les agrariens mobilisent les paysans contre la domination citadine ? C'est un fait que l'interdépendance des villes et des campagnes n'exclut pas l'instauration de rapports inégalitaires. Incontestablement, plus on avance dans le XIXᵉ siècle, plus le caractère industriel et urbain de la société s'affirme, plus la maîtrise économique échappe aux ruraux. « Le capitalisme qui l'exerce par ses structures commerciales et foncières est un fait urbain. » L'emprise est totalitaire. Elle se fait sentir à tous les niveaux. Les agriculteurs se voient imposer le choix de leurs productions ; le contrôle des circuits de distribution et de transformation leur est soustrait ; leur dépendance grandissante à l'égard du marché se concrétise dans le réseau de circulation qui mène à la ville. Elle dispense également le travail artisanal et industriel dans les campagnes, tout en faisant appel à la main-d'œuvre rurale. Cette emprise est aussi politique, administrative et culturelle. La ville est le centre des activités d'encadrement et de décision. Mais ce pouvoir urbain, il ne faut pas l'oublier, est celui de groupes privilégiés dominants. La civilisation elle-même est urbaine : vêtements, mode d'alimentation, langage s'imposent au plat pays. Nul échange en ce domaine, le flux est à sens unique. Dès lors, la réussite aux yeux de beaucoup ne peut être que citadine.

Ce rapport inégalitaire au profit de la ville est-il toujours ressenti comme une sujétion ? Selon la conjoncture, plus encore selon les couches sociales concernées, les prises de position sont ambiguës. Adhésion au système englobant et soumission peuvent alterner ou coexister, et la conscience d'une sujétion n'empêche pas d'en tirer avantage. En effet, l'extension du marché offre de nouvelles perspectives de profit à des éléments sans cesse plus nombreux de la population rurale qui s'élancent à la conquête des villes et des centres industriels. Elle touche, à des degrés divers, toutes les régions en favorisant leur spécialisation. Une ambiguïté semblable s'attache aux problèmes d'acculturation : pour les uns, l'assimilation culturelle est la voie de l'émancipation, pour les autres, écrivains régionalistes et néo-ruralistes contemporains, elle équivaut à la perte de l'identité paysanne et à la destruction d'une civilisation. Les rapports entre citadins et paysans, entre villes et campagnes, sont donc placés sous le signe de l'équivoque. La reconnaissance du rôle dirigeant de la ville n'est consentie que si la sujétion est assortie de compensations jugées avantageuses.

L'OMBRE DE LA VILLE

Un espace foncier disputé

C'est pour le contrôle de l'espace foncier que les paysans se heurtent de la façon la plus directe aux citadins. La propriété, qu'elle soit un objet de placement, de spéculation, de prestige ou de villégiature, est un des éléments déterminants de l'hégémonie urbaine sur les campagnes, ne serait-ce que par le prélèvement de la rente foncière. Elle constitue l'articulation principale des rapports qui se nouent entre hommes de la terre et hommes de la ville. Le poids de l'emprise urbaine sur le plat pays était déjà important sous l'Ancien Régime ; il s'est renforcé sous la Révolution par l'acquisition bourgeoise et citadine des biens nationaux (86 % des terres du diocèse de Toulouse ont été achetés par des Toulousains). Tout au long du XIXᵉ siècle, industriels, banquiers, membres des professions libérales, commerçants, artisans et fonctionnaires, parfois d'origine rurale encore proche, ont soit acheté des propriétés foncières, soit conservé l'héritage familial ; ainsi, la propriété foncière citadine a été confortée ou renouvelée.

Non seulement l'espace rural suscite des affrontements entre paysans et citadins, d'autant plus sévères que la rentabilité foncière est élevée, mais encore l'impérialisme foncier urbain est l'occasion d'une lutte entre les cités pour le contrôle de la terre. Si leur proximité par rapport à leur environnement rural les place évidemment en position avantageuse, d'autres facteurs entrent également en jeu et rendent compte de leur inégal dynamisme : importance de la ville et de sa population, diversité de ses fonctions et de ses activités économiques, richesse, etc. Une hiérarchie s'établit ainsi entre Paris qui a un rayonnement national favorisé par la concentration de provinciaux de toutes origines, les métropoles régionales débordant largement de leur territoire administratif sur les départements voisins, les cités rayonnant seulement sur un ou deux arrondissements et, au bas de l'échelle, des bourgades plutôt que des villes dont l'influence ne s'étend pas au-delà des cantons voisins. Toutefois, l'existence d'une aire d'expansion privilégiée n'empêche pas la concurrence intervilles de se manifester. Dans le Bas-Languedoc, Lunel subit dans le plat pays l'influence de Montpellier. Dans le Beaujolais, celle de Lyon est contrebalancée par Villefranche, Mâcon, Tarare ou Belleville. Partout, le premier cadastre porte le témoignage d'une forte présence urbaine. Le tiers de la superficie des 36 communes du Terrefort, entre Tarn et Garonne, appartient à des citadins. Le réseau foncier montpelliérain s'étend sur 77 000 hectares du Bas-Languedoc, avec une forte pénétration en Camargue ; il se heurte à la concurrence de Nîmes qui contrôle, comme Paris, environ 38 000 hectares dans la région contre 11 000 hectares seulement pour Béziers. Une situation analogue se retrouve dans le nord de la France : ainsi dans le Pas-de-Calais, où les citadins détiennent plus de 40 % du sol dans 22 % des communes au début du XIXᵉ siècle. La propriété parisienne, noble ou bourgeoise, est particulièrement bien implantée dans la partie médiane du département, essentiellement rurale. La propriété arrageoise couvre la plupart des arrondissements et repose sur une base sociale beaucoup plus large que la précédente. Les Boulonnais étendent leur influence sur toute la partie occidentale du Pas-de-Calais, en dépit de la vive concurrence de Calais et Saint-Omer au nord, de Montreuil au sud.

Nous avons déjà évoqué la longue marche des paysans pour conquérir un sol dont ils s'estimaient spoliés et se libérer du carcan de la propriété foraine, en profitant notamment des désinvestissements urbains qui s'opèrent quand la rente foncière est déprimée et que les valeurs mobilières sont alléchantes. Aux ventes de liquidation en période de crise, ou de précaution en période d'inflation pour éviter la pénalisation de contrats fixes, s'ajoutent celles de bouts de terre tenus en héritage, souvent en indivision, qui n'offrent plus aucun avantage économique ou social. Dès la décennie 1860-1870, les rentiers du sol, possesseurs de domaines céréaliers de l'Est aquitain, voient leurs ressources diminuer en raison de l'évolution peu favorable du prix des grains, tandis que s'élève le coût de la main-d'œuvre. Certains se débarrassent d'un patrimoine foncier dont le rapport atteint à peine 3 %. Incontestablement, les campagnes toulousaines voient alors s'alléger le poids de la métropole régionale. C'est le début d'un lent mouvement de retraite que déplore, dans un livre célèbre *L'Âme paysanne* paru en 1913, le docteur E. Labat en dramatisant d'ailleurs son propos : « Impossible de causer avec un bourgeois sans qu'il ne se plaigne et vous dise : ''Ah si je pouvais vendre !'' En Gascogne, toutes les terres de la bourgeoisie sont virtuellement à vendre. Nous assistons à la fin d'une classe : la bourgeoisie de Gascogne disparaît en tant que bourgeoisie terrienne, c'est-à-dire rentière de la terre. » En Basse-Normandie, les loyers, dont la valeur nominale avait fléchi de 40 % à la fin du XIXᵉ siècle, perdent encore 40 % de leur pouvoir d'achat entre 1880 et 1940, d'où un mouvement de désinvestissement rural. Les transactions réalisées dans le Pas-de-Calais font apparaître un phénomène identique dans les cantons éloignés des villes ou dans ceux d'agriculture progressive ; en 1911, les citadins ne tiennent plus que 40 % de la superficie du terroir dans 10 % des communes. Dans toute la France, la composition des patrimoines révèle le même désinvestissement. La richesse foncière, dans la fortune lilloise, passe de 33 % en 1850 à 23,7 % en 1914 ; au début du XXᵉ siècle, à Toulouse, dans un rayon de 30 km autour de la ville, les biens ruraux laissés en héritage ne représentent plus que 15 %, contre 49 % sous la Révolution. Dans le canton de Thury-Harcourt (arrondissement de Falaise), les actifs immobiliers sont amputés des deux tiers entre 1896-1898 et 1936-1938. L'aristocratie participe aussi à ce mouvement. Les biens fonciers détenus par la noblesse parisienne représentent 55,4 % de sa fortune en 1820, 20 % en 1911. La reconquête du sol est donc moins l'aboutissement des efforts de la paysannerie pour démanteler la propriété foraine, que la conséquence du départ citadin. Peut-on conclure pour autant au triomphe définitif des paysans ? Rien n'est moins sûr, car le contrôle de l'espace agricole reste un enjeu économique toujours à la merci de la conjoncture ; quand la terre retrouve son attrait comme valeur refuge, qu'elle devient un élément de spéculation, comme avec l'expansion du tourisme dans les communes littorales ou montagnardes, la pression citadine un temps relâchée se manifeste avec une vigueur nouvelle. Le plus souvent, les paysans ne peuvent acheter que dans la mesure où les autres groupes sociaux se retirent momentanément du marché.

Non seulement les agriculteurs sont durement concurrencés sur le plan des transactions foncières par des offres supérieures aux leurs, mais parfois leurs propres biens sont menacés. Ici encore, l'inégalité sociale au sein du monde agricole est déterminante, la moyenne propriété paysanne résistant beaucoup mieux que la petite. Si l'on ajoute qu'un citadin peut en remplacer un autre, commerçants, industriels, professions libérales se substituant désormais souvent aux propriétaires-rentiers traditionnels, et que l'exode rural ne s'accompagne pas nécessairement de l'abandon du bien foncier, on conçoit la complexité d'une évolution qui se fait à travers des accélérations, des ruptures, des renversements de tendance d'amplitude différente selon les régions et les périodes étudiées. Ici, des bastions sont solidement conquis, comme dans le Lauragais, là, comme le montrent les deux exemples suivants, avancées et reculs alternent, ou alors l'emprise urbaine se renforce. Dans les monts du Beaujolais, le mouvement de

La grande querelle du ménage : la scène de la culotte. Image d'Épinal. Paris, Bibliothèque nationale, Estampes.

Une vision lyrique de la campagne française : L'Église de Marissel, près de Beauvais, *1866, par Corot.*

démocratisation du sol qui se dessinait vers le milieu du XIXe siècle, parallèlement à l'amenuisement des biens citadins, est d'abord stoppé par la crise phylloxérique, ensuite par la mévente des vins des années 1900. L'hectare de vigne perd 55 % de sa valeur entre 1875 et 1887 et, après une reprise, rechute au début du XXe siècle. Dans cette conjoncture, les exploitants sont doublement victimes des menées citadines. D'une part, ils sont contraints de céder les terres à bas prix aux négociants, commerçants ou industriels de Villefranche ou Belleville. D'autre part, les migrants partis en ville dans le dernier tiers du XIXe siècle ne parviennent pas à vendre aux villageois, dont les épargnes ont fondu avec les crises agricole et viticole, la parcelle de vigne ou le lopin de terre dont ils ont hérité. Laissées à l'abandon, détruites par le phylloxéra ou gagnées par les broussailles, ces parcelles retournent à la friche quand elles ne sont pas boisées pour tirer parti des avantages offerts : exemption d'impôts, plants gratuits et surtout hausse continue du prix du bois liée à la forte demande des chemins de fer. La bourgeoisie des petites villes ne tarde pas à profiter desdits avantages. A Saint-Apollinaire, entre 1880 et 1913, les forains mettent la main sur 12 % du terroir et les reboisent ; « l'arbre remplace la vigne », nouvelle forme de placement dont on attend un fructueux bénéfice. Progressivement, dans les monts de Tarare et du Beaujolais se constituent de grands domaines forestiers appartenant à des Lyonnais, des Parisiens, mais aussi des Mâconnais et des Roannais. A la veille de la Grande Guerre, certaines communes ont près de 10 % de leur superficie cultivable désormais couverte de résineux. L'expansion de la métropole lyonnaise, engendrant une importante spéculation sur les terrains à bâtir, est autrement dangereuse. Sur le plateau lyonnais, la petite propriété viticole est « littéralement dévorée » par les achats des citadins dont les constructions reflètent la variété des statuts sociaux ; « lourdes maisons carrées à perron et à véranda ou [...] petits pavillons rustiques à balcon de bois et contrevents verts ». A Chaponost, la propriété paysanne non seulement ne s'étoffe plus, mais elle recule de 10 % ; sur les coteaux, la vigne est remplacée par une moyenne propriété résidentielle, tandis qu'à Écully, celle des paysans est absorbée par les lotissements pavillonnaires et les villas. Dans l'entre-deux-guerres, l'extension urbaine gagne l'ensemble de l'ouest lyonnais ; les placements fonciers sont favorisés par les dépréciations monétaires et la loi Loucheur de 1928. Enfin, jamais l'attrait de la terre ne fut aussi vif qu'entre 1940 et 1946, où se multiplient les « propriétés alimentaires » destinées à subvenir à la consommation familiale. Face à ces offensives répétées, la propriété paysanne offre une inégale résistance. Les petites contenances sont les plus touchées, en dépit de certaines tentatives d'adaptation, comme celles de ces petits viticulteurs du plateau qui vendent de menues parcelles dans l'espoir de conserver leurs meilleures vignes ou d'en financer la reconversion en vergers. Parfois, le profit accumulé dans les années 1920 ou plus tard avec le marché noir permet le maintien à la terre, mais ce n'est souvent qu'un répit. Quant à la moyenne propriété paysanne, elle est *a priori* mieux armée pour préserver son espace agricole, voire l'agrandir, en puisant comme les citadins dans le vivier de la petite propriété. Entre les deux guerres, la production maraîchère et fruitière, l'élevage laitier lui procurent des revenus suffisants pour résister à l'accaparement des terres par les Lyonnais ; c'est le cas à Chaponost entre 1920 et 1930. Néanmoins, elle est menacée à son tour : affaiblissement consécutif à la crise des années 1930, vieillissement des exploitants et surtout difficulté à s'agrandir, en raison de la forte concurrence de la clientèle citadine qui dispose de l'atout financier. A partir de la décennie 1950, « boisé ou bâti, l'espace agricole se fait rare ». Le Bas-Languedoc est un autre exemple de l'appropriation urbaine du sol, celui d'une région où la propriété paysanne a été constamment étouffée par une emprise citadine qui, de 251 871 hectares après la Révolution, en con-

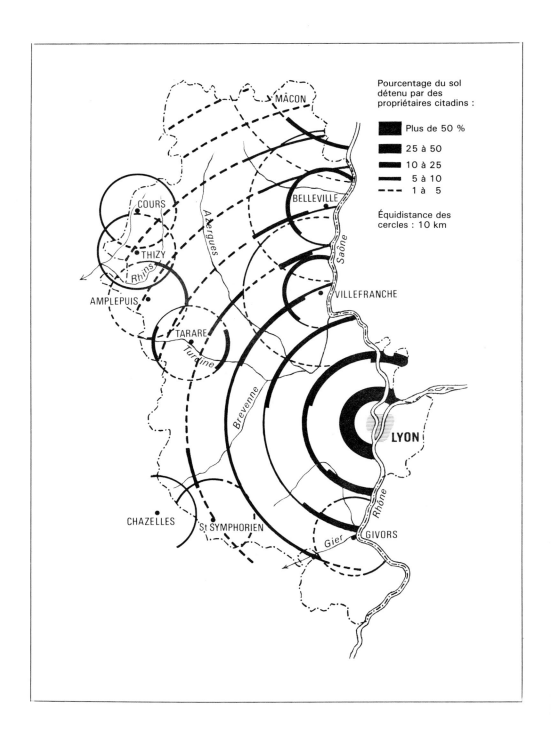

Les rayons fonciers urbains en 1913-1914. D'après G. Garrier, Paysans du Beaujolais et du Lyonnais, tome II, carte 37.

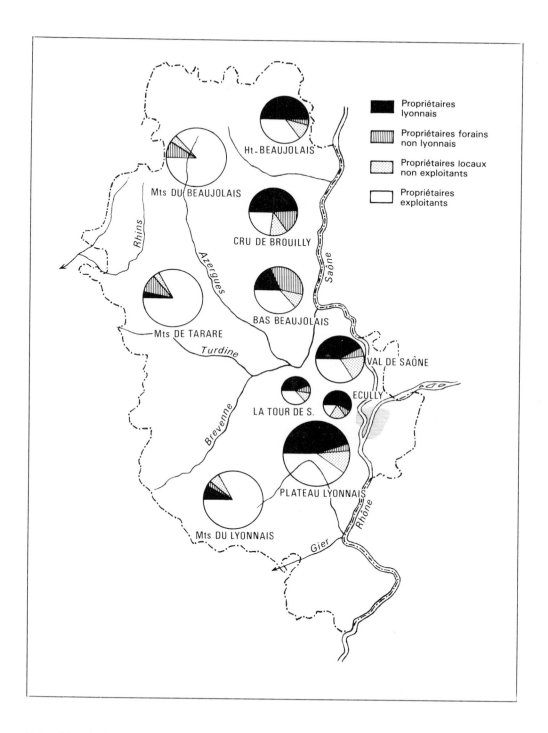

Propriétaires
lyonnais

Propriétaires forains
non lyonnais

Propriétaires locaux
non exploitants

Propriétaires
exploitants

Répartition de la propriété en 1913-1914. D'après G. Garrier, Paysans du Beaujolais et du Lyonnais, *tome II, carte 36.*

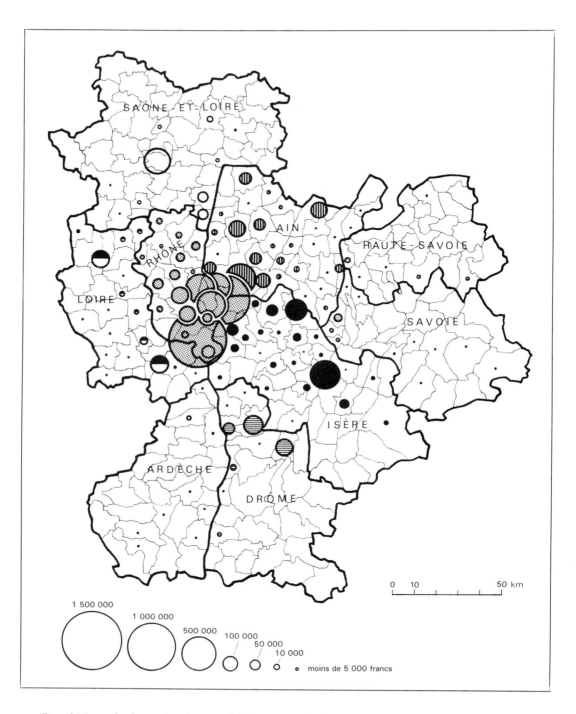

Propriétés rurales lyonnaises dans neuf départements de la région, par cantons et en valeur, d'après l'analyse des successions (régime des communautés), 1911. P. Léon, Géographie de la fortune et structures sociales à Lyon au XIXᵉ siècle, *p. 257.*

Pour lutter contre le phylloxéra, il faut sulfater les vignes. Bulletin mensuel du Syndicat d'agriculture, Blois, 1887.

trôle 380 000 en 1955. Sous l'Ancien Régime déjà, le patriciat urbain possède une puissante assise territoriale. En 1820, 942 citadins aux propriétés de plus de 50 hectares détiennent 233 000 hectares, et 90 familles montpelliéraines possèdent 60 000 hectares, soit le vingtième du Bas-Languedoc. Les Grasset de Pézenas ont 1 046 hectares des garrigues d'Argelliers, trois « campagnes » dans la plaine de l'Hérault et deux mas dans les marais bas-audois. Ils réalisent un modèle typique de l'appropriation foncière citadine de la montagne aux marais. A partir du milieu du XIXe siècle, les grands domaines pratiquant une polyculture à base céréalière s'orientent résolument vers la viticulture, laissée jusque-là aux petits exploitants. Dans l'Hérault, la superficie en vigne passe de 114 000 hectares en 1850 à 220 000 hectares en 1874. La spectaculaire diminution du prix du transport, l'accroissement de la consommation et l'augmentation du prix du vin autorisent de substantiels profits. La bourgeoisie délaisse alors le textile, la chimie, le grand commerce pour se lancer dans la monoculture viticole. « Montpellier n'est plus une cité marchande mais une ville de propriétaires-viticulteurs. » Selon le rapport des inspecteurs généraux de la Banque de France en 1864, « il suffit de cinq ans à l'Hérault pour réaliser un milliard de bénéfice ». Dans de telles conditions, la crise du phylloxéra prend la dimension d'un véritable désastre : en 1883, la superficie en vigne est réduite à 47 000 hectares. Des villages perdent de 10 à 25 % de leurs habitants ; c'est une hémorragie de petits et moyens propriétaires-exploitants. Les grands propriétaires supportent le choc, ils plantent de nouveaux cépages, mais le coût élevé des investissements les contraint à vendre une partie de leurs terres. Ils escomptent cependant des bénéfices équivalents sur une surface réduite, grâce au haut rendement de ces cépages. Toutefois, la bourgeoisie biterroise profite de la pénétration plus tardive de l'insecte dans le Languedoc occidental pour supplanter de façon décisive celle de Montpellier, tandis qu'apparaissent des capitaux étrangers à la région. Des sociétés anonymes se forment et prennent en main des centaines d'hectares de vigne : groupes Rothschild, Japy, Compagnie des salins du Midi. Une viticulture industrielle et capitaliste au coût de revient en constante diminution est née. Elle n'empêche pas le maintien d'une moyenne propriété urbaine, ni une forte poussée de la petite. Dans 42 communes, on compte, en 1820, 616 petits propriétaires, 3 838 en 1955. L'essor de ce groupe résulte à la fois de la conservation des vignes par d'anciens émigrants ou leurs descendants, et de l'achat de parcelles par des artisans, des commerçants ou de petits fonctionnaires en vue d'un placement ou d'une plus-value.

La propriété citadine : un mal nécessaire ?

Quelles ont été les incidences de l'appropriation de l'espace agricole par les citadins et quelles en ont été les conséquences pour le monde paysan ? La réponse ne peut être globale, tant est grande la variété des situations selon les catégories sociales, les périodes envisagées. On ne peut nier qu'une élite de propriétaires citadins, partageant leur vie entre la ville et la campagne, est à la pointe du progrès agricole. Dans le Bas-Languedoc, ils sont vers le milieu du XIXᵉ siècle les instigateurs de la révolution de la vigne, leurs domaines des lieux d'expérimentation et d'innovation technique. Faisant la synthèse de la pratique et de la théorie, ils animent les séances des sociétés d'agriculture — celle de l'Hérault est composée pour plus d'un tiers de professeurs de faculté, la plupart grands propriétaires — et autres sociétés savantes, où il est souvent question de la vigne et du vin. Ce sont des hommes « à l'esprit large et méticuleux, à la fois généreux et économes, dont le but principal est certes le gain mais qui, par leur exemple et leur enseignement, entraînent les vignerons vers la prospérité ». Le négociant Cazalis-Allut est parfaitement représentatif de ce milieu. Quand il achète son domaine en 1826, ce n'est qu'une garrigue pierreuse au pied de la Gardiole ; à sa mort, en 1863, 180 hectares sont en culture, les deux tiers occupés par un vignoble où il a expérimenté avec succès les meilleurs cépages européens. Agriculteur modèle, il entretient un troupeau de moutons de 700 têtes et il a créé, pratiquement de toutes pièces, une vaste oliveraie de 2 500 arbres. Dans le Bassin parisien, les citadins dépensent des sommes importantes pour améliorer les terres de leurs fermiers, notamment par le drainage. Brasseurs et industriels du Nord, propriétaires dans le Cambrésis et en Flandre, participent par leurs investissements à l'essor d'une agriculture hautement productive. Des propriétaires nobles se font un devoir de donner l'exemple, surtout à partir de 1830, quand, « émigrés de l'intérieur », refusant de servir le roi usurpateur, ils reviennent sur leurs terres. En vingt ans, le marquis d'Havrincourt fait de sa propriété artésienne une exploitation modèle : « Je veux montrer aux cultivateurs du Nord, qui abandonnent presque tous l'élevage, qu'en donnant des soins intelligents à nos races, nous pouvons faire aussi bien que les Anglais. » Un même souci de didactisme se retrouve chez le comte de Kergolay, propriétaire du domaine de Canisy dans la Manche laissé jusqu'alors aux mains de trois fermiers routiniers. En 1835, il reprend ses terres et procède à de nombreuses améliorations. Plus tard, tout en gardant une réserve modèle, il engage deux fermiers, à la disposition desquels il met ses instruments, ses étalons, ses semences sélectionnées. S'il ne perd pas de vue la recherche des bénéfices, il n'en veut pas moins être un exemple aisément imitable. « C'est pour ne pas faire autre chose — écrit-il en 1859 — que je regarde comme facile et profitable à exécuter pour chacun de mes voisins, que je n'ai voulu me donner ni jument, ni vache pur sang, que je n'ai pas eu la prétention d'obtenir ces maxima de récoltes qu'il n'est pas bien difficile de réaliser avec quelques sacrifices d'engrais. Je n'ai voulu faire que ce que tous mes voisins pourraient et devraient faire. J'ai voulu leur donner les exemples tout à la fois les meilleurs et les moins dispendieux. »

A côté de ces propriétaires éclairés, combien d'autres se cantonnent dans l'immobilisme ! Véritables poids morts pour l'agriculture, refusant tout investissement sous prétexte que la terre doit rapporter sans rien coûter, leurs domaines sont des exemples permanents de stagnation et de sclérose pour leurs voisins. Cette mentalité est très répandue chez les Toulousains qui ne cherchent pas à vendre une partie de leurs terres pour équiper et moderniser le reste. Leur carence est un facteur du retard économique régional. Dans le Bordelais où, en 1911, on note une réduction du vignoble, les négociants en vin n'ont pas « su conserver et réinvestir leurs bénéfices dans les exploitations » ; d'une façon générale, la bourgeoisie bordelaise est indifférente à la mise en valeur de sa province. Incurie, inertie se retrouvent dans la gestion de grandes propriétés des vallées cévenoles, pourtant installées sur les meilleures terres. Le château de la Fare en est un bon exemple : les revenus tirés de la céréaliculture et des châtaigneraies sont faibles ; le fermier, auquel on refuse toute aide pour moderniser l'exploitation, végète ; le contraste est grand avec les magnifiques vergers environnants, aux mains de petits cultivateurs. De grands propriétaires citadins de la Costière et de la Vistrenque, sollicités par la Compagnie du Bas-Rhône de conclure des contrats d'arrosage, en rejettent le principe, préférant s'accrocher à la culture céréalière, plutôt que de transformer leurs biens en huertas.

Non seulement la propriété citadine est généralement loin d'apporter le progrès cultural, ce qui serait une manière de compensation au préjudice subi par les paysans, mais encore elle peut devenir un facteur de stérilisation de l'espace agricole. Ce peut être de la façon la plus brutale. Le reboisement des monts du Beaujolais en est la preuve, l'ampleur du développement des racines de résineux provoquant l'improductivité des parcelles voisines des plantations. En l'occurrence, la petite propriété dépasse les méfaits de la grande. On voit de modestes citadins, en mal de considération et de bien-fonds, placer leurs économies dans le foncier. C'est le cas autour de Givors et à Cogny où, à la fin du XIXᵉ siècle, des ouvriers et des employés de Villefranche achètent de petits vigneronnages ; attirés par une maison dont ils ne peuvent envisager la construction, ils s'occupent du jardin, du verger, mais laissent incultes les autres lopins, faute de temps. Boisement des parcelles ou retour à la friche, le résultat est identique : la surface agricole utile est réduite. La petite propriété citadine gèle également l'évolution des structures foncières, freine toute modernisation et constitue un facteur de stagnation sociale en fixant à la terre des catégories paysannes marginalisées, à faible revenu. Dans les Causses, les garrigues montpelliéraines, le Minervois, des micropropriétés, détenues par de petits fonctionnaires, des ouvriers et des employés originaires de ces régions, font obstacle au remembrement et empêchent le développement d'une moyenne propriété paysanne. En dépit de terres laissées pour la plupart à l'abandon, ils conservent tous leurs droits dans la commune, d'où l'échec, comme au Plantier dans les Cévennes, d'une valorisation collective de la lande par la création d'un troupeau communal. Les inconvénients de cette propriété résiduelle sont tout aussi manifestes dans les vallées du mont Aigoual où droits de passage et droit d'eau pèsent encore sur la mise en valeur du sol ; l'impossibilité d'obtenir l'accord unanime et simultané des propriétaires absentéistes rend vaine toute tentative pour mettre fin, par voie d'échange ou par acquisition, à ces servitudes anachroniques. Dans le vignoble languedocien, la petite propriété citadine, solidement implantée et dont dépend un exploitant sur six en 1951, a une superficie moyenne de 0,72 hectare. Elle est donnée en métayage à un petit exploitant insuffisamment pourvu de terre ou à un manouvrier à qui elle permet de vivre, ou plutôt de vivoter. Ce système rétrograde, opposé à la rationalité économique, entretient les archaïsmes en maintenant une propriété paysanne parcellaire, accroche au village des familles à faibles ressources et incite les propriétaires à garder leur bien. Les conséquences sociales sont tout aussi négatives, car la médiocrité du niveau de vie favorise le malthusianisme et engendre le vieillissement de la population rurale. Ainsi, la propriété paysanne se trouve-t-elle non seulement cantonnée, mais encore freinée dans sa modernisation, par la grande et plus encore par la petite propriété citadine.

Le poids de la rente

Cette propriété citadine est d'autant moins bien supportée que, en règle générale, donnée en faire-valoir indirect, elle s'identifie à la ponction opérée par les bailleurs sur les paysans. Le héros de *La Terre des autres* résume bien l'exaspération et l'aigreur de ces locataires besogneux : « Comment remplir le porte-monnaie quand il faut donner au propriétaire la valeur de 150 à 180 journées ou, si vous aimez mieux, travailler un jour sur deux pour avoir tout juste le droit de travailler la terre. » Rente en espèce, prélèvement en nature, auxquels on se résigne en période favorable, sont insupportables dans les mauvaises années. Aux yeux des paysans, la rente apparaît souvent comme une ponction parasitaire, une confiscation stérile de la plus-value. Elle finance en effet le train de vie des propriétaires : dans la bonne société toulousaine, la possession d'un domaine est un élément de prestige, et ses revenus alimentent des dépenses de distinction sociale — attelage, toilettes, réceptions, études des enfants — privant l'agriculture de ressources indispensables au progrès. D'ailleurs, toute la littérature du XIXᵉ siècle, de Balzac à Flaubert et Zola, se fait l'écho de ce transfert de richesse et évoque nombre de personnages vivant dans la capitale du revenu de terres éloignées : « Ils règlent leurs caprices et leurs dépenses urbaines sur les apports des fermiers. » Les détenteurs de vigne se sont particulièrement bien entendus à tirer du métayage un parti avantageux. On édifie dans le Beaujolais des demeures avec de vastes parcs à l'anglaise, pavillons et rocailles, grâce au profit tiré du vignoble, même durant les mauvaises années, comme de 1823 à 1833 ou de 1847 à 1851, au cours desquelles le propriétaire confisque l'essentiel du revenu du petit vigneron, lourdement endetté à son égard. Celui-ci, pénalisé par l'avilissement des prix alors qu'il doit supporter la plus grande partie des frais d'exploitation, doit céder à son maître, pour le rembourser, le gros de sa production au prix-récolte, c'est-à-dire le plus bas. Stockée deux ou trois ans, puis vendue à la remontée des cours, c'est un beau bénéfice pour le propriétaire. L'embellissement de Montpellier, dans la seconde moitié du XIXᵉ siècle, et l'enrichissement de la bourgeoisie locale, signalé par les inspecteurs généraux de la Banque de France, doivent beaucoup à

La vie de château est financée par les revenus de la terre. Eugène Lami, La Promenade après dîner, 1828.

la vigne. Sur le long terme, le vignoble languedocien a toujours été considéré comme un pactole par les citadins, même petits propriétaires dont le nombre, comme nous l'avons vu, n'a fait qu'augmenter. Se contentant le plus souvent d'un métayage à tiers fruit, ils échappent à la contrainte des investissements auxquels leurs métayers sont assujettis pour maintenir la vigne en état. Ainsi, au pire, c'est une opération blanche en période de mévente ; dans les bonnes années, comme dans la décennie 1950, le bénéfice équivaut à un mois au moins, huit mois au plus du salaire de l'employé ou du fonctionnaire : l'argent afflue vers la ville. Ces petits possédants ont des situations trop modestes pour faire preuve de compréhension envers leurs locataires.

Incontestablement, l'exode rural aggrave encore la ponction urbaine par le transfert annuel d'une fraction des revenus agricoles au profit des migrants. Les villes moyennes, en particulier, abritent une bourgeoisie de professions libérales et de gros commerçants d'origine terrienne, auxquels les propriétés affermées assurent une rente de situation. Dans les cas où le migrant, rompant tous liens avec le passé, cède son capital foncier au cultivateur, ce dernier verse en fait un véritable tribut au citadin pour conserver la même étendue de surface cultivée ; lorsque ses moyens financiers ne lui permettent pas l'achat des terres, elles retournent à la friche. Ainsi le simple maintien de l'espace agricole est-il lié à l'importance du prélèvement urbain sur les campagnes. La mise en place d'institutions de crédit agricole, notamment après 1889 avec le Crédit mutuel coiffé par la Caisse nationale de crédit agricole, offrant des prêts à bon marché pour lutter contre la plaie du crédit hypothécaire, a pour finalité, en satisfaisant le désir d'indépendance des paysans, de leur donner les moyens de racheter la terre aux rentiers du sol. Ces derniers vendent par petits lots, donc à bon prix, et en reçoivent immédiatement le montant, alors que les cultivateurs s'acquittent par versements périodiques.

La rente foncière représente aussi un mécanisme de sélection sociale, à tout le moins de déstabilisation de la société paysanne. Dès le XVIIIᵉ siècle, les gros fermiers du Soissonnais parviennent à s'opposer avec succès à la hausse de la rente, qui s'alourdit au contraire pour la petite paysannerie. Bien mieux, alors que cette petite paysannerie subit une réduction de la durée des baux, souvent ramenés à quatre ans, les grands exploitants obtiennent un allongement considérable des leurs, douze, quinze, dix-huit, parfois vingt-sept ans. On verra plus loin les conséquences de ce mécanisme d'appauvrissement. D'ores et déjà, soulignons l'inégalité du poids de la rente selon les catégories sociales : petits et moyens exploitants sont pénalisés par rapport aux gros qui louent de vastes superficies et paient proportionnellement moins cher.

Mal supportée par les cultivateurs, l'appropriation foncière citadine n'a pas que des effets néfastes, et peut présenter des avantages économiques et sociaux. Par le biais du métayage, elle est un instrument de mobilité sociale, une chance pour les éléments populaires, auxquels l'absence d'un capital d'exploitation interdit d'être fermier, de s'évader du salariat agricole et d'accéder peut-être un jour à la propriété. Les exemples ne manquent pas, dans le contexte économique favorable des années 1860, de ce genre de réussite, du Beaujolais au Bas-Languedoc, du Toulousain au Bourbonnais et au Limousin. Mais, comme le constate en 1881 un ancien métayer, c'est à force de travail, d'économie et de privation, car il faut verser une lourde redevance au propriétaire, largement bénéficiaire du système. Dans les régions d'agriculture avancée et à un certain niveau du développement économique, la dissociation entre le capital foncier et le capital d'exploitation est un élément indispensable du progrès agricole. Les fermiers du Soissonnais l'ont bien compris. Certains, qui avaient cédé à la tentation d'acquérir des biens nationaux, s'en débarrassent au début du XIXᵉ siècle, pour transformer ce capital gelé en capital d'exploitation plus rémunérateur. A l'inverse, les exploitants appâtés dans les années 1890 par les rachats des terres des rentiers du sol, à un prix trois fois moins élevé qu'avant la crise, sont obligés de repousser les investissements indispensables à l'amélioration de la culture betteravière du fait d'une transformation de l'industrie sucrière. Vingt ans après leur acquisition, leur capital d'exploitation est encore inférieur à la moyenne. Sans nul doute, bloquer l'évolution du taux de la rente, et ces gros fermiers y parviennent, est plus avantageux que de la racheter. Telle est la politique de l'ensemble des fermiers capitalistes, comme les Caffin de Sapignies dans le Pas-de-Calais, exploitant en 1866 200 hectares, ou les Leclercq de Wimille qui tiennent une ferme de 225 hectares. Alors que, pour les petits et moyens cultivateurs, la possession du sol est synonyme d'émancipation, pour eux le pouvoir économique et social passe par d'autres voies. Cette attitude traduit leur degré d'ouverture à la rationalité économique et en fait les représentants d'une couche sociale, celle des entrepreneurs de culture, dont le comportement et la mentalité tranchent singulièrement sur ceux de la majorité des paysans.

Jusqu'à la création des caisses de crédit agricole, le rôle de la rente foncière se fait également sentir par l'intermédiaire du prêt hypothécaire. Ce système assume une fonction fondamentale, comme dans le Béthunois où nombre de petits paysans, insérés dans une économie marchande, souscrivent des obligations hypothécaires à court terme, en attendant la vente de leur excédent commercialisable, car il faut consentir des avances à la terre, payer le loyer de son lopin. En 1851, dans le Pas-de-Calais, les citadins, parmi lesquels les propriétaires fonciers sont très majoritaires, figurent en bonne place au sein des créanciers, avec 45 % du montant des obligations souscrites. L'influence urbaine sur les campagnes en est renforcée. Les exploitants sont pour leur part au premier rang des emprunteurs, avec plus de 50 % des effectifs et des obligations. On ne saurait trop souligner à ce propos le rôle du notaire collecteur et dispensateur des fonds : il sait qui a de l'argent et qui en a besoin. Il se crée un circuit entre le prélèvement de la rente foncière, fonctionnant comme un mécanisme de mobilisation des capitaux, et sa réinjection dans le secteur agricole, au moyen du prêt hypothécaire. C'est ce que prouvent de nombreuses créances dans les successions citadines. En l'absence de banque agricole, l'utilité du système est évidente ; la faible durée des prêts rend pourtant son coût social élevé : l'impossibilité, lors de difficultés économiques, de rembourser à court terme, risque en effet de déclencher un processus de surendettement. Il lèse rarement le prêteur, mais il peut entraîner la ruine du cultivateur et son expropriation. Une autre forme plus positive de redistribution de la rente foncière consiste en son réinvestissement total ou partiel sur place ; ce qui peut être considéré comme une forme déguisée de transfert économique, sinon de redistribution sociale du loyer de la terre au profit de la campagne. Quand le propriétaire séjourne régulièrement aux champs, l'amélioration du domaine et ses dépenses courantes stimulent l'activité locale, entraînent la prospérité du commerce et de l'artisanat du village. Il faut y ajouter les dépenses de charité, l'aide sous diverses formes à la commune : réparation de bâtiments publics, aide scolaire, subventions à des associations. Certains exemples montrent une absorption complète de la rente par ce type de dépenses qui, bien sûr, ne sont pas sans servir des intérêts clientélistes.

Capitalisme agraire et complicités paysannes

La rente foncière doit s'apprécier dans le cadre élargi de l'évolution économique globale. Elle contribue en effet au développement d'une agriculture capitaliste en lui fournissant la main-d'œuvre nécessaire : la rente différentielle est un vrai sélecteur social en éliminant certaines couches de la petite paysannerie. Bloquée par les gros fermiers, elle frappe lourdement les micropropriétaires, comme nous l'avons vu dans le Soissonnais. De ce fait, ils se voient interdire toute possibilité d'agrandissement de l'exploitation, et même, en raison de la forte augmentation des baux, il arrive qu'ils ne parviennent plus à prendre les lopins en location. Dès lors ils doivent travailler, au moins à temps partiel, chez les grands cultivateurs, s'intégrer aux circuits capitalistes du salariat. Ce processus d'élimination du travailleur indépendant, conséquence de la poussée de la rente, permet le développement du capitalisme agraire.

Source indiscutable de l'accumulation primitive du capital, la rente foncière constitue enfin un mécanisme de transfert des ressources financières agricoles vers les autres secteurs de l'économie. Les exemples ne manquent pas des prises de participation des rentiers du sol dans des entreprises diverses : Société anonyme des forges et laminoirs de Champigneulles ou sociétés de la Côte-d'Or. Dans le Beaujolais, à partir des années 1850, les propriétaires investissent les bénéfices viticoles dans des valeurs mobilières ; et en 1876-1877, les inventaires après décès des grosses successions mettent en relief leur contribution à l'industrialisation et au développement d'établissements financiers régionaux : mines de Sain-Bel, de la Loire, Compagnie lyonnaise des boues et vidanges, Société anonyme des Dombes, Crédit lyonnais puis, plus tard, investissements dans la chimie. Dans cette perspective, les propriétaires fonciers, et au premier chef les

Les propriétaires fonciers contribuent au développement d'établissements financiers qui investissent dans des secteurs plus rémunérateurs que l'agriculture. Une succursale du Crédit lyonnais à Charlieu (Loire).

citadins, ont parfaitement joué leur rôle dans la transformation de la société globale : contraindre une épargne paysanne à se former pour acquitter la rente du sol, puis la réinvestir dans les secteurs économiques en expansion, plus rémunérateurs, mais réduisant du même coup les capacités d'autofinancement des agriculteurs et freinant esprit d'initiative et modernisation. Inversement, le relâchement durable de la pression de la rente, pendant la crise des années 1880 et l'inflation de l'entre-deux-guerres, a-t-il eu pour résultat d'encourager les paysans à investir dans leurs exploitations ? Il ne semble pas qu'ils aient beaucoup utilisé la part accrue de capitaux, dont ils avaient désormais le libre usage, dans ce but. Est-ce la conséquence de leurs difficultés propres face à la chute des prix agricoles et à l'absence de disponibilités financières ? Ou ont-ils préféré acheter des terres, profitant de l'avilissement de leur valeur vénale ? Ces deux hypothèses ont été avancées et contiennent une part de vérité, mais là n'est pas l'essentiel.

Dans la stratégie des milieux dirigeants, et contrairement à maints discours, l'agriculture n'a pas à se développer en fonction d'objectifs qui lui sont propres, elle est assujettie aux exigences du système économique global. Or, à la fin du XIXᵉ siècle, on mène une politique capitaliste à l'échelle du monde sous la forme de placements de capitaux, au rythme annuel moyen de 1,1 milliard de francs entre 1895 et 1913. A la veille de 1914, la France, banquier universel, est la seconde puissance financière mondiale avec quelque 50 milliards de francs-or placés à l'étranger. C'est pourquoi on préfère mobiliser pour ces placements l'épargne agricole. C'est d'autant plus facile que les paysans sont habitués, pour la majorité d'entre eux, à ne pas compter le prix de leur travail, tout en fournissant l'essentiel de l'alimentation du pays. Cependant, il fallait éviter, au moins dans une certaine mesure, de les laisser affronter une concurrence étrangère trop souvent compétitive : ce fut le but de la politique protectionniste.

Au demeurant, une transformation en profondeur de l'agriculture suppose des investissements considérables, en aval dans le secteur agro-alimentaire, en amont dans le secteur chimique, dont la rentabilité n'apparaît pas aussi évidente que le profit tiré des placements à l'étranger. Certes, entre 1910 et 1938, la consommation d'engrais, tout en restant en retard sur celle de nos voisins, est multipliée par deux, la valeur du parc en matériel double en francs constants, le recours au machinisme se généralise. Toutefois, l'industrie agricole, non standardisée, est trop proche de l'artisanat. L'appareil de production industriel n'est pas conçu pour répondre à une transformation massive du secteur agricole, compte tenu de la place qui lui est traditionnellement assignée.

En attendant les bouleversements de la « révolution silencieuse » et la place accordée à la « nouvelle agriculture » dans l'économie nationale, le prélèvement de l'épargne rurale reste un objectif prioritaire, et les paysans, à leur tour, cèdent aux appels des sirènes tentatrices de la Bourse, aux attraits des caisses d'épargne, et détournent leurs propres capitaux de la terre. C'est à partir du dernier tiers du XIX° siècle que les placements financiers, favorisés par la baisse des profits agricoles, apparaissent dans les successions. Jusque-là, seuls de gros exploitants avaient un profit leur permettant à la fois d'accroître le capital d'exploitation et de faire des investissements dans l'industrie et le commerce. Une analyse des successions dans les campagnes lyonnaises en 1876-1877 en apporte la confirmation. Entre 5 000 et 20 000 F, figurent parfois des livrets de caisse d'épargne et des rentes sur l'État ; entre 20 000 et 100 000 F, le choix est plus ouvert : rentes sur l'État, emprunts étrangers, valeurs françaises et étrangères ; entre 100 000 et 500 000 F, un quart du patrimoine mobilier est en compte courant, la moitié en placements. En 1912-1913, les livrets de caisse d'épargne se généralisent dans les petites successions ; dans les moyennes et grandes, les rentes de l'État s'effacent au profit d'un portefeuille dominé par les obligations, principalement ferroviaires. La situation du Vaucluse n'est guère différente. Si la fréquence des valeurs mobilières représente 8 % des petites successions en 1920, 17 % en 1930, 11 % en 1938, pour les successions moyennes on atteint des taux de 4 % en 1900, 25 % à partir de 1920, et pour les grandes, ils passent de 26 % en 1900 à 57 % en 1920 et à 61 % en 1938. Plus significative encore est l'évolution du pourcentage de livrets de caisse d'épargne dans les inventaires après décès entre 1900 et 1930, passant de 7 à 32 % dans les successions modestes, de 23 à 45 % dans les moyennes. « Épargne de précaution », les livrets sont « une version moderne du bas de laine, considéré comme une sécurité nécessaire » ; on n'y touche qu'en cas d'extrême nécessité : autant dire que c'est un capital gelé. Les dépôts aux caisses du Crédit agricole mutuel répondent à une exigence identique. Pour une majorité de paysans, un compte au Crédit agricole n'est pas conçu comme un instrument de paiement.

A côté des caisses d'épargne, circuits privilégiés du drainage des capitaux, des banques locales, régionales ou des agences de grandes banques de dépôt s'installent à la fin du XIX° siècle dans nombre de chefs-lieux de canton. Banquiers, directeurs d'agence pratiquent le *forcing* et ratissent la clientèle paysanne. Dans la région lyonnaise, tous les procédés sont utilisés : visites à domicile, entrevues discrètes à l'agence. Le notaire, convenablement intéressé par la banque, se fait son agent de propagande et met à sa disposition le capital de confiance dont il jouit auprès des paysans, se chargeant même de placer les titres. En 1905, l'agence de Saint-Symphorien-sur-Coise place en six mois pour 600 000 F d'emprunt sud-américain. Au début du siècle, dans

Publicité musclée en faveur des engrais. Almanach agricole, *1911.*

le Vaucluse, la banque Pignet de Buis-les-Baronnies ouvre, une ou deux fois par mois, des locaux très sommaires dans les villages. Le banquier n'hésite pas à « faire les foires » et à se livrer à « des opérations de banque en plein air, sous la capote de sa voiture à cheval » ; le paysan profite de l'occasion pour toucher ses coupons et parfois, cédant aux sollicitations, fait de nouveaux placements avec l'argent frais provenant de la vente de ses produits. La banque Chaix de Barbentane possède, en 1939, des guichets dans seize localités du Vaucluse et des Bouches-du-Rhône, succès lié à une politique d'absorption de banques locales et, surtout, à une stratégie axée sur la formation d'une clientèle rurale soucieuse de placements rassurants. Le réseau bancaire devient d'ailleurs de plus en plus dense, comme le montre l'exemple du bourg du Thor où, dès la fin des années 1920, la paysannerie a l'embarras du choix : Crédit lyonnais, Société générale, Comptoir d'escompte, Société marseillaise de crédit et banque Chaix. Dans le Soissonnais en 1939, le portefeuille de certains grands fermiers est constitué d'actions des grands groupes industriels et financiers. Ainsi, dans les régions d'agriculture ouverte où la circulation du numéraire est abondante, les banques assument une fonction de drainage du profit paysan pour alimenter les circuits nationaux et internationaux. Les zones d'économie traditionnelle ne sont pas restées pour autant à l'écart du mouvement, dans la mesure où elles ont été irriguées d'un flux monétaire lié à l'extrême facilité de vente pendant la première guerre mondiale, puis aux pensions versées à divers titres par l'État. Lucien Gachon, dans l'*Histoire de Jean-Marie*, évoque la manne répandue durant la guerre dans les campagnes : « On avait touché l'allocation pour le pauvre Ludovic, on avait touché pour l'Eugénie qui était une gamine encore ;

on avait vendu tout l'an cent cinquante quintaux de foin, le plus pauvre, au ravitaillement. Et de l'avoine et de la paille. Tout ce qu'on pouvait vendre [...]. De tous ces billets (le représentant de la banque) avait bien conseillé ce qu'il fallait en faire. L'embêtant, c'est qu'il était obligé qu'on soit vu quand on allait le trouver. D'un côté, ça faisait plaisir : on ne courait pas après la misère [...] mais les sales langues marchaient. » De fait, le beau-père de Jean-Marie, cultivateur aisé, possède des rentes d'État, de la ville de Paris, dix actions hydroélectriques, des Ugine, des suédoises, des foncières, des pétrolières, pour une valeur de 322 000 F. Les paysans s'initient donc aux mécanismes financiers et boursiers, non sans quelques déboires : il leur arrive d'être victimes de démarcheurs peu scrupuleux qui profitent de leur inexpérience et de l'attrait de gains réalisés sans travailler. On peut mesurer l'impact psychologique de ce phénomène sur une catégorie sociale habituée à mesurer l'argent à l'aune du labeur. Une lente et profonde évolution des esprits — favorisée d'ailleurs par l'inflation — se produit, une transformation des mentalités vis-à-vis de l'argent, moins perçu en termes de thésaurisation que dans une optique capitaliste, celle d'une marchandise comme une autre, devant être rentabilisée par l'investissement. Changement énorme : la paysannerie apprend la mobilité des capitaux, et c'est la ville qui la lui enseigne.

LA MAINMISE ÉCONOMIQUE DE LA VILLE

L'échange traditionnel : foires et marchés

Tant que la majorité des paysans pratiquent une polyculture ayant pour finalité l'autoconsommation, les contacts se nouent en priorité avec les artisans et les commerçants du village : charron, maréchal-ferrant, meunier. Dans le Bourbonnais, quand on dispose d'un peu de grain à vendre, on le mène au moulin dès la fin du battage. Les échanges revêtent parfois la forme du troc : dans le Limousin, on voit « la paysanne livrer au tisserand du village une quantité de laine ou de fil supérieure à celle qui est nécessaire à la fabrication des vêtements commandés ; le surplus sera conservé par le tisserand à titre de salaire. Le meunier, le boulanger sont payés selon la même méthode ». Les relations avec les agents économiques de la société englobante se réduisent pour l'essentiel à l'apport de produits frais sur le marché local, ou à la ville voisine. Tout au long de l'année, les ménages modestes et besogneux monnaient ainsi mottes de beurre, œufs, volailles, quelques paniers de fruits et de légumes, souvent achetés par une clientèle d'habitués. Ces ventes sont l'affaire des femmes et représentent pour beaucoup de paysans les principales rentrées en argent, sinon les seules, car celles du surplus de blé sur le marché régional servent à « payer le propriétaire », et sont effectuées par les hommes. Il existe en effet toute une hiérarchie de marchés : depuis ceux qui animent des courants à courte distance et assurent la complémentarité des bourgs et des campagnes, jusqu'aux marchés collecteurs, dominés par de gros négociants régionaux, qui s'insèrent dans un réseau de relations intradépartementales et même interdépartementales. Certains bénéficient d'une remarquable organisation, comme celui d'Arras qui, dans les deux premiers tiers du XIXe siècle, est l'un des plus gros marchés de céréales et de graines oléagineuses de France, drainant une grande partie de la production artésienne et ravitaillant les agglomérations populeuses du Pas-de-Calais et du Nord. Le contraste est donc important entre les marchés régionaux, plus ou moins actifs d'ail-

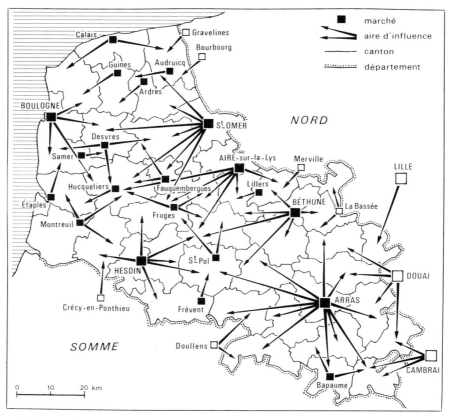

*Aires d'influence des marchés du Pas-de-Calais au milieu du XIXᵉ siècle. D'après R. Hubscher,
L'Agriculture et la Société rurale dans le Pas-de-Calais, tome II, p. 419.*

leurs, et les petits marchés locaux où les paysannes échangent les produits de leur basse-cour et de leur jardin contre de l'épicerie, des tabliers et des sabots, n'achetant qu'autant qu'elles ont vendu.

Si les marchés, à l'exception des centres collecteurs, assurent l'écoulement de la production ordinaire et l'achat d'objets courants, les foires, en raison de leur moindre fréquence, offrent une qualité et une variété de marchandises beaucoup plus grandes. Dans la mentalité paysanne, le marché s'intègre à l'univers du quotidien, même si la connotation urbaine y est très accentuée ; la foire, par un effet de distanciation lié à son espacement périodique, revêt un caractère plus solennel, représente un événement marquant : on y règle les affaires importantes. Dans maintes régions, on a coutume de dire que la vente du blé au marché sert à payer la rente et que les « élèves » amenés sur le champ de foire sont le bénéfice. La foire, où l'on peut certes acquérir divers articles auprès des marchands forains, est d'abord vécue comme un système d'échange entre agriculteurs. Bien entendu, on peut aussi recourir à des intermédiaires spécialisés, les maquignons ou, comme en Dordogne entre les deux guerres, à l'accordeur, qui a pour mission, après d'interminables palabres, quand le oui final si douloureux à prononcer est indéfiniment retardé, de « rapprocher des mains qui ne demandent qu'à toper ». La foire est par excellence le lieu du marchandage. Cette technique met en relief les qualités et le talent du paysan, lui laisse une indéniable marge d'initiative face à l'acheteur ou au vendeur tout au long de la transaction. Savoir apprécier ou déprécier la marchandise de l'autre, valoriser la sienne est un art : à la foire, le chef de famille est en représentation.

Foires et marchés sont donc des points d'ancrage complémentaires du commerce traditionnel, tout en ayant chacun leur propre finalité. Acheteurs et vendeurs s'y rencontrent pour des transactions ponctuelles qui s'effectuent selon la loi de l'offre et de la demande, principalement en fonction des besoins des cultivateurs, sans qu'entre nécessairement en jeu une connaissance de la conjoncture ou de la tendance générale des cours. Ces marchés physiques suivent un ensemble de règles tacitement accepté par les parties en présence ; s'y conformer accentue la connivence : les maquignons et les marchands, en dépit de leur fonction médiatrice avec la société englobante, ne sont pas considérés comme étrangers à la communauté villageoise. Ils appartiennent au même groupe social et culturel que les cultivateurs. La pratique d'un langage commun, la similitude du vêtement — l'ample blouse bleue ou noire — renforcent encore l'uniformisation des attitudes. Quand des tensions, occasionnées par la fraude, l'usure ou les difficultés conjoncturelles, surgissent entre producteurs et commerçants, elles restent circonscrites au monde rural auquel ces individus sont fortement intégrés. L'accent est mis, et c'est l'intérêt des marchands, sur la cohésion du groupe.

Au marché local de Romorantin, les fermières vendent les produits de leur basse-cour et de leur jardin.

A la foire de la ville, se concluent avec les marchands des affaires plus importantes : vente des bestiaux et des récoltes. Autun (Saône-et-Loire).

Source de prestige et de prospérité, la création ou l'extension d'une foire ou d'un marché représente un enjeu de taille. Les propos du maire de Montreuil-sur-Mer, en 1849, sont sans ambiguïté : « Les grains et les denrées sont apportés par les cultivateurs, les légumiers [...] des communes voisines. Une partie du produit du commerce de ces ventes revient aux commerçants, aubergistes, industriels de Montreuil ; ville où ces établissements ne se soutiennent que par ces marchés qui ont aussi l'importance de procurer dans la ville la circulation d'une partie notable du numéraire. » En 1922, c'est encore le marché qui est la ressource essentielle de Saint-Pol-sur-Ternoise : « Pendant la plus grande partie de l'année, Saint-Pol est une ville morte qui, un jour par semaine, naît à la vie. Pendant quelques heures règne une grande activité dans les artères principales et sur la place, la population double, les restaurants et les cafés sont bondés, les rues étroites sont encombrées par les paysans [...]. Une notable partie de l'argent du pays reste à Saint-Pol et enrichit la ville. » La foire, temps fort du calendrier agricole, est aussi une fête. Elle attire les jeunes gens par ses bals, ses spectacles forains : les circuits du plaisir sont une autre façon de drainer l'argent des campagnes. Les paysans ont, parfois, le sentiment qu'on profite d'eux. Un personnage de *La Terre des autres*, de Martial Chaulanges, énonce ses griefs : « Quel droit ont-ils, ceux de la ville, de nous prendre cet argent ? Nous leur apportons les vivres, nous achetons dans leurs boutiques, nous mangeons dans leurs auberges, et, pas contents de nous faire payer bien cher, ils lèvent encore une taxe sur les bêtes que nous amenons, vendues ou non [...]. Ça s'appelle du vol [...]. Ceux qui gagnent, ce ne sont pas ceux qui travaillent, qui sèment le grain et qui nourrissent les bêtes, mais ceux qui ne font rien comme les feignants de la ville. Les paysans en ont assez, à la fin. »

Ce système de transactions privilégie des courants d'échanges limités, locaux ou régionaux, comme l'indique le nombre impressionnant de foires et de marchés, l'intégration dans des circuits commerciaux plus larges restant marginale. Il demeure d'ailleurs dans les mains des paysans et des marchands du cru : regrattiers, blatiers, coquetiers, maquignons. Il est bien le reflet d'une économie principalement fondée sur la polyculture de subsistance. Même si les progrès de la monétarisation sont réels, la commercialisation des produits du sol est d'abord, et avant tout, perçue en termes d'échange. Échange des surplus de l'élevage et de la culture contre des objets de première nécessité : sel, sabots, vêtements, quincaillerie, et même superflus. Trait de mentalité qui traduit une conception traditionnelle et étriquée de la finalité de l'agriculture.

Le règne des intermédiaires

Le passage, plus ou moins rapide selon les régions, d'une économie de subsistance à une économie marchande, entraîne une déstructuration des relations de proximité. Les contacts avec la société englobante deviennent plus suivis à partir du moment où l'appareil productif agricole se spécialise, où l'accent est mis sur des cultures commerciales en liaison avec un marché national. Parallèlement, les campagnes s'ouvrent plus largement aux produits manufacturés, au fur et à mesure de la pénétration des routes et des chemins de fer. Les liens avec les villes voisines ou lointaines, jusqu'alors assez lâches, se resserrent, et l'influence urbaine devient décisive. En dépit de réels succès, comme ceux des coopératives laitières des Charentes et du Poitou, ou de ceux plus relatifs des coopératives viticoles, l'absence ou l'insuffisance des circuits de distribution, sinon d'achat, contraint les agriculteurs à s'en remettre aux intermédiaires. Eux seuls sont capables d'opérer la collecte des marchandises très dispersées, produites en petites quantités, soumises à la variabilité climatique, et de fournir un flux régulier d'approvisionnement aux centres urbains. Dès lors, les paysans perdent la maîtrise de la commercialisation de leurs produits. C'est particulièrement vrai dans le circuit de la viande où, entre producteurs et consommateurs, s'interpose toute une pyramide d'entremetteurs : le courtier achète l'animal, le transporte, le revend au chevillard qui approvisionne le boucher.

Le commerce du vin donne aussi un bon exemple de la cascade d'intermédiaires qui sépare le viticulteur du détaillant. Dans le Languedoc-Roussillon, on voit les chargeurs regrouper les vins pour les expédier aux négociants approvisionneurs ou distributeurs des grands entrepôts de Bercy. Ces derniers tentent, par le truchement de commissionnaires, de concentrer à leur profit les circuits de distribution, tirant parti des années de marasme viticole qui mettent en difficulté les négociants du Midi. Le négociant local est cependant un personnage puissant. Il prête de l'argent, fait des avances sur la récolte, ce qui l'autorise à accaparer une bonne part du revenu agricole ; il le réinvestit dans son affaire ou achète des vignes. Bien entendu, il paie le vin le moins cher possible pour ne pas décourager les achats au détail, tout en préservant son bénéfice. Faisant écran entre les producteurs et les négociants, le courtier informe ceux-ci sur la récolte et transmet leurs offres d'achat aux viticulteurs. Le monde des courtiers est divers. Le courtier de campagne a pour vocation de collecter la production de ses clients, petits producteurs. Homme du terroir par ses origines, il connaît bien son monde, la qualité du vin de celui-ci, la capacité financière de cet autre. Affichant une solidarité de complaisance avec le vigneron, il est en réalité l'auxiliaire du négociant et s'efforce de capter la confiance de ses clients. A l'instigation du négociant, il n'hésite pas à répandre de fausses nouvelles : il fait courir le bruit d'un marasme possible du marché, d'une récolte pléthorique, d'une diminution de la demande, de tout ce qui fait vendre au plus vite et au moindre prix les producteurs inquiets. Les grands propriétaires disposent évidemment d'atouts sérieux pour commercialiser convenablement leur production. Résidant en ville, étant du même milieu que les négociants auxquels ils sont parfois alliés, ils sont bien informés des tendances réelles du marché. Certains se chargent eux-mêmes de la vente, d'autres s'adressent à un courtier de la ville, leur fondé de pouvoir auprès des négociants. Les commissionnaires sont, pour leur part, des courtiers mandataires d'un négociant installé dans un centre de consommation, et pour le compte duquel ils assurent les expéditions, ordinairement par wagon-foudre. Ils perçoivent des courtages trois fois plus élevés que les autres courtiers. Mais tous ont en commun de faire pression sur les vendeurs pour faire baisser les prix. Rares sont les moments d'union sacrée entre producteurs et marchands, comme au moment de la terrible crise de 1907, l'unité du Midi viticole se faisant contre les pouvoirs publics.

L'intermédiaire, quel qu'il soit, cristallise la méfiance latente et atavique du paysan pour le commerçant, toujours soupçonné de vouloir le gruger. Les cultivateurs sont encore plus sensibles à la détérioration des termes de l'échange de l'agriculture quand ils constatent, à la fin du XIXᵉ siècle et entre les deux guerres, les scandaleux écarts des prix à la production et à la consommation ; ils imputent la faiblesse de leurs recettes aux prélèvements excessifs des commerçants. Les difficultés du secteur agricole entraînent automatiquement la dégradation des rapports entre les partenaires, les marchands étant toujours tentés d'exploiter la situation à leur avantage. Un des facteurs primordiaux de la dépendance du producteur à l'égard de l'acheteur réside dans son incapacité à stocker, et dans la vente de marchandises périssables. Ne voyait-on pas, en 1924, des paysans apporter leurs raisins sur le quai de la gare de Cavaillon et attendre trois jours, vainement, une offre des négociants ? Pourri, le raisin était invendable. Cette dépendance est bien sûr inversement proportionnelle au statut social. Vraisemblablement, les zones de vignobles connaissent les relations les plus tendues en raison des oscillations brutales du prix du vin. Les années de bonne récolte, le marché s'engorge, les courtiers jouent plus que jamais à la baisse, cumulant ainsi les effets de la surproduction. Le manque de vaisselle vinaire met les petits vignerons à leur merci et les oblige à vendre tout de suite la récolte au prix le plus bas. Mieux encore, dans le Var, les négociants refusent d'établir un prix avant que le vin soit dans leurs cuves, « ils imposent leur volonté, et le prix fixé par eux est toujours inférieur à celui des régions voisines ». Ils s'efforcent aussi d'aligner les cours sur ceux des vins algériens. La faiblesse de l'équipement, une vinification défectueuse ou suspectée de l'être, l'insuffisance du capital de roulement sont autant de handicaps contraignant à accepter les services et les conditions du négociant.

Le vif succès remporté par les coopératives viticoles répond à une immense attente : désormais, la confrontation entre acheteurs et vendeurs se fait à armes égales. La réussite des coopératives du Vaucluse est telle, dans les années 1920, que les courtiers cherchent à les éliminer en payant le raisin plus cher et au comptant, alors que celles-ci diffèrent de plusieurs mois leurs règlements. Les caves coopératives sont également minées de l'intérieur par des sociétaires indisciplinés qui, les désertant en période de hauts prix, les affaiblissent ; preuve d'un individualisme tenace, sinon d'un égoïsme féroce. L'État soutient ces coopératives par les lois du 5 août 1920, du 12 juillet 1923 et les décrets-lois du 8 août 1935 et du 13 août 1936, sous forme de subventions et de prêts à long terme, ce système paraissant « nécessaire économiquement [...] parce que utile socialement ». « Entreprises collectives d'inspiration capitaliste, elles garantissent la vente du produit tout en respectant la propriété », elles insistent sur la « solidarité interprofessionnelle » et intègrent la petite production dans le système capitaliste, désamorçant la contestation. Les gros producteurs ont, pour leur part, toujours tenu la dragée haute au commerce. Ils disposent d'un matériel de stockage, écoulent leur production au moment opportun et présentent des garanties de qualité. Leur supériorité technique leur confère un avantage décisif sur le petit producteur, même en 1900-1909 où ils parviennent à vendre leur vin à un cours supérieur de 20 % à celui du vigneron.

D'une manière générale, des disponibilités financières jointes à une bonne connaissance du marché représentent des atouts de poids face au négoce. Grenadou, paysan beauceron, vend régulièrement des agneaux gras à un boucher de Chartres, mais il n'hésite pas à prendre le train pour se rendre à La Villette et les vendre lui-même si on ne les lui paie pas au juste prix. Il se « défend » aussi face au marchand de grain, il lui tient tête : « Je ne vends pas à ce prix-là. Je vais stocker. » Mais combien de Grenadou peuvent tirer leur épingle du jeu ? La majorité des paysans sont victimes des mécanismes spéculatifs, incapables de faire jouer à leur profit les variations des cours. Face à la souplesse des interventions du marchand, le cultivateur est tenu par la rigidité de sa situation financière, en particulier sur le marché du blé où l'on note de remarquables constances. Sous l'ancien régime économique, la plupart des producteurs ayant un excédent commercialisable l'apportent sur le marché dès la moisson, au moment où les prix sont au plus bas, car ils ont un besoin pressant d'argent pour faire face aux charges ou rembourser des prêts. En 1822, les maires du canton d'Apt signalent qu'on vend tout, même les grains de semence, quitte à les racheter plus cher à l'automne ou à les emprunter. Un siècle plus tard, aux dires du directeur des Services agricoles : « Les céréaliculteurs du Vaucluse, habitués à livrer au commerce tout de suite après la moisson, ne disposent ni de greniers, ni de locaux appropriés pour la conservation de leur blé, et beaucoup d'entre eux ont été ainsi obligés de le céder au prix qui leur était offert ou de le confier à des négociants devenus, en fait, les véritables acquéreurs privilégiés, au mépris de la loi du 10 juillet 1933 fixant un prix plancher. » En octobre 1934, 13 500 quintaux de blé payés à 48 F le quintal sont revendus quinze jours après à 68 F ; le bénéfice de l'opération s'élève à 270 000 F pour le minotier. Les notables agrariens, membres de la Chambre d'agriculture ou de l'Association générale des producteurs de blé, sensibles au scandale de la distorsion entre les prix à la consommation et à la production, loin de blâmer les minotiers, accusent les boulangers et dénoncent la main de Moscou à propos d'une campagne contre le pain cher incriminant les agriculteurs. Vilipendé, l'Office national interprofessionnel du blé a pourtant le mérite de mettre un terme, à la veille de la seconde guerre mondiale, au règne du marchand de grain « tout-puissant dans son canton », en favorisant l'essor du mouvement coopératif. Les 650 coopératives céréalières de 1935 sont 1 100 en 1939 ; elles collectent 85 % du blé vendu.

Région d'agriculture avancée et commercialisée, le Pas-de-Calais est un excellent exemple des transformations des conditions du commerce à la fin du XIXᵉ siècle : développement des relations directes entre producteurs et gros acheteurs, déclin parallèle des foires et marchés traditionnels ou, pour ceux qui survivent, nouvelle vocation. Le décloisonnement des campagnes par la vicinalité permet à des agriculteurs du Ternois d'expédier leur production par la gare la plus proche aux minotiers des régions voisines et déjà aux moulins de Corbeil ; des éleveurs de Pernes et de Diéval envoient directement leur lait aux laiteries du Pays noir. Les chemins de fer facilitent surtout la venue des négociants, dorénavant omniprésents. Sillonnant les campagnes, ils deviennent des

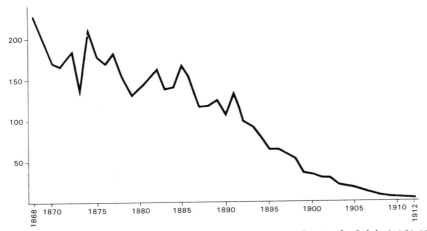

Quantités de céréales apportées sur les marchés du département du Pas-de-Calais (1868-1912 = indice 100). D'après R. Hubscher, L'Agriculture et la Société rurale dans le Pas-de-Calais, *tome II, p. 424.*

intermédiaires obligés. Parcourant le pays de ferme en ferme, achetant à domicile ou sur échantillon, ils sont en relations directes avec les grandes minoteries du Bassin houiller et de Corbeil, ou fréquentent la Bourse au blé de Lille. Certains s'établissent à proximité d'une gare d'où ils rayonnent sur les villages mal desservis. D'autres représentent des maisons de commerce, modestes ou importantes ; ils placent des engrais et des tourteaux, achètent le grain. Des « coconniers » s'installent dans des localités du Ternois et vont de village en village acheter du beurre et des œufs ; ils les expédient ensuite vers la zone minière, quelquefois plus loin. On voit aussi des marchands de bétail sillonner les communes en quête d'approvisionnement, en particulier les courtiers en porcs du Pays noir et dans le canton de Saint-Omer, des marchands de chevaux de Normandie, du Nord ou de Picardie. La vente à domicile ou sur échantillon évite au cultivateur de se déplacer avec sa marchandise, donc une perte de temps, et elle supprime les frais de transport, ou diverses charges : octroi, droits de place au marché, de pesage, de mesure. En réalité, les avantages que l'exploitant semble tirer des nouvelles conditions du commerce ne sont-ils pas illusoires ? S'il économise d'un côté, il paie de l'autre les services des intermédiaires, et surtout la vente à la ferme favorise davantage le marchand : le cultivateur dépourvu de garanties, mal renseigné sur les variations des cours, est souvent abusé. Enfin, déjà, des ententes semblent se nouer entre courtiers pour se partager des aires d'achat ; le journal *L'Agriculture de la région du Nord* en fait état le 17 juin 1898 : « Trop souvent, les intermédiaires s'entendent pour ne pas se concurrencer dans un rayon commun. L'entente des intermédiaires se produit surtout quand le prix des marchandises est avili. Voyez ce qui se passe pour la laine, par exemple : le cultivateur ne voit plus jamais qu'un seul marchand de laine et doit subir le prix qu'on veut bien lui offrir. » L'intérêt des négociants, qui s'adressent à tous les cultivateurs et non plus seulement aux gros producteurs, est donc de liquider les places commerciales. Très vite, on les soupçonne de mener une action concertée pour provoquer leur disparition, comme à Cambrai où le marché, autrefois florissant, tombe en deux ans. A Arras, on parle d'un complot des grossistes en grain pour ruiner la place et imposer leurs conditions aux agriculteurs. La nature des marchés d'échange qui subsistent se modifie, ils deviennent de simples relais intégrés dans les circuits de distribution d'une économie nationale. Leur clientèle change ; alors qu'autrefois cultivateurs et habitants du bourg étaient les principales parties prenantes, désormais les transactions sont prises en charge par de gros marchands ou leurs représentants, traitant souvent par grandes quantités. A Frévent, Hesdin, Avesnes-le-Comte, « à jour fixe, les carrioles chargées des produits de la semaine, surtout des œufs et du beurre, s'y rassemblent. Là, des marchands descendus du train de Béthune les groupent rapidement et font les cours. Fréquemment, ce sont des ''cueilleuses'', commerçants du Pays noir, ou plus souvent encore intermédiaires entre le producteur et le marchand minier ». Auparavant, quand le marché était peu achalandé, les discussions et le marchandage allaient bon train ; avec la spécialisation et l'intensification de la production tout dépend de la tendance générale des cours, et les cultivateurs sont impuissants.

A une agriculture de progrès répond une intégration poussée à l'aval, dans le secteur agro-alimentaire, à l'amont dans celui de la distribution. L'activité de la sucrerie est exemplaire ; elle suscite des intérêts antagonistes. Que la vente se fasse par compromis, le fabricant s'engageant à acheter la récolte sur pied à un prix déterminé, ou à la densité, c'est-à-dire en fonction de la teneur saccharifère, les relations entre planteurs et industriels sont difficiles. Les cultivateurs ne sont pas les derniers à tirer parti de la situation quand, à la suite d'une mauvaise récolte, les prix s'élèvent au-dessus des tarifs fixés au printemps : ils soustraient une partie des betteraves pour les vendre au cours du jour à un autre fabricant. Mais ordinairement, les industriels sont gagnants, car leurs moyens d'action sont autrement efficaces, particulièrement en cas de récolte abondante : prix désavantageux, falsification des pesages et des dosages, situation de monopole de l'usine. Cette tendance au monopole est renforcée par la disparition des sucreries familiales à la suite de la crise sucrière des années 1880, et leur absorption par de puissantes sociétés anonymes, principalement Say et Beghin.

Les cultivateurs ne contrôlent pas davantage le secteur amont, en particulier celui des engrais. Ils se plaignent de leur qualité et de leur prix. Les sociétés et les professeurs d'agriculture les mettent constamment en garde contre les escroqueries, et leur donnent des conseils pour les éviter ; on fustige la publicité mensongère et les pratiques commerciales contestables. Voilà qui vient raviver l'antagonisme latent entre villes et campagnes, enrichir dans la psychologie collective paysanne le mythe du commerçant sans scrupule, dont le cultivateur naïf et de bonne foi est toujours la victime. Aussi une des premières tâches des syndicats agricoles, vers 1890, est de moraliser ce commerce, soit en le prenant en charge, soit, à tout le moins, en procédant à des analyses des produits proposés. La méfiance se dissipant, des maisons sérieuses arrivent à s'imposer. La silhouette de la cigogne, sigle des Potasses d'Alsace apposé sur les murs des villages, devient familière. La consommation des engrais double entre 1913 et 1938. Pourtant, malgré la création de l'Office national de l'azote, le secteur des engrais azotés reste dominé par Saint-Gobain et Kuhlmann, et leur prix ne baisse pas.

L'Alsace est un autre exemple de l'hégémonie croissante de la ville sur la campagne. Le commerce urbain y a suscité et encadré des cultures industrielles, comme celles du houblon et de la garance sous la tutelle du négoce de Haguenau. Des industriels ont favorisé la diffusion de la betterave et créé en 1893 la sucrerie d'Erstein. La Laiterie centrale de Strasbourg contrôle la production et fixe les prix dans un rayon de vingt-cinq kilomètres autour de la ville ; la Seita a le monopole du marché du tabac. « La ville suscite, impose, contrôle, mais ne garantit rien. » La maîtrise du commerce des produits agricoles s'accompagne de l'organisation des circuits de distribution et de l'approvisionnement des campagnes, avec une prise en main du mouvement coopératif. Créée en 1901, la Coopérative des consommateurs d'Alsace et de Lorraine a son siège social, ses services techniques et des départements de fabrication à Strasbourg et à Colmar. Une demande paysanne en expansion, provoquée par la généralisation de l'usage des engrais, le renouvellement systématique des semences et la large diffusion de la mécanisation, raffermit l'influence urbaine. Et, dès avant la guerre, l'épicerie du village voit s'installer en face d'elle une succursale de la « Coopé », renforcée par un magasin de la chaîne SADAL après 1920.

Cette dépendance économique grandissante à l'égard des intermédiaires et une sensibilité traditionnelle à la conjoncture ne doivent pas faire oublier que les paysans profitent aussi de bonnes années. Périodes fastes et de vaches maigres alternent, avec bien sûr des gains et pertes variables selon les types de production et les catégories sociales. Après la prospérité du Second Empire, le revenu agricole aurait diminué de quelque 20 % entre 1873 et 1894, et serait remonté de 29 % entre 1894 et 1910. Selon l'indice Dessirier, le pouvoir d'achat de l'agriculteur, sur la base 100 en 1913, avoisine le coefficient 80 de 1921 à 1924, 90 en 1926-1927, dépasse légèrement l'indice 100 en 1928-1929 pour s'effondrer à 67 en 1935 ; 1934 et 1935 sont vraiment des années très noires pour l'agriculture. A partir de 1936, l'indice s'établit de nouveau aux environs de 80. Toutefois, cet indice mesure l'évolution des masses monétaires globales, il ne reflète pas la variation du pouvoir d'achat par tête ; comme la population agricole active diminue de 20 % dans la période considérée, l'indice de 1936 indiquerait un pouvoir d'achat proche de celui de 1913. En réalité, beaucoup de cultivateurs souffrent, à la veille de la seconde guerre mondiale, d'un « appauvrissement relatif puisque la façon dont ils vivent et produisent exige désormais beaucoup plus de numéraire ». Si l'on examine le revenu du viticulteur du Midi de 1893 à 1938, il connaît dix-neuf années favorables et vingt et une défavorables, tandis que le pouvoir d'achat de celui du Beaujolais passe de l'indice 100 en 1840-1845 à un maximum de 465 en 1886, pour revenir à 107 en 1905 et 1913. On relève trente-huit années plutôt bonnes ou bonnes, et trente plutôt mauvaises ou mauvaises, très inégalement réparties puisque, de 1845 à 1895, on compte trente-six bonnes années contre quatorze mauvaises et, dans la période 1896-1913, seulement deux bonnes contre seize mauvaises.

Ainsi, sur la longue durée, une certaine compensation s'opère. Mais pour saisir les réactions des paysans devant les phénomènes économiques, il faut bien comprendre que leur réalité importe moins que la manière dont ils sont perçus. Avant toute chose, l'agriculteur est sensible à la conjoncture courte, et deux ou trois mauvaises années pèsent beaucoup plus dans son esprit que dix ans d'une progression continue mais lente de son revenu, qui lui donne l'impression d'une stagnation. D'autant que c'est toujours par rapport aux bonnes années qu'il est tenté de faire une comparaison et, plus tard, par rapport aux autres classes sociales. Dans l'entre-deux-guerres, il est peut-être plus soucieux de la détérioration des termes de l'échange que de la chute des prix agricoles. Enfin, l'exploitant est toujours enclin à considérer ses coûts plus que ses recettes, et à exagérer leur augmentation. Le prix de la main-d'œuvre est lourdement ressenti par tous les employeurs qui s'en plaignent perpétuellement. Le salaire nominal connaît effectivement un décollage rapide après 1850 — pourtant, le gain en pouvoir d'achat n'est que de 27 % en Beaujolais de 1851 à 1880, ce qui n'a rien d'excessif —, mais il résiste beaucoup mieux que le profit des exploitants durant les crises. Dans le Pas-de-Calais, les gages d'une servante de ferme passent, entre 1882 et 1892, de 238 à 277 F, et dans le Cantal ils ne perdent que 10 %, de 1930 à 1934.

Au total, quand il apprécie sa situation économique et considère ses relations avec la ville et ses représentants, le paysan est pessimiste.

Quand la ville nourrit la campagne

Dans les campagnes « pleines » du XIXᵉ siècle, où l'atomisation du sol multiplie les paysans sans terre ou insuffisamment pourvus, nombreux sont ceux dont le problème majeur n'est pas de bien vendre mais de survivre. Ils sont à la recherche d'un travail pouvant leur procurer les ressources indispensables qui leur font défaut. La solution leur est ordinairement fournie par la ville dont les besoins grandissants impliquent, plus que jamais, la quête d'une main-d'œuvre à bon marché. Pluriactivité et migration temporaire apportent le complément nécessaire pour subsister, sans tomber sous la totale dépendance des gros exploitants en quémandant du travail, sinon du pain. Pour les plus chanceux, c'est l'espoir de mettre de l'argent de côté pour acheter de la terre ou arrondir leur lopin.

Le paysan-ouvrier est une figure populaire des campagnes françaises. Travail à domicile, en atelier ou à l'usine, chef de ménage pratiquant le travail alterné ou laissant à sa femme et à ses enfants l'activité d'appoint, toutes les situations sont possibles. La pluriactivité, surtout lorsqu'elle s'exerce à domicile, est une prime au travail dérobé à l'intérieur du cycle agricole et des tâches domestiques. Les activités artisanales et industrielles sont multiples. Sans faire un recensement exhaustif, citons : le textile, omniprésent, qui mobilise par exemple, vers 1840-1850, 75 000 travailleurs en majorité ruraux dans le Calvados, 25 000 autour de Saint-Quentin, 40 000 en Champagne, 220 000 dentellières réparties sur vingt départements ; le travail du bois à proximité

Un travail d'appoint : les enfants fabriquent des espadrilles (1907).

des forêts — Perche, Oise — et par les montagnards : boissellerie, tabletterie, saboterie ; celui des métaux en Haute-Marne, sans oublier la quincaillerie des Ardennes, la serrurerie du Vimeu célèbre depuis le XVIIe siècle, la coutellerie dans les montagnes avoisinant Thiers, la boulonnerie et l'armurerie de la région stéphanoise. La double activité est une vieille tradition chez les paysans mineurs de Carmaux qui parviennent à maintenir la journée des trois-huit héritée du XVIIIe siècle, grâce à laquelle ils disposent de temps, surtout en été, pour travailler la terre. Tous les paysans-ouvriers utilisent prioritairement les temps morts du calendrier agricole pour se livrer à l'activité artisanale ; l'absentéisme saisonnier est de règle dans les ateliers et les usines employant des ruraux, tout au long du XIXe siècle, et persiste même au XXe siècle. D'une manière générale, l'essor des moyens de transport, collectifs ou individuels — vulgarisation de la bicyclette vers 1900 —, permet aux entreprises de recruter leur personnel dans un plus vaste arrière-pays agricole. Dans le Pas-de-Calais, les sociétés minières s'entendent avec la Compagnie du Nord pour la mise en service de trains spéciaux ; on voit aussi des paysans parcourir dix ou quinze kilomètres à vélo pour se rendre dans les sucreries, papeteries, verreries, cimenteries, etc.

La ville, avec ses marchands-fabricants et ses entrepreneurs, est le pivot des activités artisanales dont les recherches récentes sur la proto-industrialisation ont montré l'importance dans le processus de la révolution industrielle. C'est elle qui dirige et coordonne la fabrication. Mais la ville est « parcimonieuse » ; si elle distribue le travail, achète la production rurale, paie les salaires, elle opère à son profit une division du travail, une répartition des aptitudes faisant du paysan l'OS du système. Le textile, notamment dans la première moitié du XIXe siècle, montre que la première phase de la fabrication et la production de qualité courante sont assurées par la paysannerie. Dans les campagnes lyonnaises, où vers 1850 battent 13 000 métiers — 15 000 dans les départements voisins —, le tissage rural produit du « velours, tissu grossier fabriqué avec des soies de qualité inférieure. Lyon conserve les fabrications de luxe ». La ville confisque les plus-values considérables attachées à l'élaboration finale du produit. De nouveau, et cette fois par le biais de l'artisanat rural, les paysans jouent un rôle essentiel dans la formation et l'accumulation du capital. La base de l'organisation du travail consiste pour le négociant-fabricant à distribuer la matière première au salarié rural qui exécute le travail selon ses directives, puis à reprendre l'article fini ou semi-fini, à en achever l'élaboration et à le commercialiser. C'est le *putting out system*, celui de la fabrique lyonnaise et, avec des variantes, de bien d'autres activités rurales. Partout, le rôle des intermédiaires et des relais locaux est important. Le soyeux lyonnais paie à façon des contremaîtres chargés du travail sur place. Aux dires d'Ardouin-Dumazet, en 1910, « chaque soir des fourgons hippomobiles ou automobiles sillonnent les campagnes pour répartir le travail et ramener dans les comptoirs lyonnais fils et tissus fabriqués. Dans les villages autour de Tarare où l'on confectionne mousseline et plumetis, les voitures des messagers portent à domicile chaîne et trame et rapportent dans les grandes usines de la ville les rouleaux d'étoffes qui subiront les dernières opérations ». Autour de Grenoble, des entrepreneuses, intermédiaires des patrons, distribuent des gants à coudre à près de 20 000 paysannes et les ramènent à la ville. On les retrouve dans le Berry et l'Orléanais, foyers de la lingerie, où il existe même des sous-entrepreneuses de village. Comme celles-ci sont dans leur majorité commerçantes, le salaire qu'elles versent aux jeunes campagnardes leur fait retour sous forme d'achats de fanfreluches, de bimbeloterie et d'épicerie. L'intervention des intermédiaires est parfois le moyen de résoudre le problème posé par l'extrême division du travail. Les taies d'oreiller, un des célèbres articles de Cholet — dont le rayon d'activité s'étend encore sur deux cents communes des Mauges en 1910 —, passent entre six ou sept mains au cours de leur fabrication ; aussi des messagers doivent-ils courir la campagne, suivant le produit aux différentes étapes de son élaboration. Près de Roanne, les femmes tricotent des lainages pendant la mauvaise saison en gardant le bétail, et profitent des jours de marché pour livrer leurs tricots et reprendre de la laine ; si elles habitent trop loin de la ville, elles ont affaire à des contremaîtresses. Dans l'Avesnois, pays des batistes et des linons, le tisseur travaille à façon. Il peut traiter directement avec un négociant en tissu ou passer par un contremaître sous-traitant prélevant une lourde commission. Partout, les frais de transport et d'intermédiaires pèsent sur les salaires ruraux et les orientent à la baisse.

Si les chefs d'entreprise sont partisans de la ruralisation de l'industrie, c'est d'abord parce qu'ils peuvent répercuter immédiatement sur la main-d'œuvre rurale les vicissitudes de la conjoncture générale. Dès les premières difficultés, les patrons réduisent les salaires. En 1846-1849, dans le canton artésien de Bertincourt, le tisserand qui gagnait 1 F par jour obtient tout juste 0,45 F pour douze à quatorze heures de travail ; pour les enfants, la baisse est de 70 %, tandis que le prix du pain double de janvier 1846 à mai 1847. Si la crise se prolonge, les paysans-ouvriers sont les premiers débauchés. Inversement, s'il y a afflux de commande, les aides familiaux sont mobilisés : les campagnes représentent un volant de main-d'œuvre très précieux. Second avantage, l'activité industrielle étant une ressource d'appoint, les paysans se contentent d'un salaire modeste, inférieur à celui de l'ouvrier citadin. En 1848, le tarif du veloutier rural est de 2,2 F, celui du lyonnais de 3,25 F. La politique des bas salaires, en particulier féminin, est une constante puisque, vers 1910, un conservateur comme Ardouin-Dumazet juge dérisoires — 40 à 80 centimes par jour — ceux des tricoteuses des environs de Roanne. Autour de Cholet, tirer les fils des taies rapporte 10 à 15 centimes de l'heure, et « bien des jeunes femmes de 25 ans ont les yeux cernés de bistre, portent lunettes et donnent l'impression de vieilles femmes ». Les serviettes sont payées de 35 à 45 centimes la douzaine, pour l'équivalent de quatorze heures de labeur. Les mouchoirs sont d'un meilleur rapport : une ouvrière habile et rapide gagne 80 centimes dans une journée. Les dentellières perçoivent 50 à 60 centimes. Quant aux femmes du canton de Noirétable, dans la Loire, elles reçoivent 40 centimes par mille de perles ou de paillettes posé sur le tulle ; or une paysanne de 40 ans ne peut en placer que 600 à 700, de 4 heures à 21 heures, avec une pause d'une demi-heure pour dîner. La ganterie grenobloise paie mieux. Les piqueuses à la machine, une élite, gagnent 4 F, les finisseuses autour de 1,25 F.

Il est évident qu'à partir du moment où la grande industrie triomphe, le travail artisanal rural à domicile est sévèrement atteint. La filature, le tissage et le travail des métaux sont les premiers touchés. Toutefois, certains secteurs sont préservés ou réussissent à s'adapter à des conditions techniques nouvelles, et des industriels, plutôt que de renoncer à la main-d'œuvre rurale, installent leurs usines à la campagne. Ainsi, dans la première moitié du XIXᵉ siècle, le long des petites vallées des départements de l'Isère, de la Loire, de l'Ain, de la Drôme, de l'Ardèche, surgissent des usines de moulinage et de tissage ; elles recrutent des filles de 12 à 21 ans dans les villages environnants. Ces « usines-couvents », avec réfectoire, dortoir, parfois église, originellement implantées sur un site hydraulique, s'établissent à la fin du XIXᵉ siècle, de préférence près des gares pour « bénéficier de l'admirable main-d'œuvre campagnarde ». Les jeunes filles, étroitement surveillées par des religieuses, retrouvent chaque fin de semaine leur famille. A la souplesse d'adaptation des patrons répond celle des agriculteurs en quête d'un revenu complémentaire. Dans les Combrailles ou les monts du Beaujolais, l'implantation de petites usines entraîne une répartition des tâches au sein du ménage. Le père travaille à l'usine, il la quitte quand son fils rentre du service militaire et prend sa place. Celui-ci aide à la ferme en fin de semaine et pendant ses congés ; il verse tout son salaire à ses parents. Plus tard, il reprend l'exploitation et ses enfants vont à leur tour à l'usine. On peut donner d'autres modèles d'organisation du travail familial qui prouvent une certaine rationalité économique. A Fraisse, canton de Firminy, une famille de huit enfants vit sous la tutelle d'un père veuf de 72 ans qui conserve la direction de l'exploitation. L'aînée des filles, aidée de la plus jeune, remplace la mère dans les fonctions ménagères. Le fils aîné seconde son père. Les autres enfants sont : mineur, tisseuses, ourdisseuse, couturière. La présence d'un domestique est l'indice d'une volonté de rentabilité, dans la mesure où le second fils aurait pu aider au travail de la terre. Manifestement, il est plus avantageux sur le plan pécuniaire d'embaucher un valet pour percevoir soi-même un salaire. Dans une autre famille, à Sauvain, la répartition du travail entre les membres du ménage est organisée en fonction de lourdes charges familiales, deux jeunes enfants, et de perspectives d'emploi limitées. Le fils aîné, tout en aidant son père, se loue comme journalier. Le second est sabotier et peut s'associer au travail agricole. La garde d'un jeune Stéphanois de 3 ans représente le salaire d'appoint de la fille, dans un village isolé par la neige l'hiver et mal desservi par les voies de communication. L'usage du moteur électrique relance le travail à domicile. La Compagnie électrique de la Loire actionne les premiers métiers à rubans en 1894. L'euphorie des années d'après-guerre stimule l'expansion de cette activité d'appoint dans les campagnes de la Loire, du Beaujolais et du Dauphiné, car les industriels ne pouvant faire face à l'afflux des commandes font appel aux ruraux. « A l'époque, il y avait beaucoup de petits paysans qui avaient trois ou quatre vaches, qui ont sauté sur l'occasion, soit pour louer, soit pour se faire placer, soit pour acheter des métiers à tisser. » La crise de 1929 réduit le nombre des façonniers à domicile, que l'on sollicite de nouveau après la pénurie des années d'Occupation.

A toutes les raisons qui poussent le patronat à faire travailler les paysans s'ajoutent des motivations idéologiques. Ce n'est pas un hasard si les premiers ateliers de rubans fonctionnent dans les campagnes stéphanoises à partir du milieu du XIXᵉ siècle : les entrepreneurs ont tiré les leçons des émeutes ouvrières de 1834 et de 1848 à Saint-Étienne, après celle des canuts de 1831. Si, en 1910, la fabrication de la chaussure gagne les campagnes bretonnes, c'est en raison de « grèves terribles qui ont agité Fougères et ont amené quelques fabricants à chercher des installations à l'écart d'une population dévoyée par les excitations anarchiques ». En outre, les paysans-ouvriers s'absentant régulièrement pour travailler aux champs ne participent pas totalement de la condition prolétarienne ; leur conscience de classe et par conséquent leur combativité sont faibles. Intégration économique à l'univers de l'usine ou de la mine ? Certains l'acceptent. Intégration sociale et culturelle ? Tous la repoussent.

Si la ville et ses agents économiques dirigeants tirent maints avantages du travail à la campagne, les paysans-ouvriers, malgré la médiocrité de leurs rémunérations, en profitent aussi. Comparé au revenu d'une petite ferme, en 1914, évalué entre 1 000 F et 1 800 F, et aux gages annuels des domestiques agricoles, 300 à 350 F pour le valet, 200 à 320 F pour la servante, le revenu tiré du travail d'appoint n'est pas négligeable dans la région stéphanoise. En effet, la rémunération des mineurs représente environ 600 F annuels, ce qui équivaut au tiers ou à la moitié du revenu d'une petite ferme ; l'armurerie procure de 300 à 500 F en hiver, soit autant qu'une exploitation à cette saison. Le textile, moins intéressant comme de coutume, offre de 300 à 350 F pour la passementerie et la rubanerie, 250 à 300 F pour le tissage de la soie, 200 F pour le coton,

Les activités de la forêt : un résinier landais.

Petits métiers dans les villes. Un jeune savoyard ramone le four d'une boulangerie.

donc le tiers ou le quart du revenu agricole. La fonction économique de la pluriactivité est importante. Elle a permis de vivre ou de mieux vivre. Remède à la surcharge démographique, au manque de terre, elle a aussi aidé à supporter les mauvaises récoltes, elle a pu contribuer à l'amélioration du matériel et des méthodes agricoles ; mais au prix de quel surtravail familial !

Migrations temporaires

Vers le milieu du XIXᵉ siècle, 500 000 migrants temporaires, contre 200 000 au début du siècle, journaliers et petits exploitants, se lancent chaque année sur les routes de France. Les régions répulsives sont des régions pauvres — Massif central, Alpes, Pyrénées, confins du Bassin parisien — où l'équilibre démo-économique est particulièrement précaire ; les régions attractives ont une réputation, usurpée ou non, de prospérité, et sont susceptibles d'offrir des emplois : « bas pays », plaines riches, agglomérations urbaines. Les migrations temporaires revêtent la plus grande variété : migration saisonnière de courte durée, migration pluriannuelle. Elles sont le fait de célibataires, plus souvent d'hommes mariés, quelquefois de familles ; migration individuelle, semi-collective si le travail se fait en commun, collective si l'équipe formée au départ mène une vie communautaire jusqu'au retour au foyer.

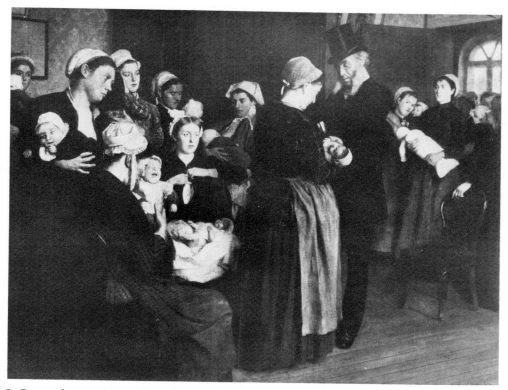

Le Bureau des nourrices, *tableau de José Frappa (1854-1904). Paris, musée de l'Assistance publique.*

De loin les plus importantes, les migrations agricoles concernent principalement la viticulture et la moisson, plus secondairement les activités forestières et le colportage. L'essor de la vigne, culture peuplante par excellence, augmente considérablement les besoins en main-d'œuvre. Dès 1852, 36 000 migrants sont mobilisés en Gironde et en Charente-Inférieure ; vers 1870, il fallait 80 000 vendangeurs, rien que pour l'Hérault. La crise du phylloxéra porte un coup sévère à ce type de migration qui ne reprend une véritable ampleur que dans le Midi viticole, désormais tourné vers la production de masse. Les « grands rendez-vous de juillet » rassemblent 110 000 moissonneurs en Beauce, dont 30 000 femmes, en 1852 ; il faut en effet beaucoup de monde pour moissonner à la faucille sur une brève période, le grain devant être récolté très mûr, et l'emploi de la faux ne se généralisant que dans la seconde moitié du XIXᵉ siècle, plus rapidement au nord qu'au sud. Ces migrations vont d'ailleurs se tarir dans le dernier tiers du siècle en raison de la mécanisation et de l'emploi d'une main-d'œuvre étrangère dans les zones de grande culture céréalière. Elles sont relayées par des migrations plus complexes afin de rentabiliser au maximum les déplacements. Avant la guerre de 1914, les camberlots de la vallée de la Canche, de très petits propriétaires, font « le voyage des moissons ». Début juin, ils coupent les foins dans la basse vallée de l'Oise, vers le 14 juillet ils moissonnent au sud de Paris, au mois d'août ils récoltent le blé puis l'avoine autour de Beauvais, sur le chemin du retour ils peuvent encore moissonner deux semaines dans le sud-ouest du Pas-de-Calais, et même achever leur cycle migratoire d'octobre à janvier en arrachant les betteraves dans la Somme. Bien payés, ces « stakhanovistes » de la faux gagnent jusqu'à 7 F par jour ; les compagnies de chemin de fer leur accordent en outre un retour gratuit. Avantage dont bénéficient les Bretons ; très nombreux en Normandie, en Beauce et en Île-de-France pour la fauchaison et la moisson, ils économisent en trois mois les 300 à 400 F nécessaires pour payer leur fermage. Les activités de la forêt intéressent particulièrement les migrants du Morvan et du Massif central : scieurs de long, charbonniers, fendeurs et feuillardiers. Ils sont peu payés : un feuillardier limousin, comme un résinier landais, gagne 800 F en huit mois pour un travail de douze à seize heures par jour. Les migrations commerciales vont du colportage élémentaire du droguiste de l'Oisans, portant sur son dos le produit de la cueillette familiale de simples, au colportage qui nécessite une mise de fonds et un mulet ou une voiture : colporteur jurassien de boissellerie, chiffonnier, ramasseur de peaux de lapin ou marchand-épicier alpin. Personnage typique des campagnes cloisonnées de l'ancien régime économique, le colporteur a été la gazette des paysans isolés.

Un grand nombre de paysans se refusant à quitter définitivement leur terre, et à la recherche d'une activité temporaire, se dirigent vers les villes. Ces migrations sont bien antérieures au XIXᵉ siècle, mais le phénomène prend maintenant une autre dimension du fait de la forte croissance urbaine. On va surtout vers les grandes villes : Lyon, Toulouse, Marseille et Paris, vers celles qui offrent le plus de possibilités d'emploi pendant la mauvaise saison. Le mauvais ajustement de l'économie préindustrielle, avec son inévitable chômage saisonnier, est en effet largement responsable de l'émigration temporaire. Si, depuis le XVIIIᵉ siècle, la fabrique lyonnaise recrute dans les Alpes et le Massif central des migrants temporaires — ils sont 15 000 au début de la monarchie de Juillet, soit 50 % des ouvriers —, Paris a une attraction autrement puissante sur la plupart des régions françaises. Vers 1810, 25 000 Auvergnats y exercent de petits métiers : porteurs d'eau, commissionnaires, décrotteurs, portefaix, ramoneurs, chaudronniers ; d'autres sont terrassiers et maçons et côtoient des Normands tailleurs de pierre. Les travaux d'urbanisme, amorcés sous le Premier Empire, poursuivis sous Louis-Philippe, prennent une ampleur considérable avec Haussmann. La ville remodelée devient un immense chantier. Les migrants creusois, spécialistes du bâtiment, étaient 15 000 sous Napoléon Iᵉʳ, 23 000 en 1825, 34 000 en 1848 ; ils sont 83 000 en 1891 et encore 54 000 en 1911. La pauvreté du Limousin et peut-être une aspiration à la liberté expliquent cette migration très ancienne, car elle les rend moins dépendants des seigneurs d'abord, des notables ensuite : les moniales de Blessac, près d'Aubusson, se plaignent, au XVIIᵉ siècle, de l'insubordination de leurs paysans qu'elles imputent à leurs séjours parisiens. En 1825, quand le revenu d'une famille de la Creuse s'élève à 764 F pour quatre personnes, la migration temporaire du père ou du fils permet d'ajouter 300 à 350 F. Vers 1860, 10 à 15 millions de francs affluent chaque année vers les campagnes limousines. Toutefois, le migrant temporaire est la première victime des crises et de la conjoncture, il connaît la même précarité d'emploi que le tisseur rural. Ses conditions de travail sont dures : quatorze heures par jour, plus les déplacements ; les accidents sont fréquents. S'il fait des économies, c'est au prix de pénibles privations, même s'il apprend à manger de la viande dans la capitale. Martin Nadaud, dans *Les Mémoires de Léonard, ancien garçon maçon*, dépeint la vie parisienne de ces travailleurs, entassés dans des garnis infects, couchant deux à deux dans des lits étroits. Les chambrées sont des foyers de tuberculose, comme le constate en 1880 le docteur Villard ; elles sont situées dans des quartiers misérables : Saint-Médard, Mouffetard, montagne Sainte-Geneviève, Saint-Marcel, Saint-Victor. Le migrant limousin montre une extraordinaire capacité à préserver son identité et à résister à l'acculturation urbaine. Au travail, au

Affiche par Pal, vers 1900.

Le débit de tabac, institution traditionnelle. Affichette des débuts du XIXe siècle. Paris, musée de l'Affiche.

garni, chez le marchand de vin ou le samedi soir aux barrières, il demeure fortement intégré au réseau de relations intervillageoises. Les retours réguliers au pays, les retrouvailles des époux font supporter les mois de séparation, durant lesquels il donne ses ordres par lettre et dirige à distance l'exploitation. Le but de la migration est donc bien de maintenir le patrimoine, si mince soit-il. Les ramoneurs savoyards, laissant l'hiver la responsabilité de la ferme aux femmes et aux vieillards, partent vers les villes. Organisés sur une base corporative, accompagnés d'enfants de sept à dix ans, ils sillonnent les routes. Ils mendient systématiquement pour subsister sans toucher à leurs gains. En 1920, quand ce nomadisme se meurt, les ramoneurs quêtent encore vêtements et nourriture dans les maisons bourgeoises. Les déplacements ne sont pas laissés au hasard, ils résultent d'accords passés avec des municipalités, ce qui provoque une concurrence sérieuse entre Savoyards et Auvergnats.

Bien moins nombreuses, les migrantes temporaires se cantonnent dans des activités de service. Sans qualification, elles sont pour la plupart domestiques de maison. La condition ancillaire s'accommode du rythme des migrations temporaires. A Lyon, les jeunes filles de la montagne se placent à l'automne et regagnent leur village pour les travaux des champs. Si elles sont économes, elles auront une dot pour se marier. Cet emploi saisonnier convient aux familles bourgeoises ne séjournant en ville qu'une partie de l'année. Le développement des séjours touristiques en Savoie à partir de la fin du XIXᵉ siècle facilite l'engagement sur place ; il est préférable d'avoir à son service une bonne savoyarde, honnête et dévouée, plutôt qu'une fille plus avertie du bureau de placement. Le phénomène est général et l'abbé Cadic écrit en 1901 : « C'est une mode depuis quelques années de voyager en Bretagne. C'est une mode aussi de s'en revenir avec une domestique bretonne. Elles sont si naïves, les jeunes filles de là-bas, elles s'engagent à si bon compte. On n'a d'ailleurs que le choix. Il semble que les maisons religieuses elles-mêmes prennent à tâche de former leurs orphelines comme une prime à l'exportation. » Effectivement, la migration bretonne est majoritairement féminine à Paris. Les jeunes campagnardes peuvent aussi être servantes dans les nombreux garnis et chez les marchands de vin, souvent membres de la parentèle. Un autre débouché s'ouvre aux femmes : être nourrice « sur lieu ». « Faire commerce de ses mamelles est devenu un moyen d'existence à peu près sûr [...], filles et femmes mariées font des enfants pour vendre leur propre lait comme les laitières celui de leurs vaches. » Le médecin du canton de Montsauche, dans la Nièvre, affirme que, sur 2 884 femmes ayant accouché entre 1858 et 1864, 1 897 se sont placées comme nourrices à Paris. Mais « le départ de la mère pour Paris est souvent l'arrêt de mort de l'enfant ». On accepte l'inévitable, car une nourrice reçoit au moins 40 F par mois en 1866, de 60 à 80 F dans les années 1880, plus diverses gratifications. Dotée d'un trousseau, d'un luxe parfois ostentatoire, « suralimentée, elle est repue, replète, gavée ». En 1866, plus de 20 000 enfants parisiens sont nourris par des « seins mercenaires ». Les nourrices originaires du Nord-Pas-de-Calais, puis de Bretagne, concurrencent peu à peu les traditionnelles « Bourguignottes » de l'Yonne, de la Côte-d'Or, de la Saône-et-Loire et de la Nièvre.

Les migrations temporaires, qui connaissent leur apogée sous le Second Empire et restent importantes au début de la Troisième République, ont tendance à s'allonger. Le développement de l'émigration féminine, et à plus forte raison familiale, n'y est pas étranger. Selon le maire de Bourganeuf dans la Creuse : « Ce n'est pas seulement un membre de la famille qui émigre, c'est la famille entière, non sans esprit de retour, car les émigrants conservent leurs biens [...] mais ils ne reviendront dans leurs foyers qu'après avoir acquis une certaine aisance, si faire se peut. » Le fait est qu'avec un peu de chance et beaucoup de travail, des migrants réussissent à prendre un petit commerce

— brocante, débit de boissons —, à devenir cordonniers, bougnats ; ils peuvent alors se marier ou faire venir leur femme. Néanmoins, l'allongement de la durée des séjours tient fondamentalement à des impératifs économiques. Initialement, la migration saisonnière épouse le rythme des activités agricoles et le migrant retourne régulièrement au pays où il retrouve famille et propriété. La mise en place de la société industrielle avec ses notions de rentabilité et d'efficacité implique une densité plus grande du travail, nécessite une main-d'œuvre stable. N'ayant plus de raison d'être, les petits métiers disparaissent progressivement : rémouleurs, décrotteurs, porteurs d'eau. Des reconversions sont possibles — livreurs, garçons de café ou de restaurant —, mais elles ne sont pas toujours compatibles avec des absences prolongées. Conserver une bonne place n'est pas facile non plus ; c'est ce qu'explique le fils d'un viticulteur du Cher, ouvrier mécanicien, puis chauffeur de taxi parisien : « Avant 1936, on ne prenait pas de vacances. Mais j'allais donner un coup de main à mes parents pour les vendanges. Pour un mois facilement : un grand mois. Alors je quittais ma place, et en revenant il n'y avait plus de place. » De longs séjours transforment la psychologie du migrant qui en vient à considérer son travail en ville comme primordial. Le pas est bientôt franchi, et aux migrations temporaires de plus en plus longues succède l'émigration définitive ; même si les premières ne recoupent pas la seconde, elles ont pu la faciliter.

Les villes mangeuses d'hommes

Les villes se sont toujours nourries de la population des campagnes. Au XIXᵉ siècle, la main-d'œuvre rurale est plus que jamais l'armée de réserve de l'économie urbaine. Les raisons qui poussent les ruraux à quitter la campagne obéissent à des motivations fort complexes. Par commodité, on distinguera des facteurs répulsifs, correspondant à l'émigration de détresse, et des facteurs attractifs liés à l'émigration de promotion, quoique dans la réalité ils soient difficiles à isoler.

Les plus misérables sont les premiers à partir quand les fondements mêmes de leurs ressources sont atteints : liquidation des pratiques communautaires, des droits d'usage collectifs, réduction de la jachère, déclin de l'industrie rurale, plus ou moins sévère et rapide selon les régions. Le Calvados est particulièrement touché ; en un demi-siècle, le textile y subit un recul de l'ordre des trois quarts par rapport à 1850, entraînant la perte de 50 000 paires de bras. La responsabilité en incombe à une concurrence importante, à une position excentrée et au manque de dynamisme du patronat. Des 9 000 toiliers de 1862, les trois quarts exerçant une activité agricole, il n'en reste que 880 en 1889. La mécanisation du tissage du coton et sa concentration dans quelques établissements ruinent le tissage rural après 1871. Non moins dramatique est la chute des effectifs des dentellières. En 1815, elles sont 40 000, 50 000 au milieu du siècle ; le recul est ensuite brutal : en 1893, leur nombre dépasse à peine le millier. La mécanisation a partout ébranlé, sinon détruit, le fragile équilibre instauré entre activités agricole, industrielle et surcharge démographique. Certes, une reconversion totale dans le secteur agricole, grâce à l'essor des cultures peuplantes, betteraves dans le Nord, vigne dans le Midi, a pu s'opérer ; elle a été limitée.

Les défaillances conjoncturelles qui secouent l'agriculture ou certains de ses secteurs contribuent à la déstabilisation rurale. A la grave crise du milieu du XIXᵉ siècle succèdent la disparition de la garance, de la sériciculture, la ruine de l'œillette, du colza, des oliviers concurrencés par l'arachide ; puis, de 1873 à 1894, une sévère dépression des prix agricoles, le fléau phylloxérique, enfin la mévente du vin à la Belle

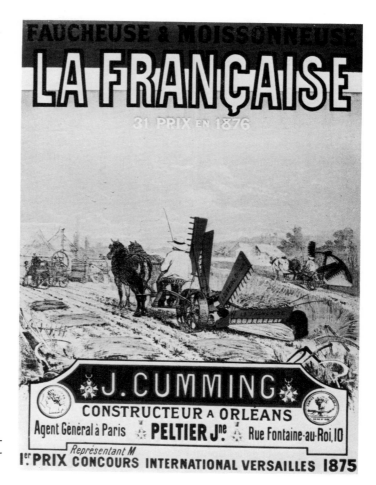

Des progrès technologiques : la faucheuse-moissonneuse.

Époque. Une nouvelle phase de baisse des prix, amorcée en 1925, annonce l'effondrement de 1931, aggravé dans les années suivantes par une série de bonnes récoltes.

Les progrès technologiques, indéniables quoique inégalement répandus, font que, pour produire plus, il faut moins de bras. La faux est trois fois plus rapide que la faucille, la moissonneuse mécanique douze fois plus que la faux. Les machines à battre à manège — 200 000 en 1882 — font dix fois plus d'ouvrage que le battage au fléau pour moitié prix ; en 1925, une moissonneuse-batteuse fait en un jour le travail de douze ouvriers. L'amélioration des façons culturales : assolements complexes, semences sélectionnées, engrais artificiels, accroît aussi les rendements. Privés d'emploi, des paysans doivent émigrer.

Or, dans le même temps, la transformation de l'économie globale, l'essor des villes, le développement des secteurs secondaire et tertiaire suscitent un appel de main-d'œuvre et représentent une alternative pour les ruraux chassés des campagnes. L'extension du textile en apporte une preuve. La population de Mulhouse double de 1801 à 1827 : elle est composée à 86 % d'apports extérieurs, et les migrants en provenance de différents espaces ruraux surpeuplés représentent plus de 50 % des arrivées.

L'espace migratoire de Thann, au début du XIXe siècle, correspond aux villages de la vallée de la Thur, et du Piémont vosgien à la forêt de Nonnenbruch. La création d'un important secteur textile nécessite le recours à une main-d'œuvre qu'il faut chercher plus loin, dans les vallées de la Lauch et de Munster, et dans le Sundgau central et oriental. La conjoncture industrielle règle l'intensité des migrations : fortes en périodes d'expansion — 1856-1861, 1876-1881, 1896-1901, 1906-1911 — pour prendre l'exemple de l'avant-guerre, elles faiblissent durant les phases de récession industrielles et commerciales — 1872-1876, 1881-1896, 1901-1906. Sur le plan économique, l'exode rural répartit la population en fonction des besoins. Le mirage de la ville hâte les départs. On a l'espoir de trouver un travail mieux rémunéré. En 1852, un ouvrier du bâtiment gagne 3,21 F, un journalier agricole 1,26 F. Après la seconde guerre mondiale, une servante de ferme peut gagner le double à Paris comme domestique. Une fois déduits les frais de logement et de nourriture, l'écart entre le salaire de l'ouvrier et celui du journalier se réduit, mais on reste attiré par une meilleure sécurité d'emploi et des possibilités de promotion. Le migrant ou le candidat migrant se place dans une perspective ascendante et a l'espoir, bientôt réalisé, de voir sa vie professionnelle couronnée par une retraite. A l'inverse, le salarié agricole, s'il n'arrive pas à devenir exploitant, trouve de moins en moins de travail en vieillissant et finit à l'hospice.

Le rôle des facteurs psychologiques, la perception de soi et des autres ne doivent pas être mésestimés, car ils sont difficilement séparables des facteurs économiques et sociaux. De plus en plus, et particulièrement entre les deux guerres, les conditions de vie en ville et à la campagne sont l'objet de comparaisons, en raison d'une meilleure connaissance de l'extérieur. On ressent tous les désagréments et la pénibilité du travail agricole, le retard de la législation sociale. A propos de la loi de huit heures refusée aux salariés agricoles, le ministre Chéron, dans un discours prononcé le 20 août 1920 à Château-Salins, conclut : « La loi de huit heures dans les campagnes est une impossibilité absolue. Si jamais on en faisait l'expérience, la France ne mangerait pas tous les jours, et c'est alors que s'accroîtraient, dans des proportions inouïes, coût de la vie et désertion des campagnes. » Il faut attendre 1924 pour que la loi sur les accidents du travail de 1898 soit enfin appliquée aux ruraux. Quant à l'action déracinante de l'école ou du séminaire, elle a été réelle, même si on a exagéré son impact sur les départs : les meilleurs élèves, poussés par leurs maîtres à poursuivre leurs études, incapables de trouver au pays les situations correspondant à leurs capacités, se sont établis en ville.

A des degrés divers selon les périodes, les différentes catégories du monde rural ont fourni des contingents à l'émigration. Le taux de mobilité varie en fonction de l'âge ; les jeunes ont une faculté d'adaptation dont leurs aînés sont dépourvus. Le Beaujolais, le Loir-et-Cher révèlent que cette grande mobilité des jeunes célibataires est proportionnelle au niveau d'instruction et de qualification : on entend valoriser sa compétence. Parmi les candidats au départ figurent des artisans ou des ouvriers, paysans parcellaires victimes de l'évolution économique. L'artisanat, longtemps pierre angulaire d'une économie repliée sur elle-même, est frappé de plein fouet par l'arrivée dans les campagnes, à la fin du XIXe siècle, de produits industriels de bonne qualité et à bas prix. Les sabotiers, galochers, savetiers sont ruinés par la cordonnerie artisanale d'abord, industrielle ensuite. Les rouliers, cordiers, chaufourniers, tuiliers disparaissent à la veille de la première guerre mondiale. Le cas des tonneliers est exemplaire : ceux du Beaujolais sont gravement touchés par la crise ; puis l'acheteur prend l'habitude de fournir la futaille pour les vins ordinaires ; leurs enfants, sans emploi, se placent en ville dans les chais des négociants. Les tonneliers du Nord-Pas-de-Calais vivant de la production régionale de bière sont concurrencés, vers 1890, par la tonnellerie industrielle, avant d'être définitivement vaincus par l'emploi des bouteilles. Les métiers du bâtiment subissent un recul provoqué par l'essoufflement et la stagnation de la construction, ils pâtissent indirectement de l'exode. Certains sont particulièrement atteints, comme les couvreurs de chaume. Au total, nombre d'artisans des secteurs les plus variés travaillent désormais seuls, sans aide, faute d'une clientèle suffisante. Leurs fils leur succèdent rarement, ils préfèrent prendre le chemin de la ville. Nous avons vu que le secteur textile n'est pas moins ébranlé. A Harbonnières, dans la Somme, les 99 patrons tricoteurs de 1911 ont disparu en 1936, victimes d'une concentration structurelle, tout comme les artisans bonnetiers picards.

On a tenté d'établir une chronologie sociale de l'émigration : dans les années 1840-1870, au temps de la « liquidation brutale de la surcharge démographique », les journaliers partiraient avant les métayers, ceux-ci avant les fermiers. Puis viendrait le tour, à partir de 1875-1880 avec les crises, des propriétaires-exploitants, les petits avant les gros. Ce serait le cas des vignerons, et de tous ceux qui n'ont pas pu se reconvertir dans des cultures ou élevages suffisamment rentables, ou attendre les effets bienfaisants des lois protectionnistes. Enfin, les artisans et les commerçants, faute de clientèle, quitteraient le pays les derniers. Parallèlement, vers 1850-1860, des « Messieurs » commencent à s'installer en ville. La distinction sociale leur impose de nouveaux besoins et de nouvelles dépenses, auxquels s'ajoute, dans le dernier quart du siècle, le recul de la rente foncière : il faut se donner un état, et surtout en choisir un pour ses enfants. Études et relations se font en ville. Ce schéma, applicable à la Picardie, a le mérite de mettre l'accent sur la relation entre l'émigration et la vulnérabilité des positions. A l'échelon national, les mouvements sont plus complexes, comme en témoigne la situation après 1918. La guerre a anticipé sur des départs inévitables. Nombre de petits paysans quittent la terre, refusant les anciennes contraintes et le retour à l'agriculture de subsistance traditionnelle. De 1926 à 1931, les deux tiers des partants sont des salariés ; la crise économique n'arrête pas l'hémorragie, bien au contraire, les exploitants en difficulté réduisent au maximum leurs coûts de main-d'œuvre en se débarrassant de leur personnel ; les effectifs salariaux diminuent de 247 000 unités et ne représentent plus que 30 % des actifs agricoles. L'évolution du nombre des exploitants par catégorie de contenance est un bon indicateur des groupes touchés par l'émigration, même si l'on admet des transferts de l'un à l'autre — mouvement ascensionnel ou de repli de gros exploitants sur la catégorie intermédiaire. Inexorablement, l'évolution économique et sociale continue à chasser de la terre les petits et micro-exploitants. De 1892 à 1929, le nombre des exploitations de moins de 1 hectare diminue de moitié, et encore de 85 % jusqu'en 1955, date à laquelle on en recense 150 000 ; 1 million d'hectares sont libérés, dont 600 000 dans la première période. Les contenances de 1 à 5 hectares régressent de 30 % puis de 40 %, dégageant 2,8 millions d'hectares. Au total, 4 millions d'hectares de terre sont rendus disponibles. Avec l'élimination progressive des micro-exploitants et le recul considérable du nombre des journaliers, les grands domaines perdent une main-d'œuvre indispensable et leur situation devient difficile. De 1892 à 1929, la superficie en grande culture de plus de 100 hectares baisse de 2,5 millions d'hectares, et de 300 000 de 1929 à 1955 ; au même moment les deux tiers des exploitations de plus de 200 hectares disparaissent avec une chute brutale de 1931 à 1936, la crise accentuant encore les difficultés des grandes exploitations domaniales aux structures insuffisamment rénovées. A l'inverse, l'exploitation familiale moyenne de 10 à 50 hectares se consolide ; au nombre de 764 000 en 1892, de 973 000 en 1929, de 931 000 en 1955, leur surface augmente de plus de 3 millions d'hectares entre 1892 et 1929, et de 1,5 million d'hectares entre cette date et 1955.

Exode rural

Considéré dans la longue durée, l'exode rural frappe par son ampleur au travers de phases d'accélération et de décélération. De 1801 à 1831, environ 325 000 individus émigrent ; le mouvement s'amplifie sous la monarchie de Juillet : selon les estimations, il dépasserait le million. De 1851 à 1911, plus de 6 millions de personnes désertent les campagnes, au rythme annuel moyen de 100 000. Il en résulte une forte baisse de la population agricole active qui se poursuit après le conflit et passe de 42 à 36 % de la population active totale. La cadence s'accélère, de 1936 à 1939, car les paysans profitent des mesures sociales du Front populaire en faveur des salariés : la semaine de quarante heures entraîne la création de nouveaux emplois, et les ruraux ne sont pas les derniers à se faire embaucher. Pour 80 000 places offertes dans les chemins de fer, 350 000 candidatures en majorité rurales furent enregistrées. Si, pour des motifs évidents, la guerre enraye le flux migratoire, la pénurie alimentaire et la propagande vichyssoise engendrant même un faible mouvement de retour à la terre, il reprend autour de 1948 au rythme annuel moyen de 100 000.

Dès le règne de Louis-Philippe, quarante-six départements se débarrassent de leur trop-plein démographique, en particulier les montagnes, les plateaux orientaux du Bassin parisien, l'Alsace, les bocages de Normandie et du Maine, les vallées de la Garonne et de l'Oise. Par la suite, l'ensemble du pays est concerné. Cependant, deux zones privilégiées se dessinent en dehors de quelques pôles isolés : le Massif central et ses bordures, épaulés dans le dernier tiers du XIXe siècle puis relayés après la première guerre mondiale par l'Ouest armoricain. De 1871 à 1936, près de 600 000 migrants partent des Côtes-du-Nord, du Finistère, du Morbihan et de la Vendée. A un type breton à fort surplus naturel et à forte émigration « qui ne provoque aucun effet de dépeuplement massif des campagnes (s'oppose) un type normand ou du Sud-Ouest à faible surplus naturel, milieu dans lequel le flux migratoire même faible détermine un dépeuplement précoce et intense, favorable à la diffusion de formes de cultures extensives ». S'il n'y a pas coïncidence parfaite entre exode rural et installation en ville ou dans les régions industrielles — établissement de populations montagnardes en quête de terre dans les plaines du Midi, ou de Bretons en Dordogne —, ce sont de très loin les points d'attraction essentiels. L'espace relationnel entre villes et campagnes obéit à des règles : la force d'attraction des villes est fonction de leur importance, elle décroît avec la distance. A un espace de départ déterminé correspond un espace d'accueil spécifique. Les habitants du Massif central volcanique se dirigent vers Clermont, ceux du Jura du sud vers les villes du Bugey et Lyon ; Rennes et Nantes attirent les Bretons. En règle générale, dans les régions anciennement et fortement urbanisées, Languedoc, Provence, Alsace, on va vers les cités régionales ; d'où l'accroissement numérique d'un certain nombre de départements à densité urbaine élevée : Bouches-du-Rhône, Rhône, Gironde, Nord, Meurthe-et-Moselle, Loire-Inférieure. Mais rien n'égale l'attirance de la région parisienne sur les provinciaux en majorité paysans, surtout dans les zones aux villes peu nombreuses, sinon somnolentes. De 1836 à 1851, la Seine et la Seine-et-Oise reçoivent près de 300 000 personnes, 700 000 de 1851 à 1866. De 1872 à 1911, l'agglomération parisienne en absorbe 216 000, Seine et Seine-et-Oise accompagnant désormais l'essor de Paris, et encore plus d'un million de 1921 à 1936, avant la pause de 1937-1954, où l'on n'enregistre que 300 000 « nouveaux Parisiens ». L'émigration n'est pas nécessairement un trajet direct de la campagne à la ville ; elle peut s'effectuer en deux temps, en passant par un centre relais, voire n'aboutir qu'à la seconde génération. De petites villes ou de simples bourgs jouent ce rôle avant la fixation définitive

DEUXIÈME ANNÉE. — N° 34.　　　15 centimes le Numéro　　　DIMANCHE 15 JANVIER 1882

LA SEMAINE AGRICOLE

Journal hebdomadaire.　　REVUE AGRICOLE ET POLITIQUE DE LA FRANCE ET DE L'ÉTRANGER　　Paraissant le Dimanche.
ORGANE DE LA SOCIÉTÉ NATIONALE D'ENCOURAGEMENT A L'AGRICULTURE

LE DÉPART POUR LA VILLE

Mieux vaut prévenir que guérir... La Semaine agricole, *15 janvier 1882.*

dans la grande cité, comme s'il fallait s'habituer graduellement à l'exil, à l'inconnu, dans un cadre encore familier, donc proche. Les migrants d'Asnan, dans la Nièvre, considèrent Clamecy comme une première étape avant Paris. Pendant tout le XIXᵉ siècle, deux petites villes de la soie, Ganges dans le Gard et Sommières dans l'Hérault, retiennent pour un séjour plus ou moins long les paysans cévenols sur le chemin de Béziers, Nîmes ou Sète. En Alsace, particulièrement entre les deux guerres, il existe une hiérarchie de centres migratoires. A la base, une quarantaine de bourgades reçoivent les migrants. De ces pôles d'attraction élémentaires partent des courants vers six villes : Saint-Louis, Thann, Guebwiller, Sélestat, Saverne, Haguenau, elles-mêmes reliées aux trois villes principales : Colmar, Mulhouse et Strasbourg. Enfin, Strasbourg attire des migrants de ces deux dernières. Parfois, les enfants parachèvent le destin familial. Des Alpes du Sud ou du Massif central, on descend en Basse-Provence ou dans la vallée du Rhône ; le fils ira habiter Lyon, Marseille, quelquefois Paris.

La région d'accueil est rarement *terra incognita*, on suit des filières d'émigration. On profite de l'expérience des anciens émigrés qui savent où il faut se loger, où trouver du travail et forment un réseau d'entraide, évitant aux nouveaux les pièges de la ville.

ABBÉ ÉLIE GAUTIER
DOCTEUR-ÈS-LETTRES

LA DURE EXISTENCE
DES
PAYSANS ET DES PAYSANNES

POURQUOI
LES BRETONS S'EN VONT...

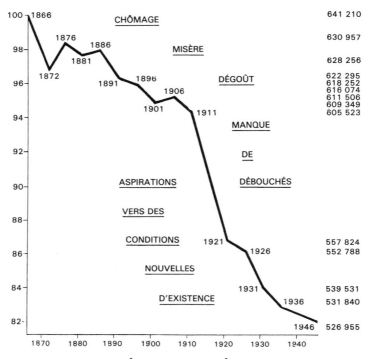

UN DÉPARTEMENT TÉMOIN

COMMENT LA POPULATION DES "CÔTES-DU-NORD"
A BAISSÉ DE 115 000 HABITANTS DE 1866 A 1946

Présentation originale et dramatisée de l'exode rural.

Ainsi, par des filières plus ou moins informelles, se créent des « monopoles » professionnels, par exemple celui des bougnats auvergnats ou des fumistes savoyards. Les liens avec la région d'origine sont maintenus, soit par des séjours plus ou moins fréquents au pays natal, soit par les journaux locaux auxquels on reste abonné ; et l'on n'ignore rien de la quotidienneté de ses parents et amis. Tout aussi révélateurs sont les mariages entre conjoints de même origine. Dans le quartier de Belleville, en 1865, 66 % des hommes nés en province se marient avec une provinciale, 51,4 % en 1910 ; 19 % des couples en 1865, 15 % en 1910, sont originaires du même département. On lutte contre le déracinement. Encore faudrait-il nuancer selon les générations, sinon les provinces, le statut social et les conditions d'existence en ville, autant de facteurs pouvant hâter l'assimilation. Les migrants de Plozevet en pays bigouden sont très pauvres, sans formation générale. A partir des années 1870, et surtout entre 1900 et 1925, ils vont à Chantenay, faubourg de Nantes ; ensuite le mouvement se ralentit, pour devenir insignifiant après 1950. La première vague est « un pur produit de la misère et du surpeuplement » ; les Plozevétiens travaillent dans les papeteries et les conserveries, ils gardent des liens étroits avec Plozevet où les femmes retournent accoucher. Le temps aidant, le groupe se déstabilise : affaiblissement des structures traditionnelles de la famille, de la pratique religieuse, d'où des divorces plus fréquents et une réduction de la taille des ménages. La rupture est acquise à la seconde génération, scolarisée et encouragée par les parents à obtenir un diplôme pour devenir mécanicien, fonctionnaire, marin. La promotion s'accompagne de l'abandon du breton, et du faubourg pour la ville.

Les perspectives d'embauche pour les jeunes filles, rarement qualifiées, sont aussi modestes que celles des migrantes temporaires. Le cursus classique après l'emploi de domestique de ferme est, soit l'usine dans les régions industrialisées, soit le départ à Paris comme bonne à tout faire chez un particulier, dans un garni ou un hôtel. Les cafés-restaurants auvergnats ou aveyronnais préfèrent recruter des « payses ». Elles trouvent aussi du travail comme servante-vendeuse dans les dizaines de milliers de petits commerces parisiens, notamment de l'alimentation. Il faut dire que, « pour les jeunes filles, c'est la question du logement qui détermine le choix du travail ». Elles doivent trouver un emploi nourrie-logée, ou avoir un point de chute familial. Les ouvrières d'origine paysanne sont donc rares à Paris. Leur seul espoir de promotion est de passer de la condition de bonne à celle de servante d'hôtel ou de restaurant. Ces emplois, sans horaire fixe, sont quittés au moment du mariage. Cependant, certaines sont couturières, d'autres sont lingères à la journée chez des bourgeois. Un diplôme permet à une minorité, dans l'entre-deux-guerres, de postuler à la fonction publique. Pour les garçons, les choses sont différentes. Une étude récente sur les jeunes migrants du Paris de l'entre-deux-guerres montre que s'ils ne « montent » pas dans la capitale à l'aventure, s'ils sont pris en charge par leurs « contacts » qui les intègrent dans leur espace de connaissance, c'est-à-dire dans un secteur spécifique du marché du travail et un quartier bien délimité, ils sont plus qualifiés que les filles. Ils ont souvent appris un métier artisanal et monnayable en ville : métiers du bâtiment ou de l'alimentation et, au début du XXe siècle, mécanique automobile. Les artisans urbains préfèrent les embaucher, surtout s'ils sont eux-mêmes d'anciens ruraux, plutôt que de former des apprentis d'origine ouvrière et citadine, soupçonnés de mauvais esprit. Ils sont nombreux dans la construction mécanique ou automobile, l'appareillage électrique et chez les boulangers. Les migrants sans qualification, Corréziens, Bretons, Morvandiaux, sont hommes de peine, manœuvres, magasiniers, travaillent sur les chantiers publics et occupent les emplois les plus modestes du métro. Un jeune Corrézien, M..., aîné de neuf enfants, incarne ce type de migrant. Comme « on disputait la châtaigne aux cochons » dans la ferme paternelle, il est, dès son plus jeune âge, domestique dans les exploitations voisines. A 16 ans, en 1890, il part à pied pour quatre ans dans les Landes comme scieur de long. Après son service militaire, il revient chez ses parents, privés d'aide par le départ de plusieurs enfants. La faiblesse des revenus le contraint à son tour à renoncer au travail de la terre. Grâce à un « pays », il devient homme de peine au lycée de Chartres et il se marie avec la sœur de son ami. Le jeune couple, sollicité par les Corréziens de Paris qui lui garantissent du travail, s'installe dans une chambre boulevard Barbès. D'abord employé sur le chantier du tunnel ferroviaire de Chaville, le mari

Les Porteuses de linge, *peinture à l'huile par Steinlen (1859-1923). Vevey, musée Jenisch.*

devient homme de peine aux Galeries Lafayette tout en travaillant aux Halles avant l'ouverture du grand magasin. Pendant trente ans, il ne retourne pas au pays, mais envoie régulièrement ses enfants chez leur grand-mère. Il maintient aussi des liens avec le pays natal à Paris, car il s'est installé avec sa famille dans le quartier de l'Hôtel de Ville où résident beaucoup de Corréziens. « Le dimanche matin, ils se retrouvaient pour fumer une pipe. C'était leur sortie […], ils parlaient du pays. » Victime de la crise économique, chômeur à 60 ans, il rentre au village, se fait construire une maison et se remet au travail de la terre. Toute différente est la trajectoire professionnelle de C…, type de migrant d'une région industrielle « muni d'un métier et déjà socialisé au travail en usine ». Né en 1898 près du Creusot, orphelin de père, il quitte l'école à 12 ans pour être domestique de ferme. A 16 ans, il gagne Montceau-les-Mines, à 18 ans il apprend la mécanique chez Péchiney-Ugine-Kuhlmann en Savoie, où son oncle est ouvrier. Chômeur après la guerre, il retourne à Montceau-les-Mines comme aide-mineur, puis se fait embaucher chez Schneider dans la grosse mécanique. Fort mal payé, sans avenir, il décide de partir avec un autre ouvrier ayant une « tête de pont » à Paris : un Creuso-tin « qui travaillait chez Soerer à Suresnes ; il nous a trouvé du travail. Le contremaître était Creusotin et le chef d'atelier était de Montceau-les-Mines. Alors là, j'avais un salaire qui était le double de celui du Creusot […]. On faisait confiance aux Creusotins, du fait qu'il y avait des chefs creusotins et des Creusotins dans l'usine ». Le rôle de la maîtrise est déterminant dans le choix du personnel : ce système d'embauche par rela-tions interprofessionnelles est aussi en vigueur chez Renault et Citroën.

S'il ne vit pas chez un oncle ou un frère, le jeune homme loge dans un garni tenu par un compatriote ; il y en a 12 000 à Paris. Au début des années 1920, les hôtels « corréziens » n'hébergent que des Corréziens, maçons, cochers de fiacre puis chauffeurs de taxi, on n'y parle pas français mais le dialecte limousin. Au travail, même à l'usine, on reste volontiers entre soi, et la sociabilité renforce cette tendance ; on fréquente les bals des Amicales ou ceux de la Salle Wagram où l'on va en groupe. Mariés, les migrants conservent ces structures de groupe. Habitant un meublé, ou une chambre sous les toits, puis, si on en trouve un par relation, un deux-pièces, on ne quitte guère son quartier peuplé de compatriotes — Montparnasse pour les Bretons — où se renouent les formes de solidarité et de sociabilité villageoises. Des femmes peuvent y passer toute leur vie sans jamais s'aventurer à traverser la Seine. On reproduit « inconsciemment, au sein de la grande ville, un mode de comportement villageois qui veut que l'on n'aille pas là où l'on n'a rien à faire ». Au total, « bien mieux qu'au pays, les solidarités villageoises s'exercent pleinement au profit du nouveau citadin ».

L'émigration a profité aux villes ; l'afflux de population a stimulé leur économie, favorisé leur expansion : les migrants sont jeunes, ce sont des producteurs, leur coût social est faible. Pour les régions de départ, l'émigration a aussi un effet positif, en particulier au XIXe siècle. La décongestion des campagnes surpeuplées augmente le revenu de ceux qui restent ; des terres se libèrent, l'extension des fermes et les perfectionnements technologiques sont possibles ; les cultivateurs bénéficient d'un marché élargi pour vendre leur production. Les salariés agricoles mettent à profit les départs pour faire pression sur les employeurs : en cas de forte émigration, l'accroissement des salaires est bien lié à la diminution de la population agricole, surtout dans les zones proches des pôles économiques de développement. En revanche, sur le moyen et le long terme, les campagnes sont pénalisées. On a évoqué le renforcement par l'exode rural d'une propriété citadine stérilisante. Il faut ajouter un avenir économique compromis par la dépopulation, « la formation d'une population résiduelle issue d'une sélection à rebours », et le déséquilibre des sexes. Un déficit féminin contraint les hommes au célibat ou les oblige à changer de profession, donc en fait à partir en ville. Plus la commune est petite et isolée, plus le célibat est important. A Banon, en Haute-Provence, la nuptialité est inférieure de 15 % à la moyenne nationale dans la seconde moitié du XIXe siècle, de 20 % au début du XXe siècle ; à Espinouse, sur le plateau de Valensole, on recense 23 célibataires pour 6 femmes en 1901, 16 hommes pour 3 femmes en 1911. Un célibat féminin se développe quand l'émigration masculine est majoritaire. Enfin, l'exode rural fait augmenter le taux de consanguinité ; maximal vers 1900, il diminue légèrement après 1918, ce qui a pour conséquence une hausse de la mortalité infantile et du nombre des handicapés, par exemple en Maurienne, Morbihan, Finistère, Loir-et-Cher.

« L'émigration rurale, tout en répondant à une motivation individuelle, dépend en dernière analyse de la géographie de l'emploi et de la politique menée par l'État en fonction des priorités accordées à tel ou tel secteur de l'activité économique », elle est la résultante de la modification des grands équilibres de l'économie.

POLITIQUE

Représentation des paysans

Bien qu'ayant la force du nombre, la paysannerie a longtemps confié à des non-paysans le soin de la représenter. Cela ne l'empêche pas, depuis le Second Empire, d'être l'enfant chérie du pouvoir ; le suffrage universel ayant révélé en 1848, après la brève expérience révolutionnaire, l'importance du vote paysan, tous les partis politiques et tous les régimes ont cherché à le capter. Sollicitée par les conservateurs et les républicains, la droite et la gauche, la paysannerie a-t-elle subi la politique, a-t-elle été manipulée ou a-t-elle su se faire entendre et défendre ses intérêts ?

Marginalisée par la monarchie censitaire, la masse paysanne est ensuite surreprésentée : mode de scrutin et découpage des circonscriptions en sont responsables. L'électeur rural pèse de plus en plus lourd au fur et à mesure que les campagnes se dépeuplent et que les villes grandissent. En réalité, selon Maurice Duverger, la finalité de ce système électoral avantageux vise moins à favoriser les agriculteurs qu'à en faire le soutien de la bourgeoisie face à un prolétariat contestataire. A cette surreprésentation électorale correspond une sous-représentation au Parlement, au Conseil général et même à la Mairie. En 1848, 1,8 % des conseillers généraux sont agriculteurs, 1,6 % en 1870. L'Assemblée législative de la Seconde République compte 211 députés « démoc-soc », parmi lesquels 19 agriculteurs, plus bourgeois que paysans. Au demeurant, le nombre des députés d'origine rurale a progressivement diminué du début à la fin de la Troisième République, sans être véritablement compensé par la progression d'authentiques paysans. En 1889, sur 576 députés, 10 sont de vrais cultivateurs, mais pour défendre l'agriculture ils sont épaulés par 131 rentiers du sol, 3 vétérinaires, 10 agronomes et une trentaine de propriétaires fonciers avocats ou hommes d'affaires, soit près de 30 % des effectifs de la Chambre. En 1910, si 32 agriculteurs et 6 viticulteurs sont élus, le groupe des représentants ruraux tombe à 18 %. Une nouvelle chute survient en 1924, suivie d'une relative stabilisation autour de 11 à 13 % jusqu'en 1940. Le rôle joué par les paysans dans la Résistance ne s'accompagnant pas de prise de responsabilités politiques, et les dirigeants ruraux traditionnels s'étant compromis avec Vichy, la sous-représentation paysanne est considérable à la Libération. Au Sénat, grand conseil des communes de France, la situation semble meilleure, avec une représentation en 1936 double de celle de la Chambre des députés. En fait, sa composition sociologique est la même : bien peu sont des paysans. Le faible nombre d'élus paysans s'explique en partie parce qu'au niveau des candidatures, par exemple sous la Quatrième République lors d'élections au scrutin de liste, les partis politiques, y compris ceux se réclamant du monde agricole, parti paysan et indépendants-paysans, se gardent bien, dans l'écrasante majorité des cas, de mettre en premier les candidats agriculteurs ; leur présence est néanmoins indispensable : elle répond à un souci de propagande électorale, surtout quand la tête de liste ne peut arguer de ses attaches terriennes. Lors des législatives de 1956, sur un millier de candidats ruraux, une cinquantaine étaient assurés de la victoire, et sur 98 élus du parti paysan et des indépendants-paysans 24 % seulement pouvaient se targuer de liens plus ou moins lâches avec la terre. Par rapport à leurs collègues, les députés agriculteurs sont en état d'infériorité : dans les assemblées de 1946, 1951 et 1956 — où ils sont respectivement 47, 75 et 67 — la majorité d'entre eux a fait des études courtes. Aux dires des connaisseurs du milieu parlementaire, seuls 4 ou 5 seraient capables de prendre le portefeuille du ministère de l'Agriculture. Jamais, au cours des débats, ils ne se sont signalés par l'ampleur de leurs vues. Pour la plupart, et ils en ont conscience, le mandat parlementaire est leur bâton de maréchal. En revanche, ils sont très près de leur électorat, comme le suggèrent leur profession de foi et leurs tracts électoraux, tant par les idées défendues que par la façon de les formuler.

Ambiguïtés de la participation politique

La paysannerie sécrète lentement ses élites politiques. Est-ce par indifférence à la vie nationale ? C'est une question fort complexe, car la politisation des masses paysannes, c'est-à-dire leur intégration dans la communauté nationale, le passage des « rebelles primitifs de 1789 » aux « citoyens fantassins de 1914 », varie chronologiquement et géographiquement. Cette intégration suppose une prise de conscience des liens entre vie quotidienne, événements locaux et système politique global, et une détermination en fonction des questions d'intérêt national (problèmes institutionnels, religieux, scolaires). On admet généralement le rôle primordial de la Troisième République « intégratrice, acculturante, nationalisante » dans la transformation des paysans en Français, par l'école et le service militaire obligatoires, et par les nombreux scrutins municipaux, cantonaux, législatifs. Mais la république ne s'implante pas sur un terrain totalement vierge. Bien avant son instauration, des lignes de force se dessinent. La Révolution constitue une ligne de faille majeure dans l'esprit paysan et, par les problèmes qu'elle soulève, engendre des comportements durables. Choisir le parti bleu, c'est opter pour la Grande Nation, pour une Église contenue dans de justes bornes, admettre que la ville est un facteur de progrès et accepter son patronage. Ce sont les linéaments d'une sensibilité républicaine d'abord, de gauche ensuite, quand s'ajoutent l'anticléricalisme et le combat pour l'école laïque. Être du parti blanc, c'est refuser la guerre révolutionnaire, la constitution civile du clergé, s'insurger contre la ville où prospèrent les rentiers du sol, des bleus en majorité, acquéreurs de Biens nationaux et aussi exigeants que les seigneurs d'autrefois. C'est le sens du combat vendéen et chouan. Ce sera la droite monarchiste, cléricale et conservatrice. Sous la Monarchie constitutionnelle, l'exclusion du pays légal ne signifie pas disparition des clivages ; le paysan est « soit conservateur dans le sillage des nobles et des prêtres, soit patriote et très obscurément révolutionnaire dans le culte de Napoléon », héritier de la Révolution, porteur d'une formidable aventure à laquelle ont participé nombre de paysans-soldats. Moins aisément discernable, un courant républicain sort de la clandestinité aux élections de 1848. Il est particulièrement sensible en Provence où l'influence de la bourgeoisie éclairée sur la masse paysanne et une intense sociabilité s'épanouit au travers des cercles bourgeois et de leur réplique populaire, les chambrées animées par des artisans actifs. Cela favorise à la fois l'acculturation et la prise de conscience politique. L'événement majeur de la révolution de 1848 est l'émergence d'une paysannerie rouge, dont les politologues se complaisent à montrer la continuité jusqu'à nos jours dans le Centre et le Midi, perméable non seulement aux idées démocratiques mais socialistes. Désormais coexistent trois France paysannes, quelle que soit l'étiquette politique que pourront revêtir ultérieurement les partis se réclamant de chacune d'elles. Le Second Empire ne supprime pas les divisions, malgré une attitude répressive à l'égard des rouges et des républicains. Le vote pour le candidat officiel n'est pas soumission au pouvoir, mais volonté de libération vis-à-vis des notables locaux et des curés. Après quelques hésitations, la plus grande partie de la paysannerie adhère à une république rassurante, modérée ; une république qui, sous la houlette de Gambetta et Jules Ferry, puis du parti radical, préserve ses acquis et la protège des partageux et autres collectivistes, et des nostalgiques de l'Ancien Régime. Les grandes lois républicaines ne sont pas étrangères à ce ralliement : révolution des mairies avec l'élection du maire par le conseil municipal, lois scolaires de Jules Ferry, liberté d'association professionnelle par la loi Waldeck-Rousseau ; sans oublier la création, en 1881, d'un ministère de l'Agriculture et, en apothéose, le banquet des maires de toutes les communes de France en 1900. Au-delà des désaccords entre une forte minorité d'électeurs de gauche et une majorité conservatrice supérieure à la moyenne nationale, l'intégration de la paysannerie dans la société française serait une réalité en 1914 : elle est unanime à répondre à la mobilisation générale.

N'est-ce pas une vue optimiste de croire à une progression régulière de la conscience politique paysanne, de droite ou de gauche, même si les révolutions de 1789, 1830, 1848 ont soulevé de grandes espérances dans les campagnes, chacune les aidant à franchir une étape sur la voie de l'éveil à la chose publique ? Le pourcentage d'abstentions pourrait le faire croire. Quelle est la signification d'un vote pour des populations ignorantes, absorbées par les besoins les plus élémentaires de la vie quotidienne ? Il existe une corrélation positive entre pauvreté, isolement, analphabétisme et participation électorale. Le décalage est frappant entre les régions. Les préfets signalent le retard des Pyrénées, du Massif central, de l'Ouest, des Vosges. Pour le sous-préfet de Pamiers, en 1905, quatre ou cinq personnes par village s'intéressent aux problèmes nationaux ou internationaux ; l'affaire Dreyfus qui passionne l'opinion publique à Limoges laisse les campagnes voisines indifférentes. Encore le vote paysan doit-il pouvoir s'exprimer librement, ce qui est loin d'être toujours le cas, on le sait ; les pressions sur les électeurs s'exercent d'autant plus facilement que le secret du vote est inexistant jusqu'en 1914 : « On arrive toujours à tout savoir », dit le maire de La Fouillouse dans la Loire en 1898. Dans ces conditions, la politique au village ne se réduit-elle pas à l'ajustement du fait national au fait local ? Les grandes options nationales ne sont-elles pas une couverture commode, le moyen d'exprimer en un langage clair des aspirations confuses et violentes, le reflet des antagonismes locaux ? En dehors des questions susceptibles de concerner leur propre vie, comme le coût de l'exemption du service militaire ou l'instauration de son obligation et la fiscalité, seule la concordance des événements locaux et nationaux introduit la dimension politique dans le comportement électoral des paysans. C'est le cas pour le problème de l'école et de l'Église, source de conflit potentiel et de lutte d'influence entre le maire et le curé, car jusqu'à la promulgation des lois Ferry la municipalité peut choisir un instituteur laïque ou religieux. De même, le spirituel interfère avec le temporel lorsqu'il s'agit de la réparation des édifices du culte, de la sonnerie des cloches, de l'autorisation ou de l'interdiction des processions ; autant d'occasions où chacune des parties peut être tentée d'empiéter sur l'autre. Les conflits s'aiguisent dans les régions d'affrontements traditionnels entre blancs et rouges, entre catholiques et protestants. Certains épisodes à caractère clochemerlesque recouvrent des divergences de fond mettant aux prises deux clans profondément opposés. Les luttes internes au village prennent donc une coloration politique, et la politique devient l'expression de la réalité locale tout en se personnalisant. D'un autre côté, l'appropriation de thèmes nationaux, dans une campagne électorale, permet à des groupes de parentèle et à des factions de s'affronter derrière le masque du combat politique. L'électeur choisit son candidat par tradition familiale ou en fonction de son intérêt immédiat. A Plozevet, le parti rouge incarne certes les aspirations des plus démunis mais aussi, sous couvert de républicanisme et d'anticléricalisme, des haines de voisinage. Dans la Haute-Maurienne, on appartient de toute hérédité aux rouges et aux

Les paysans votent. Librement ? Une Visite électorale, *par Arturo Michelena, 1886.*

blancs sans pouvoir justifier cette adhésion ; dans le Vivarais, l'opposition recoupe le clivage protestants-catholiques. La mémoire collective pérennise un comportement conservateur en Vendée, républicain dans le Périgord, où la tradition perpétue la légende noire de seigneurs laïques ou clercs, brutaux et rapaces, construisant leurs châteaux et églises avec le « mortier de sang » des victimes sacrifiées à cette fin, et où la crainte d'une restauration de l'Ancien Régime hante encore les esprits dans les années 1870. En Bourgogne, des prêtres soupçonnés d'être des agents prussiens sont molestés en 1870, et on n'hésite pas en 1914 à accuser des nobles et des clercs d'avoir subventionné l'agression contre la France. Au total, la maturation politique ne s'est pas faite partout au même rythme, ni dans le même temps, parce que les campagnes sont formées de la juxtaposition de sociétés rurales différentes qui ne vivent pas, ne pensent pas de la même façon.

Par adhésion spontanée, et plus encore par nécessité, en raison d'un handicap culturel, d'une absence de relations et de la lourdeur des tâches quotidiennes, les paysans laissent le pouvoir aux élites notabiliaires traditionnelles ou nouvelles, blanches ou rouges. On les élit, mais on ne leur donne pas un blanc-seing. Les électeurs paysans sont vigilants quand leur intérêt est en cause. Le consensus électoral n'est pas servitude, le consentement n'est jamais définitif. Les vicissitudes politiques de Tocqueville dans la Manche en sont la preuve. Régulièrement élu depuis 1839, il obtient 87,5 % des suffrages en mai 1849 comme candidat de l'Ordre. Sa défaite, en 1851, à cause de son opposition résolue au coup d'État du 2 Décembre est à la mesure du désaveu que lui infligent ses mandants : 96,2 % des électeurs s'expriment en faveur du prince-président. Les paysans normands sont légitimistes, en ce sens qu'ils se rallient au

La distribution des prix aux comices agricoles. Tableau par Henri Brispot (1846-1928).

régime en place, mais seulement dans la mesure où il sauvegarde leurs intérêts. Cette confiance conditionnelle est aussi la marque des campagnes du Pas-de-Calais dont les représentants au Parlement, conservateurs bon teint ou républicains modérés, subissent un contrôle vigilant. Leurs interventions, leurs votes, leurs discours sont aussitôt connus dans leur circonscription ; soumis aux feux de la critique, il leur faut tenir le plus grand compte des directives reçues, y compris lorsqu'ils sont des hommes politiques de premier plan comme Ch. Jonnart ou A. Ribot. En reconnaissance de leurs services, ils se voient décerner des félicitations chaleureuses par les sociétés d'agriculture, ou lors des comices agricoles auxquels ils ont soin de participer.

La relève des notables

Le remplacement des notables par les paysans est évidemment le fait des cultivateurs aisés ; il s'opère à l'aube du XXᵉ siècle dans les mairies, les conseils généraux et les syndicats agricoles, partout où l'on a une prise directe sur la réalité. On peut se demander si la stratégie des agriculteurs n'a pas été de prendre en main ces postes clefs, et de laisser les fonctions nationales, nécessitant des déplacements multiples et lointains, et la rhétorique parlementaire pour laquelle ces hommes de terrain ont peu de goût, à une bourgeoisie citadine plus rompue aux subtilités de la politique, quitte à contrôler étroitement, on l'a vu, l'action des élus. La relève par une base paysanne ne se dessine pas encore, même si des tentatives pour l'organiser, la former afin de prendre en main son destin, sont autant de jalons posés pour l'avenir. Là où l'autorité de l'Église reste grande, elle crée des syndicats actifs. La Fédération agricole du nord de la France, à l'origine de laquelle on trouve l'abbé François, totalise 10 000 membres en 1913 ; parallèlement s'implantent des sections de la Jeunesse catholique, pépinière de cadres pour le syndicalisme agricole. Fondateur de *L'Ouest-Éclair*, quotidien démocrate-chrétien, un jeune prêtre breton, l'abbé Trochu, milite pour l'émancipation paysanne et cherche à mettre sur pied face au syndicat conservateur de Landerneau, dirigé par le comte Hervé de Guébriant, un syndicalisme de petits paysans, les encourageant à dégager leurs propres élites. Il prêche inlassablement dans ses colonnes l'idée d'une organisation et d'une action paysannes autonomes. Influencé par les thèses de l'abbé Trochu, l'abbé Mancel fonde après la guerre des syndicats ouverts aux seuls cultivateurs-cultivants, regroupés en 1920 dans la Fédération des syndicats paysans de l'Ouest ; un groupe de jeunesse paysanne s'y ajoute en 1926. En proie à l'hostilité conjuguée des conservateurs et de la hiérarchie catholique, qui les accusent de réveiller la guerre de classes, les syndicats Mancel disparaissent mais laissent des traces durables dans la conscience bretonne. Quant à la Jeunesse agricole catholique, créée sur le plan national en 1929, elle est considérée comme le vivier des cadres de la paysannerie ; elle travaille « à former des chefs paysans qui sauront, dans un esprit de dévouement absolu, donner à la profession agricole la place qui lui revient dans l'organisation sociale de la France ».

Plus réelles, les possibilités de promotion par les groupements de gauche restent cependant limitées, en raison d'une résistance des campagnes à leur idéologie, en dehors de régions acquises traditionnellement à leurs thèses. Parmi leurs leaders, Renaud Jean, député communiste du Lot-et-Garonne, fonde en 1929 la Confédération

Syndicalisme agricole en 1900. Affiche de George Fay.

générale des paysans-travailleurs ; ouverte aux petits exploitants et ouvriers agricoles, elle prône l'alliance avec les ouvriers, mais son influence se limite à quelques points du Massif central et du Sud-Ouest. Elle diffuse les idées du parti communiste dans son journal *La Vie paysanne*, remplacé en 1936 par *La Terre*. Née en 1933, la Confédération nationale paysanne, qui préconise l'organisation de conseils paysans et le progrès technique, séduit Tanguy-Prigent, jeune paysan du Finistère. Il établit un réseau de coopératives socialistes dans les villages et est élu député de la SFIO en 1936.

La Corporation paysanne de Vichy elle-même sera une école de formation pour ses 30 000 syndics locaux, presque tous exploitants, élus par leurs pairs, et le creuset des cadres des organismes professionnels de l'après-guerre. Somme toute, entre les deux guerres, la masse des paysans dispose d'un faible rôle de décision ; sur le plan de sa représentation politique et syndicale, elle est encore une majorité silencieuse. C'est néanmoins une période d'apprentissage, de réflexion sur la condition rurale, l'annonce de l'émergence d'une élite de cultivateurs-cultivants.

Constamment sollicité par le pouvoir depuis 1848, le monde paysan adopte à son égard une attitude non dépourvue d'ambiguïté : la méfiance envers ceux qui imposent les décisions, ou l'espoir de voir résoudre toutes les difficultés par un État providence. Ainsi naît peu à peu une mentalité d'assistés, en dépit des dénégations des agriculteurs ; la paysannerie, cliente des forces au pouvoir, entend pratiquer le vote-récompense. A cette double attitude répondent deux types de relations avec l'État : contestation violente, recours à l'action directe, ou au contraire concertation dans le cadre institutionnel au travers de lobbies. C'est bien sûr dans les moments où elle n'a pas la parole que la contestation revêt des formes violentes. État-conscription, État-fisc, État-gendarme, suscitent les mêmes réactions émotionnelles que sous l'Ancien Régime, jusque sous la Seconde République : désertions, révoltes antifiscales contre les Droits réunis, les impôts sur les boissons et le sel, troubles et délits forestiers. L'exaspération contre les agents de la répression étatique : percepteurs, douaniers, gardes forestiers, gendarmes, ne se dément pas. L'impopularité du pouvoir a pour noms : permis de chasse, impôt des 45 centimes, rachat du service militaire, prolongation de la guerre contre la Prusse.

Quand la paysannerie peut utiliser la machine politique pour servir ses intérêts, elle le fait. Sous la Troisième République, comités, associations, fédérations se multiplient : il faut être unis pour mieux peser sur les décisions officielles, tactique mise au point dans les régions de culture industrielle, céréalières et le Midi viticole. En 1896, est créée la Fédération des sociétés d'agriculture et, en 1897, l'Union des syndicats agricoles du Pas-de-Calais ; campagnes de pétitions, envois de délégations auprès des ministres et des commissions spécialisées de la Chambre — celles des sucres, des douanes —, pressions sur le groupe parlementaire agricole — courroie de transmission privilégiée —, sont des moyens d'action efficaces. Le bilan est en effet positif : entre 1880 et 1899, 36 % des propositions de loi des députés du Pas-de-Calais sont adoptées et 39 % de leurs amendements. Mais, sur le plan national, le résultat est une politique incohérente puisqu'elle est le fruit d'un équilibre entre groupes de pression antagonistes qui cherchent à arracher à leur profit des concessions : le duel vin-betterave ou la lutte du lobby du Nord contre celui du Midi en est le meilleur exemple ; seul le renforcement du protectionnisme fait l'unanimité des campagnes derrière les agrariens. On entre dans l'ère des subventions ; le gouvernement, sans stratégie sur le long terme, navigue à vue et distribue simplement des drogues législatives pour pallier momentanément des difficultés sectorielles. Cette politique au coup par coup, en réponse à une situation conflictuelle déterminée, n'est évidemment pas dénuée d'arrière-pensées

La crise viticole : haro sur le buveur d'eau. Le Petit Journal, *juin 1907*.

électoralistes. Il arrive pourtant que les pouvoirs publics ne cèdent pas à temps et se trouvent en face d'une rébellion. En 1907, à la suite de l'effondrement sans précédent du prix du vin, les vignerons du Midi se révoltent. Révolte de la misère et du désespoir, à Baixas dans les Pyrénées-Orientales, les petits vignerons, le visage dissimulé sous une couverture, demandant l'aumône aux portes des maisons. Dans les villes du Midi, des centaines de milliers de manifestants exigent des dégrèvements d'impôts, l'octroi d'indemnités aux viticulteurs, la lutte contre la fraude, la défense du marché national. La gravité de la situation se mesure à la démission des maires, au projet de grève de l'impôt. Malgré la solidarité des soldats du 17e de ligne, la répression est sévère ; mais simultanément, le gouvernement prend des mesures d'apaisement en faisant adopter une loi contre le mouillage et réglementant le sucrage des vins. Cette crise met pour la première fois en lumière ce qui est devenu le mal chronique de la viticulture méridionale, et donne naissance à un lobby solidement structuré, la Confédération générale des vignerons, rassemblant 100 000 adhérents en 1935.

Entre les deux guerres, à la faveur du marasme économique et de l'incapacité du régime à le juguler, les agriculteurs, se jugeant trahis par le « système », prêtent l'oreille à la thèse corporatiste du pouvoir paysan et recourent à l'action directe. Les tentations de l'extrême droite ont un écho dans le monde rural jusque dans la création de ligues, comme la Masse de combat des paysans, organisée en 1925 par *Le Progrès agricole* d'Amiens. Cet hebdomadaire s'adresse à une clientèle rurale aisée du Bassin parisien et du Nord-Ouest, séduite par son extrémisme : il tire à boulets rouges, dans le style de *Gringoire*, sur une république parlementaire nocive pour les paysans, donc pour la France. Cependant la Masse de combat ne soutient pas les comparaisons avec le mouvement Dorgères parti de l'Ouest breton, dont les comités de défense paysans créés en 1928 ont une ampleur nationale en 1935, avec leur service d'ordre, les Chemises vertes, organisation paramilitaire. Il recrute les quatre cinquièmes de ses adhérents dans le Nord, l'Ouest et l'Île-de-France, uniquement parmi les paysans, chez les petits, moyens exploitants, et même les salariés agricoles. Dorgères rencontre une grande audience quand il rend l'État, les politiciens corrompus, les citadins responsables de la misère paysanne. Il rassemble dans ses meetings des milliers de personnes et déchaîne l'enthousiasme quand il menace de faire envahir Paris par une foule de paysans armés de fourches. Pour l'heure, ce sont les heurts avec les forces de l'ordre à l'occasion de manifestations de soutien à des agriculteurs poursuivis par le fisc ou victimes de l'Administration. Des opérations de commandos sont montées en 1938 contre des conserveries du Sud-Finistère pratiquant des prix trop bas et contre des cultivateurs récalcitrants, dont on arrose d'essence la production. Ce sont aussi des grèves de livraison en 1936. Ces actions suscitent chez les paysans la solidarité, leur donnent l'impression d'être une force et les acteurs de leur propre destin. En réalité, les comités sont au service d'intérêts conservateurs : Office central de Landerneau, Union nationale des syndicats agricoles et Association générale des producteurs de blé ; ils reçoivent des subventions de la Ligue des contribuables de Jacques Lemaigre-Dubreuil, de la banque Worms et de grands magasins parisiens. Les Chemises vertes ne s'y trompent pas en brisant la grève des ouvriers agricoles du Nord et du Bassin parisien en 1936-1937 et en affrontant les militants du Front populaire. La droite joue la carte paysanne, comme le montre la tentative du Front paysan en juillet 1934, regroupant avec les comités Dorgères, le Parti agraire, l'Union nationale des syndicats agricoles de Le Roy Ladurie et différentes associations professionnelles. Son échec n'est dû qu'à des querelles de personnes ; mais nombre de ses représentants vont se retrouver à Vichy. Si l'entre-deux-guerres marque une étape importante dans la prise de conscience par la paysannerie de sa force, son mécontentement est canalisé et exploité à des fins politiques. La masse paysanne fournit les fantassins, on l'encourage à exprimer sa violence, mais on continue à décider pour elle. En ce sens, elle reste toujours une majorité silencieuse.

LES CHEMINS DE L'ACCULTURATION

Élément assimilateur par excellence, facteur déterminant de l'intégration des paysans, l'école uniformise, impose le français et le patriotisme, bat en brèche cultures et particularismes locaux. Quelles en sont les conséquences ? Certainement le développement d'un complexe d'infériorité, l'usage du dialecte ou du patois étant signe d'infériorité sociale. L'acculturation est urbaine, la culture scolaire implique le renoncement plus ou moins rapide à la culture originelle : « Elles sont exclusives l'une de l'autre. » Dans cette optique, l'instituteur, représentant de l'État centralisateur, fait figure d'agent de répression culturelle, répression dénoncée aujourd'hui par les tenants du régionalisme. Pour l'État, l'école est donc un instrument de pénétration idéologique ; et si le contenu de l'enseignement peut varier des conservateurs aux républicains, l'accord se réalise aisément, des notables traditionnels aux élites républicaines, pour considérer qu'elle n'est qu'accessoirement un moyen d'émancipation des masses populaires. Quand Guizot met en place, en 1833, la première loi-cadre de l'enseignement

Savoir écrire est un moyen de s'émanciper.

primaire, c'est parce que « l'ignorance rend le peuple turbulent et féroce », et il déclare, dans sa lettre aux instituteurs de France : « L'instruction primaire universelle est désormais la garantie de l'ordre et de la stabilité sociale. »

L'instituteur n'est pas seulement un éducateur et un pédagogue, c'est aussi un missionnaire du progrès, et ce dans tous les domaines. L'école lutte contre l'arriération culturelle et l'archaïsme économique, rapidement assimilés l'un à l'autre ; elle doit fournir de « bons travailleurs », former des producteurs capables de répondre aux nécessités de l'expansion économique, surtout quand il s'agit de plier les hommes aux impératifs nés de la révolution industrielle. Un minimum d'instruction s'avère indispensable pour les paysans, car le progrès signifie rationalité économique, autrement dit adaptation de l'agriculture aux besoins des grandes agglomérations urbaines. Pour produire davantage, il faut utiliser de nouveaux procédés, prendre conscience de leur utilité. A l'instituteur est dévolue cette mission essentielle d'ouvrir les esprits, de faire pas-

L'instituteur, éducateur et pédagogue, est aussi un missionnaire du progrès.

ser les connaissances élémentaires facilitant les transformations nécessaires. Les maîtres donnent à leurs élèves un enseignement agricole de base, complété par des travaux pratiques dans leurs jardins. Par ailleurs, ils les initient à l'hygiène, celles des hommes, des habitations, des animaux, ils livrent un combat pour la santé, donc pour un meilleur travail ; les instituteurs sont les alliés objectifs du médecin et du vétérinaire. Hommes de progrès, ils luttent contre tous les préjugés, toutes les superstitions, toutes les pratiques entachées de sorcellerie.

La loi Guizot porte son plein effet plus ou moins vite selon les régions. En tous cas, dès le Second Empire, la quasi-totalité des Français ont à leur disposition le moyen de faire instruire leurs enfants : en 1829, sur plus de 38 000 communes, 14 000 sont dépourvues d'école, 10 400 en 1832, 5 600 en 1837, 818 en 1863. Bien entendu, la qualité des maîtres, celle des locaux et du matériel pédagogique peuvent énormément varier, mais le fait est là : les rudiments de l'instruction sont déjà à la portée des paysans ; les lois Ferry ne feront que les obliger à en user, offrant à tous, même aux plus aisés, la gratuité. On leur a reproché leur indifférence en matière scolaire. Pour les régionalistes, elle traduit le refus latent d'un mode culturel qui vient de la ville, la preuve de l'attachement à des habitudes, à un patois, à un mode de vie. Plus sûrement, l'école gêne, sa fréquentation empêche les garçons et les filles d'assumer le rôle économique qui leur est dévolu : glanage, garde des bêtes, soins du ménage, surveillance des petits enfants. A un absentéisme de type économique lié aux impératifs du travail agricole s'ajoute, pour les plus pauvres, un absentéisme hivernal en relation avec le travail textile à domicile. L'inégalité sociale entraîne l'inégalité scolaire. Il est certain que la pauvreté des familles, la dispersion de l'habitat, l'hostilité des notables locaux à l'instruction populaire durant une bonne partie du XIXᵉ siècle freinent la scolarisation. Mais les instituteurs se plaignent aussi du manque d'intérêt des parents, même aisés, pour l'école. Pour tenir les mancherons de la charrue, nul besoin de se remplir la tête : on apprend sur le tas, initié par le père ou les aînés. Être paysan n'est pas un métier, mais un état. La loi de 1882 portant l'obligation scolaire jusqu'à 13 ans est loin d'être toujours respectée, on n'apprécie pas plus l'allongement des études jusqu'à 14 ans en 1936. En 1938, une enquête révèle que la moitié des paysans s'oppose encore à la prolongation de la scolarité jusqu'à 16 ans, alors que l'ensemble des Français y sont majoritairement favorables.

Toutefois, les paysans comprennent en même temps que savoir lire, écrire, compter et parler français est un moyen de s'émanciper de la tutelle des Messieurs, une façon d'être mieux armés en face d'eux, de mieux défendre ses droits. A partir du moment où des perspectives d'emploi s'offrent en ville, l'utilité de l'instruction est moins mise en doute et le recul des patois, très lent au demeurant, « a moins résulté des efforts de l'administration que des transformations de la société française sous la Troisième République [...] en liaison avec le marché au travail ». P.-J. Hélias se rappelle les conseils que lui donnait son grand-père Alain Le Goff, pénétré de l'importance de connaître le français : « Avec le français, on peut aller partout ; avec le breton seulement, on est attaché de court, comme la vache à son pieu. Il faut toujours brouter autour de la longe. Et l'herbe du pré n'est jamais grasse. » L'école est de plus en plus appréciée, même si on accuse l'instituteur d'être un sergent recruteur pour la ville en sélectionnant les élèves les plus doués et les plus brillants, et en les poussant à poursuivre leurs études. Écrémage qui appauvrit les campagnes en les privant, paradoxalement, des éléments les plus aptes à appliquer le progrès.

Par la presse, la ville contrôle l'information, ce qui facilite aussi la pénétration du modèle urbain dans le monde rural. « La presse écrite [...] participe à l'évolution des structures [des campagnes] en y diffusant les progrès techniques, en vulgarisant des méthodes nouvelles, en y transmettant les incitations des autorités administratives. Elle informe les ruraux sur les services que la ville met à leur disposition. » La publicité est la vision la plus séduisante et la plus convaincante de la supériorité de la civilisation citadine, que diffusent aussi les catalogues des grands magasins. Une analyse de la publicité dans les journaux alsaciens montre qu'en 1890 on propose aux paysans les services du dentiste, du marchand de bicyclettes, ou de nouveautés, du photographe ; en 1912, on vante les mérites de l'eau courante, du poêle en faïence à feu continu, des meubles de série et des papiers peints ; en 1936, on veut peupler les foyers d'appareils de TSF. Le journal atteint largement les campagnes, dans le dernier tiers du XIXᵉ siècle, quand il est assuré de disposer d'un vaste public recruté dans la génération des enfants scolarisés pendant les années 1860. C'est l'âge d'or de la presse décentralisée à l'échelon de l'arrondissement, parfois aussi du canton. En 1914, en Alsace, vingt-huit villes éditent des journaux et on estime qu'ils pénètrent dans un foyer sur deux dans le sud du Bas-Rhin. Le journal, « c'est la ville présente chaque matin » et un puissant facteur d'uniformisation, d'autant que même les nouvelles rurales sont restituées au travers du prisme urbain.

3
Modèle
et antimodèle paysans

Peu habitué à se raconter, encore moins à écrire (rares sont les Émile Guillaumin), acteur et non spectateur de sa vie, le paysan doit accepter de se voir à travers le regard des autres qui lui imposent leur propre perception de son identité, ce qu'il est ou ce qu'il doit être. L'image qu'ils façonnent, et qui a sa propre épaisseur, forge les préjugés des citadins dont les trois quarts sont pourtant fils ou petits-fils de paysans. Leur méconnaissance d'une réalité encore toute proche est moins paradoxale qu'il n'y paraît dans la mesure où elle traduit la volonté de gommer leurs origines. Stéréotypes et clichés du paysan, nés d'une vision éminemment citadine, sont durablement véhiculés par l'école et les médias. Deux types conventionnels se dégagent avec une remarquable constance, faisant du paysan un véritable Janus ; cette connotation positive ou négative se rencontre dans la littérature, qui hésite entre les styles série noire et bibliothèque rose, comme dans la peinture et le cinéma. Quel que soit le parti adopté, la représentation du monde rural n'est jamais innocente et dépend du rôle qu'il a joué ou qu'on entend lui faire jouer. L'idéologie modèle les représentations sociales. A partir du moment où la Révolution française, puis le suffrage universel de 1848, consacrent son irruption sur la scène de l'Histoire, la paysannerie, force considérable par son nombre, peut saper ou consolider l'ordre établi et constituer un potentiel révolutionnaire qu'il convient de neutraliser ou d'utiliser : d'où les peurs ou les espérances des partisans de l'Ordre et du Mouvement et l'ambivalence de l'image paysanne mythifiée ou mystificatrice, mais toujours tronquée. En tout cas, on se penche sur le paysan : on peut recenser 473 titres de romans rustiques entre 1860 et 1925.

LE ROMAN NOIR DE LA PAYSANNERIE

Des révoltés ou des partisans de l'ordre

Du vilain « portant en sa rusticité la brutalité du Jacques », du manant rusé des fabliaux au paysan moqué de l'Almanach Vermot et de Bécassine se fixe une représentation négative des campagnards. Prise en compte par de larges couches de la société, elle offre une série de stéréotypes solidement ancrés dans l'imaginaire collectif en privilégiant telle ou telle image selon les circonstances. Il y a d'abord celle du Jacques, du Croquant et du Va-nu-pieds pilleurs et incendiaires, hantise des possédants et des bourgeois, ranimée au temps de la Révolution et accentuée sous la Monarchie constitutionnelle par le surpeuplement des campagnes. A cette époque, en effet, cette image inquiétante est nourrie par l'existence d'une population grouillante, frustrée de l'appropriation du sol, frappée par la restriction des droits collectifs et la promulgation du Code forestier de 1827 réglementant l'usage des forêts. Aussi la moindre disette libère-t-elle des bandes de chômeurs à moitié mendiants, parcourant les routes en quête de travail et de nourriture, et se livrant à la rapine ; leur nombre devient considérable quand il s'agit d'une grave crise agricole comme celle de 1846, et la peur des possédants est grande devant leurs exigences menaçantes. Ce n'est pas la découverte d'une France rurale rouge lors des élections de 1849 qui apaise la crainte toujours latente des fureurs paysannes ; quant à la résistance rurale au coup d'État du 2 décembre 1851, elle est plus ressentie comme une jacquerie que comme un mouvement républicain.

Mais le paysan qui, de par sa pauvreté, incarne alors les classes dangereuses, est également perçu comme un « rongeur qui morcelle et divise le sol, le partage et coupe un arpent de terre en cent morceaux », menaçant la puissance de l'aristocratie terrienne fondée sur la grande propriété. Balzac, défenseur de l'ordre établi, dénonce encore la paysannerie comme « élément asocial créé par la Révolution » et génératrice de troubles. C'est à travers sa vision que s'élabore cette représentation pessimiste et noire du paysan : il dépeint un être d'une brutalité animale, violeur et voleur, cupide et avare, sordide, sournois, guidé par le seul intérêt, animé par l'unique passion de posséder le sol. Ainsi sont pour longtemps dessinés les traits dont s'inspireront les écrivains réalistes de la seconde moitié du XIXe siècle : les Maupassant, Cladel, Zola, même si leurs conclusions se veulent inverses.

Une représentation dévalorisante de la condition rurale convient parfaitement aux détenteurs du pouvoir économique, qui gagnent sur tous les tableaux. En effet, la stratégie d'une politique de pain à bon marché menée par la bourgeoisie pour freiner les revendications ouvrières et maintenir de bas salaires engendre du même coup le ressentiment de la paysannerie à l'égard du prolétariat considéré comme un groupe privilégié auquel on la sacrifie, et permet d'éviter une alliance entre travailleurs des champs et des villes. Bien commodes sont aussi les arguments visant à déqualifier la fonction agricole et selon lesquels le travail de la terre, ne nécessitant pas l'apprentissage d'un savoir spécifique, n'est pas un véritable métier, ce qui ravale à un rang modeste ceux qui l'exercent. De là, on glisse insensiblement au paysan mal dégrossi, niais, stupide, tout juste bon à fournir les travailleurs non qualifiés dont l'industrie a besoin et les innombrables domestiques dont la moindre petite bourgeoise ne saurait se passer. Les mésaventures de Bécassine sont là pour démontrer les limites des filles de la campagne, et la chance qui est la leur de pouvoir travailler en ville. Le compliment qu'elle récite à la patronne du Palais des Dames est un morceau d'anthologie : « C'est le cœur battant et éperdu de ce grand honneur que j'entre, humble villageoise dans ce somptueux palais. Je vois bien que j'étions trop bête même pour entrer dans un tout p'tit palais. J'sommes mieux à ma place avec les vaques et les dindons » ; et quand on lui dit que, pour réussir, il faut bien mordre à la couture, elle s'empresse de mordre à belles dents son ouvrage.

Une autre représentation négative, apparue sous la Seconde République, se confirme sous le Second Empire dans les milieux républicains et ouvriers qui reprochent aux paysans leur apathie politique, sinon leur docilité à l'égard du pouvoir. La littérature réaliste s'en fait l'écho. Déjà largement gagnés à l'idéologie conservatrice après les journées de Juin 1848, ils constituent lors de la Commune les troupes de choc des classes possédantes, traumatisées par le péril social, qui leur font partager leurs frayeurs. La complainte d'un communard, reproduite par le journal *Le Corrézien* afin de montrer « comment là-haut, à Paris, ils arrangent les paysans », trahit la rancœur et la déception ouvrières :

> Le troupeau d'électeurs, de paysans stupides
> Que nul grand sentiment ne peut aiguillonner,
> Ce peuple de lourdauds, de hobereaux cupides,
> Veut tenter, Ô Paris, de te découronner.
> Sujets du Sous-préfet et du Garde-champêtre,
> Dociles à la voix du Maire et du Curé,
> Gros ruminants, pareils aux bœufs qu'ils mènent paître,
> Blasphèment bêtement ton grand nom vénéré.

Le schéma simpliste et tenace d'un monde agricole conservateur, qui englobe tout à la fois les notables terriens et une masse de petits paysans pauvres manipulés ou clients des gros, est dorénavant solidement établi. Ce ne sont pas certains comportements, comme celui des syndicats paysans qui tentèrent de briser en 1920 la grève des cheminots, ou leur opposition énergique en 1920-1921 aux propositions du Bureau international du travail sur la réglementation des heures de travail en agriculture, qui allaient modifier cette opinion.

Affameurs et profiteurs

Le mythe du paysan affameur, profiteur, soupçonné de celer la nourriture aux moments des pires difficultés, afin de faire monter les prix au détriment du reste de la population, est aussi profondément fixé. En 1794, le mot d'accapareur est lancé, on dénonce les fermiers spéculateurs chez lesquels on saisit le grain. En 1911, lors d'une poussée de vie chère, le même réflexe joue quand des cortèges de femmes de mineurs du Pas-de-Calais se rendent dans les fermes, arrêtent les charrettes partant pour le marché et forcent les cultivateurs à leur vendre œufs et beurre en dessous des cours élevés ordinairement pratiqués. En période de pénurie alimentaire, l'image du paysan profiteur s'impose avec force, et les journaux contribuent largement à monter l'opinion contre les agriculteurs. Le journal *L'Éveil* publie, le 20 octobre 1916, un éditorial choc sous le titre provocateur : « Les Croquants affameurs. » S'indignant de l'attitude de certains paysans qui refusent de semer, car le blé a été taxé, il dénonce « ces sordides âmes campagnardes [...] toujours préoccupées du maigre profit que l'on met des années et des années à accumuler en liardant [...] dont l'esprit n'a jamais été ouvert aux vues d'ensemble [...], qui depuis l'enfance ont accoutumé de considérer le sol comme une caisse d'épargne et non comme une banque où l'argent travaille et se multiplie ». Le 27 juillet 1916, le même journal applaudit à la décision du ministre de l'Intérieur Malvy de supprimer l'allocation militaire à ceux qui, sans motif valable, refusent de travailler. Cette prime, trop faible pour les citadins, est en effet un pactole pour les campagnards qui eux n'ont pas de peine à « joindre les deux bouts », « un quignon de pain, un bout de fromage, une soupe faite avec les herbes cueillies [...] et le tour est joué », sans compter que le plus pauvre des ménages produit ses légumes, élève quelques poules et lapins, parfois un cochon, argumentation qui admet implicitement une frugalité congénitale des paysans. Il est temps de « forcer les paresses campagnardes à sortir de leur inertie en obligeant les femmes de mobilisés de nos champs à prendre la bêche ou la pioche », car rentées par l'allocation, elles laissent les champs en friche. Moins brutal, mais plus insidieux, le ton de l'article de Lucien Descaves, dans *L'Intransigeant* du 19 juin 1922, sous le titre « Les plateaux de la balance » et adressé à « Mon frère le paysan », est révélateur du sentiment d'aigreur communément partagé par les classes moyennes citadines après la guerre, envers les agriculteurs devenus les rois de l'époque. « Lorsque les citadins vont aux beaux jours te demander l'hospitalité, tu leur serres la vis d'un cran encore [...], tandis que le petit fermier, jusque-là insolvable, rachetait la terre au propriétaire ruiné, et nous tenait, nous tient encore la dragée haute, ton frère des villes réduit à la portion congrue végète [...]. Enfin, tu es le maître de la situation, j'en ai eu la révélation sur une route de Beauce [...] une auto passe devant nous conduite par un chauffeur, et sur les coussins qui se prélassait ? Un fermier et un veau ! Le fermier, que nous reconnûmes, possédait, outre cette auto de livraison, une superbe limousine pour ses promenades en famille. » Cet article n'a d'égal qu'un reportage de *L'Illustration* sur la foire d'Avignon, intitulé « La Babylone vauclusienne », où sont décrites par le menu la richesse et la facilité de vie des paysans attablés dans de bons restaurants et buvant du châteauneuf-du-pape. Enfin, cette dénonciation du paysan profiteur de guerre, fauteur de vie chère, est illustrée par une caricature montrant un citadin en conversation avec un campagnard : « Pendant la guerre, vous éleviez des porcs ? — J'élevais surtout leur prix ! » La disette qui sévit sous l'Occupation entraîne un important marché noir. Que les paysans, contrairement à l'idée que s'en faisaient les consommateurs, n'aient pu disposer à leur guise de leur production en raison des lourdes réquisitions auxquelles ils étaient soumis, qu'importe, ce sont les maîtres de l'heure, et les habitants des villes se découvrant brusquement des oncles ou des cousins à la campagne sont prêts à toutes les bassesses pour obtenir quelques denrées. Selon les chiffres officiels, qui peuvent simplement être considérés comme un ordre de grandeur en raison de la difficulté des estimations, les paysans auraient vendu à des parents, amis ou trafiquants le tiers de leur beurre, de leurs œufs ou de leur viande de porc, 57 % de leurs poulets, 22 % de leurs pommes de terre. D'après une enquête de janvier-février 1943, de la Direction du ravitaillement général du Cantal, la production se répartit comme suit (en pourcentage) :

	Beurre	Viande de porc	Légumes secs
Autoconsommation	25	62	20
Services du ravitaillement	40	10	48
Amis et parents	15	10	10
Marché noir	20	18	22

Importante, la part du produit détournée par le marché noir n'atteint cependant pas l'ampleur qu'on lui attribue habituellement, et si la guerre a été l'occasion d'un transfert de richesses des villes vers les campagnes (encore que le marché noir ait pu apparaître à certains paysans comme une sorte de récupération de la perte subie du fait de la taxation des produits livrés aux services du ravitaillement), il y a eu vraisemblablement moins de lessiveuses bourrées de billets de banque qu'on ne s'est plu à le dire ; épargne d'ailleurs forcée, les possibilités d'achats étant limitées sous l'Occupation. Ensuite, les économies ont moins servi à améliorer le bien-être personnel qu'à acquérir les premiers tracteurs et à moderniser l'exploitation. Il n'en demeure pas moins que la paysannerie a une mauvaise image de marque, qu'étayent d'ailleurs les rapports officiels. En février 1942, ils soulignent « la scission qui s'opère entre producteurs et consommateurs [...]. Les premiers, qui constituent de nouveaux privilégiés, ont la possibilité de réaliser des bénéfices substantiels, tout en s'assurant le nécessaire, tandis que les autres ne voient aucun moyen d'améliorer leur situation, si ce n'est en recourant au marché clandestin. L'homme de la ville s'irrite contre l'esprit d'égoïsme des agriculteurs ». En avril 1943, la préfecture de l'Orne condamne avec sévérité « les profits scandaleux retirés du marché noir par la population rurale et le cynisme des familles paysannes donnant la préférence aux acheteurs parisiens ou autres mieux placés ». En écho, le président du Conseil municipal de Paris, Pierre Taittinger, s'adressant à Max Bonnafous, secrétaire d'État à l'Agriculture et au Ravitaillement, lui demande « d'obtenir des populations rurales qu'elles n'abusent pas d'une situation qui fait d'elles actuellement des privilégiées. Pendant longtemps, trop longtemps, le paysan a eu des conditions d'existence très dures. Il connaît à l'heure actuelle des jours de prospérité. Est-ce trop demander à ce triomphateur qu'il se montre équitable et sensible à la détresse extrême des cités ? »

Marqués par la pénurie dont ils ont souffert pendant les deux guerres, scandalisés par l'enrichissement supposé ou réel des paysans, les citadins ont gardé une hostilité latente à leur encontre.

Caricatures paysannes

Dans la formation et la perpétuation de l'image dévalorisante de la paysannerie, littérature et cinéma jouent un rôle majeur. Si Balzac, on l'a dit, a largement ouvert la voie à ses successeurs en fixant le type du paysan brutal, cynique, dissimulé, il s'est surtout attaché à une peinture morale et à une analyse de ses vices. Écrivains réalistes et naturalistes suivent les mêmes traces. Ainsi Flaubert écrit : Emma Bovary « a conservé un fond de paysanne normande guère tendre ni facilement accessible à l'émotion d'autrui, comme la plupart des gens issus de campagnards qui gardent toujours à l'âme quelque chose de la callosité des mains paternelles ». Mais il complète le portrait par une description sans complaisance de son physique, de ses attitudes, de ses gestes. Le Normand de Maupassant, le Quercynois de Cladel, le Beauceron de Zola tranchent sur le villageois idéalisé de G. Sand, Fabre, Theuriet ou Bazin. Dans *La Fête votive de Saint-Bartholomé*, Cladel décrit le défilé grotesque des rustres : l'un « d'une maigreur idéale, qui salive à bouche que veux-tu », un autre « épais et courtaud », un troisième « déjeté, racorni, décharné », a « des membres circonflexes ». Maupassant, dans *La Ficelle*, évoque les mâles allant d'un pas tranquille à la foire de Goderville, « tout le corps en avant, à chaque mouvement de leurs longues jambes torses [...] Leur blouse bleue [...] semblait un ballon prêt à s'envoler d'où sortaient une tête, deux bras et

Fernand Ledoux dans Goupi Mains-rouges (1943), film de Jacques Becker.

deux pieds ». Chez Zola, le trait frôle la caricature : la mère Fouan *(La Terre)* a « le ventre gros d'un commencement d'hydropisie, le visage couleur d'avoine troué d'yeux ronds, d'une bouche ronde qu'une infinité de rides serreraient ainsi qu'une bourse d'avare ». Très fréquente, la métaphore animale rappelle qu'en contact quotidien avec ses bêtes le paysan finit par leur ressembler, il en adopte les comportements, son animalité affleure perpétuellement. Delhomme, gendre de Fouan, a « une large face de terre cuite [...] trouée de deux gros yeux [...] d'une fixité de bœuf au repos », et Buteau « des mâchoires puissantes de carnassier ». Maupassant *(Ma Femme)* dépeint un bal rustique où les filles sautent lourdement « avec des élégances de vaches » et montre, dans *Les Tribunaux rustiques*, une jeune paysanne qui a des regards de côté « comme celui des volailles ». Il excelle dans la férocité grinçante : la femme de Toine, pour se consoler d'avoir un mari infirme cloué au lit, ne le fait-elle pas couver, attendu qu'« il est chaud comme un four », tandis que le ménage Chicot *(Le Vieux)* invite aux obsèques avant la mort de l'aïeul, pour éviter de perdre un jour de travail, et prépare les douillons pour les invités devant le lit du mourant.

Reprenant à son compte tous les poncifs littéraires et les clichés les plus grossiers, « le cinéma français a beaucoup profité des paysans et les a copieusement trahis, en donnant de leur réalité une image convenue, fausse ou incomplète ». Sur 150 films analysés de 1911 à 1975, dont le monde rural est le thème essentiel ou l'un des thèmes dominants, 33 % en donnent une vision positive, 48 % une vision négative. La société villageoise apparaît coupée du monde moderne, marginale, repliée sur elle-même, favorisant l'exacerbation des comportements ; cupidité, avarice, mesquinerie en sont les traits majeurs. Ces caractères sont bien mis en valeur à propos des questions d'intérêt et d'héritage qui représentent une part essentielle de l'intrigue pour 21 % des films, comme dans *Bagarres* (H. Calef), *Goupi Mains-rouges* (J. Becker), *Manon des sources* (M. Pagnol), *L'Eau vive* (F. Villiers), *Les femmes sont des anges* (M. Aboulker), *Le Magot de Joséfa* (C. Autant-Lara), et même *Jeux interdits* (P. Clément) où « les paysans sont abominables ». Le ressort sentimental, c'est-à-dire sexualité, passion, jalousie, est exploité dans 18 % des cas : *Le Feu dans la peau* (M. Blisthène), *Le Diable souffle* (E.-T. Gréville). Viennent ensuite, avec 13 %, le repliement et l'isolement, la violence et la brutalité : *La Ferme du pendu* (J. Dréville), *Le Village de la colère* (R. André). Ce monde arriéré, accroché à la tradition, est hostile à l'égard de ce qui est autre, à l'étranger, au progrès : *L'École buissonnière*, *Le Cas du Dr Laurent* (J.-P. Le Chanois), *Knock* (G. Lefranc), et par conséquent reste prisonnier des superstitions et de la sorcellerie : *Le Chemineau* (Krauss), *Sortilèges* (Christian-Jaque), *Le Village perdu* (Stengel). La soumission au clan familial : *L'Affaire Dominici* (Bernard-Aubert), l'affrontement entre familles représentent 7 % des thèmes, et celui de l'ivrognerie est abordé dans 3 % des productions.

« Le paysan chaussé de gros sabots [...], ce Bécassine de l'hexagone », prêtant à la moquerie, archétype du campagnard naïf, crédule, niais, mais aussi parfois madré, animé de bons sentiments, est la plaie du cinéma comique français où il relaie un comique troupier usé. Fernandel, Ded Rysel, Jean Richard, Bourvil en sont la parfaite incarnation dans *Le Schpountz*, la série des *Piedalu*, *Le Caïd de Champignol*, *Le Cœur sur la main*, *Le Trou normand*, *Ma femme, ma vache et moi*, *Tout l'or du monde* ; on le trouve dans 9 % des films recensés. Il faut ajouter que, dans certains cas, l'aspect

A gauche, Édouard Delmont dans Port d'attache *(1942), film de Jean Choux. A droite, Bourvil dans* La Jument verte *(1959), film de Claude Autant-Lara d'après le roman de Marcel Aymé.*

fruste, la lourdeur, l'inculture et l'ignorance du héros sont soulignés par l'accent. La veine comique est cependant nettement moins exploitée (14 % des films) que le ressort dramatique, beaucoup plus riche en possibilités parce qu'il permet d'entremêler plusieurs des thèmes précédemment évoqués. Ainsi le cinéma, en véhiculant une série de poncifs, a contribué à façonner pour longtemps une représentation dévalorisante des paysans.

LE MALAISE PAYSAN

Discrédité par l'image que la société lui renvoie de lui-même, le paysan éprouve un sentiment d'infériorité. Il n'ignore pas que son activité est tenue en mésestime par la société globale, qu'aux yeux de tous et à ses propres yeux il s'avilit « physiquement et moralement en se penchant sur cette glèbe ingrate et grossière ». Ce mépris humiliant a nourri une résignation qui a incontestablement servi les intérêts des dominants, car elle permettait de maintenir l'état de sujétion dans lequel se trouvait une large fraction de la population agricole pendant une bonne partie du XIXᵉ siècle. Mépris, condescendance familière et humilité régissent les rapports entre individus dans la logique d'une perpétuation des distances sociales, donc des inégalités. C'est ainsi qu'un grand propriétaire foncier de la Haute-Vienne peut écrire, le plus naturellement du monde, en 1862 dans le bulletin de la Société d'agriculture du département : « Le métayer est avant tout paresseux ; il est sale, inintelligent, routinier, entêté, méfiant, câlin et patelin vis-à-vis du maître qu'il hait cordialement, presque toujours voleur, insouciant, coureur de foire, parfois ivrogne. C'est un être brutal et abruti. Quand on l'examine de près, on voit que la civilisation ne l'a atteint qu'à l'épiderme. La seule vertu qu'il possède, c'est la patience [...]. Pour percer et user cette vieille croûte composée d'incrédulité, d'insouciance, de méfiance, de mauvais vouloir dont est doublée la peau du métayer, il faut l'attaquer par la moralisation et le bienfait. » Le pouvoir détenu par ceux qui donnent du travail incite les paysans à la soumission, voire à une certaine obséquiosité. Tiennon, le héros de *La Vie d'un simple* d'Émile Guillaumin, raconte que dès la venue du fermier général à la métairie « les femmes se précipitaient pour tenir sa monture et elles appelaient bien vite mon père qui s'empressait d'accourir, tant loin soit-il, pour lui montrer la récolte et les bêtes, lui donner toutes les explications désirables ». Le même Tiennon rapporte comment sa femme, en 1871, avait conservé avec un soin jaloux pour son fils qui devait rentrer du service militaire de superbes raisins, refusant énergiquement de les vendre ; vint la propriétaire : « Quoi Victoire, toujours des raisins ! [...] Au château, nous n'en avons plus un seul et pourtant ce sont les fruits que je préfère. Mais dites-moi donc pourquoi vous avez pris tant de précautions pour les garder jusqu'à présent ? [...] — Madame, c'était pour avoir le plaisir de vous les offrir. — Oh ! merci bien ! Quelle délicate attention. Il faudra me les apporter dès ce soir. [...] Il avait suffi d'un cri d'admiration de la dame pour qu'elle les lui offrît très humblement. C'est bien vrai, pensais-je, que nous sommes encore esclaves. » Le respect de la hiérarchie sociale est tellement intériorisé qu'il survit encore dans les mentalités en l'absence de liens de dépendance économique. Une jeune fille de la bonne société en fait l'expérience quand, séduite par l'idéologie pétainiste du retour à la terre, elle mène pendant quelques mois l'existence d'une servante de ferme. « S'apprêtant à s'asseoir à côté de la mère Ouvroird, celle-ci lui dit : Prenez donc une chaise, Mlle Pascaline, les bancs c'est bon pour nous. »

Affiche de Jules Cheret pour La Terre (1887) d'Émile Zola.

La porte franchie, il se trouve en présence d'une dame portant un joli costume breton, en drap fin, orné de belles broderies. — « Je voudrais parler à Mme Quiquou... à Mme la Directrice du Palais. — C'est moi, monsieur. — Bécassine, dit l'oncle Corentin d'une voix tremblante d'émotion, c'est Mme la Directrice du Palais... Fais tes révérences !... Dis ton compliment !... »

Aussitôt, Bécassine exécute un tel plongeon qu'elle disparaît presque entière dans sa jupe. On dirait qu'elle a brusquement perdu ses jambes. « Une ! » dit-elle en se relevant. Deux pas en avant, nouveau plongeon. « Deux ! » fait Bécassine.

Mais elle se trouve maintenant nez à nez avec la dame. « Madame, dit-elle, faudrait qu'vous auriez la complaisance d'vous reculer pour la troisième. » Stupéfaite, Mme Quiquou s'est reculée. Bécassine a exécuté un troisième plongeon. Et alors, hésitant, ânonnant, regardant son oncle qui lui souffle quand les mots lui manquent, elle commence à débiter son compliment qui commence ainsi : « C'est le cœur battant et éperdu de ce grand honneur que j'entre, humble villageoise, dans ce somptueux Palais ».

L'étonnement, d'abord, a rendu muette Mme Quiquou ; mais elle reprend vite ses esprits, et, comme elle est un peu « soupe-au-lait », c'est d'une voix courroucée qu'elle s'écrie : « Qu'est-ce que c'est que cette mascarade ?... Sommes-nous en Carnaval ? Qui êtes-vous donc pour vous permettre de venir me faire perdre mon temps et vous moquer de moi dans ma maison ? »

L'oncle Corentin est tout décontenancé ; Bécassine, figée sur place, fond en larmes. Mme Labornez sauve la situation en expliquant qu'ils viennent présenter l'employée recommandée par Mme de Grand-Air. Et bien sûr on n'a pas voulu faire offense à Mme la Directrice : les saluts, les compliments, c'était, au contraire, une marque de respect. On s'est trompé, faute de connaître les usages de la ville, mais on avait bonne intention.

« Et puis, conclut Bécassine, je vois bien qu'j'étions trop bête pour entrer même dans un tout p'tit palais. J'sommes mieux à ma place avec les vaques et les dindons... F'aut retourner chez nous, oncle ! »

Mme Quiquou est émue par les larmes et la modestie de Bécassine. « Allons, lui dit-elle en l'embrassant, ne te désole pas. Ce n'était qu'un malentendu. Madame Labornez, Mme de Grand-Air m'a parlé avec éloge de votre fille. Je la prends, c'est convenu. »

A ce moment, la porte du magasin s'ouvre, des clientes entrent : « Impossible de m'occuper de vous maintenant, dit rapidement Mme Quiquou aux Labornez. Revenez vers cinq heures ; nous serons plus à l'aise pour causer. »

Bécassine en apprentissage, *texte de Caumery, illustrations de J.-P. Pinchon.*

Les complexes

Les paysans ont congénitalement le complexe du Monsieur. Ce Monsieur qui se distingue d'eux par son langage, son costume, son allure est un citadin ou, s'il ne l'est pas, il en a adopté les manières. Le modèle citadin est considéré comme normatif : pratiques culturelles et bon goût ne peuvent être que d'essence urbaine. Le développement des échanges avec la ville, la diffusion de la presse notamment avec la vulgarisation des journaux de mode, l'obligation du service militaire avec passage presque obligé dans une ville de garnison, la venue au lycée d'enfants boursiers issus des milieux ruraux ne font qu'aggraver la perception de la distance sociale.

Parler français, c'est appartenir au groupe dominant, *a contrario* s'exprimer en patois ou en mauvais français révèle un statut inférieur. Évoquant dans ses *Mémoires* le souvenir de sa première communion, au début du XIXe siècle, Agricol Perdiguier décrit la stupeur de l'assemblée lors du sermon prononcé en provençal par le curé : « Le sujet en était beau mais nous qui ne parlions que le patois n'étions pas habitués à la prédication en notre langue ; elle nous étonna, nous parut commune, triviale, grotesque, au-dessous d'une si grande solennité. » Perdiguier exprime là un sentiment courant, selon lequel le dialecte diminue celui qui l'utilise ; sa proscription à l'école manifeste implicitement l'infériorité de la condition de ceux qui en font usage. Le géographe Le Lannou montre, dans ses souvenirs d'enfance, cette dépossession culturelle, et rappelle qu'il était interdit de parler breton « durant les trente-six heures scolaires de la semaine. Le premier de la journée que le maître surprenait à transgresser la loi recevait du dernier fautif de la veille un liard percé attaché à une ficelle. Et l'objet infamant passait, au fil des jeux et des bavardages, de poche en poche, de coupable en coupable, jusqu'à ce que la cloche vespérale de sortie indiquât l'ultime délinquant. Celui-là payait pour tous les autres : il aérait, arrosait, balayait et rangeait la classe pendant une bonne heure ». Mais le français parlé seulement à l'école ou au catéchisme est une langue difficile ; quand en 1925, P.-J. Hélias et ses camarades bretonnants entrent en sixième au lycée de Quimper, ils ne le parlent qu'imparfaitement et subissent les quolibets et les injures de leurs condisciples, dont « plouc » est le moins vigoureux. « Les externes vous tournent en dérision parce que vous avez dit : Fermer la porte qu'il faut faire, alors qu'eux coassent : Yaka feamé la poate. » Encore s'agit-il là de privilégiés qui font des études secondaires ; la majorité des jeunes ruraux ont le sentiment de ne pas s'exprimer aussi bien que les citadins dont le bagou gouailleur affirme la supériorité ; quant aux conscrits campagnards, leur accent, leur inhabileté à écrire des lettres entraînent les moqueries de leurs camarades de chambrée. Ce handicap linguistique, les paysans l'éprouvent aussi lorsqu'ils ont à régler des affaires en ville. Ils sont en butte aux sarcasmes de fonctionnaires narquois, on les traite de broyeurs d'ajoncs, de hacheurs de paille ; les parents d'élèves écorchant le français s'adressent au concierge du lycée, qui parle breton, plutôt qu'aux « grands maîtres » devant lesquels ils se sentent humbles ou coupables selon les circonstances ; ressentant leur infériorité linguistique comme une humiliation, ils veulent l'éviter à leurs enfants, et le petit Breton puni à l'école pour avoir parlé « patois » se voit administrer une taloche en rentrant, par un père qui parfois n'entend guère le français.

Le vêtement vient conforter la supériorité sociale que donne le bon usage de la langue française. Au lycée, les petits campagnards portent des costumes rapiécés, tandis que la majorité des externes, même pauvres, sont mieux habillés ; ils ont des culottes courtes, alors que les villageois ont des braies, mal ajustées, car le vêtement est conçu pour durer plusieurs années. A l'école des Frères où se rendait Toinou, les fils de com-

L'apprentissage du français en Bretagne bretonnante. Le Cheval d'orgueil *(1980), film de Claude Chabrol, d'après le roman de P.-J. Hélias.*

merçants étaient reconnaissables à leur col blanc et à leur tablier propre ceinturé de cuir : « Chaque semaine, notre classe se séparait en deux camps bien tranchés, l'élite et la plèbe, à l'occasion du commentaire des narrations. L'esprit, comme il sied, se rangeait du côté des visages bien lavés, des cheveux peignés et des chaussures de cuir cirées. L'autre côté comportait les visages hirsutes et douteux, et les lourds sabots de frêne. Au reste, au catéchisme, les premiers bancs étaient réservés aux élèves les mieux habillés, tandis que les plus mal vêtus étaient relégués sur les derniers bancs », reproduction exacte de l'ordre adopté pour la première communion. Si l'on ajoute des châtiments corporels discriminatoires, on comprend que Toinou déclare que l'école des Frères « fournissait à la bourgeoisie locale une ample provision d'adolescents préparés à leur futur rôle d'ouvriers et de métayers, sans exigences, silencieux, soumis, craintifs. Cette rude éducation nous préparait à la vie de bête de somme que menaient nos parents ».

Ce qui introduit encore une hiérarchie entre villageois et citadin, c'est l'allure. La gaucherie paysanne, une façon de se tenir qui trahit le travailleur de la terre, traduit son inadaptation à un environnement différent du sien ; elle n'a d'égale que celle du citadin qui s'avise de participer aux travaux agricoles, mais dont il est rarement question, alors que celle des paysans excite traditionnellement la verve. Mal à l'aise dans les habits bourgeois, leur allure endimanchée suscite les ricanements ; au service militaire, ils passent pour des niais et des lourdauds et les « Parisiens » dégourdis, à la parole facile, amusent les autres à leurs dépens.

Le complexe d'infériorité dont souffrent les campagnards n'est pas vécu de la même façon par les vieux et par les jeunes. Les premiers ne sont pas loin de partager l'idée du « bourgeois le plus miteux (qui) se croit supérieur au paysan le plus fin ». « Le complexe d'infériorité dans les campagnes est tel qu'on voit des paysans millionnaires trouver naturel d'être traités par des petits bourgeois retraités avec une hauteur de coloniaux envers des indigènes. Il faut qu'un complexe d'infériorité soit très fort pour ne pas être effacé par l'argent », constate Simone Weil dans *L'Enracinement*. Ces paysans ne se sentent bien que dans leur milieu et craignent de gêner quand ils en sortent ; l'anecdote de P.-J. Hélias sur sa mère est éclairante : lors de la distribution des prix au théâtre municipal, elle et quelques autres paysannes demeurent assises sur les marches de l'escalier, dans leur costume breton des plus beaux jours, estimant que leur place n'était pas au théâtre, malgré les invitations réitérées qui leur avaient été faites d'y entrer. Comme l'écrit Jean Yole en 1930 dans *Le Malaise paysan*, « Le vieux paysan est un homme qui s'excuse. Devant les étrangers il s'excuse de sa lenteur, de sa maladresse à signer chez le notaire ou à la mairie, de son langage, du bruit que font ses sabots quand il passe le seuil d'une maison bourgeoise ». Ces paysans ont enregistré les moqueries, les marques d'une sympathie trop mesurée et condescendante pour ne pas être offensante, ils en ont tiré la leçon et ont admis leur statut social inférieur. Les jeunes n'ont pas leur humilité résignée, ils adoptent deux attitudes qui ne sont pas contradictoires. Celle du « paysan honteux » qui renie ses origines : dans *Mon Village*, remarquable document ethnologique, Roger Thabault évoque les jeunes conscrits de Mazières dans les Deux-Sèvres, éblouis pour toute leur vie quand ils ont fait leur service à Poitiers, Tours ou Paris. Beaucoup, au retour, essaient de ne plus parler patois, affectent des airs désinvoltes, cherchent à tout prix à assimiler les manières de la ville. L'autre attitude est agressive : on assume, on revendique même sa condition. Tiennon se souvient des disputes et des bagarres qui l'opposaient avec ses camarades, aux forgerons, aux menuisiers et aux maçons du bourg : « Il y avait entre eux et nous un vieux levain de haine chronique. Ils nous appelaient dédaigneusement les ''laboreux''. Nous les dénommions [...] les ''faiseurs d'embarras'', parce qu'ils avaient toujours l'air de se ficher du monde, qu'ils s'exprimaient en meilleur français et qu'ils sortaient souvent en veste de drap, sans blouse. »

L'amertume des mal-aimés

Les ruraux sont aussi des mal aimés, la guerre et l'après-guerre contribuent à approfondir leur malaise, à augmenter leur amertume et leur rancœur. D'abord ils estiment verser plus que d'autres l'impôt du sang : tandis qu'ils continuent à souffrir dans les tranchées, on renvoie les ouvriers à l'usine, et les Messieurs, embusqués, prolifèrent dans les bureaux ; bien mieux, on les accuse d'être des profiteurs et des spéculateurs. Plus tard, l'avilissement des cours, aggravé par la crise économique, leur donne l'impression de nourrir à trop bon compte les autres catégories sociales, et leur colère s'exaspère lorsqu'ils comparent les prix à la production et à la consommation : les commerçants tirent leur épingle du jeu à leurs dépens et à ceux des consommateurs. Quant aux industriels, ils ne baissent pas les prix des produits manufacturés ; un bref dialogue, en 1934, entre Daniel Halévy, lors d'une de ses *Visites aux paysans du Centre*, et un cultivateur de Tronçais, le montre : « Le prix d'une faucheuse avant la crise, c'était combien ? — Deux mille cinq. — Et aujourd'hui ? — Deux mille trois. Dix pour cent de baisse. Pour les engrais, pas davantage. Mais une vache que j'aurais vendue quatre mille, si je la vends aujourd'hui, c'est autour de quinze cents. Il n'y a pas de justice là-dedans [...]. Le gouvernement a fixé un prix pour le blé, et un prix pour le pain en rapport avec ce blé [...]. Pour le blé, le prix ne tient pas, mais allez chez le boulanger, vous verrez s'il a lâché son prix. C'est ce qui révolte ! » Déjà, entre son voyage de 1910 dans le Bourbonnais et celui de 1920, Halévy perçoit une évolution sensible des mentalités : les enfants partis en ville, revenant au pays en touristes à l'occasion des fêtes familiales, ne savent pas cacher leur dédain, « à travers eux, le paysan devine le mépris du monde [...], il amasse une rancœur amère [...]. Le paysan en veut à tous : aux anciens privilégiés nobles et bourgeois, aux privilégiés du monde nouveau que sont les ouvriers. Le paysan les ajoute à la liste de ceux qui le grugent ». Il ressent comme une véritable provocation la loi de huit heures de 1919. En 1936, alors qu'il est profondément atteint par la crise, les nouvelles faveurs accordées aux ouvriers, quarante heures et congés payés, lui paraissent d'autant plus injustifiées qu'à ses yeux être ouvrier constitue une promotion en soi. Ces ouvriers parcourant la campagne en tandem, « couchés dans le foin avec le soleil pour témoin », rendent plus insupportable encore sa condition. Il fustige la multiplication d'emplois improductifs, la paresse des facteurs, des cheminots, des cantonniers, oubliant trop vite que ses enfants en profitent. Isolés, incompris, jaloux, les agriculteurs sont mécontents d'eux-mêmes, des autres, et ils accusent volontiers le reste de la société de leurs déboires. Ils ont l'impression d'être les *forgotten men* du pays, des déclassés. Ils souffrent de plus en plus de leur marginalisation, d'un manque général de considération, comme le souligne un correspondant d'Émile Guillaumin dans une lettre de 1929 : « Nous, paysans, sommes toujours aux yeux de ceux des autres classes sociales des parents pauvres, ''les rustres'' avec lesquels on peut se permettre toutes les grossièretés. On nous bafoue, on nous dénigre ; on semble nous tenir comme absolument timorés, insensibles aux multiples joies du cœur et de l'esprit. » Une trentaine d'années plus tard, dans *La Révolution silencieuse*, Michel Debatisse évoque « le sentiment collectif de frustration, d'aliénation » des cultivateurs, et il cite le témoignage brutal d'un jeune Breton en 1945 : « Le monde paysan est un monde de culs-terreux, de mal décrottés, de pauvres types. Le métier d'agriculteur, une condition d'infortune pour gens ne sachant pas faire autre chose. »

Le malaise moral des paysans est aussi grand que leur malaise matériel ; dans ces conditions, on comprend qu'ils rêvent d'un autre métier pour leurs enfants. Déjà, en 1842, dans le *Dictionnaire politique*, Duclerc et Pagnerre observent « qu'il n'est pas un paysan un peu riche qui ne cherche [...] à faire de son fils un Monsieur, avocat, médecin, huissier, commis de mairie, vétérinaire, peu importe pourvu qu'il ne soit plus paysan. Les plus pauvres essaient d'obtenir du curé de l'endroit qu'il donne au plus intelligent de leurs enfants l'éducation qu'il est capable de donner, et puis, au bout de cet apprentissage clérical, on envoie Monsieur l'abbé passer trois ou quatre ans dans un séminaire d'où il sort prêtre ». Vers 1845-1846, Michelet, dans *Le Peuple*, constate que le paysan a « une idée fixe, c'est que son fils ne soit pas paysan, qu'il monte, qu'il devienne un bourgeois ». Quand les lois scolaires le leur ont permis, nombreux sont les parents qui ont orienté leurs enfants vers les emplois urbains et le fonctionnariat ; voici vingt ans, une enquête de l'IFOP révélait que 67 % encore d'entre eux estimaient que cette profession conférait un prestige social sans égal, même si seulement 30 % pensaient qu'elle offrait des rémunérations intéressantes ; ce qui prouve que les agriculteurs aspirent plus à la considération qu'à l'élévation de leurs revenus. Rien d'étonnant alors à ce que les enfants adoptent le point de vue de leurs parents. En 1945, dans 25 écoles libres des Côtes-du-Nord, 220 fillettes de la classe du certificat d'études, issues du milieu agricole, sont soumises à un test dont les questions portent sur le choix d'un futur métier. D'une façon générale, les écolières se font l'écho des grandes personnes, le plus grand nombre veut abandonner l'agriculture. Hormis quelques réponses sté-

Un métier-évasion : « J'irai apprendre le métier de couturière... J'irai à Paris chez ma tante. »
Tableau de Raspal, Arles, musée Reattu.

réotypées procédant directement des clichés véhiculés par les manuels scolaires valorisant le métier ancestral (respirer l'air pur, les joies de la fenaison et de la moisson, le
plaisir de voir ses greniers remplis de grains), toutes les autres évoquent des métiers-
évasion, en particulier ceux de la coiffure et de la couture. « Aussitôt que j'aurai quitté
l'école, j'irai exercer ce métier de coiffeuse chez ma tante à Paris. » « Je vais aller
apprendre le métier de couturière », dit une autre, « parce que Maman m'a dit qu'à la
campagne, il y avait beaucoup à faire et ce n'est pas plaisant. J'irai à Paris chez ma
tante. » Les professions du commerce attirent également les fillettes, « car dans un commerce, on ne se fatigue pas tant qu'à la campagne et on peut même réaliser quelques
petits bénéfices ». Un troisième rêve d'être épicière : « En ferme, le travail rappelle
toujours. Nous n'avons pas souvent de repos. Vraiment, le métier de fermière me
dégoûte. Je préfère être épicière. Mes parents m'ont dit qu'après la guerre, lorsque je
serai plus grande, ils m'achèteront un fonds de commerce. » Une dernière écolière
écrit : « Non, je ne compte pas reprendre le métier de mes parents, car je peux en réaliser un plus facile et plus beau. Je continuerai mes études [...] et je rentrerai dans un
bureau ; je serai bien installée à l'abri du froid, de la chaleur, mon salaire sera plus
élevé qu'à la ferme et le travail sera moins pénible. » Dans toutes les réponses, l'accent
est mis sur les inconvénients, la pénibilité du travail de la terre ; l'inconfort est incriminé, ainsi que l'insuffisance du profit. Explicitement ou implicitement, on rejette un

métier sale, un habitat rudimentaire. Le désir de s'évader de cette dure condition est aussi le fait des jeunes garçons ; l'un d'eux l'a confié à Michel Debatisse : « Je rêvais de devenir mécanicien pour être quelqu'un, pour moi cela voulait dire ne plus travailler douze heures par jour, être libre le dimanche, pouvoir se payer un vélo, aller au cinéma, sortir avec les autres : les copains, les filles. » L'idée-force, c'est qu'on est mieux à la ville : le mauvais temps n'y a pas la même signification qu'à la campagne, il y a une heure pour commencer et pour finir de travailler, on y trouve des distractions. Il faut noter l'influence des migrants de la première génération sur les jeunes : ce sont des modèles dans la mesure où ils ont réussi leur départ, et parce que leur présence en ville est sécurisante ; grâce à eux, on ne part pas à l'aventure. Certes, l'ambition sociale est bien modeste ; entre deux extrêmes : bonne à tout faire et institutrice, le petit commerce, l'artisanat et les emplois de bureau rassemblent la majorité des suffrages, mais peut-on espérer mieux quand on est enfant de paysans ? A moins que ce choix ne traduise une ignorance des hiérarchies sociales.

UN HÉROS POSITIF

Au portrait pessimiste et sombre du paysan s'oppose celui d'un paysan idéal, dont les traits dominants sont le bon sens, la sagesse, la pureté de sentiments. Du rousseauisme au néo-ruralisme et à l'écologie, se perpétue une vision idyllique du monde rural. Cette rémanence de l'utopie paysanne se manifeste généralement avec plus d'intensité dans les moments de crise, comme une échappatoire aux frustrations, aux échecs ou à une évolution que l'on refuse, qu'elle soit technique, économique ou sociale.

De la pastorale aux bons sentiments

Toute une littérature, dans la tradition de la pastorale italienne du XVIe siècle et des romans précieux du XVIIe siècle, offre une image lénifiante de la vie champêtre fondée sur la simplicité et la fraîcheur, sur l'éternel mariage de la vertu et d'une nature peuplée de bergers amoureux et distingués, transfiguration aristocratique d'une vie agreste dont le hameau de Trianon est le symbole. Lorsqu'ils ne sont pas occupés à scruter les mouvements de leur âme, ils s'amusent aux travaux des champs, car ainsi que l'écrivait déjà Madame de Sévigné : « Faner est la plus jolie chose au monde, c'est retourner du foin en batifolant dans une prairie. » Si les *Voyages pittoresques et romantiques dans l'Ancienne France* de Charles Nodier, du baron Taylor et d'Alphonse de Cailleux, parus à partir de 1820, contribuent de façon essentielle à la découverte de la ruralité française, les personnages restent cependant charmants, gracieusement vêtus et n'exécutent aucun travail pénible. De même, la *Galerie armoricaine* dessinée par H. Lalaisse, montre « un monde agreste de gilets brodés et de coiffes précieuses, monde d'équilibre et de paix qui échappe à la pauvreté et au labeur quotidien, et que les peintres de la même époque diffusent dans les milieux parisiens ». Héritière de Florian qui a défini le genre de la pastorale, et disciple de Rousseau, George Sand achève de donner ses lettres de noblesse à une paysannerie dont les héros sont les porte-parole de ses rêveries humanitaires, imprégnées des idées sociales et politiques de Pierre Leroux. Êtres frustes, c'est-à-dire proches de la nature, directement inspirés du bon sauvage, ils détiennent la sagesse, possèdent les vertus du cœur et un sens inné de la beauté ; la romancière investit la paysannerie d'une mission sociale : être le modèle d'une société guidée par les bons sentiments où les antagonismes sont évacués à force d'idéalisme. D'ailleurs, les cultivateurs qu'elle dépeint, dans *La Mare au diable* ou *La Petite Fadette* par exemple, appartiennent à une élite de propriétaires aisés. Ce sentimentalisme bucolique baigne aussi la pastorale occitane, exaltation de la vie aux champs à travers le roman régionaliste de Ferdinand Fabre dont le héros, *Le Chevrier,* enraciné dans sa montagne cévenole, a une grâce naïve, une bonté naturelle ; tandis que *Le Bouscassié* de Cladel, homme rude mais sensible et droit, fait corps avec son terroir. De même, les paysans caussenards de Pouvillon, énergiques et travailleurs, sont d'une naïveté et d'une délicatesse qui les rapprochent de ceux de George Sand.

L'apologie de la vie rustique est en fait l'expression d'un rejet de la ville, lieu de perdition et de corruption. Ce schéma idéologique commence à se dessiner sous la Restauration et s'affirme sous la Seconde République quand les manifestations et les émeutes ouvrières donnent durablement créance au mythe du péril rouge. N'est-ce pas Alfred de Vigny qui, quelques semaines après les journées de Juin, écrit, de son petit domaine des Charentes, à l'un de ses amis pour lui faire part de sa surprise de ne plus rencontrer de visages sombres et haineux, et pour célébrer la belle et saine population campagnarde ? Brizeux, un catholique libéral, rempli lui aussi d'effroi par la révolte du prolétariat, revient vivre dans une Bretagne qui doit demeurer un conservatoire des mœurs traditionnelles. Paradoxalement, l'échec des rêves humanitaires des quarante-huitards, les désillusions provoquées par l'orientation réactionnaire du régime républicain, aboutissent au même résultat. George Sand construit un monde refuge idéal, à partir de la société rurale et patriarcale berrichonne. L'art devient un remède contre les malheurs du temps (ce n'est pas un hasard si la théorie de l'art pour l'art prend racine à cette époque) : « Mieux vaut une douce chanson, un son de pipeau rustique, un conte pour endormir les enfants sans frayeur et sans souffrance, que le spectacle des maux réels renforcés et rembrunis encore par les conteurs de la fiction », écrit-elle en 1851 dans la préface de *La Petite Fadette.* L'ancienne disciple de Pierre Leroux rejoint ainsi curieusement les vues du pouvoir impérial qui, jugeant le roman-feuilleton subversif, encourage la recherche et la publication de contes et de chansons populaires, d'œuvres régionalistes, expression de la France profonde, parfaitement incarnée par les poésies paysannes de J. Autran qui publie, en 1856, ses *Laboureurs et soldats* et *La Vie rurale.* La peinture suit la même évolution que la littérature. A partir de 1855, la multiplication des sujets paysans dans les envois officiels aux salons marque l'infléchissement des thèmes iconographiques ; le contenu contestataire et dérangeant de la condition rurale, tel qu'il pouvait apparaître dans *Les Glaneuses* de Millet, disparaît au profit d'une représentation académique de « l'ordre éternel des champs » qui fait le succès des œuvres de Rosa Bonheur, Jules Breton et Léon Lhermitte. Aussi rassurants apparaissent les tableaux de processions et de pardons qui, à travers le réalisme et la précision des costumes, fixent des types régionaux, et ceux consacrés aux foires et marchés, tels *Les Paysans de Flagey revenant de la foire de Salins* de Courbet, où l'on voit une paysannerie prospère intégrée à l'économie d'échanges. Le réalisme, dépouillé de toute fonction critique, montre désormais des paysans acquis aux valeurs d'ordre, de travail et d'épargne, renvoyant à la bourgeoisie sa propre image ; ce sont ces « valeurs qui ont fait sa force sociale et qui masquent une angoisse nouvelle, celle de ce Jacques de la ville, l'ouvrier ». L'Église, pour sa part, inquiète de l'éclatement d'une société traditionnelle où elle puise sa force, face à un prolétariat urbain en voie de déchristianisation, tente de freiner l'exode des campagnes ; elle contribue à la réhabilitation et à la valorisation de

Le pâtre assis au revers du ravin. Le Berger des Pyrénées, *par Rosa Bonheur (1822-1899).*

la vie rurale en forgeant l'image d'un paysan nourricier de l'humanité, soumis à l'ordre naturel des choses, donc à Dieu. En 1854, l'abbé Devoille, dans *La Charrue et le Comptoir ou la Ville et la Campagne*, écrit : « Habitants des campagnes, je vous le répète, restez chez vous ; grattez plutôt la terre avec vos ongles, subissez plutôt la pauvreté que d'aller vous jeter dans ce tourbillon où l'on perd tout : foi, morale, santé, avenir, temps et surtout éternité. »

La crise de la fin du XIXe siècle accentuant les tensions sociales, il n'est plus question de célébrer un monde agrarien harmonieux, dont Jaurès dénonce l'illusion dans un discours à la Chambre en 1897. Cette remise en cause trouve des échos dans une littérature plus réaliste, mais dont les personnages restent cependant entachés d'une conception idéaliste qui en fait, encore trop souvent, les porte-parole de l'auteur plutôt que l'expression d'une réalité authentique. A René Bazin qui, dans *La Terre qui meurt*, exalte la paysannerie traditionnelle à travers le fermier Toussaint Lumineau, Eugène Leroy oppose Jacquou le Croquant, symbole d'une classe souffrante exploitée dont il défend la dignité. Son combat contre le comte de Nansac, c'est la lutte des petits contre les gros, de la chaumière contre le château. Mais Leroy n'échappe pas aux poncifs, son héros est pur, stoïque et vertueux. Dans *Le Moulin du Frau*, il déclare que l'homme « en sabots et en bonnet de laine est roi sur sa terre ». La première guerre mondiale est l'occasion de magnifier l'épopée des femmes de la terre ; Ernest Pérochon chante *Les Gardiennes* « des ordinaires vertus [...] de tout ce qui faisait l'air du pays léger à respirer, gardiennes de douceur et de fragile beauté ».

Ainsi, au-delà des options idéologiques, une image idéale du paysan s'est peu à peu constituée. Tous les auteurs qui ont contribué à la forger affirment la noblesse du travail de la terre nourricière et l'éminente dignité de ceux qui l'exercent. La passion de cette terre, vice chez Balzac, devient pour eux vertu : Michelet exalte le combat du petit paysan pour l'acquérir grâce à son labeur, sa ténacité, et surtout son génie de l'économie portée aux limites du sacrifice. Prince de la nature chez George Sand, intercesseur de cette même nature pour Maurice Genevoix dans *Raboliot*, visionnaire dans *Gaspard des Montagnes* de Pourrat, le paysan entretient une relation privilégiée avec l'univers. Père ou mari, il est l'autorité, à laquelle répond un physique vigoureux : ses mains noueuses sont puissantes. Rude, bourru, il est bon ; ses yeux, souvent clairs, reflètent sa grandeur morale. Vieux, il est digne et respecté, car il possède la sagesse, transmet son savoir et bien sûr le patrimoine. A l'autorité de l'homme répond la soumission de la femme, robuste et féconde ; Bertille, la fiancée de Jacquou le Croquant, a des hanches larges, une poitrine généreuse, des bras forts. Les jeunes filles ressemblent parfois à des madones, comme la Brulette des *Maîtres sonneurs*, ou Rousille, la fille du vendéen Lumineau. Les paysannes ont des enfants vigoureux et donnent leur lait aux enfants malingres des citadines alanguies et nerveuses.

En 1929, Jean Giono rassemble, dans *Un de Baumugnes*, les portraits les plus achevés de la paysannerie conventionnelle affrontée au citadin corrompu et corrupteur. La ville, qui salit les corps et les âmes, est incarnée par le Louis de Marseille, « un jeune tout creux comme un mauvais radis », mauvais travailleur, rouspéteur, proxénète, vicieux, beau parleur. Il séduit Angèle, fille de Maître Barbaroux, symbole de la fécondité « avec son doux ventre et ses deux seins pleins ». Claudius Barbaroux a le sens de l'honneur et le souci de sa réputation ; il se montre d'autant plus autoritaire qu'il

Idéalisme conventionnel : les jeunes paysannes ressemblent parfois à des madones. Tableau de Camille Bellanger, Les Glaneuses, exposé au Salon de 1900.

Marcel Pagnol adapte dans
Angèle *(1934) le roman de*
Jean Giono, Un de Bau-
mugnes.

craint de perdre la face depuis son malheur : « De patron, il n'y en a qu'un ici, c'est moi. On ne demande pas aux femmes ! » Homme bon et serviable, il retient ses élans, feint la dureté, mais quand le bâtard de sa fille lui dit « Pépé », le tuyau de sa pipe se casse entre ses dents. Maman Philomène, son épouse, est droite, bonne, simple, soumise. Amédée, le journalier itinérant, façonné par la terre, personnifie l'entraide et la solidarité rurales ; quant au valet Saturnin, « il était de la famille, plus que s'il en avait eu le sang et la chair ». Enfin, l'Albin de Baumugnes, dont le mariage avec Angèle efface la souillure, est le modèle de la pureté paysanne : grand, sain, large d'épaules, « il est clair, franc sans lie, transparent comme de la glace, cœur sensible comme un œil malade ». Chantre du « paysanisme », Giono ne pouvait donner qu'une vision manichéenne des rapports entre paysans et citadins.

Les manuels scolaires ou le bonheur aux champs

L'image valorisante de la paysannerie et de la vie aux champs est largement diffusée par les manuels de lecture en usage dans l'enseignement primaire ; elle se situe dans le droit-fil de la tradition du roman pastoral. La place réservée au monde rural est considérable, par rapport à la réalité économique et sociale du pays. Les illustrations comme les textes donnent une vision paisible, rassurante de la société, occultant l'ouvrier, personnage inquiétant, aigri, révolutionnaire en puissance. Le choix des morceaux choisis porte donc sur des auteurs populaires, bien-pensants : Edmond About, Jean Aicard, Paul Arène, Maurice Bouchor, Alphonse Daudet, Hector Malot, Sully Prudhomme. Anticommunards notoires, leur jugement s'obscurcit dès qu'ils décrivent le prolétariat. Un bon exemple nous en est fourni dans la première édition des *Contes du Lundi* d'Alphonse Daudet ; son mépris pour la classe ouvrière transparaît dans sa description de l'ouvrier Arthur : il « mangeait sa paye, battait sa femme, et [...] il y avait là, dans ce bouge, un tas d'autres petits Arthur, n'attendant que d'avoir l'âge de leur père pour manger leur paye, battre leur femme. Et c'est cette race qui voudrait gouverner le monde ! ».

Explicitement, chaque leçon contient une morale, qui reflète évidemment le modèle idéologique dominant : sobriété, économie, satisfaction du devoir accompli, acceptation de sa condition ; ne sont-ce pas là les vertus cardinales des terriens ? La représentation qui est donnée de la paysannerie tend aussi bien à faire l'apologie du travail qu'à fournir une image idyllique, virgilienne de sa vie. Jamais on ne voit l'agriculteur patauger dans le purin des étables, la gadoue des chemins, épandre le fumier, avoir le dos cassé par le démariage des betteraves ou la plantation des pommes de terre. De même, dans l'iconographie de la seconde moitié du XIXᵉ siècle, l'essentiel de l'activité champêtre semble se ramener aux fenaisons, moissons, semailles, labours, vendanges, c'est-à-dire aux fonctions productives associées à la mythologie de la terre nourricière. Certes, on évoque la pénibilité du labeur, mais elle est largement compensée par les conditions dans lesquelles il s'effectue ; l'accent mis sur l'aspect festif et ludique travestit complètement la dureté de l'effort. En 1882, dans les *Lectures courantes* des frères des Écoles chrétiennes, cours moyen, l'inévitable leçon sur les saisons et les activités agricoles correspondantes décrit la moisson, rude travail dont la fatigue « est adoucie par le joyeux entrain de ceux qui l'accomplissent [...]. Ces divers travaux sont entremêlés de chants rustiques et de fréquents éclats de rire ». En 1893, dans le *Choix de lectures expliquées* à l'usage des écoles primaires, de Ch. Lebaigue, un poème de Laprade sur la vendange est de même tonalité :

> L'horizon s'éclaircit en de vagues rougeurs,
> Et le soleil levant conduit les vendangeurs.
> Avec des cris de joie ils entrent dans la vigne ;
> Honte à qui reste en route et finit le dernier !
> Les rires, les clameurs stimulent sa paresse :
> Aussi comme chacun dans sa gaieté se presse !
> Malgré les rires fous, les chants à pleine voix,
> Tout panier s'est déjà vidé plus d'une fois.

Et le commentaire de texte d'insister sur la gaieté associée au travail. On retrouve ce thème des vendanges joyeuses dans l'ouvrage de Georges Nouvel, paru en 1905, *Pierre et Jacques ou l'école de la jeunesse*, homologue du *Tour de la France par deux enfants*. Le héros, dont le père a été tué à la mine, revient chez ses grands-parents, petits viticulteurs de Saône-et-Loire, et ce sont les vendanges : « La plus franche gaieté brillait sur le visage de ces travailleurs [...]. On eût dit que ces braves gens se préparaient à une partie de plaisir [...]. Pierre partageait l'allégresse de tous. Comme il la trouvait heureuse la destinée du paysan, à qui la nature prodigue de si riantes beautés et de si merveilleux trésors ! » Les migrations saisonnières, qui sont pourtant la manifestation la plus évidente de la dureté des conditions de vie, sinon de la misère, sont totalement dédramatisées et présentées dans le poème *Les Peigneurs de chanvre* d'Alphonse Gaillard comme une rupture avec la vie quotidienne que l'on accepte avec plaisir : « Ces fermes montagnards [...] descendaient dans la plaine [...], allaient [...] heureux de ces beaux jours de vie aventureuse, devisant ou chantant sous un ciel radieux. »

Il convient de noter la persistance chronologique des modèles proposés, la permanence des choix littéraires rustiques et régionalistes : on retrouve dans les années 1950 les mêmes auteurs qu'à la fin du XIXᵉ siècle. Si un écrivain rustique succède à un autre écrivain rustique, il a un profil social et une inspiration similaires ; Jules Renard prend la place de Ferdinand Fabre. Parmi les best-sellers figurent *Nène* d'Ernest Pérochon, prix Goncourt 1920, et *Le Pain au lièvre* de Joseph Cressot qui eut plus de cinquante éditions dans les années 1940. Que ce fait résulte de l'inertie de l'institution scolaire,

Les vendanges joyeuses. Image de Montbéliard. Paris, Bibliothèque nationale, Estampes.

de l'identité du recrutement social ou de références culturelles des enseignants (de l'instituteur au directeur de collection) et des auteurs rustiques, toujours est-il qu'en dépit de l'accélération du processus d'urbanisation de la société française, la représentation du milieu villageois dans les manuels de lecture, loin de diminuer d'importance entre 1932 et 1961, se fait plus sensible ; en 1932, l'action se situait en ville dans 37 % des cas, à la campagne pour 31 %, en 1961 la proportion est respectivement de 31 % et de 40 %.

En contrepoint du modèle campagnard, la ville est toujours décrite de façon négative et considérée comme une menace pour la santé physique et morale des ruraux. Dans *Les Nouvelles Leçons de lecture courante* de J. Creutzer et Wirth, de 1872, les conseils d'un père à son fils sur le point de le quitter sont significatifs : « Dans notre village paisible et isolé, tu n'as point connu [...] le vice. Il n'en sera pas de même dans la grande ville que tu vas habiter [...]. Tu verras bien des mauvais exemples, et tu entendras bien des discours pernicieux [...]. Si tu as la force de leur résister, tu conserveras le calme du cœur, la douce joie de l'innocence, les belles couleurs de tes joues. Si jamais je te revois, je reconnaîtrai au premier coup d'œil si tu rapportes la santé du corps et la santé de l'âme. » La crainte voilée de la contamination idéologique, que contient ce sermon, apparaît plus nettement dans le poème d'Eugène Manuel opposant aux paysans sages et travailleurs, des citadins discoureurs et agitateurs :

> J'ai vu le laboureur, sur la plaine sans fin,
> Dans le soir calme et clair ramener sa charrue,
> Après avoir semé la route parcourue
> Du beau froment doré qui calmera ma faim.

J'ai vu le vigneron, d'un osier souple et fin,
Nouer à l'échalas la pousse déjà drue ;
Sur la pente des monts où le troupeau se rue
J'ai vu le pâtre assis au revers du ravin.
Et tous semblaient me dire : « Ô toi, qui viens des villes,
Ignore-t-on là-bas que les haines civiles
Font à notre repos des réveils douloureux ?
La paix ! La paix ! Pourquoi ces tempêtes lointaines ?
Dis-leur qu'ils feraient mieux, sans tant de phrases vaines,
De travailler pour nous qui travaillons pour eux. »

Le commentaire, comme tous ceux qui accompagnent les autres textes, est révélateur des orientations idéologiques que cherchent à faire passer les auteurs du manuel : « Ce morceau est un sonnet [...]. Le poète l'intitule avec raison *Requête*, car c'est un appel à la paix des travailleurs de la campagne aux gens des villes qu'agitent les discordes civiles. » Dans *Le Français par la lecture*, édité en 1914, un poème de J. Autran, *Aux paysans,* a pour but de les détourner des chimères citadines qui les conduisent à une affreuse misère ; et la dernière stance donne la morale : « La pauvreté rustique est mère des vertus. » Ce texte est assorti de l'exercice suivant : « Écrivez à l'un de vos camarades afin de le détourner de son intention d'abandonner la culture de la terre pour aller végéter dans une grande ville. Donnez-lui vos raisons. » Mais c'est dans un poème de Charles Dornier, *L'Ouvrier des villes et l'Ouvrier des champs,* tiré de *La Ronde des saisons*, de 1917, qu'est exprimé avec le plus de platitude emphatique l'antithétisme de l'ouvrier et du paysan :

C'est l'heure où l'ouvrier des villes vers l'usine
Où ronfle, impatient, le souffle des machines,
D'un pas hâtif et las va courber tout le jour,
Aux broches des métiers, à la flamme des fours,
Ses regards aveuglés et son corps mécanique.
De l'aube jusqu'au soir, les grands halls métalliques
Lui dérobent le ciel, la plaine, l'horizon,
Les tours de la cité, le toit de sa maison.
De hauts murs charbonneux, loin des siens, l'enferment,
Cependant que, là-bas, du seuil fleuri des fermes,
Vers le frisson des foins, vers la houle des blés,
Au pas tranquille et fort des grands bœufs accouplés,
Avec le chien qui jappe au vol des hirondelles,
Vers l'œuvre que le tour des saisons renouvelle,
Par des chemins creusés dans l'ombre des buissons,
Paysans, père, mère, filles et garçons,
Les uns piquant les bœufs du fouet ou de la gaule,
Les autres, le râteau ou la fourche à l'épaule,
Vont, par la même tâche, au même sol, unis.
Les prés sont pleins de fleurs et les arbres de nids.
D'un champ à l'autre, des appels joyeux s'échangent...
Et le soir les rappelle à la vieille maison
Dont ils ont, tout le jour, à travers la feuillée,
Vu luire les murs blancs et les tuiles rouillées.

Le commentaire souligne que « le travail n'est jamais le même » ; et celui d'un autre poème, *Le Beau Labeur humain* de Marcel Roland, précise que « le travail des champs ne conseille jamais la révolte, comme parfois le dur labeur des usines, mais au contraire le travailleur rustique y puise des conseils de sagesse et de bonté ». Ainsi, au travers de toute cette littérature, ce sont les mêmes poncifs. Aucun texte ne montre la réussite sociale d'un paysan à la ville, mais toujours la prolétarisation, souvent dans les pires conditions, une fin tragique par accident ou, en tout cas, la déchéance sociale. Par ailleurs, il n'est jamais question dans les manuels scolaires des crises économiques ou sociales en milieu rural ; tout est gommé, aseptisé et analysé comme il se doit en termes de morale. C'est une paysannerie hors de l'histoire, éternelle, dans la plus pure tradition de la pastorale. Alors que les travaux ethnographiques, fruits des recherches des érudits locaux, se multiplient à la fin du XIXe siècle, aucun morceau choisi n'évoque les conditions de logement et d'alimentation ; le paysan paraît dégagé de toute contingence terrestre. La représentation de la société rurale est tout aussi absente. Le paysan est une sorte d'entité en marge des rapports de production, défini uniquement par l'activité dans laquelle il est saisi : c'est le laboureur, le vendangeur. Le plus souvent, il s'agit de la France des petits paysans de l'imagerie officielle, à l'existence sobre sinon frugale, mais libres et indépendants ; le personnel salarié apparaît peu ou sous la forme de bergers, personnages un peu mystérieux, empreints de sagesse. Les rapports entre individus de conditions différentes sont toujours harmonieux ; s'il surgit un conflit d'intérêt, il se règle d'un commun accord et tourne à l'avantage moral des deux parties. Dans *Les Nouvelles Leçons de lecture courante* de J. Creutzer et Wirth, la leçon vingt-neuf consacrée aux « Traits de probité » en fournit un bon exemple. Un propriétaire, à la suite d'une partie de chasse, avait dévasté le champ de blé d'un de ses fermiers qui porte plainte. « Aussitôt, le maître ordonna d'estimer les dégâts [...] et s'empressa d'en payer le montant. » Par la suite, le blé endommagé ayant repris belle apparence, le paysan vient rembourser son maître. « Le propriétaire charmé de tant de délicatesse prit cinq cents francs en or et les remit au fermier : Votre démarche me plaît et elle mérite récompense. Prenez cet or, faites-le valoir pour le remettre à votre fils quand il sera en âge de s'établir. » La moisson est une excellente occasion pour montrer l'entente sociale : heureux de sa récolte, l'agriculteur en remercie le Seigneur et lui en consacre les prémices en donnant en aumône une partie de son grain ; et tandis que s'accomplissent les travaux, « le pauvre glane les épis oubliés ou laissés à dessein ». C'est faire bonne mesure des tensions qui se développent à propos des droits collectifs ! Dans *Les Lectures franc-comtoises*, éditées en 1943, un texte de 1892 du docteur Perrot est un éloge de la collaboration de classes ; il évoque les rapports entre maîtres et domestiques. « Il y a entre le maître et le valet une sorte d'égalité et de fraternité d'armes, puisque l'un et l'autre se livrent aux mêmes soins culturaux. Celui-ci qui doit obéir dans son service fait un apprentissage de ses futures occupations de maître de maison, ce qu'il sera un jour. Ils n'ont l'un pour l'autre que juste ce qu'il faut d'égards entre gens du même état ; et je crois bien qu'en général le patron a plus de déférence pour un bon serviteur que celui-ci n'est tenu de lui en montrer [...]. Les domestiques ruraux sont respectés et vivent sur un pied de quasi-égalité avec les enfants de la maison qu'ils tutoient souvent. Ils mangent à la table commune et ils sont servis par la femme et par les filles du bourgeois, et on les associe quasi à tous les actes de la famille. On ne saurait donc comparer une domesticité pareille, toute patriarcale, avec celle que nous connaissons dans les villes et dans les châteaux. Ici la valetaille mange à l'office et on la tient à distance. » L'image d'une harmonie inhérente au monde rural prévaut ; elle est fondée sur une certaine uniformité des conditions de travail et d'existence, mais esquive les problèmes de l'appropriation des moyens de production et la place de chacun dans le processus productif.

S'adressant à des écoliers, les manuels insistent beaucoup sur les qualités morales que les enfants devront reproduire ; aussi le travail est-il mis en exergue. Le paysan n'est jamais inactif, à la différence de l'ouvrier plus prompt et plus habile à manier la parole que l'outil, et sur lequel pèse toujours une présomption de fainéantise. La fermière est « alerte, active et matinale ». Fréquemment, l'accent est mis sur la justesse des gestes, sur la technicité, le savoir-faire et l'endurance des cultivateurs. Enfin, on souligne la cohésion familiale favorisée par le travail en commun, la cohabitation des générations ; les vieux sont idéalisés — comme dans *La Maison paternelle* d'Edmond About —, ils ont le savoir, la sagesse, la bonté du cœur, l'indulgence. Ainsi, les manuels scolaires donnent une vision rassurante d'un monde rural homogène, unitaire, sans conflit ; monde à part dans la société, auquel sont assignés à la fois la fonction nourricière et un rôle de conservatisme social.

Le cinéma remake des manuels

Des cinéastes réputés se sont enlisés dans la pire convention en campant des paysans qui sortent en droite ligne des manuels scolaires. Rares sont ceux qui ont réussi à leur donner de l'étoffe et à évoquer leurs véritables problèmes : le plus souvent, le cinéma rural en reste à la mythologie du bon paysan. Les grandes vertus terriennes sont à l'honneur ; le goût du travail : *L'Âtre, La Horse* ; le sens de la famille : *La Grande Épreuve, Jeannou, L'Affaire Dominici* ; l'obstination et la ténacité : *Joffroi, Angèle* ; la sagesse paysanne : *Le Crime des Justes, Un idiot à Paris, Crésus, L'Eau vive*. Le patriotisme sombre souvent dans le pathos et la grandiloquence avec l'image d'Épinal du laboureur-citoyen ; cette image est d'ailleurs répercutée à travers nombre de villages par la symbolique des monuments aux morts, dont la stèle est dominée par un poilu au geste fier et vengeur, incarnation du sacrifice de la paysannerie française. Ce patriotisme cocardier inspire *Les Deux Soldats, La Grande Épreuve, Verdun, vision d'histoire*, film dans lequel se détache le vieux paysan résigné aux souffrances de la guerre, fléau aussi inévitable que le gel ou la grêle, et si attaché à son terroir qu'il refuse de le quitter au moment de l'évacuation du village. Plus sobrement, *L'Horizon* de J. Rouffio montre ce que fut le poids de la guerre pour les campagnes, et *Le Chagrin et la Pitié* de Max Ophüls donne toute sa dimension à la belle figure du paysan résistant.

La ville, en particulier Paris, et ses dangers sont un thème fort rebattu ; le cinéma se complaît à en dénoncer l'influence corruptrice sur le brave paysan désarmé en raison de sa naïveté et de sa simplicité. Tentations, pièges, déchéance l'attendent dans les cités : *Blanchette, Le Mirage de Paris, Faits divers à Paris, Angèle, Naïs, Le Roi du village, Le Tonnerre de Dieu, Le Voyage du Père, La Horse*. Tout paysan est floué ou devient un gredin ; toute paysanne, à l'origine sage, vertueuse, naïve, est séduite et abandonnée, connaît l'échec sentimental ou tombe dans les rets de la prostitution. Parfois, la perverse influence urbaine se fait sentir jusque dans les campagnes ; la ville y envoie ses rabatteurs, mauvais garçons, souvent gominés, qui fascinent les âmes pures et les envoûtent avec leurs boniments : *Angèle, Naïs, Nuits sans fin*.

Le cinéma ne sera pas en reste pour célébrer le retour à la terre, en se faisant le thuriféraire des thèses de la révolution nationale. Déjà, le film de Marcel Pagnol, *La Fille du puisatier*, achevé à la fin de 1940, préfigure tout ce qui constituera l'arsenal de l'idéologie vichyssoise : disparition des préjugés sociaux, donc des antagonismes de classes, qualité du paysan français incarné par Raimu qui domine les autres personnages, unité des bons Français : la dernière séquence montre tous les protagonistes écoutant à la radio l'appel du maréchal Pétain faisant don de sa personne à la France ; dans la version d'après la Libération, il est remplacé par celui du 18 Juin ! Travail, Famille, Patrie apparaissent en filigrane. La même année, *Andorra ou les hommes*

Dans La Fille du puisatier *de Pagnol, Raimu, ici au côté de Fernandel, incarne, après la défaite de 1940, les vertus du paysan français.*

d'airain d'Émile Couzinet fait l'apologie du retour à la terre et des vertus de la société traditionnelle : patriarcat, droit d'aînesse, famille, religion. Bien pire par son indigence, *L'An quarante* de Fernand Rivers relate l'itinéraire de deux riches bourgeois, propriétaires fonciers, revenant au village, à la vie saine et roborative des champs, et retrouvant de ce fait les vraies vertus de la race. On pourrait citer encore deux films de sensibilité et d'inspiration identiques, sortis sur les écrans en 1943, *Jeannou* de Léon Poirier et *Monsieur des Lourdines* de P. Hérain, d'après l'œuvre d'A. de Châteaubriant. Aristocratie terrienne, attachement à la terre ancestrale qui, « elle, ne ment pas », retour des enfants prodigues de la ville perverse, terre qui se transmet mais ne se vend pas : tous les ingrédients de la morale vichyssoise sont réunis.

Finalement, si on laisse de côté quelques rares films à caractère ethnographique, vingt ans séparent l'admirable *Farrebique* de G. Rouquier, retraçant en 1945 la vie quotidienne d'une famille paysanne de l'Aveyronnais, du film document de J.-D. Lajoux, *L'Homme des burons* ; il faut attendre le cinéma engagé des années 1970 pour avoir une autre vision du héros positif, celle d'un paysan dépouillé des oripeaux dont on l'affublait et qui est devenu le militant d'une juste cause : *Lo Pais* de G. Guérin, *Gardarem lo Larzac* de D. Bloch, P. Haudiquet et I. Lévy, *Il pleut toujours où c'est mouillé* de J.-D. Simon.

TRAVAIL, FAMILLE, PATRIE

L'idéologie agrarienne

L'image d'une paysannerie porteuse de valeurs positives ne fait qu'exprimer les thèses du courant agrarien, largement diffusées dans le milieu agricole, et reprises en compte par nombre d'hommes politiques, au point de devenir l'idéologie officielle du régime de Vichy. L'agrarisme, qui se développe à la fin du XIXᵉ siècle, peut apparaître d'abord comme une réaction de défense du monde agricole devant une évolution mettant en question sa prépondérance et sa place traditionnelle dans l'espace économique et social français. L'émergence de la société industrielle signifie le triomphe de nouvelles forces productives qui relèguent le secteur agricole au second plan. En raison de l'industrialisme, la part de l'agriculture dans le revenu national ne cesse de décroître, tandis que le gonflement des secteurs secondaire et tertiaire provoque le dépeuplement rural. Les ruraux qui, en 1850, représentaient 75 % de la population globale n'étaient plus que 57,9 % en 1906. Cette perte de substance est perçue comme un danger, la preuve d'une remise en cause d'un équilibre nécessaire entre agriculture et industrie, entre villes et campagnes, et même d'un affaiblissement irréversible de ces dernières, de plus en plus subordonnées aux centres urbains où sont concentrées les forces économiques les plus dynamiques et les pouvoirs administratifs et politiques. Face à ce bouleversement des rapports traditionnels, l'agrarisme érige en modèle une contre-société terrienne, où les agriculteurs « transfigurent les caractères traditionnels de la paysannerie en une image idéalisée, convaincus qu'ils luttent au-delà de leurs intérêts matériels pour sauvegarder une civilisation de plus haute qualité éthique ». C'est la revendication d'une fierté et d'une dignité collectives, l'affirmation que la fonction nourricière est primordiale et ennoblit ceux qui l'exercent. La majorité des paysans peut y être d'autant plus sensible qu'elle ressent le décalage entre les structures de production industrielle transformées par une technologie conquérante, et les structures de production agricole encore artisanales dans le plus grand nombre des cas. Aussi « l'agriculture est prête à accepter des idéologies passéistes ou des idéologies qui, au nom d'un humanisme abstrait, la maintiennent dans ses structures propres ». Ces idéologies ont en commun l'hostilité au libéralisme défini par le théoricien de la Corporation Louis Salleron, dans son ouvrage *La Terre et le Travail*, de la façon suivante : le libéralisme subordonne l'agriculture à l'industrie, le libéralisme subordonne les campagnes aux villes, le libéralisme subordonne le paysan à l'ouvrier, le libéralisme subordonne le producteur au consommateur.

L'encensement de la paysannerie, érigé en système, si bien que l'on a pu parler de « paysanisme », recouvre en réalité des arrière-pensées contradictoires. Il faut distinguer un agrarisme de droite et un agrarisme jacobin. Le premier exprime le point de vue des notables traditionnels, aristocratie et bourgeoisie terriennes, qui ne se résignent pas, face à une bourgeoisie citadine montante, à la perte de leur pouvoir et de leur prestige. Imprégnés de la tradition paternaliste du catholicisme social des Le Play et La Tour du Pin, ils défendent une conception organique de l'unité d'un monde rural solidaire, hiérarchisé, donc conforme à l'ordre naturel, et une société paysanne encadrée par ses élites traditionnelles, gardienne d'une pratique ancestrale et chargée de valeurs exemplaires. Il était de rigueur, lors des réunions de comices agricoles, de magnifier avec emphase l'harmonie et la paix sociales régnant à la campagne. Au concours agricole de la Société d'agriculture de Boulogne en 1903, le rapporteur de la section « Les bons services » conclut ainsi : « La solennité qui nous réunit aujourd'hui est la synthèse la plus haute, la plus morale qui soit au monde ; elle nous permet de dégager cette vérité éternelle de l'harmonie qui existe entre le capital et le travail, là où d'autres, qui sont de mauvais citoyens, ont cherché à exciter un antagonisme et un État révolutionnaire et antisocial [...]. J'ai voulu savoir où (les lauréats) avaient puisé ce sentiment profond du devoir, cette probité de leur existence, cet honneur professionnel si marqué. Deux choses ont agi principalement sur leur conduite, le sentiment religieux [...] et le milieu patriarcal de la profession agricole. Ce milieu, produit de traditions séculaires et profondément enracinées, fait de la solidarité entre les hommes de nos campagnes, fait de la formation morale qui s'y perpétue, soutient, encourage et produit ces actes méritants qui sont de véritables vertus. » La solidarité est un *leitmotiv* qui revient constamment ; pour l'un des orateurs du congrès des Syndicats agricoles tenu à Lyon en 1894 : « En agriculture, la limite qui sépare le patron de l'ouvrier n'est pas apparente comme dans l'industrie. Entre le simple journalier agricole et le simple propriétaire, vous trouverez une série si complète de positions mixtes qu'il devient impossible de faire le point précis où la situation change et où les intérêts peuvent diverger. Capital et travail sont si intimement liés que l'antagonisme devient impossible et que les efforts de tous tendent naturellement au même but. » Harmonie et concorde sont les maîtres mots. C'est au travers de ces syndicats agricoles, dont ils ont le contrôle et auxquels ils assignent non seulement des buts économiques mais moraux et sociaux, que les notables espèrent maintenir leur influence. Cette unité du monde rural, les associations professionnelles créées après la Grande Guerre, comme l'Association générale des producteurs de blé et la Confédération générale des planteurs de betteraves où les gros exploitants jouent un rôle important, continuent à l'affirmer avec vigueur lorsqu'elles prennent indistinctement la défense des intérêts de toutes les catégories d'exploitants, en demandant notamment l'application de prix uniformes aux produits agricoles : la défense des petits renforce ainsi les rentes de situation des grands propriétaires et des gros fermiers. Entre les deux guerres, le succès de la doctrine corporatiste tient aux solutions qu'elle propose pour résoudre les problèmes de l'agriculture en suscitant, comme l'écrit Louis Salleron, « les organes spécifiques de relation entre le fait paysan et le fait industriel, entre le fait individuel et le fait social ». En effet, la corporation rassemble de façon autonome patrons et ouvriers d'une même profession unis par la solidarité du travail, et met en place un pouvoir paysan pour défendre sa place dans la société industrielle. C'est le sens des revendications énoncées par les organisations syndicales conservatrices au congrès de Caen des 5 et 6 mai 1937 : « Dans la hiérarchie corporative, première place à la paysannerie parce qu'elle représente le premier ordre dans la nation, celui dont est issue la nation, et celui sans lequel il n'y aurait plus de nation. Autonomie de la corporation, reflet du fait paysan. Compétence et responsabilité dans les limites de sa spécialité, avec arbitrage de l'État, avec si l'on veut son contrôle et non point sa tutelle. » Ainsi, par le biais des organisations syndicales ou de la corporation, les agrariens conservateurs s'efforcent, faute de pouvoir freiner une évolution qui leur est défavorable, de tirer au moins leur épingle du jeu dans le cadre du nouveau partage du pouvoir.

Face à ce syndicalisme des ducs, l'agrarisme jacobin s'incarne dans les nouvelles couches dont parle Gambetta, avocats, médecins, vétérinaires. Après la chute du Second Empire, le problème majeur est de rallier l'électorat des campagnes à la république encore fragile, et de sceller l'alliance de la bourgeoisie citadine et des paysans. Ici la perspective est autre, la paysannerie est un enjeu politique dans le grand débat sur la nature du régime dont doit se doter le pays. A l'ordre éternel des champs qui implique la tutelle des élites, on veut opposer la république des paysans. « Prouvons au paysan, dit Gambetta, que c'est à la démocratie, à la République, que c'est à nos devanciers qu'il doit non seulement la terre mais le droit, que par la Révolution seule il est devenu propriétaire et citoyen. » Le paysan est salué comme un soldat de la liberté qui prend sa place dans la longue et ancienne lignée de Jacques Bonhomme pour s'affranchir de la sujétion des seigneurs dont les notables sont les héritiers. Il est donc dans l'ordre des choses qu'il soutienne le bon combat des républicains. Les radicaux du bloc des gauches mettent l'accent sur l'égalitarisme issu de la Révolution de 1789, et sur un idéal volontariste selon lequel chacun peut améliorer son statut social par le travail et l'épargne, ce qui permet d'effacer les antagonismes sociaux, à l'exception de la juste lutte contre les « féodaux ». Telle qu'elle est envisagée, la démocratie présente un double avantage : celui d'offrir une large assise électorale de paysans-propriétaires et de libérer, sous la forme de main-d'œuvre pour l'industrie, ceux qui n'ont pas réussi à se constituer une exploitation.

Dans tous les cas, agrariens de droite et agrariens de gauche vont chercher à travers un réseau d'institutions concurrentes, syndicats, coopératives, mutuelles, à canaliser à leur profit l'énorme force de manœuvre que représente la clientèle paysanne. Cependant, au-delà des rivalités et des divergences, ils sont au moins d'accord sur un point non négligeable : c'est la spécificité du monde rural par rapport à la société globale, concrétisée par la création d'un ministère de l'Agriculture, véritable ministère de l'Intérieur à l'usage de la paysannerie, en 1881, et celle par Méline du Mérite agricole. Bien mieux, les deux courants finissent par se confondre dans un souci de conservatisme social face à la poussée socialiste d'avant 1914. C'est en effet assez tardivement que le socialisme français s'est interrogé sur la nature, l'hétérogénéité du monde paysan ; le premier programme agricole date du congrès de Marseille de 1892, et s'adresse aux catégories défavorisées : petits propriétaires, fermiers, métayers et journaliers. Dès lors, les thèmes de l'agrarisme de droite sont privilégiés, et un large consensus s'instaure d'autant plus facilement pour la défense de l'ordre établi que le problème de la nature du régime est définitivement résolu, que les radicaux débordés sur leur gauche se rapprochent des modérés et que l'unanimité se fait sur le protectionnisme (tarif Méline de 1892). Après la révolution bolchévique et la naissance du parti communiste, la crainte des rouges s'accentue ; dans le climat d'agitation et de troubles de l'entre-deux-guerres, la paysannerie apparaît plus que jamais comme un pôle de résistance, un symbole de continuité. Et comme « il n'y a d'idéologie paysanne que par comparaison à celle de la société industrielle et urbaine », avant et après 1914 les références aux vertus terriennes, au paysan modèle, n'ont de signification que par rapport au citadin, donc implicitement à l'ouvrier.

Si on vante la paysannerie propriétaire, même parcellaire, c'est parce que la propriété est considérée comme une garantie d'attachement à l'ordre social existant. Facteur de stabilisation des individus, elle est le meilleur moyen de lutter efficacement contre un excès de l'exode rural considéré comme un danger social, dans la mesure où il renforce un prolétariat contestataire. La prise de conscience de cette menace aboutit aux propositions, pour le moins hardies en apparence, du conservateur Pierre Caziot, inspecteur du Crédit foncier de France, expert agricole bien connu, futur ministre de l'Agriculture de Vichy, qui en 1919, pour modérer l'exode, souhaite une appropriation progressive de la terre par ceux qui la cultivent. Cette volonté de freiner les départs vers les villes se fait plus pressante au moment de la crise économique des années 1930.

L'exploitation familiale est encensée, elle a l'immense avantage d'associer étroitement l'activité professionnelle à la famille. On ne finira pas de célébrer ses mérites, l'agrarisme de gauche parce qu'elle est le symbole d'une société de citoyens relativement égalitaire, l'agrarisme de droite parce qu'elle renforce la cohérence du groupe familial dominé par le père. On insiste sur la solidité de la famille paysanne, cellule sociale de base, hiérarchisée, sous l'autorité naturelle du père, microcosme de la société. Le journal d'Amiens *Le Progrès agricole* envisage même, en 1923, de restaurer la famille souche de Le Play dans laquelle un des enfants mariés vit en communauté avec ses parents, en attendant de reprendre l'héritage. « Les autres enfants s'établissent au-dehors et se placent dans des situations nouvelles créées par leur initiative. Système mixte qui concilie la tradition et la communauté avec l'individualisme, mais qui exclut le partage forcé institué par le Code civil. » Tout le monde est d'accord pour dire que la petite culture, et même la micropropriété, « soude une famille », maintient l'esprit familial, confère la liberté et la responsabilité ; elle est la plus belle réussite de la libre entreprise, base de la civilisation ; elle est un facteur de paix sociale en s'érigeant en rempart contre le collectivisme ; comme le note en 1900 un gros viticulteur du Carcassonnais : le journalier-propriétaire « qui possède un lambeau de sol tient à cette parcelle autant que le grand propriétaire à ses étendues, et c'est un des soldats les plus opiniâtres de l'armée de l'ordre ». La famille paysanne est l'antithèse de la famille ouvrière qui se désagrège en raison du travail éclaté de ses membres, et dans laquelle l'autorité paternelle est affaiblie, sinon contestée. Ces paysans-propriétaires puissamment enracinés donnent au pays ses meilleurs soldats, car la patrie charnelle a pour eux une profonde signification : ils savent pourquoi ils combattent contre les ennemis de l'extérieur et contre les « partageux », ennemis de l'intérieur, ouvriers qui ont perdu le sens de la patrie, victimes des funestes doctrines de l'internationalisme. Enfin la paysannerie, grâce à son sens de l'économie, donc de l'épargne, a très largement alimenté le système financier français et contribué à irriguer les autres secteurs de l'économie. Comme le dit Augé-Laribé : « Dans la société française, le paysan ne compte pas seulement comme producteur. Une autre fonction sociale lui est dévolue par d'anciennes traditions, celle d'épargner », et ce n'est pas son moindre mérite.

Le discours agrarien sanctifiant la paysannerie, élément sain de la nation, conservatoire des vertus françaises, force sûre et tranquille, trouve évidemment un écho dans la masse rurale, d'autant qu'elle se sent souvent incomprise par les citadins et les pouvoirs publics. Beaucoup de paysans ont donc le sentiment d'une communauté solidaire des petits et des gros face à une société englobante qui leur dicte ses lois. Mais ceci n'enlève rien au fait que l'idéologie agrarienne sert d'abord les intérêts des couches et des milieux dirigeants.

Récupération politique de la paysannerie

Cette paysannerie, d'autant plus célébrée qu'elle reste ordinairement silencieuse, alimente l'éloquence et suscite les écrits des hommes politiques. La référence à la paysannerie est en effet un ressort obligé du discours politique et la grande mystique rurale traverse allègrement les républiques. Les Gambetta et les Méline, puis les Ruau et les Queuille en sont les chantres, et certains de leurs accents se retrouvent encore sous la Cinquième République ; toutefois, l'exaltation terrienne culmine avec le maréchal Pétain, le « maréchal-paysan ».

Frédéric Le Play (1806-1882), polytechnicien, économiste et sociologue, veut réformer la société sur le modèle de la famille patriarcale.

Méline, outre ses interventions à la Chambre, se fait l'apôtre du paysanisme dans deux ouvrages aux titres évocateurs dont l'audience a été grande : en 1905, *Le Retour à la terre* et, en 1919, *Le Salut par la terre*. Dans le premier, après avoir montré les conséquences négatives de la surproduction et du suréquipement, il préconise le retour à la terre pour absorber le surplus de bras : « Terre nourricière [...] féconde et éternelle [...], terre qui a des consolations pour toutes les misères et qui ne laisse jamais mourir de faim ceux qui l'aiment et se confient à elle. » Évoquant la crise agricole de la fin du XIXᵉ siècle, il salue les qualités paysannes de ténacité, de courage, qui seules leur ont permis de surmonter pareille épreuve, ce qu'aucun autre groupe social n'aurait été capable de faire. Son lyrisme n'a d'égal que celui de Deschanel dans sa célèbre joute oratoire avec Jaurès, le 10 juillet 1897, en réponse au programme agraire socialiste : « Cher paysan de France, éternel créateur de richesses, de puissance et de liberté, éternel sauveur de la patrie et dans la paix et dans la guerre, toi qui tant de fois as réparé les revers de nos armes et les fautes de nos gouvernements, ta claire et fine raison sauvera d'un matérialisme barbare l'âme idéaliste de la France ! » Méline est, pour sa part, favorable à la création d'un bien de famille inaliénable, car « en faisant de tous les travailleurs qui le voudront des propriétaires, on enlèvera toute raison d'être à ce socialisme agraire. Aussi est-ce avec une entière conviction que nous disons à tous, aux pouvoirs publics et aux sociétés d'agriculture : ''Faites de petits propriétaires, faites-en le plus possible, n'eussent-ils qu'un champ ou un jardin [...].'' L'ouvrier agricole a une prime inappréciable, la possibilité de passer de l'état d'ouvrier à celui de petit patron [...]. Dites-vous aussi que vous faites une œuvre éminemment patriotique en donnant à la France ses plus solides défenseurs. C'est ainsi que nos agriculteurs qui, par leur héroïsme, ont sauvé une première fois la France au prix de leur sang, la sauveront une seconde fois en l'empêchant de mourir de faim. » Déjà, on trouve chez le républicain

La création d'un mythe et d'une mystique : le Maréchal-paysan et le Retour à la terre. Image d'Épinal.

opportuniste Méline la fameuse trilogie : Travail, Famille, Patrie. Quant aux radicaux, ils ne cessent d'affirmer leur sollicitude à l'égard des « admirables paysans de France ».

Le discours paysan atteint son apogée sous le régime de Vichy. Les agrariens pensent que leurs thèses vont enfin triompher grâce au Maréchal qui a « la tripe terrienne ». Dès novembre 1935, dans son discours de Capoulet-Juniac en Ariège, il avait repris les pires lieux communs de la phraséologie agrarienne, qui va rester la sienne dans *Les Messages aux Français*, et dans lequel se retrouvent pêle-mêle tous les clichés véhiculés par l'école primaire et tous les stéréotypes valorisants de la paysannerie : « Lorsque le soir tombe sur les sillons ensemencés, qu'une à une les chaumières s'éclairent de feux incertains, le paysan, encore courbé par l'effort, jette un dernier regard sur son champ, comme s'il lui en coûtait de le quitter. Pourtant, la journée a été dure […]. A la même heure, des milliers de regards, emplis d'une soudaine fierté, se portent comme le sien sur un coin de terre, de vigne, de lande, exprimant l'amour et le respect des hommes de la terre pour le sol nourricier. Aucune amertume dans ces regards. Cependant, le labeur du paysan ne trouve pas toujours, comme celui de l'ouvrier, la récompense qu'il mérite, et cette récompense n'est jamais immédiate […]. Le travail ne suffit pas […]. Le citadin peut vivre au jour le jour, le cultivateur doit prévoir, calculer, lutter […]. Quoi qu'il arrive, il fait face, il tient […]. De ce miracle chaque jour renouvelé est sortie la France, c'est le paysan qui l'a forgée par son héroïque patience, c'est lui qui assure son équilibre économique et spirituel […]. Insensible aux excitations pernicieuses, il accomplit son devoir militaire avec la même assurance que son devoir de terrien [...]. Aux heures les plus sombres, c'est le regard paisible du paysan qui a soutenu ma confiance. » Quelques jours après la défaite, dans son message du 25 juin 1940, le Maréchal fait appel à la France éternelle : « Je hais les mensonges qui vous ont fait tant de mal. La terre, elle, ne ment pas. Elle demeure votre recours. Elle est la patrie elle-même. Un champ qui tombe en friche, c'est une portion de France qui meurt. Une jachère de nouveau emblavée, c'est une portion de France qui renaît. » Le 22 août, il complète sa pensée devant la presse américaine : « La France de demain sera à la fois nouvelle et très ancienne. Elle redeviendra ce qu'elle n'aurait jamais dû cesser d'être, une nation essentiellement agricole. Comme le géant de la fable, elle retrouvera toutes ses forces en reprenant contact avec la terre. » Et pendant quatre ans, le discours pétainiste se poursuit.

Trente ans plus tard, le président Pompidou salue à son tour les vertus typiquement paysannes : bon sens, esprit d'initiative, goût du travail, sens de l'économie qu'il souhaite voir à tous les Français. S'adressant aux agriculteurs de Saint-Flour, le 26 juin 1971, il déclare : « Nous voulons sauvegarder, dans nos régions surtout, l'exploitation familiale. Nous voulons la sauvegarder pour des raisons sociales évidentes, pour des raisons politiques évidentes, mais aussi plus générales, et je dirais dans le cadre d'une politique de l'environnement du paysage français. » Et le 10 janvier 1974, dans une allocution prononcée à l'occasion du Cinquantenaire des chambres d'agriculture, Georges Pompidou constate que « l'agriculture est plus qu'un élément essentiel de la vie économique, un élément de base fondamental [...]. Les cultivateurs démontreront enfin que, dans le goût de leur métier, dans le goût de la terre, dans cette soumission aux conditions du climat, de la terre, dans ce sens de la réalité et du devenir, le paysan français est un élément de solidité, d'équilibre et de force pour notre pays tout entier ».

Négative ou positive, l'image d'un éternel paysan n'est jamais gratuite, elle répond au rôle qu'on entend lui faire jouer dans la société ; cette image a une telle consistance qu'elle tend à obliger le paysan à l'assumer. Tour à tour méprisé et glorifié, sollicité et rejeté, le paysan éprouve d'autant plus de difficulté à trouver son identité que la nature de son travail ne lui permet pas de s'agréger à une couche quelconque de la société. Producteur comme l'ouvrier, il échappe au salariat, et celui-ci le considère comme un patron. Travailleur indépendant comme le commerçant et l'artisan, gestionnaire et décideur comme le chef d'entreprise, propriétaire d'un espace, des moyens de production, des fruits de son travail : il est libre et responsable. Mais en même temps, son initiative est contrariée par les aléas météorologiques, les vicissitudes économiques et la politique gouvernementale ; il manque de qualification professionnelle et son niveau de vie est parfois inférieur à celui de l'ouvrier ; il consomme une partie de sa production. En quête d'une identité, les paysans, ou au moins certains d'entre eux, penseront la trouver en se lançant dans la bataille du productivisme, grâce à laquelle ils imposeront leur propre modèle : celui d'entrepreneurs de culture.

Au verso
Une haute figure de la bourgeoisie conquérante. Avec son frère aîné, Jacob, Isaac Pereire (1806-1880) fonde en novembre 1852 une banque spécialisée dans les prêts aux industriels, la Société générale du crédit mobilier. Malgré l'hostilité des Rothschild, les Pereire créent des compagnies de chemin de fer, des sociétés d'assurances, la Compagnie du gaz de Paris. En 1855, ils lancent la Compagnie générale transatlantique qui, avec 21 navires en 1865 et 84 en 1914, va exploiter notamment deux lignes profitables : Le Havre-New York et Saint-Nazaire-Panama. Comme Jacob, Isaac sera député de 1863 à 1869. Photo de Nadar.

Nadar

LIVRE II

Permanences
et renouvellement
du patronat

Genèse du patronat

Des patrons, des entrepreneurs, il y en a eu avant le XIXe siècle — dans le monde des maîtres des métiers urbains, dans celui des négociants vivant de risques calculés et de réseaux tissés par-dessus les frontières et au-delà des mers, dans celui des manieurs d'argent vivant de spéculations de toute nature au service (ou aux dépens) des princes. Les chefs d'industrie de la période proto-industrielle ont préparé le modèle des patrons manufacturiers de la première révolution industrielle : Van Robais, Poupart de Neuflize ou Oberkampf. Mais leur nombre et leur puissance leur donnent un tout autre poids dans les élites du XIXe siècle : leur ascension a été portée par les différentes « révolutions » qui ont alors transformé toute l'économie et donné aux profits une autre dimension. Une analyse classique confère au patronat une unité conceptuelle, par opposition au salariat, une signification économique de détenteur du capital et des moyens de production qui ferait croire à l'existence sinon d'une classe, du moins d'un groupe dirigeant aux contours parfaitement cernés. Un groupe détenteur, aussi, d'un pouvoir de commandement sur tous ceux qu'il emploie et qui en fait, tout naturellement, au-delà des vertus dont le pare sa fortune, un de ces corps intermédiaires, une de ces fractions de la notabilité, une de ces nouvelles aristocraties dont le rôle est essentiel dans le fonctionnement de l'État et de la société issus de la Révolution et de l'Empire. Mais l'intention est, dans ce livre, de se placer du point de vue d'une analyse du contenu, du fonctionnement, de la reproduction de ce groupe. Dès lors, le patronat apparaît comme beaucoup moins homogène que ne le laissent supposer les généralisations de la terminologie. Sujet à renouvellement dans son recrutement, hésitant sur son identité sociale et culturelle, divisé sur ses intérêts immédiats, il ne retrouve guère son profil unique que dans les temps de crise.

L'entreprise, aux temps de la nouvelle industrie mécanisée, du commerce stimulé par l'unification progressive du marché et les progrès de la consommation, est certes une carrière ouverte au capital déjà accumulé, aux « héritiers » par exemple des négociants-fabricants maîtres des industries rurales, ou des fortunes nobiliaires en quête de placements rémunérateurs. Elle est cependant aussi la carrière ouverte au talent et à l'audace et, du temps des contremaîtres à celui des ingénieurs, des débuts du textile à ceux de la construction mécanique ou électromécanique, elle le restera, autorisant — dans une minorité de cas — des ascensions de type « balzacien ». Un petit artisan des années 1920, Gaston Dufour, réussit en une vie à se hisser aux premiers rangs de l'industrie française de la machine-outil ; quand son fils et successeur (1978), André Dufour, reprend l'usine de Montreuil-sous-Bois, c'est pour affronter certes une très grave crise de son entreprise, mais la poursuite de la fabrication de sa fraiseuse à banc fixe T 7000 (couplée avec un ordinateur et munie d'un change-outils automatique) devient un enjeu de caractère symbolique et national. Dans un secteur aussi éloigné du précédent que la spéculation commerciale, la carrière de Maurice Varsano (1916-1980) évoque, par son cosmopolitisme et ses liens avec les pays neufs, une sorte de capitalisme sauvage à la manière française : né à Paris d'une famille juive turque réfugiée des Balkans, partie s'installer au Maroc en 1927, il a tout juste 20 ans quand il crée là-bas un atelier de remmaillage de bas ; après la guerre, il reprend avec un associé une vieille affaire d'épicerie dont il fait la plus grosse société de commerce du Maroc ; revenu à Paris en 1955, il est à la tête de la puissante société Sucre et Denrées, spécialisée dans le commerce international du sucre. Il finit par créer une banque et une compagnie de commerce aux États-Unis avec des intérêts dans la mélasse, la viande, les métaux précieux. De la première armée française en Algérie à Fidel Castro, il se crée un champ de relations qui lui permettent de jouer un rôle de conseiller politique occulte auprès de hauts dirigeants. Son fils Daniel illustre le nom familial dans le domaine culturel*.

Une histoire familiale

L'aventure individuelle n'est cependant que la pellicule de l'histoire du patronat. Au risque de frôler la platitude, faut-il rappeler que cette aventure, parfois soutenue par un entourage bienveillant et aisé (qu'aurait été le destin de Louis Renault, cet anti-conformiste ennemi de l'école et des études, sans le support d'une famille prête à payer les risques pris par son génie technique débordant ?), est sans lendemain si elle n'évolue pas en une histoire familiale. Le débat sur l'entreprise familiale est toujours au centre de la recherche sur le patronat. Dans un texte récent**, Jean-François Belhoste et Pierre Metge rappellent encore que « les positions à cet égard sont souvent très tranchées. Les uns jugent le capitalisme familial rétrograde et inadapté, incapable de dynamisme novateur et d'effort de restructuration. Pour eux, il est pratiquement un frein au développement industriel. Les autres le parent des vertus mêmes du capitalisme : l'esprit d'entreprise, le sens de l'effort et de la responsabilité ». On suivra absolument les auteurs quand ils affirment que « la famille nucléaire, née au XVIIIᵉ siècle et qui devint au XIXᵉ le modèle de la famille bourgeoise, convenait sans doute particulièrement bien à l'exigence de rassemblement des forces et capitaux et de continuité qu'exigeait le démarrage industriel. [...] L'industrie [...] réclamait surtout un effort interne, une application presque introvertie à transformer les conditions de production et à accumuler l'investissement. L'esprit domestique, la notion de vie privée s'accordaient parfaitement avec cette activité de fourmi besogneuse, secrète, sans convivialité, qu'imposait l'industrialisation primitive ». Ce qui est remarquable, c'est que les mêmes auteurs peuvent, au XXᵉ siècle et sur l'exemple des petites industries jurassiennes de la lunetterie, de la mécanique de précision ou de l'électromécanique puis de l'électronique, analyser les rapports des structures familiales et des petites et moyennes entreprises dans des termes largement identiques à ceux qui conviendraient à l'histoire

---

* Informations empruntées à un article du journal *Le Monde* en date du 26 novembre 1980.
** *Dépérir ou être mangé ?* Étude réalisée pour le Commissariat général au plan, Paris. 1981.

des relations familles-entreprises du XIXᵉ siècle. D'un siècle à l'autre, à n'en pas douter, les difficultés qui peuvent surgir dans de telles relations ont toujours été rencontrées : difficulté à assurer la succession dans des conditions de capacité et de volontarisme comparables à celles qui ont fait le succès du fondateur ; risque d'évolution vers une conception de l'entreprise « vache à lait » imposée par des descendants au comportement parasitaire, mais bien plus encore vers le conservatisme et le malthusianisme dans la gestion de l'affaire condamnant celle-ci, au terme d'un nombre variable de générations, à la mort lente. Une biologie ou une démographie de l'entreprise qui n'obéit, du reste, à aucune règle bien précise. Néanmoins, et c'est là l'un des fils directeurs des réflexions qui suivent, il est hors de doute que les structures familiales, celles résultant de la naissance comme celles résultant des alliances — bref, les dynasties et les réseaux —, ont toujours inspiré aux patrons français (et, à n'en pas douter, à ceux de bien d'autres pays) une confiance telle, une conscience si évidente de la supériorité des avantages par rapport aux inconvénients du système, qu'ils ont persisté sur deux siècles à les conserver et à les adapter de telle sorte que les linéaments en réapparaissent à travers toutes les variétés du patronat auxquelles l'évolution technique et économique a nécessairement donné naissance. La généalogie du patronat est donc le fondement même de son histoire — une généalogie conçue non pas comme un inventaire exhaustif à caractère purement démographique, mais comme l'instrument de la mise à jour des liaisons géographiques, professionnelles, sociales, et des stratégies éducatives, matrimoniales qui assurent, sous le couvert de pratiques juridiques évolutives, et en fonction d'une évolution non moins certaine des comportements, la continuité de l'entreprise aussi bien que les choix de diversification dans les activités et les glissements vers d'autres compartiments de la classe dirigeante. Pas d'histoire du patronat possible sans cet effort d'identification des solidarités dont le cadre a toutes chances d'être aussi bien local et régional que strictement sectoriel, et qui définit à coup sûr de la façon la moins fragile l'existence d'une bourgeoisie patronale.

Le succès économique est-il une fin en soi ?

Une autre question pèse sur toute l'histoire patronale du XIXᵉ siècle — et l'on peut craindre que la crise de la fin du XXᵉ siècle ne lui redonne une dangereuse actualité : c'est celle de l'affirmation d'une identité sociale et culturelle du patronat ou, si l'on préfère, de la confiance du patronat en lui-même. Toute une société d'Ancien Régime, dont les principes ont débordé sur l'après-Révolution, a vécu sur l'idée que l'accès au privilège nobiliaire était une fin absolue en soi. Dès avant 1789, quelques secteurs de la bourgeoisie (même anoblie) se sont sentis assez forts pour croire en la valeur sociale éminente de la création des richesses industrielles et mobilières. Le conflit entre ces deux éthiques ne s'est pourtant pas résolu aisément ni rapidement, et l'on n'oserait pas avancer que partout l'idée ait triomphé que le succès économique était devenu avec le XIXᵉ siècle une fin en soi, à son tour. Selon les régions, les activités, les atavismes, le patronat se répartit entre des types industrialistes ou rentiers, entre l'attachement à la profession et la recherche de l'évasion sociale, entre un idéal de valorisation de la production et de la technique et une fidélité à des notions patrimoniales, humanistes et politiques de la réussite sociale. Dans la haute bourgeoisie protestante de Mulhouse ou le patriciat textile catholique du Nord, la fierté et la continuité de l'entreprise, l'indifférence à la recherche d'alliances dans d'autres cercles témoignent d'une conscience patronale très développée d'appartenir à une élite, qui se définit par le succès industriel et ne se sent aucun besoin d'autres légitimations. En revanche, dans le patronat linier de la Basse-Normandie, l'étude de Marc Auffret a mis en relief le refus du réinvestissement industriel et le désintérêt à l'égard de la croissance de l'entreprise, l'attrait si vivement exercé par le placement des gains acquis dans les châteaux, les forêts et les herbages — et bientôt la fin des carrières industrielles ou la capitulation devant la pénétration des capitaux et des entrepreneurs venus de l'extérieur, ceux du Nord par exemple. Chez les Say, la vieille tradition du négoce des tissus, l'engagement éphémère dans l'industrie cotonnière, les succès mêmes de l'industrie sucrière pâlissent auprès de la réussite des membres de la famille qui dérivent vers le service de l'État et n'évitent pas la démangeaison de s'intégrer à la haute société parisienne. A tout instant, le patronat de l'industrie, comme jadis celui du commerce et de la « marchandise », peut encore succomber à la tentation de ne voir dans le métier des affaires qu'un corridor d'accès à un statut supérieur, le moyen de s'enrichir pour mieux faire ensuite, encourageant ses fils à suivre les professions libérales ou les carrières de la haute fonction publique, comme on aurait choisi avant 1789 la « fuite en avant » dans les offices. Au total, rien dans tout cela qui puisse faire croire à une faiblesse congénitale et héréditaire du patronat français, qui n'a jamais vraiment manqué ni de capitaux, ni de capacités (comment eût-il pu en être ainsi au pays des grandes écoles !), mais dont les conduites sont nécessairement soumises à influence de la part des modèles aristocratiques et politiques, des modèles culturels depuis longtemps si puissants en France, pays où l'État, depuis des siècles, honore et anoblit ses serviteurs, où la richesse et la diversité des aptitudes agricoles développent la séduction et la concurrence du placement foncier, où les provinces demeurées les plus romanisées cultivent très tard le respect d'un art de vivre dont le principe demeure l'*otium cum dignitate*, où enfin toutes les formes de mobilité de la population ne se sont développées que tardivement et comme à regret. Non, décidément, on ne peut aborder l'étude du patronat français avec les mêmes principes de classement que s'il s'agissait d'un grand pays neuf peuplé par des vagues d'immigration « de rejet ». Le patronat, en France, traîne le poids — ou utilise les atouts ? — de bien des héritages et des continuités.

4
La tradition
du textile

Maintes raisons plaident en faveur d'une approche de l'étude typologique du monde des entreprises par le biais du patronat du textile. Avec le maître de forges — mais bien plus encore que lui — le filateur est l'incarnation la plus populaire de l'entrepreneur moderne : celle qui apparaît le plus précocement, puisqu'il est l'homme par qui les « mécaniques », premier symbole de la modernité, entrent dans le monde du travail ; celle qui est la plus familière à ce même monde puisque, patron « à visage humain » (et à l'occasion inhumain) d'affaires rarement parvenues au gigantisme, il a été côtoyé par des hommes, des femmes et des enfants issus directement des masses populaires, au cœur des campagnes comme dans les quartiers urbains. Cette « popularité » découle, également, de l'aventure sociale à laquelle il semble convier ses contemporains : sa carrière n'ouvre-t-elle pas, du moins dans une minorité de cas, une brèche plus large à la mobilité ascensionnelle, au bénéfice de ceux qu'un capital modeste ou un savoir-faire spécialisé mettent en mesure de s'établir ? Une aventure qui, au cours du siècle, s'est répétée dans les régions les plus diverses et à différentes étapes de l'industrialisation du territoire. Du point de vue historiographique, enfin, c'est par le patronat du textile que s'est amorcée, il y a quelque trente ans, sous la plume de Claude Fohlen, la recherche sur les groupes dirigeants de l'économie française contemporaine — tandis que, par ailleurs, des travaux étrangers faisaient de ce même patronat une cible favorite et pensaient découvrir en lui plusieurs traits constitutifs du retard industriel français.

LILLE-ROUBAIX-TOURCOING

Des capitaux, des familles

L'exemplarité du patronat textile de la région du Nord tient, d'abord, à la prééminence économique de l'aire géographique. A la veille de la première guerre mondiale, le département du Nord, qui a fait partie du peloton d'avant-garde de la première industrialisation, est par sa fortune au premier rang des départements français, excepté Paris. Dans cette fortune, les éléments mobiliers font une place exceptionnellement importante aux intérêts industriels, et le capital proprement industriel atteint des valeurs records. Une estimation de 1908 attribue aux usines du département une valeur vénale de plus de 600 millions de francs ; mais, dès 1888, une évaluation de la Banque de France portait à près d'un milliard — valeur des immeubles, de l'outillage, des matières brutes et en cours de fabrication — le capital engagé dans la seule transformation de la laine, du coton, du lin et de la soie.

Quant aux entreprises proprement dites, elles présentent des caractéristiques probablement généralisables à bien d'autres régions, à bien d'autres secteurs. Caractéristiques de dimensions, d'abord. Si les entreprises textiles du Nord concentrent la majeure partie des « grandes » entreprises du département, il n'en est pas moins vrai qu'il s'agit de grandes entreprises « à la française », c'est-à-dire réunissant de 100 à 500 ouvriers le plus souvent, beaucoup plus rarement plus de 500, très rarement plus de 1 000. En 1914, sur les seize peignages de Roubaix-Tourcoing (1 900 peigneuses) quatre seulement emploient plus de 1 000 salariés (sur un total de 12 000 à 13 000) : Holden, Prouvost, La Tossée, Alfred Motte. Dans le tissage, seules quatre sociétés intégrant la filature dépassent 2 000 salariés (Charles Tiberghien, Tiberghien frères, Leclercq-Dupire, Auguste et Louis Lepoutre). Caractéristiques de structure, ensuite. Nulle part peut-être n'apparaissent mieux les connexions entre structures familiales et structures du capitalisme industriel. On observe en effet dans le textile du Nord une identification étroite et à long terme des différentes branches de cette industrie dominante à un certain nombre de systèmes familiaux qui, sur deux siècles, de l'âge de la société individuelle ou en nom collectif à celui des sociétés par actions ou des holdings modernes, ont servi de support, successivement, au démarrage de l'industrie mécanisée, aux différentes étapes de l'innovation technologique, de la concentration technique et financière, ou à l'établissement des réseaux de solidarité avec d'autres secteurs industriels ou financiers.

Ces excellents observateurs de la réalité économique et sociale qu'étaient les inspecteurs de la Banque de France ne s'y sont pas trompés. En 1880, alors que Roubaix est en pleine phase d'épanouissement industriel, l'un d'eux note : « Les capitaux importants dont jouissent les banquiers, l'intelligence, l'activité avec lesquelles travaillent les industriels et les commerçants, leur fortune personnelle, les alliances de famille qui se font entre ces puissants négociants, le soin jaloux et éclairé avec lequel les pères initient leurs enfants à l'industrie et au commerce, sont les causes diverses qui donnent à cette région une grande prospérité. » Un autre notera en 1887 : « La place est dans une situation excellente, qu'elle mérite, du reste, par son ardeur au travail, son économie, son esprit de solidarité, le perfectionnement continuel de l'outillage et la suite dans la direction. »

Du manoir normand à la ferme aménagée, le train de vie des bourgeois se maintient. L'Illustration, *6 octobre 1923.*

Le Tisserand, *1885, par Paul Sérusier. Senlis, musée Haubergier.*

Ainsi, en peu de traits, le dynamisme extraordinaire de Roubaix et de Tourcoing dans l'industrie de la laine jusqu'aux années 1890, dans celle du coton jusqu'à la première guerre mondiale, se trouve-t-il clairement imputé à un ensemble de qualités principalement intellectuelles et morales, dont la famille est indiquée comme le lieu de maturation. Le rapport d'inspection de 1882 paraît avoir prêté une attention particulière au jeu de la solidarité, qui suggère bien que tout le milieu patronal fonctionne à la manière d'une structure familiale complexe : « Un grand nombre de négociants de la place sont riches ; presque tous sont aisés ; ceux qui viennent à se trouver dans une situation difficile reçoivent, le plus souvent, de leurs parents un appui moral et matériel, par suite d'un développement remarquable de l'esprit de famille et du sentiment de l'honneur commercial. »

Peut-être l'auteur de ces lignes était-il sous l'impression des événements qui venaient alors d'affecter Henri Delattre père et fils, une maison de filature et tissage de la laine. Sous l'effet d'une direction honorable mais vieillie — celle d'Henri Delattre, maire de Roubaix de 1848 à 1855, et qui mourra en 1883 —, l'affaire avait perdu 5 millions dans les dix années précédentes. « Sur le point de suspendre, ils se réorganisent, aidés par plusieurs membres de leur famille. » Dès 1882, la direction passe au frère, Carlos Delattre ; en 1883, on dit qu'il travaille avec « 2 millions fournis par la famille » ; en 1885, une nouvelle société peut être formée, au capital de plus de 3 millions. De quels soutiens s'agissait-il ? Henri Delattre avait pour gendre Julien Lagache, dont le père avait fondé en 1830 une fabrique de tissus pour la confection hommes et dames, travaillant pour l'exportation et pour les maisons de gros de Paris ; entré dans les affaires en 1855, associé de son père depuis 1859, plus tard maire légitimiste de Roubaix, ce gendre était, avec une fortune personnelle d'une dizaine de millions vers 1875, sans doute beaucoup plus riche que son beau-père. Julien Lagache était d'autre part le beau-père des Lefèvre-Ducatteau, une puissante maison de filature et de tissage de la laine qui « jouissait du premier crédit » sur la place de Roubaix depuis un demi-siècle. Victor Delattre, un autre frère d'Henri, était le gendre du grand teinturier roubaisien Descat-Leleux, autre industriel millionnaire, etc.

On connaît en tout cas deux autres exemples de pareils sauvetages, au cours de cette secousse sismique que fut pour les affaires roubaisiennes la crise lainière de 1900. Première affaire, celle de Henri Wattine et Cie, négociant en « laines en tous genres » à Roubaix, marié à une Toulemonde qui lui avait apporté 900 000 F. Ruiné en 1900 (il affronte 12 millions d'engagements, alors que sa fortune personnelle est de 1,5 million), il réussit à faire face grâce à des concours familiaux ; profitant de la remontée des cours de la laine dans les premières années du siècle, ses affaires repartent, et en 1910 on évalue sa fortune à 2 millions. Deuxième affaire, celle de Bossut père et fils. « Riches, gagnent beaucoup » (note de 1880) ; « premier crédit [...], ont fait près de 3 millions de bénéfices en 1886 » (note de 1887) ; plus intéressante encore, cette note de 1883 selon laquelle les associés ont une « grande fortune territoriale en dehors des affaires », indice d'une consolidation des gains qui constitue une indispensable garantie contre l'adversité, dans une profession très instable où les millions se gagnent, se perdent et se retrouvent. Leur comptoir de Buenos Aires faisait à coup sûr de bonnes affaires dans le prêt à gros intérêts aux éleveurs argentins. De surcroît, les fils — Gustave et Georges Wattine, respectivement gendres de Paul et de Jules Desurmont — étaient propriétaires, dans le cadre d'une autre société, de la filature de coton d'Auchy-lès-Hesdin (77 000 broches en 1880). Un autre Wattine, Auguste, commissionnaire en tissus à Roubaix, est aux années 1890 « dans une belle situation de fortune » ; un autre encore, Charles, est fabricant de tissus ; un Louis Wattine, « propriétaire », fait valoir ses millions à Roubaix ; un Bossut-Plichon s'occupe d'armements à Roubaix et Dunkerque, etc.

Il n'est pas ici question de feuilleter toutes les pages du *Ravet-Anceau* dans ses éditions successives, encore moins de s'abandonner à la généalogie pure. Les quelques exemples qu'on vient d'aborder montrent pourtant qu'on ne saurait appréhender complètement et de manière satisfaisante une industrie et ses promoteurs à travers une mesure purement chiffrée et une description purement statistique de ses entreprises et de son patronat. Encore moins, du reste, au moyen de collections de monographies et de biographies. Ce qu'on doit tenter, c'est une approche des structures industrielles à travers le fonctionnement et la reproduction de familles s'agglutinant en groupes et traversant la longue durée. Provisoirement, on simplifiera (et à l'excès, sans nul doute) en une symbolisation des activités et des bourgeoisies liées aux principaux centres urbains, autour d'une histoire imparfaite des familles les plus marquantes.

A l'origine du succès d'Amédée Prouvost (1820-1885), qui en une génération plaça sa firme au premier rang du peignage roubaisien, et de ses descendants qui la hissèrent aux premiers rangs européen et mondial, ont joué à l'évidence toutes les complicités du système familial. Héritier d'une lignée de bourgeoisie plusieurs fois séculaire de la petite ville de Roubaix, petit-fils d'un fabricant figurant en tête des plus imposés de sa ville à la veille de la Révolution, fils d'un filateur et négociant, il a lui-même épousé en 1844 une femme apparentée à une riche famille d'industriels locaux, les Delaoutre. Il a pour beaux-frères Louis, Jean et Henri Lefèvre-Ducatteau, héritiers d'une entreprise intégrée de premier plan, qui emploie alors 1 400 ouvriers. D'abord employé intéressé dans la maison Lemaire (négoce des laines), Amédée Prouvost quitte en 1851 le commerce pour l'industrie, s'associant à ses beaux-frères pour créer un peignage de 21 machines, au capital de 200 000 F, et soutenu par les avances du banquier Decroix. Prouvost et ses associés ne sont pas les premiers arrivés sur le terrain, au moment où la mécanisation du peignage vient de donner le départ à la grande carrière de Roubaix et de Tourcoing dans l'industrie lainière. Allart-Rousseau, à Roubaix, associé à César Scrépel, et surtout Isaac Holden (de Bradford), à Croix, les y ont précédés dès 1846-1847. Holden restera pendant près de quarante ans le plus fort, avant d'être dépassé et de connaître pendant la première guerre mondiale la destruction complète de ses installations, qui ne seront pas reconstruites ; Isaac s'était retiré à Londres, peu avant 1880, avec une fortune d'une vingtaine de millions.

La croissance du peignage Prouvost est très rapide sous le Second Empire ; dès 1875, le capital passe à 4 millions — vingt fois la mise sociale de départ — l'usine employant 1 500 ouvriers et une machine à vapeur de 1 500 ch pour 150 peigneuses. A la seconde génération, l'affaire, constituée en 1891 en société anonyme des Peignages de Roubaix, au capital de 12 millions, reste pourtant familiale, les actions se répartissant par moitié entre les héritiers Lefèvre et les héritiers Prouvost. Ces derniers — les trois frères Amédée, Albert (né en 1855) et Édouard (né en 1861), avaient précédemment été associés à leur père. Ils édifient durant l'avant-guerre des fortunes personnelles honorables ; dans les années 1900, on leur attribue à chacun 2 millions au moins hors de leur affaire. Celle-ci commence en 1910 à évoluer vers une structure de groupe, avec la création de la filature de la Lainière de Roubaix. La guerre n'en entrave pas le développement, cependant qu'elle donne aux Peignages l'occasion d'exploiter une usine à Elbeuf — un cas, parmi bien d'autres, de pénétration de l'industrie textile du Nord dans la région normande. Les Peignages portent en 1921 leur capital à 20 millions, tout en réalisant, à la faveur de gros bénéfices, 25 millions d'investissements :

Deux capitales de l'industrie textile. En haut : Tourcoing, la Grand-Place ; en bas : Lille, la place de la Bourse. Photos des frères Seeberger qui, à la veille de la première guerre mondiale, réalisent des prises de vue documentaires sur les principales villes de France pour un éditeur de cartes postales, puis des reportages industriels pour l'encyclopédie Le Monde et la Science.

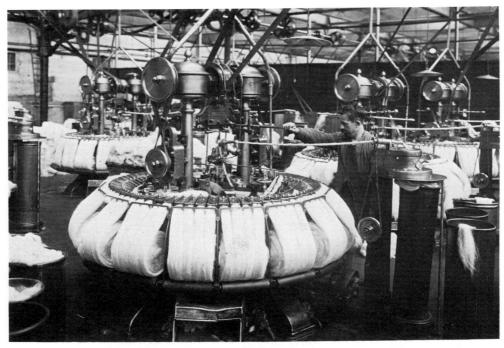

Un atelier de peignage. On travaille les laines longues avec ces peigneuses circulaires. Les rubans sont assemblés de façon à former des nappes larges. Photo Seeberger.

usines agrandies, matériel renouvelé, leur capacité de production devient la première de France. La Lainière, de son côté, porte son capital à 12, puis 15 millions et atteint en 1926 les 100 millions de chiffre d'affaires ; elle prend le deuxième rang national derrière la filature Masurel. La même année, elle inaugure une politique de pénétration du secteur de la distribution commerciale : lancement du fil à tricoter Le Pingouin, vendu par des détaillants que lie à Prouvost un contrat d'exclusivité. Les Peignages, pour leur part, entreprennent d'essaimer à l'étranger : rachat d'une affaire en Tchécoslovaquie ; création d'un peignage aux États-Unis, dans le Rhode Island. Ainsi les Prouvost réussissent-ils à distancer leur autre concurrent initial, Allart-Rousseau, devenu Léon Allart et Cie en 1883, implantés dès cette date à Łódź et à Moscou, mais dont la croissance a été beaucoup plus irrégulière. A la veille de la seconde guerre mondiale, le groupe Prouvost produisait 8 % de la laine peignée produite en France : c'est indiquer les limites du phénomène de concentration dans cette branche, tout en autorisant à traiter d'une telle entreprise comme puissante mais nullement atypique.

C'est à une polarisation partielle du même genre que l'on assiste, à Tourcoing et Roubaix, autour de la famille Masurel. Dans cette famille tourquennoise attestée dès le XVIe siècle, et qui, à partir de 1850, s'intéresse à la fois à l'approvisionnement en matières premières et à leur fabrication, deux branches (pour l'essentiel) doivent être distinguées.

La machine lisseuse enlève la matière grasse de la laine qui vient d'être peignée et étirée. Photo Seeberger.

L'une s'incarne dans la maison Masurel fils, qui s'impose à la fin du XIXᵉ siècle comme la première maison en laines de la place de Roubaix. Sous la conduite de Jules Masurel, elle triple son chiffre d'affaires entre 1875 et 1905 (passant de 30 à près de 100 millions). Après avoir travaillé avec trois frères, Jules Masurel s'est associé au début du XIXᵉ siècle à un fils et un neveu ; tous trois sont crédités en 1907 d'une fortune totale de plus de 30 millions, dont 10 auraient été gagnés depuis 1901. Les comptoirs d'achats s'échelonnent de Melbourne et Sydney à Montevideo, à Buenos Aires et à l'Afrique du Sud. A Roubaix même, les Masurel ne sont pas sans concurrents, ne serait-ce que parce que le négoce de la laine n'est pas vraiment séparé de son travail : dans le groupe Prouvost, par exemple, il y a aussi une maison d'achat de matières premières ; les négociants glissent eux-mêmes à l'occasion vers la filature et le tissage. Parmi les « bonnes » maisons, il faut citer la tribu des Réquillart. Les autres grandes firmes du commerce des laines ont pour base Tourcoing. On y repère un groupe de quatre familles unies par des alliances entrecroisées : les Flipo, les d'Halluin, les Segard, les Six. Une société Flipo et Segard — laines et cotons à Tourcoing et au Havre —, formée en 1885, se prolonge par une société Pierre Flipo, en 1907, et par une société anonyme des Établissements Pierre Flipo, en 1922, dont les actions restent familiales. Le succès de cette firme est considérable dès avant 1914, et plus encore entre les deux guerres : alliances brillantes (avec les Masurel, les Toulemonde, à la seconde génération) ; constitution d'un groupe incluant une filature de coton de 75 000 broches à Tourcoing, un tissage de coton dans l'Eure, un peignage de laine très moderne à Tourcoing ; fortune personnelle importante du chef, estimée 15 millions vers 1925. L'une des affaires de la famille Six, la firme Alphonse Six, paraît avoir engendré une fortune encore plus belle puisque les deux fils, associés et successeurs de leur père, se voient attribuer en 1924 une fortune de 80 millions à deux. Chez Dassonville-d'Halluin, les deux frères Michel et Paul auraient eu dans les années 1920 une trentaine de millions chacun ; Paul achète une écurie de courses de 137 chevaux ; tous deux sont administrateurs du Peignage de la Tossée, à Tourcoing. Il est remarquable de constater que Tourcoing a également fixé Ivan Simonis, la vieille et prestigieuse maison de Verviers, qui au cours du XIXe siècle a déplacé son activité de la production vers la spéculation lainière.

Car c'est bien de spéculation qu'il s'agit, autour de la laine comme des blés, des farines, des huiles — et d'un capitalisme des plus traditionnels au cœur même de l'industrialisation, et souvent en symbiose avec elle. A l'intérieur des Flandres, Roubaix — dont les négociants ont été les premiers à profiter du régime douanier libéral, depuis les années 1860, pour se procurer directement la laine de belle qualité dans les pays neufs, dotée d'un marché à terme depuis 1883, d'une Bourse du commerce depuis 1876, de magasins généraux permettant l'émission des warrants, d'une condition des laines — est, dans le dernier tiers du XIXe siècle, en proie à la double fièvre des créations usinières et des cours de la matière première. Ces derniers sont affectés d'une instabilité chronique, tant en fonction de l'offre que de la demande ; mais ces « coups d'accordéon » ne paraissent pas décourager les gens d'affaires, qui vivent en somme sur le principe très rudimentaire qu'on peut se permettre de perdre beaucoup à condition de gagner plus encore. En 1885, par exemple, baisse des laines ; mais leur hausse pendant la campagne de 1886 « produit des bénéfices énormes tant à Roubaix qu'à Tourcoing, on les estime à 40 millions » (note de la Banque de France). Grosses pertes, de nouveau liées à la baisse des laines en 1890 ; mais la hausse de 1892 permet aux négociants de réparer les pertes des deux années précédentes. Nouvelle baisse en 1893, année où les négociants en viennent à former un consortium pour soutenir les cours. En 1900, on l'a déjà dit, c'est franchement la tempête : Roubaix et Tourcoing y perdent de 80 à 100 millions ; mais la remontée des cours jusqu'en 1906-1907 apporte le miracle et permet de reconstituer les fortunes personnelles à leur niveau antérieur. Flipo et Segard ont perdu 3 millions mais les regagnent. Welcomme, Mathon-Bertrand manquent de sombrer mais repartent tout doucement. Même scénario encore les années suivantes : Alphonse Six perd 2 millions en 1907-1908, mais la perte est plus que compensée par les bénéfices de l'année 1909 ; Léon Allart perd 3,5 millions en 1908-1909 mais fait près de 3,7 millions de bénéfices sur 1909-1910, etc.

L'autre branche, qui s'incarne dans la raison sociale Masurel frères, est issue d'une dissidence de François Masurel à la fin des années 1870, alors qu'il était l'un des quatre frères primitivement associés dans la société Masurel fils. Pour assurer l'avenir de ses trois fils, il monte à Tourcoing une retorderie de fils de laine pour la bonneterie ; elle aura 40 000 broches en 1893, 100 000 en 1914 ; elle fait, en 1896, 500 000 F de bénéfices, elle en fera 10 millions en 1923. Première filature française de laine à la fin des années 1920, elle est en outre implantée à Caudebec-lès-Elbeuf (filature) et aux États-Unis (une autre filature de laine, construite pour 1 million de dollars en 1926). Une fabrique de bonneterie, un comptoir d'achat à Buenos Aires complètent le groupe.

Le destin des Motte

Le plus bel exemple de croissance par bourgeonnement familial reste pourtant celui des Motte. Le point de départ se situe en 1796, à la naissance du fils cadet de Motte-Clarisse, marchand-peigneur de vieille souche tourquennoise ; créateur d'une filature de coton, marié à la fille d'un ancien maire de Roubaix, ce Motte-Brédart engendre une postérité autour de laquelle s'organisent les grandes lignes de l'industrialisation cotonnière à Roubaix-Tourcoing.

L'aîné de Motte-Brédart, Louis (1817-1883), s'installe à Roubaix, et épouse en 1841 Adèle Bossut. La réunion des dots de Louis Motte-Bossut (30 000 F) et de sa femme (50 000 F) avec les fonds de deux associés — un beau-frère, Wattine-Bossut, et un oncle par alliance, Cavrois-Grimonprez — permet dès 1842 la création d'une société, au capital de 600 000 F, pour la filature du coton. Avec ses 18 000 broches *self acting*, qui seront 53 000 dix ans plus tard, c'est la filature géante de la région du Nord. Tout en développant ses propres affaires, Louis installe son beau-frère en lui achetant en 1857 la filature d'Auchy-lès-Hesdin, dans le Pas-de-Calais, haut lieu de l'industrie cotonnière puisque Jean-Baptiste Say y avait, sous le Premier Empire, installé dans les bâtiments d'une ancienne abbaye bénédictine une filature mécanique mue à l'énergie hydraulique, en association avec Isaac-Louis Grivel, banquier protestant d'origine vaudoise établi à Paris ; d'abord associés à deux autres Lillois, les Wattine-Bossut restent seuls propriétaires de l'affaire dès 1870. Louis Motte-Bossut commandite aussi de 800 000 F la filature d'Alfred Delesalle à La Madeleine (1872), fonde la société anonyme de Produits chimiques de Croix (1873), avant de se retirer, riche de 4 millions, dans sa propriété de Lannoy (1879).

Sous la raison sociale Motte-Bossut et fils, l'affaire est continuée par les deux fils, et sous la direction du cadet, Édouard Motte-Lagache. On a vu plus haut ce que pouvait signifier une entrée dans la famille de Julien Lagache. Édouard se retire peu après 1910, avec une fortune évaluée à 8 millions, et après avoir doté chacune de ses deux filles de 600 000 F. Il cède la direction à son neveu Georges Motte-Wattine, dont l'épouse est riche de 3 millions. En 1906, l'affaire a été constituée en société anonyme, mais le capital (3 millions, porté à 24 en 1926) est aux mains de dix-huit associés de la famille Motte.

Le second fils de Motte-Brédart, Étienne, a par son mariage fondé une autre branche, celle des Motte-Dewavrin, restés à Tourcoing et dévoués à la filature de la laine. L'affaire reste de dimensions modestes jusqu'à la fin du XIXᵉ siècle ; mais à la troisième génération, ses propriétaires, les frères Alphonse Motte-Jacquard et Joseph Motte-Bernard, créent une seconde usine à Mouscron (de l'autre côté de la frontière belge) en 1908, sous la raison sociale Motte et Cie — filature de laine et fabrique de bonneterie —, et une troisième en 1920, les Draperies de Roncq, au capital de 6 millions, destinée à absorber la production des filatures. Les Motte-Dewavrin possèdent encore une autre filature dans la Manche, à Saint-Hilaire-du-Harcouët.

Entre les trois garçons, s'intercalent deux filles Motte-Brédart, devenues Delfosse-Motte et Dazin-Motte. Cette dernière est entrée par son mariage dans une famille de solides filateurs de coton et commissionnaires en tissus (Philippe Dazin, son beau-père, est sous la monarchie de Juillet le plus fort censitaire parmi les industriels de Roubaix).

Le troisième fils, cadet des enfants Motte-Brédart, Alfred (1827-1887), de six ans le cadet de Louis Motte-Bossut, est à l'origine de l'édification d'une structure industrielle complexe et particulièrement brillante. Il débute en 1852 à Roubaix comme teinturier « en matière » (sur fils), en association avec son aîné ; expérience décevante, à la suite de laquelle il reprend sa liberté. Il inaugure alors une formule originale d'association, dans laquelle il multiplie les unités techniques d'une production intégrée, dont il reste le chef et le financier, mais dont la gestion est confiée à des techniciens recrutés par ses propres soins et qui ne sont, au moins à l'origine, que des directeurs appointés. C'est d'abord le cas, en 1858, des frères Meillassoux, cinq Creusois originaires des environs de Guéret, d'abord employés à Suresnes chez les teinturiers-apprêteurs Terrier-Bernadotte (ce dernier est apparenté au roi de Suède). Ainsi naît la société Motte & Meillassoux frères. En 1872 est créée une deuxième société, Motte, Legrand et Mille, pour la filature de la laine (28 000 broches). En 1876, naît une troisième société, Motte et Blanchot, pour la filature du coton (20 000 broches). Viennent ensuite les créations majeures du groupe en 1878, le peignage de laines Alfred Motte et Cie, dont le directeur commercial est Eugène Motte, deuxième fils d'Alfred, et le directeur technique Gabriel Meillassoux, fils aîné de Jean-Baptiste, le second des Creusois de la première génération : ainsi s'amorce l'assimilation des employés de naguère au patronat proprement dit, et la constitution des Meillassoux en une dynastie industrielle ; assimilation d'autant plus franche que les mariages vont suivre : Louise Meillassoux, fille de Jacques, l'aîné des cinq frères, épouse Étienne Motte, un neveu d'Alfred, qui crée pour lui en 1887 une filature de coton. En 1884, naît le tissage de coton Les Fils d'Alfred Motte (400 métiers). Aux créations d'Alfred Motte, il faut encore ajouter Motte et Bourgeois (1873), pour la teinture des pièces en drap, et une brasserie montée au bénéfice de son neveu et filleul Alfred Dazin (1877).

A la mort d'Alfred Motte, le groupe est repris et amplifié par ses fils : Albert, Eugène et Alfred. Leur père semble ne leur avoir laissé que 400 000 F en liquide, mais plus de 5 millions en immeubles et participations industrielles.

Eugène développe la branche du peignage, auquel il adjoint la filature et le tissage. En effet, il est avant tout le gérant, depuis 1887, du peignage Alfred Motte et Cie à Roubaix, importante affaire au capital de 2,6 millions, réparti familialement en 52 parts de 50 000 F ; le financement en avait été complété par l'émission de 1,5 million d'obligations. En 1893 sont montées de nouvelles peigneuses, de type allemand. En 1907, le capital sera doublé, puis porté après la guerre à 12,5 millions. Par ailleurs, Eugène Motte est l'homme de l'expansion à l'étranger. En 1889, il crée à Łódź un peignage et une filature, dans des conditions d'ailleurs difficiles ; la broche, installée pour 60 F à Roubaix, a coûté 200 F à Łódź ; il a fallu engager 6 millions, et autant pour le roulement annuel ; pendant de longues années, aucun dividende ne sera distribué. La nouvelle firme, Motte, Meillassoux et Caulliez, est de type plurifamilial elle aussi, mais constituée désormais sur un pied d'égalité. Côté Meillassoux, c'est Gabriel qui est essentiellement en cause. Ce grand homme d'affaires, domicilié aux premières années du XXe siècle dans le 16e arrondissement parisien, est en même temps l'associé de Motte et Meillassoux frères (nouvelle raison sociale de l'unité de teinture et d'apprêt de Roubaix) et de Motte et Delescluse frères, autre unité du même genre, associant les fils d'un technicien illettré jadis engagé par Alfred Motte. Mais Gabriel Meillassoux est aussi le fondateur et administrateur de la Société d'exploitations industrielles et agricoles, de Dupont, Meillassoux et Cie — sucrerie et raffinerie créée en 1900 à Ripiceni, en Haute-Moldavie —, d'une société anonyme de sucrerie et raffinerie en Bulgarie. Quant aux Caulliez, il s'agit d'une puissante famille de Tourcoing, se répartissant entre une maison de laines et cotons (Caulliez père jusqu'en 1880, ses fils Henri et Alexandre après lui) et une affaire de peignage et filature, aux mains de cousins des précédents, sous la raison sociale Caulliez père et fils et Delaoutre (75 000 broches à filer et à retor-

A Mulhouse, une filature de coton à la fin du siècle dernier. Lithographie en couleur de P. Ferat, 1889.

dre en 1914). Les difficultés rencontrées à Łódź ne dissuadèrent pas Eugène Motte de créer un autre établissement à Częstochowa, en 1900, puis à Lublinitz, en Haute-Silésie, en 1910. La Częstochowienne, filature de coton et de jute, où 15 millions de capitaux ont été engagés, est en pleine prospérité en 1914.

Albert Motte, l'aîné des fils d'Alfred, conduit pour sa part le développement de tous les autres établissements du groupe. Outre les unités de teinturerie citées ci-dessus, et celle de Motte et Bourgeois, où les trois fils Motte restent associés aux trois frères Bourgeois, il s'attache principalement à la filature de laine de Roubaix, devenue en 1890 Motte et Picavet, puis Motte frères en 1895, et finalement Motte frères et Porisse en 1905 ; après avoir survécu à des pertes considérables lors de la crise lainière de 1900, elle connaîtra une très forte expansion dans les années 1920, années de grandes exportations et de gros bénéfices. Son capital initial de 600 000 F sera alors porté à 25 millions, dans le cadre d'une SARL animée désormais par Eugène Motte et son neveu Fernand, et par Jules Porisse et son fils Raphaël. Dans la branche cotonnière du groupe, Motte et Blanchot, la filature de Roubaix poursuit sa carrière entre les mains des trois fils d'Alfred Motte et de Blanchot-Wattine ; le tissage Les Fils d'Alfred Motte (velours de coton, à Roubaix) s'augmente d'une filature ; Étienne Motte et Cie, filature à Roubaix, aux mains des héritiers Motte et Meillassoux, aura en 1907 un capital de 2,8 millions et 65 000 broches. Entre les deux guerres, le groupe Motte prend le contrôle d'affaires alsaciennes, comme la Société cotonnière de Mulhouse ou Raphaël Dreyfus.

Transport des pièces de tissu à Roubaix, vers 1910.

Vers 1907, le groupe comprend une douzaine d'établissements, au capital total de plus de 11 millions. Mais quelle que soit la diversification des sociétés, et en dépit de la dissémination des participations qui s'accentue fortement à la troisième génération, l'unité du groupe familial est maintenue grâce au rôle de chef et d'animateur incontesté que tiennent quelques fortes personnalités. A cet égard, c'est Eugène Motte qui apparaît comme le véritable successeur de son père Alfred. Maire et député de Roubaix avant la première guerre mondiale, riche personnellement d'une vingtaine de millions, il est dans les années 1920 l'âme de tout le groupe comme des affaires qu'il dirige personnellement, appuyé par son neveu Fernand. Du point de vue social, Eugène Motte renforce ses positions par un mariage qui fait de lui le beau-frère d'Eugène Mathon, chef d'une maison fondée en 1880, associé peu après à Henri Dubrulle, et plus tard également à François Roussel et à Louis Glorieux — ce dernier est l'acquéreur de la manufacture de Pierrepont (Meurthe-et-Moselle) qui avait été le berceau de la fortune des banquiers Seillière. Tous ces noms nous introduisent dans le monde des meilleurs fabricants de drap de Roubaix ; Mathon lui-même développe la production des tissus de laine pour la confection (notamment l'article moyen pour la consommation masculine). Comme les Motte, il manifeste un esprit très combatif en construisant le tissage d'Andrew's Mill, à Frankfort près de Philadelphie, pour lutter contre les effets du *bill* protectionniste McKinley, puis un second tissage au début du XXᵉ siècle. Après la première guerre mondiale, Eugène Mathon laisse la conduite de ses affaires à Maurice Dubrulle et à Henri Rasson-Mathon, son gendre, pour se consacrer à une action philanthropique ou professionnelle d'esprit à la fois corporatiste et chrétien.

Notons enfin que le dynamisme du groupe Motte apparaît encore dans sa capacité de « grignotage » des positions de ses confrères. C'est bien ce qui apparaît, au début du XXᵉ siècle, dans ses relations avec le groupe Desurmont, dont les Motte rachètent les investissements en Europe orientale. Les Desurmont sont une famille d'origine tourquennoise, comme les Motte, mais restée fidèle à Tourcoing : elle comprend, pour l'essentiel, deux branches. L'une, représentée dans la firme Jules Desurmont et fils, travaille les laines peignées et filées et fabrique de la bonneterie de laine ; elle connaît une forte expansion au XXᵉ siècle sous la gestion de Georges Desurmont (1866-1928) ; avec un capital porté jusqu'à 35 millions en 1928, et les 70 millions d'obligations qui ont été émises pour racheter des bonneteries, elle est alors au premier rang des maisons et des fortunes de Tourcoing ; mais en 1929, la mésentente entre les associés provoque son changement de mains : elle est à son tour rachetée, pour le prix énorme de 140 millions, par le gérant Michel Desurmont (fils de Georges), par Jean Ségard-Desurmont, et par la banque Oustric pour un tiers environ. L'autre branche apparaît sous la raison sociale Paul Desurmont, également spécialisée dans la filature de laine pour la bonneterie et propriétaire, depuis les années 1890, de deux filatures à Moscou et à Łódź ; ce sont elles que Desurmont cède au groupe Motte en 1908, pour 7,3 millions de francs — somme que Paul Desurmont, tout en conservant un intérêt dans les usines russes, consacre à créer en 1909 une filature de coton de 20 000 broches et à doter de 500 000 F chacun de ses enfants.

Partout, des entreprises familiales

A Tourcoing, le travail de la laine a trouvé un autre point d'ancrage dans la famille Tiberghien, dont la fortune dans le commerce des laines remonte déjà, vers 1900, à trois générations, et la fortune industrielle, comme pour les Prouvost de Roubaix, au début de la seconde moitié du XIXᵉ siècle. En créant la société Charles Tiberghien frères, Charles Tiberghien (1825-1907), associé à ses frères Louis (l'aîné) et Jules, et soutenu par son ami le banquier Jean Joire, se lance dans le tissage mécanique dès 1860, puis dans le peignage et la filature. Il a épousé en 1858 Élise Lepoutre, sœur de l'industriel roubaisien Auguste Lepoutre, auquel il apporte son soutien financier sous la forme d'une commandite de 2,5 millions ; la croissance de cette affaire (peignage, filature, tissage et fabrique de bonneterie) est, jusque vers 1890, indissociable de celle de Charles Tiberghien, qui pour sa part passe à cette date pour avoir « l'établissement le plus considérable de Tourcoing » (40 000 mètres de tissu par jour). Sa fortune est alors estimée à 10 millions, dont 7 millions en immeubles et en outillage.

En 1894, la firme se dissocie. Charles Tiberghien frères devient Charles Tiberghien et fils, par association entre le fondateur et ses trois fils : Charles Tiberghien-Vandenberghe, Paul Tiberghien-Toulemonde et Joseph Tiberghien-Flipo. En 1902, Charles Tiberghien-Lepoutre, le père, se retire des affaires actives mais laisse la moitié de sa fortune dans la société. Les patronymes mettent en évidence la qualité des alliances contractées par les fils : on connaît déjà les Flipo ; quant aux Toulemonde, il s'agit d'une famille issue de Floris (1796-1873), fils de propriétaires-cultivateurs, marié à une Destombes et le premier d'une lignée de cinq générations d'industriels. Elle est représentée, au début du XXᵉ siècle, par au moins deux maisons très actives dans le commerce des tissus de laine, et se taille après la première guerre mondiale une part importante dans le secteur du coton en créant les Sociétés cotonnières du Touquet et d'Armentières. A la mort de leur père en 1907, les fils Tiberghien, riches ensemble de

25 millions, poursuivent sur une brillante lancée : l'affaire dispose de 70 000 broches, 1 200 métiers, réalise une vingtaine de millions de chiffre d'affaires annuel, est implantée en Hongrie et aux États-Unis.

En 1921, une nouvelle scission aboutit à la constitution d'une société anonyme des Établissements Charles Tiberghien-Vandenberghe et fils, sous la conduite de Charles Tiberghien-Vandenberghe et de son fils Charles Tiberghien-Breuvart (allié à une riche famille d'Armentières) ; le capital est porté à 35, puis 50 millions dans les années 1920, les installations sont agrandies. D'autre part se forme la société anonyme des Établissements Paul et Jean Tiberghien (frères de Charles), au capital de 23 millions, cependant que peignage et teinturerie sont laissés dans l'indivision.

L'autre société née de la scission de 1894 a repris la raison sociale de Tiberghien frères, rassemblant les quatre fils de Louis Tiberghien, frère aîné du fondateur, à savoir : Louis Tiberghien-Motte, chef de la maison ; Émile Tiberghien-Desurmont ; François Tiberghien-Masurel ; René Tiberghien-Flipo. La société est conclue pour cent ans... Elle fait travailler 40 000 broches et 1 000 métiers. Les quatre associés, en 1897, possèdent ensemble 20 millions, dont un tiers appartient à leurs femmes, et dont la ventilation est la suivante : 6 millions en capital, marchandises et créances, 4 millions en immeubles industriels et matériel, 2,5 millions en participation chez Auguste Lepoutre, enfin 7,5 millions en capitaux « en dehors de leurs affaires ». Bientôt seront intéressés à la société deux fils de René : Tiberghien-d'Halluin et Émile Tiberghien-Breuvart, et un fils de Louis, Tiberghien-Caulliez. Le chiffre d'affaires est d'une quinzaine de millions au début du XXe siècle ; un tissage est créé à Vérone en 1907.

Quant à la maison Auguste Lepoutre, elle sort de l'ombre des Tiberghien ; au renouvellement de 1905, il apparaît que la commandite a été remboursée ; Auguste Lepoutre et Cie, associant les frères Auguste Lepoutre, Louis Lepoutre-Caulliez et leur beau-frère Paul Vandenberghe-Lepoutre, est maintenant un groupe contrôlant sous sept raisons sociales différentes des usines en France (d'une valeur de 6 millions), en Allemagne et aux États-Unis (la Lafayette Worsted Co., à Woonsocket, Rhode Island, depuis 1899).

A Lille, on trouve dans le monde des filateurs et filtiers en coton et en lin des exemples aussi peu réfutables de constructions familiales garantes, à la fois, du succès et de la durée.

La dynastie des Thiriez est issue de Julien (1808-1860), créateur d'une filature de coton à Lille en 1833, d'une autre à Esquermes en 1845 ; il mit 2 000 F dans sa première société, et 49 000 F dans la seconde... De ses cinq fils, l'aîné, Alfred (1833-1903), fonde à son tour sa propre affaire en 1853 ; mais les deux fusionnent en 1857 sous la raison sociale Julien Thiriez père et fils, ne réunissant encore que 17 000 broches. Après 1860, quatre fils (Alfred, Julien né en 1837, Louis né en 1840, Léon né en 1845) restent propriétaires associés de l'affaire et lui donnent une orientation complémentaire : la fabrication du fil à coudre de coton, au moment où la machine à coudre commence à se diffuser dans différentes fabrications industrielles ; en fait, les Thiriez se spécialisent dans les fils fins pour le tulle, la rubanerie, la ganterie, la bonneterie. Les usines réunissent 40 000 broches en 1869, 140 000 en 1889 (dont 50 000 pour le retordage), mises en œuvre par plus de 1 500 salariés. Dès 1880, la maison occupe le premier rang de la filature de coton lilloise et nationale. A la fin du siècle, MM. Thiriez sont une puissance économique, sociale et politique. En 1895, l'inspecteur de la Banque de France leur attribue une fortune de 60 millions ; Alfred est le président du conseil d'administration de la banque Devilder ; appartenant (selon le préfet

Intérieur d'une filature, vers 1910.

du Nord) « au parti réactionnaire clérical de la nuance la plus accentuée », il est aussi l'un des principaux commanditaires de *La Dépêche*, un quotidien local d'opposition fondé en 1881. Il est également un patron « social », ayant son propre programme de logements et d'œuvres pour les ouvriers — un cas qui ne se présente, dans le textile du Nord, que dans un nombre limité de grandes entreprises.

En 1926, la société prend la forme de SARL, au capital de 37 millions réparti alors entre quarante-cinq associés. C'est l'époque du lancement du fil à coudre de la marque Tête de cheval, fabriqué dans les usines de Loos et de Lille. Cette consolidation de la position dans la filterie prépare l'offensive des récentes décennies qui donnera à l'affaire la quasi-maîtrise du marché. Dès 1930, Thiriez groupe 300 000 broches à filer et 200 000 broches à retordre, sur les 1 600 000 et 800 000, respectivement, que comptent les trente-cinq filatures de Lille et de sa région.

Pierre Delebart (1818-1898) est presque le contemporain de Julien Thiriez. Constructeur de métiers à filer à Lille (1839), puis filateur de coton (1842), il épouse la fille d'un autre filateur lillois, Mallet. La firme Mallet et Vantroyen, créée en 1830, et continuée par Mallet frères en 1853, est alors en tête des filatures lilloises, avec ses 25 000 broches ; mais, vers 1870, elle est dépassée par Thiriez et par Wallaert. Cependant, Pierre Delebart-Mallet revient aux premiers rangs en rachetant en 1880 la filature de ses beaux-frères Mallet ; il regroupe alors quelque 80 000 broches. Il construit en 1892 une troisième filature, de 40 000 broches. On lui attribue dès ce moment une fortune considérable, dont la seule partie immobilière — sept hôtels et une cité ouvrière à Lille — se monte à 6 millions.

Des fils du fondateur, l'un, Auguste, est brasseur à Douai ; mais l'autre, Georges, né en 1858, sans aucun grade universitaire, travaille à la filature depuis 1879, associé à son père depuis 1888. L'entreprise passe en 1901 au statut de société anonyme (Établissements Delebart-Mallet fils, au capital de 10 millions). La spécialisation se fait ici dans les fils fins et extra-fins pour l'industrie calaisienne de la dentelle, pour la fabrication de la mousseline et de la tarlatane. Administrateur du Crédit du Nord, Georges Delebart succède aussi à Julien Le Blan à la présidence du Syndicat des filateurs et retordeurs de coton de Lille. Ayant construit à Mons-en-Barœul, au début des années 1910, une quatrième filature, il contrôle alors 200 000 broches.

Thiriez et Delebart-Mallet ont été accompagnés dans leur croissance par la famille Wallaert. Fixée à Lille depuis le milieu du XVIIIe siècle, elle a d'abord compté des négociants, puis donné naissance dans la première moitié du XIXe siècle à diverses sociétés de filature et de tissage du lin et du coton, qui fusionnèrent en 1869 sous la raison sociale Wallaert frères, contrôlant alors 50 000 broches. Dès 1870 était lancée la marque de fil à coudre Au Louis d'or. En 1911, la société est entre les mains des héritiers d'Auguste Wallaert, avec un capital de 7 millions, et groupe trois filatures (105 000 broches) et deux retorderies (70 000 broches), auxquelles s'ajoutent le blanchiment, la teinture, et 500 métiers à tisser entre deux ateliers à Lille et Halluin. Ici encore, on passe en 1926 à la forme de SARL, au capital de 50 millions.

La filterie lilloise a compté plusieurs autres maisons respectables par leur ancienneté et la qualité de leurs produits, mais beaucoup moins puissantes. Citons Philippe Vrau et Cie, à qui sa marque de fil Au Chinois a procuré une belle fortune grâce à la clientèle des communautés religieuses (entre lesquelles, du reste, il redistribua largement ses bénéfices).

Dans le secteur du lin, l'histoire du patronat lillois est à l'évidence dominée par la dynastie des Agache. Donat Agache, issu d'une famille d'agriculteurs de Hem, lui-même négociant en lin brut, passe à la filature du lin en 1829, en société avec Florentin Droulers, fils d'un distillateur de Loos. Ils travaillent avec les métiers de bois mis au point par David Vandeweghe, un neveu de Liévin Bauwens venu s'établir à Seclin vers 1820 comme filateur-retordeur de lin et constructeur de machines. L'entreprise atteint vers 1840 la taille déjà respectable de 6 000 broches.

Parallèlement, Julien Le Blan, d'une famille de négociants en toiles de Solre-le-Château, qui s'était dès le début de la Restauration lancé dans la filature de coton, passe en 1838 à la filature de lin, s'installant à Pérenchies, avec 6 000 broches lui aussi. Il est commandité par Alexandre Beaussier (1790-1860), qui fut directeur de la Monnaie de Lille de 1817 à 1841, un riche « capitaliste » dont on retrouve les investissements dans nombre d'affaires industrielles et ferroviaires. En faillite en 1848, l'entreprise Le Blan est rachetée par Agache et Droulers, qui la font prospérer jusqu'en 1872, année où ils se séparent. Droulers conserve l'usine de Lille, une affaire qui évoluera honorablement mais sans éclat dans la voie de la filterie, se spécialisant dans les fils pour la cordonnerie. Agache, en revanche, obtient l'usine de Pérenchies, qui va connaître sous son fils Édouard (1841-1923) et son petit-fils Donat (1882-1929) une expansion considérable. Transformée, sous la présidence d'Édouard Agache, en société anonyme des Établissements de Pérenchies (1888), au capital de 4 millions, comprenant, outre quelques centaines de métiers à tisser, 19 000 broches vers 1893, mais 55 000 en 1914, employant 3 500 salariés et faisant une trentaine de millions de chiffre d'affaires, elle contrôle à la veille de la première guerre mondiale 10 % de la capacité française de sa branche. Encore une fois, la position sociale apparaît à la mesure même de la réussite industrielle : premier producteur, secrétaire du Comité linier, il a en 1872 épousé Lucie Kuhlmann, tandis que sa sœur Julia épousait le fils de Frédéric Kuhlmann. Dès 1873, Édouard entre au conseil d'administration de la Manufacture des produits chimiques du Nord, avant d'en prendre la présidence (1897-1919). Donat Agache, à son tour, prend place au conseil d'administration en 1914. Ainsi Kuhlmann, incidemment, apparaît-elle comme également plurifamiliale.

Complètement détruite à la première guerre mondiale, l'usine de Pérenchies est reconstruite et agrandie. La société, dont le capital est porté à 12 millions en 1920, puis à 50 en 1929, entre dans une phase nouvelle d'expansion par le développement de l'intégration (achat d'une filature à Seclin, d'un tissage à Armentières, d'une blanchisserie au Pont-de-Nieppe) et par l'incursion hors du secteur linier (rachat de la retorderie de coton A. Saint-Léger et Cie, à La Madeleine). En 1929, Agache dispose de 15 % de la capacité française de filature du lin (avec 70 000 broches, dont 17 000 pour la filature au sec et 52 000 au mouillé) ; s'y ajoutent 33 000 broches pour le coton et 630 métiers. Les bénéfices en ces années sont plus que confortables : 11 millions en 1924, 13 en 1928 — permettant de distribuer aux actions jusqu'à 25 %.

A cette date, la firme Le Blan est loin d'avoir disparu de la place. Ayant repris en 1855 la filature du lin, Julien Le Blan s'oriente également vers le coton à la fin du Second Empire. Selon un processus courant, qui voit coïncider la multiplication des unités de production avec la prolifération des familles, la firme éclate en 1888. Paul Le Blan et ses fils poursuivent la filature du lin, avec le plus vif succès : retiré dès avant 1914, le père a gagné une fortune de 20 millions, en partie consolidée dans l'immobilier ; en 1930, la filature est la plus grande usine de France au mouillé (57 000 broches). L'autre société est celle d'Émile Le Blan, plus tard associé à ses fils Émile et Jacques et à ses neveux Julien et Pierre. Elle développe la filature du coton ; très prospère dès avant 1914 (l'usine est estimée alors à 8 millions), elle porte son capital à 35 millions en 1926, et élargit sa place en créant la Société cotonnière lilloise (90 000 broches à filer en 1929, 35 000 broches à retordre, 1 500 ouvriers, en deux usines à Lille et à Canteleu), dont elle partage le contrôle avec les Wallaert et les Thiriez.

Quant à la descendance de Vandeweghe, l'homme dont le matériel — adapté tant bien que mal au métier à filer le coton — avait fait la première fortune d'Agache-Droulers, elle reste elle aussi présente dans la filature lilloise du lin. Elle se renforce vers la fin du XIXe siècle d'une double alliance matrimoniale avec les Delesalle, eux-mêmes filateurs de coton et membres d'une vieille puissante famille de négociants et d'industriels, alliée aux Desmedt, et qui a donné plusieurs hommes politiques à Lille et à sa région.

L'autre « héros » du développement de la filature mécanisée, dans l'industrie linière, est Antoine Scrive-Labbé. Fils d'un négociant lillois qui a ramené en 1834 de Grande-Bretagne les modèles de machines à filer le lin, dont la paternité revient à Philippe de Girard mais qui équipaient les usines de Belfast, Dundee ou Leeds, il s'est alors lancé dans l'édification d'une manufacture intégrée, en association avec le mécanicien-constructeur Boyer, pionnier de la machine à vapeur à Lille, et avec l'aide d'un directeur et d'un contremaître anglais. L'affaire se développe à la génération suivante, sous la conduite des frères Émile et Auguste Scrive mais, tout en enrichissant confortablement ses propriétaires, elle n'atteint pas une taille de premier rang. La mécanisation permet d'autre part la montée des noms qui, dans la filterie de lin, accompagnent sur un mode plus discret l'ascension des Agache : les Crespel, les Descamps, parfois associés et alliés, répartis eux aussi entre plusieurs firmes spécialisées.

Des chefs d'entreprises tels qu'Albert Crespel ou Alfred Descamps, de part et d'autre des années 1900, ont joué un rôle de grands notables économiques de la région, partageant avec les Scrive le contrôle des mines de houille ou celui des principales banques. Plusieurs fois millionnaire dès avant 1914, un Alfred Descamps est dans les années 1920 une figure de premier plan du département du Nord : président de la Chambre de commerce de Lille, du premier « groupement économique » (aux origines de la régionalisation), du Syndicat des filateurs de lin et de chanvre de France, vice-président des Mines de Lens, administrateur de la Banque générale du Nord et de la Banque de France, etc. Ajoutons pour finir que la gloire industrielle d'Armentières dérive dans quelque mesure de Lille, puisque c'est de cette ville que partit Auguste Mahieu-Delangre (1805-1880), d'une vieille famille de négociants lillois, pour créer à Armentières, à partir de 1839, la plus puissante affaire locale de filature et de tissage mécaniques du lin — développée ensuite par son fils Auguste Mahieu-Ferry (1834-1900) dont les héritiers, vers 1913, sont crédités d'une fortune de 40 millions.

Sautons une ou deux étapes — la secousse des années 1930 ; le redémarrage économique d'après la Libération — pour évoquer les références très contemporaines qui nous sont le plus familières, et correspondent à la phase de croissance et de concentration précédant la crise de structure des années 1970, qui n'a pas fini de produire tous ses effets.

On est frappé de constater que, dans cet ultime épisode de prospérité, la personnalisation de l'industrie textile du Nord paraît plus forte que jamais. Dans un patronat où se côtoient les représentants de familles désormais antiques, et ceux de dynasties plus fraîchement constituées, les patronymes illustres ont pour l'opinion une force symbolique au moins égale à celle des raisons sociales ou des sigles des grandes sociétés anonymes ; prestige qu'ils tirent d'un élargissement récent de leur place sur le marché, ou célébrité parfois amplifiée par certaines chutes, entourées d'une atmosphère de drame ou de scandale.

Dans la laine, la concentration profite essentiellement à la famille Prouvost, sous la forme d'une intégration et d'une diversification du groupe. Tout en conservant, dans les années 1950, la première place en Europe continentale pour le peignage et la filature, Prouvost mise alors avant tout sur l'expansion de la bonneterie et du fil à tricoter : le réseau de magasins des laines du Pingouin compte, vers 1975, quelque 1 500 points de vente ; les vêtements de maille s'écoulent sous les solides marques Korrigan et Rodier ; la fabrication des chaussettes a pris également un grand essor. Autour de 1970 s'opèrent les regroupements majeurs : fusion (1966) avec les filatures François Masurel frères, deuxième entreprise française dans sa branche, en fait déjà dirigée par un neveu de Jean Prouvost ; reprise (1971) des Peignages Alfred Motte, puis Fouan ; achat des Tissages Louis Lepoutre, troisième affaire française de tissus d'habillement — ce qui permet à Prouvost de partager avec Paul et Jean Tiberghien les premières places de l'industrie nationale de ces étoffes. En 1973, la Lainière de Roubaix prend la forme d'une holding, sans que le contrôle familial cesse pour autant d'exister.

Mieux encore, il arrive qu'une firme familiale de second plan connaisse dans les années 1950-1975 une promotion qui la porte au niveau des grands groupes plus anciennement assis. C'est le cas de la maison Mulliez, tissage roubaisien prospère dès le XIXᵉ siècle, mais dont la « percée » est liée à l'expansion récente de son fil à tricoter de la marque Phildar. C'est ce qui lui permet aussi bien d'absorber en 1974 Caulliez-Delaoutre, que de lancer, dès 1964, la société Auchan, dont le premier supermarché a réutilisé les locaux d'une ancienne usine textile.

Dans son bel immeuble construit en 1866 sur la rue du Pont-Neuf, comme dans ses succursales de province, La Belle Jardinière offrait entre les deux guerres « le plus grand choix de vêtements dans tous les genres, pour tous les âges, toutes les professions et toutes les circonstances ». L'Illustration, 28 mai 1927.

Dans le coton, une concentration analogue s'opère autour de la famille Thiriez. En 1961, en effet, les deux grands filtiers de coton français fusionnent : Thiriez et Dollfus-Mieg ; c'est la raison sociale mulhousienne qui est conservée, en raison de sa notoriété sur les marchés d'exportation et de sa cotation en Bourse ; mais ce sont les Lillois qui possèdent la majorité du capital et occupent les principaux postes de direction. Là aussi, la transformation en holding accompagne les opérations de concentration et de diversification. Concentration d'abord : absorption de Droulers-Vernier, spécialiste du fil à coudre pour l'industrie du cuir (1964), du fil à coudre Schlumberger de Guebwiller, achat de la branche filterie de coton d'Agache, absorption de Wallaert frères, spécialiste du fil à coudre industriel. Diversification : extension des activités par achats ou participations majoritaires dans le linge de table ou de maison, les tissus d'habillement, les fermetures Éclair, les tapis, et même la laine à tricoter et… l'édition.

Enfin, l'histoire récente de l'industrie linière et cotonnière illustre avec éclat le constant renouvellement du dynamisme des affaires familiales avec l'ascension des Willot. Famille originaire de l'Aisne, étrangère donc au noyau géographique et social ancien auquel on a eu affaire jusqu'à présent, elle s'installe en 1907 à Roubaix dans la fabrication de tissus de coton pour les pansements et articles d'hygiène ; elle passe après 1945 à la filature et s'établit à Wasquehal, la rapidité de la croissance de la firme étant liée à celle du marché des articles paramédicaux. Au milieu des années 1950, les quatre frères Willot, qui appartiennent à la troisième génération et contrôlent avec leur mère les trois quarts du capital social, sont prêts pour une conquête qui, de 1959 à 1968, est avant tout celle du secteur cotonnier : fusion avec Dazin-Motte ; reprise de filatures et de tissages dans la Haute-Normandie et l'Est de la France, de la vieille et puissante affaire de tapis des Lorthiois-Leurent à Halluin, des principales affaires picardes (filatures saint-quentinoises et velours Cosserat à Amiens) ; ainsi le chiffre d'affaires passe-t-il de 6,5 à 215 millions de 1955 à 1966. Puis 1967 inaugure la sortie hors du secteur d'origine et la percée dans le secteur linier, l'absorption d'Agache — un quart de la production française des fils de lin au début des années 1960 et une grande marque de linge de maison — faisant passer le chiffre d'affaires à 537 millions et provoquant la constitution du holding Société foncière et financière Agache-Willot. Bientôt, c'est un autre nom prestigieux de l'ancien capitalisme lillois qui passe sous le contrôle de cette famille de nouveaux venus : la filature et le tissage de lin Alfred Descamps à Linselles, parmi d'autres, sont absorbés. En 1969, les Willot sont en mesure d'absorber le groupe Saint frères, pénétrant ainsi dans le secteur du jute ; l'affaire, qui emploie 6 000 personnes et réalise un chiffre annuel de 500 millions, avait elle-même absorbé le Comptoir linier en 1966. Les Willot y ajoutent la même année l'usine Carmichael d'Ailly-sur-Somme, l'une des pionnières de la mécanisation du textile dans cette vallée au XIXᵉ siècle. Enfin, c'est l'extension — plus spectaculaire encore pour les non-initiés, et manifestant la percée d'une puissance financière et industrielle provinciale sur le marché parisien — à la confection et aux grands magasins : *La Belle Jardinière* (avec ses usines de Paris, Douai, Flines-les-Raches) et *Au Bon Marché* passent entre les mains des Willot.

Il faut bien sûr, au terme de cette démonstration, s'efforcer de passer du plan de la monographie locale, fût-elle d'un grand poids, à celui de tout un secteur industriel et de tout un pays. Qu'advient-il alors du schéma ?

PATRONS DU NORD

Et d'abord, qu'en est-il des structures internes de l'industrie textile de la région du Nord plus largement comprise ? Entendons-nous bien : il est hors de question de s'attendre à l'irruption de quelque structure dominante autre que celle de l'entreprise familiale. En revanche, même à l'intérieur d'une seule industrie envisagée dans une aire géographique plus large, il importe d'essayer d'atteindre la diversité sociologique et régionale de patronats qui ne sont pas purement réductibles les uns aux autres, et dont les particularités indéniables sont un des éléments des disparités économiques à l'intérieur du cadre national, entrant en combinaison avec d'autres facteurs techniques, humains ou macroéconomiques.

Hors de Lille-Roubaix-Tourcoing, d'Armentières aussi (quoique à un moindre degré), on ne retrouve pas, dans le reste de l'industrie textile de la région du Nord, cet encadrement de l'activité industrielle par des familles à la fois aussi puissantes et aussi fortement solidaires d'une tradition et d'une société locales. On prendra, pour s'en convaincre, les exemples de quelques foyers relativement mineurs de la production lainière et cotonnière.

Fourmies, Saint-Quentin, Le Cateau

La région située entre Fourmies et Avesnes, incluant une série de centres secondaires de fabrication tels que Sains, Avesnelles, Wignehies, Anor, n'a donné naissance à aucune de ces puissantes « féodalités » industrielles qui ont, sur un à deux siècles, encadré le développement économique de la région lilloise. L'entreprise y est fragmentée en unités médiocrement concentrées, réunissant le plus couramment, vers 1880-1900, de 6 000 à 10 000 broches, auxquelles peuvent s'ajouter une dizaine de peigneuses et, à l'occasion, une centaine de métiers à tisser ; les propriétaires de ces affaires travaillent très rarement avec plus d'un million de capital, le plus souvent avec un demi-million et parfois beaucoup moins. Un petit nombre d'entre eux possèdent en outre une fortune personnelle importante — tels Divry à Fourmies, ou encore Paul Robert et les frères Pecquériaux à Sains ; mais cette fortune est alors étrangère à l'industrie. Selon l'expression de l'inspecteur de la Banque de France en 1931, le patronat ici « a conservé un caractère un peu patriarcal », jolie façon de dire qu'après comme avant la reconstruction (les destructions avaient été supérieures à 90 % des installations), les vieilles maisons restent bien petites. Premier centre français et longtemps premier centre mondial pour la filature et le tissage des laines peignées fines, la région de Fourmies réussira tardivement, sous la pression de la crise des années 1930, la concentration de la filature ; mais depuis longtemps, les tissages travaillent pour un marché en voie de rétrécissement, très souvent à façon et presque toujours à petits profits.

A Saint-Quentin et au Cateau, l'entreprise capitaliste dans le textile est en revanche entre des mains plus fortes mais, au lieu d'être principalement autochtone comme dans la région lilloise, l'initiative est ici venue de l'extérieur, et en reste à bien des égards tributaire.

L'industrie textile saint-quentinoise a été, jusqu'à la liquidation de 1889, dominée par la famille Joly, fixée dans la ville vers 1705 (famille éteinte en 1913). Originaire de Loudun, sa migration est liée aux tribulations du protestantisme français auquel elle appartenait ; toutefois, elle est restée en France, ayant fait choix de se conformer aux lois, et s'est trouvée intégrée au puissant milieu « opportuniste » où se sont recrutés au XVIIIe siècle tant de négociants et d'industriels du Nord de la France — de Caen à Sedan, du Nivernais à Paris ou à la Picardie — comme en témoignent les alliances matrimoniales contractées, aux générations successives, entre les Joly et les Cottin, les Fromaget, les Fesquet, les Massieu de Clerval, les Oberkampf, les Widmer, les Poupart de Neuflize, etc. Des familles qui, sans pour autant délaisser la vie professionnelle, étaient friandes d'anoblissement par achat de seigneuries, d'offices, ou par lettres : ainsi, chez les Joly, est-on dès le XVIIIe siècle seigneur de Pommery en Vermandois, ou de Bammeville en Normandie, conseiller-secrétaire du roi ou baron d'Empire au XIXe siècle. A un Samuel venu de Loudun, a succédé un autre Samuel Joly (1759-1811), maire de Saint-Quentin, marié en premières noces à Constance Pouchet, fille du manufacturier de Bolbec ; puis un fils aîné, Aimé Joly, colonel de la garde nationale après la révolution de Juillet, mort à Nice à 46 ans en 1831 des suites de fatigues excessives à la foire de Beaucaire ; il est remplacé par son frère cadet Jules Joly (1787-1870), auquel succède en 1845 Arthur Joly, sous le « règne » duquel l'affaire passe, en une quarantaine d'années, de l'apogée à la ruine. Les trois usines de l'Abbaye et du faubourg de l'Isle, à Saint-Quentin, et de La Bussière, près de Guise, ont eu jusqu'à 40 000 broches à filer le coton et 400 métiers à tisser mécaniques ; mais le « premier industriel de l'Aisne » se révèle hors d'état de résister à la concurrence intérieure et extérieure depuis les années 1870. Ayant mené la vie d'un grand propriétaire absentéiste, résidant beaucoup plus souvent à Paris qu'auprès de ses usines, il sera finalement acculé à la vente de celles-ci et réduit au sort d'un simple rentier aisé. On est sans doute là en présence d'une bourgeoisie ancienne qui a finalement raté sa mutation en grande bourgeoisie industrielle et industrialiste. Elle n'a en tout cas connu ni concurrence véritable, ni substitution de la part d'une bourgeoisie cotonnière de souche saint-quentinoise. Jacques Arpin, ce petit employé de commerce issu d'une famille savoyarde pauvre qui, arrivé vers 1780 à Saint-Quentin, y avait créé sous l'Empire et la Restauration la première filature de coton utilisant des « mécaniques » et une machine à vapeur, devenu grand notable économique et politique de la ville, est mort en 1832 sans fonder de dynastie patronale. Touron, qui fut aux premières lignes du combat protectionniste en 1878 aux côtés de Joly de Bammeville, passe en tête des cotonniers saint-quentinois après la déconfiture de ce dernier ; sénateur de l'Aisne, il préside entre 1919 et 1924 à la reconstruction et à la modernisation de son usine, et reste actionnaire majoritaire d'une société anonyme où entrent d'autres capitalistes locaux ; mais son fils et successeur se lance dans une politique d'expansion au-delà de ses moyens, au prix d'un énorme endettement auprès des banques de Saint-Quentin et de Lille, et de ses fournisseurs de coton : absorption de filatures et de tissages des environs, création d'une filature à Troyes, participations dans des sociétés coloniales telles que la Cotonnière de Saigon, etc. Affaiblie par la crise des années 1930, l'affaire Touron, sort révélateur, voit son capital repris en majorité par la famille Ternynck, originaire de Roubaix où elle appartient à l'industrie lainière, mais également ancrée dans l'industrie sucrière du nord de l'Aisne par le jeu de mariages antérieurs ; une famille de brasseurs d'affaires, en somme, pratiquant une solidarité familiale rigoureuse, qui est loin de faire figure dominante dans son pays d'origine mais qui, à Saint-Quentin, passe pour toute-puissante grâce à ses capitaux et ses belles relations (l'un des Ternynck, par exemple, est le gendre du célèbre accoucheur parisien Funck-Brentano). Pierre Ternynck, administrateur en même temps que son père Émile et son cousin André, côtoie dans son nouveau fief le cotonnier lillois Masquelier, devenu directeur. L'affaire se redresse en 1936, mais l'initiative capitaliste a bel et bien échappé à Saint-Quentin, et c'est l'une des formes de son déclin déjà bien amorcé. Le président du conseil d'administration, Gustave Vandendriessche, est lui-même l'autre grand filateur de la ville : à la tête d'une usine de 65 000 broches (filature et retordage réunis) qui passe pour être pourvue des « derniers perfectionnements », il est en fait issu d'une famille lilloise et représente aussi à sa manière le dessaisissement de la bourgeoisie locale.

Au Cateau, enfin, petite ville industrielle de 10 000 habitants en 1914, au centre d'une région où les campagnes exsudent encore une main-d'œuvre à bon marché, filature, peignage et tissage de la laine constituent le troisième pôle de cette industrie dans le Nord, avec Roubaix-Tourcoing et Fourmies-Avesnes. Du point de vue de son encadrement capitaliste, elle offre un exemple de forte concentration mais, cette fois, aux mains de familles qui, telle naguère celle des Joly, n'appartiennent en rien à la région ; la localisation industrielle a été choisie en fonction d'opportunités économiques par une grande bourgeoisie d'affaires française ou étrangère, l'impulsion originelle étant venue de Paris où s'est toujours situé le siège social. Le Cateau a vu depuis 1820 s'édifier progressivement un « empire » industriel, celui des Seydoux, intégrant à l'origine filature et tissage des laines fines, tissage des batistes, calicots et mousselines, plus tard peignage de la laine. Cette entreprise retient dès sa création, et pour longtemps, des caractères traditionnels du négoce et de la fabrique, que ne contrarient nullement ceux de la grande industrie moderne. L'usine du Cateau, dès 1840, occupe 1 000 ouvriers, opérant sur 25 000 broches et assurant l'énorme chiffre d'affaires de 20 millions (les tissus sont écoulés, pour une large part, à l'étranger, par la maison de commerce de la rue de Paradis) ; mais avant la mécanisation survenue à la fin du Second Empire, le tissage manuel à domicile occupe jusqu'à dix fois plus d'ouvriers au-dehors. En 1878, quand l'équipement rassemble 73 peigneuses, 60 000 broches et surtout 1 800 métiers mécaniques, en trois usines (Le Cateau, Bousies, Maurois), l'effectif de plus de 5 000 ouvriers comprend toujours une moitié de travailleurs à domicile. Vers 1930, Seydoux est toujours la principale affaire du Cateau avec 1 000 ouvriers, mais le groupe (incluant une quatrième usine à Sabadell, en Catalogne) emploie encore quelque 2 500 ouvriers, parmi lesquels les tisserands manuels, fabriquant des étoffes de luxe, n'ont pas disparu. A ce type d'organisation du travail, dont il faut répéter qu'il a bénéficié jusqu'à une date tardive, en cette région, de la survivance d'une population de tout petits artisans ruraux vivant de leur exploitation agricole pendant les périodes de chômage, semble bien « correspondre » une histoire particulière du milieu patronal. L'affaire a été créée par Jacques Paturle-Lupin (1778-1858), dont l'appartenance est typique au milieu des grands marchands-fabricants parisiens qui, tout au long du XIXe siècle, ont tant contribué à l'animation du travail industriel des provinces et des campagnes dans un rayon de plusieurs centaines de kilomètres autour de la capitale. Paturle lui-même est d'origine lyonnaise, mais il est entré dans le commerce parisien par son mariage avec la fille du fabricant de gaze Lupin, auquel il s'est associé ; alliance renforcée de façon exemplaire par deux autres unions entre les deux familles. Ce n'est pourtant pas l'amorce d'une grande dynastie patronale ; le comportement reste celui d'une bourgeoisie ancienne plutôt préoccupée de son statut social. Jacques Paturle meurt en 1858 en son château et domaine de Lormois, dans le Nord, laissant une succession de 8,5 millions en dehors de Lormois ; il a lui-même délaissé l'industrie pour une carrière de grand notable politique : député puis pair de France sous la monarchie de Juillet, une de ses filles a épousé le ministre de la Justice Martin du Nord. A la tête de l'entreprise, un glissement s'est opéré de bonne heure. Les anciennes relations de Paturle, fils d'un orfèvre en rapports étroits avec la Suisse, sont sans doute à l'origine de l'arrivée à la direction de l'usine du Cateau de Charles Seydoux, né à Vevey en 1796, naturalisé français, officier de cavalerie avant de prendre la direction de l'établissement, de 1823 à 1848. Il entre à son tour dans la vie politique ; mais son frère Auguste devient le véri-

Métier mécanique pour la fabrication d'étoffes façonnées. Photo Seeberger.

table chef de l'affaire, où est également entré un autre Suisse, Henri Sieber, devenu son gendre. A partir de 1858, les Seydoux-Sieber deviennent les copropriétaires de la société en commandite, se partageant la gestion de l'usine du Cateau et du siège de Paris. Si la réussite sociale est complète — installation dans les beaux quartiers entre l'Étoile et le parc Monceau, entrée dans le club des régents de la Banque de France, alliances dans la haute société protestante — la réussite industrielle ne l'est pas moins, sur quatre générations ; entre les deux guerres, Seydoux et Cie absorbe l'autre affaire de lainages de quelque importance, Michau, et pénètre le capital de la société anonyme de Broderie mécanique française des frères Picard. Mais il s'agit bien d'une implantation industrielle exclusive de tout enracinement dans une société locale.

Une esquisse typologique du patronat du textile dans le Nord de la France devrait également inclure l'histoire de l'industrie linière hors de Lille et de ses environs. On retrouverait alors, à certaines nuances près, une genèse traditionnelle. Dans le Pas-de-Calais et la Somme, la mécanisation du tissage des toiles de lin, de chanvre, puis le passage au tissage des toiles de jute, et la concentration des entreprises correspondantes se sont opérés à l'initiative de familles de marchands-entrepreneurs d'origine locale, rurale ou urbaine, de Lille, d'Amiens ou de villages picards. On aboutit, d'une part à la constitution d'une dynastie travaillant sous la raison sociale de Saint frères, dont les générations s'échelonnent de la fin du XVIIIe au milieu du XXe siècle, d'autre part à celle d'une compagnie en commandite par actions, le Comptoir de l'industrie linière, à caractère plurifamilial et se déployant sur une chronologie analogue.

Picardie

L'exemple de la famille Saint est sans doute l'un des meilleurs que l'on puisse trouver du développement jusqu'à ses dernières limites de la liaison famille-entreprise, ainsi que d'un épanouissement rigoureusement autochtone du capitalisme industriel. Les descendants jusqu'à la cinquième génération des trois frères qui, au début du XIXe siècle, ont vraiment créé l'affaire, n'ont cessé, dans l'élargissement des cousinages et des alliances, de la diriger et de la posséder, alors même que la société anonyme établie en 1924 atteint en 1930 un capital de 300 millions. Par ailleurs, si la société élargit le champ de ses fabrications entre les deux guerres jusqu'à la câblerie et à la tréfilerie mécaniques, ou au papier d'emballage, dans des usines qui peuvent être situées à Bègles (Gironde) ou au Bourget, le gros des installations (une vingtaine d'usines) et des effectifs (plus de 10 000 ouvriers) se trouve toujours concentré à cette époque dans le berceau historique, entre Doullens et la vallée de la Somme, dans un contexte rural qui ne s'est sans doute guère modifié. Certes, les usines, multipliées depuis les années 1850, déploient-elles çà et là l'ordonnance fonctionnelle de leurs bâtiments de briques rouges qui allient aux exigences nouvelles de la mécanisation et du moteur à vapeur la surprise d'une nouvelle esthétique architecturale, rarement absente de l'ensemble comme du détail — cependant que plus de mille maisons ouvrières viennent gonfler les villages anciens en bourgs usiniers. Mais c'est toujours l'usine au village, et le recrutement, les activités mêmes ou le genre de vie de la population salariée par l'industrie, ne l'ont pas coupée de la campagne environnante. C'est se qui se lit en filigrane derrière les déclarations de Roger Saint, administrateur délégué en 1936, peu de temps après un bref épisode d'agitation sociale : « Dans notre société, il faut reconnaître que l'esprit de famille a subsisté, que l'ancienne mentalité sur *(sic)* les rapports entre patrons et ouvriers a gardé des attaches profondes. »

Dans le cartel interfamilial que constitue depuis 1846 le Comptoir de l'industrie linière, en revanche, les familles Millescamps, Bocquet, Carmichael, Dewailly et autres — familles du Nord et de la Picardie enrichies d'immigrants écossais — n'ont pas été en mesure d'édifier seules une grande concentration textile. Elles ont en fait suivi le mouvement imprimé par une très grande famille de négociants sarthois, les Cohin, qui prenait appui elle-même sur les réseaux commerciaux du négoce parisien des toiles. On pense plutôt, en pareil cas, à un modèle interrégional de structuration évoquant certains secteurs de la sidérurgie.

DE LA NORMANDIE
AUX VOSGES ET AU CENTRE

Dans la perspective d'une comparaison interrégionale, la tentation est grande de diriger le regard vers l'Est de la France, et particulièrement vers Mulhouse. Sans doute ne serait-ce pas la meilleure démarche : on risquerait, en dépit des apparences, d'aller du pareil au même. Certes, issue d'une tradition artisanale et marchande de plus fraîche date, fécondée à l'époque décisive (fin XVIIIe-début XIXe siècle) par les capitaux et les hommes de l'internationale huguenote ou de la puissante place bâloise, la société du textile mulhousien procède d'une genèse différente de celle de la société du textile « nordiste » ; néanmoins, et en dépit de ses caractères propres au plan confessionnel, son évolution ultérieure ferait apparaître de grandes analogies dans les traits de structure et de comportement, rapprochant la grande bourgeoisie industrielle des deux pôles en question. On préférera se retourner vers la Haute-Normandie, dont le capitalisme est en fort contraste avec l'exemple précédent, et sur laquelle les récents travaux de Jean-Pierre Chaline sur la bourgeoisie de Rouen au XIXe siècle apportent de solides éléments d'information.

Haute-Normandie

Au cours des années 1980, l'industrie textile de la Haute-Normandie connaît un véritable anéantissement, que n'a d'ailleurs pas précédé la phase récente de prospérité et d'offensive oligopolistique observée dans le Nord. Le souvenir de la place éminente occupée dans l'industrie cotonnière française dans la première moitié du XIXe siècle n'est plus perpétué que par la filature fondée à Barentin par Auguste Badin, dont la carrière est sans doute l'un des meilleurs exemples de réussite individuelle au sein de cette classe des artisans et des fabricants ruraux dont plus d'un membre s'essaya, au XIXe siècle, à forcer les portes du patronat et de la bourgeoisie. Ancien ouvrier devenu patron, puis grand entrepreneur paternaliste et grand notable de son département, il apparaît comme le fondateur d'une continuité peu représentative en cette région.

La Haute-Normandie, pourtant, possède une solide tradition héritée de l'ère proto-industrielle en parfaite continuité, ici comme dans la région du Nord, avec la phase de modernisation technique. Tradition qui est même double : urbaine et rurale. A la première se rattachent par exemple les industries drapantes de Louviers et d'Elbeuf, auxquelles on ne saurait guère comparer ailleurs en France que celles de Sedan ou de Lodève. Ces petits centres ont compté des noms illustres dont la célébrité a pu dépasser le cadre local : Rondeaux de Montbray, Decrétot, Ternaux, à Louviers —

mais la première de ces familles a quitté la laine pour le coton et Louviers pour Rouen ; la seconde, honorée de la faveur napoléonienne, est sortie tôt de l'industrie ; la troisième s'est implantée dans une ville qui lui était étrangère au départ. A Elbeuf, on observe mieux la longévité d'un patronat prestigieux, du reste souvent lié à celui de Louviers par des alliances matrimoniales : on y remarque notamment les Grandin (marchands et fabricants depuis le XVIᵉ siècle) et les Flavigny (dont la manufacture remonte à 1670). Ces derniers en sont sous le Second Empire à la huitième génération, poursuivant une gestion familiale fondée sur la collaboration de plusieurs frères, dont le caractère traditionnel n'exclut pas un vigoureux effort de modernisation du matériel, au lendemain du traité de commerce de 1860. Dans de telles familles, néanmoins, des caractères sociaux apparaissent, que l'on ne saurait hésiter à qualifier d'archaïsmes : au XVIIIᵉ siècle, le souci de l'anoblissement et de la fonction publique chez un Michel Grandin de l'Éprevier (1724-1798), secrétaire du roi en 1784 et maire d'Elbeuf ; en plein XIXᵉ siècle, la préoccupation des Flavigny de faire figure de « manufacturiers-propriétaires », de grands notables très attachés à la possession du sol. Pourtant, çà et là, on remarque un certain renouvellement du patronat drapant, à partir des classes populaires ou des classes moyennes. A la fin du XIXᵉ siècle, un Miquel, fils d'un receveur de l'enregistrement, interrompt ses études, étant devenu orphelin, entre en 1870 comme ouvrier tisseur aux échantillons chez Pesnelle, gravit les échelons de dessinateur sur tissus, de directeur, puis d'associé, pour reprendre l'affaire en 1885. A Elbeuf, entre 1875 et 1914, on suit la carrière d'un entrepreneur de tissage mécanique et d'apprêt, Franchet, né en 1841 à Surtauville, dans le canton de Louviers — un de ces villages qui, de tous temps, fournissaient à ce centre l'essentiel de sa main-d'œuvre. Fils d'ouvrier tisserand et ancien élève de l'école communale du village, il a d'abord été élève-échantillonneur, puis employé, intéressé dans une entreprise d'Elbeuf, avant de réussir au bout de vingt ans à trouver des commanditaires et à se lancer dans la fabrication des « nouveautés ».

La tradition rurale pèse d'un poids considérable dans l'histoire du patronat cotonnier. Il s'agit de celle du pays de Caux, pour l'essentiel, où une très forte industrie dispersée s'est constituée au XVIIIᵉ siècle et persistera longtemps au XIXᵉ siècle pour ce qui est du tissage ; dans son organisation se sont distinguées de nombreuses familles de protestants convertis, telles celles des Lemaître ou des Fauquet, qui au stade suivant de l'évolution industrielle se sont transformés en grands filateurs à la mécanique (on pense à Octave Fauquet, descendu dans la vallée de la Seine et créateur à Oissel en 1861, au lendemain du fameux traité, d'une usine qui comptera vingt ans plus tard près de 50 000 broches). Hors même du milieu protestant, l'histoire du plus grand industriel normand, Pouyer-Quertier, éclaire au mieux ces continuités : une famille de la région d'Yvetot, où l'on est au XVIIIᵉ siècle cultivateur-tisserand ; un père, Augustin-Florentin Pouyer, marié à une Quertier, qui abandonne la terre vers 1820 pour se faire marchand-fabricant de rouenneries et se taille une réputation à la halle de Rouen ; Augustin-Thomas, dont la carrière politique sous la Troisième République est précédée d'une extraordinaire ascension industrielle, marquée par le passage de la filature hydraulique traditionnelle dans la vallée de l'Andelle à la grande usine à vapeur de La Foudre, à Rouen, en 1859.

Il y a encore d'autres racines proprement normandes à ce patronat du textile, et qui rappellent de nouveau le Nord. Celles, d'abord, qui plongent dans le grand négoce portuaire et international ; ainsi, dans l'ascendance d'André Gide, les Rondeaux (de Montbray, par passage aux offices sous l'Ancien Régime), déjà évoqués ; les Quesnel, Guéroult, Levavasseur, Fontenilliat, fondateurs des grandes filatures de la première époque de la mécanisation dans la Seine-Inférieure, l'Eure ou la Manche. Celles, aussi, de la petite entreprise artisanale louant ses moulins aux grands propriétaires nobles sur les affluents de rive droite de la Seine et y multipliant, après 1820, les usines de médiocre envergure. Mais, à tous les niveaux sociaux envisagés jusqu'ici, se reconnaissent des signes de faiblesse. Faiblesse économique, bien sûr, de la petite filature hydraulique, condamnée la première par la concurrence étrangère ou interrégionale, surtout à partir de 1860. Mais sans doute faut-il surtout insister sur certains comportements qui freinent en cette province la constitution d'un patronat à la fois puissant et apte à se perpétuer. Peut-il se développer une grande bourgeoisie industrielle en tant que telle, catégorie identifiable au sein de l'ensemble des classes dirigeantes, alors que les individus qui devraient en constituer l'armature sont travaillés par l'envie de changer, dans le sens qu'ils estiment être celui d'une promotion, de statut professionnel et social ? Les analyses de Jean-Pierre Chaline montrent les ambiguïtés qui caractérisent, à cet égard, le patronat rouennais du textile. Certes, on observe bien, en avançant dans le XIXᵉ siècle, une tendance à la fermeture en une caste du milieu patronal, celui de la « Vallée » (du Cailly), ou celui de la « Côte-d'Or » (les faubourgs Cauchoise et Saint-Gervais), soudé au sein des organismes professionnels (la Chambre de commerce, le Lloyd rouennais) ou des cercles de sociabilité (les sociétés savantes) ; l'évolution vers un « patriciat », une « noblesse bourgeoise » se nourrit d'autre part de l'endogamie, maximale chez les cotonniers protestants (Fauquet, Pouchet, Lemaître, Besselièvre), fréquente aussi dans la bourgeoisie catholique, « l'alliance conjugale reflétant plus ou moins une association commerciale », et allant dans bien des cas jusqu'à une « consanguinité accentuée ». Pourtant, les plus grands noms de cette bourgeoisie font également apparaître, à l'inverse, une fuite hors du groupe. Les Rondeaux, par l'un ou l'autre des héritiers, ont « tenu » dans l'industrie pendant un siècle et quatre générations. Mais chez les Quesnel et leurs alliés Duvergier de Hauranne, on observe dès la première moitié du XIXᵉ siècle des orientations vers la vie rentière, la carrière politique ou les mariages aristocratiques. Chez les Fontenilliat, au début du siècle, chez les Pouyer-Quertier à la fin, on observe la même dérive vers cette version moderne de la « finance d'offices » qu'est la recette générale et la trésorerie générale des finances : alliances avec les Gibert pour les premiers, cependant qu'un Pouyer-Quertier, lui-même passé sur le devant de la scène politique, marie l'aînée de ses filles à un marquis de La Rochelambert, trésorier-payeur général du Loiret. Dans la première moitié du XIXᵉ siècle, des parvenus de l'industrie manifestent souvent une hâte caractéristique à se retirer de la vie active pour consommer dans leur manoir normand, en bourgeois vivant noblement, la rente procurée par la manufacture. Mais un trait de mentalité spéculative et, en fin de compte, anti-industrielle, se retrouve chez le plus grand. Paradoxe en effet que l'attitude d'un Pouyer-Quertier qui, créateur d'une des plus modernes installations industrielles de France, se fait le défenseur le plus ardent du protectionnisme, alors qu'en première analyse il devrait passer pour le mieux armé contre la concurrence : en fait, comme l'a montré Michael Smith, sa prise de position s'explique par la place qu'occupe dans son cas l'activité industrielle dans un système beaucoup plus large de spéculation affairiste. Il s'agit de tirer de l'industrie les profits les plus élevés, à la faveur de l'expulsion de l'étranger hors d'un marché national au sein duquel il sera, ensuite, aisé de triompher des plus faibles. Ces profits eux-mêmes sont, dans le cas de Pouyer-Quertier, destinés à alimenter d'autres affaires : Compagnie du télégraphe de Paris à New York ; développement du port et de la fonction d'entrepôt à Rouen, etc. Non moins révélatrice est l'inclusion de l'activité industrielle dans une stratégie plus large de développement des bases de la notabilité — locale, départementale, nationale. Jean-Pierre Chaline insiste sur le lien entre le progrès des emprises foncières et

Principal débouché de l'industrie textile, la mode offre ses tentations aux dames de la haute société. Planche de modèles publiée par Le Follet, Courrier des Salons, 3 octobre 1868.

celui de l'industrie textile, dans les mêmes mains, autour de Rouen ; on ajoute à la fois les parcelles aux parcelles et les métiers aux métiers. Tout se passe comme si la bourgeoisie manufacturière avait eu le souci de mener de front une large possession du sol, la récupération du prestige du château, la maîtrise de l'emploi, le développement de son emprise administrative et politique — sensible dans les institutions représentatives ou électives. Effet, sans doute, du sentiment d'une revanche à prendre en une province où le poids de la noblesse traditionnelle, dans ses différentes composantes, s'était fait naguère si lourd.

En tout cas, on est loin, en Normandie, du patronat textile du Nord et de ses traits distinctifs : orgueil du métier et goût de la technique, fréquence relative (au-delà des trajectoires éphémères ou des échecs que nous n'avons pas recensés) de l'organisation en dynasties, ambition industrielle, dédain résolu à l'égard des alliances qui ne rentrent pas dans le cadre de l'endogamie professionnelle ou usinière, prudence de la gestion qui n'exclut certes pas le désir de gains substantiels, éloignement à l'égard des fonctions publiques qui détourneraient par trop de ses obligations le chef d'entreprise... Enfin, il est un point qui contribue à accuser les différences. C'est l'importance, en Normandie, de l'incorporation d'éléments étrangers à la région. On rappellera pour mémoire le rôle d'un certain nombre d'immigrants britanniques, célèbres (John Holker et son fils) ou moins célèbres (le filateur Rawle) dans l'acclimatation en France, de 1750 aux premières décennies du XIXe siècle, de procédés et d'outillages qu'ils contribuèrent eux-mêmes à mettre en œuvre dans les industries chimique et textile. Ce qui est moins valorisé d'habitude, c'est l'importance des initiatives venues du reste de la France et s'appliquant en somme à la Normandie comme à un champ où la faiblesse relative de l'initiative locale laissait beaucoup à faire à d'autres. La grosse filature de Gisors, créée par Frank Morris en 1795, passe par exemple en 1816 aux mains du grand capitalisme industriel et bancaire parisien, dans les personnes des actionnaires de la société Jean-Charles Davillier et Cie, plus tard Davillier frères, Sanson et Cie, au capital d'un et bientôt deux millions de francs. La filature fondée en 1792 à Saint-Rémy-sur-Avre par l'Anglais Henry Sykes, bijoutier-joaillier au Palais-Royal à Paris, passe, par le mariage de sa fille, aux mains d'un autre Anglais, William Waddington, naturalisé français en 1816 pour services rendus à l'industrie française, à la suite duquel quatre générations développeront l'affaire. Mais les Waddington restent largement étrangers à la Normandie, même s'ils en partagent les intérêts et s'installent en partie à Rouen ; la famille pratique des alliances cosmopolites, s'intègre au monde des notabilités nationales de la finance, de la science et de la politique. Jacques-Édouard Sevène, qui reprend au début du XIXe siècle les usines de Holker à Saint-Martin-d'Oissel et à Saint-Sever, appartient à une famille languedocienne qui a essaimé à Paris, Rouen et Sedan. Avant de passer partiellement sous le contrôle de firmes textiles du Nord, l'industrie normande a reçu après 1870 une injection de sang nouveau, du fait de l'immigration alsacienne. Blin et Blin, première affaire de la place d'Elbeuf avant 1930 (et aujourd'hui terrain d'une exemplaire opération de réhabilitation — réutilisation d'architecture industrielle), est issue de l'exode d'une manufacture de draps de Bischwiller qui, comme ce fut parfois le cas, vit des centaines d'ouvriers opter pour la France à la suite de leur employeur ; ses techniciens y installèrent les premiers métiers à tisser automatiques à grande vitesse. Terre d'accueil ou champ d'investissements, la Haute-Normandie ne paraît pas entièrement maîtresse de son destin industriel.

Vosges lorraines

La deuxième moitié du XIXe siècle a été marquée, dans quelques régions de France, par la constitution plus tardive de nouveaux pôles d'industrie textile mécanisée, dans des conditions du reste très diverses. Dans quelle mesure les histoires particulières de l'industrie vosgienne, de la bonneterie troyenne ou du tissage roannais — pour se borner à ces trois exemples — se rattachent-elles à des genèses patronales analogues à celles qu'on a déjà pu identifier ou, au contraire, à l'intervention de groupes sociaux spécifiques ?

Le cas de l'industrie vosgienne doit être évidemment mis à part. Industrie de substitution développée en vue de reconstituer à l'intérieur de la France un potentiel cotonnier capable de compenser la perte de l'Alsace en 1871, elle n'est pas, quant à ses cadres ou à ses propriétaires, une industrie neuve. D'une part, en effet, cette industrie préexistait à la coupure politique qui modifia si profondément l'équilibre de la France de l'Est, s'incarnant par exemple dans la présence des négociants-banquiers Seillière dès le Premier Empire, à Senones, ou dans celle d'un Nicolas Claude, un des plus farouches partisans de la protection douanière, à Saulxures-sur-Moselotte. D'autre part, elle emprunte les chefs et les ouvriers de ses nouveaux établissements à l'Alsace : un petit centre industriel tel que Bischwiller perd, entre 1869 et 1874, 4 000 habitants sur 11 500, 75 entreprises sur 96 et 3 200 ouvriers sur 5 000, tandis qu'Épinal ou Saint-Dié doubleront ou tripleront de population de 1872 à 1911. Ce ne sont pas nécessairement les chefs des grandes familles propriétaires qui passent en France ; il arrive qu'elles agissent par l'intermédiaire de leurs « cadres supérieurs ». Ainsi les célèbres Blanchisseries et Teintureries de Thaon, fondées en 1872, sont-elles dirigées par Armand Lederlin puis par son fils Paul, ingénieurs originaires de Rothau (Bas-Rhin) et issus de l'usine Steinheil-Dieterlin. La grande filature à métiers continus de Nomexy-Châtel, près d'Épinal, ouverte en 1879 pour la fabrication du fil de chaîne (60 000 broches dans les années 1890), est installée par Victor Peters, auparavant directeur des ateliers de construction de machines textiles de Bischwiller. En 1885, Steiner, de Ribeauvillé (teinture et impression), envoie à Belfort, pour y créer une teinturerie spécialisée dans un nouveau procédé de rouge Andrinople, un ancien « apprenti à la cuisine à couleurs », Alfred Sigrist, qui est bien le type du nouveau patron « fils de ses œuvres ». Cette industrie dynamique et en expansion tend du reste à pénétrer ses rivales françaises et, d'une certaine façon, à se délocaliser : les Blanchisseries et Teintureries de Thaon ont bientôt des usines à Gisors et Darnetal ; la firme Schwob d'Héricourt, qui a débuté dans la filature et le tissage du coton à la fin du Second Empire, connaît une progression foudroyante dès avant 1914 et dans les années 1920, se donnant une capacité de 125 000 broches tant à filer qu'à retordre, et prend solidement pied dans le Nord avec ses usines de La Madeleine et par sa fusion avec la Cotonnière de Fives-Lille. En 1914, le Syndicat cotonnier de l'Est, créé dès 1872 à Nancy pour regrouper les chefs d'industrie de cinq départements (Meurthe-et-Moselle, Vosges, Belfort, Doubs, Haute-Saône), est la plus grosse entente cotonnière d'Europe ; son président, René Laederich, est issu d'une ancienne maison de commission de Mulhouse, « passée à l'Ouest » en 1871 ; le Syndicat n'a pas cessé, en quarante ans, d'agir comme un puissant groupe de pression.

Manufacture Schlumberger, Koechlin et Cie, à Mulhouse en 1837. Lithographie par Engelmann.

Des fabricants de feutre à la chapellerie. Lithographie anonyme, 1861.

Roanne et le Beaujolais

Quittant les Vosges pour Roanne et, enfin, pour Troyes, on conserve l'hypothèse d'un patronat textile évoluant ou se constituant dans le cadre d'une industrialisation tardive (vers 1850-vers 1890). L'intérêt de s'y tenir vient précisément de la possibilité d'observer, soit la reproduction de filières de recrutement déjà rencontrées dans les aires d'industrialisation plus ancienne, soit le fonctionnement de filières originales, et, en tout cas, le développement ou l'absence de caractéristiques comparables à celles de « patriciats » du textile déjà décrits.

Le cas du Roannais et des montagnes entre Lyon et Roanne bénéficie des travaux, récents ou en cours, de Jean-Pierre Houssel et de Robert Estier.

La zone en question appartient, typiquement, au genre de régions où la proto-industrialisation et l'industrie moderne, mécanisée et relativement plus concentrée, se situent dans une continuité séculaire, ininterrompue. Elle a travaillé la soie, le chanvre, puis le coton, d'abord dans l'orbite du négoce lyonnais, puis sous l'impulsion d'une bourgeoisie locale, bourgeoisie marchande plus modeste. Jean-Pierre Houssel voit « un remarquable exemple d'aménagement régional autonome » dans ce glissement de l'initiative capitaliste, qui ne cesse sur quatre cents ans d'exploiter la disponibilité en main-d'œuvre montagnarde des paysans-tisseurs, mais passe dès le XVIIIe siècle de la métropole lyonnaise aux fabricants et aux marchands des bourgs-marchés et des petites villes : Tarare, Thizy, Cours, Roanne, etc. La mousseline de Tarare est ainsi dominée aux XVIIIᵉ et XIXᵉ siècles par le système de la « fabrique » où s'illustre notamment la dynastie de négociants-fabricants des Simonet, issue d'un marchand-toilier. Toutefois, l'émergence d'un patronat d'un type plus moderne est liée à la fois à l'introduction de nouveaux articles et à des conjonctures particulières ; ainsi à Cours, devenue la capitale française de la couverture à bon marché, tissée à partir de chiffons et de déchets, largement exportée vers les colonies et les pays neufs. La fabrication a été lancée par Antoine Chapon peu avant 1830 : on est avec lui aux frontières de la légende, puisqu'il s'agit d'un simple paysan ou artisan-filateur et colporteur ; la mécanisation des diverses opérations ne s'est opérée qu'aux années 1850-1885, donnant alors naissance à des usines intégrées dont la plus puissante appartient aux années 1880-1890 à Poizat et Coquard, des paysans-tisseurs devenus industriels et châtelains. Toutefois, Jean-Pierre Houssel note que le nouveau monde manufacturier ne s'est pas fait par l'ascension de « paysans en sabots ». Les grands capitaines d'industrie, s'ils sont issus du terroir, appartiennent généralement à la classe des « fabricants aisés qui ont derrière eux plusieurs générations

Devant les nouveaux articles, L'Embarras du choix, *1910, par Suzanne Leloir.*

de traditions et de biens familiaux ». C'est le cas dans le tissage de la « cotonne », autrement dit le vichy, une spécialité de tissus à carreaux lancée par les teinturiers de Roanne depuis la fin du XVIIIe siècle, et dont la mécanisation a été appelée après 1870 par la disparition de la concurrence mulhousienne. Le nombre des tissages mécaniques passe alors à Roanne de 3 en 1874 à une vingtaine en 1889, année d'apogée suivie d'un tassement avant la relance par l'élaboration d'articles « fantaisie » ; c'est ainsi que la région cotonnière de Roanne-Thizy devient en peu d'années la troisième de France, après le Nord et la Normandie, sous la conduite de patrons ouverts aux techniques industrielles de pointe et vigoureux défenseurs du libre-échange ; parmi eux, les Déchelette, les seuls sans doute à propos desquels on puisse légitimement évoquer les grandes familles du Nord — ou de Lyon. Enracinée dans l'ancienne organisation proto-industrielle par un ancêtre marchand-toilier au bourg montagnard de Montagny, entre Roanne et Thizy, au début du XVIIIe siècle, cette famille éclate ensuite en trois branches, la cadette donnant à son tour naissance, au cours du XIXe siècle, à quatre puis neuf rameaux, dont de nombreux représentants parcourent la trajectoire menant du commerce à la fabrique puis à l'entreprise industrielle. On isolera ici la carrière de Benoît Déchelette-Despierres (1816-1888), fondateur d'un tissage à bras dès 1855, intéressé aux métiers mécaniques dès 1869, constructeur d'un tissage mécanique de vichy à Amplepuis en 1873 (usine marchant grâce à un moteur hydraulique sur une dérivation du Rhins) ; son fils Eugène (1845-1906) passe à l'écossais fantaisie en 1890 ; la génération suivante lancera le « zéphyr Bob » en 1922 ; l'affaire s'agrandit et se mécanise, et garde son autonomie jusqu'en 1965, date de l'absorption par DMC qui crée alors, avec quatre autres sociétés rachetées, les Tissages roannais — revanche lointaine de Mulhouse, si l'on veut. En 1900, il y avait cinq affaires de tissage à Roanne et dans les environs, parmi les plus importantes, appartenant aux Déchelette et à leurs alliés ; toutefois, note Jean-Pierre Houssel, ces alliances, nombreuses dans le « patronat textile de la région, de Tarare et de Lyon » (avec les Colcombet, par exemple, dont le destin a été comparable dans la rubanerie de soie), se faisaient « sans qu'il y ait interpénétration des affaires » : faiblesse, à n'en pas douter, par rapport aux dynasties du Nord. C'est pourtant encore à celles-ci que font penser les Déchelette si l'on considère leurs liens avec le catholicisme le plus actif (Eugène Déchelette, ami d'Albert de Mun, constructeur d'une cité ouvrière ; un évêque d'Évreux, petit-fils de Benoît Déchelette), ou la façon dont ils se sont illustrés en dehors du monde proprement économique : le frère d'Eugène était Joseph Déchelette, le célèbre spécialiste d'archéologie préhistorique, celtique et gallo-romaine (à la génération précédente, Auguste Chaverondier, allié à la branche aînée, avait été lui-même archéologue et archiviste de la Loire) ; plus récemment, la branche cadette compte dans sa descendance un allié Leriche, parent de René Leriche, connu pour son rôle novateur dans le domaine chirurgical. En revanche, les alliances avec les grands propriétaires terriens ont été nombreuses, et les investissements réalisés par un Joseph Déchelette au bénéfice de la recherche scientifique font écrire à Houssel que sa famille était « plus spontanément attirée vers l'étude que vers les affaires ». Ce dont il n'y a pas lieu de tirer de généralisation hâtive, car les Déchelette, vieille famille arrivée au sommet de la notabilité locale et régionale par les voies de la « marchandise », eût-on dit avant 1789, pouvait s'offrir le luxe d'un comportement de grands notables faisant un usage diversifié de leur fortune.

Prospérité d'un boutiquier. Gravure de 1819.

Degas, Le Bureau du coton, *1873, musée de Pau. Degas s'était rendu l'année précédente à la Nouvelle-Orléans dans la famille de sa mère.*

Troyes et sa région

Analogue à l'exemple précédent dans la mesure où la Champagne méridionale a été, elle aussi, un conservatoire des formes de travail industriel dispersé particulièrement résistant et durable, le modèle troyen s'en distingue cependant par la difficulté avec laquelle un patronat industriel moderne s'est ici dégagé, tardivement et sans le bénéfice d'un héritage historique. Un vieux fond de bourgeoisie marchande troyenne domine jusqu'au milieu du XIXe siècle l'activité la plus ancienne : la bonneterie traditionnelle, celle que pratiquent dans les villages, sous le contrôle d'une soixantaine de maisons de Troyes, des familles ouvrières encore ancrées à la terre, utilisant pour la production des bas des métiers linéaires, perfectionnés en plein XIXe siècle par le métier à diminutions de Delarothière et plus tard par le métier métallique Paget. D'autre part, la filature mécanique du coton a pu faire croire, dès le Premier Empire, au démarrage d'une « grande industrie » troyenne, contrôlée par un groupe de familles souvent alliées : les Payn, Huot, Gréau, Gris, Simonnot, Fontaine-Gris, Simonnot-Fontaine, Douine. Mais ces industriels n'ont que des installations réduites : 10 000 broches pour les plus puissants dans les années 1840 ; 6 000 en moyenne encore en 1865. Si certains réussissent à intégrer des ateliers de bonneterie mécanisée, en revanche le tissage disparaît dans l'Aube avant d'avoir atteint le stade de la mécanisation. La constitution d'un patronat moderne, techniquement avancé et économiquement concentré, est tardive et ne débouche guère sur la constitution d'une grande bourgeoisie. Elle est liée à l'adoption très progressive du métier circulaire qui a permis la production massive de tricot tubulaire et ouvert la voie à la fabrication des sous-vêtements : mis au point avant 1840, il ne se diffuse qu'après 1860 ; il ne s'automatise et ne gagne en capacité que vers 1880. La fabrique de bonneterie à vapeur ne s'inscrit donc dans le paysage qu'après 1870, lancée par des entrepreneurs qui démarrent sur des bases assez modestes, font des bénéfices rapides grâce à leur compétitivité et à l'ouverture des marchés coloniaux ; mais ce sont des hommes nouveaux sans guère de liens avec l'ancienne bourgeoisie d'affaires, restée du type négociant. L'industrialisme de ces hommes nouveaux s'accompagne du reste d'une combativité sociale et d'un tempérament réactionnaire qui contribuent à les rapprocher de certains industriels de la soierie plus que des grands filateurs du Nord, aux positions plus nuancées.

5
Entre la terre
et l'usine

Au XIXᵉ et même au XXᵉ siècle, on vient de voir que le patronat français (du moins, celui du large secteur du textile) se caractérise fortement par son enracinement dans des systèmes familiaux plus ou moins complexes (on n'ose écrire « se distingue », car on soupçonne qu'il a dû en être de même des patronats belge, anglais, allemand, américain, japonais, etc.). Systèmes familiaux qui lui fournissent à la fois les bases économiques et les principes de fonctionnement de ses entreprises.

Une autre de ses caractéristiques, repérable en plus d'un secteur, consiste dans l'impossibilité de le définir de façon rigoureuse comme un patronat purement industriel, c'est-à-dire dont tous les moyens seraient mobilisés au service exclusif d'une entreprise de production industrielle. D'une façon générale, de la banque aux compagnies d'assurances, au négoce et à l'industrie, on observe une tendance très répandue à associer aux investissements dans l'entreprise des placements dans le foncier et l'immobilier, dont les revenus entrent dans une stratégie de complémentarité, de régulation des profits, ou d'assurance contre les crises et les faillites. Mais plus précisément, il est des branches du patronat industriel dans lesquelles le type d'activité impose une liaison organique entre la terre et l'industrie, liaison qui réagit à son tour sur le type social ; la frontière devient incertaine entre l'entrepreneur, le grand propriétaire, le capitaliste rentier. On prendra ici deux exemples. De telles constatations conduisent en tout cas à nuancer sérieusement l'idée selon laquelle il existerait des coupures franches entre un patronat de l'ancien régime économique et un patronat de la révolution industrielle, entre industrie et propriété, entre un capitalisme mobilier et un capitalisme immobilier dont les intérêts seraient à l'occasion antagonistes. La réalité des hommes, des familles, des patrimoines, des activités fait bien au contraire ressortir les alliances, les communautés d'intérêts, et finalement à quel point le monde patronal est immergé dans l'ensemble plus vaste de la société des propriétaires et des « capitalistes » (au sens que le XIXᵉ siècle donnait à ce mot).

LES MAÎTRES DE FORGES : GRANDS PROPRIÉTAIRES FONCIERS OU INDUSTRIELS ?

Cette ambivalence concerne tout particulièrement les maîtres de forges, dont Denis Woronoff a bien situé la personnalité aux premières décennies du XIXᵉ siècle : « Un groupe définissable par le métier de fabricant et le statut de propriétaire, invariants constitutifs d'une identité. »

La grande secousse de la Révolution

La Révolution française a contribué à l'unification de ce groupe, sans pour autant le rendre tout à fait homogène, et aussi à son renouvellement. Sous l'Ancien Régime, en effet, le maître de forges pouvait être, selon le cas, propriétaire-rentier, propriétaire-exploitant ou exploitant-locataire.

Sous la première rubrique, on trouvait en majorité des nobles (de la vieille noblesse territoriale ou de la noblesse d'offices) et des seigneurs ecclésiastiques. En Bourgogne et en Franche-Comté, en Normandie et en Bretagne, les privilégiés pouvaient détenir jusqu'aux trois quarts ou aux quatre cinquièmes des hauts fourneaux, forges et autres ateliers de préparation du fer, parmi lesquels les plus grosses unités de production, associées à la propriété des plus grands domaines. Bien que ces propriétaires aient pu à l'occasion investir dans leurs propres usines, s'associer à leurs maîtres de forges, voire à des banquiers, en règle générale ils ne faisaient pas valoir directement et abandonnaient l'exploitation en fermage à des spécialistes, par exemple dans le cadre de baux de neuf ans — grâce auxquels le propriétaire pouvait réajuster fréquemment ses exigences, mais qui ne permettaient pas en revanche à l'exploitant d'amortir d'éventuels investissements. La propriété bourgeoise concernait généralement des usines de taille médiocre, non liées à d'importantes ressources naturelles en énergie et en combustibles, des martinets isolés travaillant surtout en taillanderie, par exemple.

Sous la deuxième rubrique se regroupaient, en minorité, soit des propriétaires nobles d'un rang modeste, gérant leur haut fourneau ou leur forge dans le prolongement direct de l'exploitation de leur « domaine proche », parfois du reste avec l'aide d'un employé ; soit des propriétaires exploitant de grosses usines mais appartenant alors, en général, à la catégorie des anoblis récents ; soit encore les associés de ces grosses compagnies de la monarchie finissante qui, à Indret ou au Creusot, tentèrent avec un bonheur inégal d'acclimater le progrès technique dans la sidérurgie française.

Anoblis, comme les Dietrich ou les Wendel, mais sans quitter pour autant les affaires une fois noblesse faite, faisant de l'anoblissement une « étape de l'expansion » (Denis Woronoff), sachant allier la conservation de l'esprit d'entreprise et l'assimilation sociale.

C'est toutefois dans la troisième catégorie que l'on trouve le véritable maître de forges, fermier mais gérant technique de l'affaire, « exploitant porteur de capitaux » — et de savoir-faire. Agissant le plus souvent seul, parfois dans le cadre de compagnies fermières où des négociants leur apportaient leur soutien financier, ils pouvaient unir à l'occasion la qualité de propriétaire-exploitant à celle de fermier. C'est la catégorie dynamique par excellence dans ce milieu composite. Au reste, elle représente elle-même un échelon de l'ascension sociale, auquel accèdent d'anciens « cadres » : commis, directeurs, régisseurs ; une filière bien étudiée par Jean-Marie Schmitt, aux confins de l'Alsace et des pays comtois, à propos de l'histoire de la famille d'Anthès et de leurs employés, les Bornèque, les Courageot, les Willemain. Rien n'empêche, en principe, le maître de forges fermier de devenir propriétaire, encore que le saut nécessite un effort financier considérable puisqu'il faut acquérir non seulement des usines, mais les bois nécessaires à leur consommation. Toutefois, l'enrichissement du fermier n'est ni aisé, ni fabuleux. Les inconvénients du statut de fermage (qu'il faut renouveler à grands frais avant expiration si l'on désire rester en place), la forte irrégularité conjoncturelle du revenu, la lourdeur des immobilisations, les faillites irrémédiables contrarient souvent son ascension. Pour François Lassus — étudiant les maîtres de forges comtois —, ces derniers ont du mal à trouver, au XVIIIe siècle, tous les capitaux dont ils ont besoin : les investissements directs de particuliers ne se risquent pas volontiers dans la sidérurgie, les négociants-banquiers tiennent les métallurgistes à leur merci et, finalement, deviennent souvent eux-mêmes fermiers, tels les Bouchet ou les Fleur de Besançon, ou les banquiers de Bâle. Pourtant, le même auteur a consacré ses travaux à l'ascension d'une famille de maîtres de forges, les Rochet. Extraordinaire carrière que celle, non pas de cette dynastie au sens strict du terme, mais de ce faisceau de familles issu de deux frères immigrés du val de Joux dans la Franche-Comté récemment annexée à la France, au sein duquel les fils, petits-fils et gendres appartiennent en majorité à la même profession et s'y font leur place en essaimant dans toute la province et jusque dans les pays limitrophes. Fermiers, acheteurs, créateurs de forges et de hauts fourneaux, ils s'installent aux premiers rangs de la bourgeoisie aisée de la province, se lient à d'autres familles de maîtres de forges, achètent parfois des seigneuries vers la fin du XVIIIe siècle, et l'un d'entre eux, Jean-François Rochet de Granvelle, laisse à sa mort une succession de près d'un demi-million, presque une grande fortune aristocratique à l'échelle locale. Mais ce n'est là que la fine pointe d'une pyramide dont la base plonge encore dans la société rurale des paysans aisés et des artisans qualifiés : entre les extrêmes, comme le fait remarquer Alain Roquelet, tout un dégradé par lequel on passe du grand industriel au taillandier.

La Révolution a affaibli, mais sans la détruire, la catégorie des propriétaires-rentiers appartenant à l'aristocratie. Parmi les spoliés, certains sont rentrés en possession de leurs biens et sont passés à l'exploitation directe, afin de mieux reconstituer leur fortune. Toutefois, Denis Woronoff est amené à se demander si la vente des biens nationaux n'a pas été « le cas particulier, paroxystique d'un mouvement plus ample et plus long qui dépossède silencieusement, entre 1780 et 1820, les vieilles fortunes foncières de la majeure partie de leur avoir industriel » ; « le malheur des familles et l'essoufflement des vieilles fortunes conjuguent leurs effets ». Les ventes spontanées ont commencé avant les confiscations des biens des émigrés, dans bien des cas, et se sont poursuivies au temps des récupérations, dont beaucoup n'ont guère duré. Avant 1789 (ou après), il peut s'agir d'un moyen d'éponger de grosses dettes ; après 1815, il faut peut-être y voir un choix de mode de vie, le prix de certaines ventes étant réinvesti dans l'achat d'hôtels parisiens, et la résidence dans les provinces reculées de plus en plus délaissée au profit de celle du noble faubourg Saint-Germain. Les notations de Michel Denis rejoignent celles de Denis Woronoff, en tout cas à propos de la famille de La Trémoille : « (Elle) rentra en possession des forges de Port-Brillet (Mayenne), rachetées en l'an VII [...]. Une compagnie avait fourni les fonds ; elle prit en même temps le bail des forges pour trente ans [...]. En 1818, elle en devint propriétaire, ainsi que des bois rentrés dans le patrimoine de la famille. » En Champagne, en Nivernais, en Dauphiné, dans le Perche, de grosses usines changent de mains, du Consulat à la Restauration, le plus normalement du monde.

On pressent le corollaire : la Révolution a renforcé de façon décisive les positions de la bourgeoisie, notamment celles des fermiers. A la faveur des ventes de biens ecclésiastiques, puis de biens d'émigrés, les entrepreneurs de forges et de hauts fourneaux ont pu, dans une très large mesure, devenir propriétaires de leurs moyens de production : ainsi se réduit l'ambiguïté du vocabulaire, par l'unification du statut, et surtout s'accomplit une formidable promotion sociale. La sidérurgie, juridiquement libérée de toute structure féodale, entre-t-elle pour autant dans l'ère du capitalisme industriel ? Là réside une des interrogations les plus importantes pour l'histoire de cette activité comme pour celle des hommes qui l'encadraient. Les ci-devant fermiers, qui incarnaient précédemment le type même de l'entrepreneur d'industrie, se stabilisent : avec l'accès à la propriété, finies les évictions, fini le nomadisme. Mais voici qu'ils empruntent du même coup à l'ancienne structure une partie de ses traits : pour des raisons techniques et économiques évidentes, les forges et hauts fourneaux continuent à constituer des biens de nature industrielle et rurale à la fois, dans lesquels terres, prés, bois restent indispensables à l'approvisionnement des usines, à l'alimentation des animaux et des hommes qui les font marcher. Il n'est donc pas souhaitable de dissocier ces éléments (encore que, précisément, la législation et la pratique des ventes aient souvent abouti à une telle dissociation, qu'il faut alors surmonter). Voilà donc les anciens fermiers mués à la fois en patrons indépendants et en grands propriétaires fonciers — un double profil qu'ils vont conserver pour longtemps encore, compte tenu de l'attachement tardif de la sidérurgie française à l'usage du bois.

Ainsi l'achat de biens nationaux, notamment de première origine, n'est-il pas le signe d'un retrait des affaires ou d'une prudente retraite en des temps troublés, ni d'une spéculation liée au fléchissement de l'assignat. Chez les professionnels de la sidérurgie, il s'agit d'un investissement sélectif, non point placement avantageux de fonds disponibles, mais instrument de la conquête d'un nouveau statut : « fin de l'errance par une implantation qui est aussi terrienne » (Denis Woronoff), enracinement dans le métier et consolidation dynastique, entrée dans la notabilité (ainsi, dans l'Est, peut-on mettre en parallèle les Grammont, propriétaires nobles restés maîtres de leurs forges et, de ce fait, installés dans leur fief électoral de Lure, et les Jobez, maîtres de forges bourgeois à Syam, ancrés dans leur fief électoral de Morez). « Hors de la terre, point de prestige, mais aussi, sans doute, moins de crédit » : pour le maître de forges particulièrement, la propriété est ce qu'elle est pour tout le monde des affaires, la base indispensable du recours au crédit par obligation hypothécaire, donc un élément essentiel de la marche de l'entreprise ou de son expansion.

Cependant, on a beau dire que l'importance du domaine forestier d'un maître de forges (2 600 hectares en 1817 quand les Barral vendent Allevard, 5 000 hectares entre

Chefs lamineurs de la forge à l'anglaise. Dessin de A. de Neuville, d'après François Bonhommé (1809-1881).

les mains des frères Michel dans le Barrois) est la rançon de l'autonomie d'approvisionnement, que les acquisitions de terrains permettent de contrôler l'extraction minière, que la sidérurgie ancienne « ne saurait faire abstraction du sol », on ne peut pour autant s'empêcher de poser la question : le maître de forges se comporte-t-il toujours nécessairement comme un gestionnaire industriel avant de se considérer comme un propriétaire domanial ? En a-t-il toujours le goût, la compétence ? Échappe-t-il davantage après la Révolution au risque de l'aristocratisation ? Où s'arrêtent le pragmatisme et le calcul économiques, et où commencent les velléités d'accéder à un autre état social ? Chez les Rochet, en tout cas, les achats de seigneuries viennent parfois, à la fin de l'Ancien Régime, s'ajouter à ceux de biens directement utiles à l'exercice de leur industrie, et avec d'autres riches maîtres de forges ils s'assimilent de fait à l'aristocratie par leur style de vie, leur environnement matériel comme leurs loisirs et leurs relations.

Au temps de l'« inflation torrentielle » du Directoire, la ruée sur les forges s'accompagne d'un élargissement de l'éventail des acquéreurs. Certes, l'avantage reste encore aux fermiers et aux directeurs de forges. C'est l'heure où Claude-François et

Jean-François Rochet, fils de Rochet de Grandvelle, investissent plus de 5 millions dans le rachat (1797) d'usines et de bois faisant partie de la ferme générale des biens du duc de Wurtemberg dans la principauté de Montbéliard, notamment des usines d'Audincourt et de Chagey. Ils avaient pris le bail en 1784 pour 99 000 livres tournois pour les terres et 36 000 livres tournois pour les usines, n'exploitant directement que les usines et sous-louant les terres. On s'explique l'enthousiasme des frères Rochet à réclamer le rattachement de Montbéliard à la France ; l'un d'eux fut même nommé président du district. Leur sœur Catherine avait épousé le maître de forges Claude-Pierre Dornier, dont les achats lui permirent pour sa part de se constituer un « empire industriel » de cinq usines dans les environs de Gray ; dans la succession de sa veuve, en 1844, figureront 5 millions de bois et d'usines. Toutefois, les enchères sous le Directoire sont souvent emportées, aussi, par des négociants, des banquiers, des manieurs d'argent, ou même par des notaires, des notables ruraux, des bourgeois rentiers. Mais dans quelle mesure en résulte-t-il vraiment un renouvellement du milieu des maîtres de forges ? Le fait que de grands noms de la banque ou des fournitures apparaissent — Dallarde, Greffulhe, Ouvrard, Michel jeune, Saillard — parmi les acquéreurs d'usines sidérurgiques est ambigu : le banquier ne se fait pas entrepreneur, il n'est pas un propriétaire-exploitant. Est-il pour autant un propriétaire-rentier ? Dans certains cas certainement, car l'investissement peut revêtir la forme d'une consolidation en « domaines », voire d'une spéculation avant revente. Dans d'autres cas, l'achat peut apparaître comme une « participation à 100 % » dans une affaire que le banquier soutient de son crédit et qui vient diversifier les emplois de ses disponibilités ; mais on sait les risques d'immobilisations aussi massives pour un banquier, et la difficulté de « jouer sur le fer » comme on le ferait sur d'autres produits du grand commerce. Cette même ambiguïté caractérise aussi la pénétration occasionnelle du milieu des sidérurgistes par d'anciens financiers comme par de nouveaux receveurs généraux. On ne saurait voir un entrepreneur, mais bien un brasseur d'affaires mettant hardiment des capitaux au service d'industries nouvelles, dans un personnage tel que Jacques Milleret, receveur général de la Moselle sous la Restauration, qui participe en 1817 à la création des aciéries de La Bérardière près de Saint-Étienne, en 1821 à la formation d'une société d'exploitation pour un haut fourneau, et qui de surcroît pratique à Paris d'autres opérations de caractère bancaire.

En revanche, le négoce a incontestablement contribué au renouvellement du patronat sidérurgique : « Le commerce de gros est bien la source privilégiée de formation du capital initial, le vivier de nouvelles entreprises » (Denis Woronoff). Quelques-unes des plus brillantes réussites accomplies au travers des acquisitions de biens nationaux concernent des maîtres de forges issus du milieu des marchands. Le milieu des marchands de fer parisiens en fournit dès l'époque napoléonienne et en fournira sous la Restauration plus d'un exemple, qui prend souvent l'allure d'une opération d'intégration remontante, ou de prise de contrôle par l'intermédiaire du crédit consenti au producteur. Mais les exemples appartiennent à toutes les branches du commerce, comme le prouve l'histoire des Caroillon, des Berthelin, du groupe strasbourgeois des Humann-Saglio-Gast, etc.

Ainsi, à l'issue de la grande secousse imprimée par la Révolution, comment la société des sidérurgistes et métallurgistes en France se présente-t-elle ? Denis Woronoff a démontré que « la sociologie de l'exploitation a moins changé que la répartition de la propriété », et qu'il y a « une histoire pluriséculaire de la sidérurgie française » à laquelle il faut d'ailleurs rattacher également, pour une part au moins, la lenteur du cheminement de l'innovation technique. Le poids des dynasties dans cette branche reste donc considérable, dynasties d'ancienneté variable, mais dont plusieurs sont appelées à durer. Toutefois, d'autres sont promises à une proche disparition, car le monde des maîtres de forges n'est en aucune façon à l'abri des ferments de dislocation qui peuvent menacer toutes les dynasties d'entrepreneurs : tensions familiales entre générations, incapacité, dilapidation, désintérêt professionnel, partages affaiblissant le patrimoine productif. La première moitié du XIXᵉ siècle voit ainsi disparaître les Barral, dont le dernier actif, Paulin, après avoir gaspillé l'héritage, s'est révélé hors d'état de redresser l'affaire et a finalement dû, non sans mal ni sans perte, vendre les forges d'Allevard en 1817. Jean-François Belhoste, qui a récemment repris l'étude de cette firme, montre bien le caractère instructif des événements qui se déroulent alors : le renouvellement des cadres ne s'effectue pas, en effet, sans péripéties. Champel, l'acheteur de 1817, fils d'un avocat grenoblois, lui-même receveur des droits réunis puis juge de paix, manque à la fois de capitaux et de compétence. Il tombe dans la dépendance du receveur général de l'Isère et banquier Giroud, qui rachète à son tour l'affaire en 1831. Mais, en 1840, Allevard est victime d'une crise bancaire qui contraint la maison Giroud à liquider. Du moins le propriétaire avait-il eu le mérite de confier la direction de l'usine à Eugène Charrière, qui réussit à reprendre l'entreprise en 1842 dans le cadre d'une société en commandite ; en fin de compte, c'est le bon gestionnaire, sinon le technicien, qui en assurera la continuité et la mutation. En Franche-Comté, les frères Rochet doivent vendre leurs superbes acquisitions à des capitalistes strasbourgeois qui en feront sortir la société anonyme des Forges d'Audincourt ; Catherine Rochet, veuve de Dornier, ne réussit pas pour sa part à assurer la cohésion et l'avenir de la société ; vers 1840, le nom des Rochet tend à disparaître de la profession. A l'heure où, avec le rétablissement de la paix et malgré la protection douanière, il devient indispensable de travailler à l'acclimatation progressive des procédés de la sidérurgie à l'anglaise, le maître de forges ne peut plus compter seulement sur ses commis ou ses ouvriers pour conduire la fabrication ; la formation sur le tas et la transmission familiale du métier ne suffisent plus ; la connaissance du commerce du bois et du fer ne supplée pas aux voyages et études nécessaires à l'entrée dans un nouveau système technique. Du Périgord à la Franche-Comté en passant par le Perche et la Bourgogne, le deuxième tiers du XIXᵉ siècle sera marqué par l'effondrement irrémédiable d'une certaine sidérurgie et d'un type de maîtres de forges, ceux-ci s'accrochant à celle-là avec une constance qui, à un moment donné, le cède à l'erreur fatale. Seuls ceux de la Haute-Marne survivront, au prix d'une étroite spécialisation.

Philippe Jobert en a donné naguère une illustration exemplaire choisie en Côte-d'Or, département que traverse une ligne de partage des eaux qui « n'est pas seulement convention de géographie : elle sépare des destins divers dans l'histoire sidérurgique française. Sur le versant nord commencent à percer, en 1840, les origines de Châtillon-Commentry, qui constitue vingt ans plus tard l'une des plus grosses sociétés françaises, au prix d'une modernisation poussée et de reconversions rigoureuses ». Au sud, au contraire, c'est l'échec de Paul Thoureau, dont l'histoire est « d'une banalité où réside tout l'intérêt ; loin de représenter une aventure individuelle, elle illustre les méthodes et les volontés d'un type entier de maîtres de forges », pour qui « le maintien, la croissance de la métallurgie se fera en multipliant et non en modifiant les structures léguées par la tradition, plus précisément en utilisant les ressources procurées sur place par la nature ». « Une personnalité conservatrice, lançant un défi passéiste » : de fait, Thoureau est un « mainteneur ou continuateur de l'étroit milieu des maîtres de forges châtillonnais », reproducteur de procédés techniques coutumiers. La voie choisie par cet artisan : une importante mais éphémère concentration industrielle, qui est celle non pas de la création d'entreprises modernes, mais du regroupement d'usines existan-

Sidérurgie traditionnelle : un atelier de forges à Cluny avant 1914.

tes aux environs de Dijon, suivant la classique réunion de l'eau, du bois et du minerai de fer. Regroupement qui culmine en 1854 avec la société en commandite des Hauts fourneaux et Forges de la Côte-d'Or, Thoureau et Cie, au capital de 6 millions. Sept ans plus tard, elle cesse ses paiements et entame une longue liquidation. En effet, de tardifs investissements dans une conversion partielle à la fonte et au fer à la houille — celle du bassin de Blanzy — ne portent pas assez vite leurs fruits pour permettre à Thoureau de surmonter la crise métallurgique de 1857-1858, la baisse des prix engendrant des pertes insupportables. Le « pari condamné » dont ce maître de forges est la victime est celui d'un homme qui, selon ses propres termes, croyait à la perpétuation et même à l'expansion de « l'ordre ancien des choses », en d'autres termes d'un industriel convaincu qu'il pourrait indéfiniment fabriquer des clous, du fil de fer et du fer à coutellerie pour le marché français à des prix avantageux sans jamais rencontrer la concurrence des sidérurgistes travaillant à la houille. Une croyance qui s'harmonisait avec le cadre paisible où s'exerçait la sidérurgie traditionnelle — entre l'usine, le château et le domaine, dans un cadre naturel peu dérangé par le travail industriel, le maître de forges, à quelques dizaines de mètres de distance, pouvait surveiller la marche de ses entreprises sans cesser de jouir de tous les avantages de la vie de gentilhomme campagnard.

Le patronat se renouvelle

D'où est venu le renouvellement de ce patronat, et jusqu'à quel point le changement du personnel a-t-il comporté une modification du type patronal ? Par rapport à l'industrie textile, une différence vient en tout cas de la difficulté de promotions ouvrières, au moins sur une génération. Comme l'écrit Denis Woronoff, « le seuil de capital nécessaire au fonctionnement d'une forge et plus encore d'un haut fourneau — entre 20 000 et 50 000 F — est hors de portée d'une épargne sur salaire [...]. Au contraire, la petite métallurgie (maréchalerie, clouterie et même martinet) est accessible aux revenus modestes, à la coopération familiale ». Cette remarque conserve toute sa vitalité pour l'ensemble du XIXᵉ siècle, comme le montrent des exemples tels que ceux des Japy (Frédéric Japy, le fondateur, était fils d'un maréchal-ferrant de village), des industriels de l'actif bassin métallurgique de la Meuse ardennaise (fondeurs, tôliers, cloutiers, fabricants de boulons, vis, pièces de ferronnerie ou de fonte moulée de Revin, Deville, Bogny, Nouzon, etc.), et même ceux des spécialistes de l'acier qui ont assuré la reconversion de la métallurgie stéphanoise dans les années 1880. A l'inverse, Philippe Jobert, dans son effort de caractérisation des destins divers de l'entreprise sidérurgique en Côte-d'Or au début du XIXᵉ siècle, a épinglé l'échec (1832) de ce François Carriot, ouvrier puis régisseur aux forges de Bèze, plus tard fermier de quelques usines modestes, mais qui tombera avant d'avoir pu accéder à leur propriété : bien qu'il se soit paré dès que possible du « titre pompeux de maître de forges », son cas relève bien d'« une prétention déçue, celle du savoir-faire ouvrier ou du tour de main artisanal ».

En revanche, le monde des commis et directeurs de forges, celui des techniciens de la fabrication, fournit des hommes à la relève. Dès la fin de l'Ancien Régime, la carrière de Nicolas Rambourg en apporte le témoignage : pendant vingt ans employé puis directeur de forges ou manufactures, en dernier lieu de celle d'Indret où il a succédé à Wilkinson en 1780, il réussit à son tour à créer en 1788 les forges de Tronçais. « Son entrée au Conseil général des manufactures, en 1810, consacre sa notoriété professionnelle » (Denis Woronoff). On a déjà évoqué la percée d'Eugène Charrière à Allevard, d'abord employé dans une maison de commerce lyonnaise, directeur des usines depuis 1833, associé-gérant en 1842 d'une société en commandite dont il ne possède que 14 des 400 actions — mais les autres sont dispersées entre les mains d'anciens créanciers de la banque Giroud dont Allevard était le plus beau morceau de l'actif. Son fils et son petit-fils lui succèdent jusqu'en 1915 dans la même fonction. Toutefois, Nicolas Rambourg était un autodidacte. La nouveauté du XIXᵉ siècle, c'est la place prise, dans l'avant-garde des maîtres de forges soucieux de faire triompher l'innovation dans la sidérurgie française, par les hommes de savoir formés dans les premières grandes écoles — Polytechnique, puis Centrale — ou par une première étape de leur vie professionnelle que constitue souvent le service dans l'artillerie. Tantôt c'est le savoir qui donne l'ouverture sur le pouvoir économique, tantôt c'est ce dernier que renforce sur place le savoir acquis par les héritiers. De toute façon, il est manifeste que le fameux problème du passage d'un type de patronat avant tout propriétaire (et, ici, propriétaire foncier autant que d'instruments de production) à un type de patronat s'imposant d'abord par sa qualification est un problème actuel dans la sidérurgie, très tôt dans le XIXᵉ siècle, pour les raisons techniques et conjoncturelles propres à cette industrie ; par ailleurs, il est clair qu'en vertu de l'évolution interne des familles, ou de l'assimilation, du mimétisme qu'elles déclenchent, on reste finalement dans un cadre social peu modifié.

Le renouvellement exogène de la profession se poursuit encore grâce aux apports que fournissent d'autres catégories possédant des compétences juridiques ou administratives, ou encore des capitaux importants à la mesure des exigences de cette branche industrielle. Hommes de loi, fonctionnaires de haut rang, marchands et grands négociants, voire banquiers (ces derniers parfois plus engagés par des soutiens financiers temporaires que par le passage des hommes à une nouvelle carrière), retrouvent les représentants et bientôt les descendants de la nouvelle noblesse d'Empire ou ceux de la noblesse d'Ancien Régime dans les sociétés de personnes ou les grandes sociétés en commandite par actions, voire les sociétés anonymes, qui prennent en mains le développement de la sidérurgie française après 1815. L'homogénéisation et, mieux, l'alignement sur le modèle traditionnel du grand maître de forges — dont on ne sait s'il est un bourgeois de haut vol ou un nouvel aristocrate — s'effectuent à brefs délais, non seulement par le biais des intermariages, mais par celui de l'appartenance à des groupes de pression qui sont, sous la Monarchie constitutionnelle, la nouvelle forme sous laquelle s'affirme l'indépendance de ce milieu patronal. Enfin, son unité se réalise à travers un enrichissement souvent rapide qui le porte aux premiers rangs des fortunes françaises. On en prendra quelques grands exemples dans le peloton de tête, tel qu'il se définit au cœur du XIXe siècle, selon deux classements différents :

Production de fonte en tonnes, en 1847 (en chiffres arrondis)

Terrenoire	30 000	Fourchambault	17 000
Châtillon	28 000	Le Creusot	16 000
Alais	21 000	Decazeville	15 000
Wendel	20 000		

Capital en 1859 (en millions de francs)

Châtillon-Commentry	33,7
Commentry-Fourchambault	28,8
Wendel	23,5
Franche-Comté	18,7
Le Creusot	18
Terrenoire	17
Alais	16,2
L'Horme	14,3
Marine	13
Denain-Anzin	10
Decazeville	6,5
Audincourt	4,5

Source : B. Gille, *La Sidérurgie française au XIXe siècle*, 1968, p. 189.

Examinons d'abord le cas de la sidérurgie gardoise, qu'a étudié Robert Locke, et qui est exemplaire à plus d'un titre. Il s'agit en effet d'une de ces sociétés anonymes, d'initiative souvent parisienne, qui se sont constituées dès la Restauration en vue de rassembler les importants capitaux nécessaires à la mise en valeur des ressources minérales, à l'exécution de grands travaux publics ou à la création d'équipements industriels lourds. Elle nous situe d'autre part dans la moitié méridionale de la France où, dans la première moitié du XIXe siècle, se concentre encore l'essentiel de la production houillère et métallurgique de notre pays. En 1825 se crée d'abord une Société civile d'exploration et d'exploitation des mines et houillères d'Alais, dont l'instigateur principal est le maréchal Soult, duc de Dalmatie, pair de France (1769-1851). Cette grosse fortune, édifiée grâce aux libéralités napoléoniennes à l'égard des grands dignitaires de l'Empire, s'est du reste intéressée à d'autres affaires industrielles : aciérie du Saut-du-Tarn, mines de charbon du Nord. L'influence de cette nouvelle noblesse d'affaires sur la Compagnie se prolonge au-delà de Soult à travers le baron René Reille (1835-1898), qui épouse une petite-fille du maréchal Soult, et entre à Alais en 1866 avant d'en devenir le président ; descendant de Masséna par sa mère, il marie sa fille au marquis de Solages, président des mines de Carmaux, cependant qu'un de ses neveux, Victor Reille (1851-1917) sera président de la Compagnie de Saint-Gobain. Les autres fondateurs sont deux banquiers parisiens, Auguste Bérard et Jacques Vassal ; un ingénieur en chef des Mines ; le vicomte de La Rochefoucauld, aide de camp du roi. Ce « cocktail » d'intérêts fonciers, bancaires et politiques (tous ces personnages sont également députés) caractérise bien les liens étroits qui ne vont cesser d'associer au XIXᵉ siècle la nouvelle sidérurgie à la terre, à l'argent et au pouvoir. La première société débouche en 1829 sur la Société des fonderies et forges d'Alais, dont le capital de 6 millions comporte le recours à de nouveaux actionnaires, appartenant à la fois à la notabilité parisienne et gardoise. Des difficultés financières, liées à la faillite de la banque Vassal en 1830, provoquent à terme la remise de l'exploitation à une compagnie fermière en 1835 (les deux compagnies, du reste, fusionneront en 1855). L'analyse de ses éléments constituants est plus intéressante encore, du point de vue de la définition du nouveau profil des maîtres de forges. Dans la conjoncture d'alors, la substitution d'une banque à une autre était certes de première importance ; la maison Blacque, Certain et Drouillard, établissement parisien mais dont les associés entretenaient avec la Bretagne des liens d'origine ou d'intérêts, s'engage à son tour — comme, à la même date ou peu s'en faut, la banque Seillière au Creusot — dans les affaires sidérurgiques, mais avec prudence puisqu'il s'agit d'une participation dans une société distincte de la banque elle-même. Mais l'entrée en scène de la famille Benoist est chargée d'une signification sociale plus riche. Il s'agit d'une famille de grande bourgeoisie angevine qui, par la haute administration, émerge au niveau de la notabilité nationale : fils d'un lieutenant de la sénéchaussée d'Angers, Pierre-Vincent Benoist, comte d'Empire confirmé dans son titre par Charles X en 1828, a été chef de division au ministère de l'Intérieur sous le Consulat, et après 1815 directeur général des Contributions directes en même temps que député du Maine-et-Loire. Son fils, Denys Benoist, né en 1796, poursuit d'abord une carrière analogue de grand commis — inspecteur des Finances, directeur du Mouvement des fonds —, mais s'en trouve bientôt détourné par la politique et par les alliances familiales. Légitimiste comme son père, qui avait fini par siéger au Conseil privé de Charles X, il démissionne de son corps en 1830. Marié depuis 1822 à Rose-Amélie Brière d'Azy, fille d'un grand propriétaire foncier de la Nièvre et maître de forges, dans la famille duquel il rencontre les banquiers Blacque et Drouillard, il entre dans les affaires. Dans son sillage, et parmi les actionnaires de la Compagnie fermière d'Alais, se trouvent ses amis Kersaint et Rauzan, administrateurs de la Compagnie de Saint-Gobain dont il est lui-même actionnaire. En 1840, Denys Benoist d'Azy crée une autre société sidérurgique, les Hauts fourneaux de Montluçon, avec le concours de Kersaint et d'une famille de maîtres de forges d'Imphy, les Guérin. Comme beaucoup de sidérurgistes, intéressés à la fois par l'approvisionnement en charbon et par la fourniture de rails, il établit une liaison avec les chemins de fer, où on le retrouve vice-président de la Compagnie d'Orléans et du PLM, administrateur du Lyon-Genève (son fils aîné, Paul, né en 1823, siège à l'Ouest et l'un de ses gendres, Auguste Cochin, comme lui à l'Orléans). A la génération suivante, la double orientation de la famille persiste puisque, entre l'aîné Paul et le cadet Charles, tous deux sidérurgistes, s'intercale un fils directeur des Colonies au ministère de la Marine. Quant à l'intégration sociale, elle est totalement réussie dans l'aristocratie et la très grande propriété foncière.

La fabrication des rails dans l'ancienne forge du Creusot. Dessin de F. Bonhommé.

A travers Paul Benoist d'Azy s'établit le lien avec un autre type de recrutement des nouveaux maîtres de forges ; lien que l'on peut observer à Fourchambault. Ici, les forces neuves sont le capital marchand et le savoir technique, mais aussi, une fois encore, l'initiative parisienne qui projette ces forces sur les vieilles provinces sidérurgiques. Au 1er janvier 1819 entre en vigueur une société formée de trois négociants : André-Martin Labbé, de Garchisy (Nièvre), et les frères Louis et Guillaume Boigues, de Paris ; société « ayant pour objet spécial et exclusif l'exploitation en commun dans le Nivernais et le Berry des procédés anglais ou de tous autres qui seraient reconnus les plus avantageux à la fabrication de la fonte et du fer ». Le siège central se tient à Paris. On connaît bien l'histoire de cette firme, grâce aux travaux d'André et de Guy Thuillier. Elle met en relief le rôle de deux personnages essentiels, celui du capitaliste audacieux, engageant ses fonds mais aussi son activité personnelle, et celui de l'ingénieur innovateur, responsable de la direction technique ; deux faces d'un patronat que peuvent à l'occasion déchirer des tensions internes. Le capitaliste, c'est essentiellement Louis Boigues (1786-1838), un pur produit de l'ascension d'une famille de bourgeoisie parisienne par la marchandise et les biens nationaux. Fils de Pierre (1758-1820), chaudronnier et quincaillier, qui aime à se présenter comme « propriétaire » depuis qu'il a acquis maisons et châteaux au cours de la Révolution, il a pour beaux-frères Claude Hochet (1773-1857), conseiller d'État, fils d'un épicier de la rue Saint-Denis, et Hippolyte Jaubert, avocat à la Cour d'appel et plus tard député du Cher, ministre des Travaux publics, fils adoptif du gouverneur de la Banque de France. Une nièce est baronne

Lecoulteux, en son château de Meung-sur-Loire. Louis Boigues a cherché pendant une dizaine d'années la « bonne » commandite à réaliser dans la sidérurgie, s'intéressant successivement à divers établissements dans l'Ariège mais surtout dans la Nièvre, où il a lancé en 1816 les forges d'Imphy avec divers associés appartenant au commerce parisien ou à la sidérurgie locale. Finalement, ses efforts se concentrent sur la création, en 1819-1821, d'un établissement jugé gigantesque à l'époque, coûtant près de deux ans d'efforts et de 2 à 3 millions d'investissements, consistant en une installation complète, du haut fourneau au laminoir, jumelée avec d'autres unités de production dans le Cher voisin ; l'usine et son village sont installés sur les bords de la Loire, à proximité du Bec d'Allier. Pour arriver à ses fins, il a engagé Georges Dufaud, lui-même fils d'un maître de forges qu'il a un temps aidé à travailler, mais dont la véritable personnalité est celle d'un polytechnicien (de la première promotion de l'École), passionné au point de s'y ruiner par la mise au point de procédés nouveaux et l'installation de machines nouvelles — comme le laminoir de Montataire qu'il construit en 1811 avec les frères Mertian, dont l'un a été son camarade de promotion. Depuis 1821, il a pour gendre un autre polytechnicien (promotion 1812), Émile Martin, qui créera en 1825 la fonderie de Fourchambault.

Le capital est passé de 300 000 F l'année de la fondation de la première société de personnes, en 1819, à 30 millions en 1860 ; la production de fer, de 5 000 tonnes en 1827 à 33 000 tonnes en 1863. Cette expansion a été assurée, étant donné la complexité technique et le coût de l'équipement sidérurgique — de l'approvisionnement à la fabrication —, par une série de fusions qui finissent par donner à la firme une structure multifamiliale, très caractéristique de la sidérurgie française du XIX⁰ siècle. Ainsi la société Boigues et Cie, renouvelée en 1838, à la mort de Louis Boigues, sous la conduite d'un Hochet — Jules Hochet, inspecteur des Finances, collaborateur et gendre de ministres —, a-t-elle fusionné ultérieurement avec les charbonnages de Commentry (Rambourg), avec les Hauts fourneaux de Montluçon (Benoist d'Azy), avec Imphy (Guérin). C'est ainsi qu'un lien personnel s'établit avec Alais par l'intermédiaire de Paul Benoist d'Azy, devenu directeur général en 1851 de la fusion Fourchambault-Montluçon-Commentry.

On préférera pourtant analyser cette structure familiale de plus près sur le cas de Châtillon-Commentry, le véritable géant de la branche au cœur du XIX⁰ siècle, qui lie en un même faisceau à peu près toutes les composantes du patronat sidérurgique de l'époque. La constitution en 1845-1846 du plus puissant ensemble sidérurgique de la France d'alors (40 hauts fourneaux et 82 feux de forges en propriété ou en location, une concentration quasi monopolistique de la sidérurgie dans le sud de la Haute-Marne et le nord de la Côte-d'Or) résulte de l'association de deux ensembles industriels de type familial à noyaux multiples, comme l'a bien montré l'analyse donnée par Bertrand Gille de sa formation. Cette croissance par bourgeonnement, dans le cadre juridique de la société en commandite sous contrôle familial, permet d'atténuer les effets de la concurrence à tous les stades — depuis la recherche des approvisionnements jusqu'à une certaine maîtrise du marché, en passant par celle des commandes —, de surmonter plus facilement l'obstacle des gros investissements nécessaires à la modernisation, de conserver une gamme d'établissements et de produits adaptée à une demande toujours diversifiée, en dépit du poids désormais prépondérant des commandes ferroviaires. Du côté du Châtillonnais, le point de départ se trouve dans l'alliance des familles Maître, Leblanc et Humbert, maîtres de forges issus d'une bourgeoisie rurale, soutenus par les capitaux d'un marchand de fer et petit banquier, Bazile, de Châtillon-sur-Seine. Cette alliance permet, sinon de tenir en échec, du moins de faire équilibre aux ambitions

Le Laminoir, *tableau de F. Gueldry, exposé au Salon de 1907.*

d'un personnage aussi puissant que le duc de Raguse, Viesse de Marmont, marié de surcroît à une fille Perregaux. Cet aristocrate d'ancienne noblesse doublée de noblesse d'Empire, engagé dans de multiples spéculations agricoles et industrielles, doit au bout de peu d'années composer avec les maîtres de forges roturiers ; son entrée dans une société commune (1824) précède de peu, du reste, sa faillite (1827) puis le rachat de ses usines par ses anciens associés. En une dizaine d'années, le groupe s'élargit alors par le jeu des alliances matrimoniales aux familles Dagallier, Landel, Daguin, Couvreux — des gendres de Leblanc et de Bazile dont le premier est magistrat à Dijon, le second et le troisième étant maîtres de forges, et le dernier banquier à Chaumont. Dans les années 1840-1845, ce premier groupe bourguignon entre successivement en société avec trois autres groupes : d'abord Belgrand, Bouchu, Virloy et Cie, maîtres de forges de la Haute-Marne, dont le deuxième en particulier appartient à une lignée de sidérurgistes de haute réputation ; ensuite Bouguéret, autre famille de maîtres de forges du Châtillonnais ; enfin les frères Martenot, maîtres de forges dans l'Yonne, associés à Jacques Palotte, un magistrat de Tonnerre. Les liens familiaux viennent doubler au moins partiellement les liens d'intérêts : Palotte est marié à une Humbert ; un Belgrand à une Leblanc.

Du côté de l'Allier, le second pôle de l'association finale s'est développé à partir des affaires de Nicolas Rambourg, maître de forges à Tronçais depuis 1788, ultérieurement concessionnaire des houillères de Commentry. Sa suite est prise sous la monarchie de Juillet par ses trois fils : Paul, Charles et Louis, et par ses deux gendres : Jean-Baptiste Déchanet et Gabriel de Monicault. Déchanet est fils d'un greffier en chef de la Table de marbre de Dijon, dont le mariage en 1779 avec une fille de Rochet de Chaux lui avait permis de se lancer dans la métallurgie. Avec la famille de Monicault, la liaison est double, puisque Paul Rambourg en a pour sa part épousé une fille ; de ce côté, c'est la grande bourgeoisie lyonnaise qui s'agrège à ce monde de sidérurgistes, la bourgeoisie du quai Saint-Clair : Monicault père avait été directeur des postes à Lyon ; sa femme était une Régny — la grande maison de commerce de Lyon et de Gênes. En 1841, la construction d'une usine à fer moderne est décidée à Commentry : son financement rend nécessaire un rapprochement avec les frères Martenot. C'est par le biais de ces derniers que s'effectue la « fusion » finale des deux ensembles régionaux, dont les installations valent alors une quinzaine de millions de francs.

Telles sont les images contrastées de la société des maîtres de forges du début du XIXᵉ siècle. Société bourgeoise, d'ascension et d'enrichissement parfois récents, mais que rattachent à un mode de vie aristocratique des habitudes de grands propriétaires fonciers, que leurs énormes cotes — approchant ou dépassant souvent 10 000 F — classent toujours dans le peloton de tête des censitaires. Parlant des maîtres de forges de la Côte-d'Or, Pierre Lévêque évoque leur mentalité de marchand rural ou de grand exploitant agricole, d'anciens fermiers devenus propriétaires de forêts, et plus soucieux de parcourir leurs coupes que de surveiller leurs usines, soupçonnant parfois l'urgence des transformations mais irréductiblement attachés à l'usage du charbon de bois, au nom du mythe de la qualité. C'est à ceux-là qu'Achille Chaper, fils de maître de forges et maître de forges lui-même, mais polytechnicien et administrateur éclairé, pensait en disant qu'ils « n'avaient aucune idée de leur art, aucune théorie pour les guider », et qu'ils « achetaient des minerais et des charbons au meilleur marché possible, revendaient la fonte et le fer au plus haut prix possible, et c'était tout ». Il existait pourtant une autre vérité, celle de Fourchambault ou de Châtillon-Commentry, où des hommes de loi, des ingénieurs, des négociants manifestaient une réelle hardiesse dans l'innovation, un sens précoce des concentrations nécessaires susceptibles de leur assurer une plus longue survie mais non, en raison de leur localisation défavorable, un long maintien en tête de la sidérurgie nationale. Encore n'étaient-ils pas totalement différents de leurs collègues, puisqu'un Louis Boigues laisse à son décès, en 1838, une fortune principalement composée de bois et de terres, et qu'un Georges Dufaud s'intéressait autant au progrès agronomique qu'à celui de l'industrie.

La fortune des Schneider

L'année de la mort de Boigues est aussi celle au cours de laquelle les frères Schneider sortent leur première locomotive, sur une commande de six pour la ligne Paris-Saint-Germain ; en 1839, ils vont inaugurer leur chantier naval à Chalon-sur-Saône, à l'embouchure du canal du Centre. Même si ce n'est pas du Creusot, mais des ateliers parisiens du mécanicien autodidacte François Cavé, que sont sorties les premières locomotives de construction française, comme l'ont montré Maurice Daumas et François Crouzet, il n'en reste pas moins que les Schneider, ainsi que le note Pierre Lévêque, ont « flairé » chemin de fer et navigation à vapeur, s'efforçant d'échapper à la concurrence sur le marché du fer en diversifiant leurs fabrications et en poussant le plus loin possible au-delà du produit semi-fini. On serait donc tenté de situer dans cette fin des années 1830 le démarrage d'un type d'entreprise sidérurgique, et jusqu'à un certain

Vue générale du Creusot en 1851. Lithographie de Chalas.

point d'un type de patronat, se distinguant sensiblement des précédents. C'est ce que semble bien suggérer l'histoire du Creusot, durant les vingt années qui précèdent l'entrée en scène des Schneider.

On connaît le point de départ : l'arrêt du Conseil d'État de 1785 créant les Fonderies royales d'Indret et de Montcenis et la Manufacture des cristaux de la Reine. Entreprise à laquelle ne manquent ni les capitaux (encore que les besoins soient énormes), ni les talents, ni les protections, et qui devait procurer à la France sa « vitrine » du progrès technique à l'anglaise sous la forme de la coulée de fonte produite à l'aide du coke. Un demi-siècle d'échecs consécutifs, dans l'analyse desquels il ne convient pas d'entrer ici, paraît transformer Le Creusot en un contre-exemple à ne pas imiter et a peut-être exercé un effet dissuasif ou retardateur important en matière d'adoption des nouveautés. Mais sur le plan de l'analyse patronale, le « désembourbage » de ce qui constituait, malgré tout, un bel instrument de production mal implanté et mal utilisé, est assez instructif. C'est d'abord la grande bourgeoisie marchande parisienne qui intervient en la personne de Jean-François Chagot, puis de ses quatre fils et successeurs. Après s'être rendus progressivement maîtres de l'établissement sidérurgique de 1808 à 1818, les Chagot sont amenés à s'en défaire progressivement de 1826 à 1836. Ils concentreront désormais leurs efforts sur la Compagnie des mines de Blanzy. Au cours de ce bref épisode, les Chagot, que les recherches de Marcel Sutet présentent comme des négociants et de grands propriétaires fonciers, proches des anoblis d'Ancien Régime ou de la

Eugène Schneider (1805-1875) reprend en 1836, avec son frère Adolphe, sous la dénomination M.M. Schneider frères et Cie la très ancienne fonderie royale du Creusot, créée par Louis XVI. Il devine l'impulsion que va donner à l'industrie métallurgique l'essor des chemins de fer et de la navigation à vapeur. Ses ateliers de mécanique à Chalon-sur-Saône sont considérés comme les plus modernes du monde.

noblesse d'Empire, plutôt que comme des « industrialistes », ne réussissent pas la reconversion esquissée dans la fabrication des tuyaux de fonte. Tout en restant commanditaires, ils passent en fait la main à Manby et Wilson, maîtres de forges et mécaniciens-constructeurs anglais installés à Charenton-sur-Cher ; ces derniers, eux, dotent Le Creusot d'une forge à l'anglaise, comportant 16 fours à puddler et 9 laminoirs à cylindres. Ils sont bientôt victimes de la crise de 1830, « succombant sous le poids d'investissements énormes » ; mais l'instrument est là, note Pierre Lévêque. Une longue liquidation, de 1833 à 1836, aboutit à placer sous la direction des frères Schneider ce qui est une des plus belles usines de France et même d'Europe. Ce départ de l'histoire d'une grande firme familiale, « en selle » pour un siècle et quart, à quelles conditions a-t-il été acquis ?

La famille Schneider compte des cultivateurs au XVIIᵉ siècle, un négociant à Dieuze au XVIIIᵉ siècle, un notaire au même endroit au moment de la Révolution : ce dernier est acquéreur en 1792 du château de Bidestroff (Moselle) où vont naître Adolphe (1802-1845) et Eugène (1805-1875). L'aîné entre en 1821 comme employé de la banque Seillière à Paris, de toute évidence une relation lorraine de son père ; en 1830, il est l'agent de la maison Seillière en tant que munitionnaire général de l'expédition d'Alger. Le cadet rejoint son frère à la banque, qui lui confie vers 1830 la gestion des forges qu'elle venait de racheter à Bazeilles, près de Sedan, et dont elle espérait de beaux bénéfices dans la fabrication d'un fer de qualité supérieure. Schneider jeune devait se révéler l'homme dynamique, doué de toutes les capacités administratives, techniques, commerciales, bref indispensable aux Seillière pour réussir la reconversion de leurs « emplois » en direction de la sidérurgie. La reconquête du Creusot, bien étudiée par Bertrand Gille puis par Jean-François Belhoste et Henri Rouquette, est le fruit de cette alliance entre la haute banque et ses propres cadres. La première apportait aux seconds les moyens financiers considérables et prolongés que les Chagot eux-mêmes n'avaient jamais possédés, et que le capitalisme bourguignon aurait été incapable de réunir localement. Ajoutons qu'Adolphe Schneider était le gendre de Louis Boigues, qui intervint à égalité avec les Seillière dans le rachat de 1836.

Le véritable entrepreneur est Eugène I Schneider, dès le départ, et d'autant plus que son aîné est mort prématurément. Il s'est rapidement mué en entrepreneur-propriétaire, et Le Creusot est devenu une affaire Schneider de type fortement familial. Titulaire (comme son frère) de 4 actions de 50 000 F sur un total de 80 en 1836, se mariant en 1837 avec un avoir net de 400 000 F ainsi que le signale Alain Plessis, Eugène sera en 1873 propriétaire de plus de 40 % d'un capital s'élevant alors à 27 millions. Dès 1840, les frères Schneider s'étaient trouvés à égalité avec François-Alexandre Seillière dans la répartition des actions ; par la suite, le capital avait pu être accru par l'appel à d'autres actionnaires principalement lyonnais, et de plus en plus la banque Seillière (puis Seillière-Demachy) avait soutenu puissamment Le Creusot de son crédit mais en y réduisant sa participation directe (en 1874, elle n'en possédait plus que 180 000 F d'actions).

Ainsi naît une dynastie de sidérurgistes « modernes » appelée à rivaliser en puissance et en longévité avec celle des Wendel, issue comme elle de la Lorraine du nord. Curieusement — ou faut-il dire : conformément à une logique de la profession à ses plus hauts niveaux ? — ils se rejoignent dès la fin du XIXᵉ ou le début du XXᵉ siècle dans une remarquable identité de comportement : aristocratisation du style de vie, des alliances, manifestation d'un esprit de caste et d'une mentalité de grands féodaux qui, en un temps où n'existent plus les ordres ni les privilèges, trouve son expression dans des politiques paternalistes particulièrement achevées ; dans les limites d'une société libérale et d'un État centralisé, elles tentent de développer au maximum l'encadrement des existences individuelles et des collectivités urbaines — comme le montrent les analyses de Christian Devillers sur Le Creusot, ou de Nicolas Binet sur les villes mono-industrielles lorraines. Ainsi les sidérurgistes du XIXᵉ siècle, patrons types de la très grande industrie selon les normes de l'époque, retrouvent-ils quelque chose des principes de la société d'Ancien Régime dans leurs efforts pour asseoir durablement leur autorité, à la fois sur un système de relations personnelles entre l'entreprise et ses ouvriers, et sur un contrôle plus ou moins direct de l'organisation territoriale en fonction des besoins de l'emprise industrielle.

François de Wendel (1874-1949), gérant de la société familiale de Wendel et Cie qui, la première, exploita le procédé Thomas dans ses aciéries lorraines de Hayange, député, sénateur, président du Comité des forges et régent de la Banque de France.

LA FILIÈRE SUCRIÈRE

L'agro-industrie est aujourd'hui l'une des structures les plus puissantes et les plus caractéristiques du capitalisme international, une structure financière s'assujettissant, d'un bout à l'autre de la chaîne, la propriété agraire, le choix des spéculations, la production agricole, sa transformation et la mise sur le marché des produits alimentaires. Il ne saurait être question, bien entendu, de tenter la projection d'une telle image sur le XIXᵉ siècle français. Toutefois, l'épithète d'« agro-industriel » vient tout naturellement sous la plume lorsque l'on cherche à qualifier les entreprises et les sociétés de capitaux qui ont présidé à l'essor de l'industrie du sucre « indigène » au nord de la Seine, principalement dans la deuxième moitié du XIXᵉ siècle. L'industrie betteravière, tout à fait étrangère dans sa nouveauté à la tradition de la vieille sidérurgie, a pourtant en commun avec elle d'offrir un autre exemple d'un capitalisme dont les finalités industrielles sont inséparables de l'ancrage à la terre. Davantage encore, elle illustre avec un certain éclat l'attrait exercé par la nouveauté et la rentabilité du capitalisme foncier des plaines du Nord, associant sur place la production et la transformation d'une plante commercialisable, sur l'ensemble du capitalisme, rural et urbain, de la région : ainsi, autour de la betterave à sucre, voit-on s'organiser tout un tissu social, tout un réseau de relations personnelles et d'intérêts financiers dont l'originalité ne se laisse pas aisément réduire à la simple apparition d'un nouveau segment du patronat industriel.

Naissance de l'industrie betteravière

Rappelons au préalable les traits essentiels de la localisation et de la chronologie. Les départements du Nord et du Pas-de-Calais se sont trouvés depuis les années 1820 à l'avant-garde de l'introduction de la culture de la betterave à sucre. Celle-ci a ensuite gagné le nord du département de l'Aisne — le Saint-Quentinois — puis le Laonnois et le Soissonnais ; le Second Empire a été marqué, dans ce département, par un véritable « boom betteravier » et, finalement, l'Aisne est passée au premier rang de la production française, des débuts de la Troisième République à 1914, suivie de près par l'Oise. Cette géographie a toutefois été affectée, dès les années 1900, par des replis tels que celui qui, dans l'arrondissement de Valenciennes, fait pratiquement disparaître la betterave et son industrie — les campagnes se reconvertissent à l'embouche, la main-d'œuvre est captée par les mines et la métallurgie ; et surtout, par les dommages infligés aux sols de l'Aisne par les combats de la première guerre mondiale, et qui se traduisirent par une chute profonde des surfaces cultivées, suivie d'une remontée très progressive.

Le type nouveau de l'entrepreneur, à la fois grand exploitant agricole et patron d'industrie, apparaît en France dans le deuxième quart du XIXᵉ siècle et s'épanouit sous le Second Empire, en liaison avec la concentration de l'exploitation agricole et avec la modernisation des techniques de culture et d'élevage, sur les meilleures terres à céréales comme dans les pays d'herbages, du Nord au Bassin parisien, du Bocage normand au Bourbonnais et au Nivernais. Parmi les représentants les plus achevés de ce capitalisme — qui n'ont guère fait jusqu'à présent l'objet de monographies à l'égal des chefs de la grande industrie, et que contribueront à éclairer les recherches d'Alain Guillemin et de Gilles Postel-Vinay sur le grand domaine du XIXᵉ siècle —, on peut sans nul doute évoquer les Decauville. Armand Decauville (1821-1871), fermier et propriétaire exploitant 600 ou 700 hectares à Petit-Bourg (Seine-et-Oise) avec 200 ou 300 ouvriers, adjoint en

Combat de la betterave contre la canne à sucre. Lithographie de Daumier, 1829.

1854 une distillerie à sa ferme. Un témoignage la décrit, sous le Second Empire, comme « une fabrique de betteraves, de colza, de froment. Placé près de Paris, il vendait ses pailles, achetait des fumiers, des gadoues, des vidanges, du sulfate d'ammoniaque, des superphosphates. Il engraissait à la pulpe ses moutons, ses bœufs, ses taureaux et ses vaches. Son capital circulait de la manière la plus active ; c'était dans toute la force du terme l'agriculture érigée en industrie ». Ses fils Paul et Émile poursuivent du reste en société l'exploitation de l'affaire ; l'aîné, Paul, né en 1846, s'intitule « agriculteur industriel » : de fait, il ouvre à Petit-Bourg des carrières de meulière à bâtir qui trouvent leur débouché dans les constructions d'immeubles au temps de l'haussmannisation et dans le développement du système fortifié de Paris ; il pratique le labourage à vapeur ; il invente en 1876 les « chemins de fer portatifs », autrement dit les voies ferrées étroites et légères qui vont rendre de tels services au transport des betteraves à moyenne distance et faciliteront la concentration de l'industrie sucrière.

« Capitaines d'agriculture » : c'est le terme que retient pour sa part Ronald Hubscher à propos des exemples également très précoces qu'offrent l'Artois et la Flandre. Ils se recrutent aussi bien parmi les plus vieilles familles aristocratiques restées fortement possessionnées que parmi les récents parvenus de la bourgeoisie rurale ou même les hommes d'affaires des villes voisines. Du côté des betteraviers-sucriers, le plus ancien représentant est sans doute Crespel-Dellisse, dans cette région de l'Artois et du

Béthunois qui, dès le deuxième quart du XIXe siècle, a été le berceau de la culture de la betterave à sucre dans le département du Pas-de-Calais. Ce personnage, à qui l'on doit les premiers essais de fabrication de sucre indigène dès 1809, et qui fut le seul en France à ne pas en interrompre la fabrication après 1815, est vers 1855 à la tête de 8 sucreries et de 9 exploitations agricoles, réparties sur quatre départements, et fait travailler 2 500 ouvriers. Tiburce Crespel-Dellisse, victime de la crise de 1857, n'en reste pas moins, selon Ronald Hubscher, « le cas le plus achevé de l'interpénétration de l'agriculture et de l'industrie ». Dans le département voisin du Nord, on observe au cœur du XIXe siècle la montée de bien d'autres affaires familiales. A Denain, par exemple, celle de Crépin-Deslinsel, d'une ancienne famille de cultivateurs, lui-même ancien maître de poste, propriétaire de 430 hectares sous le Second Empire — céréales, betteraves, fourrages, élevage du « cheval de service » — et d'une sucrerie et distillerie ; notable local — il est maire de Denain — il apparaît aussi comme l'un des brasseurs d'affaires qui prennent pied dans toutes les branches de l'économie locale, puisqu'il est de surcroît le principal actionnaire et le régisseur des mines de Liévin. Tout près de là, à la même époque, à Thiant, c'est Jean-Baptiste Mariage, sucrier et maire de la commune, secrétaire du Comité central de la sucrerie indigène depuis 1867. Son contemporain Jules Halette, président en 1865 du Comité des fabricants de sucre de l'arrondissement de Cambrai, fils de cultivateur, est dix ans plus tard à la tête des deux sucreries du Cateau et du Petit-Caudry. Aucune famille cependant ne s'est hissée plus haut que celle des Béghin, partie de la sucrerie de Thumeries, aux environs de Lille, autour de laquelle s'est édifié peu à peu un empire de dépôts et d'usines dans le Pas-de-Calais, l'Aisne, la Somme et qui a été l'un des principaux artisans de la concentration de l'industrie sucrière, de la fin du XIXe siècle à l'entre-deux-guerres.

L'industrie sucrière dans le Saint-Quentinois et sur ses confins a revêtu pendant près d'un demi-siècle une forme d'organisation sensiblement différente et tout à fait originale. Les quelques centaines de milliers de francs qui suffisaient alors à créer une installation étaient le plus souvent réunis par une société en nom collectif et en commandite, regroupant jusqu'à dix ou vingt associés, tous riches propriétaires ou exploitants agricoles habitant un même village ou plusieurs villages voisins, représentant ensemble une « surface » financière pouvant aller de quelques millions à une dizaine de millions de francs et davantage, et pour cette raison assurés de trouver aisément le concours des petites banques locales pour les crédits de campagne dont ils avaient régulièrement besoin. Mais souvent, le champ de recrutement des capitaux s'élargit. L'inspecteur de la Banque de France en tournée à Saint-Quentin en 1881 note que les sucreries sont « un des placements favoris de la région, une sorte de Bourse de jeu pour les grands propriétaires et nombre d'industriels. Les bénéfices, quand ils se produisent, sont de nature à encourager cette spéculation ; s'il survient des pertes, elles se répartissent sur un assez grand nombre d'associés pour être facilement couvertes ». Ronald Hubscher a noté pour sa part, sur son terrain du Pas-de-Calais, « l'aspect spéculatif d'une culture qui n'est pas sans rappeler celle de la vigne », aspect que traduit « l'importance des variations de la superficie d'une année sur l'autre ». Quelques exemples montreront la diversité des intérêts ainsi cristallisés autour de ces cheminées et de ces bâtiments sans grâce, aujourd'hui presque anéantis, qui hérissèrent par dizaines avant 1914 les plaines et les vallons du Nord agricole de la France.

La base de ces sociétés sucrières est toujours constituée par des réunions d'agriculteurs, pour partie fermiers et pour partie propriétaires de grosses exploitations dont la norme est de plusieurs centaines d'hectares. En règle générale, leurs fortunes personnelles se montent à plusieurs centaines de milliers de francs, et dépassent parfois le mil-

FIG. 238. — **Betterave à sucre améliorée Vilmorin**. — Betterave blanche complètement enterrée, longue, en tire-bouchon. Belle variété; c'est le vrai type de la betterave à sucre. Très riche en sucre.

FIG. 236. — **Betterave à sucre à collet rose**. — Très productive; pourrait être utilisée comme betterave fourragère.

FIG. 237. — **Betterave à sucre à collet vert Brabant**. Richesse moyenne en sucre. Productive.

FIG. 239. — **Betterave à sucre Simon-Legrand** (améliorée blanche). Très riche en sucre. Belle forme.

FIG. 240. — **Betterave à sucre Klein-Wanzleben**. — Originale. Variété allemande, riche en sucre. Bons rendements. Racine blanche en forme de tire-bouchon.

FIG. 241. — **Betterave à sucre Dippe frères.** (Impériale - de - Dippe). Racine longue, bien pivotante, très enterrée; peau rugueuse.

*Les différentes variétés de betteraves sucrières. Planche extraite de l'*Album agricole, *Armand Colin & Cie, Éditeurs, 1898.*

Distillerie de betteraves sucrières, près de Melun, 1943.

lion ; elles sont souvent épaulées par de solides dots apportées par les épouses, ou par des « espérances » du côté des parents et des beaux-parents, qui du reste, de leur vivant, fournissent en bien des cas le concours de leur commandite ou de leur crédit. Dans le Vermandois, un remarquable exemple de l'appui pris par l'industrie betteravière sur le grand capital agraire est fourni par la famille Quéquignon, à Grugies, Fluquières et Villers-Saint-Christophe. Agriculteurs, sucriers et distillateurs, les Quéquignon édifient sur trois générations une fortune foncière et immobilière qui passe de 3 millions vers la fin des années 1870, à 6 ou 7 millions vers 1914 et qui se maintient encore à 20 millions vers 1930 ; outre les terres, qui montent dans la même période de 400 à 1 500 hectares, elle comprend des maisons achetées ou construites à Paris — un type de consolidation fréquent chez ces gros cultivateurs. Au début de la deuxième génération, vers 1890, une dot conjugale de 400 000 F et un héritage maternel voisin de 2 millions viennent soutenir cette croissance. Bases financières considérables, aussi, chez les frères Martine et leurs alliés Duplaquet, cultivateurs à Aubigny et sucriers à Villers-Saint-Christophe — plusieurs millions de chaque côté ; chez Louis Sébline, fils d'un préfet puis sénateur de l'Aisne, gendre de Brunehaut, membre de l'Académie d'agriculture, chef après son père de la sucrerie de Montescourt-Lizerolles, allié aux Théry, sucriers à Athies (près de Péronne) et par eux aux Quéquignon... Toutefois, le complexe des intérêts betteraviers et sucriers s'élargit bien souvent à d'autres cercles d'investisseurs, à d'autres horizons économiques propres à la région. Dans le Nord, au cours des années 1880, la sucrerie de Robersart est en société entre dix-neuf propriétaires et industriels de Landrecies et des environs, parmi lesquels des tanneurs — un indice de la facilité avec laquelle capitalistes ou entrepreneurs glissent à l'occasion du traitement d'une matière première d'origine végétale ou animale à celui d'une autre. Dans le Pas-de-Calais, la sucrerie centrale d'Ardres est, durant les années 1870, soutenue par une forte commandite de Dewailly-Louchez, un armateur et négociant en bois et goudrons de Calais. De riches médecins de bourgs ou de villages figurent à l'occasion parmi les actionnaires des sucreries. Un marchand de charbon de Ham, Charles Gronier, est à la fois le fournisseur en combustible et le principal actionnaire de la sucrerie d'Eppeville dans les années 1880-1914. Certains sucriers sont engagés à la fois dans la culture, les spéculations sur les farines, la brasserie-malterie, voire la verrerie ; c'est le cas, sur trois générations, des divers membres de la famille Millet, à Banteux et Masnières (dans le Cambrésis). Le capital vient parfois de Paris même : vers 1880, l'agent de change Bertin soutient la sucrerie Pluchet, Frissard et Cie à Roye ; à la même époque, Jules Pamar, grand commissionnaire en sucres, est intéressé dans la sucrerie d'Origny-Sainte-Benoîte. Saint-Quentin, alors centre industriel et marchand fort actif, ville de rentiers et de propriétaires aussi, exerce également son contrôle : ainsi, l'affaire de constructions mécaniques Mariolle-Pinguet, fondée en 1825 et toujours vivante entre les deux guerres, et qui a équipé des dizaines de sucreries dans l'Aisne, l'Oise, le Nord et la Somme, les colonies, l'Amérique du Sud, l'Inde finalement ; Charles Mariolle-Pinguet, maire de Saint-Quentin, administrateur de compagnies de chemins de fer et de tramways, est aussi actionnaire et président des sucreries de Saint-Erme et de Coucy-lès-Eppes, usines modernes qu'il a équipées vers 1890 ; Henri Mariolle, son fils et successeur, est dans les années 1900 administrateur délégué de la sucrerie de Toulis (ces trois établissements situés dans les environs de Marle et de Sissonne).

Concentration

D'autres exemples affirment encore plus nettement la forte intégration du capitalisme agraire et du capitalisme industriel dans le Nord de la France autour de ce carrefour que constitue l'industrie betteravière et sucrière. Elle apparaît bien dans la trajectoire de la famille Ternynck, entre Roubaix et Chauny. A l'origine, on trouve Jean-Félix († 1856), originaire d'Hazebrouck, manufacturier en drap à Roubaix, dont deux fils, Henri et Florimond, poursuivent l'industrie à Roubaix, tandis qu'une des trois filles épouse un propriétaire de Chauny et que le fils aîné, Aimé, épouse à Chauny également, en 1846, Juliette, fille du négociant en toiles Jean Jacquemin, tout en restant l'associé de ses frères dans l'affaire de Roubaix. Jean Jacquemin est propriétaire d'un domaine agricole et d'une fabrique de sucre à Rouez (commune de Viry-Noureuil), à 4 km de Chauny : il s'associe à son gendre pour leur exploitation, et c'est ainsi qu'Aimé Ternynck devient le fondateur d'une dynastie sucrière. Mais trois de ses belles-sœurs épousent, l'une, Alphonsine, le fabricant de sucre Millon, les deux autres, Claire et Pauline, deux frères Dormeuil (maison de tissus de Roubaix). Les moyens financiers rassemblés autour d'Aimé Ternynck sont considérables : le couple à son mariage réunissait 183 000 F de dots ; Jean-Félix Ternynck, le père, laisse à sa mort une succession de 338 000 F, dont 59 000 F placés dans la sucrerie, et sa femme laisse à son tour 163 000 F en 1874 ; Jean Jacquemin, le beau-père, fait en 1871 donation du domaine de Rouez à sa fille et à son gendre, l'ayant fait reconnaître par ses cinq autres enfants, contre dédommagement, comme non susceptible de division — il est alors estimé à 359 000 F. Cette même année, Lucie, fille d'Aimé, épouse Adolphe Delemer,

Déversement de la pulpe de betterave dans un diffuseur : l'eau, à la température de 80°, circule dans l'appareil et s'y charge de sucre.

ancien officier et fabricant de sucre, qui fait apport de fermes et de terres à l'affaire familiale. C'est ce qui permet à Aimé Ternynck d'acheter deux autres sucreries, à Chauny et à Nogent-sous-Coucy-le-Château, chacune associée à une râperie ; en 1882, à la constitution d'une société entre Aimé Ternynck et ses fils, Paul, né en 1853, et Émile, né en 1855, l'ensemble des terres (1 200 hectares) et usines est estimé à 2 300 000 F. La fortune d'Aimé se monterait alors à 3 millions, ce qui est la mesure d'un bel enrichissement sur une génération. Ses fils donneront une dimension internationale à l'affaire en créant la raffinerie de Nag Amadi (Société des sucreries et raffineries d'Égypte) en 1897. A la veille de 1914, chacun des deux frères est donné pour plusieurs fois millionnaire ; Paul est l'administrateur, Émile plutôt le notable local, très conservateur, dans la municipalité de Chauny. A la suite des destructions survenues en 1917, les Ternynck regroupent leurs installations en reconstruisant à Nogent (1923), et passent à la forme de société anonyme. Mais le contrôle familial du capital se maintient, et même lorsque au début des années 1960 l'affaire est absorbée par le groupe financier des Sucreries et Distilleries du Soissonnais, c'est André Ternynck (1889-1969), maire de Chauny, qui en devient le vice-président. Tout au long des générations, la branche roubaisienne des Ternynck a poursuivi une carrière indépendante dans la filature et le tissage de la laine, sous la conduite de Jules puis de Henri Ternynck — ce dernier est dans l'entre-deux-guerres le président de la Société industrielle de Roubaix ; mais ces cousins issus de germains n'ont pas fait une aussi belle fortune. L'industrie sucrière, plus dynamique en fin de compte, a bel et bien réussi ici une capture de dirigeants et de capitaux de la région lilloise au profit de la région saint-quentinoise.

Des Béghin aux Ternynck, sur une échelle de puissances variables, l'agro-industrie née du sucre de betterave raconte donc, une fois de plus, l'histoire du succès plurigénérationnel de l'entreprise familiale. Un peu plus au sud, dans le Bassin parisien, la sucrerie de Vauciennes (Oise), fondée en 1858 par un Valenciennois, tenue depuis les années 1880 par la famille de Cornois, fournit un autre bel exemple d'une affaire échappant jusque dans le présent aux concentrations industrielles et financières.

Ce serait toutefois travestir la réalité historique que de présenter ces exemples comme les prototypes uniques du développement de l'entreprise sucrière dans le département de l'Aisne et dans ses confins, choisis ici comme terrain d'analyse. Dès les

Jeunes ouvrières dans une sucrerie : elles ferment les boîtes métalliques de sucre en poudre et vérifient leur poids. Photo Seeberger.

Le sucre raffiné entre dans la fabrication du chocolat et de la confiserie : une broyeuse à quatre cylindres (1908).

La confiserie Salavin en 1908 : les femmes emballent des œufs et poissons en chocolat.

années 1880-1890, en effet, s'est amorcé un mouvement de transformation en sociétés anonymes, une série de conditions imposant à l'industrie sucrière de disposer d'une base financière plus large et d'une forme juridique permettant le recours à l'émission d'obligations. Conditions techniques : le passage du procédé d'extraction du sucre par pression au procédé par diffusion a provoqué la disparition de nombreuses petites sucreries. Conditions du marché : lutte contre la concurrence étrangère, irrégularité des récoltes et des prix, variations dans le régime fiscal. « Le point faible de cette industrie », écrit en 1895 l'inspecteur de la Banque de France, « est une suite de campagnes sans résultats, ou par insuffisance de rendement, ou par avilissement des prix, ou par changement de la législation » ; il écrira encore en 1912 : « La culture de la betterave est particulièrement hasardeuse, tant à cause des risques de la végétation que des influences qui agitent le marché des produits fabriqués [...]. Presque toutes (les usines) ont dans leur histoire au moins une liquidation amiable. Leurs propriétaires ou administrateurs ont, il est vrai, accumulé en d'autres temps des capitaux, parfois considérables, qui leur permettent d'attendre avec sang-froid des jours meilleurs. » Aussi, d'exploitations privées ou en nom collectif, les sucreries tendent à se transformer en sociétés anonymes, soit par actions de 5 000 F le plus souvent — de gros titres qui restent alors concentrés entre les mains d'un petit nombre de riches intéressés —, soit par actions plus modestes de 1 000 F ou 500 F qui sont distribuées entre de nombreux producteurs fournisseurs de la sucrerie. C'est une solution qui permet de concilier des intérêts qui tendent à devenir antagonistes en se dissociant ; ceux des sucriers, qui évoluent vers le type de l'entrepreneur ou du gérant industriel autonome par rapport au secteur agricole, et ceux des cultivateurs, en conflit de plus en plus fréquent avec les premiers sur les conditions de paiement de leurs livraisons. L'actionnariat des fournisseurs, dont les plus puissants peuvent être de véritables commanditaires industriels, est un moyen de surmonter jusqu'à un certain point ce conflit. C'est l'époque où apparaissent les grosses unités de production telles que les sociétés anonymes de Pont-d'Ardres et de Pont-à-Vendin, dans le Pas-de-Calais, de la Sucrerie centrale de Cambrai à Escaudœuvres, dans le Nord, de la Sucrerie centrale de Meaux à Villenoy, dans la Seine-et-Marne (dès 1872), de Sermaize, dans la Marne, etc.

Les destructions consécutives à la première guerre mondiale déterminèrent une deuxième vague de concentrations, accompagnées d'une remarquable modernisation, un grand nombre de petits établissements n'ayant pas été reconstruits. Ce fut l'occasion d'une pénétration en force, dans le capitalisme sucrier de cette région, de puissances financières extérieures, tels Sommier ou le baron Évence Coppée. Ainsi la Compagnie nouvelle des sucreries réunies, à Eppeville-Ham, aux confins de l'Aisne et de la Somme, société anonyme au capital de 25 millions, regroupe-t-elle treize sucreries ; l'usine, alimentée par quatre râperies reliées par 100 km de canalisations, a coûté plus de 200 millions, et produit 300 000 quintaux de sucre par an : la quasi-totalité des actions de cette merveille technique nationale, à laquelle se rattachent également 2 000 hectares d'exploitations agricoles, est entre les mains de la famille Sommier. La Société vermandoise de sucreries, au capital de 26 millions, est issue de la fusion de Carpeza et Cie, à Montigny-Hervilly, Armand Sagnier et Cie, à Cartigny, veuve Vion et Cie, à Sainte-Émilie ; elle a une capacité de 200 000 quintaux par an. Or, son conseil d'administration est en large partie commun avec celui de la Société française de constructions mécaniques (anciens établissements Cail). C'est encore un groupement des dommages de guerre de plusieurs sucreries qui donne naissance à la Société des sucreries et distilleries du Soissonnais et à ses usines modèles de Bucy-le-Long et de Noyant-et-Aconin. La Société agricole et industrielle de la Somme (au capital de 45 millions) regroupe une

Forges vers 1860. Tableau mural pour les écoles.

Publicité pour le chocolat Menier. Affiche par Firmin Bouisset, 1892. Paris, musée de l'Affiche.

raffinerie, à Tergnier, d'une capacité annuelle de 300 000 quintaux de sucre, et une distillerie d'une capacité annuelle de 200 000 hectolitres d'alcool ; cette dernière n'est autre que l'ancienne distillerie J. Savary et Cie, à Nesles et Ham, l'une des plus grandes installations françaises d'avant 1914. S'y adjoignent une quinzaine de fermes exploitant environ 5 000 hectares. Le conseil d'administration, presque entièrement belge, est dominé par la personnalité du baron Évence Coppée (1851-1925), riche d'un demi-milliard, possédant château, bois et chasses entre Saint-Quentin et Laon. Il est l'héritier d'une puissante affaire de construction de fours à coke qui en a monté des milliers depuis 1851, dans toute l'Europe et jusqu'en Russie, mais particulièrement dans le Nord et le Pas-de-Calais. Autour de cette activité première, il a construit un véritable groupe qui apparaît vers 1920 comme la deuxième puissance industrielle et financière de Belgique, contrôlant des charbonnages dans le Limbourg et le Hainaut, prenant une forte participation à la Banque de Bruxelles dont les succursales couvrent dans les années 1920 toute la Belgique francophone, pénétrant également la sidérurgie liégeoise et l'industrie chimique.

Cette phase nouvelle de la concentration, qui en préfigure la vigoureuse accélération dans la deuxième moitié du XXe siècle, est donc marquée par un profond changement dans les structures de contrôle de l'industrie sucrière. Beaucoup de terrain est cédé par le type « XIXe siècle » de l'agriculteur-industriel, qui désormais sera plus souvent, dans le Nord de la France, un agriculteur à l'échelle industrielle ou industrialisant son exploitation, qu'un agriculteur *et* un industriel. Certes, l'ascension ininterrompue des Béghin confirme le succès durable de quelques emprises familiales autochtones ; dans un entretien de 1977 avec Alain de Sédouy et André Harris, Ferdinand Béghin a rappelé ce qu'avait été à cet égard l'ambition de son père : « (Il) construisait des usines et rachetait tout ce qui se présentait. Toutes les fois qu'une sucrerie tombait en faillite, il s'en portait acquéreur et essayait de la remettre d'aplomb : c'était une idée fixe. » Mais d'autre part, l'influence nationale des sucriers étudiés par Jacques Fiérain, qui, depuis le début du XIXe siècle, ont fait d'immenses fortunes dans le négoce international et le traitement des sucres d'importation « coloniale », s'affirme progressivement dans leur mainmise sur l'industrie du sucre de betterave. On l'a vu avec l'exemple des Sommier, raffineurs à La Villette depuis les années 1820, plus tard associés aux Boivin — un exemple d'ascension sociale menée tambour battant : d'une famille paysanne du Sénonais, Alexandre Sommier († 1866) reprend l'usine de La Villette en 1829 ; son fils Alfred († 1908) épouse une Barante en 1872 et achète le château de Vaux-le-Vicomte en 1875 ; c'est le petit-fils, Edme Sommier, assisté de son gendre André Boivin, qui profite de la reconstruction pour entreprendre la pénétration de l'industrie du sucre de betterave. Dès 1900, les Lebaudy avaient acheté la sucrerie de Roye — or, cette famille, d'origine normande et paysanne, qui installe également une sucrerie à La Villette sous la Restauration, tout en faisant le négoce et la banque, a toujours été au cœur du lobby du sucre colonial. C'est encore autour de 1900 que les Say ont acquis plusieurs sucreries dans l'Oise, la Somme, l'Aisne, la Seine-et-Marne. Seule, à cette époque, la grande industrie sucrière marseillaise (Saint-Louis) ne participe pas encore au développement de cette emprise sur le plan national. Les grandes maisons qui mettent en place dès ce moment une structure oligopolistique dans ce secteur conservent du reste leur caractère hybride : toutes sont propriétaires d'importants domaines agricoles. Comme dans la minoterie (Darblay), on observe parfois chez elles (Béghin) un glissement précoce à la papeterie — autre industrie de traitement de produits ou de déchets d'origine végétale —, et de là, pour Béghin, à la création d'organes de presse consommant le papier journal (en association avec la famille Prouvost).

LES HORIZONS AGRAIRES
DES CAPITAINES D'INDUSTRIE

D'un bout à l'autre du XIXe siècle, l'investissement foncier apparaît donc comme une alternative constante à l'entreprise industrielle. Rien de plus naturel si, au début du siècle, dans le contexte d'une circulation accélérée des biens immobiliers déclenchée par la Révolution et les ventes nationales, beaucoup se laissent tenter par le mirage de fortunes terriennes offrant le double avantage d'une plus grande sécurité et d'un prestige transféré des anciens seigneurs aux nouveaux spéculateurs. Dans la Mayenne, les frères Constant Paillard-Ducléré et Joseph Paillard-Dubignon, fils d'un notaire lavallois qui ne répugnait pas à coucher en ses minutes les transactions portant sur les biens nationalisés, prennent à bail sous l'Empire les forges des La Trémoille à Port-Brillet. Ils multiplient sous la Restauration les acquisitions de forges et de forêts. Constant marie sa fille en 1828 à un Montalivet. Pour réussir comme maîtres de forges, il leur faudrait innover techniquement, afin de résister aux importations anglaises : il est plus facile d'arrondir le domaine foncier, et d'en vendre les bois et les grains ; en 1831, note Michel Denis, le produit des forges ne leur rapporte que 82 000 F sur 205 000 F de bénéfices bruts... Dans les mêmes années, le comte Roy, un parvenu de la Restauration, l'un des premiers électeurs de France par le montant de son cens, achète massivement des « usines à feu » dans l'Eure et dans l'Oise — mais aussi des forêts par blocs immenses : pour 2 millions de francs dans l'Aisne et dans la Marne en 1822, pour 5 millions la forêt de Conches en 1825... A son décès, en 1847, ses participations dans des sociétés pour l'exploitation des forges ne représentent qu'un peu plus de 1 million, tandis qu'il lui reste plus de 2 millions de bois : succession d'un spéculateur et non d'un industriel.

Mais n'est-il pas surprenant de constater que, dans les années 1885-1895, la société Péchiney en difficulté choisit d'accentuer le développement du secteur agricole de son patrimoine ? D'importants achats de vigne en Camargue, au voisinage de ceux de la Compagnie des salins du Midi, sont effectués à partir de 1884 et la viticulture vient largement compenser la baisse des profits industriels. Pierre Cayez y voit un « retour à la terre » ; sans doute est-il plus juste de souligner qu'au-delà d'une solution de secours transitoire, cette entreprise fondait la régularité de son fonctionnement sur une complémentarité permanente de son secteur foncier et de son secteur industriel : signe de l'indifférenciation de l'esprit d'entreprise, indice de l'arbitraire qu'il y aurait à vouloir cantonner l'initiative capitaliste dans un champ d'activité purement industrielle...

Sur le plan humain, enfin, les affinités ne cessent de se reconnaître entre capitalisme agraire et capitalisme industriel, effaçant plutôt que soulignant les clivages entre des milieux patronaux qui frappent par leur homogénéité sociale. C'est ce qui apparaît, par exemple, dans les alliances multiples de familles, de capitaux et de conseils d'administration qui soudent entre elles les familles de Wendel, Moustier, Montalembert, Vogüé, Sommier, etc. — tout un « monde » qui rapproche la grande propriété foncière aristocratique des grands maîtres de forges ou des grands patrons des industries alimentaires, sucres ou vins. On évoquera, pour clore ce chapitre, la carrière sociale d'Henri Menier, l'industriel français du XIXe siècle qui a sans doute poussé le plus loin la réalisation du rêve d'identification du patron au seigneur. Petit-fils de Jean Menier, fondateur en 1825 de la chocolaterie familiale de Noisiel, fils d'Émile, créateur de la

L'usine des chocolats Menier à Noisiel (Seine-Maritime), vers 1925.

fameuse cité industrielle et très lié, comme industriel et comme député de la Seine-et-Marne, à tout le milieu des sucriers-betteraviers (mais, en tant qu'importateur de cacao du Nicaragua et exportateur de chocolat, ardent défenseur tout de même du libre-échange !), Henri Menier, riche à millions, achète en 1895 l'île d'Anticosti, dans l'estuaire du Saint-Laurent, île qui en 1902 sera détachée administrativement du comté de Saguenay. Il s'y crée ce que l'on peut appeler, selon les critères, une principauté féodale ou un grand domaine colonial : projection sur des terres encore neuves, de toute évidence, d'une chimère devenue irréalisable dans la vieille Europe, celle de réussir à fonder sur la fortune acquise un statut de potentat, mais aussi de pionnier de la civilisation moderne en pays sauvage, de créateur *ex nihilo* d'une économie latente. Le rêve n'a pas survécu à son auteur : en 1926, son frère, le sénateur Gustave Menier, devait revendre l'île à une compagnie de commerce canadienne. Du moins le seul industriel français à s'être mué en un principicule a-t-il laissé, sur ces rivages, son nom à la ville de Port-Menier.

6
Les voies
du grand commerce

Le secteur commercial du capitalisme français a connu, lui aussi, sa « révolution »
au XIXe siècle et au début du XXe siècle. Elle n'aurait pas été concevable sans d'autres
révolutions qui l'ont précédée, accompagnée et, en tout cas, conditionnée : révolution
dans les transports, dans la production des articles manufacturés, dans l'urbanisation,
dans la production agricole, dans les capacités et les modes de la consommation —
bourgeoise d'abord, plus tard largement populaire.

Les formes « révolutionnaires » du commerce, ce sont d'abord, par ordre d'entrée
en scène, les grands magasins, reconnaissables à l'importance de leur surface, des effectifs employés, des chiffres d'affaires réalisés, et à leur prestige de « cathédrales du commerce » — ils ont en effet offert à une architecture nouvelle l'occasion de s'exprimer en
marge du conformisme académique et de s'imposer dans une nouvelle catégorie de
monuments publics. Ces magasins, dont le véritable épanouissement est postérieur à
1880, se dégagent à partir de 1860 de transformations antérieures du commerce, inau-
gurées par les « magasins de nouveautés » dès les années 1840 et peut-être plus tôt
encore. Leur essor répond à la diversification de la production et de la consommation de
tissus et articles d'habillement, essor sur lequel se greffera celui de tous les articles
nécessaires à l'équipement et au confort des intérieurs domestiques de la bourgeoisie et
des classes moyennes, et bientôt de la petite bourgeoisie. Le second événement

d'importance majeure, en relation cette fois avec ce qui est déjà une consommation de masse, c'est la naissance et le rapide succès des chaînes de magasins d'alimentation, des dernières décennies du XIXᵉ siècle à l'entre-deux-guerres : succès qui traduit à la fois la hausse à long terme du pouvoir d'achat des classes populaires et l'importance de la consommation de nourritures élaborées par des industries alimentaires en plein essor. Ces formes nouvelles du commerce tiennent l'une comme l'autre une place véritablement centrale dans l'économie, contribuant à structurer et à réguler la production industrielle comme les habitudes d'achat de la clientèle, tour à tour éduquée à centraliser ses achats ou sollicitée à domicile par la vente sur catalogue et par la succursale.

Toutefois, l'irruption spectaculaire du grand commerce moderne de distribution ne doit pas dissimuler la survivance des formes traditionnelles du commerce. Rappelons pour mémoire la plainte maintenant centenaire du petit commerce qui s'est cru prématurément assassiné : ceux qui disparaissent, en fait, sont ceux qui restent attachés aux vieilles pratiques de vente ; mais, pas plus que la grande industrie (dont l'avènement fut du reste tardif en France) n'a éliminé la petite entreprise ni même ralenti sa prolifération, à Paris notamment, l'intrusion des formes capitalistiques du commerce n'a anéanti la boutique. Il restait, en fait, de la place pour chacun : en termes de territoire, de clientèle, de spécialisation ou de complémentarité des activités, d'éventail des articles.

Quant aux formes traditionnelles du négoce, elles se caractérisent par une grande stabilité, et à l'occasion par un renouvellement associé à une évolution dans l'organisation de la production et des échanges. On observera pour s'en convaincre trois types d'entrepreneurs commerciaux : grand négoce portuaire et, à l'intérieur, spéculation sur les grands produits, commerce de commission ; tout l'éventail enfin de la fabrique plus ou moins industrialisée.

NÉGOCIANTS DES GRANDS PORTS

Le grand négoce portuaire, depuis le XIXᵉ siècle, est sans doute affecté, par rapport à ce qu'il était sous l'Ancien Régime, de changements plus apparents que profonds. Sans doute, les horizons géographiques se modifient-ils. Cadix, les échelles du Levant, Saint-Domingue, Amsterdam, Hambourg, les Indes orientales, toute une nomenclature de destinations et de correspondances s'efface devant la montée de nouveaux partenaires américains — des États-Unis aux nouveaux États latino-américains —, africains — du Maghreb au Sénégal et au golfe de Guinée —, asiatiques enfin. Les trafics changent aussi, cotons, laines et oléagineux prenant le pas sur les vieilles denrées coloniales, telles que sucres et cafés, et les industries locales de transformation suivant le changement. La fonction de redistribution européenne cède le pas à l'approvisionnement d'un marché surtout national. Des spéculations nouvelles s'offrent en fonction de la révolution technique des transports maritimes, qu'il s'agisse de constructions navales ou de lignes transocéaniques. Mais à bien y regarder, le métier et les hommes, eux, restent conformes à bien des traditions. En dépit des modifications techniques des échanges — télégraphe, organisation mondiale ou nationale du marché des produits —, le négociant reste un professionnel vivant d'expérience directe et d'information constante. Il a voyagé durant ses années de formation, et maintient le contact avec l'étranger par son séjour personnel dans les comptoirs de sa maison ou par l'entremise de ceux qu'il y délègue. Il est homme de correspondance, toujours à l'affût d'indices

Le Havre en 1817, gravure de Baugean. Le port entretient des relations commerciales avec l'Amérique du Nord, les Antilles, l'Afrique, l'Espagne, les pays de la Baltique. Mais c'est après la chute de l'Empire que commence son essor, favorisé par le développement économique des États-Unis et la crise rouennaise.

sur les récoltes à venir, sur l'évolution des cours et sur l'ouverture de marchés nouveaux. Sa vie s'écoule entre le courrier, la surveillance des bureaux, celle des navires et des cargaisons, les contacts avec ses collègues et les organismes représentatifs de sa profession. Quant au milieu, il demeure fortement marqué par un brassage social et géographique : la société marchande des grands ports est le creuset où viennent se fondre, en une nouvelle élite, des familles dont l'ascension a bien souvent commencé ailleurs ; elle est bien souvent aussi une réunion de colonies étrangères plus ou moins complètement assimilées. Mais la bigarrure sociale ou le cosmopolitisme n'empêchent pas une réelle unité du groupe, qui s'établit dans le moule de la profession et la cohérence des intérêts.

Le Havre, porte océane de la France

Le Havre offre un exemple à la fois de rupture et de continuité tout à fait remarquable. Rupture, puisque la montée du Havre au premier rang des ports français est liée, tout autant qu'à une position géographique favorable dans le cadre de la nouvelle structure de la production et des échanges en France et en Europe, à une substitution rapide et réussie de partenaires — à la reconstruction d'une fortune balayée par les événements de Saint-Domingue au moyen du commerce avec les États-Unis et le Brésil.

Le Père Goriot, « ancien fabricant de vermicelles, de pâtes d'Italie et d'amidon », âgé de 69 ans, s'est retiré en 1813 à la Pension Vauquer. Ancien président de sa section sous la Révolution, il profite de la disette et « commence sa fortune par vendre des farines dix fois plus qu'elles ne lui coûtent ». Il achète en Sicile, à Odessa. « Il y a de beaux coups à faire dans les amidons », s'écrie-t-il dans Le Père Goriot. *Gravure de Daumier pour l'édition des Œuvres complètes de Balzac, publiée en 1855.*

Continuité apparente non seulement dans la survivance des plus glorieuses maisons d'avant 1789, mais aussi dans les mécanismes de recrutement et d'immigration de maisons nouvelles ; continuité tempérée, toutefois, par l'importance du renouvellement par des éléments totalement étrangers à la ville et à la région.

C'est très probablement grâce à l'importance des fortunes acquises avant la Révolution, et à de judicieuses consolidations en propriétés au Havre et dans les campagnes normandes, que plusieurs des grands noms du négoce havrais ont pu reprendre les affaires au-delà des pertes coloniales et de l'arrêt des transactions (1791-1814). Anoblis de fraîche date ou en cours d'anoblissement, certains d'entre eux avaient pu craindre pour leur existence quand, en novembre 1791, le mouvement populaire havrais avait menacé de pendre « M. Foäche et tous les négociants aristocrates » et de « f... le feu à leurs magasins », coupables d'« accaparer le blé et l'argent ». Le même placard reprochait à l'Assemblée nationale « que quand elle a décrété l'abolition de la noblesse et de l'aristocratie du clergé, elle n'ait pas décrété aussi celle des négociants ». Singulier reproche à coup sûr aux yeux d'un Stanislas Foäche qui, trois ans plus tôt, dans un mémoire adressé à Necker revenu au pouvoir, avait condamné vigoureusement « les restes de la féodalité » et prononcé un remarquable éloge des vertus bourgeoises : « Le négoce exige, indépendamment des connaissances particulières et relatives à chaque espèce, de l'ordre et de l'économie dans les détails, une attention soutenue sur tous les objets, enfin c'est une profession laborieuse [...]. Des talents supérieurs ou des circonstances heureuses peuvent procurer des succès extraordinaires, mais les grandes fortunes dans le commerce sont le plus souvent le résultat des travaux accumulés de plusieurs générations, et de cette réputation héréditaire qui est pour ainsi dire l'enseigne de la probité. Les commencements sont toujours pénibles et repoussants pour l'amour-propre. Comment des jeunes gens, avec l'éducation que reçoit la noblesse, pourraient-ils se déterminer à être de simples commis et à lutter de mérite avec ceux qu'ils regardent en dessous d'eux ? [...] Il serait à souhaiter qu'on pût faire de l'oisiveté une véritable dérogeance. »

A la Restauration, les Homberg, les Foäche et leurs alliés et anciens associés les Bégouen prennent un nouveau départ, les Feray également, après avoir vu sombrer, bien avant l'Empire lui-même, tout espoir de rétablissement de l'économie et du commerce de Saint-Domingue. Jacques-François Bégouen (1743-1831), par exemple, s'était pour sa part retiré des affaires sous les effets de la guerre, des fonctions publiques (Napoléon l'avait fait conseiller d'État et comte), et finalement de l'âge. Mais la suite est prise par son fils le baron André, marié à une Foäche, maire du Havre, appuyé sur le crédit commercial que la garantie des biens paternels — fermes et maisons au Havre, à Ingouville et dans le pays de Caux — lui permet de trouver auprès de la banque Mallet.

Même si les hommes sont de nouveaux venus, c'est bien à un mécanisme « classique » qu'on peut assimiler, par ailleurs, la reprise et l'amplification de l'immigration d'affaires helvétique au Havre. Jusqu'à ces toutes dernières années, par exemple, le nom illustre des Du Pasquier est resté représenté au Havre par une grande maison d'importation du coton, finalement absorbée par le groupe Willot. Or, sa fondation remonte aux débuts de la seconde Restauration, sous la raison sociale Du Roveray, d'Ivernois et Cie, gérée par un Du Roveray et deux frères d'Ivernois, et commanditée par Claude-Abram Du Pasquier, à travers lequel le lien s'établit directement avec le grand capitalisme commercial neuchâtelois de la fin du XVIIIe siècle. Cette création exprime la souplesse d'adaptation de ces négociants suisses, passant du commerce international des indiennes à celui des produits « coloniaux ». En 1824, la société devient d'Ivernois, Du Pasquier et Cie et se consacre désormais principalement à l'importation du coton et à sa redistribution en France. Bien d'autres Suisses se retrouvent auprès d'eux en un véritable cercle de familles : Édouard Borel (ancien employé à Paris de ses parents Meuron), Francis Courant, Odier-Vieusseux, etc.

La véritable nouveauté réside dans l'accentuation d'un mouvement déjà esquissé sous le Consulat et l'Empire, par lequel les négociants d'autres ports de la côte atlantique, souvent associés à des négociants-banquiers parisiens de haute volée et commandités par eux, reconnaissent désormais dans Le Havre la véritable « porte océane » de la France. De Rouen arrive Édouard Quesnel, qui s'établit armateur en 1820 et dont les fils prendront la suite en 1837, se spécialisant dans le commerce avec Pernambouc. Une branche de la grande famille de négociants et banquiers lillois des Virnot vient prendre place aux côtés des Du Pasquier, comme l'une des premières maisons d'importation de denrées coloniales et de cotons. De Bordeaux viennent les chefs de plusieurs succursales de maisons de commission : pour n'en citer qu'une, celle dirigée par Jules Balguerie pour le compte de Pierre Balguerie-Stuttenberg. Ce dernier arme à Bordeaux pour Rio de Janeiro et consigne des soieries françaises à la maison qu'il commandite là-bas : Lezan, Vial et Cie, dont les gérants sont eux-mêmes originaires de Nîmes et Lyon ; de là, soit les navires rentrent directement chargés de café à Bordeaux, soit ils vont charger à Pernambouc du coton qu'ils conduisent au Havre, avant de rentrer sur lest à Bordeaux. D'autres maisons de commission sont issues de Nantes, du Languedoc, ou de Troyes : comme l'explique en 1821 un négociant de cette dernière ville, « les soins particuliers qu'exige le choix des matières premières (pour la bonneterie), l'importance de ce choix pour la fabrique m'ont décidé à cet établissement ».

En 1910, les travaux exécutés dans le port du Havre depuis quarante ans s'élèvent à 170 millions de francs et on prévoit d'investir encore 80 millions. Le port pourra ainsi recevoir à toute heure des navires de 12 m de tirant d'eau. Photo Seeberger.

C'est toutefois Paris qui, par personnes interposées, déploie le plus d'activité sur la place du Havre. On retrouve en effet Jacques Laffitte, commanditaire, à l'origine de l'établissement de la maison d'armement de son frère Martin au Havre dès 1814, en société avec Jean-Scipion Possac, et plus tard Jean-Casimir, frère de ce dernier, ainsi qu'avec deux gendres, Félix Bourqueney et Jean-Philippe Roussac. Martin Laffitte et Cie, société dont le siège social était à Paris, après une brillante carrière sous la Restauration, n'a pas survécu à la faillite de la banque de Jacques Laffitte en 1831 ; mais les Bayonnais restent présents au Havre bien au-delà de cette date dans la maison dirigée par Jean-Jacques-Théodore Ferrère (1802-1872), un neveu de Jacques Laffitte. Mais surtout, d'autres banques parisiennes ont exercé une influence bien plus durable, à commencer par Hottinguer dont la place dominante dans le commerce français d'importation du coton pendant tout le XIXe siècle est bien connue. Il faut citer, en dehors de cette maison, Thuret dont l'établissement du Havre est géré par son associé Lelièvre puis par Delaunay, son ancien agent aux États-Unis ; les frères Perier, un moment associés à la maison Brunet et Guisquet, du Havre ; Worms de Romilly, commanditaire de son ancien employé dans la société Mouesca et Cie ; la maison Louis Henry, lancée d'abord par la banque Vassal ; Horace Say, agissant de concert avec Delaroche ; Delessert avec Sagory ; Paravey, lançant la maison de commission de Joseph Clerc d'où sort bientôt une importante affaire de raffinerie sucrière soutenue par la finance alsacienne ; Alexandre Cor, commissionnaire en marchandises parisien devenu armateur au Havre, plus tard passé à la raffinerie, lui aussi, en société avec les frères Haentjens, négociants en sucre des Antilles à Nantes. Ainsi donc, parler des négociants du Havre consiste simplement à constater leur localisation : ce milieu professionnel et social n'a qu'un petit nombre d'attaches normandes, et son « cosmopolitisme » est la contrepartie de son ascension économique rapide, donc de la puissance d'attraction du port. C'est du reste, sous un habillage nouveau, un trait des bourgeoisies portuaires anciennes qui se retrouve. Le plus illustre des Havrais du XIXᵉ siècle n'est-il pas le Mulhousien Jules Siegfried (1837-1922), négociant et maire en la ville du Havre mais au demeurant grande notabilité nationale autant que locale ? Toutefois, le cas du Havre est sans doute extrême et, pour l'expliquer, il faudrait aussi invoquer tout un contexte social normand qu'on imagine peu favorable à un certain type de croissance.

Marseille, métropole méditerranéenne

Entre Le Havre et Marseille, dont les intérêts se sont fortement opposés à l'égard de la structuration, par les nouvelles voies de communication, de l'espace national, on observe aisément un contraste marqué dans la structure et les caractères des groupes dirigeants de l'économie locale. Contrairement à ce qu'une vue pittoresque et « orientaliste » des choses pourrait faire croire, le plus original et le plus important ne se situe pas au niveau des nombreuses colonies étrangères en provenance des rivages méditerranéens. Certes, on ne saurait sous-estimer l'importance et la réussite de la colonie grecque, qui s'est solidement implantée depuis 1815 et dans laquelle se sont particulièrement distinguées des familles originaires de Chio. La deuxième moitié du XIXᵉ siècle a vu s'épanouir des firmes aussi puissantes que celle des frères Ralli, l'une des plus importantes maisons du monde pour le commerce des oléagineux en provenance du Levant, des Indes et des côtes d'Afrique (80 millions de chiffre d'affaires en 1911 pour leur agence de Marseille), ou que celle des Zafiropoulo et Zarifi, passés du négoce à la banque. Pourtant, le capitalisme local s'organise autour d'un noyau de familles d'origine marseillaise, ou venues poursuivre à Marseille une ascension commencée dans les villes, bourgs et ports de la Provence et du Languedoc traditionnellement orientés vers la métropole de la France méditerranéenne. Ce noyau subit un profond renouvellement au début du XIXᵉ siècle : bien que l'on retrouve des noms illustres du commerce d'Ancien Régime, comme ceux des Couve (du reste passés à la banque) ou des Salavy, les familles qui passent au premier plan au XIXᵉ siècle sont d'installation et d'ascension récentes. On pense, par exemple, aux Fabre : famille de La Ciotat, engagée dans l'armement et le négoce depuis plusieurs générations, fixée à Marseille au début du XIXᵉ siècle, elle accède à la grande notoriété avec Cyprien Fabre (1838-1896), fondateur de la Compagnie française de navigation à vapeur, président de la Chambre de commerce de 1881 à 1891 ; de ses seuls capitaux, il crée une douzaine de comptoirs dans le golfe du Bénin, et lance les paquebots *Gallia*, *Lutetia* et *Massilia*. Son fils et successeur Paul prend symboliquement le nom de Cyprien-Fabre et marie l'une de ses filles, Mathilde, à Jean Fraissinet, lui-même président d'une compagnie de navigation ; son frère, Augustin, épouse une fille du banquier Bonnasse. Une autre branche, issue d'Urbain Fabre, s'allie à la famille Luce : originaire de Grasse, on la retrouve au début

Le vieux port de Marseille. Photo Seeberger.

du XIXe siècle dans le négoce des blés, puis dans l'armement et la banque, et à la présidence du Tribunal de commerce ; le patronyme de Fabre-Luce à son tour consacre le prestige des deux familles unies. Dans ce dernier cas, on sort du cercle des affaires locales : Edmond Fabre-Luce épouse en 1894 la fille de Henri Germain, fondateur du Crédit lyonnais dont il deviendra plus tard vice-président ; son fils Alfred épouse Charlotte de Faucigny-Lucinge, tandis que d'autres alliances dans la même branche sont conclues avec les Law de Lauriston, Montgolfier, Jacquin de Margerie, Nicolay, Portalis, etc. Joseph Bonnasse, créateur d'une banque à Marseille en 1821, était fils d'un propriétaire et négociant du Var. Charles-Auguste Verminck (1827-1912), l'un des plus heureux brasseurs d'affaires de Marseille, est né fils d'instituteur à Fuveau. C'est à l'ouest du Rhône qu'il faut rechercher le berceau de plusieurs autres familles notables. De Murat-sur-Vèbre, dans les mont de Lacaune, est venu s'établir à Marseille comme négociant en cuirs et tanneur un Jean-François Pastré, à la veille de la Révolution ; l'un de ses fils et successeurs, Jean-Baptiste, fait sous le Second Empire la traite des oléagineux sur la Côte-d'Ivoire et les Rivières du Sud (Guinée), préside la Chambre de commerce et la Société marseillaise de crédit (SMC) à ses débuts. Henri Bergasse (1821-1901) est issu d'une famille ariégeoise dont une branche, au XVIIIe siècle, a émigré à Lyon et l'autre à Marseille, où la première maison de commerce de ce nom apparaît en 1781 ; son père a fait l'exportation des vins avant de s'intéresser à l'armement des navires à voile puis à vapeur. Il lui a succédé en 1854 après avoir travaillé à ses côtés depuis l'âge de 16 ans. Immigrations qui ne doivent pas empêcher d'apercevoir la montée de familles déjà marseillaises : les Massot, par exemple, parvenus en deux générations au premier rang du commerce marseillais ; Marius (1796-1855), négociant-exportateur en draps et rouenneries, se lance également dans la raffinerie sucrière et dans la savonnerie ; ses deux fils prennent ensuite la tête des Raffineries de la Méditerranée, qui ont précédé celles de Saint-Louis dans la concentration de l'industrie sucrière amorcée sous le Second Empire, et finiront en 1929 par être absorbées par elles. Amédée Armand (1807-1881), appartenant par sa mère à une famille de robe toulousaine et par son père à l'industrie marseillaise de la minoterie et des produits chimiques, abandonne la carrière d'avocat pour le commerce des soufres siciliens, sous la commandite de Jacques Laffitte, avant de s'intéresser à la recherche et à l'extraction du lignite dans les Bouches-du-Rhône, à l'armement des paquebots vers l'Argentine, à la formation des Forges et Chantiers de la Méditerranée. Son neveu Albert Armand, fait comte pontifical en 1889, est au début du XXe siècle vice-président du Comité central des armateurs de France. Aux origines de la célébrité nationale de plusieurs générations de Rostand dans l'économie politique, la littérature ou la biologie, on trouve les affaires d'armement et de banque d'Albert Rostand et de son fils Alexis. Le premier, d'abord impliqué dans la modernisation des lignes de navigation vers le Levant, suscite en 1852 la création des Messageries impériales qui se rapprochent en 1855 du PLM pour fonder les Docks et Entrepôts de Marseille, enfin contribue à la formation de la Société marseillaise de crédit. Alexis est le premier président de la Banque de l'Afrique occidentale, constituée à Paris en 1901 sous l'égide à la fois du Comptoir national d'escompte de Paris (CNEP) et des capitalistes marseillais.

Bien des traits des carrières exemplaires qu'on vient d'évoquer rejoignent l'analyse que Marcel Roncayolo a donnée récemment du capitalisme marseillais du XIXe siècle. Une des fragilités de l'industrialisation locale tiendrait à la prédominance, dans les familles maîtresses de l'activité économique, de l'esprit « négociant », d'une rationalité économique avant tout commerciale et même franchement spéculative. L'activité industrielle est pénétrée par des hommes d'affaires qui ne renient jamais leur appartenance essentielle au négoce, et entrent malaisément ou maladroitement dans les catégories mentales de l'entrepreneur industriel préoccupé d'abord par le choix et le rythme de l'investissement et de l'innovation. La carrière de Verminck est à cet égard instructive. Formé au métier comme employé de commerce chez Maurel et Prom, les pionniers bordelais du développement de l'arachide au Sénégal, grands négociants-armateurs devenus huiliers à la fois à Bordeaux et à Marseille, Auguste Verminck a de toute évidence voulu les imiter et les dépasser. Négociant à son tour, acheteur de graines oléagineuses directement à son compte ou par l'intermédiaire de ses anciens patrons comme par celui des frères Ralli, c'est par une sorte de boulimie de transactions qu'il se fait armateur, reprenant les factoreries africaines des Pastré dans les années 1870, en créant de nombreuses autres dans le cadre de sa Compagnie du Sénégal et de la côte occidentale d'Afrique (1881), devenue en 1887 la Compagnie française d'Afrique occidentale (CFAO), et animée par son gendre Bohn. C'est pour régulariser le marché et valoriser ses achats qu'il se fait industriel et crée cinq huileries, dont il exploite la plus importante et loue les autres. Vers 1900, l'inspecteur de la Banque de France constate avec soulagement que « la première usine de Marseille (pour l'huilerie, s'entend) ne spécule plus ». Assagissement dû à l'âge, sans doute, car la réputation de Verminck est d'avoir toujours « voulu jouer la difficulté et faire trop grand ». Après Verminck, l'affaire transformée en société anonyme est présidée par l'armateur Paul Cyprien-Fabre : la nouvelle gestion reste au fond inspirée du même esprit, puisque les énormes investissements décidés au début des années 1920 pour créer une moderne usine géante sur l'étang de Berre sont eux-mêmes une spéculation imprudente sur une expansion indéfinie des importations et de la consommation des produits oléagineux — imprudence aggravée par la conjoncture des années 1930.

Par ailleurs, ce capitalisme de brasseurs d'affaires, élevés de génération en génération dans le culte des trafics maritimes, ne saurait être considéré, sous peine de s'enfermer dans les « chemins faciles de la mythologie », comme strictement lié à Marseille ou comme naturellement antagoniste de l'initiative capitaliste parisienne. S'il est vrai que la plus grande et la plus durable des entreprises marseillaises, les Raffineries de Saint-Louis, fut à son origine financée et gérée uniquement par des Marseillais et que ses actions constituent une valeur traditionnelle dans les patrimoines marseillais, il n'en est pas moins vrai que le capitalisme marseillais a aussi fait bon accueil à la pénétration d'intérêts parisiens dans de grands projets concernant les transports ferroviaires et maritimes ou l'équipement commercial du port — de même qu'à l'inverse, de grands hommes d'affaires marseillais comme Jules Charles-Roux, le savonnier de la rue Saintes, ou Albert Rostand, n'ont pas hésité à déplacer à Paris leurs intérêts, leur domicile ou leur carrière de grands notables, mettant leur influence politique au service des intérêts marseillais.

Enfin, le milieu socio-professionnel du négoce marseillais frappe par sa forte cohérence, au-delà des clivages religieux ou ethniques — cohérence entretenue non seulement par le jeu, habituel à ces niveaux, des alliances matrimoniales recouvrant des solidarités d'intérêts, mais aussi par la « polyvalence » des négociants, et enfin par la réunion de leurs efforts en vue de constituer de grandes affaires de banque, destinées à soutenir les activités des secteurs les plus variés. C'est le cas avec la Société marseillaise de crédit, dont le rôle de grande banque locale d'affaires s'est affirmé dès les années 1870, et que l'on peut décrire comme le club des grands intérêts marseillais ; c'est aussi, sans doute, le cas de la Banque d'Afrique occidentale, dont le capital est souscrit par moitié par les actionnaires de l'ancienne Banque du Sénégal (aux mains de Maurel et Prom), et par le CNEP, la SMC, la CFAO et Cyprien-Fabre et Cie.

LE COMMERCE DES GRANDS PRODUITS

La spéculation sur la collecte et la redistribution des grands produits est une activité simple et fondamentale de l'économie d'échanges qui, dans les campagnes et les villes des aires continentales, offre en tout pays et à toute époque d'immenses possibilités d'enrichissement et crée des filières d'ascension sociale, de façon comparable aux trafics portuaires et aux bourgeoisies du commerce maritime — et parfois en continuité avec ces trafics et ces bourgeoisies. Le commerce des grands produits a pu par ailleurs, dans certains cas, exercer un effet d'entraînement sur les industries situées en aval ou en amont, par le biais des crédits consentis, et parfois au moyen d'une véritable pénétration ou intégration : on pense ici, par exemple, au rôle qu'ont pu jouer dans le développement de la sidérurgie et de la métallurgie certains négociants en fer et autres métaux. Les phénomènes d'ordre économique général amplifient depuis le XIXe siècle le champ et le volume de ce genre de commerce, du fait de la diversification et de l'augmentation considérables des besoins d'ordre industriel ; du fait, aussi, de l'évolution de l'agriculture qui, en liaison avec la révolution des transports, l'urbanisation, les progrès de la consommation alimentaire, a ouvert de nouveaux horizons au commerce de produits de base comme les grains et farines, comme à celui de produits d'une consommation de plus en plus générale et sélective à la fois, tels que les vins. C'est à ces deux secteurs qu'on empruntera les exemples qui suivent.

Du trafic des grains aux grands moulins

Le commerce des grains et farines représente sans nul doute un cas particulièrement flagrant de carrière nouvelle ouverte au profit commercial depuis les années 1800 dans la mesure où, sous l'Ancien Régime, son développement était limité par toutes les réglementations pesant sur l'approvisionnement des villes en ce qui était, à la fois, l'article essentiel de la subsistance de la population et le pilier de l'ordre public, ainsi que l'ont remarquablement démontré les travaux de Steven L. Kaplan. Grains et farines pouvaient être, à l'occasion, matière à de très grosses opérations d'exportation, dans le cas où une bonne année autorisait la sortie des grains d'une province excédentaire ; ou inversement, d'importations exceptionnelles quand l'urgence de la situation conduisait le roi à confier à de puissants négociants ou financiers la recherche et l'acheminement des secours nécessaires. Dans une conjoncture plus normale, les transactions portaient sur des quantités souvent modestes, s'effectuant à l'intérieur d'un rayon géographique relativement court. La commercialisation était d'ailleurs, en vertu des effets du régime seigneurial et du poids des bénéficiaires de la rente du sol en nature, en large partie contrôlée ou conditionnée par les détenteurs de stocks céréaliers. Le passage à la liberté économique, l'augmentation de la production, l'effacement progressif de la « crise de subsistances » ont fait entrer le commerce des grains et farines dans un fonctionnement banal du marché — mais un marché remarquablement attrayant, jusqu'au moment, du moins, où il s'est trouvé menacé par la concurrence des pays neufs à l'égard d'une agriculture française en voie de devenir elle-même pléthorique.

Pour d'évidentes raisons, les « greniers à blé » français, associés aux plus fortes zones de concentration urbaine, offrent les meilleurs terrains d'étude. On retiendra ici des exemples pris dans la région parisienne et dans la région du Nord ; on aurait pu, aussi, les prendre dans un port tel que Marseille où, depuis la Restauration, de Jean-Louis Bethfort (la plus grosse fortune de Marseille en son temps) à Louis Dreyfus et Cie,

Aux Grands Moulins de Corbeil, le remplissage des sacs de farine.

en passant par les négociants grecs, les grains n'ont jamais cessé d'être un des grands trafics de la place.

L'histoire des Darblay illustre parfaitement, d'une part les extraordinaires possibilités ouvertes par le négoce des grains, d'autre part l'articulation directe de ce négoce sur le progrès industriel par son jumelage avec la meunerie, indispensable à la valorisation des grains. Les deux frères Darblay, Rodolphe l'aîné et Aimé le cadet, étaient les fils de Simon, aubergiste et maître de poste à Étréchy près d'Étampes ; mais le père était aussi meunier, et c'est tout naturellement dans cette direction que s'orientent les enfants quand la charge de maître de poste est perdue en 1816 pour des raisons politiques. Tous deux se reconvertissent dans le grand commerce des grains ; mais tandis que l'aîné évolue vers l'investissement foncier et le statut de grand notable propriétaire terrien, le cadet s'intéresse aux progrès des techniques de mouture. D'abord fermier des Moulins des hospices de Corbeil (qu'il rachètera en 1863), il sera sous le Second Empire le premier meunier de France, ayant acheté, de 1840 à 1858, une série d'installations à Corbeil, Essonnes, Saint-Maur, Bray-sur-Seine, Rouen. Associé à son gendre Alphonse Bérenger (1841), puis à son fils Paul (1848), Aimé Darblay développe simultanément la meunerie (faisant de Saint-Maur un moulin modèle, à l'eau et à la vapeur, utilisant l'outillage et les procédés anglais ou américains), l'huilerie de graines (ainsi à l'usine de la Réserve, à Corbeil, qui traite la production d'oléagineux de la Brie), enfin la papeterie à Essonnes, depuis 1868. En association avec les Pastré de Marseille et avec des hommes d'affaires de Salonique, il crée une industrie meunière en Égypte et en Turquie. L'importance financière de cette société familiale transparaît dans celle du capital social — 6 millions en 1868, plus les comptes courants — comme dans le partage anticipé effectué dès 1854 entre les trois enfants, dont chacun reçut 800 000 F.

Tandis que le « style Darblay » se retrouverait dans la carrière des Vilgrain (des Grands Moulins de Nancy aux Grands Moulins de Paris), on peut identifier un comportement beaucoup plus traditionnel et plus purement marchand chez les grands négociants en grains du Nord (comme d'ailleurs chez un Rodolphe Darblay, prenant en 1827 la fourniture de l'administration des subsistances militaires). Il s'incarne bien dans la carrière des frères Schotsmans qui, dans la deuxième moitié du XIXᵉ siècle, dominèrent le commerce des grains et des farines dans le Nord et le Pas-de-Calais. L'aîné, Adolphe, avait accumulé sous le Second Empire une fortune évaluée en 1875 à 14 millions, avant une spéculation qui le ruina alors et réduisit ses moyens à 250 000 F. Arthur, le second, est alors riche de 2 millions, et le cadet, Émile, de 6 à 7 millions. Ce dernier, homme prudent et capable, est l'industriel de la famille. Associé à Leduc, il exploite les moulins à huile et à farine de Brébières, près de Douai, et associé à son aîné ruiné, celui de Don, près de Lille — une superbe installation équipée de 48 paires de meules (à rapprocher des 58 paires installées aux hospices de Corbeil). Émile Schotsmans commandite d'autre part la maison de commission et transit Coolen, à Dunkerque. En 1882, il passe pour avoir 10 millions, dont 4 millions en immeubles — notamment des propriétés rurales dans le Pas-de-Calais. A la même date, Adolphe s'est partiellement « refait » : on lui accorde 3 millions, et autant à Arthur. La fièvre de la spéculation n'est pourtant pas sortie de la famille : Leduc perd 1 million en 1884, Émile Schotsmans perd plus d'1 million sur des alcools en 1894 et doit vendre une partie de ses terres. Cependant, les moulins de Don et de Brébières restent dans la famille, aux mains des cousins germains J. et P. Schotsmans, fils et neveux des précédents ; le moulin de Don, qui écrase, vers 1890, 1 000 quintaux de blé par jour, est la plus grande installation du département. Arthur Schotsmans, pour sa part, est sans doute celui dont Ardouin-Dumazet visita l'exploitation modèle à la fin du XIXᵉ siècle : grand éleveur sur un domaine de 500 hectares à Muncq-Nieurlet, il était l'un des capitaines d'agriculture dont le Pas-de-Calais fut si riche en ce temps, comme l'a noté Ronald Hubscher. D'autre part, une sœur des Schotsmans avait épousé l'un des frères Houzet, riches minotiers et négociants à Blendecques, aux environs de Saint-Omer, qui reprit en 1883 les moulins à farine et à papier des frères Dambricourt à Wizernes, maison considérée comme « de premier ordre ». Ce noyau d'activités complémentaires montre bien comment, autour d'un grand produit, peut s'effectuer la liaison entre un capitalisme marchand de type franchement archaïque et les spéculations beaucoup plus subtiles d'un capitalisme agro-industriel.

La gloire du champagne

Un capitalisme qui tire sa substance tour à tour de l'extrême richesse agricole d'un terroir, de la manipulation industrielle et de la commercialisation d'un grand produit : c'est bien la définition qui convient encore au négoce des vins de Champagne, à Reims et à Épernay. Jaillissant de superficies restreintes et disséminées, il éclipse le blé et la betterave à sucre comme supports du capitalisme champenois d'assise terrienne.

La « montée en puissance » des négociants en vins rémois et sparnaciens est un phénomène du XIXᵉ siècle principalement, bien qu'elle se soit amorcée dès le XVIIIᵉ siècle, et que le XXᵉ siècle finissant assiste à une nouvelle croissance, tempérée de sérieuses difficultés structurelles. On est tenté de rapprocher cette brillante ascension de la vogue des produits coloniaux au XVIIIᵉ siècle. Qu'il s'agisse de vin champagnisé ou de thé et de chocolat, on est bien en présence, en effet, d'un produit de luxe recherché par

Le champagne : un produit qui doit vieillir. Dans les caveaux d'Épernay, à une dizaine de mètres sous terre, les bouteilles sont disposées la tête en bas après le remuage. Photo de 1936.

des sociétés en voie d'enrichissement, avides de raffinement dans leur mode de vie matérielle, et d'une croissance économique qui prend appui à la fois sur une consommation intérieure en développement (même si la « démocratisation » du champagne appartient à la seconde moitié du XXᵉ siècle seulement) et sur l'élargissement constant de marchés d'exportation lointains. Dans les deux cas, la courbe des profits s'élève pendant trois quarts de siècle d'une façon quasi fulgurante, bien au-dessus de celle de tout autre secteur commercial, et, comme Nantes ou Bordeaux cent ans auparavant, Reims et Épernay acquièrent de ce fait leur aristocratie du négoce, qui prend le pas sur celle du textile (entre les deux, du reste, beaucoup de liens apparaissent).

Le commerce des vins de Champagne dépend, pourtant, de conditions très aléatoires. Ses remarquables succès — 13 millions de bouteilles expédiées en 1866, 44 en 1913-1914 — cachent une histoire mouvementée, qu'agitent les écarts très prononcés entre les récoltes de raisin d'une année sur l'autre, les catastrophes naturelles (phylloxéra) ou historiques (guerre de 1914-1918), les fluctuations des marchés étrangers (prohibitions diverses) comme du marché intérieur (très sensible aux crises économiques). Ces contradictions sont toujours présentes de nos jours ; de 1970 à 1978, on assiste à une fantastique poussée des ventes de 102 à 186 millions de bouteilles, mais le progrès agronomique n'a pas fait disparaître les « coups d'accordéon » du climat :

Affiche publicitaire de Cappiello pour le Pur Champagne Damery (1903). Le directeur de l'Association de vignerons champenois écrivait : « Le dessin de M. Cappiello pour notre Pur Champagne est
parfait en ce sens qu'il rend parfaitement l'expression de franche gaieté que communique le vin des
coteaux champenois. »

moins de 600 000 hectolitres de jus pressé dans la Marne en 1978 (année catastrophique), mais 1 700 000 hectolitres en 1979 (année record). Contrainte permanente aussi, tour à tour ballon d'oxygène ou épée de Damoclès : les stocks. Indispensables, s'agissant d'un produit qui doit vieillir avant d'être mis sur le marché, ils permettent de satisfaire une demande régulière ou croissante par-delà les irrégularités naturelles de la production ; mais leur conservation représente une énorme immobilisation en capital, et des dépenses d'entretien. Pourtant, jusqu'à présent, on ne saurait parler de « colosses aux pieds d'argile » : le négoce des vins se transforme, s'adapte, aujourd'hui se concentre, mais les faillites et les radiations du palmarès ont toujours été relativement rares.

De 1850 à 1875, les négociants en vins paraissent avoir traversé une époque bénie. Longue série de très bonnes années au début du Second Empire ; inquiétudes temporaires liées au ralentissement des exportations vers la Russie au moment de la guerre de Crimée (la cour de Saint-Pétersbourg étant grande consommatrice de tous les vins français de qualité) ; euphorie consécutive aux traités de libre-échange, très favorables au commerce des vins... En 1872, l'inspecteur de la succursale rémoise de la Banque de France parle d'un commerce qui « ne connaît pas de chômages », d'une consommation « qui va grandissant » ; les moindres maisons de vins font 100 000 ou 200 000 F de bénéfices annuels, les plus grosses, des millions. La première crise de surproduction se situe de 1893 à 1896 : une abondante récolte en 1893 charge les caves du plus gros stock jamais constaté (1 355 000 hectolitres) ; 1894 et 1895 apportent deux autres fortes récoltes, et on estime alors « à huit ans, au lieu du délai normal de quatre, le temps nécessaire à l'écoulement de la marchandise en cave ». Les stocks s'allègent sérieusement à partir de 1897. A l'inverse, en 1910, une récolte pratiquement nulle oblige à rechercher pour la vinification des moûts hors de Champagne ; les stocks permettent de servir la clientèle, mais l'anéantissement de leur revenu pousse les viticulteurs à la violence. Les effets destructeurs de la première guerre mondiale ont pu, dans ce secteur, être limités ; 10 à 15 % des stocks, au maximum, ont été perdus, et le phénomène de la consommation différée permet au commerce des vins de repartir le premier, en 1919-1920, dans une ville totalement en ruines : 42 millions de bouteilles sont expédiées dans cette campagne-là, pour l'ensemble du vignoble. C'est pourtant alors que surgissent les plus graves difficultés. Sous l'effet de la fermeture des marchés britannique et américain, les expéditions à l'étranger tombent de 15 millions de bouteilles en 1920 à 8 millions en 1922 (contre 20 millions à la veille de la guerre de 1914), et les ventes totales s'effondrent à 16 millions pour cette même année ; elles ne remonteront guère au-dessus de 24 millions pendant les dix années suivantes. Au début des années 1930, c'est au tour de la consommation intérieure de fléchir. Et cependant, sauf 1926 et 1927, les récoltes apportent des contingents énormes — 585 000 hectolitres en 1929, 767 000 hectolitres en 1934 —, ce qui fait perdre au raisin 90 % et davantage de son prix au kilo. Les stocks atteignent les 100 ou 150 millions de bouteilles. La plupart des maisons ne subsistent qu'en obtenant le renouvellement d'importants découverts en banque. Paradoxalement, les moins célèbres résistent le mieux parce qu'elles vendent du vin de deuxième qualité à des prix modérés ou en baisse, tandis que les « grandes bouteilles » restent sur latte et que, scandale majeur, le mousseux progresse au détriment du champagne. Après une chute particulièrement profonde des exportations à 4 millions de bouteilles en 1932, la fin de la prohibition aux États-Unis fait renaître l'espoir, tandis que le marché anglais progresse de nouveau. Mais la reconquête du marché américain, c'est toute une éducation à refaire : la douceur des vins de Champagne ne convient plus à des gosiers qui se sont faits à l'alcool, et des visiteurs sacrilèges demandent à couper avec du whisky le champagne de la dégustation.

Les maisons qui ont successivement connu cette « explosion » et cette crise, surmontant sans nul doute la seconde en partie grâce à l'importance des gains accumulés pendant la première, appartiennent à des générations et des origines diverses. Quelques-unes peuvent s'enorgueillir de remonter à l'Ancien Régime : parmi elles, si Ruinart n'est plus, dès le début du XX⁰ siècle, qu'une toute petite affaire, plusieurs autres subsistent en tant que marques prestigieuses « portées » par des maisons plus récentes, ou même — c'est le cas de Moët et Chandon — se maintiennent au premier rang de l'industrie vinicole française (groupe Moët-Hennessy). La plupart des affaires, cependant, se sont créées dans les années 1830 et 1840, et parfois à une date beaucoup plus récente. Le milieu humain, comme toujours lorsqu'il s'agit de participation à des spéculations d'horizon international, s'apparente à un capitalisme composite et cosmopolite. Ruinart, Walbaum, Ponsardin (baron d'Empire et maire de Reims), Pommery étaient au départ des membres influents de la fabrique rémoise de drap, qui investirent dans le commerce du champagne et mirent à la disposition de ce dernier le réseau de relations internationales qu'ils possédaient déjà. Faut-il rappeler l'origine de la première marque de champagne de Reims, Veuve Clicquot : la veuve en question était Barbe Ponsardin, mariée de 1800 à 1805 avec un Clicquot, négociant-banquier et propriétaire de vignes. Mais parmi les nouveaux venus du XIX⁰ siècle, une place importante est tenue par des familles de l'aristocratie impériale (dont on connaît le penchant pour tous les investissements aux frontières de la grande propriété foncière et de l'industrie, des riches labours et des vastes forêts jusqu'aux forges et aux caves), ainsi que par une immigration de marchands de vins allemands, d'origine principalement rhénane. La plus forte concentration de ces maisons s'est opérée à Reims, favorisée par son avance économique, suivie par Épernay, qui n'avait pas de tradition marchande et manufacturière mais que favorisait incontestablement son port sur la Marne. D'autres maisons ont leur siège dans des concentrations secondaires comme celle réalisée par Ay, ou même dans des bourgs situés en pleine zone de production. Dans tous les cas, des lignes de clivage parcourent ce microcosme de négociants, lesquelles ne reproduisent pas nécessairement la hiérarchie des capitaux engagés et des quantités vendues, mais avant tout celle des qualités produites. Une maison de premier ordre est celle qui n'expédie que des bouteilles de première qualité ; le second ordre est celui des vins de deuxième zone ; une hiérarchie qui s'enrichit d'un échelon inférieur quand se développe la fabrication de cette imitation douteuse qu'est le mousseux. C'est sans doute à Épernay, plus qu'à Reims, que s'ouvre l'éventail des prix des bouteilles, qui est bien ici l'éventail véritable des qualités. Vers 1900, Moët et Chandon y stockent des flacons qui valent en moyenne 5 F. Gallice (dont la suite sera prise par Perrier-Jouet), Pol Roger y vendent également des vins de première qualité. Mais, si Moët et Chandon vend quelque 4 millions de bouteilles annuellement, Mercier en vend déjà 3 millions de vins à bon marché. Et des maisons de création toute récente, comme Gauthier et Cie, dépassent déjà le million de bouteilles. Dans les « bas-fonds », Charles-Clovis Gardet lance son Sparkling Wine qu'il vend 0,75 F en 1910 !

Le « club » rémois des « rois du champagne » compte à peine une demi-douzaine de noms. La suite de Barbe Clicquot-Ponsardin a été prise par les Werlé, dont le premier, un Rhénan employé par la veuve Clicquot, est devenu son associé en 1831. On s'y succède de père en fils sur trois générations entre le Consulat et la première guerre mondiale : Mathieu-Édouard a été, sous le Second Empire, maire de Reims, conseiller général et député ; aux années 1900, son fils Alfred et son petit-fils Édouard gèrent la maison avec un gendre de Mun. Le capital social de Werlé et Cie est alors de 10 millions, et n'est dépassé que par Louis Roederer (12 millions). La vente annuelle dépasse en moyenne 2 millions de bouteilles. La fortune des Werlé, dès 1880, est estimée à plus de 50 millions, celle des Roederer n'est pas connue mais elle est dite « hors ligne » à la même époque : « Excellente clientèle. Font beaucoup avec l'étranger. Bénéfices énormes », note au début des années 1870 l'inspecteur de la Banque de France. Quant à la descendance de la veuve Clicquot elle-même, elle s'est orientée, sur trois générations et par le jeu d'une succession exclusivement féminine, vers une absorption dans la vieille noblesse : la fille unique de Barbe Clicquot-Ponsardin épousant un comte de Chevigné, Mlle de Chevigné épousant un comte de Mortemart, Anne de Mortemart épousant enfin Emmanuel de Crussol, douzième duc d'Uzès. La veuve Clicquot avait acheté à l'ouest d'Épernay une « campagne » à Boursault, dominant la vallée de la Marne et ses vignes ; elle y avait fait construire en 1842 un château dans le style de Chambord, revendu en 1912.

Les Heidsieck et les Walbaum suivent de près. Ils ont été associés dès l'origine dans la fondation, en 1785, de Heidsieck et Cie, qui vendent sous la marque Heidsieck-Monopole. Le capital est de 5 millions dans les années 1880, l'exportation est dès cette date supérieure à 1 million de bouteilles, et les bénéfices s'élèvent à plusieurs centaines de milliers de francs par an. La suite est prise en 1910 par Walbaum, Goulden et Cie, qui existaient déjà comme maison indépendante au capital de 6 millions, et le portent alors à 7 millions, répartis pour l'essentiel entre Eugène-Ferdinand Walbaum et Auguste Goulden fils ; des capitaux personnels considérables sont en réserve entre les mains de la femme d'Auguste Goulden (4 à 5 millions en immeubles et valeurs), de son oncle (10 millions de fortune), de la mère d'E.-F. Walbaum (9 millions). L'entre-deux-guerres voit l'épanouissement mais aussi une évolution de l'affaire : transformée en société anonyme au capital de 15 millions en 1923 (bientôt porté à 20, puis 25 millions), soutenue par des stocks considérables, elle perd cependant son caractère familial avec la cession, dès 1921, de la part sociale de Goulden au négociant en vins Clovis Chauvet, et surtout, depuis 1926, avec la mainmise (un tiers, et très vite la majorité des actions) des Comptoirs français en la personne de leur chef, Mignot, qui devient en 1930 président du conseil d'administration : ainsi s'affirme la puissance nouvelle du grand commerce d'alimentation, et l'intérêt qu'il porte au contrôle du plus prestigieux des produits régionaux. Au-delà, on ne compte guère dans les maisons « de premier ordre » que Kunkelmann et Cie, ancien associé et successeur de Piper-Heidsieck, au capital de 5 millions ; Pommery, maison fondée en 1858 et qui n'a encore que deux générations de noblesse au début du XXe siècle, mais dont les progrès sont rapides ; 9 millions de capital, 20 ou 25 millions de fortune répartie entre les associés, le soutien de la famille de Polignac, une marque qui a conquis sa réputation, et plus de 2 millions de bouteilles vendues en moyenne chaque année.

Les maisons « de second ordre » ne paraissent pas constituer une catégorie aussi homogène. On y trouve des maisons anciennes, réputées, « honorables », comme la firme strictement familiale Charles Heidsieck ; Krug, de fortune modeste mais de grande autorité morale dans la profession ; Henri Lanson. Mais aussi des maisons que leur spécialisation dans l'exportation semble écarter de la plus haute qualification : la plus puissante d'entre elles est Mumm (6 millions de capital dans les années 1880, 40 après la transformation en Société vinicole de Champagne, entre les deux guerres), qui s'est taillé une place prépondérante sur le marché américain ; citons encore, entre autres, Abelé, qui vend des produits de qualité moyenne sur le marché belge ; Mareschal, successeur d'Henri Goulet, « très bonne maison » mais « ignorée sur le marché français ». Sans doute faut-il y ranger, d'emblée, les nouvelles souches telles qu'Henriot, dont l'histoire illustre l'effort de pénétration, entre les deux guerres, du négoce

Une marque qui s'impose à l'exportation : G.-H. Mumm et Cie. A Avize, près d'Épernay, le jus de raisin est transvasé des citernes dans les fûts de chêne où se produira la fermentation de cette nouvelle cuvée.

des vins par de puissants propriétaires fonciers et immobiliers (Marne, Ardennes, Reims et Paris). Pénétration tentée également, mais aboutissant à l'échec financier (1925-1934), par le grand propriétaire et brasseur d'affaires Léon de Tassigny, qui prend un moment le contrôle de Pol Chauvet et de Montebello.

Le négoce d'Épernay reproduit ces contrastes au sein d'un échantillon plus restreint ; on peut sans exagération les réduire au « couple » Moët et Chandon/Eugène Mercier. La première de ces maisons domine tout le négoce champenois. L'acte de société de 1898 mentionne un capital de 12 millions (aussi élevé que le plus fort capital rémois) en 120 parts de 100 000 F — mais la prospérité de la maison est telle que, dans les années 1900, la part vaut en fait 400 000 F. Capital entièrement souscrit par une famille dont les moyens sont considérables en dehors même de l'actif social. Trois frères, associés-gérants, détiennent 52 parts : Jean-Rémy Chandon, le plus jeune et le plus riche (fortune estimée à 8 millions en 1904, à 16 millions en 1912), Gaston (gérant depuis 1882), Raoul (gérant depuis 1875). Les associés-commanditaires détiennent les 68 autres : trois sœurs, Mmes de Maigret, d'Andigné et Vve de Maigret ; deux oncles, René et Frédéric Chandon ; Mme Auban-Moët, née Sabbe, veuve d'un autre oncle,

Thomas, gendre de la précédente ; la fortune de Mme Auban-Moët est évaluée à plus de 50 millions, dont 25 millions de fortune territoriale. Dans ces mêmes années 1900, la maison entretient un rapport assez régulier de 4 millions de bouteilles vendues à 16 millions en caves ; l'actif est évalué à un minimum de 40 millions, dont 15 pour les 600 hectares de vignoble. Le préfet estime le chiffre d'affaires à 30 millions autour de 1910 ; dans les années 1900, l'action aurait rapporté autour de 30 000 F par an. La firme, qui fait les deux tiers de ses ventes à l'exportation, tente d'arracher à Mumm la prépondérance sur le marché des États-Unis et entretient à cet effet, à grands frais, un agent de publicité et de représentation à New York. Tandis que Jean-Rémy Chandon gère la maison sur place, Gaston dirige l'agence générale et le dépôt de la rue de Sèze, à Paris (où il possède aussi un hôtel particulier au 81 de l'avenue Marceau) ; Raoul, qui abandonne la gérance en 1909, a joué un rôle influent dans la Société des viticulteurs de France. Sur le plan local, les Chandon animent la « réaction cléricale » et sont la principale cible des radicaux-socialistes. De fait, Gaston Chandon de Briailles, comte pontifical, titulaire des ordres d'Isabelle-la-Catholique, du Christ du Portugal et de Saint-Grégoire-le-Grand, est membre de l'Association de la presse monarchique et catholique dans les départements ; il a été quelques années conseiller général, il est maire de Hautvillers depuis 1888 ; c'est encore dans l'avant-guerre, de l'avis du préfet, le « chef du parti de l'opposition dans l'arrondissement d'Épernay ».

A la même époque, la société commerciale Mercier ne vaut pas plus de 10 à 15 millions d'actif net. L'accumulation du capital, quoique rapide depuis les années 1880, est beaucoup plus faible : le fondateur meurt en 1904 avec une fortune inférieure à 10 millions, et les deux fils et quatre gendres continuent l'affaire en nom collectif au capital de 3 millions seulement. Le principe des affaires est ici profondément différent : les gros bénéfices sont obtenus par la vente d'un nombre élevé de bouteilles d'un vin de Champagne à bon marché.

La grande bourgeoisie négociante, qui a imprimé sa marque symbolique au boulevard du Lindy à Reims ou à l'avenue de Champagne à Épernay, peut paraître, après un siècle marqué par les secousses successives du phylloxéra, de la guerre de 1914-1918 et de la crise des années 1930, plus sûre d'elle que jamais, portée par les expansions corrélatives de la demande, des superficies et des ventes, enfin fortement organisée dans le Comité interprofessionnel des vins de Champagne et dans l'Office des producteurs et exportateurs de Champagne — ce dernier liant par contrat 17 000 vignerons sur le prix du raisin et les normes de rendement à l'hectare.

Pourtant, les traits qui s'étaient fixés avant 1914 sont menacés de disparition, quand celle-ci n'est pas déjà effective. D'une part, les maisons familiales ont pratiquement vécu, à l'exception d'une poignée. Les plus puissantes ont dû payer l'expansion par la soumission à une stratégie de fusion puis d'inclusion dans des groupes financiers, parfois même étrangers — et donc par la perte, dans une large mesure, du contrôle familial du capital et même de la gestion. C'est le cas du numéro 1, Moët-Hennessy, regroupant les trois marques Moët et Chandon, Mercier et Ruinart et leurs quelque 900 hectares de vignobles ; du numéro 2, Mumm, regroupant Perrier-Jouet et Heidsieck-Monopole et absorbé dans le groupe canadien Seagram ; des Engrais Gardinier rachetant Pommery et Greno à la famille de Polignac et regroupant cette marque avec celle de Lanson (500 hectares au total). D'autre part, le monopole exercé sur la commercialisation des vins par les grandes maisons est depuis longtemps, et peut-être de plus en plus, entamé par les propriétaires dits « récoltants-manipulants ». Mais le cycle d'ascension et de domination des grandes familles aura duré deux siècles.

COMMISSIONNAIRES ET FABRICANTS

Toute une autre tradition marchande se rattache à des formes anciennes de l'organisation du travail et des échanges, tout en évoluant au XIXᵉ siècle pour tirer parti d'une nouvelle géographie industrielle, de nouvelles gammes de produits, voire de la modernisation de l'outillage et des techniques. Ce sont les négociants-commissionnaires et les négociants-fabricants, entre lesquels la frontière n'est pas toujours facile à distinguer, puisque en fin de compte les premiers comme les seconds tiennent d'une façon ou d'une autre dans leur dépendance commerciale des secteurs de l'économie industrielle. Un terme manque sans nul doute pour étiqueter commodément, au XIXᵉ siècle, ces entrepreneurs qui ne sont ni purement des marchands ni proprement des manufacturiers. Repérables dans nombre de grandes villes, c'est sans doute à Paris plus qu'ailleurs (Lyon exceptée) qu'il est facile d'observer les différentes variétés de ce négoce à la fois collecteur des articles de l'industrie nationale et distributeur de travail à longue distance.

Paris capitale

Un regard jeté sur le Paris de la Restauration permet de reconnaître comment, dans le contexte du développement des industries textiles françaises, s'est alors renforcé le rôle de la capitale dans la commercialisation de la production industrielle du pays. Il faut noter du reste que ce renforcement ne s'opère pas sans se heurter à l'effort contradictoire de certaines entreprises puissantes qui veulent contrôler elles-mêmes la vente de leurs articles, comme elles tendent à contrôler la fabrication des machines qui leur sont indispensables ; si elles sont généralement obligées d'implanter à Paris leur propre maison de commerce, du moins conservent-elles le bénéfice de ce commerce au lieu de le partager avec les négociants parisiens. Dans la draperie, les Ternaux, les Poupart de Neuflize, d'autres maisons de Reims, Sedan, commanditent à Paris des maisons de commerce qui sont en fait des filiales chargées de l'écoulement des produits de leurs manufactures. Des rubaniers de soie stéphanois dont les maisons ont un double siège à Saint-Étienne et à Paris maîtrisent ainsi la fabrication et la vente de leurs articles. Un négociant-fabricant en dentelles du Puy, Charles Robert-Faure, vient s'installer en 1832 à Paris, au 31 de la rue des Jeûneurs — dans ce quartier du Sentier qui est désormais le bastion de toute une bourgeoisie marchande — pour assurer l'écoulement et l'exportation des marchandises que lui envoient une fois par semaine les trois contre-maîtres restés dans sa ville natale, d'où ils dirigent à leur tour le travail de 4 000 à 6 000 ouvrières dispersées dans le Velay.

Il n'en reste pas moins vrai que, sous des modalités d'intervention très variées, le négoce parisien ne cesse d'étendre son influence. Négoce financièrement puissant, travaillant avec des capitaux sociaux allant de quelques dizaines à quelques centaines de milliers de francs. Sous sa forme la plus classique, il est représenté par des maisons purement parisiennes se limitant au commerce de commission des étoffes les plus variées, tantôt en se spécialisant, tantôt en associant draps et soieries, ou toiles et bonneterie. Leur siège est généralement dans le plus ancien fief du gros commerce des tissus : à l'est et au sud des anciennes Halles, de la rue Saint-Martin et de la rue Saint-Denis jusqu'au lacis tortueux des vieilles rues de la rive droite de la Seine, en amont du Louvre. Les unes pratiquent un commerce indifférencié ; d'autres se spécialisent dans

Magasin de dentelles à Paris.

les articles d'une seule région ou d'une seule ville — soieries de Lyon, de Nîmes ou d'Avignon, draperies de Reims ou de Sedan... Il arrive fréquemment que les négociants parisiens s'associent sur un pied d'égalité avec un négociant de province afin de mieux assurer leur approvisionnement en articles d'une provenance ou d'un type déterminés, ou même avec un fabricant ou un industriel de province pour se consacrer exclusivement à l'écoulement des produits d'une seule entreprise ou d'une fabrique déterminée.

Toutefois, le développement de l'emprise du négoce parisien sur l'économie française apparaît de façon bien plus nette et originale dans les initiatives qu'il prend sur le plan industriel et dans un très large rayon autour de Paris, principalement dans la draperie, le coton, les tissus mélangés dits « nouveautés ». Le moyen de cette emprise peut varier de la simple commandite ou de la véritable association entre un négociant parisien et un manufacturier provincial, jusqu'à la réunion entre les mêmes mains de la maison de commerce de la capitale et de l'établissement industriel dans un département. Il suffit de rappeler que c'est déjà sur une telle base que Richard-Lenoir, dès les toutes premières années du XIXe siècle, avait construit son « empire ». Dans la première moitié du XIXe siècle, les régions dont le travail est ainsi commandé par le grand commerce parisien sont la Picardie, la Champagne, la Normandie. On voudrait ici s'attacher davantage à l'extension que ce système industriel à initiative commerciale a prise dans la suite du siècle, prospectant la main-d'œuvre de régions de plus en plus larges, utilisant indifféremment le travail dispersé à domicile ou concentré en usine, s'appliquant à des fabrications de plus en plus variées, afin de souligner qu'au prix de certaines adaptations il a assuré une survie prospère au système de la fabrique caractéristique de la période proto-industrielle, tout au moins dans un large secteur d'industries fournissant des produits finis.

C'est du reste dans ce cadre que s'effectue le glissement du commerce de commission au négociant « fabricateur » ou « transformateur » et au négociant-industriel. Le premier est celui qui crée la mode et définit les tissus à fabriquer, qu'il s'agisse d'étoffes pour les vêtements, pour le linge de maison ou pour le linge de corps, et qui en répartit les commandes entre les centres industriels qu'il juge aptes à les exécuter ; il les reçoit ensuite, mais ne les revend qu'après les avoir fait ouvrer et finir, et avoir mis sa marque sur le produit. Un tel personnage est en fait un grand patron, en même temps qu'un grand négociant ; il est à la croisée d'un triple réseau de relations d'affaires : celui des industries productrices de tissus ; celui des façonniers — petits entrepreneurs ou ouvriers et ouvrières du travail domestique ; celui des maisons de commerce dont il est le fournisseur en une infinité d'articles, à Paris même ou dans ses comptoirs en différents pays du monde. Sa correspondance et ses registres de comptes reflètent une connaissance approfondie du marché industriel et du marché du travail dans toute la France, du marché de la consommation en France et à l'étranger. Le second est un personnage aux activités moins complexes, dans la mesure où il prend personnellement et directement le contrôle de la phase industrielle des opérations, en un point précis ou dans une série limitée d'emplacements. Mais l'un comme l'autre définissent un type nouveau et original de grande bourgeoisie d'affaires parisienne, de grands notables de la capitale, tout en imprimant à cette dernière des caractères de morphologie urbaine très accentués et très durables. Le glissement professionnel s'est en effet accompagné d'un glissement topographique, *grosso modo* des Halles au Sentier. Le Sentier est né au XVIIIᵉ siècle, en bordure des boulevards transformés par Louis XIV, dans une zone qui était alors le foyer le plus dynamique de la croissance de la ville. Il s'est affirmé au XIXᵉ siècle, surmontant parfaitement le traumatisme occasionné par la percée des rues du Quatre-Septembre et Réaumur, et conservant à un tissu urbain hétérogène une unité professionnelle évidente. Il ne cesse d'affirmer, jusque dans la seconde moitié du XXᵉ siècle, son appartenance à la vie active du négoce, partageant le terrain avec le monde de la presse et de la finance, constituant avec eux l'un des noyaux, apparemment indestructible, de la ville des affaires née dans le prolongement vers le nord-ouest de la « ville historique ».

Des exemples montreront l'unité du principe d'organisation à travers les branches les plus diverses. A la fin du XIXᵉ siècle, les frères Roy, « négociants en fils et tissus de coton », 38, rue des Jeûneurs, héritiers d'une maison fondée en 1813, sont en même temps les propriétaires d'un tissage de coton créé au Petit-Quevilly en 1891, équipé de métiers anglais à grande vitesse, et travaillant principalement pour une clientèle coloniale, en Indochine et à la Réunion. Dans les mêmes années, Cartier-Bresson, négociant en gros en mercerie, 86, boulevard de Sébastopol, dont la maison a été fondée deux générations plus tôt (1824), est en même temps fabricant de fil d'Écosse et de fil à coudre de coton, les filatures se situant d'une part à Pantin, d'autre part à Azerailles (près de Baccarat) et Celles-sur-Plaine (près de Raon-l'Étape). Dans la soierie, où les chefs d'entreprise continuent de s'intituler indifféremment négociants ou fabricants, on rencontre les frères Boutet (22, rue Bergère), qui sont filateurs et mouliniers dans une dizaine d'usines situées dans la Drôme, l'Ardèche et en Italie, tout en faisant travailler d'autres moulins à façon ; ils emploient 2 000 ouvriers et ouvrières en 1907. Les

Au milieu de la rue Saint-Denis, dans sa boutique du Chat-qui-pelote, Monsieur Guillaume, marchand drapier, faisait « travailler ses trois commis comme des nègres. [...] Sa figure annonçait la patience, la sagesse commerciale et l'espèce de cupidité rusée que réclament les affaires ». Gravure de Meissonier pour l'édition des Œuvres complètes de Balzac, 1855.

frères Bourgeois (4, rue de Cléry, et 37, rue d'Aboukir) font tisser la soie et fabriquer des « foulards, cravates et faux-cols » à Sailly-Saillisel (Somme) — 450 ouvriers et ouvrières en 1911 — et dans un petit atelier du 14e arrondissement, passage des Thermopyles. A la veille de la première guerre mondiale, le plus grand négociant en soieries et rubans de Paris est Achille Brach (de Brach, Blum et Cie, 21, rue d'Uzès) ; cet ancien voyageur de commerce, né en Lorraine, a fondé une maison de commerce à Saint-Étienne, et possède une fabrique de rubans à Saint-Étienne et une fabrique de soieries à Lyon. La confection en gros fonctionne selon des schémas analogues. Certains établissements font travailler des tailleurs et couturières à domicile, ainsi Ernest Halphen, fondateur de la maison d'habillement *Au Pont Neuf* qui emploie dans les années 1880 près de 2 000 personnes dans Paris. D'autres ont leurs usines dans la région parisienne et en province : ainsi Halimbourg, 1, place des Victoires, dont les ateliers se répartissent entre Montrouge (800 salariés, 300 machines à coudre électriques), Orléans, Issoudun et Flines-les-Râches (près de Douai). La chemiserie en gros s'adresse à une main-d'œuvre beaucoup moins concentrée : ainsi Amédée Rousseau, qui en 1905 produit 270 000 douzaines de chemises pour hommes et enfants et réalise 6 millions de chiffre d'affaires, dépend-il d'usines situées à Elbeuf, Villedieu-sur-Indre et Niherne-sur-Indre, mais aussi de vingt-cinq ateliers dans le Centre, au total plus de 4 000 employés. C'est bien en effet à la main-d'œuvre féminine et à de nombreux départements des pays de la Loire, du Massif central et de la Lorraine que s'étend pour l'essentiel la distribution du travail par le grand capitalisme commercial parisien. Telle est la base du succès de la maison Berthelot, dont le magasin de vente est au 35, rue des Jeûneurs, et qui s'est fait après la défaite de 1871 une spécialité du gilet de flanelle. Son chef a créé deux usines à Vaucouleurs (Meuse) et à Goncourt (Haute-Marne), qui occupent 400 salariés des deux sexes, et emploie en outre 1 200 ouvriers à domicile. Il se glorifie d'avoir, d'une part, contribué à la défense du travail national en empêchant « d'une façon absolue la flanelle allemande de pénétrer en France », d'autre part, popularisé ce sous-vêtement en abaissant son prix grâce à l'utilisation d'un matériel perfectionné en usine, tout en continuant à diffuser le travail en zone rurale ; ses initiatives sont en outre à l'origine de l'implantation dans la même région d'« usines similaires et concurrentes ». Cependant, les effectifs les plus massifs semblent avoir été mobilisés par la dentelle et la broderie, en liaison avec la fabrication de lingerie féminine et de robes de haute qualité. Un curieux dossier de candidature à la Légion d'honneur renseigne avec beaucoup de précision sur les conditions dans lesquelles fonctionnait ainsi, dans les années 1900, le négoce d'Albert Heymann, « fabricant de broderies artistiques à la main ». Né à Lamarche (Vosges) en 1862, fils d'un fabricant de broderies d'Épinal, il a fondé en 1894 sa propre maison de commerce à Nancy (la Grande manufacture de broderie et de lingerie de Nancy), et enfin sa maison de commerce de Paris, rue du Sentier. Il occupe vers 1905 « un grand nombre » de lingères dans l'Indre et le Cher, et environ 4 000 ouvrières brodeuses dans les Vosges et la Meurthe-et-Moselle. Abandonnant les « genres bas prix », il a donné à la broderie « une tournure artistique », dessinant lui-même, créant des genres nouveaux. Il énumère un certain nombre des entrepreneurs et entrepreneuses qui font travailler pour son compte :

Madame Brice, à Moyenpal par Xertigny (Vosges) ; fait travailler de 350 à 400 ouvrières dans dix localités.
Madame Mas-Cherrière, à Pont-à-Mousson ; fait travailler 150 ouvrières ; estime que les prix, supérieurs à ceux d'autres maisons, permettent à l'ouvrière de gagner largement sa vie *(sic)*.
Lardin-Firmin, à Maron (Meurthe-et-Moselle) ; ancien employé des chemins de fer ; fait travailler 200 ouvrières dans cinq villages.
Alexandre (Auguste), à Jarménil (Vosges) ; fait travailler 250 ouvrières à Jarménil et villages limitrophes.
Madame Bertin, à Dombrot-le-Sec (Vosges) ; occupe 300 ouvrières. « Depuis quarante ans, ma mère d'abord, et ensuite moi faisons travailler la broderie pour le compte de M. Heymann père, d'Épinal, et depuis sa mort pour M. Albert Heymann, de Nancy. C'est bien appréciable dans les mauvaises années de récoltes. »
Nicolas Deschasset, à Liffol-le-Grand (Vosges) ; 250 ouvrières, à Liffol et pays environnants.
Victor Courtois, à Benney (Meurthe-et-Moselle) ; fait travailler aussi à Tonnoy, Saint-Remimont, etc.
Madame Cortinouis, à Xeuilley (Meurthe-et-Moselle) ; 250 ouvrières.
Madame Balland, à Laveline-devant-Bruyères (Vosges) ; 130 à 150 ouvrières.

A ces armées de brodeuses répondaient, de l'autre côté de la frontière, celles des tresseurs et tresseuses à domicile travaillant dans la vallée de la Sarre pour la fabrique de Nancy. Ailleurs, dans le Beauvaisis, le val d'Oise ou le Massif central, la boutonnerie ou la passementerie soutenaient un artisanat analogue et créaient parfois de petites usines.

Socialement, les messieurs du Sentier n'avaient pas grand-chose à envier aux industriels, voire aux banquiers. Ils habitaient le boulevard Haussmann, la rue de Prony, les avenues de Wagram ou de Friedland, l'avenue du Bois ou Le Vésinet. Ils étaient conseillers municipaux ou maires des arrondissements ou de la ville. Quelques-uns, tel Léopold Bellan, fabricant de tulles perlés et de dentelles au 30, rue des Jeûneurs, ont laissé un nom dans la philanthropie par l'organisation d'un réseau d'écoles professionnelles et la fondation d'un hôpital et d'un conservatoire.

LES GRANDS MAGASINS

Du magasin de nouveautés au grand magasin

La préhistoire du grand magasin est encombrée d'équivoques. L'ancienneté de la dénomination ne doit pas faire croire à celle de la réalité économique. Ainsi, le premier magasin qui ait porté l'enseigne *Aux Trois Quartiers*, boulevard de la Madeleine, date de 1829, alors que le grand magasin ne devient une réalité qu'à la fin du siècle. *A la Belle Jardinière* est le nom d'un magasin de nouveautés ouvert dès 1824 sur le quai aux Fleurs, à l'emplacement de l'actuel Hôtel-Dieu, mais le grand magasin dans sa situation actuelle est de la fin du Second Empire. Le magasin de nouveautés a précédé de vingt à trente ans le grand magasin, et le grand magasin a généralement commencé sa carrière sous la forme du magasin de nouveautés.

Ce dernier est le véritable initiateur de la « révolution commerciale ». Révolutionnaire, le regroupement en un seul point de vente de spécialités jusque-là distinctes — des tissus aux articles de confection, lingerie, bonneterie, ganterie, etc. Révolutionnaires, la présentation de ces articles en rayons, l'entrée libre, le prix fixe, la possibilité de l'échange ou du remboursement, la publicité, la vente par correspondance — la taille aussi puisque, dans les années 1840, on les appelle les « magasins-monstres ». Le ferment du progrès, c'est la rotation rapide du stock, permettant des chiffres d'affaires élevés ; c'est le type nouveau de relations établies avec les fournisseurs : achats massifs à des prix spéciaux, permettant d'offrir à la clientèle, à bon marché, des articles identiques par milliers. Les pionniers sont ici des magasins tels que le *Gagne-Petit*, fondé par Jean-Hector Bouruet-Aubertot (1808-1868) qui plus tard prendra façade monumentale au 23 de la nouvelle avenue de l'Opéra, ou la *Ville de Paris*, ouvert en 1843 au 174 de la rue Montmartre, avec ses 150 employés et sa douzaine de millions de francs de chiffres d'affaires.

Qu'est-ce qui fait, alors, le grand magasin ? C'est le passage à la dimension supérieure, lié tout à la fois à la constitution du réseau ferroviaire, au remodelage des villes anciennes par l'haussmannisation, aux mécanismes de l'enrichissement. Ce qui concrétise le passage, c'est le renouvellement de l'habillage monumental, le mode d'insertion dans le tissu urbain et le paysage architectural — l'architecture civile publique s'enrichissant alors d'une nouvelle « rubrique », et le roulement de l'argent dans les affaires du commerce et de la banque obtenant en quelque sorte ses lettres de noblesse à travers l'adoption d'une construction de prestige. Chaque affaire a sa propre histoire en ce domaine, dont il convient de suivre les étapes si l'on veut établir une chronologie correspondant aux mutations réelles de la structure.

Les deux magasins *Au Bon Marché* et *Au Louvre* sont les prototypes du genre. Le premier est acheté par Boucicaut en 1852 : mais ce n'est alors qu'un magasin de nouveautés de troisième ordre — 4 rayons, 12 employés, 450 000 F de chiffre d'affaires. En 1863, quand Aristide Boucicaut rachète la part de son coassocié, le chiffre d'affaires est de 7 millions mais ne constitue pas un record. En revanche, quand démarre en 1869 la construction du grand magasin, le chiffre d'affaires est monté à 21 millions et le *Bon Marché* appartient déjà à une classe nouvelle du commerce. Cette construction est en fait une reconstruction : au cours des deux décennies précédentes, l'expansion s'est déjà traduite par le grignotage des parcelles voisines et l'adjonction d'immeubles de proche en proche ; cette fois, la réinstallation s'opère sur la surface d'une très grande parcelle unique, limitée par les anciennes rues de Sèvres, du Bac et de Babylone et la nouvelle rue Velpeau (soit 58 000 m²), dont la constitution est consécutive à la destruction, en 1868, de l'hospice des Petits-Ménages, tandis que se préparait l'aménagement de la grande croisée à l'ouest de Saint-Germain, celle de la vieille rue de Sèvres et du nouveau boulevard Raspail. La construction du grand magasin se poursuit jusqu'en 1887 ; parallèlement, le chiffre d'affaires monte à quelque 70 millions dès la mort du fondateur, à plus de 120 millions à celle de sa veuve. A la veille de la première guerre mondiale, un second magasin est construit au-delà de la rue du Bac, le chiffre d'affaires atteint 240 millions — presque le triple de celui de *Macy's*, à New York.

Au *Louvre*, à l'inverse, la disposition d'un cadre architectural ambitieux a précédé l'ascension commerciale, d'une certaine façon, puisque Chauchard, Hériot et Faré se sont installés en 1855 en tant que locataires sous les arcades du grand hôtel construit par Émile Pereire à l'occasion de l'exposition universelle, et auquel il souhaitait associer des boutiques. Le lien, ici, est manifeste entre la rénovation de la ville, un type de clientèle (les riches voyageurs de la province ou de l'étranger) et un style de commerce. Sous le Second Empire, Chauchard fait à peu près le même volume d'affaires que Boucicaut ; en 1874, il est assez riche pour racheter l'hôtel du Louvre pour 17,5 millions ; ensuite, il progresse plus vite et est le premier, vers 1880, à franchir le seuil des 100 millions de chiffre d'affaires ; en 1886, le Grand Hôtel du Louvre passe à son emplacement actuel et le grand magasin occupe tout son immeuble. C'est ensuite la stagnation et, vers 1910, avec 150 millions de chiffre d'affaires, le *Louvre* est largement distancé par le *Bon Marché*. Mais, à vrai dire, la Société du Louvre au début du XXᵉ siècle est devenue aussi une concentration hôtelière, se rattachant l'exploitation des hôtels du Louvre, Terminus, Palais d'Orsay et Crillon. Tandis que Chauchard meurt en 1909, léguant au musée du Louvre sa collection de peintres français du XIXᵉ siècle, la direction de la société passe — comme déjà au *Bon Marché* — aux mains des anciens employés formés dans le sérail (un Joseph-Marie Meyer, de Lyon, entré en 1876 ; un Dubure, de Saint-Omer, entré en 1880).

Les deux contemporains directs de ces créations, *Le Bazar de l'Hôtel de Ville* et *La Belle Jardinière*, n'ont pas en réalité les mêmes caractères. *Le Bazar*, ouvert en 1856 rue de Rivoli, évoque un autre type d'articles, une autre clientèle ; la physionomie du grand magasin n'apparaît qu'avec la construction du bâtiment neuf à l'angle de la rue du Temple, à la veille de la première guerre mondiale. *La Belle Jardinière* a grandi comme un magasin de nouveautés du Paris préhaussmannien, rachetant progressivement tout son îlot ; mais ce qui s'installe en 1866-1867 dans le bel immeuble de la rue du Pont-Neuf, construit par un élève de l'architecte Labrouste, c'est en réalité une grande entreprise de vêtements de confection pour hommes. La vraie lignée des grands magasins se poursuit avec *La Grande Maison de Blanc*, *Le Printemps*, *La Samaritaine*, *Les Galeries Lafayette*. La première appartient à la deuxième phase de l'intervention des Pereire dans l'urbanisation de Paris, au cours de laquelle ils multiplient les opérations immobilières bien au-delà du cadre primitif de la rue de Rivoli ; mais l'esprit reste le même — un grand commerce de luxe dans un nouveau quartier de prestige, autour de l'Opéra de Charles Garnier. Les étapes du *Printemps* rappellent à la fois celles du *Bon Marché* et du *Louvre*. En 1865, ce que Jaluzot a fait construire à l'angle du boulevard Haussmann et de la rue de Provence, avec les 300 000 F de la dot de Mlle Figeac, gagnés dans d'heureuses spéculations boursières, c'est encore un immeuble de rapport bourgeois au rez-de-chaussée duquel s'installe un magasin. La transformation en grand magasin est de 1874, ainsi que son extension à deux immeubles supplémen-

Voyage transatlantique : le pont du Titanic.

Affiche publicitaire de Cappiello, 1904. Jeanne Granier et Réjane, deux actrices très parisiennes, admirent une toilette avec convoitise. Musée de l'Affiche.

taires ; il reçoit la double bénédiction du curé de la Madeleine… et de la proximité de la gare Saint-Lazare, dont le transit fournit une énorme clientèle. Incendié en 1881, totalement reconstruit en 1885, c'est alors qu'il prend sa figure moderne, avec son éclairage à l'électricité et ses ascenseurs ; un nouveau magasin sera achevé en 1910 entre les rues Caumartin et Charras ; on atteint tout juste à cette date les 100 millions de chiffre d'affaires. *La Samaritaine*, partie sur des bases modestes au début des années 1870, porte au centuple son chiffre d'affaires en trente ans et se place devant *Le Louvre* à la veille de 1914 ; toutefois, le premier grand magasin n'est achevé qu'en 1910, le second en 1928. *Les Galeries Lafayette* s'installent beaucoup plus tardivement, de part et d'autre de la naissance de la rue de la Chaussée-d'Antin, durant les dernières années du XIXe siècle ; cette jeunesse explique qu'il s'agisse du seul grand magasin à ne pas avoir franchi les 100 millions de chiffre d'affaires en 1914.

Le grand magasin, dans ses audaces architecturales et avec ses innovations commerciales, n'est pas né à Paris : New York a ouvert la voie dans ce domaine avec dix à vingt ans d'avance ; mais, dans les années 1860 à 1880, le phénomène semble bien commun à toutes les grandes métropoles de part et d'autre de l'Atlantique — Paris, Londres, New York, Philadelphie, etc. En France même, Paris n'a pas conservé longtemps le monopole de l'initiative dans la création des formes nouvelles de la distribution. A la fin du Second Empire s'était élevé, place de la République, le bâtiment banal mais imposant des *Magasins Réunis*, symétrique de celui de la caserne du Prince Eugène ; mais l'affaire n'avait pas pris. En 1884, c'est un commerçant nancéen, Antoine Corbin (1835-1901), qui la reprend au terme d'une première phase de son ascension commerciale, commencée en 1867 et au cours de laquelle il avait ouvert trois magasins à Nancy. Cette ville connaît du reste à cette époque une amplification de sa fonction marchande régionale consécutive à la perte des trois départements d'Alsace-Lorraine. Dans l'Est, Corbin et Cie ouvre des succursales à Lunéville, Toul, Épinal, Charleville, Pont-à-Mousson, Troyes où un grand magasin est construit en 1894. A Paris s'ajoutent le magasin de la rue de Rennes (1906), celui de l'angle des avenues Niel et des Ternes (1914), tandis qu'une deuxième société « de commission et d'exportation », qui sert en fait de service central d'achats aux *Magasins Réunis*, s'installe rue de Turenne dans un hôtel d'époque Louis XV réaménagé. L'affaire est certes d'une taille moins imposante : une cinquantaine de millions de chiffre d'affaires vers 1910. Ce sont aussi des Lorrains réfugiés après 1871 dans la région lyonnaise qui, après des débuts comme colporteurs, lancent *Les Dames de France* dont le magasin du Capitole, à Toulouse (1904), est un des plus beaux exemples. Quant à la société des Grands Bazars réunis (1891), devenue en 1899 la société française des Nouvelles Galeries réunies, elle constitue un exemple original de combinaison entre une chaîne de magasins (une vingtaine en 1914) et un système d'affiliation par contrat de magasins-clients (une centaine à la même date). Le véritable créateur en est Aristide Canlorbe, un Landais qui, par son mariage, hérita d'une affaire de comptoir d'achat parisien pour les marchands forains, gérée par son beau-père Demogé, propriétaire du *Bazar de Saint-Étienne*.

Le grand magasin, entreprise industrielle

Les caractères économiques du grand magasin ne le laissent pas aisément classer sous des étiquettes parfaitement claires. En dépit de leur fonction principalement commerciale, ils ont aussi des aspects d'entreprises industrielles. Au-delà de leur évidente modernité, ils contribuent à perpétuer des formes d'organisation du travail très anciennes.

En effet, certains grands magasins façonnent sur place un certain nombre d'articles d'habillement, et font exécuter au-dehors des opérations de finissage ou des fabrications spéciales. Vers 1890, selon *Les Grandes Usines* de Turgan, les confections pour dames au *Bon Marché* occupent 80 personnes sur place, et 1 100 ouvriers et ouvrières au-dehors, répartis en 75 ateliers ; les modes et coiffures, des modistes et ouvrières dans la maison et 22 ateliers au-dehors ; les vêtements d'hommes et de garçons, 80 ouvriers à l'intérieur et 600 au-dehors ; trousseaux et layettes, linge de table et de maison, mouchoirs brodés et unis, chemises et gilets de flanelle sont coupés et préparés au *Bon Marché*, puis expédiés à des entrepreneurs qui occupent près de 16 000 ouvriers. Les « clefs » de ce recours au travail dispersé à domicile, jusqu'à des centaines de kilomètres de Paris, et principalement féminin, sont de divers ordres : la clientèle, d'abord, commande dans la mesure où elle exige encore des coutures à la main ; d'autre part, le grand magasin y trouve son compte dans la mesure où le travail à domicile supprime tout investissement fixe, tout souci des réglementations du travail, et place le salarié dans la pire des positions quant à la fixation des prix de façon. Cette forme de travail est le thème, entre autres ouvrages ou enquêtes publiés au tournant du XXe siècle, du livre d'André Vernières, *Camille Frison, ouvrière de la couture* (Paris, 1908) : « Cette puissance anonyme et de plus en plus écrasante du haut commerce, dont le magasin de nouveautés, ce bazar où tout se vend, est une forme caractéristique par excellence, obéit à une loi unique : la concurrence. Le secret de la réussite est d'arriver à produire moins cher que le voisin [...]. Comment y parviennent-elles [les maisons] ? Le bénéfice est chose intangible. Il ne devra jamais être inférieur à 30 %, et s'élèvera jusqu'à 70 %, même au-dessus pour certains articles de luxe. C'est donc sur le prix de revient qu'elles se rabattront [...]. La partie la plus compressible du prix de revient, c'est évidemment la main-d'œuvre et, pour la rendre moins coûteuse, le premier point est de faire travailler au-dehors [...]. Ce qui donne une facilité presque illimitée à l'employeur pour abaisser le prix de la main-d'œuvre, c'est le nombre des travailleuses et la désastreuse concurrence qui en résulte entre elles [...]. Chez les travailleuses à domicile, nous trouvons des femmes mariées, ouvrières plus ou moins amateurs, qui cherchent dans la confection un simple salaire d'appoint, et, d'autre part, des veuves, des filles-mères, des femmes isolées, des infirmes, des jeunes filles uniques soutiens de leurs parents malades ou âgés, toutes vivant exclusivement de leur salaire. Nous trouvons enfin les élèves des couvents, des orphelinats, et les pensionnaires des prisons. » A ce point, le type d'organisation du travail développé par le grand magasin rejoint directement celui des négociants qui font fabriquer ou transformer. Du reste, Camille Frison dénonce simultanément « cet âpre marchand de la rue du Sentier qui d'une main pille le talent créateur de Paris, et de l'autre tire parti des faibles exigences de la province, en adressant ses commandes à des entrepreneurs éloignés, fins limiers qui fouillent les campagnes, arrachent les femmes aux travaux des champs pour les courber sur une machine à coudre qu'ils portent dans leur ferme ou dans leur masure, qui connaissent toutes les familles, tous les intérieurs et sont à l'affût de toutes les jeunes mains, n'attendant pas toujours qu'une enfant ait treize ans pour occuper ses bras,

Au Bon Marché *n'est encore qu'un petit magasin de nouveautés dans les années 1850.*

Le grand escalier du Bon Marché, une trentaine d'années plus tard.

et payant, je n'oserais dire comment. C'est par wagons entiers que le travail ouvré, de lingerie principalement, entre chaque jour à Paris, expédié du fond de nos provinces ». Mais le même auteur montre aussi que le grand magasin se situe en même temps au-delà du stade de concentration capitaliste de la main-d'œuvre en grandes unités de production ; l'apparent retour à l'archaïsme du travail rural dispersé, contrôlé à longue distance par la ville, est en réalité un effort pour dépasser les difficultés des relations sociales engendrées par la révolution industrielle : « Grâce au travail à domicile, l'employeur bénéficie [...] de l'isolement des travailleuses, qui lui crée une situation tout à fait exceptionnelle dans l'industrie [...]. En effet, que peut la faible ouvrière isolée contre les organisations puissantes d'aujourd'hui, contre l'omnipotence d'un *Bon Marché* qui fait 220 millions d'affaires en une année ? La seule arme dont elle dispose dans cette lutte inégale, c'est de se montrer moins exigeante que sa voisine, qui, à son tour, le sera moins qu'elle [...]. (Les maisons) savent qu'on a besoin de travailler, alors elles en profitent [...]. L'ouvrière [...] accepte l'ouvrage mal payé parce qu'elle se dit que, si elle le refuse, on ne lui en donnera plus. »

Du simple commis à l'entreprise familiale

A l'apparition de la nouvelle forme d'entreprise commerciale que constitue le grand magasin, est associée celle d'une variété ambiguë, elle aussi, du patronat moderne — ambiguïté qui tient à ce que, tout en rappelant par ses origines l'ascension « à la force du poignet » qui a pu caractériser certaines carrières du patronat de la première industrialisation, il évolue en même temps vers le type du patronat de *managers*, au sein de firmes importantes qui combinent de façon originale organisation technocratique et style familial des relations intérieures.

Pour les fondateurs, la carrière commerciale qu'ils ont menée à bien s'est traduite en général (dans la mesure, du moins, où leur biographie est suffisamment connue) par une rapide et notable ascension matérielle et sociale, à partir de familles modestes, des provinces les plus diverses, et de premières expériences, fort banales, de boutiquiers ou de commis. Des trois premiers locataires d'Émile Pereire à l'hôtel du Louvre, l'un, Alfred Chauchard, fils d'un restaurateur parisien, était commis au *Pauvre Diable* ; l'autre, Hériot, était chef du rayon des soieries à la *Ville de Paris* ; le troisième, Faré, leur commanditaire, se désolidarisa des deux autres presque aussitôt, par défaut de confiance dans l'affaire : une vingtaine d'années plus tard, ses deux associés d'un moment faisaient les premiers franchir aux magasins du *Louvre* les 100 millions de

Modernisme commercial : livraison par triporteur électrique en 1912.

Un cadre architectural ambitieux : les grands magasins du Louvre, rue de Rivoli, vers 1886.

chiffre d'affaires annuel. Aristide Boucicaut, né à Bellême en 1810, fils d'un chapelier, colporteur à l'âge de 18 ans, arrivé à Paris en 1835, y rencontra Marguerite Guérin, venue de Saône-et-Loire, fille de paysans passée de la blanchisserie à la gérance d'un café. Avant de fonder le *Bon Marché* en 1852 avec son associé Videau et 50 000 F d'économies, il fut employé au *Petit Saint-Thomas*, puis chef de rayon, apprenant l'anglais par ses propres moyens. Xavier Ruel, qui loua en 1856 au coin de la rue de Rivoli et de la rue des Archives la boutique nommée *Bazar Napoléon* d'où sortit *Le Bazar de l'Hôtel de Ville*, était né en 1822 à Annonay dans une famille pauvre ; vendeur ambulant, installé à Paris en 1853, il avait commencé par fournir des marchandises à des camelots revendant « au parapluie ». Ernest Cognacq, né à Saint-Martin-de-Ré en 1839, avait été engagé comme commis à *La Nouvelle Héloïse* en 1855 ; il y fit la connaissance de Louise Jay, vendeuse et plus tard première vendeuse au rayon de confections du *Bon Marché* ; il l'épousa en 1871 et, réunissant à deux 30 000 F d'économies, ils ouvrirent *La Samaritaine*. *Les Galeries Lafayette* sont nées de la collaboration de Théophile Bader, fils de paysans du Bas-Rhin qui quittèrent l'Alsace en 1871, et d'Alphonse Kahn, qui tenait à l'angle des rues Lafayette et de la Chaussée-d'Antin une boutique de colifichets. *Les Nouvelles Galeries*, issues d'un comptoir d'achats pour

Aristide Boucicaut débute au Petit Saint-Thomas, dont Cheret dessinera l'affiche pour une exposition de jouets.

marchands forains fondé à Paris par un certain Godard en 1861, et repris par la famille Demogé — du *Bazar de Saint-Étienne* —, ont finalement pris leur essor sous la direction d'Aristide Canlorbe, un Landais propriétaire d'un bazar à Auch, gendre et successeur (1884) de Demogé à Paris. Les magasins des *Dames de France* ont été fondés par des Lorrains réfugiés après 1871 et colporteurs dans la région lyonnaise. Les magasins *Decré*, à Nantes, tiennent leur nom de Jules Decré, né à Bais (Mayenne) en 1834, commis dans un bazar de Nantes en 1857, installé à son compte en 1867. Toutefois, quelques-uns des créateurs appartiennent à la bourgeoisie à talents, ou ont bénéficié de l'appui du monde des affaires : Jules Jaluzot, né en 1834 à Corvol-l'Orgueilleux (Yonne), était fils d'un notaire, et ce n'est qu'après des études aux lycées d'Auxerre et de Paris et son entrée à Saint-Cyr en 1854 qu'il bifurqua vers le commerce, passant de commis de magasin à chef du rayon des soies au *Bon Marché* ; un mariage assorti d'une dot confortable devait lui permettre en 1865 de faire construire, à l'angle du boulevard Haussmann et de la rue de Provence, l'immeuble de rapport bourgeois dont le rez-de-chaussée hébergeait le premier magasin du *Printemps*. Le premier directeur de *La*

Grande Maison de Blanc, dont la création par les Pereire en 1863 rééditait dans le nouveau quartier de l'Opéra leur initiative de 1855 entre Louvre et Palais-Royal, fut Charles Meunier, né à Foix en 1827, licencié en droit et fonctionnaire de l'enregistrement, converti aux affaires par son mariage avec la fille du manufacturier lillois Casse, fabricant de linge de table dont le nouveau magasin parisien assurait la vente. Le lien avec la politique est au surplus évident dans le succès de l'entreprise — comme pour bien des entreprises de premier rang dans la France de cette époque ; fournisseur de toilettes et d'ameublements des familles princières et aristocratiques d'Espagne et de Russie, commensal des Tuileries, Charles Meunier, bonapartiste militant, n'en fit pas moins d'importantes fournitures à la garde nationale pendant le siège, avant d'emporter la fourniture générale de l'équipement de la gendarmerie...

Certaines de ces affaires ont poursuivi au moins un temps leur évolution dans le cadre de l'entreprise familiale. Ainsi, à la mort de Ruel en 1900, la suite est prise par sa veuve au *Bazar de l'Hôtel de Ville*. Au *Printemps*, la situation est moins nette, car Jules Jaluzot a certes eu un fils, Pierre, né en 1884, qui ne deviendra cogérant du magasin qu'en 1907 ; mais entre-temps, la gérance a été confiée depuis 1885 à un « étranger », Gustave Laguionie, tandis que Jules Jaluzot se lançait dans la production et la spéculation sucrières en Picardie et sur le marché parisien — s'y ruinant personnellement en 1905. Cependant, Pierre Jaluzot (disparu seulement en 1978) ressaisit les rênes ; armé d'un diplôme de l'École supérieure de commerce et de tissage de Lyon, il consolide la direction familiale de l'affaire en prenant en 1928 pour cogérants ses deux beaux-frères, Charles Vigneras et Georges Marindaz. Du comportement de Jules Jaluzot, on est tenté de rapprocher celui de Charles Meunier à *La Grande Maison de Blanc* — comportement de parvenu qui a du mal à garder la tête froide : dès 1885, Jaluzot était assez riche pour détenir 9 millions de francs sur les 40 millions du capital de la société en commandite créée cette année-là après l'incendie du magasin. Meunier est responsable de la crise traversée par sa maison dans les années 1880, ayant dilapidé son capital dans différentes participations à des affaires industrielles ou bancaires qui font faillite ; cependant, après s'être séparé de son frère Léopold et de son beau-frère Casse, il reconstitue en 1888 une affaire familiale étroite avec un capital restreint, associé à son fils Maurice et à son gendre Ernest Burlet. A *La Samaritaine*, la suite d'Ernest et Louise Cognacq-Jay est prise par un neveu, Gabriel. Aux *Galeries Lafayette*, Bader, resté seul chef en 1912 après rachat des parts de Kahn, s'associe ses deux gendres en 1919 et 1926, et les laisse seuls directeurs après 1935. Aux *Magasins Réunis*, les Corbin (de Nancy) ont déjà connu trois générations, par filiation directe — Antoine, le fondateur (1835-1901), et ses deux fils, Louis (1863-1936) et Eugène (1867-1952) — ou par alliance.

Madame Boucicaut

Toutefois, le schéma familial de l'entreprise, dans le cas des grands magasins, s'élargit et se modifie nécessairement à brève échéance tant en raison du hasard de certaines destinées individuelles que des exigences propres à ce genre d'affaires, dont les dimensions et l'organisation sont « révolutionnaires ». L'histoire la mieux connue jusqu'à présent, celle du *Bon Marché*, en apporte la preuve. Aristide Boucicaut est mort en 1877, sa veuve lui a survécu dix ans. Tous deux n'avaient eu qu'un fils, que son père s'était associé en 1871 mais qui, de tempérament maladif, mourut dès 1879 et qui, du reste, ne manifestait aucun intérêt pour le métier des affaires, étant plutôt de ces héritiers préoccupés de jouir de leur patrimoine. Il s'était empressé de désigner deux

Aristide Boucicaut, 1810-1877, et Madame Boucicaut, 1816-1887.

directeurs parmi les proches de son père. Quant à Mme veuve Boucicaut, qui devait mourir dans sa villa de Cannes, elle n'avait jamais eu l'étoffe d'un chef d'entreprise et ne paraît pas avoir jamais été associée à la direction, du vivant même de son mari, à la différence de Louise Jay à *La Samaritaine*. Dans ces conditions, il est remarquable de constater qu'à deux reprises, en 1880 et en 1887, Mme Boucicaut agit de façon à définir un cadre de substitution qui est celui d'une sorte de famille adoptive. Transformée en société en commandite par actions, l'affaire du *Bon Marché* était confiée aux soins de trois directeurs-gérants, dont l'autorité ne devait cesser de se renforcer jusqu'à la première guerre mondiale, ces directeurs figurant d'ailleurs parmi les plus forts actionnaires. Or, le recrutement de ces personnages est révélateur. La première raison sociale constituée après la mort de Mme Boucicaut : « *Au Bon Marché*. Maison Aristide Boucicaut. Plassard, Morin, Fillot et Cie », évoque les noms de Jules Plassard, un avoué devenu conseiller personnel de la veuve en 1878 et qui, depuis 1885, siégeait à la direction en remplacement d'Alphonse Gouin, apparenté aux Boucicaut ; d'Émile Morin, parent également et l'un des plus vieux employés de la maison, entré en 1856 ; de Narcisse Fillot, entré en 1861, fondé de pouvoirs en 1877, directeur depuis 1885, et désigné par Mme Boucicaut dans son testament comme son exécuteur testamentaire et comme directeur-gérant à vie. A défaut de filiation directe, l'héritage était par conséquent remis à des parents ou individus dont les états de service et l'association intime aux intérêts des fondateurs faisaient de véritables enfants de la maison, sinon des Boucicaut eux-mêmes. Les directeurs qui se succédèrent pendant les trente années suivant la mort de Mme Boucicaut s'appliquèrent effectivement à cultiver le thème de la fidélité à l'héritage, à donner l'image d'une sorte de légitimité familiale, que la pratique de l'intermariage dans le milieu des gérants et gros actionnaires vint d'ailleurs renforcer.

Il est néanmoins probable que, en dépit de tels efforts pour perpétuer un petit groupe de gérants-propriétaires, fils spirituels des grands ancêtres, le *Bon Marché* a en même temps évolué de bonne heure vers une technostructure que son fonctionnement rendait indispensable, et dont la constitution est commune aux grands magasins et aux compagnies d'assurances, de chemins de fer ou aux grandes banques de dépôt à succursales. L'apparition d'un nouveau type de personnel patronal dans un grand magasin est naturellement liée aux besoins de ce genre d'entreprise en matière d'encadrement. On doit prendre en compte à ce propos : d'une part, le volume des effectifs engagés — le *Bon Marché* avait près de 1 800 employés à la mort de Boucicaut, près de 3 200 à la mort de sa femme, entre 4 000 et 5 000 durant les premières années du XXᵉ siècle —, d'autre part, les implications du fondement économique des grands magasins à l'égard de l'organisation du travail — pour obtenir la rotation la plus rapide du capital, il faut accélérer la circulation des marchandises et celle du papier (comptabilité, correspondance) ; vitesse, efficacité, rendement supposent à la fois une division et une coordination rigoureuses des tâches, l'élaboration de règles précises et uniformes pour l'exécution de ces tâches, enfin le contrôle de leur exécution et l'articulation des opérations les unes par rapport aux autres au moyen d'un appareil hiérarchique de commandement et de surveillance. Cet appareil pouvait représenter environ un dixième des effectifs employés vers la fin du XIXᵉ siècle, comprenant les chefs de rayon, de service ou de bureau et leurs seconds, les caissiers, les inspecteurs. Mais à vrai dire, l'amorce d'un patronat de type technocratique n'apparaissait vraiment qu'au sommet de cette hiérarchie de « cadres », sous la forme d'une dizaine à une quinzaine d'administrateurs créés par Boucicaut dès le début des années 1870, responsables de tâches spécifiques ou de secteurs déterminés, et qu'il réunissait régulièrement en conseil. Ceux qui accédaient à cet organisme directeur, immédiatement placé sous l'autorité du patron-propriétaire et fondateur, pouvaient devoir leur succès à un lien amical ou familial avec les Boucicaut (comme on l'a vu pour ceux qui accédèrent au triumvirat des gérants à partir de 1880), mais plus généralement le succès récompensait leur compétence, leur compétitivité, leur soumission aussi au système hiérarchique qui assurait l'intégration d'une énorme force de travail.

La formation de ce patronat de *managers* emprunte pourtant au modèle antérieur du patronat familial des éléments qui interdisent d'introduire une coupure rigoureuse entre les époques et les types. La seule méthode de recrutement des cadres était la promotion interne : ainsi ceux qui parvenaient aux échelons les plus élevés touchaient la contrepartie d'une ancienneté et d'une fidélité propres à développer chez eux le sentiment d'appartenance à une famille morale, sinon biologique, par le biais de la fierté des étapes parcourues, de la reconnaissance des vieux domestiques à l'égard de leurs maîtres. Par ailleurs, le système des revenus assurés aux cadres visait à les détacher de la catégorie du salariat pour associer, à un statut comportant l'exercice d'une part de responsabilité et d'autorité, le sentiment de participer non seulement aux profits, mais à la propriété même de l'entreprise. Le *Bon Marché* devenait ainsi la « chose », le patrimoine collectif d'une communauté restreinte de « gradés » appelée à se substituer à la famille défaillante ou éteinte. Les chefs de rayon recevaient, outre un « fixe » de 3 000 à 4 000 F, un pourcentage sur l'accroissement annuel de leurs ventes qui pouvait pousser leurs gains jusqu'à 20 000 F et davantage. Les membres du conseil d'administration et les caissiers et comptables en chef étaient rémunérés uniquement selon le système de l'intéressement aux bénéfices, et leurs revenus étaient de plusieurs dizaines de milliers de francs. Les directeurs-gérants d'après 1880 recevaient un traitement de 36 000 à 48 000 F, outre le rapport de leurs actions. C'est à ce niveau que se situe une disposition complémentaire particulièrement significative. Dans la société en commandite formée en 1880 par Mme Boucicaut, au capital de 20 millions en 400 parts de 50 000 F, 250 sont gardées par elle-même et 150 réparties entre une centaine d'employés d'un rang élevé. A sa mort sans héritier, en 1887, ses propres actions ont été réparties dans le personnel, et l'ancienne société à dominante patronale achève de se transformer en une coassociation de 373 actionnaires de la maison. Les trois directeurs-gérants nommés par la défunte sont parmi les plus gros actionnaires. Des dispositions sont prises pour éviter une sortie incontrôlée d'actions par revente hors du cercle primitif. Bref, la disparition de la famille proprement dite est compensée par la formation d'une famille de légataires.

Au-delà de ces mécanismes de formation et de renouvellement d'un personnel dirigeant à caractère technocratique, mais conservant plus ou moins artificiellement l'allure d'un groupe familial, les Boucicaut et leurs successeurs légaux ont recherché la cohésion de l'ensemble de leurs employés, leur mobilisation au service d'une cause commune — celle de l'entreprise —, au moyen d'une politique paternaliste où se combinent des éléments déjà classiques à l'époque et d'autres initiatives qui en expriment une variante plus moderne.

Dans la perspective habituelle de l'antagonisme du patronat et du salariat, la seule solution évolutive, dans le cadre d'une société inchangée quant à ses bases, réside dans une mobilité sociale ascendante suffisamment active, dans une expansion continue de la bourgeoisie et, notamment, dans le nombre des chances offertes aux salariés d'accéder au statut d'entrepreneurs indépendants. Une grande entreprise capitaliste telle que le *Bon Marché* propose une alternative : celle de l'ascension sociale canalisée au sein de l'entreprise elle-même, la possibilité de parcourir une carrière aux échelons hiérarchisés, combinant la complexité croissante des tâches et une amélioration substantielle du niveau de vie, la stabilité de l'emploi et la satisfaction des ambitions personnelles. Comme l'écrit vers 1890 l'économiste Cucheval-Clarigny, décrivant le *Bon Marché* dans la série des *Grandes Usines* de Turgan, « l'espoir d'arriver au premier rang n'est interdit à personne ». En fait, en raison du rapport entre les places à prendre et les effectifs totaux de la firme, qui est de 1 à 10, la promotion interne risque de s'arrêter aux échelons les plus bas pour la grande majorité des employés. Par ailleurs, entreprendre de faire carrière suppose que l'on réussisse à se maintenir sur les registres de la maison, et d'abord à se faire embaucher, car le *Bon Marché* n'engageait généralement que des individus âgés de moins de trente ans, ayant fait leur apprentissage de la vente ou des écritures dans un autre établissement. Si l'on franchissait difficilement l'entrée, la sortie était parfois beaucoup plus aisée, au gré de chefs prompts à invoquer le moindre ralentissement des affaires ou la moindre « faute professionnelle » pour inviter l'employé à passer à la caisse. Une « carrière » ne pouvait réellement s'amorcer qu'au terme d'une consolidation de plusieurs années dans la place, terme au-delà duquel le renvoi devenait effectivement improbable. Ainsi, alors même que l'embauche par le *Bon Marché* ou le *Louvre*, les plus prestigieux des grands magasins d'avant 1914, était fort recherchée et passait déjà en elle-même pour une distinction sociale, la promotion sociale demeurait dans une large mesure un leurre ou un mythe ; seule une petite minorité de ces fils et filles de paysans ou de boutiquiers venus de la province, qui cherchaient à s'employer dans les travaux de manutention, de bureau ou de comptoir offerts par milliers dans les grands magasins de Paris, avaient une chance de se retrouver vingt ans plus tard dans l'habit d'un bourgeois cossu et respecté de ses subordonnés. Et en cas de réussite — comme en cas d'échec — lourd pouvait paraître le prix à payer, sous la forme des contraintes multiples, physiques et morales, qui pesaient sur ce type d'emploi, dans le travail comme dans la vie privée.

On peut donc se demander, à l'inverse, quel prix l'entreprise était prête pour sa part à payer, afin de fournir à ses employés une contrepartie capable de leur faire surmonter la répugnance que devait nécessairement leur inspirer, pendant un délai plus ou moins long, l'impitoyable domestication exercée par le grand magasin. En premier lieu, c'était l'adoption d'un système de rémunération associant, du moins pour les vendeurs et vendeuses, un salaire fixe, pouvant monter au mieux jusqu'à 1 500 F par an, à la « guelte » ou pourcentage sur les ventes, permettant aux membres les mieux placés du personnel de chaque rayon un doublement ou un triplement de cette somme mais dont l'inconvénient était double : d'une part, il plaçait l'employé dans une situation de compétition à l'égard de ses camarades et d'agressivité à l'égard du client, qu'il fallait à la fois ménager dans les formes de la plus grande courtoisie apparente, et traquer jusqu'à la conclusion d'un montant d'achats ou d'un nombre de transactions aussi élevé que possible ; d'autre part, il contrariait radicalement la syndicalisation en plaçant le travail sur le terrain d'une compétition individuelle acharnée, et brisait la solidarité interne de l'ensemble de la population salariée en isolant ce type particulier de salariat dans lequel, bon gré mal gré, l'employé finissait par sentir son intérêt personnel indissociable de celui d'une entreprise en expansion. Ce que l'on indique ici comme une somme d'inconvénients définit précisément, à l'inverse, tout l'avantage recherché par le patronat : développer un sentiment d'attachement personnel autant que des liens d'intérêt entre la maison et son armée de travailleurs, éveiller la conscience d'une différence et d'une exclusion par rapport aux formes classiques du salariat. Par ce biais, on se trouve ramené à la famille.

En second lieu, les successeurs de Mme Boucicaut se sont engagés dans l'une des voies de l'association capital-travail (explorées par nombre de théoriciens et d'entreprises en France, dès la deuxième moitié du XIXᵉ siècle), en décidant d'offrir à tous les employés ayant au moins deux ans d'ancienneté la possibilité d'accéder à l'actionnariat : pour cela, les parts de 50 000 F furent fractionnées à plusieurs reprises et finalement, en 1912, le capital réparti en 128 000 actions au lieu des 400 primitives. Une autre variante de la participation des salariés aux profits fut la mise en réserve annuelle, à partir de 1876, d'une somme destinée à alimenter une caisse de prévoyance, comportant l'ouverture d'un compte individuel pour chaque employé, portant intérêt à 4 % et utilisable dans certaines conditions d'âge ou dans certaines circonstances (mariage, incapacité de travail, décès). Par ailleurs, en 1886, Mme Boucicaut créa une caisse de retraite alimentée par une donation initiale de 5 millions. Initiatives qui sont à replacer dans tout un contexte de dispositions comprenant également la gratuité des repas de midi, les facilités de logement, de divertissement et même de formation (linguistique, musicale) offertes sur place dans les locaux du *Bon Marché* ; à rapprocher, aussi, des dispositions testamentaires par lesquelles Mme Boucicaut légua aux employés, selon des dosages variables, une douzaine de millions de francs.

L'intérêt d'une histoire comme celle du *Bon Marché* est donc d'attirer l'attention sur la capacité d'une grande entreprise de la fin du XIXᵉ siècle à concilier une évolution inévitable vers la bureaucratisation et la dépersonnalisation, avec le maintien d'un type de relations dérivé de la structure familiale, c'est-à-dire paternaliste. Il serait tout à fait appauvrissant pour notre propos d'interpréter le fait dans le sens de quelque survivance ou archaïsme, ou comme un caractère applicable à l'entreprise française en général — ce que des enseignements tirés d'autres pays à la même époque viendraient du reste contredire. Il est plus intéressant de constater que, à quelque stade du développement de l'entreprise capitaliste moderne que l'on se situe, le recours à des institutions et à des valeurs de type familial paraît s'imposer au patronat, soucieux d'aménager ses relations avec ceux qu'il emploie, de faire accepter la division du capital et du travail, la contrainte et la discipline propres à l'emploi industriel. Ainsi les exigences patronales ne cherchent pas à se justifier par rapport à un nouveau système de valeurs. Le consensus nécessaire à un fonctionnement régulier et profitable de l'entreprise est recherché dans l'adhésion à des valeurs traditionnelles : en Europe occidentale, ce sont le principe d'autorité et les hiérarchies « naturelles », la morale personnelle du travail et de l'effort. En outre, on tente de masquer ou d'écarter les conflits, latents ou aigus, par l'évocation de relations affectives à l'intérieur de l'entreprise, dont la référence est commune à toutes les manifestations du paternalisme. L'intérêt d'une étude comparative serait de montrer la diversité des recours face au problème commun de la stabilisation sociale des sociétés industrielles, l'éventail des valeurs piliers dans des contextes nationaux, sociaux et culturels différents.

Des Docks rémois au Casino

L'autre face de la « révolution commerciale », c'est, selon la formule employée par un économiste français en 1911, « la concentration commerciale sans grands magasins ». Comme l'écrit à la même date le président de l'Association des commerçants et industriels de la Haute-Loire : « Notre commerce a terriblement à souffrir du fait, d'abord, des grands magasins qui, par le colis postal, nous inondent de leurs marchandises. Mais cette souffrance n'était rien auprès de celles que lui ont imposées les magasins à succursales [...]. On peut estimer à deux cents le nombre des succursales dans le département de la Haute-Loire [...]. Le véritable fléau déchaîné contre le petit commerce, c'est le magasin à succursales multiples. Après avoir débuté par l'épicerie, le magasin à succursales est devenu bazar, marchand de chaussures, mercier, vannier, charcutier, marchand de vin ; depuis quelques mois, il est boulanger ; sous peu, il sera tout. » Aller au-devant de la clientèle en lui offrant de tout, décentraliser la vente tout en permettant la concentration des achats : « Le grand magasin a pris pied au village. » Or, ces entreprises colossales, susceptibles d'une extension presque indéfinie, sont une fois de plus des entreprises personnelles ou familiales. Le berceau et le modèle de cette nouvelle forme de concentration capitaliste, c'est Reims, dont la puissance marchande a déjà été évoquée à propos du commerce des vins.

L'idée même du magasin à succursales multiples, pourtant, n'appartient pas à l'initiative capitaliste : elle appartient au mouvement coopératif et mutualiste, fondateur, en 1866, de la Société des établissements économiques des sociétés mutuelles de la ville de Reims. Ces établissements fonctionnèrent, en fait, comme une société commerciale par actions, vendant à toute clientèle, mais au plus bas prix possible, une large gamme de produits alimentaires. Le succès considérable des Établissements économiques, menaçant d'une concurrence insoutenable l'épicerie de détail, amena en 1887 un groupe de quatre épiciers en gros à réagir en imitant la recette. Ce sont les fondateurs des Docks rémois, qui n'hésitent pas à inscrire à la devanture de leurs succursales le nom de *Familistère*, pourtant tout à fait étranger à leur inspiration. L'affaire connaît jusqu'à la seconde guerre mondiale une extraordinaire croissance, invulnérable à l'at-

Félix Potin est à l'origine une épicerie de luxe parisienne où l'on trouve des produits importés d'Angleterre. Comme le Familistère, comme Goulet-Turpin, Potin ne va pas tarder à multiplier des succursales dans toute la France, qui seront des magasins d'alimentation courante.

taque des crises économiques. Rythme de développement et intensité du profit font de ce secteur commercial l'apanage de « nouveaux riches » dont les millions éclaboussent les vieilles fortunes rémoises constituées sous la patine du temps. De 2 millions avant 1914, le capital grimpe à 20 millions en 1924 ; le chiffre d'affaires passe de 49 millions en 1910 à 614 millions en 1929. Près de 900 succursales fonctionnent en 1928 à Reims et dans dix-huit départements du Nord et de l'Est ; 102 autres s'ouvrent en 1929, notamment dans la banlieue parisienne ; 84 encore en 1930, cette fois dans Paris même, alors que pourtant la conjoncture s'assombrit. En même temps, les Docks reprennent le Comptoir normand (Le Havre), s'assurent seuls ou en participation le contrôle des Établissements économiques rouennais, des Docks du Mans, de Blois et de Chartres. Avant 1914, l'action recevait couramment de 60 à 70 % de dividende ; en 1927 encore, on enregistre 14 millions de bénéfices ; aussi, pour une valeur nominale de 100 F, l'action est-elle cotée 700 F en 1928, de 1 000 à 1 200 F en 1930. A cette date, les actions restent presque totalement entre les mains des quatre gérants : Alexandre Georget, Marcel Quentin, Charles Théron, Pierre François (ce dernier est alors président du Syndicat des maisons d'alimentation à succursales multiples). Toutefois, dans les années 1930, l'affaire tend à passer sous le contrôle de la banque Lazard, qui lui a consenti des découverts considérables.

L'exemple est suivi dès 1891 par les Comptoirs français, issus de la reprise par la société Mignot-Bonant (deux riches négociants rémois) des 80 succursales de Notre-Dame de l'Usine, un économat du patronat catholique local. Mignot, seul propriétaire et gérant à partir de 1908, rejoint les Docks rémois pour le nombre des succursales (960 en 1931), sinon encore pour le chiffre d'affaires (500 millions en 1930) ; en revanche, les bénéfices sont supérieurs (30 millions en 1933). Réussite que souligne l'importance de l'enrichissement personnel : la fortune de Mignot est évaluée à 50 millions en 1926, à 200 millions en 1933 ; propriétaire des 2 000 hectares du domaine de Sept-Saulx, d'un hôtel à Reims, d'une galerie de tableaux à Paris, le chef des Comptoirs français a en outre dans son portefeuille — quel symbole ! — 63 % des actions du champagne Heidsieck-Monopole. A cette date, l'avenir de l'affaire paraît assuré grâce au fils, Jean Mignot, et au gendre, de Beaumont, un ancien officier.

Assez loin derrière, le troisième rang est tenu par Goulet-Turpin, société fondée en 1900. Le capital est en 1925 de 4 millions — un dixième seulement de celui des Comptoirs. En dépit d'une solide gestion par Goulet père, puis par ses deux fils, et d'un réseau de 668 succursales en 1931, le chiffre d'affaires n'atteint encore que 180 millions en 1926, et les dividendes sont plus modestes. Une quatrième société, Charles Mauroy, née en 1910, connaît une certaine expansion depuis 1924-1925, mais ne rayonne encore que sur quatre départements champenois et lorrains.

Le chiffre d'affaires total des sociétés rémoises à succursales multiples n'atteignait pas 100 millions en 1910 ; il passait à 500 millions en 1921, à 1 800 millions en 1931. Dès 1911, l'économiste cité plus haut pouvait noter : « Une industrie presque exclusivement rémoise a pris naissance : la constitution de sociétés d'alimentation à succursales multiples. Chaque année, une dizaine au moins de sociétés de ce genre se constituent en un point quelconque de France. Presque toujours, les créateurs ou les inspirateurs sont rémois d'origine, et les capitaux sont également rémois. » Les capitaux sont « très friands de ces sortes de placements qui, il faut le reconnaître, sont en effet particulièrement lucratifs ». Un recensement sommaire en faisait reconnaître une quarantaine à cette date par le même auteur.

En fait, l'initiative dans ce secteur du capitalisme marchand est repartie — dix ans après Reims — de Saint-Étienne, où en 1898 Geoffroy Guichard-Perrachon (né à Feurs en 1867) transforme une petite affaire — les Magasins du Casino, fondés en 1860 —, en une société anonyme au capital de 1 million, rebaptisée Établissements économiques d'alimentation. Dès 1914, le chiffre d'affaires est de 30 millions, réalisé dans 470 succursales, du Massif central aux Alpes. Mais, au-delà du succès économique d'un gendre d'épicier heureux en affaires, l'important est ici — un peu comme dans le cas des Boucicaut — l'affirmation d'un profil patronal nouveau dans la ville : « Un des philanthropes les plus éclairés et les plus dévoués de Saint-Étienne », comme l'écrit le préfet en 1914, d'un catholicisme agissant, ce grand commerçant-industriel exercera un véritable patronage sur la vie sociale locale, en partage avec son contemporain Mimard, chef de la Manufacture.

7

Vers un renouvellement des entreprises et des hommes

On connaît le débat toujours actuel autour des phases successives de la révolution industrielle, et des modifications que les changements dans la taille des entreprises, la complexité des tâches de gestion et de commandement, le caractère de plus en plus scientifique et ramifié de la technologie et de la production auraient imposées à la forme juridique des affaires, ainsi qu'à la structure même du patronat ou à son recrutement social et professionnel. Effacement de la société familiale devant la société anonyme, séparation de la propriété du capital et du *management* des entreprises, passage à un capitalisme de concentrations financières ou simplement à un capitalisme « organisé », entraînant une moindre personnalisation du patronat ou une évolution profonde de ses qualifications : tout cela, bien sûr, peut être aisément décelé ici et là dans l'encadrement industriel de la France. Mais jusqu'à la première guerre mondiale, ou même jusqu'à la crise des années 1930, ces changements ne s'ordonnent pas en phases successives, en renouvellements complets du décor. Les formes classiques du patronat familial, si elles sont loin de se perpétuer sous le seul aspect élémentaire de l'héritage individuel, manifestent en France (et sans doute ailleurs) une résistance par l'adaptation qui les amène à garder le contrôle du capital sous des habillages juridiques nouveaux, le contrôle de l'affaire par l'assimilation des personnels recrutés au-dehors, le contrôle de l'idéologie dominante aussi — les valeurs familiales survivant aux familles elles-mêmes.

LES CHANCES DU TALENT

« Il y a trois façons de se ruiner : le jeu, les femmes et les ingénieurs. Les deux premières sont plus agréables, mais la troisième est plus sûre », aurait dit James de Rothschild. Cette boutade ne s'appliquait sans doute pas à Paulin Talabot qui, comme l'a montré Bertrand Gille, fut une sorte d'ingénieur-conseil de la banque pendant de longues années, dans une collaboration qui n'a certainement appauvri ni celle-ci ni celui-là. Paulin et ses deux frères, comme lui polytechniciens et souvent ses associés, illustrent avec éclat l'entrée dans le monde des affaires des détenteurs du savoir scientifique et technique, déjà observée à propos du rôle des ingénieurs dans la naissance en France d'une sidérurgie « à l'anglaise ».

Toutefois, en un siècle où, du reste, ne sont encore acquises ni la généralisation du système des écoles d'ingénieurs ni, pour les plus grandes, leur démocratisation, il faut se garder d'identifier les ingénieurs à un groupe socio-professionnel qui aurait réussi à constituer un patronat distinct ou à renouveler profondément le patronat traditionnel de l'extérieur. Tout d'abord, on remarquera que le patronat détenteur du pouvoir économique à travers la propriété du capital industriel a su percevoir lui-même la nécessité de se doter, en outre, de compétences de toutes sortes qui lui permettraient de conserver le contrôle direct de ses entreprises. En fait, deux attitudes se rencontrent, dont nous ne connaissons pas, il est vrai, la répartition statistique ; certains pères estiment inutile de pousser leurs fils au-delà d'une formation générale sanctionnée par le baccalauréat ès lettres et ès sciences, que complétera et spécialisera la formation concrète dans l'entreprise familiale ; d'autres les orientent vers une école, « grande » ou petite, de sorte que, à des degrés divers, l'ingénieur sort du patronat avant d'y revenir, fût-ce après un détour par la carrière d'officier. Lorsque ce n'est pas le cas, le recrutement social des anciens élèves des grandes écoles, des membres des grands corps de l'État, est tel qu'il n'existe aucune barrière sociale entre leur monde et le monde des affaires ; pour ceux d'entre eux qui dérivent vers l'industrie, l'entrée est immédiate ou en tout cas aisée dans le patronat, comme métier et comme famille. Quant à ceux qui sortent des petites écoles, issus des classes moyennes et parfois du monde des métiers, de la boutique, leurs capacités leur servent de marchepied et, au prix de la patience et des années, ils ont bien souvent l'espoir et la possibilité de troquer l'étiquette d'un modeste diplôme technique contre le titre d'entrepreneur et de patron, propriétaire de son affaire : filière d'ascension sociale au long de laquelle l'ingénieur de fabrication ne demande qu'à oublier peu à peu son origine. Pour les uns comme pour les autres, l'accumulation de gains parfois confortables permet tôt ou tard l'acquisition de fractions du capital des affaires pour lesquelles ils travaillent, même lorsque la fortune héritée fait défaut. Des fonctions de direction aux sièges d'administrateur et à la prise de possession pure et simple, de l'échelon d'employé à la propriété de l'usine, la fusion du savoir et du pouvoir économique se rétablit constamment. Il faut attendre le passage au stade de l'industrie contrôlée par l'actionnariat ou par la banque pour que s'affirme l'existence d'une classe de grands techniciens et administrateurs acceptant de séparer leur destin de celui d'une entreprise personnelle et de tirer de leurs seules compétences, rémunérées par qui les recherchera, leur identité, leur prestige, leur pouvoir.

Du haut fonctionnaire au grand patron : cette carrière, rendue possible par le système proprement français de formation d'ingénieurs-administrateurs de l'État, dont le détachement est autorisé, à l'occasion, au profit de l'entreprise privée, est bien celle de Paulin et de Léon Talabot, les plus célèbres des quatre fils d'un magistrat de Li-

Les chances du talent : les « X » à l'École polytechnique, en 1858.

moges dont la carrière avait couvert, en continuité, l'Ancien Régime, l'Empire et la Restauration. Entré à l'École polytechnique en 1819, à l'École des ponts et chaussées en 1821, Paulin (1799-1853) n'a fait qu'une brève carrière de six ans dans l'administration, qui l'ennuyait. Il en est sorti, semble-t-il, avec l'appui du maréchal Soult dont il avait eu le fils pour condisciple et ami : ainsi les grandes écoles facilitaient-elles l'accès de plain-pied au monde de la politique et des grandes affaires. Au contact des saints-simoniens, il semble surtout avoir acquis la conviction que la meilleure façon de faire avancer les utopies sociales était de travailler activement à la réalisation du progrès économique. Aussi est-ce avec passion et ambition qu'il saisit l'occasion offerte par Soult de s'intéresser à un ensemble de projets d'équipements fluviaux, ferroviaires, miniers et sidérurgiques, articulés les uns aux autres. Dans les études préalables, l'exécution éventuelle et la gestion de ces affaires de transport et d'industrie, Paulin Talabot s'est comporté tour à tour ou simultanément comme un expert de grande classe, un administrateur, un brasseur d'affaires aussi, participant de ses deniers à certaines sociétés, souvent avec ses frères, comme aux mines de La Grand-Combe ou à l'aciérie du Saut-du-Tarn. C'est après 1850 que se précise le double profil de ces grands créateurs. La présence de Paulin dans les affaires ferroviaires reste très importante : engagé très tôt dans le chemin de fer Alais-Beaucaire, puis Avignon-Marseille et Avignon-Lyon, il finira par être le directeur général du PLM — une liaison qui s'intègre pour lui à un vaste projet intercontinental, Marseille, la Méditerranée et le canal de Suez prolongeant les voies terrestres. Mais pendant ce temps il a, avec son frère, également mis sur pied (1849) la société sidérurgique de Denain-Anzin, dont Léon est le président jusqu'à sa mort (1863) ; il lui succède alors, et ajoute aux hauts fourneaux et aux laminoirs une aciérie Bessemer, financée par un énorme marché de rails conclu par le réseau du Nord (1872). La figure de l'ingénieur s'estompe derrière celle du maître de forges. Cette évolution est confirmée par les liens de famille qui se sont établis entre-temps. La descendance des Talabot et sa transformation en une dynastie de sidérurgistes a été en effet assurée par le mariage de Lucie, fille de Léon Talabot, avec le baron Robert de Nervo (1842-1909), fils d'un secrétaire du roi fait baron sous le Premier Empire et confirmé sous la Restauration. Fils d'Adélaïde-Suzanne Brugière de Barante, Robert de Nervo en a hérité un château en Auvergne ; de son oncle par alliance, il recueillera toutes les présidences et vice-présidences, de Denain-Anzin (1885-1909) aux mines de Mokta-el-Hadid en passant par le Saut-du-Tarn, le PLM et plusieurs autres. Son fils, Jean, lui succède à Denain-Anzin (1909-1935) ; son autre fils, Léon (1873-1973), présidera Mokta-el-Hadid et le Saut-du-Tarn (entre autres), et à son tour Denain-Anzin en 1938-1940, avant d'en conserver la présidence honoraire et de laisser son siège à son propre fils Jacques, de 1941 à 1950. Ce dernier (né en 1897) fait figure d'« héritier » dans la mesure où, à la différence de ses prédécesseurs, il n'est pas issu d'une grande école d'ingénieurs. L'intégration à la *high society* des grandes affaires industrielles s'est confirmée, sur un siècle, à travers des alliances avec les Davillier, les Reille, les Béghin — comme à l'occasion de la présidence du Comité des forges, où Robert de Nervo succède à un Wendel de 1903 à 1909.

Toutefois, il est fort intéressant d'observer qu'au sein même de Denain-Anzin s'élabore, parallèlement, le type du patron *manager*, comme le suggèrent clairement la carrière et le comportement de l'ingénieur Léopold Pralon (1855-1938). Polytechnicien sorti dans le corps des Mines, il est entré à Denain-Anzin en 1882, passé directeur administratif et commercial en 1896, administrateur délégué en 1902, président enfin de 1936 à 1938 ; avant la première guerre mondiale, il a été l'un des principaux animateurs, avec Robert Pinot, du Comité des forges et de l'Union des industries métallurgiques et minières. L'historien américain Michael Rust, spécialiste de la période de passage de la grande industrie française au « capitalisme organisé », souligne avec talent que Pralon n'a établi aucun lien familial avec les Nervo, ni pris d'autres intérêts financiers dans la compagnie que ceux représentés par son salaire et par l'acquisition progressive d'une certaine quantité d'actions (indispensable à l'entrée dans le conseil d'administration). « *His connection with the company and the industry was a matter of professional identification and career, not of family tradition. [...] (He was) more devoted to the industry and profession as a whole, rather than exclusively to his own firm.* » C'est une observation analogue qu'a pu effectuer Catherine Omnès sur l'industrie des tubes d'acier de la région valenciennoise, dont les sociétés, en dépit de la « permanence des structures du pouvoir » qui les caractérise, favorisent à la même époque l'éclosion de certaines personnalités, la préfiguration d'un nouveau patronat très dynamique dont l'influence s'affirmera entre les deux guerres : patronat moins soucieux de lier son sort à l'avenir d'une seule firme que de mettre ses talents au service de tout un secteur industriel et d'élargir le champ de ses interventions à des industries nouvelles ; le modèle en est ici fourni par l'ingénieur Marcel Champin (promotion 1894 de Polytechnique), dont le rôle a été prééminent dans l'exploitation des ressources pétrolières de la Roumanie et de certaines ressources minérales aux colonies. Reste que le constat de la coexistence (voire de l'alternance) au pouvoir dans les entreprises de représentants des

La direction du Comité des forges en 1914, tableau d'Adolphe Déchenaud. Cet organisme a été créé en 1864 par les maîtres de forges français pour l'étude et la défense des intérêts économiques de l'industrie sidérurgique. Présidé à l'origine par Eugène Schneider, il joua un rôle important dans la vie française jusqu'en 1940.

deux « modèles » patronaux en question doit rendre circonspect à l'égard de tout schéma simplificateur de passage d'un modèle à l'autre. Les plus anciennes des « grandes écoles » paraissent bien, jusqu'au premier XXᵉ siècle du moins, faciliter une intégration patronale plutôt qu'une conquête du patronat. Le Creusot en donne un superbe exemple au temps d'Eugène II Schneider, qui ne sort d'aucune école d'ingénieurs et « n'est que » l'héritier de son grand-père Adolphe et de son père Henri. Un partage du pouvoir s'y établit en effet entre lui et son gendre, le duc Pierre de Cossé-Brissac, qui a épousé May Schneider ; or, le duc, pour fréquenter dans les châteaux de toute la France les vieilles familles d'ancienne noblesse, dont il est, n'en appartient pas moins à une aristocratie où les fils préparent les grandes écoles et où l'exercice d'une profession autre que militaire, diplomatique ou ministérielle a cessé depuis longtemps d'être infamante. Cet ancien polytechnicien devient l'adjoint de son beau-père qui, à Champagne-sur-Seine où la firme a implanté la construction électrique en 1903, délègue l'administration à un autre « X » : Charles de Beaumarchais, descendant de l'écrivain… Les compétences techniques ou administratives président à une fusion sociale entre les grandes familles et les nouveaux maîtres de forges.

LA PERCÉE DES INGÉNIEURS

Une certaine pénétration du patronat par la filière d'ascensions industrielles est également possible depuis le XIXᵉ siècle, à partir des écoles d'ingénieurs situées, elles, au bas de l'échelle : les écoles des Arts et Métiers dont les « produits », les « gadz'arts », ont été aussi nombreux que ceux des Écoles polytechnique et centrale réunies. De formation essentiellement pratique, ces auxiliaires indispensables du bon fonctionnement des usines ont aussi été, à l'occasion, des inventeurs capables de réaliser de véritables « percées » industrielles dans l'industrie électrique, automobile, aéronautique ou chimique. Dans le cadre d'entreprises familiales de moyenne dimension, ils ont pu, pour une minorité d'entre eux, réaliser aussi des percées sociales et devenir à leur tour fabricants, patrons, propriétaires. Du bureau d'études ou du contrôle de la fabrication en atelier jusqu'aux postes de direction, au mariage avec la fille du patron ou à l'évasion qui débouche sur la création d'une entreprise personnelle, l'ingénieur d'usine a pu mener à bien plus d'une fois son changement de statut. Carol Kent a analysé l'un des plus illustres de ces cas dans l'industrie française du siècle passé : celui de Xavier Rogé. Né en 1835, ce fils d'une famille lilloise de quatorze enfants sort de l'école de Châlons-sur-Marne, la plus ancienne (et la plus prestigieuse avec celle de Cluny), en 1853 : ingénieur à dix-huit ans... Sa carrière débute chez Vivaux, sidérurgiste réputé de la vieille industrie du bois meusienne. C'est ainsi qu'il a l'occasion, en 1858, d'entrer en contact avec la compagnie de Pont-à-Mousson, pour la construction d'un haut fourneau dont son patron fait les fournitures ; en 1859, Pont-à-Mousson l'engage comme directeur. Dès 1862, lors de la crise qui provoque la vente puis la reconstitution de Pont-à-Mousson, Rogé figure parmi les actionnaires — pour 11 modestes actions sur 325, valant 30 800 F. D'abord cogérant de la nouvelle société avec ses principaux commanditaires sarrois, Rogé lui assure les bases techniques de sa prospérité, introduisant la technique anglaise du moulage vertical des tuyaux de fonte, amorçant la politique d'intégration verticale pour assurer l'approvisionnement en minerai de fer. En 1890, il est en mesure de racheter les parts des Röchling et devient avec 35 % le premier actionnaire : c'est le point de départ d'une réunion du capital et du *management* qui ne cessera de se renforcer jusqu'à la première guerre mondiale — à cette date, les héritiers de Rogé et la famille de son successeur Cavallier contrôlent plus de la moitié du capital.

Il est intéressant de voir ce que la « greffe » d'un esprit éminemment technicien sur une entreprise « occupée de l'intérieur » a pu apporter de neuf aux attitudes du patronat traditionnel. Dès avant d'avoir un gendre, Rogé s'était choisi dans sa domesticité un « fils adoptif », Camille Cavallier, qu'il avait envoyé à l'école de Châlons-sur-Marne avant de le former à sa propre école, dans l'entreprise même. Par conséquent, si Rogé devient le chef d'une entreprise familiale, il s'agit moins d'une famille par le sang ou par alliance que d'une famille spirituelle, au sein de laquelle la légitimité est moins le fruit d'une filiation au sens classique du terme que d'une fidélité à un système de valeurs légué par le fondateur de la firme. Fidélité préparée par une longue formation sur place, qui développe un « esprit maison » plus qu'un esprit de famille. Alain Baudant, étudiant à son tour à Pont-à-Mousson au temps de Cavallier, voit dans ces traditions un « concept clef », une « parenté spirituelle et morale de nature supérieure à la parenté par le sang ». Traditions de travail, essentiellement, mises au service de l'intérêt supérieur de l'entreprise, une entité qui transcende les personnes et les générations. « Quant au but à poursuivre par tous, actionnaires et collaborateurs, ce ne doit pas être de gagner de l'argent. [...] C'est créer, développer sous le drapeau de Pont-à-Mousson

Un conseil tenu par les ingénieurs dans une mine. Presse illustrée, *vers 1860.*

un ensemble d'intérêts de plus en plus considérables, c'est constituer une association morale en même temps que matérielle, ayant le sentiment profond de la solidarité » (discours à l'assemblée générale de 1917, cité par Alain Baudant). Camille Cavallier refuse à son tour de prendre son fils Charles pour successeur, au bénéfice de l'ingénieur Marcel Paul dont il fera finalement son gendre : mais il a pris son successeur pour gendre et non son gendre pour successeur ; le lien de famille n'est intervenu que pour consolider une légitimation d'une autre nature.

Au total, pourtant, les anciens élèves des Arts et Métiers restent en majorité des « sous-officiers de l'industrie », en dépit de la substantielle promotion sociale de certains d'entre eux. A un niveau de qualification plus élevé, il ne semble pas que les diplômés de l'École centrale aient eu beaucoup plus d'occasions de franchir la barrière qui sépare les fonctions de direction des sièges de conseils d'administration. « Il serait naïf de supposer, écrivent René Darrigo et Pierre Serre, que l'orientation générale d'une industrie dépende des élèves d'une grande école, quelle qu'elle soit. Les propriétaires restent les orienteurs et les arbitres décisifs. » Dans la perspective, constamment retenue ici, d'une analyse de groupes sociaux dirigeants, on retiendra donc : d'abord, que les familles patronales apprécient certes une formation d'ingénieur (principalement au niveau de l'École centrale, beaucoup moins à celui de Polytechnique, presque jamais à celui des Arts et Métiers) pour l'un ou l'autre de leurs fils, parce que « les connaissances scientifiques ainsi acquises peuvent servir à améliorer le potentiel de produc-

Le prestige du diplôme : « Un garçon sérieux a des prix toute sa vie » ; caricature de Hermann-Paul dans le Cri de Paris, *1ᵉʳ août 1897.*

tion », et parce que le diplôme « ne peut que renforcer l'autorité et le prestige d'un industriel » (Terry Shinn) ; ensuite, que ces mêmes familles accueillent volontiers dans leurs alliances des gendres diplômés, procédant ainsi plus ou moins consciemment à un renouvellement de leur recrutement qui peut être à l'origine d'une modernisation du patronat et pas seulement de l'entreprise ; enfin que l'ingénieur n'est pas pour autant promis nécessairement à une promotion patronale, puisqu'il reste considéré (ou se considère lui-même) avant tout comme un serviteur de l'économie. La relative étanchéité de la frontière socio-professionnelle entre ingénieur et patron-propriétaire d'entreprise apparaît bien dans une carrière comme celle d'Eugène Mattern, récemment retracée par Yves Cohen. Cet ingénieur des Arts et Métiers, qui fut entre 1917 et 1952 directeur technique ou ingénieur-conseil chez Peugeot et chez Citroën, et se fit reconnaître par une compétence tout à fait hors pair en matière d'organisation de la production, n'en est pas moins resté toute sa vie (quoique ses origines familiales fussent tout à fait honorables) un salarié et un ingénieur d'usine, plaçant tout son orgueil dans l'approfondissement d'une pensée et d'une pratique mécaniciennes et techniciennes.

LE PATRONAT DES INDUSTRIES NOUVELLES

Une autre voie de l'évolution du patronat français au XIXe siècle s'ouvre avec les développements de l'industrialisation. La nouveauté est de deux ordres : d'abord, chronologique et géographique ; la France connaît plusieurs vagues d'industrialisation, et la géographie de cette industrialisation se modifie fondamentalement des années 1840 à la fin du XIXe siècle. Ensuite, et surtout, technique : des branches traditionnelles, comme la sidérurgie et la métallurgie, se transforment sous l'effet de la prépondérance nouvelle de l'acier et de son élaboration en produits d'équipement de toutes sortes ; une nouvelle génération d'industries totalement inconnues précédemment fleurit avec une grande intensité dans les deux dernières décennies du XIXe siècle ; une industrie ancienne comme la chimie se renouvelle elle-même profondément.

Quel est le retentissement de ces nouveautés sur la structure du patronat ? Quelles continuités observe-t-on dans son recrutement et quels hommes nouveaux accueille-t-il ? Comment les industries nouvelles modifient-elles, ou non, l'équilibre entre les vieilles assises du patronat propriétaire et familial et les couches technocratiques de l'encadrement ? La réponse sera, dans tous les cas, aussi nuancée que précédemment : évolution sensible, sans bouleversement profond.

Sidérurgie et métallurgie : une nouvelle géographie

L'une des modifications les plus sensibles de la carte industrielle française est imputable à la nouvelle répartition des foyers de la sidérurgie et de la métallurgie qui s'esquisse dès les années 1850-1860, et s'accentue dans les années 1870-1890. Elle aboutit à placer le Nord et la Meurthe-et-Moselle en tête de la production nationale, tandis que la Loire ou la Haute-Marne, pour ne citer que ces foyers, subissent un déclassement compensé par une spécialisation accrue. Elle se lie à la généralisation du convertisseur Bessemer, à l'invention du four Thomas, aux poussées successives de la demande en rails, tubes, produits laminés. Ces créations s'accompagnent-elles d'un changement dans le profil du maître de forges et du métallurgiste ?

Rien de tel, en fait, en Lorraine du nord. Les Hauts fourneaux, forges et aciéries de Pompey qui ont pris après l'annexion, en 1872, la suite de ceux d'Ars-sur-Moselle, fondés en 1850, sont au départ l'affaire de deux négociants juifs de Metz, Mayer Dupont et son gendre Myrtil Dreyfus ; à la génération suivante, le fils Dupont s'associe à un Fould dont la famille reste finalement, à la fin du siècle, le principal actionnaire de la firme. Les fondateurs des Aciéries de Micheville (1873), François-Joseph Ferry, né en 1829, et Jean-Émile Curicque, né en 1832, sont, le premier, fils d'une famille de cultivateurs, enrichi dans le commerce des grains, le second, ancien notaire de campagne. Ces filières de recrutement à partir du négoce ou des professions juridiques sont classiques. Le Nord offre à son tour des exemples de continuité. En 1837, les Hauts fourneaux, fonderies, laminoirs et ateliers de construction de Maubeuge avaient été créés par Édouard Hamoir, issu d'une riche famille de fabricants de batiste et lui-même fondateur d'une banque à Valenciennes en 1855. Un demi-siècle plus tard, la société Escaut et Meuse, fabriquant des tôles et tubes à Anzin, est créée en 1882 à participations égales par une famille belge et par les frères Jean et Louis Laveissière (nés en 1856 et 1858), ingénieurs des Mines, certes, mais avant tout héritiers de la puissante firme parisienne de négoce en métaux Jean-Joseph Laveissière et fils. Catherine Omnès a

Sir Henry Bessemer (1813-1898), ingénieur anglais. Il mit au point une méthode nouvelle de production de l'acier au moyen d'un convertisseur qui porte son nom (1855), grâce à laquelle la métallurgie prit un tournant décisif.

donné de cette branche et de cette région industrielles une analyse tout à fait nuancée. Au départ — vers 1880 — l'accès à la transformation de l'acier reste, dit-elle, « très ouvert, car un capital initial modeste, souvent inférieur à moins d'un million, suffit à l'implantation d'un atelier transformateur. L'analogie avec la première révolution industrielle est évidente : l'accumulation primitive est faible ». Toutefois, l'industrie du tube d'acier est moins « grisante » que ne le sera celle de l'automobile un peu plus tard, et ne permet guère de promotions fulgurantes. Car les contraintes financières s'alourdissent très vite, et les créations durables supposent en fait des associations capitalistes plus puissantes que celles constituées sur le plan purement local, et qui tomberont bientôt sous le contrôle de sidérurgistes ou de banquiers. Par ailleurs, aux combinaisons de capitaux suffisants, toujours réalisables au niveau de dynasties familiales venues d'autres horizons, il était indispensable de joindre le recrutement de collaborateurs qualifiés « pour lancer un secteur dont les problèmes initiaux sont essentiellement techniques » : d'où le nombre élevé de polytechniciens, centraliens et ingénieurs des mines *autour* des propriétaires de certaines affaires. Moyennant quoi, jusque dans l'entre-deux-guerres, « aucun glissement du contrôle des propriétaires vers le *management* n'est perçu au sein de la première transformation de l'acier. La révolution managériale ne s'est pas produite dans ce secteur ; la source du pouvoir demeure la propriété des moyens de production ».

L'industrie chimique a soif de compétences et de capitaux

L'industrie chimique, à première vue, semblerait de celles qui imposent la définition d'un nouveau patronat, composé d'ingénieurs et même de savants, soutenu par la banque et le marché financier, dans la mesure où, dès le XIXᵉ siècle, on y voit se développer la hantise de l'obsolescence, l'impérieuse nécessité de se renouveler constamment au prix d'une coûteuse fuite en avant vers le progrès technique. Ces traits sont bien, du reste, ceux que suggère l'industrie chimique française à sa naissance, à l'aube du XIXᵉ siècle. On sait le rôle joué par Chaptal père dans son lancement : professeur d'université, grand commis de l'État et chef d'entreprise plus que propriétaire et capitaliste. Chaptal fils, au début de la Restauration, exploite au Plan d'Aren, sur l'étang de Berre, une saline et une soudière en société avec les frères Bodin, banquiers à Lyon et à Paris. En 1819, il la transforme en société anonyme par actions avec le concours des banques Perier frères, Guérin de Foncin et Pillet-Will ; s'y joint Darcet, chimiste et administrateur de la Monnaie. D'autres actionnaires sont agents de change, membres de la noblesse militaire d'Empire, riches propriétaires ; l'ensemble évoque un peu les sociétés constituées pour les grands travaux d'équipement. Mais, à la même époque, d'autres secteurs de l'industrie chimique conservent un patronat tout à fait tradition-

Industrie chimique : une fabrique de savon. Lithographie en couleur de P. Ferat, 1889. Paris, Bibliothèque nationale, Estampes.

La fabrique Alcide Poirrier de matières colorantes, à Saint-Denis, en 1870.

nel. Ainsi, à Paris et dans ses environs, l'industrie de la teinturerie. L'une de ses firmes les plus réputées tout au long du siècle est sortie, par croissance régulière, d'un atelier artisanal, celui de Pierre Gonin, en l'île Saint-Louis, teinturier en écheveaux depuis 1800. Associé en 1822 à son gendre François Boutarel, un Stéphanois, il s'intitule alors « négociant teinturier en gros », et élargit ses opérations à la « teinture de soies, laines et cotons en matières et en étoffes » ; mais le capital social ne dépasse pas 130 000 F. Devenu seul chef en 1828, Boutarel quitte Paris pour Clichy-la-Garenne en 1845 : c'est désormais un industriel, auquel succédera son fils Aimé. Un autre exemple est fourni par Mottet, fabricant de colorants rue de la Folie-Méricourt depuis 1820, avant de créer en 1853 une usine à Saint-Denis. Lui succède son collaborateur Alcide Poirrier, qui acquiert en 1868 le droit d'exploiter tous les brevets de la célèbre société lyonnaise faillie, La Fuchsine ; associé à un Chappat, puis à Dalsace, il est ainsi à l'origine de la puissante Société anonyme des matières colorantes et produits chimiques Poirrier et Dalsace, au capital de 10 millions. Avec la chimie des teintures à base de goudron et de houille, le patron traditionnel a besoin, désormais, du concours de savants, mais qui restent ses employés : ainsi le directeur technique et scientifique de Poirrier et Dalsace, le Lyonnais Chapuis, est un ancien professeur de la faculté de médecine de cette ville, entré dans la société en 1881. Un autre, Chappat, dans le même temps, poursuit à Clichy-la-Garenne la teinture et l'apprêt des tissus pour le compte des grands fabricants du Nord.

Le patronat lyonnais de l'industrie chimique illustre bien ce passage progressif à un monde de la pure compétence technique et de l'investissement accéléré. Une maison aussi impliquée que celle des frères Renard dans les débuts des couleurs d'aniline, autour de 1860, est une vieille affaire familiale en place depuis 1780. Jules Olivier qui, avec ses beaux-frères Perret, mit au point le procédé de fabrication de l'acide sulfurique à l'aide des pyrites de fer ou de cuivre, se rattache par son aïeul Georges Simonet au milieu des fabricants de mousseline de Tarare. L'évolution de la firme Coignet est non moins frappante. Fondée en 1818, elle fait sa première fortune dans la fabrication de la gélatine, l'invention du phosphore amorphe qui est à l'origine des allumettes de sûreté. A la deuxième génération, François Coignet invente le béton aggloméré et décuple le chiffre d'affaires de son père ; l'entreprise, sous le Second Empire, est de taille internationale. A la troisième génération, le chef de la maison, sorti en 1876 de Polytechnique et en 1878 des Mines, ajoute les engrais à la gamme des produits et achève la transformation du patronat familial en un patronat de haute qualification, sans qu'un changement soit intervenu dans le recrutement.

Ce n'est guère qu'à partir du Second Empire que l'initiative patronale change nettement de figure dans la chimie lyonnaise ou d'origine lyonnaise. On le voit par exemple dans la formation de la Compagnie des produits chimiques d'Alais et de la Camargue (1855), dont l'initiative est due à Henri Merle, un ingénieur de l'École centrale qui avait complété sa formation par des voyages en Angleterre, Allemagne et Belgique. Ce qui compte d'abord dans le projet, ce sont les compétences qui le soutiennent : Balard, souligne Pierre Cayez, « successivement professeur à la faculté de Montpellier, de Paris, puis au Collège de France, avait mis au point un système pour extraire des eaux mères divers sels : sulfate de soude, sels de magnésie, chlorure de potassium ; c'est donc lui

Sur les bords de la Bièvre, à Paris, se sont installées distilleries, amidonneries, tanneries, fabriques de bleu de Prusse. Photo Marville, vers 1860.

qui fournit les moyens scientifiques du développement industriel de la Camargue ». Un ingénieur docteur ès sciences devient le premier directeur de l'usine de Salindres. « L'autre personnage clef de la création » est Jacques Guimet, ancien polytechnicien et ingénieur des poudres, mais lui-même aussi industriel enrichi dans la fabrication du bleu d'outremer, produit de son invention, le plus gros actionnaire mais aussi l'homme dont le réseau de relations à Lyon permet de recruter aisément des capitaux en commandite, et de procéder à une série d'augmentations de capital. A la mort d'Henri Merle en 1877, la gérance de l'affaire passe aux mains d'Alfred Rangod, dit Péchiney : il s'agit encore une fois d'un ingénieur, quoique formé à un moindre niveau, ayant plus tard accédé au patronat en épousant la fille d'un de ses employeurs, et devenu l'adjoint de Merle en 1873 ; celui-ci l'a désigné comme son successeur — un geste qui montre bien comment, d'une organisation qui n'a rien au départ de familial, on revient à des procédures de caractère dynastique... L'affaire Péchiney conservera, grâce à une gestion tantôt prudente et tantôt novatrice, son autonomie. Les conditions de fonctionnement difficiles de l'industrie chimique, dans le climat créé à la fois par la concurrence internationale et l'évolution technique, conduisent dans d'autres cas à une transformation plus radicale du type d'entreprise. On le voit avec la Société des usines chimiques du Rhône. Au départ, les talents : ceux de l'ingénieur Monnet, grand spécialiste des colorants nouveaux, devenu patron à son compte à Saint-Fons, associé à Gilliard puis à Cartier (1868, 1886). Quand, en 1895, la société doit trouver des moyens financiers nouveaux, les trois fondateurs, jusqu'alors propriétaires de la moitié du capital de 3 millions, perdent le contrôle au profit de souscripteurs, essentiellement des banques françaises et étrangères, dont les représentants, désormais, peuplent le conseil d'administration.

A une étape de l'industrialisation où l'investissement technique, et pas seulement la taille « optimale » de l'entreprise, pose constamment le problème de l'abondance des capitaux, on saisit donc bien à quel point le patronat français semble « hésiter » entre l'appui traditionnel sur l'accumulation préalable des moyens financiers au sein de l'affaire familiale multigénérationnelle, et le risque à courir par des ingénieurs de haute qualification posant comme principe que le capital viendra « par surcroît » et par la force de conviction inhérente au progrès.

Enfin, la seconde vague de l'industrialisation, à la fin du XIXᵉ siècle — nouvelles énergies, nouveaux produits, nouveaux procédés — peut-elle elle-même apparaître comme à l'origine d'une diversification de la typologie du patronat ? Étudiant « le patronat alpin » de 1869 à 1939, Henri Morsel se pose d'emblée la question de savoir si « la durée d'une révolution industrielle est une périodisation appropriée pour dresser une typologie patronale ». Et pourtant, le patronat auquel il s'intéresse est bien celui qui appelle les réponses les moins modulées aux questions qui viennent d'être posées. C'est celui des producteurs et distributeurs d'électricité, des industriels de l'électrochimie, de l'électrométallurgie et de l'électrotechnique. Comme le montre Pierre Lanthier dans son analyse d'un échantillon de plus de 300 dirigeants des entreprises électriques de 1911 à 1973, l'industrie électrique a un caractère qui lui est propre, « à savoir qu'elle est beaucoup plus proche de l'univers professionnel que du monde capitaliste. [...] Le mariage, l'entreprise familiale et la succession du père dans la même entreprise n'ont pas joué un rôle déterminant pour la très grosse majorité du patronat de la grande industrie électrique française ». Par ailleurs, les électriciens sont « les plus diplômés de tous les industriels ». Parmi ces diplômés, l'époque de l'entre-deux-guerres, qui a été celle de l'électrification de la France par la construction des réseaux de distribution du courant, a réservé une place particulière aux grands ingénieurs d'État — tels Auguste

Detœuf, Ernest Mercier — qui incarnent les premiers véritables technocrates de l'économie contemporaine, et ont cherché à insuffler à l'entreprise privée une énergie nouvelle — rigueur, productivité, culte de l'effort et ambition nationale... Par l'analyse même de la marche de l'entreprise, Henri Morsel atteint à ce qui est sans doute la nouveauté essentielle : la fin de la réunion de tous les aspects du pouvoir patronal en une seule personne. « Désormais, le pouvoir originel du patron unique fut divisé à l'intérieur de la direction [...] de sorte que, sans vouloir affirmer qu'il y eut dans la seconde révolution industrielle trois types de patrons totalement distincts, il est toutefois utile de distinguer des divergences d'intérêts entre les techniciens, les financiers et les commerciaux. » Pourtant, le même auteur prend bien soin de ne pas exagérer les contrastes entre les époques et les branches. S'il est vrai qu'il « n'y eut presque pas de liens personnels » entre le patronat traditionnel et celui des « branches innovantes », il n'en reste pas moins que, peu à peu, « s'établit une osmose entre une génération qui détenait la finance et le marché, et celle qui possédait les nouvelles techniques », et aussi entre les industries classiques — chimie, métallurgie — et le domaine de l'électricité, comme le montre le cas d'Adrien Badin, successeur d'Alfred Péchiney, se ralliant aux nouvelles techniques de fabrication de l'aluminium. Allons plus loin : les industries électriques ne sont passées sous le contrôle de puissances financières et sous la direction de grands ingénieurs que dans une phase ultérieure de leur évolution et de leur concentration ; les naissances du XIXᵉ siècle, dans ce secteur, rappellent bien souvent des conditions connues : l'ascension rapide d'hommes qui, pour n'être pas partis de rien, n'en étaient pas moins des *self made men* valorisant une formation technique et scientifique acquise dans des écoles professionnelles, ou les laboratoires d'université ou d'entreprises, et comptant sur un capital recruté par les voies familiales ou amicales les plus classiques. Ce qui est aujourd'hui, à Grenoble, la première entreprise française et européenne de matériel d'équipement électrique est sorti, à une date aussi tardive que 1920, d'une entreprise employant deux douzaines de salariés, créée par deux ingénieurs des Arts et Métiers d'Aix-en-Provence, Paul-Louis Merlin et Gaston Gerin (ce dernier avait également suivi l'Institut électrotechnique de Grenoble) ; ils réunissaient 150 000 F au départ... On est tenté de voir dans ces deux fondateurs, qui surent conserver la maîtrise de leur affaire même après l'avoir dû transformer, pour des raisons évidentes, en société anonyme, une variété d'artisans très qualifiés, acharnés à perfectionner et à étendre la fabrication de leur produit de prédilection (les disjoncteurs à bain d'huile pour haute et basse tensions), très attachés au maintien d'une taille « humaine » de l'entreprise au nom d'une idéologie peu explicitée, mais à l'évidence héritée d'une vieille conviction des industriels français du siècle précédent.

Si l'on revient maintenant à Lyon, qui offre avec Paris le plus bel éventail des fabrications de la nouvelle vague industrielle, on y constatera avec Pierre Cayez que le nouveau patronat qui lui est coextensif reste « dans la tradition du XIXᵉ siècle : liaison avec l'économie textile, démarrage hésitant et artisanal, faiblesse des moyens techniques et financiers ». Bref, une évolution modérée du monde patronal, sans rupture avec les cadres antérieurs.

L'automobile et la photographie

Le cas de l'industrie automobile, démarrant vers 1895-1905, est sans doute le plus frappant. Édouard Rochet (Schneider), fondateur en 1894 d'une société de construction automobile, est sorti à 14 ans de l'école de la Martinière, puis a travaillé dans l'atelier de construction de bicyclettes de son père. Marius Berliet, note Pierre Cayez, est un bricoleur autodidacte, comme Jacquard un siècle plus tôt ; fils d'un fabricant de satin, apprenti canut lui-même, curieux de métiers et de machines, il construit en 1895 sa première voiture. La même année, au Mans, Léon Bollée construit son tricycle à pétrole : il est le fils et petit-fils de constructeurs mécaniciens ; à 19 ans il avait inventé une machine à calculer et, dès l'âge de 26 ans, il collectionnait 63 brevets. D'autres carrières ne sont pas moins classables dans le « déjà vu », même si elles se situent à un autre niveau de formation. Le Tourangeau Émile Delahaye, ancien élève des Arts et Métiers d'Angers, a d'abord été ingénieur au bureau des études de Cail, avant de reprendre dans sa ville natale la suite d'une maison de matériel agricole et de briqueteries et tuileries, et de passer lui-même à la construction automobile. André Michelin, ancien élève de l'École centrale et sous-chef du service de la carte de France au 1/100 000 au ministère de l'Intérieur, reprend peu avant 1890, avec son frère Édouard, la maison Barbier, Daubrée et Cie à Clermont-Ferrand et Blanzat : machines agricoles là encore, machines-outils, locomobiles, et caoutchouc — ce dernier article conservé seul par les Michelin, dans le sillage de l'essor automobile. Ce dernier multiplie encore les ascensions et les enrichissements d'ingénieurs des Arts et Métiers dans le vaste secteur de la sous-traitance (celle, par exemple, des pièces en acier moulé pour lesquelles la métallurgie ardennaise se taille une réputation). Du savoir empirique ou du savoir d'ingénieur d'usine à la création de l'entreprise familiale, on retrouve, à la faveur de fabrications dont les débuts furent générateurs de profits faciles, un processus d'embourgeoisement des plus traditionnels.

Lyon offre encore, avec l'histoire de l'industrie photographique, un exemple d'industrie « révolutionnaire » se coulant dans le moule social le plus banal. Les trois Lumière — le père et ses deux fils — lancent en 1882 une entreprise de plaques photographiques qui est de type artisanal, du double point de vue du capital et de la qualification technique. Si elle peut se transformer dix ans plus tard en une société anonyme au capital de 3 millions, c'est parce qu'un quasi-monopole local a rendu possible « la réalisation de bénéfices élevés et un autofinancement originel rapide et important ». Quant à la diversification des fabrications et au développement de l'esprit inventif, ils sont imputables à l'embauche ultérieure de chimistes, médecins ou professeurs cantonnés dans un statut de salariés. Sur l'échantillon lyonnais, dont la représentativité au regard de la « seconde révolution industrielle » ne saurait être contestée, la conclusion de Pierre Cayez est formelle : « L'arrivée d'un nouveau patronat ayant reçu une formation scientifique plus poussée fut sans doute plus massive dans le secteur des industries anciennes, dont l'évolution technique continuait, que dans celui des industries nouvelles. »

Naissance du cinéma. *L'Arroseur arrosé, affiche de 1896. Auguste et Louis Lumière, deux industriels lyonnais, viennent de présenter à Paris, le 28 décembre 1895, dans le sous-sol du Grand Café, au coin du boulevard des Capucines et de la rue Scribe et devant trente-cinq spectateurs, le premier spectacle projeté par leur « cinématographe ».*

Une publicité pour les pneus Michelin, signée Marius O'Galop (1867-1946). Paris, musée de l'Affiche.

LES RÈGLES DU DROIT ET LES RUSES DE LA FAMILLE

Reste encore un de ces enchaînements linéaires à briser : celui selon lequel le degré de modernité et de complexité du cadre juridique de l'activité capitaliste définirait du même coup le degré d'affranchissement à l'égard de la forme familiale « primitive » de l'entreprise. En réalité, les formes juridiques successives de la constitution des sociétés offrent des possibilités d'ordre technique, économique, fiscal ou de gestion qui peuvent être de nature à faciliter l'expansion des entreprises ; que celles-ci les adoptent ou non ne constitue pas en soi un critère de classement en entreprises archaïques ou progressistes, pas plus qu'un signe obligatoire du passage de l'entreprise familiale à l'entreprise « managériale ». Dans le contexte de toute une historiographie du « retard » économique français, le problème de la légalisation tardive de la forme de société anonyme et de sa diffusion lente dans certaines branches ou certaines régions a pris une importance théorique complètement détachée de la réalité des faits et des pratiques.

Les recherches récentes sur le régime des sociétés en France au XIXe siècle (notamment celles de Charles Freedemann) ont montré (ce qu'une simple observation chronologique peut d'ailleurs suggérer) que toute la première industrialisation de notre pays s'était parfaitement accommodée du régime de la société en commandite, particulièrement par actions. Après tout, la prospérité impériale n'était-elle pas déjà sur son déclin, quand le régime moderne de la société anonyme triompha en 1867 ? Le régime antérieur autorisait, à la fois une large collecte de capitaux sociaux, sur la base de réseaux familiaux ou socio-professionnels élargis, et une réelle indépendance des gérants, véritables entrepreneurs. Elle limite, certes, les facultés d'augmentation du capital, mesurées à la volonté et à la capacité de réponse des commanditaires — inconvénient mineur tant que la conjoncture permet un confortable autofinancement. En revanche, la mutation en société anonyme, en ouvrant l'appel aux capitaux d'épargnants anonymes ou de puissants capitalistes étrangers aux familles, fait peser une menace sur le pouvoir de celles-ci et sur l'identité de l'entreprise. Pourtant, il n'y a aucune équivalence automatique et immédiate entre cette mutation et la fin de la période familiale des affaires : en effet, les structures familiales savent s'adapter aux cadres juridiques nouveaux pour en retirer les avantages sans en encourir les périls. D'abord, en conservant une majorité absolue ou relative des actions suffisante pour garder le contrôle des décisions. Ensuite, en maniant avec prudence le mécanisme des augmentations de capital, à l'occasion desquelles ce contrôle pourrait se trouver menacé ou perdu. Avant de songer à l'émission de nouvelles actions, les anciennes affaires familiales devenues sociétés anonymes usent de l'émission d'obligations pour financer leurs gros investissements pour extension ou modernisation, une pratique qui garantit l'indépendance des dynasties. Celle-ci ne court véritablement de risques qu'à partir du moment où une société voit ses actions introduites à la cotation en Bourse à Paris ; mais, à vrai dire, les risques sont beaucoup plus restreints lorsque la cotation ne sort pas du cadre d'une Bourse des valeurs provinciale, ou lorsque le service de l'émission est assuré par une de ces banques locales ou régionales qui, avant et après 1900, ont si habilement « pris en marche le train » de la seconde industrialisation et associé leur nom à la croissance de maintes affaires industrielles. Les actions peuvent alors être judicieusement offertes à des acquéreurs disposant de certains intérêts communs avec la firme qui augmente son capital et qui pourra tirer profit, à travers la présence de quelques membres « étrangers » à son conseil d'administration, de leurs compétences, de leurs avis, de leurs relations. C'est par ce biais, notamment, que se développèrent avant la première guerre mondiale des solidarités multiples dans le monde industriel lorrain, autour de la banque Renauld ou de la Société nancéienne.

Les travaux de Carol Kent et d'Alain Baudant ont parfaitement démonté les mécanismes par lesquels, en dernier recours, les familles s'efforcent de garder la haute main sur le devenir d'une société anonyme. Nous retrouvons ici Pont-à-Mousson, héritée de Xavier Rogé par Camille Cavallier sous forme de société anonyme. Cavallier avait fait une règle d'or de l'émission d'obligations comme seul moyen de trouver des capitaux nouveaux, y recourant pour acquérir des mines ou créer de nouvelles installations industrielles. En 1919-1920, par exemple, Pont-à-Mousson double son capital par emprunt obligataire. Mais en 1924-1925, une nouvelle tentative d'emprunt échoue devant la défaveur croissante du public à l'égard de ces valeurs à rendement fixe et relativement bas. Il faut donc recourir à l'émission d'actions, ce qui du reste avait déjà été le cas, d'une façon limitée, à plusieurs reprises depuis 1916. Le programme d'investissements de Pont-à-Mousson impose de porter le capital de 12 à 30 millions. Mais, souligne alors le chef de la maison, « il s'agit de conserver le capital dans les mains qui ont dirigé et dirigent si excellemment l'affaire. [...] Il n'est pas question de chercher à répandre les actions dans le public » (alors même qu'en 1925 les actions vont être introduites à la Bourse de Paris). Le moyen ? C'est la création de la Filor (Société financière lorraine), un holding familial destiné à assurer le contrôle de Pont-à-Mousson, associée à une modification des statuts qui distingue deux catégories d'actions, l'une donnant 3 voix et l'autre une seule. La Filor doit détenir 50 % des actions et 68 % des votes. Ses actionnaires ne peuvent céder leurs actions qu'à leurs femmes ou à leurs héritiers directs (sauf autorisation de la société). La Filor se substitue à ses actionnaires pour souscrire 150 000 actions B (celles qui donnent 3 voix) sur les 180 000 émises — souscription opérée au moyen d'un emprunt. Sur 39 actionnaires de la Filor, 16 appartiennent à la famille Cavallier-Paul (ce dernier est le gendre de Cavallier) et détiennent 477 actions sur 1 000 (en fait, 518 en tenant compte du contrôle indirect), tout en ne possédant qu'un quart à peine du capital de Pont-à-Mousson. Le groupe Plassiart (famille du gendre de Rogé) vient ensuite avec 240 actions ; le reste est aux mains d'anciens commanditaires lorrains. « Filor, commente Cavallier, doit rester une grande famille dont tous les membres sont parfaitement conscients des liens de solidarité morale qui les unissent. »

En fait, à cette date, qui est aussi celle de la mort de Cavallier (1926), cette solidarité morale, en dépit du nouveau succès remporté par la structure familiale sous le couvert de la société anonyme, est de plus en plus difficile à maintenir. Si la dispersion des actions dans le public demeure soigneusement limitée, cette dispersion n'en existe pas moins au sein des « dynasties mussipontaines » elles-mêmes : simple effet des partages successoraux. A lui seul, ce phénomène était de nature à invalider la structure familiale ancienne beaucoup plus resserrée, sur laquelle reposait du reste le fonctionnement régulier du système de l'autofinancement, qui impose des sacrifices sur les dividendes et fait pression sur la stabilité de la valeur des actions. La structure de la Filor, en renforçant le pouvoir du seul groupe Cavallier-Paul, luttait il est vrai à contre-courant ; c'est ce noyau central qui a maintenu l'indépendance de l'affaire familiale jusqu'au jour de 1967 où il a lui-même définitivement brisé le cadre ancien en vendant son contrôle de la société à la Banque de Suez. Encore restera-t-il à la famille (aux familles), du moins pour un temps, la possibilité de peupler les postes de direction dans la nouvelle structure du pouvoir économique. Ainsi, dans l'exemple choisi, la structure familiale a mis tout simplement plusieurs décennies à s'effacer complètement devant les cadres juridiques nouveaux ou les modalités nouvelles de fonctionnement du pouvoir patronal.

CONCLUSION

Au début des années 1980, l'entreprise familiale et individuelle est toujours vivace dans des secteurs entiers de l'industrie et de l'économie en général. Moins banale est la constatation que la grande industrie privée et, plus récemment, publique échappe beaucoup moins qu'on ne le croit aux structures familiales. Il faut y voir le résultat d'un long processus d'adaptation du patronat familial, engagé dès le courant du XIXᵉ siècle, aux exigences techniques et financières de l'expansion, dans le contexte de l'innovation et du marché. Capacité des familles à s'incorporer les compétences qu'elles ont dû recruter en dehors d'elles : ingénieurs, *managers* ou entrepreneurs salariés. Capacité, au tournant des XIXᵉ-XXᵉ siècles, à éviter de perdre la propriété aussi bien que le pouvoir dans l'entreprise, à l'occasion de l'élargissement du champ de recrutement des capitaux, de l'entrée dans les formes nouvelles du « capitalisme organisé » (ententes, cartels, fusions). Du régime de la société anonyme aux restructurations les plus récentes (holdings, groupes financiers), les recherches de sociologues comme Pierre Bourdieu et Monique de Saint-Martin, d'économistes comme Patrick Allard insistent sur le fait que les familles ont réussi à ne perdre ni le pouvoir économique, ni le pouvoir de direction. Pour Patrick Allard*, le patronat « historique » n'a pas cédé la place à une technocratie, tout simplement dans la mesure où il en a largement assimilé les éléments en s'imposant une certaine discipline, certaines transformations. Dans le groupe des dirigeants économiques, les liaisons familiales continuent à déterminer les carrières. Dans les fusions et les restructurations, la logique proprement industrielle se combine avec une logique des familles qui impose le respect des vieilles alliances comme des liens personnels. La cohérence des modernes groupes dirigeants de l'industrie et de la banque s'établit à travers les réseaux de parenté qui unissent ces dirigeants à l'intérieur d'un même groupe et entre groupes. Dans cette oligarchie se reconnaissent encore des dynasties où les familles industrielles rejoignent et pénètrent des familles de noblesse plus ou moins ancienne, dont l'intérêt pour les professions économiques s'est accentué depuis la fin du XIXᵉ siècle avec l'affaiblissement des bases agraires de leur fortune.

Préfaçant un livre d'histoire et de généalogie concernant ses ascendants et descendants, Robert de Courcel écrivait naguère : « Un pays devrait être avant tout une famille de familles », et appelait « l'esprit de famille » à « imprégner notre vie publique et privée ». Ces déclarations au parfum très conservateur ne constituent somme toute que le vœu d'une extension au fonctionnement de toute la société d'un ordre qui a fait une des forces du patronat, et que ce dernier, du reste, n'avait fait qu'emprunter à l'Ancien Régime : derrière les familles patronales, ne retrouve-t-on pas le rôle omniprésent des structures familiales dans les classes paysanne, ouvrière ou bourgeoise — des structures qui ont garanti, sur plusieurs siècles, la survie ou l'ascension sociale de ces classes ?

---

* *Note sur le pouvoir économique et les nationalisations*, Paris, 1981.

Au verso
De nouvelles forces se font jour dans la ville industrielle. La Bourse du travail est à la fois la maison des travailleurs, le haut lieu de l'éducation ouvrière et le siège du secours mutuel. Devant la Bourse du travail de Paris, les terrassiers en grève, le 6 octobre 1898.

LIVRE III

Les villes et l'industrie : l'émergence d'une autre France

Ronald Hubscher note que, pour être — et largement, et longtemps — majoritaire, la paysannerie est mal connue des Français — peut-être, précisément, à cause de la familiarité qui naît du nombre et de la place : leur évidence décourage une volonté de savoir, toujours plus attirée par l'étrangeté et la marginalité à tous les sens du terme. On connaît la formule célèbre de Saint-Marc Girardin au lendemain de la révolte des canuts lyonnais et sa découverte des nouveaux barbares campés dans les faubourgs manufacturiers des grandes cités. Comment n'y pas voir l'invite à une ethnographie de l'intérieur qui, à vrai dire, ne l'avait pas attendue ?

Sans doute n'est-elle pas propre à la France, et elle fleurira ailleurs, dans l'Angleterre victorienne par exemple. Mais nulle part elle n'est si précoce — Sébastien Mercier, les monographies médicales du XVIIIe siècle — ni si pérenne. Dans les premières décennies du XIXe siècle, elle hésite encore entre le romanesque des bas-fonds — Eugène Sue, Balzac — et l'apitoiement sur la misère — Parent-Duchatelet, Villermé, Guépin. A son extrême fin, et à la Belle Époque, elle n'évitera pas la cuistrerie de l'âge positiviste. Mais au-delà de la variété du ton et des références, des catholiques sociaux de la Restauration aux médecins hygiénistes du premier avant-guerre, elle dit la profondeur des angoisses qui accompagnent l'entrée de la France dans le temps des villes et de l'industrie. De Saint-Marc Girardin à Louis-Ferdinand Céline, la grande promesse de l'industrialisation et de ses effets sur la redistribution des conditions sociales s'efface devant les inconnues et les menaces dont elle est porteuse.

A vrai dire, d'autres adhèrent à la même vision, qui n'en déduisent pas les mêmes alarmes. De Karl Marx à Lénine, de Garibaldi à Bakounine, ils viennent y reconnaître *in vitro* les péripéties de la nouvelle lutte des classes et les voies de la libération future. La France est la terre bénie des révolutions, et chacun de leurs échecs est lu en termes d'étape nouvelle. De fait, le XIXe siècle y est plein de révoltes amorcées et de journées exaltantes, de prises d'armes et de saignées périodiques. La rue Transnonain, les journées de juin 1848, celles qui accompagnent en 1871 l'occupation de Paris par les Versaillais. Qui ne voit la différence avec ce qui se passe dans le même temps en d'autres pays pourtant plus précocement ou plus vivement engagés dans l'industrialisation ? L'Angleterre des années 1840 cependant embrasée de l'agitation chartiste ? L'Allemagne bismarckienne bousculée par la poussée de la social-démocratie ? Et même l'Amérique fin de siècle des barons-pillards et des Molly Maguires ?

Il importe peu que l'industrie se coule longtemps dans les cadres hérités de l'Ancien Régime ; que l'urbanisation soit paresseuse ; que les nouveaux groupes sociaux soient si lents à se dégager des anciens ; que les intérêts qui les séparent soient si tardifs à être perçus et les tensions qui les opposent si malaisées à mûrir. Bref, que la société française prenne tout son temps pour entrer dans la modernité. A moins que, précisément, ce ne soit cette indolence qu'il faille mettre en cause, qui contribue à plaquer sur les problèmes du présent les représentations du passé.

Car toute une fraction de l'opinion — mais c'est celle des gens qui croient savoir, qui ont la parole et, surtout, qui détiennent les pouvoirs — ne parvient pas à se défaire d'une lecture thermidorienne — qui s'en étonne ? — de la Révolution. Elle oublie ses fièvres paysannes pour n'en retenir que les excès de ses foules urbaines. A travers ce qu'elle en imagine, elle perçoit chaque raté du consensus social, si ténu soit-il, en termes de subversion totale, de pillage et d'incendie. Il est vrai que, du côté des dominés, la référence n'est pas moins équivoque, et les armes du discours qu'elle fournit ne pèchent pas par la modération. Ce sont les termes du débat politique qui déforment, en les traversant, les grandes lignes du champ social. Et pourtant...

8
Les chances inégales
d'une nouvelle société

Origine des revenus, partage de l'emploi, hiérarchie de la société, géographie des populations : les données ou les reconstitutions des marqueurs du changement sont trop hétérogènes pour qu'on puisse les lier d'emblée et suivre pas à pas le grain des transformations de la société française sur un siècle et demi. Jusqu'au milieu du XIXᵉ siècle (1851, 1866 surtout), on ne se préoccupe pas de la profession et du statut social des Français qu'on recense ; la définition des villes se fait en dehors de leurs fonctions économiques ou autres ; les agrégats de l'état civil ne distinguent pas ceux des habitants qui y résident de ceux qui ne font qu'y passer ; jusqu'au début du XXᵉ siècle, un système fiscal archaïque et résistant ne colle guère à la réalité des fortunes et des revenus : pauvres et riches, puissants et dominés sont des catégories qui doivent plus aux appréciations et aux critères changeants du temps qu'à l'exacte mesure du pouvoir économique et social. Les tentatives de reconstruction statistique ne manquent pas : dès qu'elles remontent au second tiers du XIXᵉ siècle, elles glissent dans l'incertitude. Il faut donc se contenter de quelques grands éclairages ou de suivis partiels. De cette analyse en miettes ne se dégage pas moins la netteté des orientations qui font entrer la France progressivement mais fermement dans la société industrielle.

UN ÉTAT SIGNALÉTIQUE

Une France urbaine

Cette France nouvelle est d'abord une France des villes. Celle-ci commence à se différencier et à émerger sous la monarchie de Juillet, dans le sillage d'une capitale qui sort d'un long élan démographique ; malgré un ralentissement à compter des années 1845, la population parisienne a doublé depuis le début du siècle. Avec 1 million d'habitants en 1851, elle concentre déjà 3 % des Français. En 1911, elle en rassemblera 10 %, et 12 % en 1931, dans les seules limites de la Seine. C'est-à-dire en deçà de son importance réelle, puisqu'il y a alors bien longtemps que sa conurbation déborde sur le territoire des départements limitrophes. Derrière elle, une analyse par taille des villes montre comment l'ensemble du réseau urbain est progressivement irrigué et emporté à partir de la précocité des plus grandes qui, jusqu'au bout, tirent la croissance. Les effets sont sensibles dès les années 1840 où la multiplication des citadins fait reculer la part relative des ruraux. Chaque recensement quinquennal marque un nouveau progrès. A partir du milieu du Second Empire, c'est le nombre même des habitants des campagnes qui cesse d'augmenter. Enfin, au terme des années 1920, il y a pour la première fois plus de Français en ville que dans le plat pays : 51,2 % en 1931 contre 49,1 % en 1926, alors qu'il n'y en avait que 25,5 % en 1851.

De même si l'on compte avec les statisticiens officiels qui retiennent le seuil des 2 000 habitants pour définir la ville et intègrent ainsi maints gros bourgs dont l'enflure ne fait que suivre celle de l'ensemble des populations. En préférant celui des 5 000 habitants, G. Dupeux saisit sans doute de plus près les mécanismes et la force du transfert, même s'il minore les taux d'arrivée. Il n'y a alors que 46,8 % des Français dans les villes en 1936, mais le mouvement révèle toute sa force puisqu'il n'y en avait que 17,9 % en 1851. Mieux identifié, le déplacement n'en aboutit pas moins à la même mutation des partages. A la veille de la guerre, plus d'un Français sur deux est citadin au lieu d'un sur quatre ou moins d'un sur cinq au milieu du XIXᵉ siècle.

Au-delà des différences chronologiques des rythmes, la direction du *trend* est évidente, avec toutes ses conséquences géographiques. D'autant plus que la baisse progressive et généralisée des fécondités urbaines au cours du XIXᵉ siècle rend de plus en plus médiocre l'autoreproduction des gens des villes. A la veille de la seconde guerre mondiale, il y a 22 millions de citadins en France, quand on n'en comptait que 8,65 en 1846. Et les 13,3 millions de différence ne donnent qu'une mesure insuffisante de ce vaste mouvement des populations, puisqu'ils sont calculés à partir de soldes qui font fi de la permanence et de l'importance des déplacements interurbains et d'échanges villes-campagnes qui, même au-delà du XIXᵉ siècle, se sont faits dans les deux sens.

Les reclassements de la richesse

Derrière l'urbanisation du pays, il y a bien sûr le reclassement progressif des activités économiques. Il se laisse deviner, pendant tout un long XIXᵉ siècle, jusqu'en 1914, au travers des choix de placement que font les détenteurs de capitaux et les chefs d'entreprise. C'est-à-dire, en gros, les membres des patriciats urbains. La composition de leurs patrimoines dans quelques grandes métropoles montre, à la suite des travaux

A la Bourse de Paris, 1878, par Degas.

L'attrait continue à grandir pour les actions. Autour de la corbeille : la Bourse de Paris en 1846.

d'A. Daumard, le chassé-croisé qui s'opère entre les biens immobiliers — c'est-à-dire, longtemps, pour l'essentiel, des terres agricoles — et les biens mobiliers, c'est-à-dire l'emploi dans les secteurs variés de la nouveauté économique.

Le recul des propriétés campagnardes est très précoce à Paris, dès la monarchie de Juillet, au profit des titres et des valeurs de tous ordres. A Lyon, à Bordeaux, à Toulouse, comme sans doute dans la majorité des grandes villes françaises, le désinvestissement apparaît sous le Second Empire alors même qu'on découvre les chemins de la Bourse. A Rouen comme à Lille, le retrait s'échelonne sans ralentir tout au long du XIXe siècle et, à Grenoble, le foncier est minoritaire dès les années 1850. Entre 1880 et 1914, le mouvement s'étend, s'approfondit et, à la veille de la guerre, en dehors des petites villes, la part mobilière l'emporte un peu partout dans les successions. Une simple question d'intérêts bien compris, évidemment : la rente foncière est orientée à la baisse après 1880, alors qu'à la Belle Époque, l'indice des dividendes pour les actions cotées à la Bourse de Paris est en forte hausse, au moins pendant la première décennie du XXᵉ siècle.

Mais aussi, en corollaire, une manière de coller aux grands dynamismes de la nouveauté économique et d'y aider. Ce n'est pas un hasard si ce sont les grandes villes qui s'y engagent les premières, alors que les petites sont à la traîne — et aussi Toulouse, au cœur d'un Midi retardataire : le mobilier y est toujours minoritaire en 1911, malgré le progrès réel de ses séductions. Voici Rouen, au contraire, où l'apparition ancienne des titres étrangers dit à la fois un goût nouveau du risque qui caractérise l'entreprise et l'intérêt pour les grandes affaires internationales. Et c'est logiquement dans les patrimoines les plus riches — ceux qui dépassent 500 000 F — qu'on les trouve surtout, à la veille de 1914, à 18 % des actions contre 6 % seulement une vingtaine d'années avant. Même tableau à Lille, où la part du mobilier chez les plus fortunés est toujours supérieure, en pourcentage, à celle qu'ils détiennent de la fortune totale. Enfin, encore plus significatif, à côté des portefeuilles de titres, obligations ou actions, se fait jour une tendance à directement engager une forte partie de son patrimoine dans ses propres affaires : à près de la moitié chez nombre de négociants et des industriels lillois, au tiers au moins dans le reste de la France. Il peut bien y avoir encore des terres ou des immeubles dans les grandes fortunes, c'est une survivance : on n'en attend plus grand-chose, et on en a abandonné depuis longtemps la surveillance à des régisseurs peu soucieux de rentabilité, même quand on continue à passer l'été dans sa maison de maître.

On ne sait rien d'aussi précis sur ce qui se passe entre les deux guerres, et en particulier sur les grandes villes. Mais les reconstitutions, plus ambitieuses, de P. Cornut montrent (cf. tableau ci-dessous) que la marche à la modernité se poursuit au travers des successions. On ne peut évidemment pas raccrocher ses séries, qui valent pour la France tout entière, à celles des historiens de la fortune urbaine au XIXᵉ siècle ; et l'effondrement de la place, en valeur, des titres étrangers s'explique par les conséquences du désastre russe. Entre 1908 et 1934, le recul des immeubles continue sur sa lancée, et moins nombreux sont les Français qui en laissent à leur mort, quelle que soit leur nature — terres ou maisons. L'attrait continue à grandir pour les actions françaises et étrangères, en même temps que celui de l'engagement dans le négoce ou l'entreprise, et tend à se diffuser dans l'ensemble de la société : voyez le contraste entre la médiocrité de leur progression en valeur relative et la fréquence accélérée de leur présence dans les avoirs.

Origine des revenus en 1864 et en 1954 (en pourcentage)

	1864	1954
Exploitations agricoles	41	13,2
Salaires, traitements, revenus sociaux	24,7	62,4
Revenus immobiliers	18	0,2
Autres entreprises	10,4	19,3
Placements mobiliers	5,9	4,9

En 1918, on souscrit aux emprunts de la victoire. Collection Albert Kahn.

Composition de l'ensemble des successions françaises entre 1908 et 1934 (en pourcentage)

	Présence pour l'ensemble des successions		Part dans la valeur de l'ensemble des successions	
	1908	1934	1908	1934
Valeurs Trésor, rentes État	7,97	18,53	7,66	7,32
Obligations	7,05	17,90	11,90	8,55
Actions françaises	4,63	13,77	9,28	11,10
Participations non anonymes	0,34	1,70	1,92	1,15
Valeurs étrangères	6,36	9,48	13,30	3,22
Numéraire	12,60	18,40	1,01	0,96
Assurances-vie	1,44	2,05	0,56	0,47
Dépôts bancaires	3	8,87	1,85	2,43
Livrets retraite, épargne	21,40	28,10	2,48	5,64
Fonds commerce	3,14	5,39	2,68	3,56
Meubles	60,90	84,20	7,30	13,10
Immeubles à usage agricole	51,20	47	18,15	20,58
Immeubles urbains	24,60	22,80	21,70	21,77

Dernier éclairage d'ensemble, enfin, la nouvelle répartition globale des types de revenus. N. Delefortrie et J. Morice en ont dressé deux coupes, l'une au milieu du Second Empire, l'autre au lendemain de la seconde guerre mondiale. La comparaison de la part qu'y prennent les uns et les autres postes est éloquente (cf. tableau ci-dessus) : même si les points d'arrivée et de départ sont un peu tardifs, on n'en saisit pas moins, d'une troisième façon, l'ampleur d'un bouleversement parti des premières décennies du XIXe siècle et pour l'essentiel acquis avant 1939. Quelques années après la seconde guerre mondiale, les seuls salaires sont au niveau de ce qu'étaient agriculture et rente immobilière mêlées un siècle auparavant. En francs constants, le revenu qu'ils procurent est passé de l'indice 100 à l'indice 492 — un effet du nombre de ses bénéficiaires et de la hausse de ses taux — et celui de l'entreprise industrielle et commerciale à l'indice 405, alors que celui de la culture et de l'élevage baisse de 21 %. C'est dire la lame de fond qui, sur la longue distance, a fait basculer l'ensemble de l'économie française vers l'industrie et les services, et la société vers l'entreprise et le salariat, aux dépens d'une tradition rurale et rentière.

Chefs d'entreprise, ouvriers, employés

Jusqu'à la première guerre mondiale, au moins, un XIXe siècle prolongé ne sait guère reconnaître de façon claire et uniforme les secteurs de l'économie — hors l'agriculture, et encore ! — et les groupes sociaux auxquels il s'intéresse cependant depuis 1851. On a du mal à dégager le concept même d'activité : tantôt l'on rassemble ceux et celles qu'une branche fait travailler, tantôt l'ensemble de ceux et celles qui en vivent. On ne sait repérer que le métier — quand celui que l'on déclare n'est pas multiple ou polysémique —, et il faut attendre 1906 pour que le concept d'activité collective tra-

Monsieur Phellion, rédacteur, est employé au ministère des Finances. « Il avait une figure de bélier pensif, peu colorée, marquée de la petite vérole, de grosses lèvres pendantes, les yeux d'un bleu clair, une taille au-dessus de la moyenne. » Gravure de Bertall pour Les Employés *de Balzac.*

duise la lente émergence de la grande entreprise. D'un recensement à l'autre, nomenclatures et agrégats diffèrent ; ce ne sont, pour reprendre l'expression d'un statisticien d'aujourd'hui, A. Desrozières, que « jeux de clivage et glissements de vocabulaire ». Et les seuls auteurs de l'entre-deux-guerres à s'intéresser à la mobilité sociale, Goblot en 1925, Halbwachs en 1938, se fondent pour séparer les classes sur une sensibilité empirique qui ne doit rien à la mesure ; ils s'enferment, même s'ils la nuancent, dans les discontinuités d'une approche théorique qui ignore les perméabilités d'une continuité statistique. Et, sauf exception — grâce à l'apport d'autres sources pour des catégories bien précises —, il serait tout à fait vain de vouloir saisir avec précision, au travers d'un code socio-professionnel unique et rigoureux, les transformations de la société française sur un siècle et demi.

Il faut donc s'en tenir à quelques vues cavalières, avec la difficulté supplémentaire des modifications de l'espace national, l'annexion des trois anciens départements piémontais en 1860, la perte de l'Alsace-Lorraine entre 1871 et 1918. Et pour les seuls Français, tant les incertitudes deviennent insurmontables si l'on veut aussi prendre en compte les Françaises — on y reviendra. Dès lors, les conclusions d'ensemble sont sans surprise. A territoire équivalent, le nombre des actifs dans toutes les branches hors l'agriculture passe de 4,9 millions en 1861 à 8,7 en 1936. C'est une hausse de 76 %, alors que l'ensemble de la population masculine active n'a augmenté que de 26 % dans le même temps et que celui des cultivateurs a reculé de 20 %, si l'on s'appuie sur les reconstitutions de L. Cahen. Ce sont donc désormais plus de trois Français sur quatre (77 %) qui tirent leurs ressources d'un travail industriel, ou d'un service, commercial ou autre, alors qu'il y en avait moins d'un sur deux (47,6 %) au milieu du Second Empire. On retrouve, logiquement, la forte crue du secteur secondaire, de 3,3 millions à 4,6, soit 39 % de plus ; et elle serait encore plus notable si l'on retenait, en aval, les données de 1931, à la veille d'une crise qui l'a fait reculer de près de 700 000 hommes. Le point d'arrivée parle de lui-même, après un relatif assoupissement de l'allure dans les années 1880 — la grande dépression — et une double accélération au début de la Belle Époque et dans la décennie d'après la guerre. Mais c'est, au total, peu de chose à côté de la percée des gens qu'on a coutume de classer dans le tertiaire. Sans les domestiques, celui-ci rassemblait 524 600 actifs en 1861 ; en 1936, il en compte plus de 1,5 million ; c'est presque un triplement, et sans qu'il y ait eu tassement au début des années 1930. Transports et manutention sont allés plus vite que tout, en faisant plus que tripler — 904 000 au lieu de 254 000 —, mais c'est le nombre des employés de commerce, de banque et des divers services qui s'est le plus élevé en chiffres absolus, pour un doublement d'ensemble : en 1936, on en compte plus de 900 000 — 1,64 million contre 731 000 — de plus qu'en 1861. Et c'est surtout à partir de la fin du XIXe siècle que la progression s'est accélérée, sur un tempo soutenu et assez régulier. Si l'on ajoute que le nombre des domestiques mâles a reculé, à l'inverse, de 290 000 à 96 000, trois fois moins, tous les signes de la modernité sont là qui montrent aussi la transformation de la société française et même la précocité de son entrée dans l'univers des services.

Il faut cependant considérer l'essentiel, c'est-à-dire le partage entre les classes sociales. On ne peut guère qu'en prendre la mesure à la fin du XIXe siècle, et, si l'on veut conserver une pesée d'ensemble, au travers du rapport à l'entreprise et à sa propriété. Ce que résume, à partir des computs de L. Cahen encore, le tableau suivant, qui cette fois-ci mêle les sexes pour l'ensemble des activités ne relevant pas de l'agriculture (en milliers de personnes).

Pour les deux périodes homogènes, la marche ascendante du salariat est nette et forte, en même temps que recule le nombre des travailleurs isolés, c'est-à-dire un conglomérat d'ouvriers à domicile ou journaliers, de petits artisans et commerçants indépendants. A l'inverse, après une certaine augmentation à la Belle Époque, celui des

Répartition de l'ensemble des actifs non agricoles (en milliers de personnes)

| | Chefs d'établissements | | | | |
	Avec salariés	Sans salariés	Ensemble	Salariés	Travailleurs isolés
1896	972,2	223	1 195,2	4 130,8	2 431,3
1906	1 118,5	363,3	1 481,8	4 841	2 792,7
1921	1 024,2	368	1 392,2	5 952	2 169
1931	1 107	448,5	1 555,5	7 397,6	1 869,5
1936	1 049,7	440,2	1 489,9	6 165,3	1 930,9

patrons employeurs demeure à peu près stable ; et leur rapport à la main-d'œuvre salariée, qui était de 1 à 4,2 en 1896, est de 1 à 6,7 en 1931 et 1 à 5,8 en 1936 ; élargissement de l'espace social, réduction à la condition prolétarienne — au sens moderne du
terme — des indépendants, on retrouve à l'œuvre les deux pôles qui tirent la société
industrielle vers une inégalité grandissante. Dans le secteur secondaire, le nombre
moyen de salariés par employeur est passé de 5,47 en 1896 à 10,98 en 1931, tandis que
la main-d'œuvre des établissements de plus de 500 personnes représente 22 % de
l'ensemble au moment de la grande crise, contre 12 % seulement en 1906. Le petit
patronat — celui qui emploie moins de 5 ouvriers — voit, lui, sa part reculer de 21 %
au lendemain de la Grande Guerre à 16 % en 1936. Dans les transports enfin, la
moyenne augmente de 5,45 salariés à 7,58 entre 1896 et 1931, et elle passe de 2,61 à
4,52 dans le commerce. L'entre-deux-guerres ne fait qu'accentuer une tendance partie
de loin.

Un espace urbain partagé

Reste, malgré tout, à tenter de relier entre elles ces transformations dans leur
ensemble. Et d'abord les reclassements géographiques à ceux de l'emploi et de la différenciation sociale. Il est en effet patent, au début du XIXᵉ siècle, qu'urbanisation et
industrialisation semblent obéir à deux logiques différentes. Et, pour le siècle et demi
qui suit, Marcel Roncayolo met l'accent sur la prégnance des traits de longue durée
dans la dynamique du réseau urbain français ; dans l'entre-deux-guerres encore, il
montre les traces d'un système hérité de l'Ancien Régime. En 1911, par exemple, on
retrouve, dans le premier décile des départements classés selon leur taux d'urbanisation, sept de ceux qui y figuraient déjà en 1806. Vers 1850, aucun des départements
manufacturiers n'avait vraiment connu — à l'exception du Rhône — de poussée démographique significative. Le textile, qui soutient la croissance, s'est développé pour
l'essentiel *in situ*, à cheval sur le plat pays. Le taux de corrélation entre la part des villes
et celle des populations industrielles demeure médiocre : la France conserve à la Belle
Époque, et sans doute jusqu'à la grande crise des années 1930, on l'a vu, une activité
manufacturière dans ses campagnes qui est loin d'être toujours résiduelle. Et une certaine place des villes dans le Midi, qui est l'héritage d'une longue histoire, peut bien
s'être atténuée ; elle demeure, hors de tout bouleversement des économies : les Alpes-
Maritimes restent un département fortement urbanisé. La France du XXᵉ siècle porte
encore, en filigrane, les traces de son réseau du XVIIIᵉ siècle.

C'est-à-dire — au moins hors des régions méditerranéennes — des points
d'ancrage du réseau administratif de la monarchie d'Ancien Régime, que la Consti-
tuante et la Révolution n'ont fait qu'affermir et compléter en les hiérarchisant, et, bien
sûr — mais ce n'est pas contradictoire — des marchés pour le plat pays d'alentour —
avec lequel les relations sont multiples et complexes — et les nœuds de communication. Lyon, avec ses dizaines de milliers d'ouvriers concentrés dans la seule fabrique de
soieries, constitue encore une exception dans les années 1830 comme elle l'était dans les
années 1780. La taille et l'importance de la plupart des villes se mesurent à la présence
d'une préfecture, d'une cour d'appel, d'une division militaire, comme hier à celle
d'un intendant, d'un parlement provincial ou d'un gouverneur. Les grands ports vont
conserver longtemps une certaine puissance, et Pierre Sorlin insiste sur la vitalité de ces
villes-relais d'Alsace évoquées par Victor Hugo, ou sur celle de Poitiers, vers 1840, à mi-

chemin de Paris et de l'Aquitaine, pleine d'hôtels bondés de voyageurs, de rouliers et de valets d'écurie. En plein XIXᵉ siècle, un certain nombre de cités importantes et dynamiques, comme Le Mans, Béziers ou Narbonne avec le *boom* viticole languedocien du Second Empire, progressent en étroite osmose avec la vitalité des agricultures d'alentour.

C'est même sans doute le cas de la majorité des villes petites et moyennes : sous la monarchie de Juillet, un habitant de Langres, de Commercy ou de Verdun sur cinq vit exclusivement des fermages qu'il perçoit. Portée par le développement agricole, la carrière de la rente foncière est brillante, elle double de 1820 aux années 1880. Le prix des terres augmente partout, même si c'est dans des proportions moindres, et les bourgeoisies citadines qui, ailleurs que dans les grandes villes, les arrondissent, ne cherchent pas seulement à singer la noblesse. Elles veillent à ce qu'elles rapportent, et L. Bergeron note à juste titre qu'un certain investissement rural fait longtemps partie des horizons du capitalisme français. De Béziers et de Montpellier on veille aux vendanges, et les citadins du Bassin parisien ou de Normandie visitent avec régularité leurs fermiers et leurs métayers. La part persistante des biens fonciers, des champs et des prairies dans les patrimoines signifie tout simplement l'espoir et la réalité des bénéfices qu'on en attend.

L'archaïsme n'est pas là où on le soupçonnait, pas plus que la modernité d'ailleurs. L'essor des rentes et des prêts aux particuliers, dans les successions, peut parfaitement s'intégrer à ces stratégies de l'enrichissement et de l'appropriation citadine, tant il est facile de forcer à la vente le débiteur impécunieux. Au milieu du Second Empire, on mesure, au classement du revenu par département, tout ce que la croissance française doit encore à son ancrage rural. Si c'est déjà dans la région parisienne que sa moyenne par habitant est la plus élevée, toutes origines mêlées, les départements agricoles les plus prospères, l'Oise de la betterave, l'Eure des céréales, l'Hérault de la vigne, précèdent encore le Nord et le Rhône industrialisés et urbains, les seuls, avec les Bouches-du-Rhône, la Loire et le Var, où les ressources de la culture ou de l'élevage ne l'emportent pas sur celles des autres activités. Et le tableau comparatif de 1908 et 1931 montre la fréquence persistante de l'immobilier à usage agricole dans les successions, en plein XXᵉ siècle : presque une fois sur deux ; mieux, en valeur, sa place tend même à légèrement progresser !

Les contraintes géographiques de l'industrie

Pourtant, à partir de la grande dépression des années 1880, c'en est fini des beaux jours de la rente foncière. Et sa longue survie estompe ses effets sur le long terme où industrialisation et urbanisation vont bien de pair, même si la France ignore les automatismes et les bouleversements qui brutalisent d'autres pays. De 1806 à 1911, les huit départements qui connaissent la plus forte expansion des villes sont aussi ceux où l'industrie va le plus vite et le plus fort : la région parisienne, l'espace lugduno-stéphanois, l'ensemble Nord-Pas-de-Calais et la Meurthe-et-Moselle. En un siècle, ils prennent à eux seuls plus de la moitié des nouveaux citadins, et leur part relative de la population urbaine s'enfle de 27 à 47 %. A l'inverse, on commence à ressentir les premiers effets de l'engourdissement au long cours des vieilles cités languedociennes et provinciales, celui des villes qui ont gaspillé en bâtiments stériles le produit de la rente, celui des grands ports d'estuaire, sauf, précisément, quand l'industrie vient les requinquer.

Au niveau des agrégats, c'est déjà le résultat d'une histoire urbaine fort heurtée et disparate au cours des cent années précédentes. Sur le court terme, d'ailleurs, les rythmes ne laissaient pas de doute. Entre 1806 et 1911, le taux annuel de la croissance citadine est de 1,15 %. Mais de 1831 à 1855, il est de 1,54 % ; et de 1,30 % entre 1856 et 1880. La cassure majeure intervient au cours des années 1880 : jusqu'en 1911, le taux s'affaisse à 0,95 %, bien qu'il y ait une reprise avec le siècle nouveau. On retrouve donc les grandes inflexions chronologiques de l'industrialisation française, et c'est plus qu'un effet du hasard. La corrélation générale est claire. Et ses accidents apparents reflètent simplement les balancements sectoriels et les déplacements géographiques d'une histoire économique complexe qui, sur la toile de fond des renouvellements technologiques, opère par incessants reclassements et par phases successives et décalées d'implantation. De fait, pendant l'essentiel du XIXᵉ siècle, outre l'étai général des grandes métropoles sur leur lancée, la croissance urbaine française est bel et bien tirée par la brutale explosion des villes-champignons du nouveau textile, de la sidérurgie et des mines.

Les grandes villes d'abord, comme Saint-Étienne qui triple entre 1801 et 1851 — de 16 300 à 56 000 habitants —, avant de doubler encore dans les vingt-cinq années qui suivent, avec 126 000 habitants en 1876 ; ou Roubaix, qui compte déjà 35 000 habitants au lendemain d'une forte poussée, sous la Seconde République, et 84 000 au début de la Troisième. Les petites surtout, dans le Nord, sur les pourtours du Massif central, à l'image du Creusot, un gros village de 1 200 âmes en 1832 devenu, dès 1860, le prototype de la ville nouvelle, avec plus de 24 000 habitants, mais aussi de Carmaux, Rive-de-Gier, Decazeville, Denain, etc. *A contrario,* l'atonie de maintes villes moyennes anciennes dit bien où se situe le moteur des dynamismes. Les fonctions administratives ne suffisent pas pour Montbrison, qui finit par y perdre sa préfecture, ni pour nombre de capitales régionales, comme Orléans, Arras, Abbeville, Beauvais, qui stagnent pendant tout le Second Empire ; parmi les grandes cités, ce sont les ports de la tradition, Rouen, Le Havre, Nantes, qui croissent le moins vite, et Clermont-Ferrand ou Poitiers qui reculent pendant un temps.

Vue à l'envers, l'image renforce le trait. Pendant l'essentiel du XIXᵉ siècle, la majorité des ouvriers de l'industrie n'est peut-être pas en ville. Mais, de plus en plus souvent, c'est de l'industrie, directement ou d'un de ses secteurs dérivés, que vit la majorité des citadins. Même quand rien ne vient bouleverser l'économie locale. Voici Toulouse, archétype de la ville dormante dans une région d'inertie, centre commercial et administratif, 110 000 habitants en 1872. Sur dix chefs de famille en activité, il n'y en a pas un dans la grande industrie (8,5 %) — un peu de textile, une fonderie, des briquetteries, des cartonneries, une manufacture de tabac —, mais il y en a plus de quatre dans les innombrables ateliers de la chaussure et du vêtement, du meuble et de l'alimentation ou sur les chantiers du bâtiment, tailleurs, maçons et ébénistes qualifiés (22,2 %) ou simples journaliers errant du déchargement des matières premières à l'entretien des murs (21,4 %). Au total, si l'on y ajoute les maîtres artisans et les rares patrons, c'est bien l'industrie qui fournit la majorité des emplois — près de 55 % — dans une ville qui ne s'industrialise pas ; et encore faudrait-il sans doute leur rattacher une part de ceux que l'on met au rang des employés — contremaîtres, comptables — et des domestiques. Dans toutes les catégories, d'ailleurs, les effectifs sont en augmentation relative par rapport à 1830 au détriment de tous ceux qu'on pourrait classer parmi la bourgeoisie, grande ou petite, rentière surtout.

On imagine aisément ce qu'il peut en être, dans le même temps, de Lyon ou de Lille. A la Belle Époque, Marcel Roncayolo estime que, dans les grandes agglomérations, il convient d'attribuer aux activités de transformation 45 à 75 % des actifs rattachés à l'industrie et aux services. Même à Nice et à Caen, dont le destin est plus mêlé, leur part avoisine la moitié. Et la percée lyonnaise des services, dans les années 1890, dissimule souvent des types d'emploi — dans les transports notamment — directement issus du rôle de direction industrielle régionale. Ici et là, pendant tout le XIX⁰ siècle, la grande usine a beau être rare en ville — parfois un seul établissement public ou parapublic, un arsenal, un fabrique de cigarettes, un atelier de réparations ferroviaires —, économie et population y sont entraînées plus vite qu'ailleurs vers cette société industrielle dont le milieu urbain est la matrice et que marque la division grandissante du travail et des classes sociales.

Nouveaux riches, nouveaux pauvres

L'incertitude des nomenclatures rendrait assez vain de rechercher cette division dans le partage changeant des statuts professionnels et sociaux que l'on déclare à un agent du recensement ou de l'état civil. La répartition de la richesse, si elle n'est pas tout à fait celle du pouvoir ou de la fonction, est autrement éloquente. Logiquement, pendant l'ensemble du XIX⁰ siècle, ce sont les villes qui accaparent une part croissante de l'enrichissement national. Mesurée à l'échelle de l'annuité successorale, la fortune française triple entre la Restauration et la Belle Époque, de 2 milliards à 6 milliards de francs environ. Plus précise et plus fiable, la moyenne par individu décédé, telle que la calcule F. Simiand, augmente de 82 % entre 1825-1835 et 1861-1870, et de 150 % jusqu'aux années 1904-1914 ; au total, la progression atteint 354 %. Or, les recherches menées par Adeline Daumard prouvent que, dans trois des quatre cités qu'elle a prises en compte, l'enrichissement a été plus vite et plus fort. A Paris, la valeur moyenne des avoirs au décès — ceux qui ne laissent rien ayant été intégrés aux calculs — était de 11 317 F en 1820 ; elle est de 53 462 F en 1911. A Lille, on est passé, à peu près dans le même laps de temps, de 3 639 F (1821) à 44 570 F ; et de 4 917 F à Bordeaux (1824) à 28 680 F. Soit des taux d'augmentation de 373, 1 125 et 483 %. Un classement qui résulte de l'inégale participation à l'industrialisation et aux nouveaux emplois du capital qu'elle a provoqués : Lille prend normalement du champ. Et voici *a contrario* une quatrième ville, Toulouse toujours, qui est passée au travers, du moins pour l'heure : elle est, bien sûr, à la traîne, avec un accroissement qui n'atteint pas 119 %, de 4 283 F en 1826 à 9 368 F en 1911.

Beaucoup plus lourde de sens est la distribution de cette richesse. Dès la Restauration, c'est déjà dans les villes qu'étaient domiciliées la majorité des grosses fortunes, même si elles s'enracinaient dans le foncier. Et, d'emblée, elles sont entraînées : à Paris, elles ne dépassent pas le million de francs dans les années 1820 ; il en est de 50 millions à la fin de la monarchie de Juillet ; à Lille, 250 000 F, c'est un sommet sous la Restauration : sous le Second Empire, il arrive qu'on atteigne 10 millions. A Marseille, il y a 108 successions supérieures à 100 000 F dans les années 1820, 448 un quart de siècle plus tard. La hiérarchie des maxima, plus généralement, reproduit, encore une fois, celle des dynamismes industriels. L'accumulation est telle que l'acquisition de nouveaux types de biens avec la nouveauté des placements n'entraîne pas la liquidation des anciens, même quand ils sont devenus stériles : en 1911 encore, ce sont les plus riches des Lillois qui monopolisent presque l'immobilier. Très tôt, la boulimie d'appropriation dérive chez beaucoup dans la manie de la collection : la peinture, bien sûr, chez les Pereire, les Seillière et bien d'autres sous le Second Empire, les bronzes, les

La manie de la collection. Tableaux et bibelots enjolivent l'intérieur d'un agent de change, rue Montaigne. Photo Atget, début du XXᵉ siècle.

ivoires, les faïences, les émaux, chez les plus grands, tels les Pourtalès ; mais aussi d'autres, comme ces industriels du Nord dont les femmes emplissent les appartements de bibelots précieux et inutiles ; et Benjamin Delessert finit par bourrer ses tiroirs de plantes et de coquillages !

Le duc de Crillon est le plus opulent des Parisiens lorsqu'il meurt en 1820 : il laisse 10 millions ; or, cette même année, le plus mal loti — parmi ceux qui ont la chance d'avoir quelque chose à leur mort — ne possède que 20 F de hardes et de pauvres meubles. En 1911, le premier de tous est un banquier dont la succession avoisine les 100 millions de francs, mais, en dessous de 100 F, on estime qu'il n'y a rien à évaluer. Il serait erroné de réduire les écarts sociaux à ces différences, mais elles marquent la largeur de leur champ. Car, d'abord, le XIXᵉ siècle enrichit les plus riches. A Bordeaux, par exemple, les dix-huit successions supérieures à 500 000 F accaparent, en 1873, 40 % de l'ensemble des patrimoines ; en 1911, 59 %, et elles sont alors deux fois plus nombreuses. A Lille, ceux qu'on peut compter au nombre des « classes dirigeantes », 8 % des habitants, pèsent de 90 % dans la fortune de la ville en 1850 ; en 1911, de 92 %, alors qu'ils ne sont relativement guère plus nombreux (9 %). Enfin, en 1820-1826, 30 % des avoirs sont aux mains de 1 % des Parisiens, 1 % des Bordelais, 2,5 % des Toulousains ; en 1911, les taux sont de 0,4 %, 2 % et 2,5 %. Autant dire que rien n'a changé.

Pas plus que du côté des petits. Au début du XIXᵉ siècle, 30 % des Parisiens décédés ne se partageaient que 0,1 % des patrimoines ; les Bordelais, 0,5 % ; les Toulousains, 1 %. On retrouve très exactement ces taux à la veille de la première guerre mondiale. Au pire, la situation ne s'est pas améliorée. Et, comme le note Adeline Daumard, elle ne s'est pas aggravée dans les grandes villes — sauf un moment, au début de la Troisième République, à Lille — des conséquences de l'industrialisation, mais la diffusion de l'industrialisation vers des villes nouvelles y a introduit ses effets. Dès 1834, Villeneuve-Bargemont remarquait « cet axiome paradoxal » selon lequel « plus un pays possède d'entrepreneurs riches, plus il renferme d'ouvriers pauvres ». Ceux-là ne sont plus les mêmes : les rentiers et les propriétaires ont cédé le premier rang aux négociants et, surtout, aux industriels. Mais ceux-ci n'ont pas changé, même si la perte de l'indépendance économique n'est pas forcément signe de prolétarisation. Ils n'ont toujours rien au terme d'une existence de travail. A Bordeaux, la part des adultes morts sans aucune succession recule bien de 79,5 % au début du XIXᵉ siècle à 70 % à la Belle Époque ; à Lille, de 72,2 à 68,7 %. Le progrès est mince, et il n'en reste pas moins vrai — à Rouen aussi, à Dijon — que, d'un siècle à l'autre, à l'aune de leur succession, trois citadins sur quatre sont des pauvres. A Paris, la détresse tend même à se creuser, de 68 à 71,8 % ; et plus encore à Toulouse, de 42,5 à 60 %. Nous y voilà de nouveau : plus tardive, moins vigoureuse, toujours l'entrée dans la société industrielle.

Dès lors, il importe peu que, bien au-delà, en 1954, ce soit dans les départements où il existe une agglomération de plus de 150 000 habitants — Seine, Bouches-du-Rhône, Nord, Haute-Garonne, Seine-Maritime, Bas-Rhin, Loire, Meurthe-et-Moselle — que le revenu par tête l'emporte le plus sur la moyenne nationale. Que, selon P. Cornut, il y ait de plus en plus de Français capables de laisser au moins une petite somme d'argent liquide et des meubles d'un certain prix ; de dégager suffisamment de réserves dans la vie quotidienne pour avoir un compte bancaire, ou thésauriser en livrets de caisse d'épargne ou en rentes de l'État ; de ne plus vivre au jour le jour et de s'assurer sur l'avenir en souscrivant aux émissions obligataires. Que l'enrichissement profite, peut-être plus qu'au XIXᵉ siècle, aux petites gens, la part médiocre que prennent, en 1908 comme en 1931, la plupart de ces postes à l'ensemble du patrimoine tend à le prouver même si, ici et là, ils sont en progression. Cet enrichissement ne les sort pas de leur petitesse, mais ils continuent sans doute à proliférer avec l'essor parallèle et croisé des activités industrielles et de l'urbanisation.

Sans doute, à la fin du XIXᵉ siècle, un certain nombre de cités manufacturières ont-elles vu se ralentir leur croissance : Annonay, Elbeuf, Saint-Chamond, Louviers, Bolbec ; d'autres se sont franchement rétractées sur elles-mêmes, comme Lodève qui tombe de 11 000 à 8 000 habitants, Bédarieux de 10 000 à 6 000. Alors que, globalement, rappelons-le, le nombre des citadins continue de croître. Mais c'est à la fois par effet de saturation et par un ralentissement de leur dynamisme industriel, voire un franc déclin. Bruay, qui n'avait que deux cents familles de cultivateurs en 1851, a 15 000 habitants en 1911 ; de 1861 à la veille de la guerre, Longwy et Hayange progressent de 2 000, 3 000 à 11 000/11 500 habitants ; dans le Nord, en Lorraine, voire dans la grande couronne parisienne — Montataire —, la métamorphose des villages continue à s'accomplir. Saint-Quentin, longtemps modeste sous-préfecture, quadruple sa population après l'installation d'une usine de mécanique ; et celle d'une fonderie ajoute d'un coup, en une décennie de la Belle Époque, près de 3 000 ouvriers à Choisy qui végétait autour de quelques ateliers.

Puis arrive une vague nouvelle avec le XXᵉ siècle et l'entre-deux guerres. Clermont-Ferrand, étale pendant de longues décennies, se réveille autour de 1900 avec Michelin et l'industrie du pneumatique ; elle double presque entre 1911 et les années 1930, de 65 000 habitants à plus de 110 000. Toulouse est dynamisée au lendemain de l'armistice par la construction aéronautique et gagne plus de 50 000 personnes, après un sommeil séculaire. Au-delà de ces cas d'espèces, c'est le redémarrage d'une autre France du Nord, plus à l'est, encore une fois minière et sidérurgique, les Alpes de l'électrotechnique et d'un autre Sud-Est de la chimie. C'est plus encore l'élan accéléré des nouvelles cités de banlieue autour de Paris, de Lyon et de toutes les métropoles anciennes ; à un siècle de distance, mais cette fois-ci tout près d'elles et collé à leurs propres transformations, il s'agit d'un mécanisme identique à celui qui avait fait exploser maintes bourgades des années 1820-1880. Boulogne-Billancourt, Aubervilliers, Vénissieux se gonflent avec une industrialisation désormais plus différenciée, plus soucieuse d'avoir une main-d'œuvre qualifiée, à proximité des marchés de la consommation de masse.

Cependant les grandes villes anciennes, emportées par la diversification de leurs fonctions, n'ont pas cessé de se développer, quadruplant leur population entre 1851 et 1911, où l'on en compte une quinzaine dépassant les 100 000 habitants. Sans doute la généralisation de ce qu'on va bientôt appeler l'exode rural va-t-elle brouiller un peu les cartes à partir des années 1880 en entraînant Poitiers, Montpellier, Rennes et bien d'autres cités qui n'avaient pourtant guère transformé leur économie. Mais le processus d'ensemble n'en est que nuancé entre les deux guerres : il a dégagé peu à peu, mais nettement, une France citadine qui ne se laisse pas enfermer dans un simple déplacement des populations.

LES CHEMINS CROISÉS DE LA MOBILITÉ SOCIALE

L'évolution des grands partages de l'emploi et de la richesse ne dit rien sur les possibilités qu'a chaque Français de s'y mouvoir, pour le meilleur ou pour le pire. Trop occupés à dégager les antagonismes collectifs, les historiens ont négligé de mesurer les chances des individus au cours d'une période où l'industrie et la ville constituent, aussi, une promesse de promotion personnelle. En France comme ailleurs, au-delà de la redéfinition des groupes sociaux, de l'effacement des uns à l'ossification ou à l'émergence élargie des autres, elles entraînent bel et bien une redistribution des conditions qui contraste avec la froideur des sociétés d'Ancien Régime.

L'essor de la classe ouvrière

Le cœur de la mutation collective, c'est évidemment — et le comportement français n'a rien d'original — le développement sur la longue durée du nombre des ouvriers d'industrie ; pour parler plus clair, sinon plus juste, de la formation d'une classe ouvrière. D'après J. Toutain, sa poussée est précoce, dès la première moitié du siècle. Vers 1840-1845, il y aurait 3,5 millions de gens occupés dans l'ensemble des manufactures et des ateliers artisanaux. Soit deux fois plus qu'à la veille de la Restauration. Le salariat proprement dit aurait crû moins vite — on verra plus loin l'importance de ce décalage —, de 40 à 55 %, selon les auteurs, du début du siècle aux années 1860. La plupart de ces nouveaux ouvriers sont des fileurs et des tisseurs, des teinturiers ou des imprimeurs sur étoffes. Car c'est le textile, sous toutes ses formes, qui tire la croissance : dès la fin de l'Ancien Régime, il occupait la moitié de l'ensemble des travailleurs de l'industrie ; en 1866, avec un bon million de personnes, il demeure, de loin, le premier poste d'activité.

Mais, ici ou là dans les années 1840, un peu partout à compter du Second Empire, ce sont les nouveaux domaines de la révolution technologique qui avancent avec le plus de force. Dans les mines d'abord, celles de charbon, de minerai de fer par la suite : l'effectif double presque entre le milieu du XIXe siècle et la Belle Époque, de 152 000 à 288 000 ouvriers, avant l'étale de l'entre-deux-guerres — 292 000 en 1931. Dans la métallurgie surtout, celle de la fonte et de l'acier, vite relayée par la différenciation grandissante des constructions mécaniques : les ouvriers y sont, eux aussi, au moins deux fois plus nombreux en 1906 — 856 000 — qu'à la fin du Second Empire — 370 000 ; et le XXe siècle va encore plus vite en moins de temps, puisqu'ils sont plus de 1,6 million en 1931, à la veille de la crise. La chimie, quant à elle, triple ses effectifs entre 1886 et 1921 et, avec les secteurs du matériel électrique et mécanique, soutient les accélérations générales du nombre entre 1886 et 1896, 1921 et 1926, après le ralentissement de la grande dépression de la décennie 1876-1886. Le métallo et le mineur prennent à juste titre, dans l'iconographie du travail, la place du tisserand et du « canut », même si c'est avec un léger décalage chronologique.

Sans doute le textile a-t-il perdu une bonne part de son dynamisme à la Belle Époque, amorçant même avec la guerre un reflux de ses effectifs : la marche soutenue du coton ne parvient pas à combler le reflux du lin, du chanvre et de la soie, la laine se maintenant. Malgré tout, la France de 1931 emploie 7 à 7,5 millions d'ouvriers et d'ouvrières dans les usines et les ateliers, soit deux fois plus que sous le règne de Louis-Philippe. C'est pour l'heure un maximum que vient dégraisser le chômage des années

Descente d'un cheval dans la mine au Creusot. Dessin d'Alphonse de Neuville (1836-1885).

Des femmes poussent les chariots de charbon qui remontent de la mine à Bruay-en-Artois. Photo de 1910.

1930. Chiffres sans doute sous-estimés, à cause des taxinomies statistiques, on l'a vu à Lyon en fin de siècle par exemple. Il n'y a pas d'ouvriers — au sens de travailleurs manuels salariés — que dans l'industrie. Celle-ci a multiplié, en parallèle de son propre essor, les emplois de force dans la manutention, où le progrès technique est insignifiant. Tel « domestique » de fabricant, tel « employé » d'artisan est bel et bien un ouvrier de fabrication déguisé. Au moins autant que le métallo, le cheminot est une figure centrale du monde ouvrier de l'entre-deux-guerres. Pierre Semard, aux côtés de Jean-Pierre Timbault, après le temps des mineurs, Jules Basly ou Michel Rondet, longtemps après celui du ciseleur Tolain ou du relieur Varlin... Les grandes figures de l'action collective ne doivent rien au hasard. Et, de fait, il y a bien, en 1930, presque deux fois plus de travailleurs du rail que de mineurs, 513 000 selon les comptes des compagnies ; il n'y en avait que 128 000 en 1870 et leur nombre avait quadruplé depuis le début du Second Empire avant de doubler entre 1875 et 1910 !

Le « siècle des ouvriers », annonçait le futur Napoléon III. Oui, mais... Selon G. Dupeux, il y avait déjà 25 % d'ouvriers d'industrie parmi l'ensemble des actifs masculins en 1851 ; il n'y en a toujours que 31 % en 1901, avant une brève contraction après la guerre (29 % en 1921, il est vrai dans une conjoncture de crise) et un nouveau décollage, qui ne va pas bien loin (vers 30/31 % entre 1931 et 1938). Sur le long terme, et réserve faite de ce qu'on a dit plus haut, c'est une évidente stabilité qui se fait jour, au-delà des cahots conjoncturels sur le court terme. Il a fallu un siècle pour en arriver là. A tel point que pour un moment crucial, le Second Empire, de la croissance française, George Duveau se demandait naguère si le nombre des ouvriers d'industrie avait bien augmenté ! A tort, semble-t-il. Il n'en reste pas moins vrai que l'essor est particulièrement timide jusqu'à la décennie 1880-1890, où il n'y a encore que 4,5 millions d'hommes et de femmes dans l'industrie. Ainsi, dans les huit départements de la région lyonnaise, d'où, il est vrai, on part de haut, on ne gagne que 38 000 nouveaux ouvriers entre 1866 et 1891, moins de 10 % des effectifs de départ. Mais presque deux fois plus dans les deux décennies qui suivent. L'essentiel est acquis — jusqu'en 1914 — à la Belle Époque et, aussi, dans les années 1920, donc fort tard.

Particulièrement trompeuse est l'image de ces foules usinières de femmes et d'enfants dont sont pleines les enquêtes du XIXᵉ siècle et qui paraissent signifier la mise au travail même des plus faibles. Certes, la manufacture et la mécanisation multiplient les emplois de complément qui n'exigent ni grande force physique ni haute qualification. Vers 1850, la main-d'œuvre du textile est féminine à 70-80 %, dans toutes les tâches de préparation ou d'entretien, mais aussi pour la filature et le tissage proprement dits. Voyez Villermé à Mulhouse, dans les villes du Nord, où il n'est pas rare que les ouvrières viennent à l'usine avec leurs enfants qu'on trouve toujours à occuper utilement. Leur place n'est pas non plus négligeable dans la métallurgie fine (20 % de la main-d'œuvre en 1866 et 32 % en 1924), dans l'alimentation (20 %), surtout à l'emballage, ni même dans la chimie (12 %). Sans oublier les tresseuses de paillons dans les verreries, l'alignement photogénique des cigarières de l'État, le voile noir des laveuses et des trieuses de charbon, jusqu'à la seconde guerre mondiale. En dehors de poussées périodiques liées à la conjoncture politique — dans les années 1870, pendant les deux guerres mondiales —, on peut estimer que 30 à 35 % des salariés de l'industrie sont des femmes, à un niveau qui constitue une spécialité française.

Mais, précisément, on peut douter que ce niveau s'explique par la poussée de la grande industrie moderne. A partir d'un certain stade, bien loin de multiplier les emplois pour les femmes et les enfants, elle les restreint. C'est dans la tradition de l'industrie domestique qu'ils sont partout, et c'est son recul qui, à la fin du XIXᵉ siècle,

Main-d'œuvre féminine dans la métallurgie fine : la fabrication de boîtes métalliques. Photo de 1911.

Trois ouvrières semblables à celles de Marguerite Audoux dans L'Atelier de Marie-Claire *(1919). Gravure par Steinlen. Paris, Bibliothèque du musée des Arts décoratifs.*

devrait faire s'amoindrir leurs effectifs. Or, on sait ce qu'il en est de son exceptionnelle et tardive survie en France, surtout dans le textile où, en 1906 comme au milieu du XIXᵉ siècle, il y a une femme sur trois salariés. Si sa part relative a diminué à la Belle Époque, il n'en reste pas moins le premier des secteurs et, entre les deux guerres, il fait encore longtemps jeu égal avec la métallurgie. Jusqu'au XXᵉ siècle, il est vraisemblable que la majorité des femmes qui travaillent ailleurs qu'à l'entretien de leur foyer sont ces couturières, ces lingères, ces blanchisseuses en chambre que multiplient les besoins d'une population où le travail est de plus en plus divisé. Depuis le Second Empire, la machine à coudre développe, au profit d'un grand magasin, pour un façonnier, ce *sweating system* qui pèse à la fin du XIXᵉ siècle dans les grandes villes sur l'embauche des femmes seules, vieilles filles ou veuves encore jeunes : 80 % de l'ensemble du travail « en chambre » en 1904. Le destin de la main-d'œuvre féminine — qui, justement, recule dans l'industrie, avec le renouvellement technologique de l'entre-deux-guerres, d'un maximum de 2,3 millions en 1906 à 1,7 en 1946 — grossit celui de l'ensemble des ouvriers français, retenu par les formes du passé ; sauf sur le long terme — la métallurgie —, les branches fondées sur la nouveauté des technologies ne créent pas suffisamment d'emplois pour déloger les suprématies traditionnelles. Et, si l'on en croit J. Toutain, le bâtiment, le meuble, les cuirs et peaux, qui y échappent à peu près totalement, occupent presque autant de gens, relativement, au XXᵉ siècle (32 %) qu'à la fin de l'Ancien Régime.

Le bouclage d'une condition

Une industrialisation « doucereuse », dit Michelle Perrot, dont les conséquences, en tous les domaines, se font obliques, et où, au plan statistique, la classe ouvrière n'en finit pas d'émerger. Pourtant, la condition ouvrière, dans tout ce qu'elle a de contraignant et de bloqué, est bien, précocement, une réalité dont on a peu de chances de s'évader. Sans doute chaque mutation de la technique, chaque percée d'un nouveau secteur, paraît-elle en redonner au talent et au travail. A plusieurs reprises, jusqu'en 1914 en tout cas, des dilatations momentanées du patronat créent des carrefours élargis de mobilité sociale, où l'on peut espérer, même du plus bas, accéder à l'entreprise. Ainsi, sous la Restauration et la monarchie de Juillet, parmi les industriels du textile, dans le Nord comme en Normandie. Il arrive que des compagnons de la fabrique lyonnaise deviennent chefs d'atelier, portés par la fortune de la soierie ; une promotion qui n'est pas aussi courte qu'on pourrait le croire : sans atteindre au pouvoir et à la richesse des marchands-fabricants, il en est parmi eux qui, employeurs et propriétaires, n'en sont pas loin. A Annonay, chez les mégissiers ; chez les porcelainiers de Limoges ; dans la chaussure à Fougères ou la laine à Mazamet, il est encore une ouverture vers le haut, à condition de savoir, à force de labeur, saisir et exploiter les opportunités de la technique et des marchés. Enfin et surtout, tardivement, du Second Empire de la mécanique à la Belle Époque de l'automobile, l'industrie métallurgique sait faire place, aux tout premiers rangs, à des bricoleurs industrieux. Les Bollée, Armand Chappée, Pouyer-Quertier, les frères Marrel, les Japy, Louis Renault : le *self-made man* est aussi un personnage à la française dont la réussite économique marque alors l'entrée en bourgeoisie, cette « classe qui travaille », comme le dit Jean Jaurès.

Mais ce sont toujours les mêmes noms qui reviennent, et, pour quelques réussites, combien d'échecs ou, tout simplement, de promotions provisoires. Il s'agit moins de réussir que de s'enraciner dans des élites dont Louis Bergeron, plus haut, montre bien

La Belle Époque de l'automobile. Une excursion familiale en Delage, 1913.

le caractère familial et l'ancrage au long cours. Surtout, la valeur symbolique de quelques personnages — qui joue un rôle non négligeable dans les représentations collectives — n'a rien à voir avec l'épaisseur de la réalité sociologique. Très tôt, il devient rare, sinon impossible, pour les plus défavorisés des ouvriers d'industrie, de parcourir en une seule vie toute la largeur de la hiérarchie sociale. L'enfermement dans la condition ouvrière ne l'emporte pas ici et là au même moment ni avec la même force, mais il finit partout par l'emporter. Les signes sont précoces dans le textile, logiquement. Dès les années 1830, R. Bezucha montre que les chances des compagnons lyonnais de devenir chefs d'atelier sont déjà bien moins grandes qu'à la fin du XVIIIᵉ siècle, ne serait-ce que par l'effet du nombre — ils sont quatre fois plus nombreux. Le coton et le lin du Nord se referment, à peine s'étaient-ils ouverts ; la société patronale de Rouen et du tissage normand se fige dès la monarchie de Juillet, et pour longtemps ; la rareté des évasions hors du salariat — quelques-unes, et sur deux ou trois générations de surcroît — atteste la sûreté du verrouillage. A la Belle Époque, tous les grands noms de l'industrie lyonnaise y figuraient déjà sous la Restauration, quand ce n'est pas avant. Même dans l'automobile, J. Laux montre comment la plupart de ses précurseurs sont loin d'être partis de rien.

On comprend aisément les raisons de cette viscosité, l'impossibilité grandissante de réunir un capital suffisant au départ, l'absence des solidarités de parentèles ou d'intérêts pour durer et se développer. Aux raisons qui avaient tôt refermé l'ascension sociale au lendemain de la « révolution industrielle » anglaise s'ajoutent celles qui naissent des particularismes du capitalisme à la française. On manque de monographies assez nombreuses pour valider le propos. Mais, à la marge des patrimoines, voici Lille, une ville type de l'industrialisation. Parmi les milliers de successions, il n'en est que deux en 1870 et trois en 1890 qui laissent deviner une évasion de la condition ouvrière ; des rares travailleurs manuels qui laissent quelque chose en 1908, il n'en est que 10 % qui aient des fils en dehors d'elle ; et des fils de soixante-neuf autres, morts entre 50 et 59 ans, il n'y en a que deux qui ne soient pas ouvriers ; il n'en sont d'ailleurs pas pour autant patrons ni bourgeois. A Bordeaux, en 1938, on ne trouve, parmi les jeunes mariés de la bourgeoisie — cependant fort différente de ce qu'elle était un siècle auparavant —, aucun descendant d'ouvrier. L'idéologie de l'entreprise et de la réussite individuelle peut bien inspirer tout un discours patronal — à noter qu'il est sans doute moins fort et moins large que dans d'autres pays — qui vante la réussite des ouvriers sérieux et économes : la réalité ne le valide guère, et les travailleurs de l'industrie ont tôt fait de s'en rendre compte.

Dès le milieu du XIXᵉ siècle, par exemple, les tisseurs de Roubaix savent à quoi s'en tenir. Avec eux, les ouvriers de toutes les villes textiles du Nord ; et, plus généralement, ceux des cités où il existe un ou deux secteurs dominants — mines ou sidérurgie, à Bruay et Longwy, Decazeville ou Jœuf. En monopolisant l'emploi, ceux-ci tracent la totalité des destinées individuelles. A Montceau-les-Mines, jusque dans l'entre-deux-guerres, par exemple, la règle est de conduire l'adolescent, le jour même où se termine sa scolarité, chez l'ingénieur des houillères : une première étape obligatoire vers le « jour » en attendant, dans quelques années, la descente au fond. Le secret d'une certaine hérédité des emplois et des secteurs d'où sortent les dynasties de mineurs, de puddleurs et de tisseurs réside moins dans un prétendu attachement au métier que dans l'impossibilité de s'en sortir, d'une génération à l'autre. De la nécessité aux apparences du choix, donc au renoncement, le chemin est court. Les villes industrielles offrent un raccourci de la société, fortement polarisée entre la masse quasi uniforme de ses travailleurs et la mince élite de ses cadre, directeurs et ingénieurs ; comment franchir la distance ? Dès la fin du XIXᵉ siècle, les mineurs de Douai s'enferment dans leur condition, et regardent avec méfiance les filières qui les en sortiraient et les moyens — l'instruction, par exemple — d'y parvenir. C'est ce que reflète, un peu partout, une idéologie du travail qui va charger la seule condition ouvrière d'une valeur positive. Mais au prix de quels blocages, et sur la longue durée !

En interrogeant, dans les années 1970, des retraités parisiens qui ont commencé leur vie active dans l'entre-deux-guerres, Françoise Cribier montre combien ceux qui sont arrivés des autres villes industrielles ont peu progressé dans les hiérarchies sociales. La réalité de leur destinée s'est calquée sur la modestie de leurs ambitions. A l'inverse, les gens venus d'autres grandes villes d'activités anciennes et multiples ont fait un meilleur chemin à Paris : parce qu'ils ont eu, dès leur enfance, l'image d'une société plus stratifiée, où la séparation de la condition ouvrière d'avec les autres catégories paraissait moins imperméable. Ils ont fait un projet de cette illusion, et ils ont réussi. Déjà, Georges Duveau montrait cette ouverture sur le monde des ouvriers du Second Empire à Paris, à Lyon, dans les métropoles ; à un siècle de distance, l'entre-deux-guerres renvoie la pérennité d'une vision du monde industriel qui reflète aussi une volonté efficace d'en saisir les occasions.

Ouvriers ou artisans ? Une bourgeoisie populaire

Les chemins par lesquels le monde industriel se coule dans celui des sociétés urbaines sont en effet sans simplicité, et les hésitations des nomenclatures socio-professionnelles se comprennent mieux. Elles ne font que refléter les incertitudes d'une société ambiguë quant à sa propre nature et les difficultés qu'elle éprouve à se définir selon les nouvelles catégories trop tranchées de la réflexion théorique et des appareils statistiques. La réduction à la condition ouvrière est une orientation tendancielle ; elle ne résume pas toute l'évolution de la société française. Et c'est aussi dans les villes, creusets de la modernité, que les groupes sociaux liés aux formes traditionnelles de l'économie mettent le plus de lenteur à s'effacer ; que leur capacité à sans cesse renaître sous d'autres visages est la plus forte ; que les nouvelles catégories qui, en sortant du développement des services, se libèrent du travail manuel, se forment le plus tôt et le plus vite ; que, par conséquent, la pérennité ou l'incessante renaissance des couches intermédiaires résistent le mieux à la prolétarisation des uns et à l'embourgeoisement des autres.

En 1936 en effet, les recensements doivent compter près de 2 millions de travailleurs isolés, ni entrepreneurs, ni vraiment salariés, en dehors de l'agriculture. A peine moins qu'en 1921, même s'il semble y avoir eu un certain recul depuis le début du siècle. Le nombre de « chefs d'établissement » qui travaillent sans compagnons — et qui, sociologiquement, ne se distinguent pas de ceux-ci — augmente d'un tiers entre les deux guerres. En 1939, 2,5 millions d'hommes et de femmes au total échappent au salariat d'entreprise — un tiers de celui-ci — sans qu'on puisse les classer parmi les patrons. C'est là un énorme empire du milieu qui résiste ou bourgeonne entre les deux polarisations de la société pour en limiter singulièrement les effets. Et plus vivant que jamais. Quand la grande crise des années 1930 fait reculer le nombre des employeurs et plus encore celui de leur main-d'œuvre, les « indépendants », comme on dit, repartent de l'avant. Comme ils l'avaient déjà fait, autant qu'on puisse le mesurer, dans les années 1880. Pendant tout le XIXᵉ siècle et la première moitié du siècle suivant, la société française ne cesse jamais de s'articuler autour du bloc de ce qu'on appelle, très tôt, les « classes moyennes ». Un non-sens théorique pour une réflexion sociologique qui, des libéraux anglais des premières années du siècle aux disciples de Marx dans l'entre-deux-guerres, pense le corps social en termes de classes et de fonctions. Un fourre-tout aussi, une simple position géographique, en attendant leur inévitable liquidation ? La France de 1939 n'en est pas là.

Encore une fois, les successions et leur répartition le prouvent, au moins jusqu'en 1914. Sans que la largeur de la base ni l'effilement de la pointe en soient modifiés, leur allure générale passe, selon l'image d'A. Daumard, de la pyramide régulière à la toupie renversée qui enfle ses couches intermédiaires, avec une grande régularité, sans palier net. La nouveauté des lignes s'affirme à Paris dès 1820, à Bordeaux, à Lyon et à Lille à partir de 1869-1875, à l'inverse de ce qui se passe à Toulouse ou dans les petites villes. La progression du niveau moyen — de 20 000 dans le Paris de la Restauration à 50 000/100 000 à la Belle Époque, de 5 000/10 000 à Lyon à 50 000, de 5 000/10 000 à Bordeaux à 10 000/20 000 — dit la diffusion de la richesse, au-delà de la mince tranche des privilégiés. A Lille, c'est le Second Empire qui paraît constituer l'âge d'or de ces couches moyennes, qui, pour un tiers des décédés, atteignent 23 % du total des fortunes. Mais la hausse se poursuit après, avec 27 % vers 1890 et 31 % en 1911. Et, à Rouen comme à Dijon, la place s'inscrit pendant plus d'un siècle autour de 30 % de cette petite et moyenne bourgeoisie, voire d'un certain petit peuple de possédants.

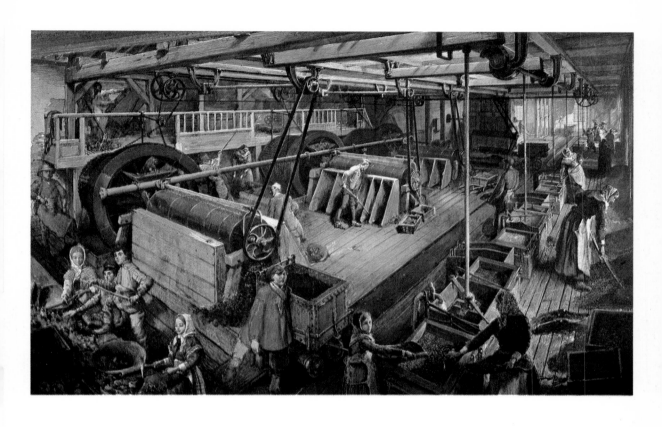

Le travail industriel : atelier de criblage dans le bassin minier de Blanzy près du Creusot. Peinture par F. Bonhommé, vers 1860. Paris, musée des Arts et Métiers.

*La percée du tertiaire : intérieur d'un magasin d'épiceries vers 1850. Paris,
Bibliothèque du musée des Arts décoratifs.*

Il faut d'abord aller les chercher du côté de la boutique et de l'atelier même si, selon la distinction désormais classique d'Arno Mayer, ils sont du côté des perdants. De fait, petits commerçants et petits métiers sont nombreux parmi les détenteurs de ces fortunes moyennes, et jusqu'en 1914, aussi bien à Rouen qu'à Toulouse ou à Dijon. Ils ne sont pas toujours aisés à distinguer du salariat dans un monde urbain du travail qui demeure longtemps hybride. Où classer tant de travailleurs à façon qui, chez eux, conservent une apparente liberté alors que, depuis longtemps déjà, leur destinée est fixée par les grands rythmes de l'économie internationale ? Il y a mille nuances dans l'accès direct au marché qui définit l'artisan. Et il n'est pas sûr que les comptabilités du XIXᵉ siècle s'y soient bien retrouvées... De même, pendant longtemps, on ne peut distinguer la fabrication de la vente, et le vocabulaire du temps ne connaît que le métier.

L'âge d'or des boutiquiers

La notion de petite entreprise a du moins le mérite de la clarté. A nos yeux d'aujourd'hui. Car, écrit Paul Marcelin, un ferblantier de Nîmes : « Mon père a travaillé longtemps avec deux ouvriers. Par la suite, l'affaire passa du stade artisanal à celui de l'entreprise. » Mais pour la loi sur les patentes de 1844, elle s'arrête à ceux qui emploient moins de 5 salariés, à ceux qui n'en ont pas 10 selon un rectificatif de 1870. Peu importe ; sur la place de ce monde, on a vu ce que disaient, en plein XXᵉ siècle, les chiffres de recensements. Sans doute l'artisanat est-il précocement en crise, et il ne cesse de le demeurer, en gros, jusqu'en 1939. Il est des signes qui ne trompent pas et s'aggravent au fur et à mesure qu'avance le XIXᵉ siècle. On transmet de moins en moins fréquemment l'atelier à son fils, on épouse moins qu'avant la fille de son patron, on a de plus en plus de peine à recruter des compagnons. La crise de l'apprentissage est générale ; elle traduit la déqualification relative de maints petits patrons ; elle révèle surtout le sentiment qu'on a d'une fermeture sociale : ce n'est plus par l'atelier qu'on accède à cette « bourgeoisie populaire » dont A. Daumard repère encore les traces dans le partage de la richesse. La concurrence de la grande industrie — dans la chaussure, dans la confection — qui entraîne dès le Second Empire l'amenuisement du nombre de tailleurs et de cordonniers ; les insuffisances de la surface financière ; l'inaptitude à la gestion dès qu'elle se complique : tout rend la petite entreprise particulièrement vulnérable, et chaque crise — surtout quand elle atteint la consommation populaire — entraîne des cascades de faillites, dans les années 1840, en 1882, autour de 1900, au lendemain de 1930. Des pans entiers d'emplois disparaissent avec l'évolution économique, comme tous ces métiers, palefreniers et charretiers, bateliers et charpentiers en bateaux, liés au système ancien des transports par route et par eau.

Même quand on réussit, il n'est pas certain que ce soit pour longtemps : la boutique s'ancre elle aussi dans la continuité des dynasties et la solidarité des familles. Pour elle également, le *self-made man* constitue l'exception. Dans le Paris du XIXᵉ siècle, J. Le Yaouanq montre combien le milieu d'origine pèse lourdement dans les chances d'ascension sociale. Si le mariage — l'occasion de s'installer — joue, au départ, un rôle déterminant, le filtrage est sévère à chaque étape de la carrière ; et, à la deuxième génération, les destinées se partagent. On ne retrouve plus alors dans le commerce que 36 % des petits-fils de domestiques ou d'ouvriers, mais 54 % de ceux dont le grand-père était déjà commerçant. Et longtemps, il n'est pas certain que la réduction de certains artisans à la condition salariale n'entraîne pas une amélioration de leur situation matérielle.

Petits métiers en ville : ci-contre, la marchande de pommes frites vers 1910 ; ci-dessous, le raccommo-deur de paniers en 1908.

L'âge d'or des boutiquiers : cordonniers vers 1840.

Pourtant, la majorité de ces nouveaux artisans et commerçants étaient des immigrés provinciaux, fils de paysans ou d'ouvriers : voilà qui en dit long sur l'image prometteuse, toujours, de l'atelier et de la boutique ; située dans le droit-fil de l'abolition révolutionnaire des corporations, de la foi nouvelle dans l'individualisme et la compétence, on la retrouve, à la fin du siècle, dans le darwinisme social des républicains. L'horizon, c'est au moins autant l'indépendance que la fortune, et la filière de la petite entreprise a, pour la majeure partie des Français, l'attrait de la familiarité : quand ils regardent vers le haut, c'est beaucoup plus vers cette liberté et cette aisance-là que vers le pouvoir et la richesse de la bourgeoisie d'affaires. La législation elle-même n'y met pas d'obstacle : la patente, souvent dénoncée, multiplie aussi les allégements fiscaux et les exemptions ; à la fin du XIXe siècle, elle se fait même franchement protectrice, lâchant la bride à l'ouverture des débits de boissons par exemple, avant de définir, en 1925-1926, la notion de fonds de commerce pour en garantir la propriété et, à la veille de la seconde guerre mondiale, de stopper la concurrence des magasins à succursales multiples. Artisans et petits commerçants tirent aussi une force non négligeable de la flexibilité de leur pratique : les facteurs de leur faiblesse deviennent moyens de résistance ; c'est leur petitesse, la médiocrité de leur matériel et de leur installation qui les font suivre la population dans les nouveaux quartiers des villes et s'adapter aux changements du goût et de la consommation : jusqu'en 1880 au moins, le nombre des patentes augmente plus vite, à Paris, que l'ensemble des habitants. Dans aucune autre

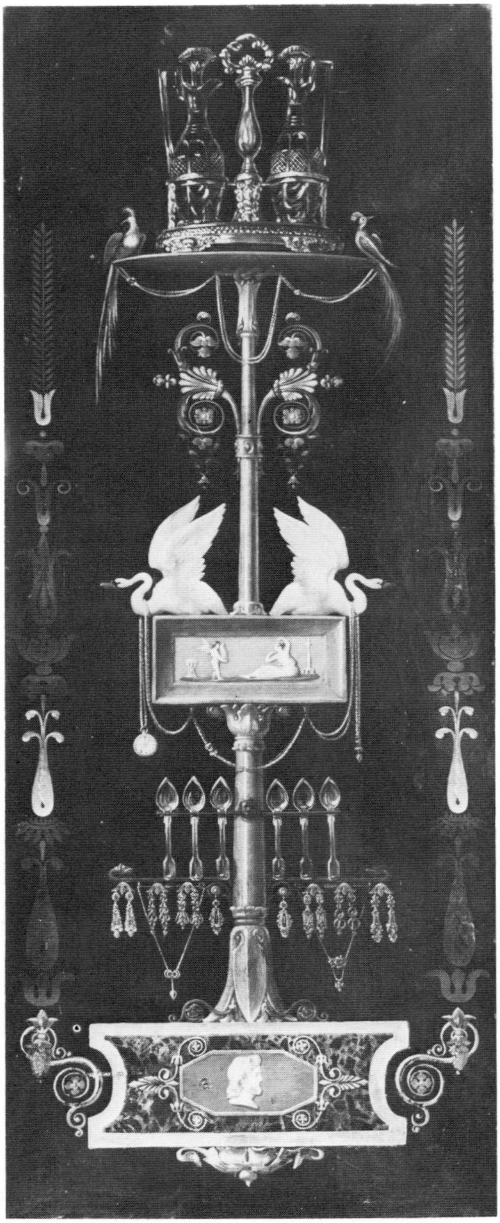

La continuité d'un métier traditionnel. Enseigne du bijoutier-orfèvre Passerieux, 334, rue Saint-Honoré. Paris, musée Carnavalet.

catégorie, pour reprendre une formule de J. Gaillard, la turbulence entrepreneuriale n'est aussi accentuée : il naît finalement plus de petites entreprises qu'il n'en meurt ; de 1870 à 1900, le solde moyen des patentés et des faillis est constamment positif, de 6 173 par an, et de 8 247 dans les années suivantes. Entre 1888 et 1891, si les activités de luxe sont fortement atteintes, le tout petit commerce augmente de 25 %, car l'effet de proximité joue dans l'autre sens : en cas de crise, combien de salariés licenciés reviennent à l'indépendance pour fonder leur entreprise ? Le reflux est particulièrement accentué dans les années 1880, et aussi après 1930, jusqu'à la guerre. Se mettre à son compte, comme on dit, c'est un moyen de lutter contre le chômage ; et, sans doute, en dehors même des moments de grande dépression économique, est-ce longtemps une pratique fréquente chez des travailleurs qualifiés où l'on passe aussi aisément de la dépendance salariale à l'indépendance de l'entrepreneur que de celle-ci à celle-là, selon les âges de la vie.

Il ne faut pas non plus sous-estimer les capacités de résistance et d'adaptation. Ici, les formes anciennes de sociabilité corporative sont assez vivaces pour conserver cohésion et pouvoirs ; chez les bouchers de Limoges par exemple, qui demeurent d'importants personnages, jusqu'à l'aube du XXe siècle, avec leurs symboliques et énormes chiens bien nourris de bas morceaux ; ou même chez les portefaix de Marseille, qui transmettront aux dockers contemporains leur maîtrise sur le déchargement des bateaux. Pour les ébénistes du faubourg Saint-Antoine, c'est leur spécialisation dans les meubles de luxe qui assure leur continuité, et on pourrait citer d'autres cas du côté de la bijouterie et de la facture des instruments de musique. Là, surtout, on sait se spécialiser. On passe sans heurt d'un métier — en recul — à un autre — en progrès —, différent mais voisin. Dans le 9e arrondissement de Paris, au XIXe siècle, on repère ce que J. Le Yaouanq appelle des « filières obliques », comme l'apparition du service après vente, qui rapproche le commerçant de l'artisan, et celle de la prestation occasionnelle, qui fait de l'artisan un commerçant. Dans l'entre-deux-guerres, même les petits épiciers des villes minières savent d'instinct adapter leurs produits aux habitudes alimentaires de la main-d'œuvre immigrée. Enfin, on sait se glisser dans les lacunes de la grande production industrielle. Avant que n'apparaisse le mot, voici la réalité de la sous-traitance. Dès le milieu du XIXᵉ siècle, Calla, fabricant parisien de machines, s'appuie sur 1 500 façonniers dispersés ; c'est un tout petit créancier qui, en 1936, entraînera la faillite de Citroën ! Que renaisse la pénurie, voilà la chance des petits ! La renaissance, avec la première guerre mondiale, de l'image de l'épicier accapareur et affameur n'a pas d'autre sens. Et, à côté des fortunes colossales des munitionnaires, l'impôt de 1916 sur les bénéfices de guerre révèle le profit qu'en ont tiré tous les petits mécaniciens tourneurs d'obus et les plus modestes bonnetiers fournisseurs d'uniformes ou de godillots. En attendant que la pénurie de pièces détachées fasse, entre 1940 et 1945, le bonheur des artisans de la métallurgie.

Des années 1870 à 1939, le nombre des patentes du commerce — qui laisse certainement de côté nombre de vendeurs à la sauvette et de marchands d'occasion — double en France, de 1 à 2 millions. De 1906 à 1936 seulement, celui des nouveaux magasins progresse de 400 000, les réparateurs d'automobiles et les vendeurs de bicyclettes prennent place à côté des tailleurs et des cordonniers de la tradition. C'est bien un âge d'or de la boutique, même si beaucoup vivotent. Jusqu'à la dissémination, assez tardive, des chaînes à petites succursales multiples, la concurrence des grands magasins, confinés au centre des villes, dédaigneux de l'alimentation quotidienne, est insuffisante pour stopper leur avance. Malgré les craintes précoces qu'on en a eues, ni le *Bonheur des Dames*, ni le *Prisunic* de l'entre-deux-guerres ne mordent vraiment sur la boutique ; on a vu qu'à l'occasion, on sait demander au législateur une aide pour s'en défendre, et avec succès. La reprise d'un certain autorecrutement à partir des années 1920 est là pour attester la réussite des adaptations. Enfin, comme au XIXᵉ siècle pour les provinciaux ambitieux, l'attrait de la boutique devient de plus en plus pour les étrangers, arrivés souvent comme manœuvres, le moyen de l'intégration par la réussite. Depuis longtemps déjà, nombreux étaient les Espagnols parmi les épiciers toulousains, ou les Italiens à Lyon dans le vêtement et l'alimentation, à Marseille où la vieille colonie grecque passe du trafic traditionnel du blé à celui des éponges et des fruits. Dans tout le Sud-Est, les coiffeurs italiens sont si nombreux entre les deux guerres que la profession finit par s'en inquiéter ; et, dès qu'ils le peuvent, les Arméniens, à peine arrivés cependant, ouvrent boutique : des tailleurs, des artisans du cuir, tandis que la deuxième génération transalpine accède à l'entreprise dans le bâtiment. Car, au total, l'industrialisation a bel et bien fait reculer celle de taille moyenne ; elle n'empêche pas l'incessante renaissance de la petite, même si ses fonctions ont changé.

Cependant, dès le deuxième tiers du XIXᵉ siècle, le pessimisme était de rigueur chez les artisans et les négociants des grandes villes. Il est vrai que, précisément, le Second Empire constitue peut-être la seule période qui ait vu stagner leur nombre, malgré les transformations du reste de la société. Eux aussi connaissent cette fermeture vers le haut qui bloque dans le même temps les ouvriers dans leur condition. A Rouen comme à Toulouse, il est de plus en plus difficile, au fur et à mesure qu'avance le siècle, de passer de la boutique au négoce, de l'atelier à l'entreprise, donc d'accéder à la bourgeoisie quand on n'y est pas né. De plus, voilà que l'évolution économique semble les tirer vers le bas et vers la perte de l'indépendance. Mais une enquête menée en 1865 à l'initiative de Victor Duruy révèle que 12,6 % des élèves dans les plus prestigieux lycées de France sont fils d'artisans ou de petits commerçants, et 18,6 % dans les autres alors qu'il n'y a que 1,2 et 1,6 % d'enfants de travailleurs manuels salariés ! aux côtés, bien sûr, d'une majorité d'héritiers de la grande industrie, du haut négoce et de la banque. C'est, cependant, beaucoup. Et leurs projets de carrière sont peut-être encore plus intéressants. Alors que leurs condisciples plus favorisés lorgnent vers les grandes écoles, eux regardent vers les plus accessibles des professions libérales, et surtout vers les emplois du service public. A la recherche, conclut P. Harrigan, d'une mobilité horizontale. Dans l'immédiat du moins.

L'univers des employés

Les projets des lycéens napoléoniens ne font que traduire l'instinctive conscience du développement, cependant à peine amorcé, des services et des occasions nouvelles qu'ils commencent à offrir. De 1856 à 1936, leurs emplois progressent une fois et demie plus vite que ceux de l'industrie, même s'il est délicat de distinguer celle-ci de ceux-là. L'orientation à la hausse est constante, avec des accélérations entre 1866 et 1872, 1876 et 1886, 1891 et 1902, 1911 et 1926. Trois au moins de ces périodes correspondent à des phases de repli des activités manufacturières ; un effet de changements structurels ou, pour un temps, de vases communicants ? peu importe — ce qui s'impose, c'est la marche au long cours d'un univers lui-même fort composite, mais tout entier entraîné.

Les agréments de l'emploi, ou les mœurs administratives. « Quatre heures. Départ des employés, oubli jusqu'au lendemain de toute affaire bureaucratique. » Caricature par Henri Monnier, « ex-employé au ministère de la Justice », 1828.

Les domestiques : c'est encore le monde des maîtres. Caricature par Forain, Journal pour tous, *16 août 1892.*

— Je n'en ai bu de pareil que chez les La Rochefoucauld.

Seule la domesticité va à contre-courant : elle participe d'une tradition en voie d'étiolement, au moins à partir de la Belle Époque. Dans la seconde décennie du règne de Napoléon III, on rattachait au « service des personnes » 280 000 hommes et 680 000 femmes, soit 2,7 % et 14 à 15 % des actifs de l'un et l'autre sexe. Par la suite, le nombre des bonnes à tout faire, cuisinières, femmes de chambre, etc., se hausse à environ 1 million à la fin de la Belle Époque. Plus que jamais, la bourgeoisie se mesure à la capacité de se faire servir. Mais la féminisation du secteur est déjà un signe : il y a deux fois moins d'hommes en 1911 que cinquante ans auparavant, et, en 1936, cochers, valets de chambre et chauffeurs ne représentent pas 1 % de la population active masculine. La guerre de 1914-1918 et la crise d'une certaine bourgeoisie rentière amènent aussi à se passer des bonnes : en 1936, il y a autant de femmes « en maison » qu'un siècle avant, mais leur part est tombée à 8 ou 9 %. C'est l'amorce d'une liquidation pour un monde féminin de la détresse morale et matérielle, même s'il a pu sans doute en sortir autant de nouvelles épouses bourgeoises, bien dotées et bien élevées, que de pauvres filles tombées dans la prostitution.

A l'inverse, la seconde moitié du XIXᵉ siècle voit la multiplication rapide des employés, et le siècle suivant, leur arrivée sur le devant de la scène. Le mot est longtemps ambigu. Il ne sert à désigner que ceux qui gagnent leur vie autrement qu'à la force de leur corps ou grâce à l'habileté de leurs mains ; c'est-à-dire, en gros, tous les salariés qui n'accomplissent pas un travail manuel. Mais, très tôt, il indique aussi une

Un caissier trônant derrière sa caisse enregistreuse. Paris, 1908.

condition qui assure une sécurité relative de l'emploi — le traitement au mois — et un niveau de rémunération qui ne tient pas seulement compte du temps qu'on y passe ni de la tâche concrète qu'on y accomplit. Le destin du groupe suit donc d'abord l'essor du commerce, de la banque — à elle seule, celle-ci occupe 4 % des actifs en 1936 contre 1 % en 1856 —, des professions libérales — commis aux écritures, comptables, encaisseurs, garçons de boutique — et, bientôt, des services publics qui prolifèrent. Au travers des recensements de la population, le nombre des instituteurs et professeurs fait plus que tripler, de 65 000 à 209 000 entre 1866 et 1936 dans l'enseignement public ; celui du personnel des PTT triple, de 43 600 à 117 500, comme celui des administrations financières sur un peu plus d'un siècle. Et, après 1920, c'est par dizaines de milliers que chaque ministère recrute, avec l'extension des compétences de l'État. Si bien que le nombre total de ses fonctionnaires civils, peut-être pas plus de 410 000 personnes en 1866, atteint 626 000 individus en 1906 et 925 000 en 1936. Les sources directes des ministères indiquent des chiffres inférieurs, mais elles aussi montrent un premier doublement entre 1870 et 1914, et un second entre 1914 et 1947. Encore faudrait-il sans doute y ajouter tout le salariat des entreprises parapubliques, compagnies des eaux, du gaz, de l'électricité, sans compter, bien sûr, une bonne part de l'emploi ferroviaire compté en dehors, même après la naissance de la SNCF.

Voici donc, dès le Second Empire, ces employés de la Banque de France dont, dit Maxime du Camp, « un air de probité semble adoucir les traits du visage ». Bien sûr, il s'est trouvé quelques fripouilles parmi eux, et l'image du comptable qui s'enfuit avec la caisse n'est pas qu'imagination de feuilletoniste. Comme ce garçon de recettes parisien disparu en avril 1862 avec 150 000 F ; ou ce caissier de Poitiers parti aux États-Unis en laissant un trou de 150 000 F. Mais, démasqué, il se suicide. La morale est sauve. Le souvenir qu'on en a gardé suffit à attester la haute moralité des autres : une élite, recrutée avec soin, par concours, connue pour sa ponctualité et son dévouement à la maison. Consciente de sa condition, au milieu des parquets et boiseries bien cirés de ses bureaux, sous le tricorne et le frac à boutons blancs de ses encaisseurs, ne bénéficie-t-elle pas d'importants avantages matériels, secours financiers en cas de difficultés personnelles, retraite substantielle et indemnités de fin de carrière ? Tous les employés n'ont pas cette chance. Mais au Crédit lyonnais, comme dans tous les grands établissements bancaires, la retraite constitue, avec les secours en cas de maladie ou d'accident, un avantage considérable ; dans les chemins de fer aussi — dès 1855 à la Compagnie du Nord. L'initiative et l'ardeur au travail sont récompensées par des systèmes complexes de primes, la guelte des grands magasins de la Belle Époque. Dès lors, pourquoi s'arrêter aux moqueries de l'opinion publique — « ronds-de-cuir », bien sûr, mais aussi « gratte-papier », « moucheurs d'encre » —, en attendant qu'elle gronde plus fort, entre les deux guerres, contre les « budgétivores » ? Passer de l'usine au bureau, ce n'est pas une mince ascension. D'autant plus que ce peut n'être qu'un début, tant la nouvelle organisation des services multiplie les échelons de l'emploi et de la hiérarchie ; on pourrait y voir un simple renforcement des contraintes : c'est surtout, aux yeux des employés, celui des horizons de la promotion.

Voici, par exemple, la Compagnie des chemins de fer du Nord à la Belle Époque. Les services d'administration ne distinguent pas moins de 14 échelons de qualification et de traitements ; aux « travaux et voie », il y en a 28 ; 43 au « matériel et traction » et 64 à l'« exploitation » ! Comme dans tous les autres réseaux, le grand partage est le « commissionnement », l'intégration, qui entraîne la sûreté de l'emploi, le droit à la retraite et à l'avancement — dont ne jouissent pas les travailleurs « en régie » ; dès 1882, 146 000 cheminots en bénéficient, 276 000 en 1912. Aiguilleurs, receveurs, gardes-barrières, facteurs aux écritures, hommes d'équipe, chauffeurs, mécaniciens, etc. : pêle-mêle, au sein même de la « Compagnie », la prolifération du vocabulaire n'indique pas, comme à l'usine, le simple partage des métiers ; en multipliant les groupes et les sous-groupes, les titulaires et les adjoints, la nomenclature signifie la multiplicité des échelons d'un même secteur, donc les possibilités, les espoirs et souvent les réalités de la promotion professionnelle et sociale. Au XXᵉ siècle, l'hérédité des cheminots n'a pas le même sens que celle des mineurs ou des métallurgistes.

Revenons à la Banque de France. Dès le Second Empire, on y découvre de modestes gratte-papier qui, laborieusement, ont gravi toute l'échelle des grades, comme Ville, devenu secrétaire général, les contrôleurs Doisy et Chazal, ou ce Bezodis, entré au plus bas, à 23 ans, en 1846, pour être finalement promu caissier, puis inspecteur des succursales. L'ascension des Murel se fait sur trois générations, et ils finissent par s'allier aux Gebauer, dont quatre membres travaillent en même temps à la banque. Jusqu'à la seconde guerre mondiale, une banque comme le Crédit lyonnais puise parmi ses employés les plus modestes pour former ses cadres, au moins jusqu'au niveau de ses directions régionales, voire de l'inspection du réseau. Et l'on peut trouver des exemples semblables dans l'administration des PTT, en une seule existence, et de père à fils ou à gendre.

L'enseignement offre, très tôt, une autre voie royale de promotion, ascendante ou latérale. Même si l'image des professeurs de lycée est longtemps médiocre, de ce Marty du *Bonheur des Dames*, régent de cinquième au lycée Bonaparte, « timide et nécessiteux », à la redingote « étriquée et propre », ruiné par le goût des chiffons d'une épouse trop coquette, aux portraits charges de J. Lemaitre et P. Bourget, dès 1842-1852 on n'en compte pas moins parmi eux 25 % de fils d'artisans, 15 % de fils de petits boutiquiers ou d'employés de commerce, ainsi que 10 % d'enfants des campagnes. Il n'y a, calcule-t-on, qu'une chance sur mille pour qu'ils finissent proviseurs, et 13 % seulement d'entre eux, trente ans plus tard, gagnent plus de 6 000 F par an, tandis qu'il en demeure 45 % qui végètent à moins de 2 000 F par an. Mais de 500 à 11 000 F, l'échelle des revenus autorise tous les espoirs, du répétiteur à l'agrégé, ou par l'évasion vers l'Administration ; à la fin du siècle, leur valeur scientifique et pédagogique s'est fortement accrue, et avec elle la considération qu'ils en tirent dans la « république des professeurs ». Dès 1877, si la part de l'atelier et de la boutique a reculé dans leur recrutement, c'est parce que s'est accrue, de façon significative, celle des fils d'enseignants — 27,5 % au lieu de 18 % — et des autres fonctionnaires — 8 % contre 6,5 % ; sans oublier l'armée qui fournit un contingent non négligeable et qui elle-même, sous le Second Empire, a fonctionné comme moyen de promotion ; les instituteurs, enfin, qui prennent à leur tour la place que l'on sait dans la France d'après Jules Ferry : entre 1906 et 1913, un peu plus d'un normalien d'Auteuil sur trois est fils d'ouvrier ou d'employé (35,2 %) ; entre 1926 et 1933, pas loin d'un sur deux (44,7 %). Parmi les élèves-maîtres de Saint-Lô, les enfants d'ouvriers et d'employés passent de 12 % en 1880-1884 à 49,5 % en 1920-1924, remplaçant ceux de commerçants et d'artisans — de 28,2 % à 3,4 %. Déjà, le mécanisme pénètre dans la couche du salariat industriel. Du reste, l'enseignement mène à tout à condition d'en sortir. Il vaudrait mieux connaître, à l'intérieur de l'ensemble du corps des fonctionnaires, ces mobilités latérales qu'on a déjà devinées du côté des petits entrepreneurs. En 1911, 51 % des boursiers de l'enseignement secondaire sont eux-mêmes des fils de fonctionnaires…

Enfin, l'essor des services signifie peut-être aussi la chance des femmes, une chance du moins d'échapper à leur condition de mineures. La mécanisation de l'indus-

*Les demoiselles du téléphone. Un bureau téléphonique parisien en 1900. Supplément illustré du
Petit Journal. Paris, Musée postal.*

trie en avait fait rentrer bon nombre au foyer ; ce sont la banque du grand magasin et
la machine à écrire qui les en font sortir. Dès la veille de la première guerre mondiale et
plus encore entre les deux guerres se transforment les structures de l'emploi féminin :
sa part augmente sans cesse, jusqu'en 1936, dans les bureaux et dans les magasins —
pas tout à fait un million entre 1921 et 1926, et un peu plus dans la dernière décennie
de l'avant-guerre. Comptables, demoiselles des postes et du téléphone, secrétaires,
dactylos y gagnent, elles aussi, une stabilité de l'emploi et une évidente qualité des
conditions de travail, même si ces dernières, on le verra, demeurent longtemps contrai-
gnantes. C'est moins par une promotion interne — on préfère toujours choisir un
homme pour un poste de responsabilité — que par l'apparition des nouveaux métiers
que se fait l'ascension de nombre d'entre elles. Infirmières, sages-femmes, bientôt
assistantes sociales, elles demeurent enfermées dans ce que l'époque juge encore spécifique de ce qu'elle appelle la nature féminine — la maternité, la puériculture, l'assistance aux déshérités. Mais déjà, nonobstant la formation qu'on leur donne, les infirmières s'évadent d'une tradition de bénévolat de la bonne société ; souvent venues de
milieux modestes, ces auxiliaires médicales acquièrent auprès des populations qu'elles
soignent un évident prestige. Leur médiation est ambiguë, mais elles comptent déjà au
nombre de ce que l'on appellera bientôt les cadres.

Les moyens du savoir et de la compétence…

Affaire de formation initiale ? De 1866 à 1889, 88 jeunes filles seulement avaient obtenu le baccalauréat, et une vingtaine le doctorat en médecine, sans oser exercer. La loi Camille Sée de 1880 marquait une rupture en leur ouvrant largement l'enseignement secondaire : de 300 au départ, elles sont 3 000 dès 1886 dans les lycées et les collèges, 20 000 en 1913 et 55 000 en 1939, outre les élèves des pensionnats privés. Il est difficile d'y voir une explication convaincante, car beaucoup d'entre elles ne vont pas jusqu'au baccalauréat, pas plus que les garçons d'ailleurs. Du reste ceux-ci ne bénéficient guère d'un essor analogue. Jusqu'en plein XXe siècle, mille barrières interdisent aux enfants du peuple d'accéder à l'enseignement secondaire dont, de façon significative, les effectifs progressent médiocrement. Après une croissance vive entre 1840 et 1880, c'est la stabilité qui l'emporte, avant une reprise après 1930 : en cinquante années de république, fait remarquer A. Prost, il ne gagne pas 15 000 élèves, de Jules Ferry à Édouard Herriot. L'école du peuple, il faut aller la chercher du côté de l'enseignement primaire supérieur qui, dès 1914, compte plus d'élèves que les lycées et double tous les vingt ans, et dont les ambitions sont limitées.

1884 : le personnel d'une école primaire de Roubaix.

Les études secondaires sont encore réservées à la bourgeoisie. La Sortie du lycée Condorcet, *tableau par Jean Béraud au début du siècle.*

Néanmoins, depuis le Second Empire, l'étudiant est devenu une figure familière des grandes villes universitaires. On n'en comptait que 9 500 entre 1866-1870 ; il y en a plus de 76 000 entre 1935 et 1939. On délivre sept fois plus de doctorats en droit que dans les années 1850, trois fois plus de licences, et le nombre des médecins diplômés chaque année a lui aussi triplé. Vers 1900, les différentes grandes écoles d'ingénieurs en forment un millier par an, quatre fois plus dans les années 1920, avant de retomber à 2 000 dix ans plus tard, et, sur le marché, il y en a 99 000 en 1940 quand ils n'étaient que 55 000 à la fin de la première guerre mondiale. Sans connaître l'extraordinaire fortune des *professions* à l'anglo-saxonne, les professions libérales sont parmi les grandes gagnantes de la transformation de la société française : les hommes de loi, les avocats, qui passent aisément de la tradition chicanière des petites villes du XIXᵉ siècle aux grandes affaires du XXᵉ — qu'on songe à la fortune d'un Waldeck-Rousseau ; et surtout les médecins, longtemps de fort petites gens, qui, à la Belle Époque, s'allient aux meilleures familles de la bourgeoisie après avoir fait fortune, fondent des dynasties qui vont avoir la vie dure et interviennent à tous les niveaux de la vie collective en prétendant la régenter. Sans doute la basoche et la médecine sont-elles intrinsèquement des mondes où les écarts sont considérables. Mais, justement, comme la fonction publique ou l'univers des employés. Leur ascension collective doit beaucoup, elle aussi, au renforcement de leurs compétences, à l'efficacité thérapeutique des uns, au savoir juridique des autres. Or, avec eux, on touche aux sommets : pendant longtemps, au XIXe siècle, la profession libérale n'a été qu'un masque pour la rente, et, à la fin, s'il reste une chance d'accéder à la grande entreprise, c'est par la fonction d'ingénieur qu'elle passe. Sans doute l'industrie prend-elle de plus en plus l'habitude d'envoyer ses fils à Centrale ou à Polytechnique : 23 % des X en 1880-1914 contre 9 % en 1815 et 1829 ; mais on y compte aussi désormais 9,5 % d'enfants de boutiquiers et d'artisans, au lieu de 1,6 %, et même 10,2 % d'enfants venus de plus bas encore, ce qui n'était pas le cas sous la Restauration. Tout le monde n'a pas la chance d'entrer à Polytechnique. Mais pour les autres, restent les écoles d'Arts et Métiers : 12 % de fils de boutiquiers et d'artisans entre 1860-1890, 8 % de fils de petits fonctionnaires, et 22 % de fils d'ouvriers, sur un échantillon de 182 gadzarts. Pour les enseignants, c'est l'École normale de Saint-Cloud qui joue le même rôle : pendant l'entre-deux-guerres, un cloutier sur deux est d'origine populaire, et, dans les années 1930, un sur cinq de souche ouvrière.

A l'inverse, voici le monde de la magistrature à son tour soumis aux contraintes de la compétence et de sa vérification. Après un premier essai entre 1875 et 1879, on crée définitivement un concours d'entrée en 1906, d'ailleurs longtemps après d'autres grands corps de l'État. Avec le XXe siècle, elle décroche enfin de ce monde de la basoche lié à celui de la rente et de la propriété foncière, et substitue la seule capacité à la trilogie qui, depuis longtemps, faisait la carrière : famille, fortune et bonne réputation. Sans doute la démocratisation de la justice et de ses métiers n'est-elle pas pour tout de suite. La destinée professionnelle des enseignants reste marquée par leurs origines sociales, et les nouvelles dynasties d'instituteurs, comme celle des Sandre dont Jacques et Mona Ozouf ont ressuscité la mémoire, ne signifient pas la fluidité d'une société ; le milieu familial pèse lourd dans le succès futur des polytechniciens. Mais, encore une fois, il y a quelque distance entre la réalité des choses et l'idée que l'on s'en fait. Du commis des postes et du garde-voie au directeur de banque ou au secrétaire général d'une grande entreprise, il n'existe pas de barrière mais seulement des niveaux, même s'ils sont innombrables, et rien n'interdit de penser que le savoir permettra de les franchir, sinon pour soi, du moins pour ses enfants. Nous retrouvons ici cette capillarité sociale, identifiée à la fin du XIXe siècle, qui pousse les employés de l'entre-deux-guerres à limiter une descendance sur laquelle ils reportent, à cheval sur deux générations, leur projet d'existence. Nonobstant le verrouillage social des groupes, la chance des individus paraît intacte, même si elle prend d'autres voies. Un signe de modernité ? Voire ! Le rêve de grandeur n'est pas exempt de contradictions.

... mais des rêves de propriétaire-rentier

En effet, voici que le rêve de bourgeoisie, dans le même temps, se réduit à celui d'acheter sa maison, tout simplement. Pendant tout le XIXᵉ siècle, à Lille, la part des bâtiments s'accroît dans toutes les successions des couches moyennes. D'une manière générale, ils jouent, sous le Second Empire, un grand rôle dans l'avoir des bourgeoisies modestes des petites villes. A Toulouse, la part du mobilier baisse même entre 1880 et 1914, notamment chez les boutiquiers qui lui préfèrent l'achat d'immeubles de rapport. Il y a bien longtemps que l'on sait l'attrait des canuts lyonnais pour eux, et l'on connaît des cas où le même immeuble est transmis sur trois générations, jusqu'aux années 1930 ; au début du XXᵉ siècle, ils constituent — à leur niveau bien sûr — 72 % des avoirs de manœuvres à Bordeaux, quand ceux-ci ont la chance de n'être pas totalement démunis.

Ce n'est pas forcément une mauvaise affaire. Pendant tout le XIXᵉ siècle, la spéculation immobilière est allée bon train, des grandes opérations de lotissement de l'époque haussmannienne à la construction de l'habitat populaire et, surtout, à celle des hangars et des ateliers dont ont besoin les industries nouvelles. Elle a été l'occasion de belles carrières d'affairistes. De 1850 à 1900, le revenu des locaux à usage locatif a triplé. A compter de 1884-1888, la baisse des taux d'intérêts transfère une partie des capitaux vers le bâtiment : à la Belle Époque, son rendement est sans doute plus élevé que celui des valeurs. De façon significative, le prix des maisons à Paris, à qualité égale, monte jusqu'en 1913 alors que, dans l'ensemble, les loyers sont stables. Et le poste de l'immobilier dans les plus gros patrimoines, son relatif maintien à un niveau élevé dissimulent souvent un glissement vers des immeubles en ville : en 1908, un quart des 50 millions de l'annuité successorale à Rouen, et dans neuf successions sur dix de grands industriels et négociants. Sans doute la loi de 1918 qui proroge les effets du moratoire de 1914 et bloque les revenus locatifs dans une période d'inflation détourne-t-elle les placements de la pierre. Mais s'il y a bien effondrement du revenu net des propriétaires jusqu'à la fin des années 1920, la reprise est nette après 1930 et, jusqu'à la guerre, il progresse plus vite que le coût de la vie. En dehors du logement, les villes de l'entre-deux-guerres offrent bien de nouvelles occasions d'investissement, dans les garages, les cliniques, les hôtels ou les salles de cinéma.

Boutiquiers et employés n'en sont cependant pas là. Comme les petits artisans ou commerçants de Toulouse au XIXᵉ siècle, ils cherchent à posséder d'abord la maison qu'ils habitent, au terme d'une vie de travail souvent, et qui engloutit la totalité de leurs économies. Ou bien l'on voudrait préserver à tout prix — les employés — ce qui reste d'un héritage ; parce que c'est un placement sûr, immédiat, et plus encore après la Grande Guerre, mais surtout parce que la fortune, c'est la pierre : on retrouve cette fascination, déjà repérée en d'autres pays — par exemple dans les villes américaines de la fin du XIXᵉ siècle —, où l'achat de sa maison marque l'ascension sociale, en général avant une rechute à la deuxième génération. A la fin du XIXᵉ siècle, c'est en faisant construire à leur propre goût — qui n'est pas mauvais — au cœur de la ville que les petits notables du Creusot, des commerçants enrichis, des médecins, se posent en face de la toute-puissance des Schneider. Plus tard, combien d'employés parisiens reviennent au pays pour y faire bâtir des pavillons prétentieux qui disent leur réussite aux yeux des indigènes, et dont il arrive qu'ils n'habitent que les sous-sols ! Un signe de sclérose ? de manque d'ambition ? Ce n'est pas certain : il fut un temps où la bourgeoisie conquérante copiait les châteaux de la noblesse. Une façon, plutôt, d'adhérer aux nouvelles valeurs de la société, dont on veut montrer qu'on a su y prendre sa part.

Les grands travaux de l'urbanisme haussmannien encouragent la spéculation immobilière à Paris. Ici, le chantier de l'Opéra en construction depuis 1862. Ouvriers du bâtiment et tailleurs de pierre au travail. Photo Delmaet et Durandelle.

L'analyse vaut aussi pour l'attrait des valeurs mobilières, qui ne touche pas que les grands. On constate, assez tôt dans le XIXᵉ siècle, des signes d'une participation populaire aux nouveaux jeux de l'économie : F. Codaccioni l'a repérée dans certains patrimoines lillois très modestes. A. Plessis note que 14 % des actionnaires de la Banque de France en 1851 sont des salariés — on trouve même quelques journaliers parmi eux —, et 18 % en 1870. Sans doute est-il rare que ces très petits porteurs aient plus de deux titres. Mais, parmi eux, figurent justement beaucoup de ces travailleurs qualifiés, parisiens surtout, à cheval sur l'artisanat indépendant et le salariat, tel ce chauffeur de machine à vapeur dont l'épouse, une papetière, détient trois actions en 1853 — en 1858, le couple en possède cinq —, et surtout des employés, ceux de la banque elle-même, des commis de magasin, et même ce Jacques Forestier, cocher, qui possède deux actions à son mariage en 1829 et quatre une trentaine d'années plus tard. En 1881, on trouve parmi les actionnaires de l'Union générale, à côté du Gotha de la noblesse et de l'Église françaises, des grandes affaires régionales aussi : J. Louison, passementier à Saint-Étienne, pour 5 900 F ; un maître maçon de Gap, pour 4 550 F ; un comptable stéphanois, pour 5 600 F ; un autre, de Beaujeu, pour 88 F ; enfin des mécaniciens, des chefs d'atelier en soierie, des menuisiers, etc., toutes les professions artisanales et du travail à domicile, mêlées aux autres classes de la société, à l'exception du prolétariat d'usine, justement. « L'espoir de l'intérêt, du rapport, du gain », dit J. Bouvier, qu'ont répandu les nouveaux établissements de crédit à partir des années 1860, au plus profond des milieux populaires. Quelques années plus tard, une obligation de Panama, après tout, ne vaut guère que 440 à 460 F, et on n'en demande que 50 à la souscription. Passons sur la popularité des emprunts russes... C'est alors à l'ampleur du désastre qu'on mesure la généralité de la tentation.

Il y a aussi la préférence plus prudente pour les titres de rente français, pour ceux des compagnies de chemin de fer garantis par l'État. Et la Banque de France n'a jamais présenté un grand risque : à la Belle Époque, ces valeurs se retrouvent dans deux successions bourgeoises sur trois... Entre les deux guerres, si l'on en croit P. Cornut, les valeurs à revenus fixes sont particulièrement nombreuses chez les petits porteurs, sans compter les livrets de caisse d'épargne, depuis bien longtemps familiers aux employés. Mais on aurait tort d'y repérer une France frileuse de la petitesse. Les observateurs exagèrent sans doute en montrant les canuts du Second Empire suspendus au télégraphe qui leur apporte les cours de Bourse du monde entier et, nonobstant certains auteurs de la fin du XIXᵉ siècle, il est difficile de connaître l'exacte mesure de cette participation populaire aux espoirs du capitalisme. Ils seront encore nombreux, les comptables ou les cordonniers qui confieront leurs économies aux chevaliers d'industrie de l'entre-deux-guerres. Et le premier gagnant de la Loterie nationale n'est-il pas un artisan coiffeur ? La fortune vient comme elle peut ; on n'a jamais renoncé à y parvenir, et les journaux boursicoteurs ne se retrouvent pas seulement sur le bureau de M. de Rothschild.

Pourquoi le rêve d'enrichissement soudain ne coexisterait-il pas avec le profit modeste que l'on attend du labeur quotidien ? l'espoir d'une carrière brillante avec la possession de la maison familiale ? Que la société française soit entrée avec précaution dans le temps des villes et de l'industrie va de soi. De chaque avancée des unes et de l'autre, on peut aussi mettre l'accent sur la lenteur de pas précautionneux. Il faut attendre le Second Empire pour que la population des campagnes cesse d'augmenter en nombres absolus ; attendre la fin des années 1920 pour que les citadins l'emportent : le décalage est considérable avec ce qui s'est passé, vite et fort, dans les autres pays d'Europe. On a vu aussi ce que signifiait l'instabilité des nomenclatures socioprofessionnelles, la paresse de leurs reclassements aussi. Mais la mutation s'est faite, et

La popularité des emprunts russes. Emprunt de la ville de Moscou en 1908 : une obligation de 187 roubles, 50 kopecks, soit 500 F, portant intérêt à 50 %, exonérée de taxes et impôts en Russie.

bien faite. Si les écarts sociaux ne s'élargissent pas dans les grandes villes à l'étalon des successions, c'est parce qu'ils y étaient très forts déjà au début du XIXᵉ siècle. A Marseille, pour un journalier, la moyenne du patrimoine — quand il en a un — vaut 1 470 F en 1911 ; celle d'un négociant ou d'un industriel, 95 700 F. Et la fortune d'un manufacturier lillois pèse près de 9 700 avoirs ouvriers, tant à la veille de 1914 que sous la Seconde République. L'évolution économique n'a pas élargi l'espace social dans les grandes villes, mais elle l'a aggravé ailleurs avec la dissémination de l'industrie.

Mais entre les deux extrêmes de la hiérarchie marseillaise, les patrimoines s'échelonnent aussi avec le statut : 7 850 F en moyenne pour un ouvrier qualifié, 14 800 F pour un employé, 22 000 F pour un petit commerçant. A Lille aussi, la tendance à la polarisation conserve intacts les niveaux intermédiaires. Et, à l'intérieur même de la société industrielle, jouent d'autres dynamismes, pour d'autres gens : de 1850 à 1920, finalement, la fortune moyenne des négociants n'y progresse guère que de 80 %, celle des industriels de 200 %, alors que la hausse est de plus de 500 % pour les fonctionnaires et les cadres supérieurs, et de 600 % pour les professions libérales. Les chances sont bien, aussi, du côté du travail et de la capacité, même si la classe ouvrière elle-même en est écartée, au moins jusqu'aux années 1920. Leur réalité contribue à garder ou à faire renaître autrement les espérances que l'on a de les saisir.

Assez étrangement, une partie du petit peuple lorgne de plus en plus vers la propriété foncière, lors même que les milieux d'affaires, la bourgeoisie en général s'en détournent pour les grandes opportunités du marché financier. Au début du XIXᵉ siècle, c'est pour eux que l'étiquette de propriétaire portait prestige et respectabilité, de préférence à celle de banquier ou de négociant. A la Belle Époque, ce sont les boutiquiers, les artisans et les employés qui la recherchent : un héritage, bien sûr — on a vu que l'ancêtre en sabots et sa soif de terres n'est jamais loin —, mais aussi un reflet, décalé dans le temps, des valeurs dominantes. En même temps, on s'accroche néanmoins à ces barreaux multiples de l'échelle sociale. Très tôt, ils inscrivent un réseau de mobilité qui est celui de la petitesse, du pas à pas, et que la chance d'une guerre qui décime les élites — celle de 1914-1918 — peut soudain accélérer. De cette petitesse, on finit par faire une vertu — *La Petite République, Le Petit Journal*, les petits soldats... Mais, après tout, la réussite sociale est une affaire de projet et d'appréciation individuels.

9
Les espaces
de la société citadine

Pourtant, à l'enracinement des paysanneries dans un espace familier et à leur ancrage dans un temps immuable, le nouveau monde urbain paraît opposer longtemps tous les signes d'une perpétuelle instabilité des hommes et des choses où l'on a tendance à voir l'essence des désordres d'une société. Comment en irait-il autrement quand la population des villes, du moins sa fraction la plus récente, la plus nombreuse, la plus déshéritée, semble n'être elle-même que de passage ? Quand l'espace urbain ne fait qu'accentuer sa désorganisation en séparant des groupes sociaux jusque-là mêlés et en n'accueillant ses nouveaux citoyens qu'au prix d'un détournement forcé de l'usage de ses rues et de ses places et du pourrissement de ses maisons ? Quand le logement enfin n'est plus, pour reprendre une formule de Thiers en 1850, que le refuge occasionnel de « vagabonds dont on ne peut saisir ni le domicile ni la famille » ?

Lorsque le XIXᵉ siècle ne lit pas ses mutations en termes de dégradation du passé, il le fait en contrepoint d'un ordre en partie imaginaire — et bientôt fragilisé — des campagnes : c'est à l'usage des citadins que s'élabore le mythe paysan. Il ne se leurre pas tout à fait. Géographie de la mobilité, cadre urbain et quartier, logement : les trois espaces emboîtés — celui d'où l'on vient, celui où l'on vit, celui où l'on habite — où s'inscrivent les populations urbaines, le temps d'une existence comme celui d'une journée, sont bien d'une autre nature, à coup sûr déroutante. Mais, derrière les apparences du désordre, ils obéissent à leurs propres logiques, elles-mêmes ambiguës et, surtout, changeantes au fur et à mesure qu'avance le XIXᵉ siècle. Et, en entraînant finalement la majorité des Français, ils finiront par constituer la norme.

LES RÉSEAUX DE LA MOBILITÉ GÉOGRAPHIQUE

Les soldes migratoires indiquent l'étrangeté grandissante à la ville de ses propres habitants, de leur majorité en tout cas. Mais ils masquent leur incessant va-et-vient. Le gonflement démographique, ce n'est pas l'aboutissement d'un transfert géographique des hommes : c'est le signe d'un nomadisme accéléré des individus. Une errance qui entraîne la rupture avec les cadres de la société traditionnelle, la famille, le métier, la communauté villageoise sans que ceux de la tradition urbaine, submergés par le nombre et manquant de la durée nécessaire, puissent leur substituer leurs propres disciplines. Elle signifie donc, d'abord, la fin des solidarités qui assurèrent la prégnance des valeurs morales et sociales. Et c'est au travers de la délinquance que l'on découvre la mobilité des nouveaux citadins, ces « classes dangereuses » dont L. Chevalier, naguère, a décrit le visage entre la réalité et ses représentations.

Le temps des vagabonds ?

Les grandes cités, donc ? Un « refuge pour les ouvriers paresseux [...] qui demandent au crime leurs moyens d'exister », écrit en 1845 le garde des Sceaux. C'est encore à ces nomades que pense un peu plus tard Adolphe Thiers en dénonçant « la vile multitude », confuse et remuante, qui « a perdu toutes les républiques », si différente du petit peuple citadin de la tradition, solidement installé au cœur des villes, à l'ombre de leurs bourgeoisies. Deux moments forts, à cause de la personnalité de leurs auteurs, dans un discours qui court sur tout le siècle, aussi bien chez les littérateurs — de tous ordres — que dans l'opinion publique. Chaque grande secousse politique — au lendemain de 1848, de 1851, de 1871... — voit s'inquiéter les autorités et se multiplier les instructions officielles pour contrôler les circulations et bloquer les déplacements vers les grandes villes. A la fin des années 1870, après plusieurs décennies d'alarme déjà, les pétitions prolifèrent plus que jamais — la franc-maçonnerie s'en mêle en 1881 —, qui pressent le pouvoir d'agir avec toute la sévérité nécessaire pour enrayer le vagabondage. La justice n'a pourtant jamais cessé d'y être attentive. De 2 910 entre 1826 et 1830, le nombre annuel moyen de condamnations est passé à 10 429 de 1876 à 1880. La loi de 1885, qui instaure la relégation, n'est pas étrangère au souci d'éradiquer un délit où la récidive est de règle. Après un temps de répit, les poursuites reprennent de plus belle au début des années 1890 — 19 723 jugements par an ! — contre ceux qu'un député n'hésite pas à traiter de « véritables bêtes sauvages » et, en 1910, la Chambre des députés crée une commission spéciale pour combattre le fléau.

L'action des tribunaux apporte moins, *a priori*, la preuve d'une réalité des conduites que celle d'une volonté de les réduire. D'autre part, la confusion est permanente entre deux phénomènes de nature différente : le vagabondage, lié à la mobilité accrue des gens ; la mendicité, provoquée, on le verra, par les récurrences tardives de la misère, mais que la définition juridique du délit associe. Il faudrait aussi faire la part des souvenirs démodés d'une gueuserie d'Ancien Régime, d'ailleurs aussi bien rurale qu'urbaine, à la fois obséquieuse et menaçante, et qui ne subsiste plus guère, au milieu du XIXᵉ siècle, que dans certaines cités du Midi, comme Toulouse. Les travaux de G. Désert montrent que le danger n'est pas totalement imaginaire ; jusqu'à la fin des années 1880, il y a bel et bien progression d'une criminalité de l'errance, avec une accélération marquée à la fin du Second Empire, alors même que reculent les autres délin-

Silhouette inquiétante de vaga-bond. Lithographie par Gavarni, 1857.

quances. Des débuts de la monarchie de Juillet à la Belle Époque, parmi les condamnés de tous ordres s'accroît, assez nettement, la part des célibataires et des jeunes gens... C'est-à-dire de ceux qui, aux yeux du médecin lyonnais Plotton, constituent l'essentiel d'une population flottante que, dans sa propre ville, il n'hésite pas à estimer au quart du total. Et A. Chatelain classe la prostitution parmi les activités qui provoquent et soutiennent les migrations temporaires...

Criminels, délinquants ? Sans doute. Mauvais ouvriers ? A coup sûr. Ces « compagnons » — des salariés précaires, en fait, des manœuvres — qui s'arrêtent à peine n'ont pas le temps d'apprendre un métier ni de se plier aux règles d'un groupe professionnel. La Restauration et la monarchie de Juillet lyonnaises sont pleines de plaintes contre ces canuts d'occasion — 1 100 « étrangers » sur les 3 300 compagnons de la Croix-Rousse en 1833 —, malhabiles et capricieux, et qui n'hésitent pas à s'en aller au milieu d'une pièce. On sait les difficultés que, tout au long du siècle, ont les compagnies houillères ou les patrons de la sidérurgie pour retenir leur main-d'œuvre... Mais voici, un demi-siècle plus tard, deux ouvriers stéphanois, 20 ans en 1889, et une bonne qualification technique. Jean R. est poêlier-fumiste ; depuis l'âge de 16 ans, il n'en collectionne pas moins les condamnations pour vagabondage, cinq en trois ans, à Dijon, à Marseille, à Paris, à Vienne et à Aix ; il y gagne les bataillons d'Afrique ; plus tard, il paraît s'assagir, bien qu'il écope encore de deux séjours en prison, mais pour coups et blessures. Pierre M., lui, est ajusteur ; et c'est entre 25 et 26 ans puis, beaucoup plus tard, la quarantaine passée, qu'il a maille à partir avec la justice, d'abord à Chalon-sur-Saône, Nevers, Vienne et Gannat, puis à Florac et à Dole. Nous ne savons rien d'autre de l'histoire de leur vie ; mais l'absence d'autres délits paraît indiquer qu'il ne s'agit pas de marginaux.

A partir du Second Empire surtout, le nomadisme des leaders ouvriers ne peut qu'ajouter à la confusion. Imagine-t-on que la grève puisse être fomentée par d'autres que des « étrangers », un mot qui désigne d'ailleurs, dans un sens élargi, tous ceux qui ne sont pas du pays ? De fait, voici, parmi cent autres, Prosper Bourguet, « terrible meneur » (c'est la police qui parle) des grèves du port de Marseille au début de la Troisième République. « Une vie de bourlingueur à la Cendrars », écrit M. Perrot, condamné pour vol à 15 ans, ancien marin, trafiquant d'eau-de-vie, un moment militant de l'Internationale, docker enfin. Ou Jules Pobé, moins flamboyant, mais sans doute plus familier, un mégissier qui dirige un conflit du travail à Grenoble après que son action a été repérée dans une bonne demi-douzaine de villes. Ou un certain Soleski, un porion mis en cause à Anzin, en 1872, après avoir dérivé dans le Borinage et poussé jusqu'aux États-Unis. « Meneur et rouleur », dit d'un quatrième, en 1882, la police de Roubaix.

Les deux mots ne sont-ils pas synonymes ? La grande majorité des communards — au travers de leurs procès — ne laisse-t-elle pas deviner une instabilité géographique de provinciaux mal fixés ? A la fin du siècle, on tient à jour avec le plus grand soin la liste des anarchistes nomades et les commissaires spéciaux arpentent avec fièvre le quai des gares, en attendant que l'entre-deux-guerres ne tente de suivre à la trace, avant de les expulser, les communistes étrangers, dans le Nord-Pas-de-Calais, par exemple. Du droit commun, le danger de l'errance est passé au plan politique ; ce n'est pas forcément plus rassurant ; et il importe peu que la crainte qu'on en a contribue à aggraver la mobilité. Une grève qui échoue, les meneurs doivent partir ; tracasseries policières, listes noires du patronat : il est rare qu'on puisse s'installer, à moins de se renier. Pourtant, les militants et les délinquants ne sont pas seuls à courir les grandes routes : à travers les autobiographies des plus modestes, des moins connus, au XIXe comme au début du XXe siècle, on a l'impression que c'est la classe ouvrière tout entière qui a longtemps des fourmis dans les jambes. La société du temps saisit à travers ses marginaux — parce qu'ils grossissent le trait — un phénomène longtemps généralisé et de toute première importance.

Migrants temporaires et compagnons : l'écume du passé

Avant tout, bon nombre de ces travailleurs citadins d'occasion sont charriés par les grandes vagues de migrations temporaires. Éléments fondamentaux d'un certain équilibre économique des campagnes, on l'a vu, dans le Massif central et les Alpes, mais aussi entre Flandres et Ardennes et pour toute une partie de l'Ouest, c'est sans doute dans la première moitié du XIXe siècle qu'elles atteignent leur apogée. Elles continuent à se faire, au rythme des saisons, de campagne à campagne pour l'essentiel. Mais, de plus en plus, par force, elles intègrent le réseau urbain, des gros bourgs vers les grandes cités. Ramoneurs savoyards, chaudronniers auvergnats, rémouleurs du Queyras, taupiers de l'Orne, colporteurs de l'Oisans : des occupations qui n'ont rien à voir avec la modernité, mais dont la présence est voyante et qui constituent une part non négligeable des multiples petits métiers que sécrète l'économie citadine.

D'autre part, celle du plat pays est elle-même trop diversifiée, souvent trop étrangère à l'agriculture proprement dite pour que la spécialité qu'on emporte avec soi ne trouve pas à s'y employer, et dans ses secteurs les plus neufs. Dans un sens, ce sont les besoins de la papeterie locale, par exemple, qui amènent les gens d'Ambert à se faire chiffonniers ambulants. Dans un autre, il y a toute une tradition nomade des métiers du cuir et de la métallurgie dans l'ouest du Massif central ; les cordonniers du Trièves passent par Romans et les fabriques de chaussures de la vallée du Rhône ; les horlogers du Faucigny par les fabriques helvétiques de La Chaux-de-Fonds ; et les mineurs et les forgerons de l'Ariégeois, les fondeurs de l'Est trouvent aisément à s'occuper, pour un temps, dans les grandes usines métallurgiques d'un peu partout. Enfin, les peigneurs de chanvre du Bugey finissent par se frotter à la soierie lyonnaise, comme les scieurs de long montagnards à s'intégrer, avec les charpentiers, à la main-d'œuvre polymorphe de la construction.

Car ce sont, évidemment, les ouvriers du bâtiment qui offrent l'image la plus achevée de ce genre de mobilité. On connaît bien, depuis Martin Nadaud, celle des « Limousins ». C'est entre 1840 et 1880 qu'elle est la plus forte, à tel point que ceux qui viennent de l'ouest du Massif central finissent par être majoritaires chez les maçons et les tailleurs de pierre de Paris et de Lyon. Mais il y en a aussi à Saint-Étienne et La Rochelle, à Bordeaux et à Besançon, et le réseau des déplacements englobe toutes les villes du Sud-Ouest et celles, vers l'Est, d'une France médiane, jusqu'à la Franche-Comté et à l'Alsace méridionale où les ouvriers du bâtiment rencontrent, surtout dans la région lyonnaise, logiquement, leurs homologues italiens.

Jusqu'aux années 1880, en effet, une bonne part des ouvriers étrangers s'identifient à la mobilité temporaire de nombre de travailleurs français. Au moins dans la France du Sud. Longtemps, on voit les Piémontais passer les cols alpins au printemps et s'en retourner à l'automne après y être demeurés le temps d'une saison ou d'un chantier — sur le ballast des voies ferrées en construction, par exemple, sous le Second Empire. Vers 1900 encore, on estime qu'il y a plus de 30 000 saisonniers transalpins, et le recensement de 1911 note que beaucoup d'entre eux ne sont là qu'en transit. La mémoire populaire retiendra d'ailleurs longtemps l'image des bandes errantes et pittoresques de ces « oiseaux migrateurs », comme elle dit, et des « maquignons » qui les conduisent, sous le double signe du nomadisme et d'une disponibilité d'emploi qu'explique aussi une certaine médiocrité de la qualification. Tous les Italiens ne sont pas ces plâtriers-peintres qui bariolent les maisons de la Guillotière au XIXe siècle, et on trouve parmi eux trente-six métiers et plus.

Telles quelles, leurs équipes nomades ne se distinguent pas de celles des maçons limousins. Vers Paris, depuis leurs villages, ceux-ci se rassemblent à Vierzon pour marcher en groupes, *via* Orléans, le long de la route royale n° 20. Pour Lyon, c'est à Clermont-Ferrand qu'on se retrouve ; puis, à travers sentiers et champs, par étapes de dix-huit à vingt lieues, Lezoux, Thiers, Noirétable, Feurs, on s'achemine en file indienne, en quatre ou cinq jours, sous la direction d'un fourrier-payeur, le plus débrouillard et aussi le meilleur marcheur. A chaque étape, on s'arrête dans la même auberge, chez la « mère », dit-on. Nous y voilà, à travers cette contamination et les abus du vocabulaire.

Le réseau de mobilité des Limousins et des Piémontais, comme celui de tous les autres migrants temporaires, se calque sur la seule diachronie des opportunités économiques. Il n'est pas réglé, et se modifie d'ailleurs au gré des dynamismes géographiques. Mais il croise d'autres chemins, ceux-ci fortement marqués par l'institution, exclusivement urbains, qui sont ceux du compagnonnage et que continuent à suivre, jusqu'à l'aube du Second Empire, sans en dévier, des milliers de « gavots » et de

Conduite d'un compagnon du Tour de France, au début du XIXᵉ siècle. Paris, musée des Arts et Traditions populaires.

« dévorants ». Au-delà de l'étape obligatoire chez la « mère », de la fraternité des « cayennes » et du rituel d'un idéal partagé, il y a pour eux aussi la route faite ensemble, à pied ou sur le toit d'une diligence, les camaraderies d'occasion et les bonnes rencontres ; ou les mauvaises, avec ceux d'une organisation rivale, qui, jusqu'à la monarchie de Juillet, peuvent se terminer par des rixes sanglantes, voire des batailles rangées qui ne contribuent pas à laver la mobilité de son association à la violence.

Le Tour de France est d'ailleurs le contraire d'une errance, puisqu'il ne laisse guère de place au choix — ou du moins le limite-t-il singulièrement. Les villes de passage varient avec les rites et les métiers ; mais, à l'intérieur de chacun d'entre eux, elles ne changent pas. Chaque corporation a son maillage de villes « majeures », ou « de boîte », ou « de devoir », et de villes « mineures » ou « bâtardes » qui tracent la pérégrination. Ainsi, Paris, Lyon, Marseille, Bordeaux, Nantes et Angoulême font partie des premières pour les cordonniers vers 1860 ; Avignon, Nîmes et Toulouse, des secondes, tandis que Sens, Aix et Dijon n'ont que des « chambres d'aspirants ». Et l'on sait la longue tournée exemplaire d'Agricol Perdiguier, dit Avignonnais la Vertu : menuisier, il quitte son Morières natal à 18 ans et demi pour n'y revenir que quatre années plus tard, en 1828, après être passé par Marseille, Nîmes, Montpellier, Béziers, Toulouse, Bordeaux, Rochefort, Nantes, Tours, Blois, Chartres, Paris, Chalon-sur-Saône et Lyon. Une boucle quasi parfaite, presque à la mesure du pays.

La mobilité des savoir-faire

Deux autres histoires de vie, plus tardives, et de gens qui n'ont rien à voir avec le compagnonnage. Celle que nous raconte Jean-Baptiste Dumay, un instant maire communard du Creusot, député socialiste. En 1860, à 18 ans, après son apprentissage de tourneur sur métaux, le voilà qui part pour Paris ; puis pour un long voyage méridional qui, en moins de deux ans, le mène vers le Midi par la Bourgogne et la vallée du Rhône. S'il ne s'attarde guère à Auxerre, Tonnerre, Dijon, Valence ou Marseille, c'est qu'il n'y trouve pas d'embauche ; mais il s'arrête plus longtemps, parce qu'il y a du travail, à Épinac, Lyon, Nîmes et La Ciotat, qu'il quitte au bout de quatorze mois pour revenir tirer au sort au Creusot ; ce fut son « Tour de France », dit-il dans ses mémoires. Eugène Saulnier, lui, est un verrier du XXe siècle, né en 1891 au Plessis-Dorin, aux confins du Loir-et-Cher ; dès 18 ans, il s'en va à la verrerie de Brasville, en Dordogne, puis à Choisy-le-Roi, avant deux brefs séjours à Bois-Meudon et à Fourmies ; ce n'est qu'après la guerre — pendant laquelle il a été prisonnier en Allemagne — qu'il reste au pays, à la verrerie toujours, jusqu'à la soixantaine. Encore paraît-il relativement casanier pour un verrier. Jusqu'à la fin du XIXe siècle, ceux de Carmaux ou de Givors bourlinguent à partir et au travers de trois douzaines des villes françaises, une centaine, où

Avec ce rite de terminaison d'un chef-d'œuvre par des compagnons charpentiers, le compagnon est passé maître.

l'on souffle les bouteilles. L'horizon de leur existence dépasse d'ailleurs les frontières : Gijón et les Asturies, Murano et l'Italie du Nord sont parfois du voyage. Les pérégrinations d'un Jean Faussurier, conscrit en 1889 à Rive-de-Gier, n'ont plus rien à voir avec les apprentissages de l'adolescence. C'est entre 22 et 45 ans que, du pays de ses 20 ans où il revient un temps à 28, 36 et 40 ans, il nomadise entre Carmaux, Chalon-sur-Saône, La Mulatière, Veauche, Marseille et aussi l'Espagne. E. Saley, qui est de la même génération, est, lui, mouleur en fonte : il parcourt la France, à partir de Lyon, par Rouen, Paris, Le Mans, Rouen encore, Alençon, Caudebec et Noyon, pour se retrouver à Villeurbanne en 1914. Quatre ans ici, trois là, une seule année ailleurs, quelques mois, deux ans — deux fois —, puis sept et enfin six ans ; au fur et à mesure qu'il avance en âge, il tarde plus à repartir mais, finalement, il le fait.

Les points de chute ne doivent évidemment rien au hasard. Derrière certaines des étapes de J.-B. Dumay, on découvre quelques-unes des principales entreprises du Second Empire : Cail à Grenelle, les ateliers du PLM à Oullins, les chantiers navals de La Ciotat. L'analyse des lieux de naissance des ouvriers lyonnais et stéphanois montre, fortement au milieu du XIXe siècle, encore au début du XXe siècle, l'importance de cette mobilité géographique à l'intérieur des nouveaux secteurs industriels, qui tend à reproduire celle qui existait à l'intérieur des métiers artisanaux, même non réglés, de ville à ville : à la fin de la monarchie de Juillet, par exemple, c'est vers Paris que se dirigeaient principalement les artisans d'outre-Rhin chassés par la crise ; en 1847, on y compte un Allemand pour trois compagnons cordonniers, un pour cinq ébénistes, deux pour cinq tailleurs. Or, Le Creusot — comme maintes autres petites villes alentour du Massif central — est bien, à l'inverse, un foyer d'appel et de constitution d'une main-d'œuvre métallurgique sous la monarchie de Juillet. Dès le Second Empire, il devient aussi un centre de diffusion, vers la région lyonnaise notamment, et, dans l'entre-deux-guerres, en direction des banlieues métallurgiques de Paris. De même, il existe des diasporas à partir de la porte de Bourgogne et, à la fin du XIXe siècle, quand vient la crise, du bassin stéphanois.

Ailleurs, et dans d'autres secteurs, les exemples abondent. Les porcelainiers de Limoges vont et viennent entre les pays voisins du kaolin et les autres centres de la céramique, Villedieu, Vierzon, Bourganeuf, Paris ; et il est de tradition que, de Sarreguemines, les meilleurs partent pour Trenton, près de Philadelphie, d'où il leur arrive de revenir. Dans les années 1830, Pittsburg compte parmi les horizons sidérurgiques lorrains. Pendant tout le XIXe siècle, les canuts lyonnais s'échangent avec Paterson, Zurich et Krefeld. Nonobstant un certain discours de la bourgeoisie, il arrive que le patronat y trouve son compte : c'est la Compagnie des mines de La Grand-Combe qui, dès les années 1840, encourage les gens de Blanzy, de Saint-Étienne, de La Mure et de Mons à venir travailler chez elle ; et, entre 1905 et 1910, on trouve une cinquantaine d'originaires de Graissessac, un petit bassin cévenol, dans les fosses d'Auboué. La mobilité n'est pas que le fait de manœuvres sans qualification, donc sans feu ni lieu ; au contraire, semble-t-il, et avec une force grandissante, au fur et à mesure qu'avance le XIXe siècle. Mais, naturellement, ce nomadisme au long cours ne joue pas pour la totalité des nouvelles populations urbaines et industrielles, selon les secteurs et les régions.

Ville, campagne : les termes de l'échange

Sans doute, sur le chemin d'aventures qui le ramène d'Algérie, l'Amiénois Norbert Truquin, contemporain de Napoléon III, se fait un moment tisseur à Lyon pour les beaux yeux d'une ouvrière en soie. Mais, en général, c'est des campagnes environnantes que viennent les travailleurs du textile, peu portés — moins que d'autres — à courir les routes. Comme à la fin de l'Ancien Régime, les « canuts » sont des Bugistes et des Savoyards descendus au fil du Rhône, des gens du Beaujolais ou du Dauphiné de la plaine. Les tisserands lillois, des Flamands. D'en deçà ou d'au-delà de la frontière : entre 1866 et 1870, Roubaix est à 55 % une ville belge et, à la fin du siècle, la minorité étrangère atteint pratiquement un quart de la population lilloise. C'est en Basse-Normandie et dans le pays de Caux que se puise la main-d'œuvre rouennaise. C'est-à-dire, dans tous les cas, en des régions rurales où les travaux de la soie, du coton ou du lin sont depuis longtemps des occupations familières et où ils continuent à se développer en plein XIXᵉ siècle. On a vu plus haut comment le textile — et bien d'autres branches — mobilisent alors à leur profit le trop-plein des campagnes. Du coup, nombre de villes industrialisées baignent plus que jamais dans une nébuleuse d'ateliers éparpillés dans les bourgs et dans les fermes, et qui vivent par elles et pour elles.

Dans les années 1820-1830, il est difficile de séparer les citadins des ruraux parmi les 30 000 travailleurs du lin dans la mouvance lilloise, d'autant plus qu'on cultive celui-ci jusqu'au milieu du XIXᵉ siècle dans la vallée de la Lys et les plaines voisines. Il en est des dizaines de milliers d'autres un peu partout, et particulièrement autour de Roubaix. D'Hem, de Wattrelos, de Flers et de maints autres villages, ils portent chaque semaine leur pièce d'étoffe par des trottoirs que les fabricants font paver dès 1818 pour alléger leur peine. Toute la métropole textile du Nord vit en étroite osmose avec l'industrie de son plat pays. Les murs de la ville n'ont pas grande signification dans une aire où, d'ailleurs, il y a bien longtemps qu'ils ne séparent plus les activités ni les hommes. Le coton rouennais, lui aussi, baigne parmi les 65 000 tisserands et les trois cents petites usines hydrauliques implantées au village. Plus de 30 000 couturières montent les gants pour les 2 000 coupeurs de cuir et les 180 marchands-fabricants de Grenoble. L'organisation éclatée de la fabrique lyonnaise de soieries est trop connue pour qu'on s'étende longuement ; dans les années 1860, peut-être plus de 300 000 hommes, femmes et enfants œuvrent pour elle dans un rayon de cent cinquante à deux cents kilomètres, orienté vers les mûriers et les magnaneries du Rhône moyen. Et puis il y a l'auréole rubannière et armurière du bassin stéphanois, la tradition toilière du Choletais, l'horlogerie de la vallée de l'Arve...

Dès lors, c'est à l'intérieur de ces espaces mi-partis que se font bon nombre des déplacements de travail. Les villes industrialisées s'annexent les campagnes ; mais l'essor simultané de leur propre population les amène à y puiser une main-d'œuvre déjà coutumière des tâches qu'elles attendent d'elle. G. Garrier montre, en pleine campagne beaujolaise des années 1840, tel tisserand villageois totalement étranger à l'agriculture, et vivant de son seul métier à soie ou à coton. Alors que, dans telle ville du Nord, c'est encore de la culture que l'un de ses homologues, à la fin du siècle, tirera l'essentiel de ses revenus. Ce qui compte, c'est une certaine accoutumance indirecte au travail industriel, même si celui-ci est second. C'est elle qui suscite et guide une autre mobilité, plus courte, dans un univers auquel on s'est habitué. Il faut ajouter que la multiplicité des petites implantations manufacturières joue le même rôle, qui n'exclut pas, avec l'arrivée en ville, un changement de métier, de spécialité au moins. Dès les années 1840, les forges de Saint-Chamond et de Rive-de-Gier sont pleines d'anciens cloutiers ou serruriers ruraux. A Tarare et à Amplepuis, on passe aisément du coton à la soie et *vice versa*, selon la prospérité alternante des deux étoffes. Au début du XXᵉ siècle, ce sont les anciens artisans des secteurs ruraux sinistrés de l'Ouest, le tissage de la toile, la petite métallurgie, les minières, qui viennent le plus volontiers s'embaucher dans les nouvelles industries de Nantes ; tout comme les fils de tisserands, devenus nombreux parmi les mineurs du Nord, ou ceux de céramistes et de verriers chez les sidérurgistes lorrains : cette fois-ci, le rôle du milieu joue sur la génération suivante.

Enfin, ce n'est pas parce qu'on vient de près que le séjour en ville n'est pas, aussi, un simple moment de l'existence. De Lyon, et d'ailleurs, on revient d'autant plus aisément au pays natal que la métropole où l'on est allé ne constitue pas un univers étranger : les dévideuses de soie — certaines d'entre elles en tout cas — une fois leur dot constituée, des canuts pour recueillir l'héritage paternel, tout en continuant, chez soi, à tisser. A l'occasion, l'exode se fait massif, et il grossit un retour qui n'est qu'un des modes du va-et-vient : la fameuse expédition des Voraces sur Chambéry en 1848 habille d'un idéal politique ce qui n'est que la rentrée en Savoie des compagnons chassés par le chômage. Car, sous le Second Empire toujours, chaque reflux de l'activité refoule les uns comme chaque flux attire les autres. Dans le Nord, la longue survie du tissage domestique à l'intérieur même des villes rend encore plus banal un échange qui n'est pas transfert, et la faiblesse des distances s'ajoute à la similitude du travail. De même, la région stéphanoise et l'arrondissement vellave d'Yssingeaux forment un champ migratoire unique, tout comme la longue rue à la fois industrielle et agricole, aux cent activités, qui va de Firminy à Givors le long des vallées de l'Ondaine et du Gier.

Il y a d'ailleurs bien longtemps que tous les patrons de France savent le danger des grèves du printemps et du début de l'été. Dans la Loire, par exemple, quand mineurs et métallurgistes sont aux foins ou à la moisson en Forez et en Haut-Vivarais. A Lyon, où il arrive qu'on ait du mal à honorer les commandes d'automne parce que les canuts vendangent en Beaujolais. Au milieu du XIXᵉ siècle, on estime, à Brest, qu'il faut délester les effectifs de l'arsenal en juillet-août, si l'on ne veut pas « compromettre l'existence de la classe ouvrière ». Car, partout, une bonne partie de celle-ci demeure mal fixée, tirée ou repoussée par les alternances de la conjoncture sectorielle, à l'intérieur même des activités industrielles, mais aussi de l'ensemble de la vie économique. Et, un peu partout, il arrivera qu'au lendemain des années 1930, on retourne franchement à la terre : il est des villages des Flandres, de Normandie et du Bourbonnais qui se gonflent des retrouvailles avec l'exploitation ancestrale. Le destin de « Mémé Santerre » dont on a recueilli l'histoire est moins heureux, pas forcément exemplaire, mais pas tout à fait exceptionnel : née à l'aube de la dernière décennie du XIXᵉ siècle, dans une famille de tisserands d'Avesnes, près de Cambrai, elle finira sa vie de travail dans un grand domaine sucrier du Bassin parisien.

Car l'essor du chemin de fer et des transports collectifs rapides, la prolifération de leur maillage — qui atteint ses plus fortes densités à la veille de 1939 — n'aboutit souvent qu'à modifier les temps de l'échange. Ainsi dans les années 1880-1900, à l'aurore de la semaine, pour ces tisseuses et ces ourdisseuses de soie qui montent chaque dimanche soir vers les usines-couvents du Bas-Dauphiné — Voiron, Bourgoin-Jallieu ou La Tour-du-Pin —, venant du Vivarais et du Dauphiné rhodanien où elles reviennent le samedi. A la Belle Époque, des villages entiers de l'Artois et des Flandres se vident tôt le matin des mineurs qui, d'un rayon de soixante kilomètres, viennent descendre

L'essor des transports collectifs : tramways sur la place Gambetta, à Amiens, en 1906. Photo Seeberger.

dans les fosses de Denain et de Lens. Le réseau serré des chemins, des omnibus, la géné-ralisation de la bicyclette renforcent encore l'unité mouvante de la communauté ouvrière du Nord et du Pas-de-Calais, à cheval sur la frontière, vers laquelle pousse — ce n'est pas un hasard — l'espace bâti de la conurbation Lille-Roubaix-Tourcoing. Les mobilités traditionnelles se ramifient entre Nantes, Saint-Nazaire, Basse-Indre, villes industrielles de l'estuaire ; les ouvriers des chantiers navals et de la métallurgie rentrent le soir au village et ils passent le dimanche aux champs, au milieu des vignerons. Dans l'entre-deux-guerres enfin, la généralisation de l'autobus raccourcit encore le temps de l'échange et facilite celui-ci, autour de Berliet-Vénissieux et des grandes usines métal-lurgiques de la périphérie orientale de Lyon, entre autres.

Des paysans transplantés

Dès lors, on peut s'interroger sur l'exacte nature d'une fraction de ces populations urbaines qu'on a coutume de mettre au rang de la nouvelle classe ouvrière créée par l'industrie. La dualité de l'échange avec les campagnes n'empêche pas celui-ci d'opérer sur des masses considérables de gens, des milliers, voire des dizaines de milliers, en quelques années : comme ces tisseurs flamands qui, sous la monarchie de Juillet, fran-chissent et submergent les barrières de Lille sans qu'on ait le temps de s'en apercevoir.

Pour la même époque, un historien de Rouen se demande si la noirceur du tableau qu'on est amené à faire de ces ouvriers ne s'applique pas, en fait, à une masse de ruraux pauvres, déracinés, mal logés, souvent en situation irrégulière. Et, dans les premières décennies de la Belle Époque, le véritable drame de Nantes, c'est peut-être l'incapacité qu'on a d'assimiler ces immigrants des campagnes, même s'ils ne sont pas étrangers, même si eux aussi — une partie d'entre eux, du moins — sont de passage. Une partie de la classe ouvrière des villes, de leur petit peuple, n'est-ce pas, au XIXᵉ siècle, une fraction de la campagne vite transplantée et longtemps mal intégrée ?

La remarque est ancienne pour les mineurs des villes de la Loire ou du Pas-de-Calais, qui lie la rudesse des manières à la rusticité des origines. « Vous, paysans ! » : l'adresse de Basly aux ouvriers de La Mure, vers la fin du siècle, est mal reçue ; mais elle traduit une opinion assez générale, que paraît corroborer un travail récent sur la criminalité à Saint-Étienne. L'historien américain H. Zehr note d'ailleurs que, pendant tout le XIXᵉ siècle, la délinquance est plus forte, plus brutale aussi dans les villes industrielles où les gens ont encore de la terre à leurs sabots : on y a moins le respect des personnes, les coups et les blessures y sont plus fréquents. De même, les pratiques malthusiennes que l'époque attribue à la mauvaise influence citadine ne sont-elles pas souvent importées du plat pays, où l'on sait leur rôle dans la conservation des patrimoines ? P. Guillaume le pense pour les Béarnais de Bordeaux. Au contraire, les familles nombreuses de Roubaix et de Tourcoing acclimatent en ville la forte fécondité des Flandres catholiques. Et l'on verra, au niveau du quotidien, combien il est difficile de rompre avec les habitudes de la paysannerie. La blouse, son vêtement, n'est-elle pas devenue souvent, au XIXᵉ siècle, symboliquement, celui des ouvriers au travail ?

Car, même lorsque l'installation en ville et l'embauche dans l'industrie se font pérennes — jusqu'à toute une vie —, les liens ne se rompent pas pour autant. L'enfance est d'ailleurs, souvent, l'occasion d'un renvoi aux origines. Jusqu'à la guerre de 1914-1918, au moins, dans les cités industrielles du Massif central, on vous renvoie passer quelque temps « en plou », comme dit le patois régional, entre l'école et la mine ou l'usine ; ou « chez les paysans », dans le Vénissieux chimique et métallurgique des années 1930. Maint futur leader syndicaliste se souviendra d'avoir d'abord gardé les chèvres ou les vaches. J. Merriman montre tout ce qui attache les « bicanards » de Limoges — où, justement, la population augmente brutalement de 65 % entre 1846 et 1881 —, ces porcelainiers fraîchement arrivés des campagnes et dont les « villauds », qui sont de pure souche citadine, moquent la balourdise et la docilité, aux villages qu'ils ont quittés sans s'en éloigner : la rencontre des parents venus à la foire ou au marché ; les visites pour l'enterrement de l'oncle ou le mariage de la nièce ; les expéditions de chasse et de pêche, encore fréquentes à la Belle Époque. Et l'on sait avec quelle rapidité les difficultés du ravitaillement réactiveront pendant la seconde guerre mondiale des cousinages dormants.

A Limoges toujours, le patois des « bicanards » n'est pas le moindre de leurs liens avec le plat pays, mais il contribue à les faire étrangers en ville. Tout comme les ouvriers brestois de l'arsenal, des gens du Léon, bretonnants, bigots et souvent analphabètes dans une cité de fonctionnaires voltairiens. Ou comme les tisserands de la conurbation lilloise, les mineurs d'Anzin : parmi ceux-ci, en 1879, il en est 8 000 sur 14 000 à venir des puits du Borinage ; mais ce qui sépare, ce n'est pas la frontière politique, au coin de la rue ou au bout de l'usine. C'est la pratique populaire du flamand pour les uns, du « ch'timi » pour les autres. Et, dans le Bordeaux du XIXᵉ siècle, si le français l'emporte dans les milieux populaires, c'est parce qu'il est le seul langage commun à des populations séparées par la multiplicité des dialectes d'oc.

Ouvriers du bâtiment par Steinlen. Paris, musée du Louvre.

Les émigrants italiens à la gare Saint-Lazare, Le Petit Journal, *mars 1896.*

A l'inverse, voici la photo de famille d'une verrerie du Loir-et-Cher en 1902 et son ordonnance quasi féodale : le propriétaire — comte de Fayet — en peau de bique, le contremaître en bottes de *gentleman-farmer*, les femmes en coiffe de paysanne. Le partage des existences et la monade des mobilités vont longtemps dans le sens du respect des traditions et, notamment, de celui des hiérarchies sociales. Car, jusqu'à la fin du XIXᵉ siècle, cet espace est aussi celui des bourgeoisies urbaines : elles ont toutes, on le sait, du bien en campagne, et il n'y a pas si longtemps que beaucoup d'entre elles en sont venues. Elles conservent l'habitude d'y vivre, au moins en partie, dans leurs maisons des champs de Pâques à la Toussaint, et l'hiver seulement dans les hôtels particuliers des villes. Avec elles, elles ramènent leurs domestiques — en plein XXᵉ siècle, chez les patrons de la construction lyonnaise, des Limousins bien sûr — et aussi une partie de leurs ouvriers : à la Belle Époque, les Pavin de Lafarge font plus confiance à leurs amis curés du Haut-Vivarais pour recruter leurs terrassiers du Teil et de Viviers qu'à tous les bureaux d'embauche. Et Isabelle Bertaux de montrer comment, entre les deux guerres, les associations parisiennes de natifs — sauf celles des Bretons, infiltrées par le communisme ! — tentent de reproduire et de prolonger dans la capitale, à travers le patronage et le charisme de leurs leaders, les types de relations sociales et de dominations qui avaient cours au pays ; bien sûr, on retrouve à leur tête ceux qui ont réussi — une minorité ; les autres se sont fondus dans la population parisienne et ont oublié qu'ils étaient Auvergnats ou Bourguignons !

Les liens et les chances de la mobilité

Ce poids des continuités que crée la proximité et leurs effets d'intégration — même si celle-ci n'est pas celle qu'on imaginait — semble s'opposer à l'apparente anarchie de ces ouvriers de métier spécialisé gyrovagues qui, on l'a vu, parcourent la France d'un bout à l'autre et dont on sait l'équivoque renommée. Les voilà, les déracinés de la société urbaine et industrielle, dont les déplacements sont dictés et guidés par les seules opportunités de la conjoncture économique. Bien sûr. Mais la réalité est moins simple et, à y regarder de plus près, on s'aperçoit que leur mobilité n'est pas celle du hasard et qu'elle s'appuie, aussi, sur les réseaux des parentèles et des amitiés lointaines.

Ainsi, le voyage de J.-B. Dumay vers le Midi est aussi une tournée des parents et des amis ; du moins, il en a l'allure. A Paris, il retrouve une douzaine de Creusotins et d'autres à Oullins — dont un ami de longue date — et à Marseille ; en Arles, il loge chez un cousin. Eugène Saulnier, en plein XXᵉ siècle ? Quand il projette d'aller à Brasville, c'est parce que son frère Armand y est déjà ; quand il y est, il habite chez un souffleur venu du Loir-et-Cher ; c'est le cousin d'un verrier du Plessis qui le fait embaucher à Choisy ; et, à son arrivée à Paris, on l'attend à la gare d'Austerlitz avant de lui offrir gîte et couvert. On retrouve, à près d'un siècle de distance, la trace de ces réseaux qu'évoquait déjà Martin Nadaud pour les maçons du Limousin : fraîchement débarqué à Paris en 1830, n'était-il pas allé demeurer dans le garni qui, jadis, avait été celui de son père ? Et, par la suite, c'est par le biais de ses relations qu'il avait trouvé ses chantiers. On pourrait multiplier les exemples, comme celui de ce tailleur lorrain, Albert Heuilly, qui part pour Philadelphie, sur la fin du siècle : c'est parce que son frère y est déjà installé. Ou, à la marge, celui de ce colporteur-mercier de l'Oisans qui, chaque printemps, pérégrine dans la Nièvre autour de Corbigny : parce qu'il y a plusieurs parents, et qu'il s'y est fait pas mal d'amis.

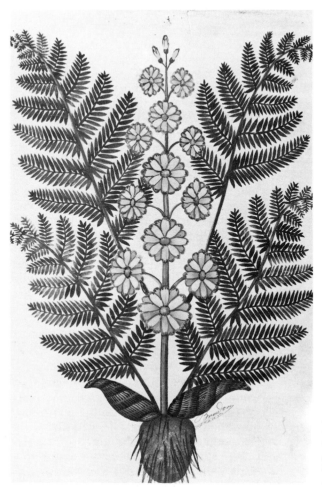

Les colporteurs comptent parmi les déracinés de la société industrielle et urbaine. Planche de colporteur-grainetier de l'Oisans, fougères à fleurs, XIXᵉ siècle, Grenoble, Musée dauphinois.

Les autobiographies ouvrières du XIXᵉ siècle sont pleines de cousins retrouvés après des années et d'amis qui, souvent, travaillent au même métier. Car la mobilité s'appuie sur ces réseaux en même temps qu'elle les crée et les renforce : régulièrement, elle laisse derrière elle ceux qui s'installent, parce qu'ils sont trop vieux, parce qu'ils y ont pris femme, etc. : les registres de mariage, dans toutes les grandes villes, attestent la généralité de cette sédimentation qui, à son tour, devient appui géographique. Par elle et par les rencontres des autres errants s'organise la solidarité matérielle et, surtout, le renseignement sur l'état des marchés du travail. Sur la route, on se donne des adresses, on cite des noms, qui sont toujours utiles. E. Saulnier, encore, à propos d'un ami qui, « la quarantaine passée, [...] avait déjà pas mal roulé sa bosse. [...] Son nom me disait quelque chose pour en avoir entendu causer ». Faut-il ajouter que, plus on est loin de chez soi, plus les gens du pays natal paraissent chers ; et, souvent, on en fait ses témoins quand on se marie.

Le boulanger parisien.
L'Illustration, *1906.*

Ces solidarités n'ont guère laissé de traces écrites, sinon indirectes. Dans certaines pratiques patronales, par exemple, qui s'en servent pour recruter et sélectionner leur main-d'œuvre. Voici à Brest, en 1861, cet entrepreneur de travaux publics qui finit par employer toute une famille, à partir d'un seul membre. Ou, à une autre échelle, les mines de La Grand-Combe après 1920 : elles demandent à leurs ouvriers tchèques et polonais de leur fournir des noms de parents qu'elles puissent faire venir à leur tour. Et, à Vénissieux, c'est la présence d'un contremaître qui explique celle de nombreux ouvriers de la Haute-Saône, d'une colonie d'Oranais aussi. Entre les deux guerres, en grande ville, les amicales de compatriotes commencent à formaliser ces réseaux. Pourtant, à Paris, les ouvriers boulangers qu'a étudiés I. Bertaux sont de ceux qui paraissent y échapper ; et les liens qui les relient semblent bien ténus. Or, l'enquête orale, quarante ans plus tard, montre que leur migration a été elle aussi étroitement guidée, protégée, contrôlée, par le maillage des parentèles et des amitiés. Celles-ci peuvent même jouer au travers d'un parent inconnu qui avait quitté le pays avant la naissance du nouveau Parisien. En procurant un meilleur travail, en assurant le confort matériel, en trouvant, à l'occasion, une femme ou un mari, elles pèsent lourdement sur sa destinée. Et c'est par elles, souvent, qu'on sort de la condition salariale pour devenir patron boulanger.

Car on peut se demander si, dans cette France progressivement bloquée de l'industrialisation, partir, ce n'est pas la condition nécessaire pour réussir. La mobilité géographique ne signifie pas automatiquement l'ascension sociale, mais elle y aide sou-

Les migrants et leurs activités : le montreur de lanterne magique, par Gavarni.

vent. Ces ouvriers qualifiés nomades du XIXᵉ siècle sont d'ailleurs loin de ressembler toujours à l'image de dissipation qu'on en trace. J.-B. Dumay comme E. Saulnier mènent une vie rangée de plaisirs modestes, et recherchent autant que possible les substituts d'une vie familiale. Et les maçons du Limousin ! S'ils sont si mal vus des ouvriers parisiens — « les petites coureuses des bals refusaient même de danser avec nous », se plaint M. Nadaud —, c'est parce qu'ils ne sont guère prodigues et vivent dans la nostalgie du pays. Et, à partir de la fin du siècle, quand ils vont renoncer à y revenir, on va voir leurs noms se multiplier aux premiers rangs du Gotha des entreprises parisiennes et lyonnaises de travaux publics — les Chagnaud, les Pitance — où leurs descendants sont encore aujourd'hui. Plus étonnante encore est la réussite, un « modèle », d'après F. Raison, des chaudronniers-ferrailleurs auvergnats. En attendant, plus tard, l'investissement de la limonade et de l'hôtellerie. On a vu, plus généralement, le rôle des provinciaux dans la boutique. Bien sûr, la réussite paraît moins éclatante dans d'autres spécialités, les métallurgistes, les verriers... encore qu'à Carmaux... Qui sait ? La réussite sociale, on l'a vu, emprunte bien d'autres voies que l'entreprise. Au XXᵉ siècle, c'est parmi eux que se recrute la maîtrise des grandes usines, et l'étude de la deuxième génération révélerait sans doute bien des bonnes surprises, du côté des petits fonctionnaires, des ingénieurs des Arts et Métiers, des enseignants.

La fin des solidarités géographiques

A partir de la Belle Époque, cependant, les cartes se brouillent. L'obsession de l'errance est plus forte que jamais. Livres et articles s'appliquent à démontrer qu'elle a des origines biologiques, qu'elle est un signe de dégénérescence physique. La cuistrerie va jusqu'à l'expliquer par la lointaine hérédité des peuples nomades de l'Antiquité ! Au moment même où l'apparition du nouveau type social du clochard, oisif, inapte et malpropre, signifie son recul. Dans une société où le domicile tend à se fixer, le travail à se régulariser, l'errance commence à signifier la marginalité et l'exclusion, en tout cas une coupure grandissante avec le gros de la classe ouvrière. D'un tout autre côté, il y a bien longtemps — depuis les années 1850 — que le compagnonnage s'est effacé et, là où il demeure, les « mères » et les « cayennes » ont perdu l'essentiel du rôle qui était le leur. Parce que, avec le siècle nouveau, les chemins et les réseaux de mobilité s'estompent et les fidélités au pays proche ou lointain s'atténuent, sous l'effet de l'allongement des chemins et de la submersion des villes et des industries par la masse des nouveaux venus.

Dès la Belle Époque, en effet, la forte prégnance des réseaux de mobilité commence à pâlir derrière un apparent désordre des migrations où l'on retrouve les seuls effets de proximité. Le phénomène se traduit par un progressif arrondissement des bassins migratoires autour des villes, qui tend à s'organiser par cercles concentriques. En général, la part du département d'alentour devient encore plus prépondérante, quand celui-ci n'a pas été déjà vidé. Ainsi, on commence à voir un plus grand nombre d'Ardéchois et de Dauphinois du Rhône moyen à Lyon qui n'en avait, longtemps, guère attiré. Les deux tiers des ouvriers de Caen viennent désormais de la Manche et du Calvados. Et un peu partout s'affaiblit la trace de ces vieux cheminements qu'expliquait seule une tradition datant de l'Ancien Régime, de certains secteurs occidentaux du Massif central vers Bordeaux — qui commence enfin à devenir une ville aquitaine —, des cantons du nord de la Bretagne vers Rennes, des plaines de la Saône jusqu'au seuil de la Bourgogne vers Lyon, etc. Les routes à longue distance des ouvriers qualifiés demeurent, on l'a vu ; elles se nourrissent même de la crise de certains centres industriels trop précoces, comme Saint-Étienne qui perd alors une bonne partie de ses travailleurs les plus habiles, et même Lille d'où s'effectuent 15 000 départs entre 1901 et 1906. Mais elles représentent peu de choses par rapport aux déplacements à courte distance que généralise la décadence des économies rurales.

En même temps, les chemins des paysans vers la ville s'allongent, logiquement. Il y a longtemps que le Bassin parisien n'a plus rien à apporter à la capitale, et, désormais, ce sont des Bretons ou des gens du Massif central méridional qui se dirigent vers elle. A Lille et dans les villes de la conurbation nordique, les Champenois se multiplient à côté des Flamands de naguère. L'agglomération de la basse Seine, Rouen, Le Havre, etc., puisent dans l'ensemble de la Normandie ; et il y a bien longtemps que l'arsenal de Brest a étendu son attraction à la Cornouaille et aux cantons littoraux du Léon. Par le seul effet de la distance, on part maintenant avec un moindre souci de revenir, une moindre chance aussi, même si l'on continue à en avoir l'espoir. On fait de moins en moins souvent étape, vers la métropole, par le bourg ou la petite ville ; et on change souvent de métier. Comment en serait-il autrement, quand s'effilochent les activités, mi-urbaines, mi-rurales, de l'ère proto-industrielle ? Quand les mutations de l'économie font naître des secteurs, donc des types d'emploi, totalement neufs ? La voilà, enfin, cette classe ouvrière faite de déracinement et d'atomisation. « Toutes les races étaient mêlées, toutes les nations confondues », écrit, en 1931, un certain Jean

Aubin — dont on ne sait rien d'autre — dans *Le Nouvel Âge* dont Henry Poulaille est rédacteur en chef, à propos de la grande usine. Quant aux ouvriers, « ils n'avaient pas compris que c'était fini, que la société disparue [...] ne remonterait jamais plus à la surface, et qu'ils étaient pour toujours en exil ». Un texte qui se réfère, il est vrai, à la masse des manœuvres étrangers, et même exotiques, que l'on connaît forcément mieux que celle des manœuvres bretons ou provençaux, parce qu'ils sont plus étroitement surveillés. Mais on sait que, longtemps, l'étranger a désigné celui qui, simplement, n'était pas du pays. Et les modalités de son existence, à partir de la Belle Époque, ne font que grossir, aggraver ce qui se passe pour l'ensemble des nouveaux prolétaires français.

Le temps des étrangers

Ceux-ci étaient déjà là dans le courant du XIXᵉ siècle et, dans tel ou tel secteur, à une place non négligeable. Mais les milliers d'artisans allemands des années 1840 n'avaient guère laissé de marque que dans le champ du politique. De même, il n'est resté que quelques traces patronymiques des fondeurs et des puddleurs britanniques venus aider aux nouvelles techniques métallurgiques sous la Restauration et la monarchie de Juillet. Lyon est depuis longtemps, aussi, une cité helvétique et italienne, sans que son identité en soit altérée. Il est vrai, on l'a vu, que beaucoup d'étrangers ne font que passer : pour les 840 000 qui, d'après J. Grandjonc, paraissent fixés en France en 1847, il en était plus de 250 000 en transit. Sans doute le Second Empire avait-il marqué un tournant, dans le Nord, quand certaines compagnies houillères avaient esquissé une politique d'importation de la main-d'œuvre belge. En fait, sauf exception frontalière et parisienne, l'apport étranger à la classe ouvrière et au petit peuple urbain demeure médiocre jusqu'aux années 1880 si l'on s'en tient aux sources statistiques. Surtout, là où la main-d'œuvre est nombreuse, la frontière n'est jamais loin. Les Belges, aisément francophones, sont des familiers, comme les Espagnols à Toulouse et dans les villes du Sud-Ouest, et les Piémontais — qui jusqu'en 1860 peuvent être des Savoyards — dans celles du Sud-Est et du Midi méditerranéen. Avec ses 60 000 « journaliers » dans les années 1890, et ses 100 000 à la veille de la première guerre mondiale, Marseille est en partie une ville italienne, et Nice plus encore, pour d'évidentes raisons.

Parmi ces étrangers, beaucoup de manœuvres, évidemment, ou d'ouvriers semiqualifiés — 10 % de l'emploi français du bâtiment à la Belle Époque, à peu près autant que celui du vêtement. Mais, à Bordeaux, on en trouve une majorité dans les services, employés de commerce et de bureau, boutiquiers, 52 % des hommes, 63 % des femmes. On a vu qu'il y en avait aussi à Marseille, à Toulouse. Pendant tout le XIXᵉ siècle, les milieux d'affaires et la bourgeoisie ont toujours su accueillir et intégrer leurs semblables, qui sont d'emblée des leurs : la vieille souche britannique des Chartrons, la tradition zurichoise à Lyon, le noyau hellénique de Marseille, sans parler du cosmopolitisme parisien. La continuité des arrivées — qui coïncide avec la multiplication des départs — colle simplement à l'internationalisation grandissante des affaires. Dans les années 1920 enfin, on trouve des étrangers un peu partout dans les professions libérales, la médecine et le barreau, et, de Maurras aux ligues nationalistes des années 1930, c'est surtout en pensant à eux, plus qu'aux épiciers arméniens et aux coiffeurs italiens, qu'une partie de l'opinion publique part à la chasse aux « métèques ». Est-il besoin de souligner à quel point le danger de gâter la communauté nationale était faible ?

Il n'en va pas de même dans les villes ouvrières. Dès la Belle Époque, la grande industrie commence à regarder les manœuvres étrangers d'un autre œil. « Véritables

Chinois de l'Occident », dit alors des Italiens un observateur lyonnais, durs au travail, faciles à nourrir ; en 1904, on se félicite de les voir accepter des tâches que les nationaux refusent. Dès 1891, on compte 12 % d'étrangers parmi les salariés de la métallurgie, 13 % dans les mines et 22 % dans la chimie qui symbolise la modernité. On les voit se multiplier dans la construction mécanique des agglomérations lyonnaise et marseillaise, dans la Loire, en Meurthe-et-Moselle. On relance l'importation des mineurs de fond, mais cette fois-ci au profit de la Lorraine du fer, et bientôt du charbon : en 1913, les trois quarts de ceux qui travaillaient à Briey et à Longwy. Dans tout le Sud-Est, c'est aussi désormais le cas de nombre de femmes et d'adolescents employés aux tissages de soierie en Dauphiné, dans la diaspora lyonnaise. Et, surtout, les étrangers prolifèrent dans l'ensemble des secteurs de l'industrie urbaine, dans les métropoles essentiellement : en 1911, 40 % d'entre eux vivent dans quatre grandes villes — Paris, Lille, Marseille et Nice.

Pourtant, ils ne représentent guère que 6 % des travailleurs manuels du pays, à un niveau étale depuis 1891 où leur part oscillait entre 6 et 7 % du total de la population active. Mais, en renversant la lecture des chiffres, 80 % d'entre eux sont des ouvriers de l'industrie ; et, ici ou là, dans l'électrotechnique alpine, dans l'extraction lorraine, ils s'identifient pratiquement à l'ensemble de la nouvelle embauche, comme ces milliers de célibataires italiens des vallées sidérurgiques lorraines. Au lendemain de la guerre, voilà que maîtres de forges et patrons de houillères créent, en 1924, la Société générale d'immigration, qui officialise et étend une pratique jusque-là diffuse ; entre 1924 et 1926, la Société lyonnaise de soie artificielle de Décines, dans la banlieue lyonnaise, va chercher dans les bidonvilles d'Athènes et de Salonique des Arméniens rescapés des massacres de 1915. C'est par milliers que Polonais, Espagnols et Italiens affluent vers les fosses du Valenciennois — toujours la Compagnie d'Anzin — ; un mineur stéphanois sur quatre est étranger — Polonais le plus souvent mais aussi, déjà, Nord-Africain — en 1934. A Nancy, leur nombre double de 1921 à 1931 — d'un peu plus de 3 100 à 6 500 —, et ils assurent à eux seuls la croissance démographique de la ville. A Grenoble, où leur part, malgré la proximité de la frontière, était restée constante à la Belle Époque — autour de 4 % —, il y en a presque six fois plus — soit 12 000 en 1931 — qu'en 1901 ; en comptant ceux qui sont naturalisés, la souche italienne correspond à 15 % de la population. C'est cependant peu de chose à côté de la banlieue : plus de 30 % à Fontaines ou à Saint-Martin-d'Hères. Dans telle commune lorraine ou alpine, les ouvriers nationaux sont même franchement minoritaires.

Au plan d'ensemble, ce n'est pas une submersion, sauf pendant les quelques années de la Grande Guerre où les usines d'armement sont allées chercher des dizaines de milliers de Méditerranéens, d'Africains, d'Annamites et même de Chinois ; dès l'armistice, ceux-ci sont repartis, et il n'en reste que des individus abandonnés par la vague, même si cette dernière a amorcé une immigration maghrébine dont on sait la lointaine fortune. Mais, dans tel secteur, dans tel espace, l'importance nouvelle des étrangers finit par introduire une ligne de fracture à l'intérieur même de la classe ouvrière. Serge Bonnet montre comment, dans la Lorraine des années 1900, sidérurgistes français et mineurs italiens appartiennent à deux univers différents, au-delà d'une commune condition sociale, et à peu près fermés l'un à l'autre. L'exaltation de leur catholicisme, la brutalité de leurs mœurs, leur réputation de jouer aisément du couteau met les Italiens — les « christos » — à l'écart du reste des prolétaires marseillais. Pardessus tout, partout, leur réputation de docilité au patronat en fait longtemps des briseurs de grève et, plus tard, une main-d'œuvre recherchée.

La politique patronale, désormais affirmée — il y a « nécessité absolue de choisir la main-d'œuvre étrangère que nous payons », dit-on —, aide à maintenir et à élargir la coupure. Dans les années 1920, on n'hésite pas à aller la chercher au cœur des réservoirs les plus éloignés, avec un système de préembauchage, de contrôle sanitaire et de sélection préalables. C'est le temps des Polonais : 48 % des mineurs de la Loire, 40 % de ceux du Valenciennois. Voici aussi, on l'a vu, les Arméniens chassés de Turquie vers les savonneries marseillaises et la chimie de la vallée du Rhône. Les Italiens viennent de moins en moins du Piémont, mais de Romagne et des Pouilles — le tiers de ceux de Grenoble en 1931 —, voire du Mezzogiorno. Et le glissement des Espagnols ne se fait plus seulement de Catalogne, mais d'Andalousie et du Levant.

L'effet du nombre joue dans le même sens que celui du décalage culturel pour ralentir, voire empêcher, une intégration progressive qui avait été longtemps de règle. On vient de plus en plus en famille, et les patrons y encouragent : les logements qu'ils fournissent créent des cités monocolores qu'encadrent, dans des écoles spéciales ou des sociétés sportives et folkloriques, prêtres et instituteurs venus avec les ouvriers. Les Polonais comme les Arméniens conservent avec soin leurs fêtes, leur vie religieuse et leur langue. Les consuls italiens veillent à ce que l'identité nationale survive à la transplantation ; face aux organisations syndicales d'immigrés, les *fascii* et les journaux mussoliniens transposent en pleine Lorraine des antagonismes tout à fait étrangers à la vie politique française et aux luttes ouvrières autochtones. On peut trouver que le pittoresque y gagne, comme à Ugine qui compte plus de vingt-cinq nationalités, avec leurs associations et leurs églises.

Pourtant, ce sont ces étrangers qui contribuent à faire ressembler de plus en plus la classe ouvrière de France à un rêve de théoriciens du prolétariat. Ils sont jeunes : en 1926, 45 % d'entre eux ont entre 20 et 39 ans, à 16 points au-dessus des Français de souche. Aux trois cinquièmes, ce sont des hommes. De leur pays de naissance, ils importent des taux d'analphabétisme oubliés, 14 % en moyenne cette même année, et même 20 à 30 % pour les Espagnols et les Portugais, alors qu'il n'est plus que 5 % des Français à ne savoir ni lire ni écrire. Et, plus que jamais, ils ne savent pas faire grand-chose bien, mais sont donc capables de tout faire : sur les 7 000 dockers marseillais de 1938, il est 1 500 Italiens, 1 000 Espagnols, autant d'Arméniens, déjà 1 400 Noirs ou Nord-Africains ; et bon nombre de ceux qui restent sont naturalisés. Voici donc le géographe Georges Mauco retrouvant les barbares dans une ethnographie sentencieuse qui se nourrit de leurs campements bariolés et de l'étrangeté de leurs coutumes. Les organisations syndicales s'y cassent les dents, alors même qu'elles avaient su mordre sur eux à la Belle Époque, à Marseille précisément où les Italiens avaient fini par jouer un rôle prépondérant dans les luttes des années 1900, ou dans le Dauphiné qui comptait à la veille de la première guerre mondiale plusieurs groupes syndicaux spécifiques. La CGTU tente bien de les organiser et, notamment dans le Nord, elle a des délégués permanents itinérants d'origine italienne et polonaise. Beaucoup d'entre eux deviendront des responsables de premier plan, mais chez eux, après leur expulsion. A partir de 1933 d'ailleurs, elle s'intéresse moins à eux, à l'image de la CGT qui a toujours eu, depuis 1921, une attitude plus réservée, moins par xénophobie que par une incompréhension significative. Il faudra la lutte contre le nazisme pour que s'épanouisse la légende communiste de la Main-d'œuvre immigrée (MOI). La crise des années 1930, en bloquant les politiques de recrutement, peut bien pour un temps dégraisser le prolétariat étranger et même susciter des retours, jusqu'en 1939, à l'inverse de ce qui pouvait se passer avant 1914, les demandes de naturalisation sont peu fréquentes et la rareté des mariages mixtes atteste la force des barrières culturelles et l'étanchéité des communautés les unes aux autres. A Bordeaux, le triangle espagnol de la place de la Victoire est une enclave étrangère ; les montées de l'Orme et Chalemont à Grenoble sont de petites Italies, etc. Les noyaux étrangers s'enkystent désormais dans les villes industrialisées à l'image d'un éparpillement et d'un cloisonnement renouvelés de la classe ouvrière française.

LES PIERRES DE LA VILLE

Dans l'entre-deux-guerres, donc, ce sont les manœuvres nord-africains des houillères qui ont remplacé, au cœur médiéval de Saint-Étienne, les immigrants ruraux des montagnes vellaves du XIXe siècle. Ils en accentuent le caractère exotique. Mais ils ne le créent pas. Car, longtemps, c'est moins aux nouveaux quartiers nés directement de l'industrialisation qu'au centre dégradé des vieilles cités que s'appliquent les descriptions horrifiantes des philanthropes ou des médecins hygiénistes en mal de thèse. Le discours change d'objet ; mais, en passant des hommes aux choses, il s'inscrit dans la même inquiétude. Ce ne sont que « rues étroites » (Marseille, 1818) et « obscures » (Strasbourg, 1828), « sombres et mal pavées » (Lyon, 1866), « lacis de ruelles humides » (Rennes, 1849), « venelles sinueuses » (Grenoble 1880), entre des « maisons hautes et serrées » (Toulon, 1836). Toutes ces images renvoient à une organisation et à un paysage urbains hérités du XVIIIe siècle et souvent de plus haut. D'ailleurs, à travers les enquêtes préfectorales du Second Empire, Amiens, Lodève ou Nîmes, que l'industrie a transformées, ne diffèrent guère de Provins, Yvetot ou Angoulême qu'elle a épargnées. Sur un siècle et plus, jusqu'à l'horizon des années 1950, une partie des quartiers ouvriers se confond avec ces pourrissoirs anciens que sont les faubourgs Saint-Marcel et Saint-Denis à Paris, Kéravel à Brest, Martainville et le quai de la Renelle à Rouen, le Vauqueux à Caen, la rue des Fumées à Nantes et le quartier Mériadeck à Bordeaux où, de tout temps, le sol spongieux a gâté les murs. Et en 1884 encore à Dijon, en 1939 au Mans, c'est le centre qui constitue la pire zone de taudis.

L'incapacité d'accueil

La demeure des nouvelles populations urbaines, c'est en effet celle que leur laissent les autres. Dès le XVIIIe siècle, les artisans avaient envahi les hôtels aristocratiques du Marais qui en conserve d'ailleurs, une centaine d'années plus tard, une certaine qualité ! On ne retrouve guère celle-ci, par contre, quai Charles-IV, à Nancy, ou sur la rive droite de la Saône, à Lyon : Saint-Jean et Saint-Georges, édifiés pour les patriciats marchands de la Renaissance, sont occupés désormais par les plus miséreux des tisseurs de soie, les journaliers et les rouliers. Faux planchers, cloisons intérieures, abris dans les escaliers : on fait ce qu'on peut pour adapter — mal — des immeubles conçus pour un autre destin. Et Balzac de décrire les constructions adventices légères et informes qui, autour de la carcasse de certaines maisons inachevées, font les « cabajoutis » parisiens.

En 1851, Montfalcon estime que « les deux tiers de la vieille ville [de Lyon] et ses antiques faubourgs » existent encore « dans toute leur insalubrité première ». Celle-ci ne fait que s'aggraver de l'édification de bâtiments sur les cours, en même temps que s'accroît la densité d'occupation. A Grenoble, Très-Cloîtres et Saint-Laurent étaient déjà lieux de pouillerie sous l'Ancien Régime : au cours du XIXe siècle, il s'y installe

Entassement et insalubrité urbaine, rue de Glatigny, à Paris. Photo de Marville.

presque neuf sur dix des nouveaux arrivants. Comment en serait-il autrement ? L'ancienneté et la dégradation ne coûtent pas cher, elles attirent les plus démunis. A son tour, la pauvreté relance l'avilissement et l'entassement. La spirale du pourrissement est en marche ; elle fonctionne jusqu'à la seconde guerre mondiale. On a beau, périodiquement, envisager le curetage des centres, les programmes les plus réfléchis s'étiolent vite et les grandes opérations à la Haussmann ne font que les effleurer ou les éventrer sans vraiment les transformer. Le recensement de 1946 mettra en évidence la place que tiennent les immeubles vieux de plus d'un siècle dans le parc immobilier des grandes villes françaises.

D'autre part, construire pour loger ses ouvriers est une préoccupation largement absente des soucis du patronat urbain. Celui de Roubaix contribue bien à la mise en place des premiers « forts », sous la monarchie de Juillet, ces quadrilatères à demi ruraux, reliés à l'usine par des chemins pavés ; il ne se manifeste guère par la suite. A l'inverse, celui d'Armentières attend la fin des années 1870 pour faire bâtir, à l'ouest de la ville, de solides immeubles à plusieurs étages qui constituent, pour un temps, un progrès considérable. Mais, dans les grandes villes, on ne trouve à peu près rien : si l'on cite quelques cas célèbres, comme celui de *La Belle Jardinière* à Paris, c'est précisément parce qu'ils sont exceptionnels. Jusqu'à la fin du XIX⁰ siècle, aucune autre initiative, publique ou privée, n'a assez d'envergure pour répondre à l'ampleur des besoins, même si la question est au cœur de toute une réflexion philanthropique. Les projets peuvent bien fleurir, à partir d'horizons très différents. ils n'aboutissent qu'à de médiocres réalisations, telles la cité Rambaud, à Lyon, ou, à Paris, ce qui devient en 1853 la cité Napoléon : un modèle d'architecture fonctionnelle mais qui ne peut recevoir que 1 118 locataires.

Parmi bien d'autres, l'échec d'une tentative nancéenne, en 1872, a valeur d'exemple : on n'a guère le temps de bâtir une soixantaine de logements et à peu près autant de pavillons qu'il faut renoncer par manque d'argent et faute d'avoir suscité l'intérêt des pouvoirs publics. A la fin du XIX⁰ siècle, la création par des gens comme Jules Simon, Georges Picot et Jules Siegfried de la Société française des habitations à bon marché semble marquer une étape décisive. Quinze ans après sa naissance (1889), elle compte plus d'une centaine de comités locaux ; mais de 1895 à 1902, elle n'est pas parvenue à édifier dans la France entière plus de 1 360 maisons et à loger plus de trois mille familles ! Deux autres cas, eux aussi éloquents : à la veille de la guerre de 1914, les deux sociétés spécialisées de Nancy ne possèdent que 12 maisons et 2 immeubles, 140 appartements ; à Saint-Étienne, capitale française du taudis sans aucun doute, cinq organismes privés n'ont pu livrer que 170 logements de 1894 à 1914, et l'Office public départemental, tout juste une dizaine. A aucun moment le logement populaire urbain n'a vraiment échappé à la seule loi du marché et à ses contraintes financières et spéculatives, dont on a d'ailleurs vu tout l'intérêt.

Les nouvelles constructions qui, dans ces circonstances, naissent directement de l'industrialisation et de ses besoins ne valent donc guère mieux que celles qu'on s'est contenté d'aménager, quand elles ne sont pas pires. Le Lyonnais Montfalcon note dès 1851 que les bâtiments récents n'ont rien à envier aux anciens, avec leurs appartements mal distribués, étroits, incommodes et leur absence de dégagements, si ce n'est l'apparence de leurs façades. Le XIX⁰ siècle ne se leurre pas de mots en parlant, tout simplement, des « casernes » ouvrières qui, partout, suent la laideur, la monotonie et la tristesse et dont les formes architecturales sacrifient l'imagination à l'utilité. Dans toutes les villes du Nord s'aligne, au fur et à mesure des besoins, la même maison lilloise à façade étroite et accolée à celles qui la jouxtent, trois pièces en enfilade dont l'une est forcément aveugle, un étage parfois. La maison stéphanoise dite « de la plaine » paraît plus accueillante avec son dédale de constructions intérieures, de cours et d'arrière-cours ; mais son apparente fantaisie ne fait que refléter la minigéographie des prix du terrain et, construite à même le sol, sans fondations, en matériaux légers, elle devient vite malsaine. Partout, d'ailleurs, la dégradation est rapide, même pour les rêves de philanthropes : la cité Rambaud a tôt fait de se corrompre le long de ses coursives poussiéreuses et n'a rien à envier, à la Belle Époque, à la cité Dorée du 13⁰ arrondissement de Paris. « Misère et malpropreté » : ce que l'on dit alors du quartier récent des Tanneries à Dijon s'appliquait déjà aux rues mal entretenues des quartiers ouvriers d'Armentières avant 1860, comme l'Est populeux de Nancy, avec ses maisons basses et sans confort, renvoie, à trois quarts de siècle de distance, à ce qu'étaient devenus, vers 1850, en quelques années, les « courées » de Lille, les « forts » de Roubaix et les « couvents » de Saint-Quentin. Entre les deux guerres, on s'arrête d'ailleurs souvent de réparer et même d'entretenir. Il y a bien longtemps qu'on construisait un peu n'importe comment : Zola évoque tel marchand de sommeil entourant sa propre maison « de misérables constructions faites de terre, de vieilles planches et de vieux zincs, pareilles à des tas de démolitions rangées autour de la cour intérieure ».

Sur les « fortifs » : la « zone » de Ménilmontant près du chemin de ronde des Amandiers est peuplée par des ouvriers immigrés des provinces : Creusois, Bretons, Savoyards, par des chiffonniers et par des indigents chassés de Paris à cause des rénovations. Photo de Marville.

Cette description évoque, avant la lettre, les bidonvilles du XXe siècle. Et, très tôt, elle s'appliquerait au troisième mode de construction des villes industrialisées, quand les populations elles-mêmes se mettent à bâtir leur propre maison. Sous le Second Empire, le docteur Ollivier parle de l'occupation spontanée des terrains vagues parisiens par des constructions parasites et des masures qu'il compare à des campements indiens et à des douars arabes. Pendant tout le XIXe siècle stéphanois, dès que la démolition d'un taudis libère un terrain, celui-ci est envahi par les cahutes provisoires d'une population semi-nomade dont les cahots de l'industrie locale accentuent la turbulence géographique. Plus généralement, on en retrouve à proximité des grands chantiers, des usines surgies trop vite, au Creusot d'avant 1840 jusqu'aux murs de la forge, aux sablières de Draveil vers 1900... A la Belle Époque, les cantines privées du bassin de Briey — à la fois dortoirs et restaurants — sont faites de vieilles planches de carton bitumé et de fonds de boîtes de sardines. Et, de plus en plus souvent, la « zone », comme on dit, ajoute une frange externe aux grandes cités : de la Guillotière lyonnaise dont les photos des inondations de 1856 montrent les pauvres débris déjetés par la montée des eaux à, cinquante ans plus tard, l'auréole parisienne des « fortifs », pleines de baraques de tôle et de bois où ne vivent pas, à l'inverse de ce qu'on en redoute, que des marginaux.

Enfin, pour loger les réfugiés, les travailleurs de l'armement, les manœuvres coloniaux surtout, la Grande Guerre multiplie pour un temps ce qu'on appelle désormais les baraquements, un néologisme en soi significatif. Après leur départ, beaucoup de ces logements demeurent en changeant d'habitants, simplement. Dans l'entre-deux-guerres, les bidonvilles naissent à Rennes sur les terrains inondables des boucles de l'Ille, et Marseille en compte plusieurs dans sa proche banlieue. La toponymie — déjà esquissée à la fin du XIXᵉ siècle — se réfère à un exotisme qui prétend traduire leur marginalité sociale, la cité des Kroumirs à Paris (et ailleurs !), le quartier de Nouméa à Dijon, le Camp chinois à Saint-Étienne, le Tonkin à Villeurbanne. Comme au centre dégradé des villes — ou ce qu'il en reste — ouvriers des secteurs en crise (le textile) et des vieux métiers urbains trouvent là un abri à la mesure de leurs moyens. Ils y vivent au milieu d'une population plus mêlée de chiffonniers et de crocheteurs, de semi-mendiants et de chômeurs quasi permanents dans une ambiance d'insécurité dont ils sont d'ailleurs, les uns et les autres, les principales victimes : les pauvres volent d'abord les pauvres. Un mélange qui dit, simplement, la permanence et la gravité de ce qu'on commence à appeler, tard, la question du logement.

L'enfer du logement

Le discours ne s'interrompt donc pas, qui marque le logement populaire des villes de la double pérennité de l'entassement et de l'insalubrité, et que scande la répétition des textes législatifs sans effets (1850, 1864, 1902...) et des enquêtes à toujours reprendre (1857, 1906, 1908, 1942, 1946) ! Au milieu du XIXᵉ siècle ? Dans le quartier Saint-Jean de Toulon, la « norme » est de trois à quatre lits par pièce ; à Saint-Omer, chacune abrite de six à huit personnes : au-delà du pathétique, deux cas tout à fait significatifs, pris volontairement en dehors des grandes villes industrielles, où la situation est souvent pire ; et l'on sait ce qu'il en est des « courées » lilloises. Mais en 1886-1887, la plupart des logements de Nantes (qui ont été édifiés dans les deux décennies précédentes) n'ont qu'une pièce pour six ou sept personnes et 30 à 35 m² ; et si l'on est moins serré à Nancy, avoir deux pièces est un luxe exceptionnel.

A l'aube du XXᵉ siècle, où est le progrès ? Vers 1898-1900, la société de Saint-Vincent-de-Paul enquête à Lille : sur les neuf cents familles ouvrières qu'elle visite, trois sur quatre ne disposent que d'une ou deux pièces ; en gros, c'est comme à Fougères ou à Saint-Étienne, si l'on suit, quelques années plus tard, une enquête française du *Board of Trade* britannique, en 1906. A Lille, les plafonds des appartements inspectés en 1898 ne dépassent pas 2,50 m de haut et les enfants — cinq en moyenne par ménage — couchent toujours à deux au moins par lit, le plus souvent à trois. La situation est moins tragique à Lyon, ou à Paris, où une famille sur deux a plus de deux pièces ; mais, dans le même temps, à Roubaix, 10 000 personnes s'entassent encore dans les 40 courées d'une seule rue du quartier des Longues Haies. Et nous voilà en 1934-1935, avec le Bureau international du travail : 72 % des ouvriers français des grandes villes ont moins de trois pièces par famille... alors qu'en Italie, 44 % des travailleurs d'industrie sont déjà plus grandement logés, 48 % en Allemagne et 81 % en Grande-Bretagne. Plus précise enfin, mais pour dire la même chose, une enquête de 1950, à Paris : 65 % des ménages ouvriers ont moins de 10 m² par personne, 30 % moins de 6 m² et 7 % moins de 3 m² !

Le tableau s'assombrit d'autres tonalités quand on sait qu'en 1940, dans les agglomérations de plus de 30 000 habitants, il n'est qu'un logement sur dix à avoir une salle de bains, 15 % une buanderie, et que 20 % seulement sont reliés au tout-à-l'égout. Autres temps, autre mesure, mais qui revient au même : en 1906, 89 % des appartements de Puteaux n'avaient pas de WC particuliers, 92 % à Saint-Étienne et, à Lille, 95 % ! Les latrines demeuraient le plus souvent en fond de cour — dans les villes du Nord — ou suspendues à chaque étage — à Lyon, par exemple : un pour cent dix ménages à Nancy en 1886, sans eau en dehors des fontaines publiques, comme à Nantes. La saleté des maisons ouvrières — du moins celle de leurs communs et de leurs abords —, la crasse, la puanteur, etc. : toute l'imagerie née au début du XIXᵉ siècle, si forte sous le Second Empire — à Nantes encore, à Bordeaux, dans les cités textiles du Nord, à Strasbourg même —, demeure intacte tout au long du XXᵉ siècle, et jusque dans l'entre-deux-guerres.

Pourquoi en serait-il autrement puisqu'on ne fait que passer ? Le premier logement, pour bon nombre de citadins modestes, c'est en effet le garni, dont L. Chevalier a montré l'importance à Paris. Dès 1832, on en compte 3 171 où vivent dans un perpétuel va-et-vient 35 000 à 40 000 personnes. Chez les « marchands de sommeil » — c'est Denis Poulot qui parle —, à la fin du Second Empire déjà, on dépose pour quelque temps un paquet de hardes, quelques objets sans importance qu'on peut liquider à la première occasion. Dans toutes les grandes villes, on retrouve ces nids à punaises et à toutes sortes d'autres vermines, d'où part souvent le choléra : en 1848, dans le quartier des Gobelins, il faut suspendre la nourriture à des fils pour la préserver des rats. Ces cordes tendues pour le linge et le reste constituent souvent, avec les paillasses, le seul mobilier. Les « hôtels des miracles » bordelais ne valent pas mieux : sur les 114 que visite en 1858 une commission d'hygiène, il n'en est que 30 d'acceptables et 25 sont franchement jugés inhabitables. Sans parler des « caboulots » marseillais, parfois de simples caves, jonchées de bottes de paille ; on en découvre même un qui aligne neuf grabats sur deux mètres de profondeur !

Pourtant, note-t-on, on ne saurait s'en passer. Car où iraient alors ces compagnons, ces manœuvres souvent célibataires, en tout cas isolés, qui sont là le temps d'une année ou d'une saison ? Tout le monde n'a pas la chance de J.-B. Dumay qui parvient à trouver en 1860 une mansarde à 6 F par mois après avoir, justement, tâté d'un hôtel meublé dans la plaine de Grenelle ; qui, un peu plus tard, tombe sur une bonne hôtesse à Épinac-les-Mines, avant de s'installer, à Marseille, tout simplement chez le restaurateur où il prend ses repas. Car la chambre est souvent l'annexe du cabaret, dans un vaste marché de la sous-location, chez les petits commerçants, au cœur même d'autres familles ouvrières moins portées à se déplacer : encore une fois, Zola... mais aussi Briey à la Belle Époque, et ses 4 000 manœuvres italiens célibataires, la plupart des cités minières de l'entre-deux-guerres, etc. Après 1920, le grand nombre des étrangers, à Bordeaux, à Reims, à Lille, ne fait que refléter les mutations des origines géographiques ; et, presque un siècle auparavant, le bon Martin Nadaud n'avait rien d'un marginal : lui aussi, pourtant, partageait une chambre de six lits avec onze autres compagnons maçons !

A l'inverse, les observateurs sont longtemps frappés de l'étroitesse de l'espace urbain où se déplacent ceux et celles qui ne sont pas seulement de passage, et de leur attachement à l'endroit où ils vivent, aussi affreux soit-il. Précisément, une enquête de *La Réforme sociale* met en relief, en 1887, l'inertie des locataires ouvriers nantais : malgré la médiocrité du logement, certaines familles sont là depuis cinq, sept et même dix ou douze ans. Dans des conditions qui ne sont pas plus enviables, 19 % de celles — 1 350 environ — que visitent, à la Belle Époque, les Lillois de la société de Saint-Vincent-de-Paul, sont là depuis plus de cinq ans, et 14 % depuis plus de dix ans. Et l'on sait la crainte des ouvriers parisiens devant le risque de déportation que faisaient peser les grands travaux haussmanniens ; l'opposition quasi générale, pendant tout le XIXᵉ siècle, aux trop grandes ambitions édilitaires, susceptibles, précisément, de chasser les habitants des vieux quartiers.

A vrai dire, pour beaucoup de gens, la fonction d'habitation du logement demeure longtemps secondaire par rapport à celle de la production : où l'on habite, on travaille, et réciproquement. Dans les villes textiles du Nord, chez les canuts lyonnais comme chez les passementiers stéphanois, dans la plupart des métiers artisanaux des grandes villes, l'appartement, c'est d'abord l'atelier. Celui des tisseurs de soierie, à la Croix-Rousse, est un archétype, avec son espace mangé par les métiers et les rouets, et la minuscule soupente où le chef d'atelier se retire la nuit avec son épouse, tandis qu'enfants et compagnons éparpillent des matelas entre les machines. Tout le monde s'extasie sur sa salubrité. Mais si les plafonds y sont si hauts, comme à Saint-Étienne, d'ailleurs, c'est parce qu'il faut faire leur place aux imposantes mécaniques à la Jacquard. Par contre, on n'y laisse guère pénétrer le soleil, car la soie y perdrait son éclat. L'humidité dont ne saurait se passer le fil de coton fait vivre dans des caves les tisserands du Nord et de Normandie ; et les fers, les planches à repasser, les machines à coudre ne laissent guère de place aux ouvrières parisiennes à domicile des années 1890 dont parle Jules Simon, en attendant que la relance du *sweating system* multiplie dans les grandes agglomérations les mansardes et les loges d'arrière-cour-ateliers, celles des cordonniers, des appiéceurs, des tailleurs et des couturières.

Cette confusion contribue longtemps à tracer l'homogénéité professionnelle des quartiers populaires, souvent héritée — qu'on songe au faubourg Saint-Antoine —, mais aussi créée par le XIXᵉ siècle. On pense, bien sûr, à l'entassement des centaines d'ateliers soyeux à la Croix-Rousse, si souvent comparée à une ruche. Ou à Saint-Étienne qui ressemble, comme Lyon, à une juxtaposition de métiers spécialisés : c'est que les passementiers se concentrent à partir de 1830 à Montaud, après 1840 sur la colline Sainte-Barbe, parce qu'ils veulent échapper aux fumées des armuriers, les « charbonniers », comme ils disent, auxquels ils laissent les fonds de vallée. Mais, à Nantes aussi, les ouvriers raffineurs de sucre se trouvent presque tous, dès la monarchie de Juillet, dans le quartier Richebourg, les tanneurs et blanchisseurs sur la rive droite de l'Erdre, autour des places Viasme et de Bretagne. A Limoges, après 1850, les porcelainiers s'installent dans les faubourgs Montmailler et de Paris, tandis que blanchisseurs et flotteurs de bois sont au quartier du Naveix. Affaire de contrainte technique, la nécessité des eaux. En s'en affranchissant, on ne reste pas moins ensemble : au Mans, les ouvriers tanneurs sont chassés de leur quartier à partir de 1869 par les travaux d'endiguement de la Sarthe ; c'est tous ensemble qu'ils vont le reconstituer derrière la gare, dans celui dit « de l'Australie ». Et la grande industrie — qui installe longtemps des

Chez les canuts lyonnais, l'appartement c'est d'abord l'atelier. Bibliothèque du musée des Arts décoratifs.

usines pas très loin — ne va pas à l'encontre de cette tendance à vivre ensemble : les métallurgistes lyonnais sont, sous le Second Empire, presque tous à la Guillotière, et les tisserands lillois ou roubaisiens se serrent autour des tissages multipliés. Voici Carmaux enfin, celui de la mine, celui de la verrerie : malgré l'emprise commune de la grande entreprise, on y vit les uns à côté des autres jusqu'aux années 1880, sans qu'on sache s'il vaut mieux insister sur la séparation de deux univers ou sur la cohésion de chacun d'entre eux.

Dès lors, le quartier plus que la maison constitue l'espace populaire privilégié des villes du XIXe siècle en s'appuyant, d'abord, sur ces parentés professionnelles, mais aussi sur celles des origines géographiques qui, on l'a vu, marchent de pair : à Bordeaux, sous le Second Empire, certains garnis sont réservés à telle profession, mais d'autres n'accueillent que ceux qui arrivent de telle ou telle région, les Creusois, les Cantalous ; et même entre les deux guerres, on peut repérer à Grenoble les agrégats des gens de Corato, une petite cité des Pouilles, d'où viennent 2 500 des 12 000 Italiens de la ville ! Mais la solidarité de quartier va bien plus loin, au travers de ces liens de sociabilité et de cordialité quotidiennes où Michelle Perrot n'hésite pas, au XIXe siècle, à voir la matrice où se fondent les communautés ouvrières, et que cent ans plus tard H. Chombart de Lauwe retrouve dans la banlieue parisienne comme des milieux « de consommation où dominent la famille et le voisinage ». Par-delà nos propres nostalgies, mille signes attestent la force de cette vie de quartier. Au quotidien, à travers les références d'identité : on est de tel endroit, et cela suffit à vous définir aux yeux des autres. Dans les moments de crise, combien de communards parisiens se font tuer sur la barricade de leur rue, construite avec ses pavés ? Avant eux, presque tous les canuts lyonnais arrêtés en 1834 les armes à la main s'étaient fait prendre près de chez eux ; et l'on cite, à Saint-Paul, des gens se battant au pied de leur maison avant d'abandonner le combat, simplement parce que celui-ci s'était éloigné de l'autre côté de la Saône.

Le refuge des quartiers

Le quartier s'inscrit d'abord, logiquement, dans un espace physique dont, au-delà du quadrillage des maisons et des rues, les points d'ancrage sont faciles à repérer. C'est d'abord l'usine, qui longtemps n'est jamais loin, le puits à l'immédiat horizon du coron, quand l'espace de travail ne s'éclate pas en multiples ateliers à domicile. Ce sont les chemins qui y mènent, le groupe qui attend le travail sur le trottoir en un temps où une partie de l'embauche se fait directement à son portail, le cortège de ceux qui, deux fois par jour, y vont et en reviennent, « la musette ou le panier sur l'épaule et le mégot au coin des lèvres », dit E. Saulnier. C'est aussi tout ce que l'industrie inscrit d'incongru dans le paysage, le crassier, la voie ferrée, la manufacture démantelée où jouent souvent les enfants, et qui dispute aux places traditionnelles leur rôle de lieu de réunions en dehors du travail. La Croix-Rousse pullule de ces petits espaces plantés d'arbres dont les noms apparaissent dans la géographie des émeutes, en 1831, en 1834, en 1871, mais où l'on s'assemble d'ordinaire pour des rencontres moins menaçantes. Il y a enfin la rue elle-même, d'autant plus attirante que le logement ne l'est pas. Même à Lille et dans les villes du Nord, il y a toute une pratique du seuil de la maison pour les enfants, les vieillards, les femmes qui demeurent au foyer ; et, dans les cités minières, un usage de la barrière extérieure du jardin, où l'on s'accoude pour regarder ce qui se passe dans la rue ou bavarder avec son voisin. Au cœur de Paris comme dans les quartiers ouvriers de Marseille, on s'échange de fenêtre à fenêtre recettes de cuisine, nouvelles et ragots, quand ce ne sont pas les insultes — une autre manière d'être ensemble.

Hors des maisons et des rues, les petits commerces constituent des points de rassemblement obligés, comme le sont aussi, pour les femmes, la borne-fontaine et le lavoir — voyez Gervaise —, en un temps où l'eau ne coule jamais sur l'évier. Les grands magasins nés avec le Second Empire sont souvent loin des quartiers populaires et, tardivement, la visite qu'on peut leur faire est moins une occasion de s'y approvisionner que de se distraire au spectacle de leur abondance. La petite épicerie à tout vendre, le bazar fourre-tout ont au contraire une familiarité de bon aloi, en un temps où le crédit est de règle. Le boulanger, l'épicier ne se distinguent guère de l'ensemble de la population, on l'a vu, et l'on y va aussi bien pour bavarder que pour acheter du pain ou de la farine. Et puis il y a enfin le café, qui n'a pas grand-chose à voir avec le rôle que toute une littérature fallacieuse — dans la droite ligne de *L'Assommoir* — lui fait jouer.

Celui du quartier, même s'il n'en est pas loin, diffère des estaminets qui s'alignent aux portes des usines, où l'on ne fait que passer, comme pour oublier ce travail d'où l'on sort : « pour chasser la poussière du charbon », dit un mineur de l'entre-deux-guerres. Un sas de rééquilibrage, dit un anthropologue contemporain, qui vaut aussi pour le XIXᵉ siècle. Passons sur le rôle de bureau d'embauche, de guichet de poste

La misère dans la famille : « Martial a cédé à l'attrait du cabaret, et la misère règne en son intérieur. L'ivrogne a toujours sa bouteille d'absinthe, la terrible liqueur qui a annihilé ses forces et va éteindre son intelligence. » Scènes d'éducations morales et civiques, *Paris, début XX*ᵉ *siècle.*

et de banque, de logement aussi qu'il joue pour les célibataires et les isolés. Pour tous les autres, il est l'endroit privilégié d'une sociabilité et d'une évasion populaires qui expliquent sa fréquence, à chaque coin de rue. Il y a, pendant tout le XIXᵉ siècle, une socialisation grandissante de la consommation des spiritueux, dont l'âge d'or — celui de l'absinthe aussi — culmine à la Belle Époque. L'habitude de l'apéritif, repérable dans la bourgeoisie dès 1870, gagne le milieu des ouvriers qui viennent au café avec leur femme et leur famille. Mais aussi — le soir, le dimanche, sur le coup de 4 heures — pour jouer au billard ou aux cartes, aux dominos ou aux boules ; ou bien lire le journal, discuter des événements du jour, simplement retrouver des amis, des voisins bien sûr, dans ces « salons des ouvriers » qui, aux alentours de 1900, s'efforcent de leur fournir toutes les illusions de la richesse et du confort.

Faute de disposer d'un logement accueillant, on s'approprie donc, d'une certaine manière, une fraction de l'espace public pour le privatiser. Autour de chez soi, l'existence devient, sinon meilleure, du moins plus concrète, où l'on reconnaît ceux que l'on croise et où l'on se sent reconnu d'eux. La familiarité des voisinages s'ajoute à celles des métiers et des origines pour créer des solidarités qui se manifestent aux moments heureux — une naissance, un mariage — aussi bien qu'aux passages difficiles — la mort, un accident — de l'existence. Sans qu'il faille non plus se dissimuler les tensions qui peuvent naître de la promiscuité : les registres de main courante des commissariats sont pleins de rixes de bistro et de querelles, voire de voies de fait, parties de rien. Au-delà, le quartier est aussi un refuge de gens pour lesquels la ville demeure en partie inconnue et inquiétante. A la Belle Époque encore, la rue demeure, en général, un lieu de censure morale et physique, plein d'interdits, source de malaise. De danger aussi pour les plus faibles, les femmes notamment, en constante position d'être accostées ou malmenées : la fréquence du fait divers, même si elle ne reflète pas la norme, est là pour attester la réalité des menaces. Parmi les siens, bien sûr, celles-ci s'estompent. Enfin, accrochée aux rues et aux maisons autant qu'aux groupes, voici la mémoire collective qui fonde, aussi, l'identité, avec d'autant plus de force, on l'a vu, que l'on va et que l'on vient, et que la communauté se recompose sans cesse. Ville dans la ville, le quartier est l'espace d'une certaine liberté, nonobstant ce que Michel Verret appelle l'« enfer du logis ». On comprend que le petit peuple des villes ne soit pas prêt à la troquer contre une simple amélioration matérielle.

C'est cette conscience d'un prix trop lourd à payer qui explique la réticence ouvrière devant ces cités que, en dehors des grandes villes, un certain patronat commence à édifier dès la fin de la monarchie de Juillet. Peu importent ses motivations qui changent et s'entrecroisent, du souci primitif d'attirer et retenir la main-d'œuvre, à la conscience, souvent religieuse, d'un devoir d'assistance ou à une volonté d'encadrement. A l'exemple des cotonniers de Mulhouse, des précurseurs, voici que, sous le Second Empire, on se lance d'un peu partout dans une politique systématique du logement, soit en l'aidant, soit en se faisant directement bâtisseur. Dès 1867, on compte

Mineurs du Nord attablés au café pour « chasser la poussière du charbon ».

Le Flâneur Parisien

Chanson inédite, paroles et musique de Pierre TRIMOUILLAT.

1ᵉʳ COUPLET

Ceux qui m'con_naiss'nt et m'charg'nt d'un' cour_se Ne sont pas des gens très sen_sés A moins qu'ils ne soient pas pres_sés, Car si j'vais d'Montmartre à la Bour_se, Six heur's pour moi c'n'est pas as_sez.

REFRAIN: 1ᵉʳ et dernier couplet

J'aim' bien faire un' pause, En pas_sant, D'vant c'que sup_pose In_té_res_sant.

I

Ceux qui m' connaiss'nt et m' charg'nt d'un course
Ne sont pas des gens très sensés —
A moins qu'ils ne soient pas pressés ;
Car si j' vais d' Montmartre à la Bourse,
Six heur's pour moi c' n'est pas assez...

J'aim' bien faire un' pause,
En passant,
D'vant c' que j' suppose
Intéressant !

II

A tous les cam'lots je m'arrête :
J' trouv' leur bagoût intelligent.
Pour qu'ils gagn'nt en paix mon argent,
J' les préviens d'un' façon discrète
Sitôt qu' j'aperçois un agent...

III

A chaque étalag' de libraire
J' parcours un bouquin dans un coin.
De n' pas trop l' salir j'ai grand soin,
Et dès qu' j'entends un commis braire,
J' fil' — lir' la suite un peu plus loin !

IV

J'ador' regarder aux vitrines
Les portraits des célébrités.
J' ris bien des brav's gens révoltés
Parc' que près d' séduisant's ball'rines
On met... l' pape ou d' grav's députés...

V

J' sais par cœur tout' nouvelle affiche ;
Parfois mêm', me creusant l' cerveau,
D'vant cell' d'un candidat j' rêve... oh !
Me dis-je, est-c' que d' nous ell' se fiche
Moins qu' cell' d'un purgatif nouveau ?...

VI

Le moindre embarras de voitures
Ne m' laiss' jamais indifférent :
Amateur du délit flagrant,
Dans les sapins j' guign' les postures
Des couples que l'on y surprend...

VII

... J' m'amus' du pochard qui s'égare
Dans son ch'min comm' dans ses discours,
Des chanteurs des rues et des cours,
D'un incendie ou d'un' bagarre,
Des chiens flirtant sur mon parcours...

VIII

Mais c' qui ralentit l' plus mon zèle,
C'est qu' quand j' vois un' bell' se prom'nant,
Si ses traits m' plais'nt, incontinent,
Il faut qu' j'aill' m'assurer chez elle
Que tout l' reste est à l'avenant...

J'aim' bien faire un' pause
En passant
D'vant c' que j' suppose
Intéressant...

(Dessin de Steinlen.)

372

déjà une bonne quarantaine d'initiatives, des Montgolfier, les papetiers d'Annonay, aux Japy d'Audincourt et à la Compagnie de Saint-Gobain. Mais, d'emblée, ce sont les sociétés minières et métallurgiques qui donnent le ton. Il ne faut que quelques années, autour de 1860, à la Compagnie d'Anzin pour édifier 2 500 maisons. Après La Grand-Combe, dès 1840, les cités sortent de terre à Carmaux (après 1865), à Montceau-les-Mines (1869), à Roche-la-Molière (1874), etc. Dès 1871, les dix-huit compagnies les plus importantes du Nord et du Pas-de-Calais logent 37 % de leurs salariés et, en 1886, les corons du Nord minier dénombrent plus de 15 000 maisons. La nouvelle Lorraine du fer suit la même voie, celle des Wendel à Hayange, à Sérémange, à Stiring, à Merlebach, à Freyming, où chaque cité compte d'un coup plusieurs centaines de logements ; celle des nouveaux patrons allemands aussi, les Thyssen ou les Stumm, qui importent une politique expérimentée dans la Ruhr. A la veille de 1914, 3 500 familles — italiennes surtout — vivent dans les logements patronaux du bassin de Briey.

Mais l'archétype de la nouvelle ville ouvrière, c'est bien sûr Le Creusot des Schneider : plus de 2 500 maisons au moment de la première guerre mondiale, l'aboutissement d'une des politiques les plus élaborées, esquissée entre 1850 et 1860, et sans cesse perfectionnée. Après avoir, dans un premier temps, édifié quelques casernes collectives pour leurs mineurs et leurs métallurgistes, ils se sont lancés dans un vaste projet en prélevant les terrains sur leur réserve foncière et en avançant, à faible intérêt, l'argent nécessaire aux travaux. Les actes de vente veillent au respect des règles élémentaires d'hygiène, fixant la distance minimale des fosses d'aisance, par exemple. Louis Reybaud s'extasie, dès le Second Empire, sur le confort et la qualité des logements, un peu plus de deux pièces en moyenne par ménage de quatre personnes, 46 m². Au-delà, les Schneider tracent l'organisation générale de la ville, maillée par un réseau de boulevards, de places et de squares, équipée d'une infirmerie, d'écoles, de salles d'asile ; et ils prennent à leur charge l'adduction d'eau et les équipements collectifs.

En pratique donc, l'usine crée la ville, avec une qualité exceptionnelle du logement et du décor urbains, avec le souci d'éviter aussi — et l'on y parvient — tous les maux matériels et moraux des grandes agglomérations ; mais, comme le note G. Duveau, au prix d'un encadrement et d'un contrôle de tous les instants : au Creusot, les Schneider se mêlent même de l'allure des façades et, partout, la monotonie des cités aux maisons toutes semblables dit la perte d'une certaine liberté. Les gardes y veillent, contrôlant la bonne tenue des intérieurs, et bien d'autres — médecins, instituteurs, curés, etc. —, au service d'une réglementation tatillonne. Le partage du métier, du recrutement géographique aussi, une certaine hérédité forcée — chez les mineurs, on l'a vu — vont bien dans le sens de la communauté, de ce qu'un sociologue d'aujourd'hui n'a pas hésité — avec quelque exagération — à qualifier de haras humain. Mais la fantaisie que l'on se permet dans l'aménagement des arrière-cours qui échappent à l'œil du patron, la propension à aller se distraire en dehors des cités ou des corons, et, surtout, le souci de s'échapper dès que c'est possible : tout dit le refus d'une ville sans boutiques, sans cafés, sans liberté de la rue et du reste, d'une ville qui, d'ailleurs, n'en est pas une et où, longtemps, la cohabitation ne débouche ni sur un sentiment d'appartenance, ni sur une action collective.

Ci-contre
La rue demeure un lieu de danger pour les femmes qui courent le risque d'être accostées ou malmenées. Le Flaneur parisien, *chanson de Pierre Trimouillat, dessin de Steinlen,* Gil Blas illustré, *30 juillet 1893.*

Le XXe siècle et les politiques du logement populaire

C'est pourtant dans cette direction que va s'orienter le XXe siècle lorsque, enfin, il s'attaque sur un plus large front à la question du logement populaire. Le premier après-guerre relance les initiatives patronales ; elles paraissent désormais moins soucieuses de références doctrinales, elles passent souvent par des filiales spécialisées parfois communes à tout un secteur ; mais la question ne se borne plus aux villes-usines, toujours jusque-là à l'écart des grandes agglomérations. Bien sûr, maîtres de forges et patrons de houillères continuent sur leur lancée, même là où la tradition était mince, comme dans la Loire. Dans les années 1920, on édifie 864 logements à Firminy et à Roche-la-Molière, dans des cités-jardins dont on retrouve le modèle à Saint-Chamond et à Lorette, inspiré par la Compagnie des aciéries de la marine. A Saint-Étienne même, le parc compte 2 640 maisons en 1939 alors qu'il était presque inexistant en 1914. A l'autre bout du pays, la Société normande de métallurgie, partie de rien, en vient à loger dès 1930 un bon millier de ses familles d'ouvriers et dispose, en outre, de quatre grands immeubles pour les célibataires. Et les cités continuent d'escalader les collines de la Lorraine sidérurgique à Longwy et ailleurs.

Surtout, les firmes apparues avec les nouvelles technologies de l'industrie française emboîtent le pas. Ainsi celles de l'électrochimie et de l'électrométallurgie à Ugine, à Livet-et-Gavet, à Saint-Jean-de-Maurienne et dans presque tous les nouveaux centres urbains des vallées alpines. Mais aussi Peugeot à Montbéliard, Berliet à Vénissieux, Michelin à Clermont-Ferrand ; sans oublier les Gillet de la chimie, qui se font grands bâtisseurs à Villeurbanne et dans toute la banlieue orientale de Lyon. Si bien qu'en 1930, déjà, on estime que 55 % des entreprises de plus de 200 salariés — il y en a 2 725 — ont construit des logements, ou aidé à en construire, pour leur personnel.

Si on laisse de côté certaines fondations privées dans la ligne du XIXe siècle, celle de Mangini à Lyon, des Rothschild et des Lebaudy à Paris, qui ne logent pas plus de 20 000 personnes en 1939, l'autre nouveauté réside dans l'ampleur que prend l'intervention des pouvoirs publics. Toute une série de textes législatifs — en 1928, en 1929, en 1930 — et surtout la loi Loucheur (1928) qui facilite le financement permettent enfin que se déploie avec plus d'efficacité une politique des habitations à bon marché, les HBM, comme on dit.

Dès les lendemains de l'armistice, les offices publics, municipaux ou départementaux, multiplient les projets de vastes ensembles destinés à loger, dans de bonnes conditions et à peu de frais, les moins favorisés. Naturellement, c'est la banlieue parisienne qui donne le ton : à travers l'Office départemental de la Seine, que préside Henri Sellier, l'un des apôtres socialistes du logement social ; à travers des organismes locaux, comme à Ivry ou à Alfortville — de 1928 à 1939, 28 % de l'ensemble des constructions nouvelles de la banlieue sont des HBM — ; en inspirant aussi des projets d'origine privée, comme cette cité du Champ-des-Oiseaux, à Bagneux — 800 logements d'un coup entre 1930 et 1933 —, qui constituent une des premières applications des nouveaux procédés industriels de construction aux grands ensembles. Mais aucune autre ville n'est en reste : Rennes et Caen lotissent de vastes terrains, Saint-Étienne ajoute 1 300 logements à financement municipal à ceux du patronat, Grenoble en édifie plus de 600 dans les années 1930, etc. De nouveaux types de cités, où l'on veut organiser l'espace collectif, disent les nouvelles préoccupations d'une politique qui lorgne volontiers vers les exemples allemands ou soviétiques, la cité des Bourroches à Dijon, les Gratte-Ciel à Villeurbanne, les États-Unis à Lyon...

En février 1923, 700 loca-
taires emménagent dans
cette habitation à bon
marché de Puteaux.

On demeure cependant loin du compte, car les réalisations sont rarement à la hauteur des intentions, bien des lotissements demeurent en partie vides, tous les programmes sont révisés à la baisse au cours des années 1930, quand ils ne sont pas simplement ajournés. Pire, en cours de route il a fallu renoncer à bien des ambitions. Pour quelques réussites toujours mises en exergue, à Grenoble ou dans la banlieue parisienne par exemple, les nouvelles HBM ne sont souvent guère plus décentes que les vieilles casernes ouvrières. Bien des offices publics ont pu sortir des bureaux d'hygiène : les nouvelles bâtisses n'en restent pas moins entourées de cloaques et de mauvais chemins — la voirie ne suit pas toujours —, sans commerces ni écoles à proximité. Les matériaux sont de mauvaise qualité et on maîtrise encore mal les techniques nouvelles : la cité du Champ-des-Oiseaux, par exemple, est la cité du bruit, celui de l'extérieur et celui des voisins, les galandages se fendent, l'humidité filtre à travers les plaques de ciment mal jointes, le chauffage est insuffisant. La tristesse naît désormais de l'isolement comme de l'uniformité des décors — les cités PLM, aux balcons barrés des mêmes rambardes que les voies et les gares... A la veille de la guerre, bien des HBM apparaissent comme de simples abris provisoires pour les nouveaux venus — quand ils peuvent y accéder... Plus que jamais, la question du logement apparaît comme une spécificité française.

En effet, désormais, l'initiative privée se retire progressivement du marché ! La loi du 9 mars 1918, reprise — après une brève période de liberté — en 1929, peut bien favoriser les locataires en assurant à bon compte leur maintien dans les lieux ; elle aboutit à détourner les capitaux et l'épargne du logement populaire que, par ailleurs, on

Dans la région parisienne en 1938, un immeuble d'HBM (habitation à bon marché), transformé, après la guerre, en HLM (habitation à loyer modéré).

cesse d'entretenir puisqu'il ne rapporte plus rien. A Paris, 35 % seulement des immeubles édifiés entre 1928 et 1939 s'adressent à une clientèle modeste, contre 58 % de ceux bâtis entre 1881 et 1914. La crise est patente à Dijon, à Nancy ; elle engendre, comme à Saint-Étienne, un véritable marché noir où l'on n'hésite pas à demander d'importantes reprises pour le plus petit aménagement, l'adduction électrique par exemple. Le nombre des ménages mal logés augmente partout ; ainsi au Mans : de 19 % en 1926 à 35 % au moment de la guerre. Et voici Gaston Lucas, serrurier, arrivant en 1930 à Paris, chez son beau-frère, rue Bailleul : il l'y trouve avec femme et enfant dans un étroit deux-pièces-cuisine ; il s'y installe cependant lui-même, en sus, avec sa propre épouse. Il n'en partira qu'à la naissance de sa fille, pour « un trou infect, grouillant de punaises » qu'il doit passer « des nuits à décrasser » !

La confusion des banlieues

Souvent construits à l'écart selon la disponibilité et le prix des terrains, les ensembles d'HBM accentuent une tendance à la différenciation sociale des espaces urbains vers la ségrégation. Ce n'est pas vraiment une nouveauté du XXᵉ siècle. Dès la monarchie de Juillet, la tendance des patriciats à vivre entre eux est évidente : une question de prix des loyers et de valeur des immeubles, mais aussi de cohésion sociale et de manière de penser ou de sentir qui identifient en isolant ; donc en rejetant ceux qui, d'abord, n'ont pas les moyens matériels. La géographie des hiérarchies s'inscrit déjà fortement entre 1840 et 1880 dans des cités aussi diverses que Moulins et Uzès, Tours et Clermont-Ferrand, qui ne sont pourtant guère touchées par la modernité. On comprend ce qu'il peut en être (sans oublier Paris, qui trace le chemin) à Lille et à Lyon, à

Rouen ou à Marseille. Voici Caen : le long de l'axe des rues Saint-Jean et Saint-Pierre ne vivent que 40 % de la population ; mais les trois quarts de la population censitaire et des grands notables. Ou Nantes : presque toute l'aristocratie est dans le quartier des Cours, la bourgeoisie autour de la place du Pilori. Mais il y a toujours des ouvriers dans tous les quartiers, y compris les meilleurs, dans les mansardes, dans les greniers, au fond des cours. Dans la plupart des villes — à Lyon, à Strasbourg, à Bordeaux — les rues du petit peuple jouxtent souvent les avenues les plus élégantes ; dans le Saint-Maurice manufacturier de Lille, on trouve aussi des centaines de commerçants, d'employés, de représentants des classes moyennes ; et jusqu'en 1914 au moins, les luxueuses maisons de maître avancent vers la périphérie des villes du Nord en même temps que les cases ouvrières du textile, et au milieu d'elles. Enfin, la distance géographique n'est jamais longtemps telle qu'elle empêche les contacts : Saint-Sauveur à Lille est tout près du quartier de la préfecture, les Terreaux sont au pied de la Croix-Rousse. P. Guillaume remarque que, d'ailleurs, la proximité n'entraîne pas forcément la familiarité et la communauté d'esprit ; sans qu'il y ait de règle, elle n'empêche pas l'arrogance ou le mépris ; elle signifie au moins une certaine connaissance réciproque, qui s'estompe avec l'écartèlement des espaces urbains. Au cours de la seconde moitié du XIXe siècle, les beaux quartiers — comme on dit — commencent à décoller du cœur des villes pour mordre, à la Belle Époque, sur leurs marches rurales. Un seul exemple, mais qui vaut pour tous, celui de Marseille : des rues de Rome, Paradis, Breteuil et Saint-Ferréol, les notables s'éloignent vers les cours Puget, les rues Sylvabelle et du Dragon, en attendant le Prado au XXe siècle. Ce déplacement correspond d'ailleurs à ce retrait progressif des familles de la bourgeoisie d'affaires hors des villes où elles avaient commencé leur ascension ; un effet de la nationalisation de leurs intérêts, de leur cosmopolitisme aussi, qui les amène à moins participer à la vie de la cité — réjouissances traditionnelles, questions municipales, etc. — en renonçant à une certaine insertion locale. Une différence qui s'incarne dans la pierre : celle des hôtels particuliers, le long des avenues ombreuses, mais surtout des beaux immeubles de rapport, les mêmes dans toute la France, avec leur porte cochère, leur large façade sur quatre ou cinq étages au-dessus de l'entresol, les pierres de taille, la surcharge et une décoration changeante avec le goût, et qui se multiplient des années 1860 à l'horizon 1930.

Ces habitations, bien sûr, sont inaccessibles à la grande majorité des travailleurs manuels, malgré leur souci — parfois couronné de succès — de demeurer sur place. Chaque grande opération de nettoyage des taudis et de reconstruction dans la plupart des grandes villes signifie, dès le Second Empire, l'expulsion de milliers d'entre eux ; on sait le souvenir que laisse, longtemps, le préfet Haussmann dans la mémoire populaire parisienne, mais les percées lyonnaises amènent la liquidation d'une bonne part de la vieille canuserie dans la presqu'île ; il en va de même à Rouen et ailleurs, même si c'est dans de moindres proportions. A la Belle Époque, il y a bien longtemps que ne peuvent plus se maintenir au centre de Paris que les ouvriers les plus qualifiés et les employés ; encore sont-ils progressivement poussés vers les arrondissements périphériques. Et, entre les deux guerres, l'hésitation de la grande majorité des ouvriers devant les HBM — pourtant édifiés pour eux — s'explique à la fois par le prix des loyers et leur éloignement relatif des espaces de vie traditionnels : ce sont les petits fonctionnaires et les employés de commerce qui vont les premiers s'installer dans les cités-jardins.

Cependant, progressivement, la proximité du travail n'est plus un argument pour rester. A la fin du XIXe siècle, c'est à la périphérie des villes que s'installent les grands établissements de la seconde révolution industrielle, qui n'est pas seulement affaire de technologie. Les usines métallurgiques de Grenelle commencent à essaimer vers les communes de banlieue ; Berliet quitte, au lendemain de la Grande Guerre, Montplaisir, quartier de Lyon, pour la plaine dauphinoise de Vénissieux ; c'est entre Laxou, Jarville, Malzéville et une demi-douzaine d'autres localités que s'éparpille le nouveau dynamisme nancéen, il en va de même entre Rouen et Le Havre, autour de Nantes, près de la métropole tricéphale du Nord, à Grenoble, etc. La distance s'allonge dans l'espace entre la grande usine de la périphérie et les cités-dortoirs de banlieue ; le temps, au contraire, se rétrécit avec le développement des transports urbains et périurbains. Le tournant du siècle — 1895-1910 — y marque la révolution de l'électrification des tramways ; du cheval à la nouvelle traction, le prix du billet tombe de 40 %, la capacité des voitures s'accroît, le nombre annuel de personnes transportées triple en une quinzaine d'années. En attendant, entre les deux guerres, la souplesse que signifie le développement des lignes d'autobus. Et voilà que le vocabulaire ouvrier reflète cette séparation élargie du travail et de la maison en termes d'obsession à gagner du temps, « sauter du lit », « arriver pile », « attraper le bus » ou le métro pour des déplacements qui, de plus en plus, se font dans la seule couronne extérieure des agglomérations, de banlieue à banlieue.

Cette mutation des espaces reflète et provoque à la fois le délitement des quartiers ouvriers du XIXᵉ siècle et le démantèlement simultané des communautés qui s'y inscrivaient. Une question de reconversion des activités qui brise à la Belle Époque les regroupements professionnels, ceux de la métallurgie et du textile, dans les villes des Vosges, de Lorraine, du nord du Massif central, et d'ailleurs : les 60 000 canuts de Lyon ne se fondent-ils pas dans l'ensemble de la population en moins d'un quart de siècle ? Sans que les différents groupements disparaissent complètement : en 1891, les gantiers constituent encore à Grenoble le groupe le plus nombreux alors que, depuis 1866, les travailleurs de la métallurgie et de l'électricité se sont multipliés par trois. Et, partout, on constate le renouvellement et la survie des métiers urbains, dynamisés par les besoins de consommation et, surtout, la marche rapide des emplois du tertiaire. L'évolution économique tend à éparpiller les branches et les métiers en en ajoutant sans cesse de nouveaux aux anciens. Même la cohésion des communautés les plus fermes est atteinte : chez les mineurs notamment, où la cohabitation forcée dans les corons, l'hérédité, un certain partage du danger et une résistance — même informelle — au patronat avaient fini par les créer ; dans le Nord et le Pas-de-Calais, après une guerre et une invasion qui ont brouillé les recrutements, la fracture passe par la nationalité ; l'arrivée des Polonais et des Italiens au fond de la mine pousse vers la maîtrise une grande partie des Français. On a vu, d'ailleurs, le rôle général de l'essor des étrangers. La mémoire collective s'affadit et se fait oublieuse avec la dispersion des gens et la destruction des lieux, des maisons, des ateliers, toute une topographie morale qui, au travers des langages spécifiques et des pratiques informelles, fondait une identité collective. D'une génération à l'autre, qui a été déplacée, la transmission ne se fait plus, et le rôle que commencent à jouer dans la constitution d'une histoire ouvrière les organisations syndicales et politiques est d'abord le signe de cet affaiblissement qui uniformise et déracine, au sens le plus fort du terme.

Sans doute peut-on découvrir, ici et là, des signes de reconstitution de groupes de natifs ou de professions dans la banlieue de l'entre-deux-guerres. Mais ils constituent l'exception dans un nouvel univers industriel où M. Perrot voit l'échec même de la ville. Au XIXᵉ siècle, on s'inquiétait devant l'incapacité à maîtriser les quartiers qui l'annonçaient — la Guillotière à Lyon, la « zone » à Paris, Saint-Lazare et Longchamp à Marseille —, en raison, justement, de leur caractère composite. Cette impuissance touche au XXᵉ siècle ceux surtout qui habitent ces communes étrangères, mal éclairées,

L'électrification des tramways permet d'aller travailler dans les grandes usines de la périphérie. Pendant la guerre de 1914-1918, des femmes remplacent les conducteurs.

Un coron de Lens.

mal équipées, ces agglomérats confus de hangars et de maisons, sans organisation d'ensemble, au bout de chemins boueux ou d'interminables trajets dans des tramways incommodes et surchargés, sans boutiques ni lieux de sociabilité. Cependant, aucun des problèmes traditionnels de l'habitat populaire n'est résolu : une enquête de 1928 révèle que, dans certaines communes de la banlieue Sud de Paris, l'eau reflue dans les caves et les latrines dès qu'il pleut, les rues se creusent de profondes ornières, les rats et les mouches pullulent, il faut marcher souvent plus d'une demi-heure pour atteindre la gare, etc. ; et surtout, dans les lotissements les plus récents, on compte plus de deux personnes par pièce dans 32 % des logements, plus de trois dans 10 % et plus de quatre dans 5 %.

Ces maisons de banlieue — la plupart du temps unifamiliales — sont médiocres, peu solides, des bicoques faites de matériaux hétéroclites, entourées de clapiers, de poulaillers, d'appentis, de tonnelles... Tel quel, le rêve longtemps caressé de la maison individuelle, d'autant plus fort que l'origine campagnarde est plus fréquente et que l'installation est sans retour. A Bordeaux, dès les années 1880, on remblaie les marécages du Peugue et du Serpent pour lotir, à relativement bas prix : d'emblée s'éparpillent des pavillons médiocres, mais qui s'entourent de vastes jardins, avec des arbres fruitiers, des potagers... Dans la banlieue parisienne, dès la Belle Époque, les petites demeures particulières représentent 30 % des constructions neuves ; leur part double entre 1920 et 1940. Pour 100 logements en 1962, dans l'ensemble de l'agglomération, il n'y aura pas 10 % de pavillons parmi ceux qui ont été édifiés entre 1871 et 1914, mais plus de 31 % chez ceux qui datent des années 1915-1939. Dans les autres villes françaises de plus de 100 000 habitants, leur place est encore bien plus forte, passant dans le même temps de 28,3 % à 42,4 %, et de 34 % à plus de 50 % dans les autres : le haut quartier de Vaucelles et celui du Chemin-Vert à Caen, les nouvelles communes industrielles de l'Est lyonnais, celles du Nord marseillais, etc.

« Chaude, bouillante l'été, et glaciale l'hiver », se souvient un ouvrier de l'entre-deux-guerres interviewé par J. Destray, en évoquant l'inconfortable maison de son beau-père, mais dont celui-ci a la propriété pleine et entière. De même, au lendemain de la loi Loucheur, en 1928, qui donne un élan général à la propriété et à la construction populaire, E. Saulnier se fait expliquer ses détours par un représentant des Dames de France : malgré ses six enfants à charge, il se lance dans la construction d'une maison, qui revient à 30 000 F, grâce à une subvention de 12 500 F que lui vaut son état d'ancien combattant ; il plante ses pommiers à cidre avant même que la maison ne sorte de terre. Un rêve incarné et largement partagé — peut-être parce que la coupure grandissante d'avec la terre pour le petit peuple urbain s'accorde avec le sentiment de l'impossibilité d'accéder désormais à l'entreprise — qui vient de loin : en 1873, à Lille, les patrimoines ouvriers étaient rares, mais il y avait une maison dans 41 % d'entre eux, et dans 64 % en 1908. Et ce rêve va durer : en 1947, une enquête révèle que 69 % des ouvriers aspirent à posséder leur logement. Voilà qu'à leur tour, les retraités des villes minières du Massif central font construire dans la campagne proche des maisons qui se modèlent sur celles qu'ils habitaient dans les cités patronales, alors que, si longtemps, l'habitat populaire des villes s'était inspiré des édifices vernaculaires. F. Cribier note qu'on peut désormais se ruiner pour posséder une maison plus médiocre que celle qu'on louerait, et qu'il existe une propriété des pauvres à côté de la location des riches. Peut-être aussi parce qu'il est plus aisé de gravir, entre les deux guerres, l'échelle du logement que les hiérarchies de la société. Il n'est pas sûr que la frustration ne soit pas plus grande qu'au temps où le problème se résumait à celui de trouver un toit pour la nuit.

10
La vie matérielle et les contraintes du travail

Hors de chez soi, pourtant, le nouveau cadre de vie des populations urbaines, même des plus modestes, est d'abord partage d'un spectacle commun où paraît s'anéantir la différence sociale. Au bout du taudis, on trouve le boulevard, ses magasins, ses lumières, sa vie permanente de camelots, de défilés, le cortège informel des badauds. Et puis les innombrables cafés, avec leurs lustres et les lumières du gaz en attendant celles de l'électricité, leurs glaces et leurs terrasses chantantes. Quelle cité, aussi modeste soit-elle, ne finit-elle pas par ouvrir, à la fin du XIXᵉ siècle, son Alcazar, son Casino, sa Grande Taverne, plus fraternels que son Café du Commerce ? A la Belle Époque, même au Creusot, les beuglants où se retrouvent ensemble ouvriers de l'usine, petits employés et membres des professions libérales se plantent à quelques dizaines de mètres du château des Schneider. Les Dijonnais de la Belle Époque se pressent aux concerts dominicaux des fanfares sur la place Saint-Pierre, tout comme les citadins proustiens de Doncière applaudissent aux retours de manœuvres. Pour les hommes, il existe aussi l'équivoque fraternité et le faux luxe du bordel, ses tapis et ses plantes exotiques, son « odeur écœurante et parfumée », dit Maupassant, mais aussi prometteuse que le nom des filles, Carmen, Mignon, Camélia.

En pleine Belle Époque, E. Saulnier, jeune verrier de banlieue, dit le plaisir de la capitale, à dix minutes de train : « A Austerlitz, on hélait un fiacre et on se faisait véhiculer comme des richards. » Mais il ne va qu'une fois au théâtre, et il dit préférer « notre petit univers de Choisy ». La Ligue contre la licence des rues peut bien s'en indigner, l'image des couples enlacés y est un des signes de la liberté des corps et des esprits qui paraît transcender les hiérarchies, dans les années 1920 comme au début du siècle. Il n'empêche que la rue est aussi, on l'a vu, lourde de menaces, et si la guerre a permis aux dames de la bourgeoisie de s'y montrer sans chapeau, la séparation n'en reste pas moins visible entre le feutre mou et la casquette, ou la femme « en cheveux ». Le confort des maisons de tolérance s'aligne sur l'argent, et la liberté de la rue est illusoire. La populace ? « La livrée éclatante la regarde avec dédain, les chevaux s'en étonnent, les chiens lui aboient » ; la richesse ? on l'admire « sans espérer d'être jamais riche », comme on le fait du « veau gras sans espérer en manger le moindre petit morceau », écrit E. Gourdon, journaliste parisien du Second Empire. Le décor est autre au XXᵉ siècle, mais la réalité demeure, en des occasions différentes — un grand prix automobile, une foire-exposition, un match de football. Les faux-semblants de la vie collective masquent mal les récurrences tardives de la détresse matérielle, la lenteur à se dégager, pour le plus grand nombre, de la précarité, et les nouvelles contraintes que l'organisation industrielle impose à des gens qui viennent à peine de se délivrer de celles d'une économie et d'une société traditionnelles qui n'en finissent pas de s'effacer.

LES SOUCIS DU QUOTIDIEN

Les descriptions contemporaines, au XIXᵉ siècle, de la condition ouvrière, n'ont pas d'autres couleurs, fort sombres, que celles appliquées aux villes industrialisées elles-mêmes. La reconstitution des séries statistiques d'aujourd'hui montre pourtant, jusqu'en 1939 et au-delà, l'amélioration lente mais sans doute sans retours véritables de la vie matérielle mesurée aux mouvements des consommations et des revenus. Ce que, sur le moment, on en a saisi est une autre histoire. Longtemps, mille signes disent les difficultés immédiates de l'existence ; et d'abord, à travers le corps lui-même des petites gens.

Les signes de l'anthropologie physique

C'est à la présence multipliée des travailleurs de l'industrie, grande ou petite, que les villes françaises du XIXᵉ siècle doivent de garder, jusqu'aux approches de la Belle Époque, des taux de mortalité plus élevés que la moyenne générale et atteignant leur maximum au Havre, à Lille, à Rouen... En 1817 à Paris, leur partage selon le niveau des loyers — qui reflète la hiérarchie de la société — est particulièrement parlant : 24,9 $^0/_{00}$ seulement pour les meilleurs logements, 27,3 $^0/_{00}$ dans la catégorie en dessous, 36,5 $^0/_{00}$ pour les plus modestes. En 1850, il y a progrès ; on est passé respectivement à 18,2 $^0/_{00}$, 25,1 $^0/_{00}$ et 33,7 $^0/_{00}$; la différenciation demeure, s'accentue même. P. Guillaume note qu'à Bordeaux, si les taux tendent finalement à converger, ils n'en reproduisent pas moins l'éventail des revenus ; sur le court terme, leur allure suit celle des salaires réels : signe de la médiocrité des résistances physiques de la population ouvrière.

*A la brasserie de Reichshoffen, boulevard Rochechouart ou boulevard de Clichy, une serveuse de bocks.
Manet, Coin de café-concert, 1879. Londres, National Gallery.*

Nana, la cocotte qui débute dans la vie galante avec l'Assommoir *(1876)* de Zola et qui triomphera en son hôtel de l'avenue de Villiers dans le roman qui porte son nom *(1880)*, achève sa toilette, houppette et rouge à lèvres aux mains, à côté de son protecteur qui l'attend, assis. Manet, Nana, 1877. Hambourg, Kunsthalle.

Comme dans les campagnes de l'Ancien Régime, ce sont les enfants qui creusent le malheur. A Lille, vers 1840, 21 % des enfants meurent avant leur cinquième année dans la bourgeoise rue Royale ; mais 48 % dans la rue des Robleds, 51 % dans celle de la Vignette et 58 % dans celle des Étaques, toutes populaires ; à Bordeaux, la mortalité infantile est trois fois plus élevée parmi les ouvriers et même les employés de commerce que parmi les négociants. Le Second Empire lillois n'est guère plus riant que la monarchie de Juillet, où un enfant sur cinq meurt avant 1 an dans les quartiers populaires, un sur quatre avant 3 ans, et où, à 24 ans, on ne retrouve guère en vie que la moitié d'une classe d'âge. Nantes ne vaut guère mieux, la mortalité infantile est, dit-on, « effrayante » chez les tisserands et, en 1890 encore, il n'y a pas d'amélioration à Bordeaux. Pas plus qu'à Rouen où, en 1888, il mourait un enfant sur trois au cours de sa première année ; il est vrai que la situation était encore pire un demi-siècle auparavant ! Et en 1906 encore deux sur cinq disparaissent dans le même temps. C'est mieux, dit-on, qu'à Roubaix, Lille ou Reims ! Partout, la part de la mortalité exogène dans le fléau — celle qui marque l'influence du milieu — accentue encore le lien avec la condition sociale. Et, pour les enfants comme pour les adultes, c'est parmi les déshérités des villes que les grandes vagues épidémiques du XIXᵉ siècle choisissent la majorité de leurs victimes.

On sait, depuis l'étude de L. Chevalier sur l'épidémie de 1832, le rôle de révélateur social que joue le choléra. A tel point qu'à Paris, des observateurs contemporains renversent l'analyse classique de la morbidité pour séparer une « quatrième classe, [parmi les] professions salariées, [...] bien reconnaissable à sa manière de mourir » ! Et où les plus démunis, balayeurs, charbonniers, journaliers surtout, paient un tribut bien supérieur à la place qu'ils tiennent dans la population de la capitale. Même fragilité à Lille pour les manœuvres, les dentellières des filatures de coton, les filtiers d'atelier, qui sont aussi les premiers et les plus gravement atteints dans un petit peuple laborieux qui fournit les trois quarts des victimes. Mais à Rennes aussi, le choléra est parti de la rue de Saint-Malo, l'une des plus misérables, où se produisent — avec celle de Brest — près de la moitié des décès. En 1865-1866, on retrouve à Caen les foyers du Vaugueux et de Vaucelles, et le choléra en 1854, comme plus tard la variole en 1870, naît à Toulouse dans le quartier ouvrier de Saint-Cyprien.

Les médecins du temps cherchent du côté de l'écologie : l'impureté des eaux, l'insalubrité des murs. Mais on sait que celles-ci sont inséparables d'une certaine misère qui, même si le nombre des morts, si la force des épidémies s'atténuent au cours du XIXᵉ siècle, expliquent la persistance d'une fragilité populaire. De ce fait, jusqu'à la seconde guerre mondiale, bien des endémies restent redoutables, qui affaiblissent le corps et laissent de graves séquelles dans la classe ouvrière, la variole longtemps, la typhoïde encore — à chaque crue de la Saône et du Rhône, les cas se multiplient à Lyon, en 1840, en 1856, en 1863, en 1874, et elle n'est pas rare en 1939 —, les fièvres de tous ordres des banlieues mal drainées, et les maladies infantiles encore effrayantes dans la mémoire de l'entre-deux-guerres. Et puis, bien sûr, à partir des années 1880, la tuberculose.

Celle-ci n'est pas une maladie spécifique de la Belle Époque, mais la sûreté désormais acquise du diagnostic, surtout pour ses formes pulmonaires, révèle l'étendue d'un mal qui est, à l'évidence, lié à la médiocrité matérielle. Ses grands foyers régionaux ? Paris et sa couronne, la basse Seine, la région lyonnaise, le Nord. Les villes les plus touchées ? Roubaix, où l'on compte 258 décès pour 100 000 personnes ; Lyon même où le taux atteint 294, et 319 à Lille, 394 à Paris, 440 à Rouen, 512 au Havre... Il y a bien longtemps, il est vrai, qu'on avait repéré ses ravages parmi les ouvriers du textile travail-

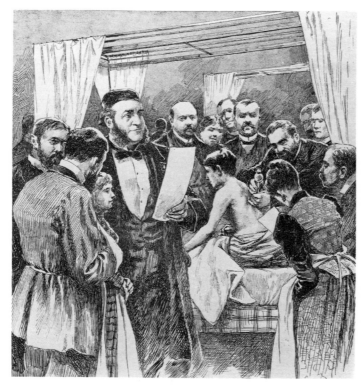

La tuberculose fait des ravages en milieu ouvrier. Le traitement de la tuberculose à l'hôpital Saint-Louis, à Paris. Dessin d'après nature par Loëvy, 1890. Paris, Bibliothèque nationale.

lant dans une atmosphère confinée et humide, pleine de brins de fibre en suspension, dans toutes les cités cotonnières du Nord et du Pas-de-Calais, de Normandie et d'ailleurs. Voilà que la grande usine elle aussi favorise les contagions ; l'arsenal de Brest, par exemple, est, dans les années 1890-1900, un foyer redoutable d'infection. De 1899 à 1903, on admet à l'hôpital maritime 946 de ses ouvriers — l'arsenal en emploie 7 000 — comme tuberculeux ; 251 meurent dans les mois qui suivent ; et, plus globalement, la moitié des décès de l'hôpital ont cette même origine.

A un niveau plus fin, une enquête parisienne de 1905-1906 tente de cartographier la morbidité tuberculeuse : sous celle-ci a tôt fait d'apparaître la géographie du Paris ouvrier, celui des vieux arrondissements du centre — le 4e et le 5e —, celui des nouveaux districts industriels — le 14e, le 19e, outre le 11e et le 12e. Quelques années plus tard, voici à Bordeaux, les quartiers Saint-Michel et Mériadeck d'où partirent déjà les infections cholériques du XIXe siècle. A Paris, on finit par traquer la tuberculose au niveau des maisons ; et l'on répartit, à partir de 1894, les immeubles en « casiers sanitaires » : en 1904, six îlots apparaissent comme dangereux ; il y en a dix-sept en 1919 ; à Caen, le nombre de cas identifiés quadruple entre 1880 et 1914, où la phtisie serait à l'origine d'un décès sur huit. Si la courbe générale paraît en léger recul à Paris, elle est au tournant du siècle à son acmé dans toutes les villes industrialisées. Malgré la généralité des alarmes et la constitution précoce de ce qu'A. Cottereau nomme le *lobby* anti-tuberculeux, les soins restent jusqu'à la guerre du domaine privé, ils sont souvent inefficaces, les résultats sont décourageants. A Bordeaux pourtant, la bourgeoisie, longtemps visée elle aussi, paraît désormais à l'abri ; alors que, si le mal n'épargne pas plus les artisans que les travailleurs de la grande industrie, c'est chez les manœuvres qu'il atteint ses formes les plus aiguës. Le progrès même de la thérapeutique accentue la nature sociale de la tuberculose ; ce n'est pas un hasard si elle frappe d'abord les jeunes adultes — à Bordeaux 40 % de ses victimes en 1913 ont entre 20 et 35 ans —, et surtout les hommes. C'est une manière de le reconnaître que de donner longtemps la priorité à la suralimentation, au repos et à l'air pur. Entre les deux guerres, c'est logiquement dans les quartiers populaires que s'installent les premiers dispensaires et l'on sait que, plus tard, c'est dans le cadre de la médecine du travail que se fera le dépistage radiologique systématique. En 1939, les progrès sont déjà réels, mais la résistance du mal colle à un complexe général de précarité matérielle et de dureté du travail, comme jadis le choléra. « Il s'en va de la poitrine », disent les femmes qui veillent à l'enfance immigrée de Cavanna, « en baissant la voix, soudain blêmes ».

Tous les ouvriers ne meurent pas des poumons — ou d'un autre mal — dans la fleur de l'âge. Mais tout le XIXᵉ siècle s'inquiète — et l'entre-deux-guerres encore plus — de leur débilité physique. C'est le Paris malade de L. Chevalier, avant que la Belle Époque ne cherche les raisons de leur mauvaise mine dans la dégénérescence. Il ne convient pas de généraliser les impressions du temps, le teint bilieux des tisseurs ou les jambes cagneuses des canuts, encore que chaque grande enquête reflète avec force les déformations du corps que provoquent certaines tâches industrielles et les atteintes

Vision caricaturale par E. Cottin des conseils de révision, 1889. Paris, Bibliothèque nationale.

multiples de l'abus de maints produits — l'alcali, le plomb, les bains de teinture. Mais la toise du médecin militaire introduit la rigueur d'une mesure qui ne dit pas autre chose.

Ainsi, dans la région lyonnaise, en 1852-1853, on a justement trois fois plus de malchance d'être un nabot si l'on est ouvrier que si l'on naît dans une famille bourgeoise. Un manœuvre sur quatre mesure moins de 1,60 mètre, un ouvrier d'industrie sur (presque) deux, mais seulement un fils d'avocat ou de rentier sur douze. A Saint-Étienne, le classement des statures reproduit, à l'intérieur même de la classe ouvrière, l'échelle des conditions de vie et de travail, des rubaniers en soie, les plus petits, jusqu'aux métallurgistes, en passant par les mineurs et les maçons. Deux canuts lyonnais sur cinq, un armurier forézien sur deux sont d'ailleurs jugés inaptes au service, et, une fois sur trois, c'est pour « faiblesse de constitution ». A Nantes aussi, chez les tisserands, parmi les cotonniers de Mulhouse, on se plaint des difficultés à trouver des soldats ; de 1830 à 1880, à Toulouse, la part des réformés est plus forte dans les quartiers du centre, les plus misérables.

A la veille de 1914, le nombre des ouvriers exemptés dans la région lyonnaise est tombé du tiers à moins du quart, mais le recul est moins prononcé dans les grandes villes qu'ailleurs ; et si tout le monde a grandi, c'est en conservant les écarts de taille, par rapport aux autres catégories de la société comme à l'intérieur même du monde ouvrier. A Saint-Étienne, d'ailleurs, les progrès sont minces. Au lendemain des carences diverses de l'enfance et de l'adolescence, la condition ouvrière s'inscrit toujours dans les corps, en premier lieu. Nous voilà ensuite dans le Nord des années 1925, quand la médecine scolaire commence elle aussi à révéler les séquelles de la dégradation physique : au même âge, on s'aperçoit que la capacité pulmonaire des apprenties est inférieure de 60 % à celle des jeunes filles qui ne sont pas salariées ; à 19 ans, si elle atteint 2,75 litres pour les enfants de la bourgeoisie, elle ne dépasse pas 2 litres chez les fileuses et 1 litre parmi les couturières... On est pourtant loin du temps où l'image de la condition ouvrière se confondait avec celle de la seule misère.

Gagner sa vie

De fait, en France comme ailleurs, c'est sous les couleurs de l'une que l'on avait découvert, sous la Restauration et la monarchie de Juillet, l'existence de l'autre. A travers la dégradation physique d'une population — dont on a vu qu'elle n'était pas illusoire —, toute une littérature repère la crue brutale de la détresse matérielle et le changement de qualité qui en résulte, sa relative permanence, son extension à des catégories sociales qu'elle épargnait jusque-là. « L'ère industrielle commence, le paupérisme est né », écrit l'un de ces observateurs, un peu plus tard. Tous n'ont pas cette lucidité de lier la mutation de l'économie à celle d'une certaine détresse matérielle ; il est vrai que les formes que prend longtemps celle-ci ne contribuent guère à la leur donner.

Longtemps, en effet, la misère populaire emprunte les formes de l'Ancien Régime. Dans le Caen des années 1840, par exemple, les mendiants multipliés constituent une calamité publique, dit-on, et l'on estime que 6 % des Toulousains vivent des seules aumônes qu'ils vont régulièrement quérir chez tel ou tel habitant aisé où ils ont leurs habitudes. Sans doute s'agit-il là de professionnels, mais c'est en fait par milliers que chaque ville en dénombre au milieu du XIXe siècle ; ce sont tout simplement des travailleurs incapables de subvenir à leurs propres besoins : 4 000 au moins quasiment en permanence au Mans, soit le quart de la population totale, et le tiers, ou presque, à Rennes ; à Caen, l'étiage se situe aux environs de 5 000 et, d'après les bureaux de bienfaisance locaux, un Amiénois sur sept et un Parisien sur treize ne subsistent que par la charité publique ou privée.

Bien sûr, il arrive qu'on vienne en ville dans l'unique but de profiter d'une assistance mieux assise que dans les campagnes. Ainsi, en 1836, les ouvriers manceaux demandent qu'on écarte des secours ceux qui sont étrangers à la ville ; à Brest, en 1846-1847, les mendiants du cru reçoivent un numéro d'ordre qui exclut les intrus ; à Nantes, ce sont bien sûr ceux-ci qui aggravent la situation en 1850 : mais, en temps ordinaire, on y compte 20 000 indigents ! Le partage citadins-ruraux est d'ailleurs fallacieux, puisqu'on sait l'écartèlement géographique de nombre d'industries. Surtout, il suffit de très peu pour qu'on tombe de la précarité habituelle dans la détresse — une maladie, un accident, un enfant de trop, outre, bien sûr, les cahots des prix et de l'emploi. On a vu, au travers des successions, et pendant tout le XIXᵉ siècle au moins, l'absence totale de réserves parmi les couches populaires : à Rouen, par exemple, 60 % des chefs de ménage sous Louis-Philippe, 40 % encore sous la Troisième République sont exemptés de la taxe personnelle pour indigence.

Contre la misère, il n'existe longtemps que les institutions et les pratiques traditionnelles de l'assistance. Celle-ci continue à passer par les hôpitaux, dont certains conservent, en pleine monarchie de Juillet, des ateliers pour les pauvres, telle la filature de la Salpêtrière à Paris. Mais elle n'emploie que 30 personnes ! Autant dire que l'institution hospitalière, nulle part, ne mord plus sur la réalité. Les pouvoirs publics municipaux doivent intervenir. A Bordeaux, c'est le bureau de bienfaisance qui entretient des ouvriers ; à Caen, la municipalité ouvre des ateliers de charité en 1829, 1838, 1844 ; et celles du Mans et de Rouen financent à plusieurs reprises des chantiers de travaux publics. Plus banalement, la plupart des indigents bénéficient de distributions gratuites de nourriture, quelquefois de secours en argent ; jusqu'à la fin du XIXᵉ siècle, les soupes populaires font partie des horizons de la condition ouvrière, tandis qu'à la Belle Époque, tous les budgets municipaux voient se gonfler régulièrement leur poste d'assistance. Enfin, il y a la charité privée, souvent d'origine religieuse — les Conférences de Saint-Vincent-de-Paul. Dans les années 1840-1850, ce sont parfois de simples citoyens fortunés qui s'associent un moment pour nourrir les ouvriers de leur ville. La grande dépression des années 1880 relance un moment des pratiques qui, malgré tout, s'estompent depuis le Second Empire. En 1891 encore, un flot de miséreux d'un autre âge envahit l'hôtel de ville de Dijon pour réclamer du pain ; et, dans les premières années du XXᵉ siècle, une famille d'Armentières sur huit ne peut vivre sans être aidée ; il y a toujours un atelier communal à la mauvaise saison à Caen, et 3 000 à 3 500 personnes secourues. Il est vrai qu'il y en avait deux fois plus, à population moindre, au milieu du XIXᵉ siècle, et, surtout, les critères de l'indigence ont changé avec une évidente amélioration de la condition matérielle.

Celle-ci s'apprécie d'abord selon la classique comparaison des courbes du salaire et du coût de la vie. La première, mesurée à des taux quotidiens, progresse lentement jusqu'au début du Second Empire, beaucoup plus vite par la suite jusqu'au milieu des années 1880. A partir de 1885, elle demeure orientée à la hausse, mais faiblement, jusqu'en 1905, où elle redémarre à vive allure. Après 1914, les perturbations monétaires rendent hasardeux le raccordement des séries, mais on sait la rapidité de l'avance. L'indice du coût de la vie, lui — pour 100 en 1914 —, progresse seulement de 76 en 1840-1841 à 82 en 1846-1847 (des années de vie chère) ; il s'élève assez fortement sous le Second Empire après quelques exercices calmes pour culminer à 95 vers 1871-1872, demeurer étale jusqu'à la fin des années 1880, reculer un peu dans la décennie suivante avant de décoller seulement vers 1908-1909. Du début de la monarchie de Juillet à 1914, selon J. Singer-Kérel, le niveau des indices parisiens du prix des services aurait augmenté de 54 à 83 %, mais celui des produits manufacturés aurait régressé de près de 47 à 37 %.

L'essentiel, bien sûr, c'est le salaire réel, donc le niveau de vie, si tant est qu'on puisse le calculer sur la longue durée avec la même rigueur qu'aujourd'hui. Selon une série d'essais d'approche globale, de J. Fourastié à J. Singer-Kérel en passant par J. Kuczynski, l'indice du pouvoir d'achat d'un manœuvre parisien passerait donc, d'après les uns, de 68 en 1820 à 70 en 1840, 92 en 1913, 144 en 1930 et 224 en 1939 ; d'après les autres, de 67 au milieu de la monarchie de Juillet à 94 à la fin de la Belle Époque et 209 à la veille de la seconde guerre mondiale. Malgré les incertitudes de la vie économique, J. Lhomme montre en effet que l'amélioration s'est poursuivie globalement entre 1918 et 1939, surtout si l'on prend en compte pour calculer le salaire réel le revenu indirect procuré par les prestations sociales alors en plein développement ; et son recul dans les années 1926-1927 et 1937-1938 ne parvient pas à effacer les progrès de la guerre elle-même, particulièrement forts jusqu'en 1917 au moins pour certaines catégories de travailleurs qualifiés, en opposition au laminage des revenus dans certains secteurs de la petite bourgeoisie, et ceux des années 1921-1922 et 1936.

C'est évidemment la répartition des différents postes dans les budgets ouvriers qui constitue la meilleure preuve de cette amélioration au long cours. Encore rares au milieu du XIXe siècle, au hasard d'une enquête, ils commencent à être recueillis systématiquement et avec rigueur à sa fin, par F. Le Play et son école d'observateurs sociaux, en attendant le *Board of Trade* britannique et M. Halbwachs. Là où il est possible de comparer terme à terme à trois quarts de siècle de distance, ce qui frappe, c'est la plasticité grandissante des postes. Entre 1840 et 1850, tous se ressemblent, quel que soit le secteur, quelle que soit la qualification, par la place majoritaire qu'y tiennent les dépenses de nourriture. Voici les mineurs à Carmaux : en 1852, l'alimentation engloutit presque les trois quarts des dépenses (69,2 %) et le reste est là pour mémoire, le vêtement (14,2 %), le logement (7,2 %), le chauffage (4,7 %) ; à peu près dans le même temps, dans la région stéphanoise, la part de la nourriture ne descend jamais à moins de 62 %, culminant à plus de 73 % chez les métallurgistes de Saint-Chamond. A la fin du siècle déjà, M. Perrot ne parvient pas à tirer des moyennes significatives des budgets calculés par Le Play : elle doit se contenter de fourchettes, 46 à 77 % pour la nourriture, 5 à 25 % pour la maison, 8 à 30 % pour l'habillement. Le désordre est encore plus grand à Saint-Étienne en 1914, et les évaluations carmausines ne s'accordent désormais plus guère d'une source à l'autre ; les plus voisines cependant, la Commission préfectorale du coût de la vie et la Fédération du sous-sol, convergent vers une évolution des dépenses alimentaires à 53-57 % seulement du total.

On sait le sens de cette mutation. Au XIXe siècle déjà, l'échelle des frais relatifs de nourriture traduit celle des conditions sociales ; et, entre 1873 et 1913, à l'intérieur même de la bourgeoisie, elle se calque strictement sur la hiérarchie des fortunes. Ainsi, pour les plus modestes de ses familles, l'alimentation constitue toujours le premier poste, alors que c'en est fini pour les plus aisées. Entre 1920 et 1939, sa part est, chez toutes, en retrait ; les ouvriers n'en sont pas encore là, mais ils sont en voie d'y parvenir, bien qu'avec un temps de retard sur les employés et la petite bourgeoisie. La multiplication des postes nouveaux — même s'ils sont médiocres — dans les budgets populaires dit cette libération, la possibilité des choix d'emploi, en somme une plus grande aisance financière et la présence de quelques réserves : le tabac, l'abonnement à un journal, une prime d'assurance, une bicyclette — les tandems du Front populaire —, plus généralement les « plaisirs du dimanche », comme le dit un observateur lyonnais de la Belle Époque.

L'économie familiale

Cependant, aucun ouvrier ne se reconnaîtrait évidemment dans la balance bien alignée de comptes que, d'ailleurs, il ne tient pas. Pendant tout le XIXᵉ siècle, la pesée globale à laquelle on s'est tenu jusque-là ne colle guère aux réalités de la pratique quotidienne. La généralité (ou presque) du travail à la tâche fait du taux salarial à l'heure ou à la journée un artifice de statisticien. La porosité de l'emploi qui oscille d'une année sur l'autre, d'un mois à l'autre, au gré des cahots de l'économie, ne permet guère de calculer des revenus annuels, entre les moments de presse et les mortes-saisons qui varient en outre avec les secteurs et les individus. Enfin, sauf exception — les célibataires, les personnes seules —, il n'est guère possible d'isoler revenu et coût de la vie au niveau individuel : ceux-ci s'inscrivent toujours dans le cadre du groupe familial qui façonne et oriente une vie matérielle complexe dont beaucoup d'éléments sont malaisés à chiffrer.

Voici, par exemple, l'un des plus simples des budgets familiaux reconstitués par Le Play, celui d'un manœuvre parisien qui vit avec sa femme, huit enfants encore au foyer, une grand-mère. Au salaire du père, 830 F par an en cette fin du XIXᵉ siècle, il faut ajouter la part que le fils verse sur le sien — il est ouvrier mécanicien — à la communauté, soit 782,50 F, et celle que prélève sur ses gages la fille aînée, placée en maison bourgeoise, environ 382 F. Mais aussi les 150 F de revenu indirect représentés par les bons de pain et de charbon reçus du bureau de bienfaisance, les remèdes et les soins gratuits donnés par telle ou telle institution charitable, près du sixième du salaire paternel, en tout. S'il ne parvient pas à apprécier financièrement la tenue du ménage par les deux femmes adultes, l'achat et la préparation des aliments, le nettoyage du mobilier et de la maison, les soins donnés aux enfants, l'enquêteur n'en estime pas moins qu'ils correspondent à 180 jours de travail par an, et à 125 jours l'entretien des vêtements et du linge. Enfin, on note surtout que, « par une exception fort rare » et qu'explique la présence des petits enfants — il y en a six en bas âge —, « la famille n'entreprend à son compte aucune industrie ». C'est-à-dire qu'elle n'a pas d'activité complémentaire, du moins de celles que l'on peut clairement caractériser et classer. Finalement, on peut se demander si, dans d'autres cas — la majorité ? —, il ne faut pas chercher l'essentiel, d'une part, vers le partage et la complémentarité des rôles familiaux, d'autre part, vers les revenus annexes, malaisés à comptabiliser, de ceux que cherche à intégrer aujourd'hui le concept d'économie informelle ou souterraine, sans que, bien sûr, la réalité de l'existence ouvrière démêle les uns des autres.

Sinon, comment comprendre que nombre des budgets du XIXᵉ siècle, plus simplistes, soient en permanent déficit ? Tel tisseur de Roubaix, par exemple, a besoin de 1 000 F par an au moins pour entretenir son ménage ; il n'en gagne, au mieux, que 800 : cependant, il vit, ou survit. En 1851, Louis Moreau-Christophe, inspecteur des prisons, estime que 2 millions de citoyens vivent en permanence en deçà du seuil de pauvreté, et que 6 millions d'autres sont perpétuellement menacés d'y tomber. Enfin, la violence des crises de l'emploi peut supprimer tout revenu salarial pendant de longs mois et, localement, toucher une majorité de travailleurs. Aux débuts de la monarchie de Juillet ? les deux cinquièmes des ouvriers auraient été au chômage, en 1831, pendant toute une année. La crise du milieu des années 1840 ? à Roubaix, 60 % des ouvriers du textile sont à la rue en 1846-1847 et, pendant l'hiver suivant, peut-être les trois quarts de ceux de Rouen ! On sait le terrible impact sur l'emploi de la famine du coton des années 1860, celui des crises de la soie à Lyon sous le Second Empire, où il arrive qu'en quelques semaines on se débarrasse de plus de la moitié des canuts, comme en 1857. Mais ce ne sont pas les seuls secteurs en cause, en un temps où l'emploi colle étroitement aux seuls besoins immédiats de la production et, normalement, même en période de hautes eaux, il est rare par exemple qu'on travaille, au Mans, plus de 260 jours par an. Pendant la grande dépression des années 1880, les renvois sectoriels sont moins impressionnants, la chronologie de la crise s'étale : il n'empêche que toutes les grandes villes industrielles connaissent à nouveau des taux d'inactivité élevés, et toujours plusieurs milliers de chômeurs, si tant est qu'on puisse utiliser ce mot, en l'absence de la notion — qui serait anachronique — de plein emploi.

C'est évidemment en ces circonstances que joue la solidarité du groupe familial où — sauf dans les moments de grande crise — le manque de travail n'affecte pas, dans le même temps, la totalité de ses membres. Le père peut alors nourrir le fils, et *vice versa*, et, au-delà du salaire, la survie s'organise autour de toute une série de revenus collectifs directs et indirects : c'est durant longtemps l'aide en argent ou en nature — dans les années 1930 on voit des ouvriers retourner manger ou chercher la soupe dans les institutions de charité —, toutes les distributions gratuites, publiques ou privées : un des ouvriers de Le Play reçoit régulièrement des jaunes d'œuf donnés par un pâtissier de sa parenté ! C'est aussi tout un jeu autour du crédit — celui que vous accorde le commerçant du quartier, l'argent que l'on reçoit du mont-de-piété contre les habits du dimanche qui y sont en dépôt permanent...

C'est enfin tout ce qu'on produit soi-même, en un temps où l'autoconsommation n'est pas qu'affaire de paysan, ni d'ailleurs d'ouvrier : les lettres qu'envoie à ses cousins et à ses oncles Marthe, cette aristocrate normande déclassée dont on vient de publier la correspondance, sont, au tournant du XXᵉ siècle, pleines de recettes de basse-cour et de conseils de clapier. Ce n'est pas une simple survivance des habitudes campagnardes : dès le milieu du XIXᵉ siècle, les observateurs sont frappés de cette production domestique, à Imphy, à Pont-à-Mousson, à Commentry, et qui permet seule aux gens d'Anzin de satisfaire, sans avoir à dépenser, leur goût de la viande de lapin. Si bien que, dans la suite, jardins et poulaillers, si répandus dans les villes minières, répondent au moins autant à la volonté — et aux besoins — de leurs habitants qu'au souci des compagnies de les occuper en dehors du travail. A Carmaux, en 1910, les mineurs tirent de leur potager peut-être la moitié de leur nourriture. « Cinq, six moutons, une centaine de lapins, il faisait tous ses plants lui-même », dit de son beau-père le mineur L. Lengrand, né en 1921 ! De même, les ouvriers de Rennes, à la Belle Époque, n'hésitent pas à acheter des morceaux de terre pour les cultiver ; leur produit est loin d'être marginal : 35 kilos de légumes par personne, chaque année. Dans le même temps, les Parisiens envahissent les terrains des fortifs pour s'y faire jardiniers du dimanche. Le mouvement des jardins ouvriers peut bien se référer à un idéal réactionnaire et clérical — le père Volpette, à Saint-Étienne ; dans le Lyon de l'entre-deux-guerres, certaines ligues de droite... — : le succès qu'il rencontre est significatif, tout comme la prise en main, plus tard, de l'affaire par les organisations syndicales elles-mêmes, et il couvre de cabanes et de planches de légumes les terrains de l'immédiate banlieue, quand il ne se glisse pas entre usines et voies ferrées.

Au mont-de-piété de Paris, le dégagement des objets déposés. Gravure vers 1860.

Le travail complémentaire de l'épouse et des enfants a un caractère moins permanent. On a pu tenter de reconstituer, dans un ménage imaginaire, les moments de bonne situation matérielle : tout de suite après le mariage, quand un salaire s'ajoute à l'autre sans que certains frais, le loyer par exemple, augmentent, et, surtout, lorsque arrive le moment — autour de 12 ans à la Belle Époque — où les enfants rapportent plus qu'ils ne coûtent, et où, les ayant élevés, la mère peut retourner à l'atelier. D'autant plus que l'apport féminin ou celui des enfants est loin de s'enfermer dans le salariat : à Rennes, vers 1880, près de la moitié des boutiques de la ville sont tenues par des épouses d'ouvriers de l'industrie et, cinquante ans auparavant, on notait déjà la grande place qu'y tenaient celles des travailleurs de l'arsenal. A Bordeaux, on note aussi la présence de négoces plus occasionnels, et encore plus à Roubaix, où les petits trafics sans patente sont légion, marchands ambulants, éventaires éphémères, etc. C'est aussi affaire des vieillards — ces ouvriers, souvent qualifiés, qu'on retrouve à la Belle Époque dans le chiffon parisien — et surtout des enfants. Toutes les autobiographies ouvrières du XIXᵉ siècle parlent de ces innombrables petits métiers occasionnels — les courses pour le commerçant d'à côté, le coup de main qu'on donne à l'artisan familier, la cueillette de l'herbe pour les lapins, le ramassage du charbon tombé des wagons de chemins de fer, une forme industrielle du glanage de la tradition —, à mi-chemin du travail et du jeu, et où l'on transgresse aussi bien les interdits des parents que ceux de la loi.

Poulailler dans le jardin d'un pavillon de banlieue, 1946.

De la cueillette à la maraude et au chapardage, le pas peut être vite franchi : à Paris, dans le 13ᵉ arrondissement de la Belle Époque, la moitié des arrestations touchent des enfants ! et, un peu plus tard, les bandes d'« apaches » banlieusardes qui troublent les consciences ne reflètent guère que l'exagération d'une pratique qui, de la mendicité au détournement, met une partie du revenu populaire aux franges de l'illégalité. Dès le début du XIXᵉ siècle, le « piquage d'onces », cette manière qu'ont les canuts lyonnais de détourner et de revendre à leur profit une partie de la matière première, est bien connu des fabricants ; mais il y a aussi l'« étirage » des pièces avant mesure, l'augmentation mensongère de leur poids par divers produits, etc. Le mode de rémunération favorise ce genre de pratique, et la fraude peut être au cœur du salaire à la tâche. Sans oublier le charbon que l'on emporte dans sa musette, le bois de charpente qu'on détourne du chantier, les outils que l'on oublie chez soi — une plaie dans la métallurgie —, le gant qu'on coupe trop large pour accaparer le maximum de déchets de peau, etc. Enfin, pour les femmes, il faut poser la question de la prostitution occasionnelle, dont Villermé comme Parent-Duchâtelet notent l'importance dans les villes ouvrières des années 1840 : dans les moments de détresse — mais on sait que celle-ci, dans telle famille, peut être permanente — et chez les épinglières de Rugles sous la monarchie de Juillet, dans le textile lillois et valenciennois ; un peu plus tard, parmi les porcelainières de Limoges, chez les ouvrières de la fabrique lyonnaise aussi, on devine longtemps plus qu'on ne la saisit cette zone d'ombre du revenu populaire.

Reste cependant le plus important, à savoir la tâche de gestion du foyer dont les femmes sont investies, celle de l'alimentation, de la cuisine, du rapiéçage des vêtements dont on a vu, à travers Le Play, les équivalences monétaires, et dont l'économie n'est pas aisée à évaluer : mais, si l'on en juge par des exemples étrangers de la Belle

Époque, il est possible que l'on gagne à rester chez soi pour gérer son ménage plutôt que d'aller travailler en usine. Là aussi, le patronat paternaliste s'appuie sur la réalité d'un besoin quand il crée des ouvroirs ou des cours d'enseignement ménager ; comme celui qu'assure toujours, dans les années 1930, la compagnie d'Anzin, soucieuse non seulement d'apprendre aux femmes et aux filles d'ouvriers à « préparer un repas » et à en « déterminer le prix de revient détaillé », mais aussi de leur enseigner la couture, « le raccommodage du linge et des vêtements, la lessive et le repassage ». L'autobiographie d'Eugène Saulnier dit, en contrepoint de sa propre existence, l'importance du rôle de son épouse, Alsine.

On comprend, à l'inverse d'une certaine imagerie bourgeoise, la valeur que la classe ouvrière attache au groupe familial et à sa figure centrale. Elle paraît d'autant plus forte que la condition professionnelle est médiocre, et seuls les esprits peu avertis s'en étonnent : les chiffonniers parisiens, par exemple, que leur tradition d'illégitimité devrait rendre si peu recommandables... Elle explique aussi la longue résistance — et le discours qui l'entoure — des femmes mariées à s'embaucher à l'usine, malgré la force — dans le textile, par exemple — de la demande. Ce n'est pas un hasard si la véritable mise au travail des femmes du peuple hors de chez soi se fait, au XXᵉ siècle, autour de la machine à coudre et de la machine à écrire, dont l'apprentissage, puis la pratique, ne sont pas exclusifs de la vie domestique, même si ce modèle d'économie familiale commence à s'estomper autour de la Belle Époque, avec la liquidation du travail enfantin au moins à l'atelier — un effet de l'obligation scolaire, de la législation protectrice — et avec l'émergence d'une économie du travail et de la ville qui traque les irréguliers et les plages d'une certaine liberté de l'existence.

Le pain, la viande, le vin

La place que tient la nourriture dans l'imaginaire ouvrier est longtemps là pour refléter clairement l'obsession que l'on a encore d'en manquer. C'est, en partie, l'héritage d'une certaine culture populaire qui exalte les exploits et les excès de table. Dans les années 1840-1850 encore, les livres de la Bibliothèque bleue sont pleins de fabuleux banquets et de grasses ripailles. La réalité la plus immédiate démontre d'ailleurs que la richesse, c'est d'abord la possibilité de beaucoup manger. De la démesure des menus dans la bourgeoisie louis-philipparde aux agapes républicaines de la Belle Époque, la réussite sociale ou politique passe par l'abondance des nourritures. Jusqu'à la seconde guerre mondiale d'ailleurs, il n'y a pas que le portrait charge qui croque les repus : toute une esthétique du corps masculin ou féminin privilégie l'excès de poids. Parce que, précisément, elle demeure longtemps aux marches de l'insuffisance alimentaire, la classe ouvrière ne peut que partager cette culture héritée des économies de pénurie.

De fait, Denis Poulot peut bien s'indigner de la goinfrerie et des « tristes, bien tristes occupations des Sublimes » à la fin du Second Empire ; de ce « loustic [engloutissant] quatorze livres de lard et trois ou quatre livres de choucroute, du pain à l'avenant, [avec] trois litres de vin, [avant de] se draper dans sa célébrité ». Il n'empêche qu'à Rouen, en 1852, des ouvriers n'avaient pas hésité à revendre leurs bons de pain bis pour en acheter du blanc, avec des gâteaux et des liqueurs. A la fin du XIXᵉ siècle il n'est pas rare qu'on mange d'un coup tout le reliquat d'une caisse de grève dans un de ces repas de fête fortement arrosés et chaleureux qu'apprécient tant les ouvriers ; le banquet corporatif — pratiqué par exemple par les mineurs de Saint-Étienne — est l'un des moments forts de la vie collective. Entre les deux guerres encore, la capacité

Le banquet des mineurs de Saint-Étienne est l'un des temps forts de la vie collective.

d'absorption des verriers et des sidérurgistes est célèbre, et l'on en parle avec d'autant plus d'admiration qu'elle se pare de toutes les vertus de cordialité du vin — même si, en fait, ils boivent surtout du café fortement coupé d'eau ! Plus simplement, E. Saulnier se souvient avec nostalgie du plaisir sensuel provoqué par « les relents de soupe et de tétine de bœuf », l'odeur des pommes de terre cuites au four de la verrerie, la saveur inoubliable d'un hareng saur rôti, « pris en sandwich entre deux grosses tartines ». Manger, c'est le premier des plaisirs, comme c'est le premier des besoins à satisfaire, pour une classe ouvrière dont la culture s'inscrit dans la matérialité la plus concrète et la plus immédiate.

Car au XIXe siècle, le quotidien, c'est encore essentiellement le pain ; de la Restauration à la seconde guerre mondiale s'imposent à la fois la permanence de sa primauté et son lent et inexorable recul. Nous sommes à Fourchambault, vers 1820-1830 : pour un ouvrier métallurgiste, il en faut 2 à 4 livres par jour. A Carmaux, en 1914 ? un ménage de mineurs en mange 10 kilos par semaine, donc une livre et demie par personne et par jour. Toutes les enquêtes du XIXe siècle disent sa priorité, soit tel quel en tartines, soit en accompagnement des mets, mais aussi en soupes — dont la recette varie avec les traditions locales —, ou trempé dans ces ragoûts dont on est longtemps si friand, ces « longues sauces » qui font passer la mauvaise qualité de la viande ; dans le café au lait aussi, par exemple dans les villes textiles du Nord autour de 1870. Une fois de plus, il est difficile de généraliser. A la veille de la Belle Époque, les budgets de l'école de Le Play traduisent bien le reflux du pain. Alors que, dans les années

1840-1850, il pouvait accaparer plus de la moitié des dépenses de nourriture, les trois quarts parfois, il arrive qu'il n'en absorbe plus que 8 % dans les cas extrêmes, autour de 12-13 % le plus souvent. Mais une série de budgets lyonnais à peu près contemporains inscrit la part du pain à 18-20 % dans la majorité des cas, et à près de 40 % dans certains cas des observations de Le Play.

L'explication se trouve, évidemment, dans la baisse relative, sur le long terme, des prix du pain : vers 1914, en gros, il reste à 0,40 F le kilo ; c'est-à-dire au niveau des années 1830-1840, alors que la plupart des prix et des revenus ont fortement monté. On sait qu'il faut aller chercher, dans un premier temps, du côté de l'unification du marché national, dans un second — les années 1880 et suivantes —, du côté de la baisse mondiale des prix agricoles. La Restauration — 1817, 1829 — et la monarchie de Juillet — les années 1845-1847 —, le Second Empire encore — 1853-1855, 1861, 1867 — ont connu ces brutales poussées qui évoquaient, mais de moins en moins, les flambées de prix de l'Ancien Régime. De l'horizon des années 1880 à celui du nouveau siècle s'opère un lissage progressif des fluctuations à court terme des prix. En France comme ailleurs, la menace de la disette disparaît définitivement des horizons ouvriers, et le thème de la vie chère qui la remplace ne doit pas grand-chose au mouvement des prix du pain, dans la réalité économique du moins.

Malgré un lent recul, le pain conserve sa primauté. Dans cette boulangerie du début du siècle, la boulangère sert sa clientèle en « gros pain ».

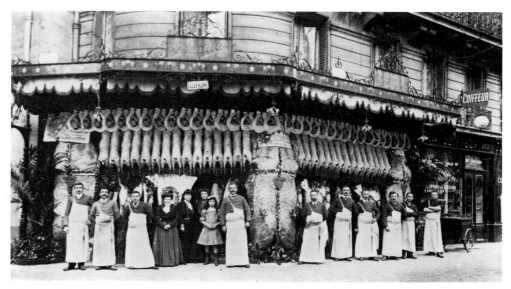

Progrès de la viande. L'étal d'une boucherie à l'angle de la rue de Bellechasse et du boulevard Saint-Germain. On notera l'importance du personnel. Photographie vers 1910.

Si l'on en croit toujours Le Play, dès les années 1880, c'est la viande qui entraîne la plus forte part des dépenses alimentaires : 13,3 % des sorties totales, 21,2 % de celles pour la nourriture ; au début du XXe siècle, ce dernier poste s'inscrirait entre 25 et 30 %. Avec, bien plus encore que pour le pain, de très grandes différences régionales et sectorielles. Au milieu du XIXe siècle, la présence — ou l'absence — de viande dans les repas est la pierre de touche d'une condition matérielle. A la fin du Second Empire, elle figure un peu partout — sauf dans le Nord du textile, particulièrement démuni —, même si c'est une fois par semaine, voire déjà un jour sur deux dans le Sud-Est, et, affirme-t-on, à chaque repas chez les mineurs : pour les ouvriers parisiens, l'« ordinaire » c'est la soupe et le plat de viande de bœuf. Les courbes générales de l'octroi des grandes villes montrent les progrès de la consommation bien qu'elles n'en isolent pas celle des seuls ouvriers. Bien sûr, on peut se demander ce qu'il faut entendre exactement par le terme de « viande », qui, lui aussi, mêle tout. Vers 1840, à Paris, celle que mangeaient les ouvriers, c'étaient surtout les bas morceaux comme les têtes de moutons dont on les disait friands ; ou bien les « retailles », ces petits débris de chair demeurés accrochés aux étals et revendus à vil prix par les boucheries des beaux quartiers ; durant l'entre-deux-guerres encore, les ouvriers des villes minières du Centre se régalent de « mou de veau », c'est-à-dire de poumon accommodé dans une sauce au vin rouge. Plus généralement, c'est sous forme de charcuterie que nombre d'entre eux accèdent à la consommation, très répandue, de la viande de porc.

Là aussi, cependant, la généralisation de la conservation frigorifique des viandes, après 1879, marque la différence. Dans la région lyonnaise par exemple, le prix du bœuf ne bouge guère entre 1875 et 1895, il baisse jusqu'en 1905 avant de remonter à un niveau égal à celui des deux décennies de stagnation. Dans le Paris de la Belle

Époque, si les salaisons constituent l'essentiel de la viande des plus pauvres, c'est le bœuf qui l'emporte chez les autres. La volaille est encore rare, chère — une viande des mineurs, dit-on à Saint-Étienne —, elle demeure le luxe des jours de fête familiale ; mais sa présence — et l'idée qu'on en a — annonce un nouveau progrès dans la diversification de l'alimentation carnée qui s'épanouira après la seconde guerre mondiale.

Le troisième poste alimentaire enfin — toujours d'après Le Play, mais qui ne fait que confirmer toute une littérature de longue haleine —, c'est celui des boissons alcoolisées. On y chercherait, à l'évidence, un substitut peu coûteux à certains aliments solides : leur part est particulièrement élevée chez les plus pauvres, comme ce mineur de Monthieux, près de Saint-Étienne, dont le régime alimentaire est d'une grande indigence et qui boit 3 à 4 litres de vin par jour. Mais ce n'est pas plus, semble-t-il, qu'un maçon ou un charpentier parisiens qui, eux, ont les moyens ! Il faut chercher ailleurs. Or, le discours multiforme sur l'alcool est trop masqué pour qu'on y voie clair d'emblée. Ce qui est certain, c'est la forte consommation en milieu ouvrier — bien qu'il ne faille pas prendre Zola à la lettre — et sa progression lorsque l'amélioration matérielle le permet : deux évidences que l'on notait dès 1840 au Mans où chaque ménage consacrait en moyenne 10 % de la totalité de ses dépenses à boire du vin et du cidre. En effet, il ne faut pas minimiser les vertus que le peuple des villes attribue à l'alcool, le surcroît de convivialité qu'il en attend et qui n'est pas, pour reprendre une comparaison célèbre, le plus court chemin pour sortir de Saint-Étienne ou de Roubaix : on a vu le rôle du café ouvrier. Or, là aussi, à partir de la Belle Époque, technologies nouvelles et progrès matériels s'allient pour augmenter une consommation qui s'inscrit dans la diversification alimentaire, améliorer la qualité de ce qu'on boit — le vin et les apéritifs dérivés de lui l'emportent désormais sur les alcools frelatés, la « goutte », le « trois-six »... —, en un mot traduire l'amélioration d'une condition.

Dès la fin du Second Empire, donc, la trilogie du début du XIXe siècle demeure, mais la viande tend à prendre la première place devant le pain et le vin et elle s'y installe définitivement au XXe siècle. Il faudrait y ajouter bien d'autres produits, inconnus vers 1820, en passe de devenir banals après 1920 : le sucre, par exemple, est encore un luxe vers 1880, ne serait-ce que parce qu'il est difficile d'acquérir un pain entier ; mais il devient déjà bien plus commun après 1900, quand on le conditionne en petits morceaux. Les plats sucrés, les gâteaux, longtemps une exception, même à Paris, tendent à se répandre entre les deux guerres. De même, le café, parti de beaucoup plus loin, le lait ou les œufs, certains fruits : M. Perrot peut ainsi suivre l'apparition des oranges dans le « briquet » des mineurs du Nord... Une diversité qui parle d'elle-même.

Mais cette variété ne signifie pas la libération des problèmes de l'alimentation. Si le prix du pain n'a plus guère d'effet, il faut désormais se préoccuper de ceux d'autres produits, hier exceptionnels, aujourd'hui indispensables. Au début du XXe siècle, on remarque l'apparition de fluctuations cycliques assez marquées sur certains d'entre eux — la viande, les pommes de terre, le lait —, et ce sont eux qui, entre 1911 et 1913, font la cherté de la vie. En 1919, 5 000 manifestants obligent les négociants rouennais du marché Saint-Sauveur à respecter les prix fixés par la CGT : au-delà d'un discours récurrent sur les « accapareurs », c'est aux vendeurs d'œufs et aux poissonniers qu'ils s'attaquent essentiellement. La « vie chère » remplace la disette : ce n'est pas un mince progrès, mais il n'est pas sûr néanmoins qu'elle ne soit pas aussi fortement redoutée ; en tout cas, elle suscite après 1930 des émotions collectives au moins aussi vives. Par ailleurs, on peut se poser, derrière la permanence des mots, la question de l'évolution des qualités. Le changement des rations alimentaires n'est pas forcément fidèle à l'image qu'en paraissent donner l'orientation à la baisse des prix des denrées essentielles et

L'heure du café.

celle, à la hausse, de leur consommation. Il est vraisemblable que les vertus nutritives du pain ont été altérées par les nouveaux procédés de blutage, la généralisation de la boulangerie commerciale, en attendant les débuts de sa mécanisation ; l'appellation de charcuterie couvre mille spécialités, pas toujours de bon aloi ; le vin subit pas mal de malfaçons ; les fraudes sont fréquentes sur le sucre, le chocolat qu'on commence à voir apparaître sur les tables de la Belle Époque ; quant au lait, on le coupe souvent, y compris avec des eaux souillées qui deviennent, après 1920, l'obsession des « Gouttes de lait » et de leurs premières puéricultrices. Sous l'apparent accès à des consommations jugées jadis somptuaires, la condition ouvrière demeure.

Cela va peut-être même plus loin qu'on ne pourrait le penser. Sans doute y a-t-il bien longtemps que la bourgeoisie a accès à cette consommation de luxe : voici un de ses menus de 1877 cumulant, au même repas, une escalope de veau et un filet de bœuf, un jambon d'York et une poularde ; à la Belle Époque, manger deux plats de viande est la règle. Pour les ouvriers, il s'agit d'autre chose, qu'on associe au souci de « tenir », comme on dit : sans viande, pas de travail de force possible sans risque d'y perdre les siennes. Et, pourrait-on ajouter, sans vin, il en va de même : « ça nourrit », dit en 1909 un ouvrier interrogé par J. Valdour. Deux produits qui fortifient, dit-on, et qui font fi de toute logique diététique : les légumes sont négligés — parce qu'on ne les achète pas, souvent ? — et, en 1882, on voit un signe de détérioration du mode alimentaire dans le fait de manger des haricots. Il ne faut pas se laisser leurrer par le discours que l'on continue à tenir autour du pain, l'impopularité persistante des boulan-

La livraison du lait. Gravure de 1900 par L. Borgex. Paris, Bibliothèque nationale.

gers — à Rennes, en 1847, on casse leurs carreaux parce qu'ils refusent de distribuer la galette des rois ! —, le vocabulaire qui dit la nécessité de « gagner son pain » ou « sa croûte » ; le malaise aussi que l'on prétend ressentir en le voyant jeter, ou gaspiller. « Le Pain, dit le Rassemblement populaire, avec la Paix et la Liberté. » Mais ce n'est qu'une formule. L'amélioration du niveau de vie permet, au XIXe siècle, l'épanouissement d'un idéal alimentaire qui dure encore après la seconde guerre mondiale et qui exprime, au-delà des apparences, une série de représentations qui doivent beaucoup à une culture ouvrière élaborée de façon autonome.

Le souci du vêtement

Ce qu'on épargne désormais de plus en plus sur la nourriture, c'est à l'évidence pour la toilette qu'on le dépense d'emblée. Toutes les enquêtes du XIXe siècle, l'ensemble des observateurs de tous ordres jusqu'en 1939 s'accordent sur le souci du vêtement dont font preuve les ouvriers des villes. Ce n'est pas forcément pour le mettre à leur crédit, et, en 1848, on le considère à Marseille comme un fâcheux goût pour un luxe hors de propos. Souci de dignité ? Sans doute, et Michelet s'en félicite comme d'une nouveauté, dès 1846. « C'est la paresse, la nonchalance, la dégradation physique et morale qui se lisent sur tous ces vêtements mal tenus », écrit-on, *a contrario,* en 1853. Un tiers de siècle plus tard, le manœuvre observé par Le Play a beau être chargé d'enfants, le budget annuel du couple révèle qu'il dépense plus d'argent pour les vêtements du dimanche que pour les habits de travail : le père possède un paletot et un blouson de drap noir, un gilet de soie, une chemise blanche, un chapeau, une cravate de satin, alors que, au quotidien, il porte des blouses de toile de coton, un pantalon de velours et des chemises de couleur, plus faciles à entretenir ; la mère, elle, fait une folie de ses deux châles, dont l'un plus épais pour l'hiver, sur une robe d'orléans noir. Il importe peu que les habits de fête durent plus longtemps que les autres — de 5 à 10 ans —, qu'ils coûtent moins cher à entretenir que ceux du travail, que l'on devine rapiécés, ravaudés, repassés au fils ou à la fille ; ils sont là, au cœur du patrimoine d'un ménage ouvrier des plus modestes. Chez les plus favorisés des travailleurs observés dans les mêmes conditions, on trouve des bottines, des cravates, des chapeaux de feutre, des montres en argent, et, généralement, « une grande quantité [de vêtements], comme la plupart des familles ouvrières tiennent à [en] avoir ».

Bien sûr, on note aussi un goût du débraillé qui veut dire le refus du conformisme et se donner les apparences de la révolte. Il pèse peu devant le souci de plus en plus affirmé d'avoir bonne allure, que l'on repère à Paris dès les années 1840, dans maintes autres villes sous le Second Empire, un peu partout dans le premier après-guerre. Selon une chronologie longue qui, finalement, suit celle de la formation des groupes ouvriers, on constate qu'à Bordeaux, dès 1860, les femmes du peuple ont tendance à abandonner la coiffe et les hommes à adopter le chapeau ; en 1923, J. Valdour continue à opposer, à Saint-Denis, les vieux ouvriers d'avant-guerre, sans élégance — chemise sans col, fortes chaussures lourdaudes, casquette de drap —, aux plus jeunes, en faux col et chapeau mou, « vêtus de complets de bonne coupe, aux couleurs à la mode ». Entre-temps, la vogue de la photographie d'usine dit, par l'image, ce souci des apparences. Pour poser à la sortie du travail ou dans le panorama d'atelier, on va jusqu'à revêtir les habits de ville ! Les congrès ouvriers sont, à la Belle Époque, pleins de militants endimanchés : large chapeau de feutre, redingote stricte, gilet et chaîne de montre… Le député-ouvrier Thivrier peut bien se faire une réputation de sa fidélité à la blouse : il n'est qu'une figure pittoresque dans un milieu qui aspire à ressembler à tout le monde. E. Saulnier dit la joie de vivre de ses compagnons lorsque, à la veille de la guerre, après s'être « décrassé[s] aux bains chauds, [ils passaient] leurs vêtements de rechange [et ressortaient] tout fringants, bien frictionnés et brillantinés ». L'adhésion aux doctrines les plus radicales ne fait rien à l'affaire ; entre les deux guerres, la casquette distingue un moment les syndicalistes « unitaires » des « confédérés » réformistes ; elle s'efface vite à son tour, et, dans la seconde moitié des années 1930, le costume trois-pièces des nouveaux députés-ouvriers est bien autre chose que simple conduite naïve de parvenu.

Car, dès 1859, L. Reybaud était frappé, à propos des travailleurs lyonnais, par le fait que l'ouvrier « ne se résigne plus à être, à paraître ouvrier ». Le vêtement permet de changer de condition à bon compte, en tout cas d'en donner et de s'en donner l'illusion. D'autant plus que le XIXe siècle a vu s'appauvrir, relativement, la garde-robe de la bourgeoisie : l'inventaire de ses patrimoines montre qu'ils ne se gaspillent pas en toilette ; sa domination ne se traduit pas, comme jadis celle de l'aristocratie, par une présentation ostentatoire du corps, analyse Ph. Perrot. En 1850 déjà, la redingote noire est devenue une manière d'uniforme qui ne se permet guère de fantaisie et la couleur est réservée aux robes et aux atours des femmes. On constate une relative simplicité des

La photographie d'usine est en vogue. A la veille de la guerre de 1914, le chapeau mou n'a pas encore détrôné la casquette.

signes vestimentaires du pouvoir qui, de surcroît, ne reviennent pas cher. Sous le Second Empire, en effet, le développement des magasins de confection sonne le glas de la friperie en offrant le vêtement neuf à bon marché. Il semble que celui-ci échappe à la montée générale des prix de l'époque et soit le premier des produits manufacturés d'usage courant à s'orienter vers cette baisse à long terme qui, au XXᵉ siècle, contribue si fort à améliorer la situation matérielle des petites gens, en ville comme à la campagne.

Plus qu'en tout autre secteur, la publicité, précoce et efficace, joue un rôle dans la diffusion d'un modèle du « bien s'habiller ». Chez les employés, par exemple, le souci de la correction vestimentaire s'accompagne d'une imitation du langage et des manières de la bourgeoisie ; et dans aucun autre milieu le désordre de l'habit, une redingote trop râpée, une cravate de travers, n'est davantage interprété en terme de médiocrité et d'échec. Il n'est pas sûr que les ouvriers mettent dans l'habit la même adhésion aux valeurs dominantes de la société et à ses hiérarchies, bien au contraire. Par ailleurs, il faudrait affiner l'analyse, le pointage selon les métiers — souvent encore reconnaissables à certains vêtements spécifiques —, les régions, les moyens matériels ; et remarquer, avec E. Le Roy Ladurie, que cette recherche coïncide à peu près exactement dans le temps avec, au village, l'apogée de ce coûteux costume de fête campagnard qui nourrit aujourd'hui un certain folklore et qui s'écarte tant des normes urbaines et bourgeoises. Il n'empêche : à la Belle Époque, on ne porte plus le même habit en ville qu'à l'atelier, où placards et vestiaires deviennent un élément familier du paysage intérieur ; voici qu'apparaît le « bleu » dont l'histoire reste à faire. Il faudra les lendemains de la

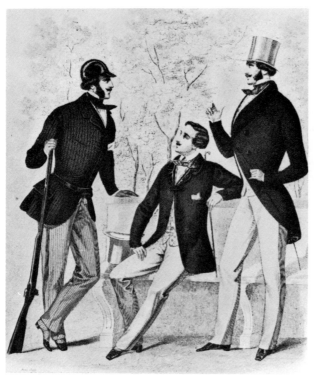

La redingote noire est devenue une manière d'uniforme. L'Élégant, *journal des tailleurs, de décembre 1849.*

crise des années 1930 pour faire resurgir, symboliquement, les foules oubliées de travailleurs en casquette et en béret, les cortèges de chômeurs aux vêtements usagés ; signe, en même temps, des faux-semblants de l'habit. Les photos de l'entre-deux-guerres, sous le feutre mou des hommes et les chapeaux cloches des femmes, n'aident guère à distinguer les conditions, mais c'est par d'autres voies que passent désormais les tentations — et les tentatives — d'intégration ; notamment, enfin, par le logement dont, pourtant, le coût a tendance à peser plus lourd.

L'émergence du chez-soi

En effet, le coût des loyers est, sur le long terme, fortement orienté à la hausse. D'après Anita Hirsch, il double de la Restauration au début du XXe siècle, en augmentant de 43 % de plus que l'ensemble du coût de la vie. Les logements populaires des grandes villes sont les plus touchés, logiquement. A Paris, une enquête de Dugé de Bernonville montre que, pour les plus modestes, ceux qui reviennent à moins de 1 000 F par an, l'indice (qui était à 56,6 en 1852) pousse de 88 en 1876 à 103,4 en 1908, alors que, pour les immeubles habités « bourgeoisement », on passe seulement de 96 à 102 (entre 2 000 et 5 000 F par an), et que, pour les plus luxueux d'entre eux, il y a même une baisse relative. Les milieux populaires sont donc les grandes victimes d'une évolution dont la bourgeoisie pâtit moins fortement. Globalement, F. Marnata estime que, de 1860 à 1913, la hausse ne dépasse pas 16,5 % pour elle.

Cependant, c'est surtout sur le moyen et le court terme que se pose la question des loyers. Pendant tout le XIXᵉ siècle, en effet, le *trend* est haché de brutales flambées dans les villes, avec les poussées de population qui accompagnent la mutation des économies. On s'en plaint sans cesse un peu partout sous le Second Empire, où les transformations urbanistiques d'Haussmann et de ses émules n'arrangent rien. A Paris, le prix d'une chambre pour célibataire — jusqu'en 1914 au moins, se loger est une source particulière de dépenses pour les personnes seules — aurait monté de 20 à 30 % en deux ans, autour de 1855. Une dizaine d'années plus tard, dans le quartier des Halles, on note des loyers de 260 F par an qui n'étaient qu'à 90 F sous la Seconde République. De 1876 à 1882, l'ensemble de ceux de la capitale se seraient accrus de 25 à 30 %. Mais, dès la fin de la monarchie de Juillet, ceux de Saint-Étienne avaient flambé d'un tiers en quelques années ; à Dijon, la poussée est de 60 % entre 1870 et 1890. Selon des estimations plus générales, la hausse s'inscrit à 35 % à Paris entre 1872 et 1882, et à 25 % dans l'ensemble des grandes villes, avec des différences de taux calquées sur celles de leur taille mais qui, en précipitant les fluctuations d'ensemble, disent les difficultés des citadins les plus modestes.

D'autant plus qu'au-delà des rythmes statistiques, la pratique accentue les difficultés dans la vie quotidienne. La plupart du temps, en effet, le loyer se paie au trimestre. Il impose donc d'économiser une partie du revenu, pour des familles dont l'existence se règle au jour le jour, sans réserves monétaires, et dont le salaire obéit à des

« Un locataire qui doit trois termes », caricature de Daumier, dans la série Locataires et Propriétaires, *publiée dans* Le Charivari, *1847.*

rentrées plus hachées. Le terme — le « cap du quinze », écrit *Le Père Peinard* — est une échéance redoutable, avec sa menace renouvelée d'expulsion, qui suscite crainte et indignation. Dès la fin de la monarchie de Juillet, voici Daumier et la série du *Charivari* sur « Locataires et propriétaires », en attendant que « Monsieur Vautour » et « Monsieur Pipelet » ne deviennent des personnages symboliques de la littérature, quoique bien réels. Le logement populaire est en effet un placement fort tentant pour les détenteurs de capitaux : à Paris, la rente locative, calculée par rapport à la valeur vénale des immeubles, est pendant tout le XIXᵉ siècle plus élevée dans les districts ouvriers que dans les beaux quartiers ; à Nantes, dès les années 1880, la majorité des ouvriers doivent se loger dans de grands ensembles, plusieurs centaines d'appartements parfois, gérés par des régisseurs pour le compte de riches rentiers. D'après les frères Pelloutier, une maison louée à des ouvriers rapporte dans le Paris de 1894 plus de 14 % par an rue Ternaux et même 18 % rue de Jemmapes, alors que le revenu net de la propriété bâtie est évalué, dans son ensemble, en France, entre 6 et 9 %, ne serait-ce que parce que les exigences des locataires sont médiocres et les frais d'entretien minces. En 1907, une enquête faite sur 2 500 logements de la capitale révèle que le loyer y a doublé en un demi-siècle sans qu'y ait été apportée la moindre amélioration. A la Belle Époque, c'est le patronat lui-même qui, à Nancy, s'alarme du coût des loyers qu'il accuse de renchérir la main-d'œuvre.

On comprend que réapparaisse, dans les années 1880, la pratique — déjà connue au XVIIIᵉ siècle — du déménagement « à la cloche de bois », à Paris bien sûr, mais aussi à Lille, à Rethel, à Saint-Quentin et dans les petites villes textiles de la région lyonnaise. *Le Père Peinard* tient une rubrique spécialisée, et la Ligue des antipropriétaires met à la disposition des locataires ses déménageurs clandestins et ses charrettes. Leur intimité avec une certaine sensibilité populaire urbaine met logiquement les anarchistes au premier rang de l'affaire. Dans les années de l'immédiat avant-guerre, c'est une organisation proche de la CGT, la Ligue des locataires, qui prône la grève des loyers, arme reprise au lendemain de 1918 par les sections multipliées de la Fédération des locataires, à Lyon et à Grenoble par exemple. Action tardive cependant, et un peu marginale : le logement, jusqu'à la Belle Époque, n'est jamais un des chevaux de bataille des organisations politiques ; à la veille de la guerre, les analyses et les recommandations d'un Compère-Morel ne sont guère suivies d'effets : il y aurait bien alors plus de 200 coopératives d'inspiration socialiste à s'en préoccuper, mais leurs réalisations sont quasiment nulles. Dans l'entre-deux-guerres, l'intervention des municipalités ouvrières — dans la banlieue parisienne notamment — ne se fait pas toujours sans hésitations.

En fait, cette relative indifférence ne reflète-t-elle pas celle des ouvriers eux-mêmes ? Qu'est-ce d'ailleurs qu'un logement « convenable », pour parler comme les enquêteurs du XIXᵉ siècle ? Voici ceux de la cité Rochechouart, à Paris : 300 F par an, une cuisine, une chambre, un cabinet, des WC et l'évier dans le couloir ; on a vu aussi ceux qu'admirait L. Reybaud au Creusot, fort semblables. Les ouvriers eux-mêmes, jusqu'au début du XXᵉ siècle au moins, ne disent pas autre chose à la fois de la norme et de la satisfaction qu'ils en ont. Marie-Catherine Santerre se souvient sans émotion particulière de la maison de son père à Avesnes : une seule pièce au-dessus de la cave à métiers, à la fois salle à manger, cuisine, chambre des parents, et une soupente dans le faux grenier où on la hissait tous les soirs avec ses trois sœurs. Dans les années 1920, interrogé par J. Destray, « Amédée » évoque son enfance parisienne, rue de Crimée : une pièce où l'on mangeait, où l'on faisait cuisine et lessive, et une seule chambre où tout le monde dormait, lui avec son frère, et ses quatre sœurs ensemble. Enfin, quand le verrier E. Saulnier se marie, il juge que deux pièces « c'est bien suffisant » ; et il n'en

La toilette d'un mineur, vers 1900.

prévoit que trois — outre la cuisine — lorsque, plus tard, il fait construire. La saleté, les punaises, la fumée des lampes à pétrole — toutes encore si présentes dans les années 1920 — n'appartiennent pas qu'à l'imagerie ouvrière ; en 1882, le député Martin Nadaud, rapporteur d'un texte sur les habitations insalubres, ne trouvait guère qu'à invoquer les risques du choléra de sa lointaine jeunesse.

Nécessité fait loi, sans doute : l'absence de moyens peut expliquer cette apparente indifférence. Mais aussi une certaine accoutumance à la médiocrité : la qualité de l'habitat campagnard, auquel beaucoup de citadins ont été habitués, n'est pas telle — Villermé s'en épouvante autant que des taudis lillois — qu'elle puisse créer une quelconque frustration. D'autant moins que c'est dans les manières d'habiter que se conserve peut-être le plus longtemps l'héritage rural. Derrière l'indignation d'un regard trop étranger, certains tableaux du pourrissoir urbain ne disent souvent pas autre chose. A Limoges, pendant tout le XIXᵉ siècle, chaque maison populaire du centre conserve son écurie et son tas de fumier ; dans les villes du Sud-Ouest, à Toulouse, chacun y a sa basse-cour, y entretient porcs, chèvres, moutons, et Victor Considérant comme Villermé s'indignent de la présence généralisée des animaux domestiques dans les cités

A Paris, la cour, 8, rue Larrey, a son tas de fumier. Photo de Marville. Paris, musée Carnavalet.

bretonnes. L'expression de « villageois citadins » inventée ailleurs pour le XXᵉ siècle va bien au-delà de ce qu'on pourrait penser. Jusqu'à la Belle Époque, les maisons populaires de Rennes conservent un sol de terre battue et leur âtre fumeux ; ce n'est pas un simple effet du dénuement : en 1930 encore, les médecins y partent vainement en guerre contre les grands rideaux sombres dont on étouffe les lits clos apportés du plat pays. Et l'on a évoqué, plus généralement, le rôle des modèles campagnards dans les nouvelles constructions serrées les unes contre les autres des populations industrielles qui contribuent à la bâtardise des faubourgs.

Cependant, à la fin du XIXᵉ siècle, les toutes petites maisons ouvrières de Lille et des villes du Nord — une cuisine en bas, une chambre en haut — tentent de s'égayer d'une véranda et d'un jardinet. La médiocre « échoppe » bordelaise — une maison basse en pierre taillée, deux pièces en rez-de-chaussée, un couloir central ou latéral — se donne des airs de bourgeoisie dès que la maison s'agrandit et que quelques arbres apparaissent par-dessus le toit. Les cours à la dauphinoise de la Guillotière se plantent de gros platanes poussiéreux. Dans les cités minières, on rivalise pour organiser et orner des potagers qui ne devaient avoir, dans l'esprit de leurs créateurs, qu'une uniforme fonction de remède au désœuvrement ; en 1939, nombreux sont les Rennais qui ont gardé ou acquis de petits jardins dont ils font des modèles de décoration florale. Enfin, voici les intérieurs : le cortège qui inaugure, entre les deux guerres, un ensemble d'HBM à Aubervilliers porte symboliquement en procession les meubles des futurs habitants. Quelques années auparavant, Mémé Santerre pouvait bien considérer comme une folie d'acheter une cuisinière — elle l'avait fait —, et Gaston Lucas estimer que son ménage était monté avec deux chaises, un berceau et une chambre à coucher : les photographies qu'Émile Atget fait des logements ouvriers parisiens de la Belle Époque montrent que, peu à peu, on en attend autre chose qu'un simple abri.

Telle ouvrière de Belleville recouvre son lit de dentelles et accumule sur sa cheminée lampes et globes de verre ; une autre, rue de Romainville, s'éclaire d'une énorme suspension qui écrase la pièce, et installe un fauteuil près du poêle, sous deux chandeliers. L'imitation d'un certain ameublement bourgeois est évidente, au moins au travers de la profusion des objets. Depuis la monarchie de Juillet, l'armoire à glace, le tabouret de piano, le fauteuil à roulettes indiquent une certaine condition sociale, en attendant que les appartements des nantis ne deviennent de véritables capharnaüms, sous prétexte de confort : « ces mille riens » qui font qu'un intérieur est douillet, dit-on vers 1860, menus vases, vide-poches, flambeaux, tout un univers de bibelots et

Intérieur ouvrier, rue de Romainville. Photo de Atget, début XXᵉ siècle.

de fanfreluches. A la fin du XIXᵉ siècle, comment distinguer le vrai du faux, quand se développe l'industrie qui les fabrique en série ? Ici, on dénonce « tout le faux luxe à bon marché » ; là, on y voit les illusions de la richesse. Les grands magasins d'ameublement commencent à jouer, à la Belle Époque, le même rôle que ceux de confection, pour le vêtement, au milieu du XIXᵉ siècle — *Lévitan*, entre les deux guerres —, et c'est grâce à *La Samaritaine* que Gaston Lucas peut se meubler. Le « tarif-album » de la *Manufacture française d'armes et cycles de Saint-Étienne* s'emplit d'objets inutiles — couvre-chaussures, cache-pot, bougeoirs, dessus de piano, portemanteau « artistique » en bronze imitation tête de chien épagneul ou braque — et de statuettes mythologiques — « Diane », « Victoire », « Porte-drapeau » — ou anecdotiques — « La Réprimande », « Les Adieux », « Hallali ». Et l'on sait l'histoire sociale du piano, présent lui aussi dans les intérieurs petits-bourgeois d'Atget.

Le piano n'est pas encore, bien sûr, un objet familier des logements ouvriers en 1939 ; mais il a son substitut, l'accordéon... Au-delà, la standardisation des objets mobiliers permet que s'exprime un attachement populaire au logement qui s'épanouit avec la sédentarisation. Il passe par le système et l'agencement des objets, qui ne correspondent pas forcément aux canons esthétiques de la bourgeoisie. Il se marque aussi par un début de différenciation dans l'usage des espaces domestiques, déjà plus facile à lire : depuis bien longtemps, dans les beaux quartiers, les pièces de réception, sur le devant, s'opposent à celles où l'on vit, moins soignées ; désormais, à leur tour, les mineurs gardent pour les grandes occasions une sorte de salle de séjour et vivent au quotidien dans leur cuisine d'été. Le confort y gagne, et le souci qui s'en fait jour traduit un nouveau comportement ; il n'est pas dit que le poids matériel du logement en soit atténué. D'autant plus que, en filigrane, persiste toujours la volonté ambiguë de devenir propriétaire du logement lui-même : c'est ce que réalise E. Saulnier, justement ; mais il ne tarde pas à s'inquiéter désormais des échéances et des rappels à l'ordre du Crédit immobilier. Qu'une majorité d'ouvriers espèrent, en 1947, devenir propriétaires prouve aussi qu'ils n'en sont pas là ; mais, dès 1939, beaucoup d'entre eux connaissent déjà l'angoisse des traites de la salle à manger ou de la chambre à coucher.

TRAVAILLER

Dès la fin du XIXᵉ siècle, les observateurs repéraient, dans maintes villes, l'émergence d'un monde ouvrier qui n'avait plus rien à voir avec une précarité matérielle qui l'avait longtemps fait confondre avec la misère. Au XXᵉ siècle, la balance reste à faire des inconvénients qu'on ressent d'un certain délitement de l'économie familiale et des avantages qu'on y trouve à une époque, après 1920, où le développement et la diversification des prestations sociales viennent assurer d'autre manière l'existence, au-delà de la domination désormais affirmée du seul revenu salarial. La paupérisation que l'on annonçait est déjà à mettre au rang des vieilles lunes métaphysiques, et l'on sait que son retour dans certaines analyses des années 1950 ne doit rien aux rigueurs d'une observation scientifique. Mais l'évolution de la condition ouvrière ne se laisse pas enfermer dans celle des niveaux et des modes de vie ; elle réside, beaucoup plus qu'en eux, dans le travail lui-même, son organisation et ses formes et, finalement, la maîtrise qu'on en a. Or, en ce domaine, l'orientation est tout à fait différente, vers la dépossession grandissante des pouvoirs et des savoirs ouvriers qui fonde le développement de la production et de la grande entreprise, donc du patronat.

De l'atelier à l'usine

En 1939, l'*Almanach de Rennes et de l'Ille-et-Vilaine* ignore la rubrique « industrie » au profit de ce que J. Meyer appelle la « structure hiératique des métiers ». Sans doute la capitale d'une Bretagne un peu à l'écart n'est-elle pas la France ; elle n'est cependant pas passée non plus à côté d'un dynamisme industriel qui, jusqu'aux années 1930, y a développé notamment l'imprimerie et la métallurgie différenciée, mais dans le cadre de maisons suffisamment modestes pour que la mutation ne soit pas vécue comme un changement d'organisation productive. De fait, jusqu'à la seconde guerre mondiale, il est vraisemblable que, nonobstant les voies nouvelles de l'industrialisation française, la majeure partie des ouvriers ont ignoré l'usine ou n'ont fait qu'y passer. Ce qu'on sait déjà de l'extrême émiettement du patronat laisse imaginer la dispersion du salariat.

Un état récapitulatif des·patentes dressé en 1827 marquait déjà, à travers la comparaison des valeurs locatives, la rareté des grands établissements. Les plus vastes ? Ce sont alors les bureaux des principales compagnies d'assurances et les manufactures de glaces héritées de l'Ancien Régime colbertiste ! Une quinzaine d'années plus tard, une enquête sur les « dix plus grands » de chaque département échoue parce qu'on ne comprend pas ce qu'il faut entendre par là : une usine, ou l'ensemble d'un secteur ? et le bulletin de la Loire met sur le même plan exploitation minière et fabrique de rubans ! Jusqu'au Second Empire d'ailleurs, tous les recensements industriels butent, de façon significative, sur cette incapacité à faire les distinctions nécessaires. Si bien que, jusqu'à la Belle Époque, souvent, dans la plupart des villes anciennes en voie d'industrialisation, les seuls travailleurs d'usine sont ceux de l'État — ouvriers des arsenaux, femmes des manufactures des tabacs, qui comptent plusieurs centaines de personnes — ou des entreprises semi-publiques comme les ateliers de réparations ferroviaires. Avec ses 2 000 ouvriers, l'usine de la Buire est la plus populeuse du Second Empire lyonnais, tout comme Cail qui, à Paris, s'inscrit à peu près dans le même ordre de grandeur ; à Bordeaux, les ateliers de la Compagnie du Midi et les chantiers navals de l'estuaire rassemblent à eux seuls en 1872 plus des deux cinquièmes des 5 000 prolétaires du département.

A l'inverse, au Mans, cependant fortement entraîné sous la monarchie de Juillet par l'industrie des cuirs et des toiles, les petites entreprises du bâtiment n'en continuent pas moins d'être, en 1845, le premier secteur local d'emploi. Durant le demi-siècle suivant, à Caen comme à Nancy, l'industrialisation, quoique fort vive, ne fait pas vraiment entrer l'usine dans le paysage urbain. On imagine alors ce qu'il peut en être dans les cités plus dolentes comme Dijon : en 1840, 22 % seulement des actifs travaillent dans l'industrie, et il n'y a guère qu'une douzaine d'ateliers regroupant plus de 12 ouvriers sans jamais dépasser la vingtaine ; en 1880, l'emploi a presque doublé, en valeur relative, dans les activités de transformation : mais seulement par la naissance de petits établissements qui, à médiocrité égale, se sont ajoutés aux anciens. Ce processus amplifie, dans un faible espace, ce qui se passe pour la plupart des secteurs de l'industrie française, où l'essor se fait par la naissance et l'addition de petites unités qui peuvent ne pas dépasser la taille de l'atelier domestique. Dans la métallurgie différenciée, dans les cuirs, dans le vêtement et, surtout, dans le textile du *domestic system* dont on a vu plus haut l'heureuse destinée, les agrégats de la patente de 1827 reflétaient déjà cet apparent paradoxe du dynamisme d'un secteur et de la dispersion grandissante de la main-d'œuvre qui s'ensuivait.

Ouvriers des chantiers navals, début XXᵉ siècle.

Ainsi, jusqu'aux années 1880-1890, mis à part les manufactures d'État et quelques exceptions péri-urbaines de la construction métallurgique, on n'observe de réelles concentrations locales de main-d'œuvre que dans les houillères et la sidérurgie. Dès les années 1840-1850, il y a 2 500 à 3 000 mineurs dans les puits de Rive-de-Gier et plus de 4 000 dans ceux de Saint-Étienne, même s'ils se partagent entre plusieurs compagnies, 2 500 à Montceau-les-Mines vers 1860, 4 000 à La Grand-Combe et 12 000 dans les fosses d'Anzin. Dans le même temps, les forges de Terrenoire rassemblent 800 ouvriers, les Aciéries de la marine en emploient 1 600 à Saint-Chamond, Jacob Holtzer en a 500 à Firminy, et bien sûr, par-dessus tout, l'établissement géant des Schneider, au Creusot, compte plus de 12 000 personnes. Mais il est justement si anormal qu'il en inquiète, par ces « sifflements, [ces] plaintes haletantes, [ces] grondements formidables [qu'on entend] dans le grand silence de la nuit [quand on approche de] la plus grande usine de France et peut-être d'Europe ». « Qu'y a-t-il donc ici ? interroge le petit Julien du *Tour de la France par deux enfants* (1877) ; bien sûr, il arrive là de grands malheurs. » On le rassure, mais l'émotion traduit, en fait, le caractère anormal pour la France du XIXᵉ siècle de la grande usine. Rejetée dans les campagnes, elle est encore d'un autre monde quasiment irréel que traduisent aussi bien les descriptions admiratives de la grande série monographique de Turgan que le baroque iconographique d'un Bonhommé, peintre inspiré des forges et des hauts fourneaux.

Bien sûr, dès le XIXᵉ siècle, chaque crise structurelle de secteur, chaque adaptation aux mutations des marchés se traduit, déjà, par la naissance ou l'agrandissement des usines sur le déclin des ateliers. Dans le coton normand, c'est dès les années 1845-1850 que Rouen et sa banlieue amorcent le passage d'une ville de fabrique à une ville usinière ; un peu plus tard naît, à Petit-Quevilly, La Foudre, créée par Pouyer-Quertier, et qui deviendra un modèle ; puis l'établissement de la Société cotonnière, à Saint-Étienne-de-Rouvray, qui comptera 1 700 ouvriers à la Belle Époque. Ailleurs, la métamorphose est plus tardive. Soit elle emprunte des voies obliques : par une activité annexe, dans le Nord, où elle entraîne d'abord la filature ; dans la ganterie grenobloise, où elle commence par la mégisserie et la teinture des cuirs ; chez les soyeux lyonnais, où l'apprêt est le premier touché par le développement rapide, dans les années 1880-1890, d'ateliers comptant entre 100 et 400 personnes. Soit elle s'opère par un déplacement géographique : à Roanne, c'est au cœur de la ville que prolifèrent les grands tissages mécaniques du coton au détriment de la diaspora rurale, alors que, pour la soie, c'est en Beaujolais, en Lyonnais et surtout en Bas-Dauphiné qu'ils s'établissent sur la quasi-disparition des canuts de la métropole régionale. Enfin, la concentration s'accentue dans la métallurgie après la grande reconversion des années 1880, et les nouveaux sites — en Lorraine notamment — se créent d'emblée sous le signe du gigantisme, avec presque toujours plusieurs milliers d'ouvriers d'un seul coup. En 1906, 189 établissements en France rassemblent plus de 1 000 travailleurs — 436 000 en tout.

La norme, cependant, est l'usine de 200 à 300 personnes, et une pesée globale, plus précise que celle de 1827, permet, selon F. Caron, de mesurer les limites de la mutation. Au lendemain d'une décennie qui a vu l'amorce d'un recul rapide de la petite entreprise, il n'en reste pas moins que si, désormais, 40,2 % de la main-d'œuvre industrielle travaille dans des établissements de plus de 100 ouvriers, 27,6 % s'emploie dans ceux qui en ont entre 10 et 100, et 32,2 % (près du tiers) dans ceux qui en ont moins de 10. Logiquement, la concentration — mesurée à la part de la main-d'œuvre dans les usines qui dépassent la centaine — est forte dans le textile (69 %), transfiguré par le déclin d'un *domestic system* désormais marginal, et dans les branches nouvelles (chimie, 53 %) ou renouvelées par la technologie (verrerie, papeterie, 59 %). Mais elle demeure faible dans l'alimentation, le vêtement et le bois, dans le bâtiment aussi : Caen par exemple compte, en 1913, environ 1 500 maçons, charpentiers ou menuisiers éparpillés en 80 entreprises ; ce sont, à quelques unités près, les chiffres de 1851 ; et l'on sait qu'en maintes villes, en 1939 encore, le secteur n'est pas sorti de sa période limousine.

On ne s'étonne pas de retrouver, en tête, les mines et la sidérurgie, dont respectivement 80 et 86 % des salariés appartiennent à des établissements de plus de 500 personnes. Si l'on cherchait du côté du commerce ou de la banque on trouverait aussi, dans les grands magasins du centre-ville — *Au Bon Marché, La Samaritaine* à Paris —, des maisons de plusieurs centaines d'employés ; de même aux sièges sociaux, comme celui du Crédit lyonnais, boulevard des Italiens. Viennent enfin, en croissance progressive, les grandes gares, les triages et les dépôts des compagnies ferroviaires où se concentre et se fond la famille cheminote. Le mouvement s'accentue pendant la guerre dans les zones à l'abri des opérations — c'est, par exemple, la naissance de la chimie de l'azote et des grands établissements de l'aéronautique à Toulouse —, et de 1919 à 1929. En 1931, il n'y a plus que 19,7 % d'ouvriers dans les usines qui en ont moins de 10, mais 30,1 % dans celles qui vont de 10 à 100 ; la moitié (50,2 %) des travailleurs français appartient désormais à la catégorie supérieure — plus de 100 salariés —, plus d'un sur quatre (26,6 %) est recensé dans les plus importantes — plus de 500 ouvriers —, et 296 d'entre elles dépassent le millier en 1936. Le symbole, c'est évidemment la percée des grands sites de l'automobile : 1 530 ouvriers à Paris chez Levassor

Les grandes gares occupent une main-d'œuvre nombreuse. Ici, la gare du Nord, à Paris.

dès 1912 et plus de 600 à Reims, 6 800 en tout en 1919 ; 31 000 à Javel, Saint-Ouen et Clichy chez Citroën en 1927, contre 4 500 à l'armistice ; 110 à Billancourt chez Renault en 1900, 4 400 en 1914, de 32 000 à 34 000 à la veille de la seconde guerre mondiale. Cette fois, les usines siègent à l'immédiate périphérie des grandes métropoles.

Au demeurant, de 1906 à 1936, le progrès du nombre des plus grandes usines est relativement mince. Dans la métallurgie différenciée — un des secteurs qui, maintenant, tirent la croissance économique —, la coexistence des grandes et des petites entreprises demeure aussi vivante au XXᵉ siècle qu'elle l'était au XIXᵉ, et celles-ci poussent plus que jamais à l'ombre de celles-là. En 1931, 69 % des 562 000 établissements recensés n'ont pas l'électricité et 73 % (qui emploient à peu près 20 % des salariés industriels) n'ont aucune force motrice ; de tels critères, quoique d'une autre nature, disent la résistance de l'atelier artisanal qui se glisse dans les lacunes de la grande industrie : que l'on songe, entre autres, à la prolifération du travail domestique dans le vêtement du *sweating system* à la Belle Époque. Pour ne pas raisonner à la marge, la norme de l'entre-deux-guerres reste l'atelier, qu'il n'ait que 10 salariés, ou qu'il en compte 200 ou 300. L. Cahen note à juste titre que continuent à se côtoyer l'échoppe et l'usine, comme persistent à coexister la production manuelle et celle, mécanisée, de grande série. Où classer les ouvriers ? Dans les années 1920, jusqu'à la guerre, toute la carrière du serrurier Gaston Lucas se déroule dans trois de ces minuscules affaires : l'une, à Poitiers, n'a pas plus de 11 compagnons ; une autre, à Paris, où il reste trente-quatre ans, n'en a que 8. Avant lui, J.-B. Dumay était allé, à la fin du

Second Empire, des uns aux autres, de Schneider à Cail et aux grands chantiers de La Ciotat, mais en passant par la boutique d'un mécanicien de Pommard et celle d'un serrurier d'Uzès. Le premier en est-il moins de son siècle ? Et où classer le second ? Au-delà des destins individuels que nuancent les habitudes de mobilité, la ligne générale n'en paraît pas moins nette : longtemps étrangère à l'horizon de la condition ouvrière — du moins exceptionnelle et un peu exotique —, la grande usine a fini par s'imposer, avec les contraintes nouvelles qu'elle suppose dans l'organisation du travail. Non sans mal.

Un univers menaçant

« C'est avec effroi que j'entrai pour la première fois dans le hall de l'usine Citroën de Saint-Ouen. [...] Je me répétais : ''[...] mon pauvre vieux, est-ce que tu pourras vivre là, est-ce que tu seras aussi fort que les autres ?'' serrant sous mon bras mon paquet d'outils personnels, joint à un casse-croûte dans un journal. Ce pain qui sentait le fer me semblait bien dur à gagner. » Ce texte de Georges Navel parle de lui-même et renvoie à ce monde d'étrangeté qui, de façon significative, frappe longtemps ceux qui arrivent à l'usine. Pour se révéler finalement plus accueillante, telle verrerie du Loir-et-Cher évoquée en 1904 par E. Saulnier n'en avait pas une mine plus engageante, « ceinte de hauts murs et sur deux côtés de fossés, adossée à la forêt et nichée sur la hauteur ». Dans toutes les autobiographies ouvrières, le premier contact avec ce nouveau visage de l'âge industriel est souvent l'un des plus sinistres souvenirs, même si on le ressent en termes de fatalité.

Longtemps, en effet, la vie de l'usine n'est pas, aux yeux de la grande majorité, la vie ; on ne l'accepte que dans la mesure où elle ne vous coupe pas de votre espace traditionnel, et où elle permet de rester au village. Sous la monarchie de Juillet, Villermé et d'autres décrivent les innombrables lueurs de ceux qui, des campagnes voisines, se dirigent dans la nuit encore noire vers les hauts fourneaux du Creusot et les tissages de Mulhouse. Michelle Perrot voit dans les résistances que suscitent les campagnes une des clefs du retard de l'industrialisation française, du moins sous des formes neuves, à l'anglaise. Non pas que ces résistances s'expriment clairement ni qu'elles soient conscientes ; il faut plutôt aller les chercher dans une sorte d'addition d'attitudes individuelles aussi diverses que les situations concrètes auxquelles elles répondent. Il faudrait ici évoquer le rôle d'un langage propre, qui n'est plus le patois ; celui des surnoms aussi, qui permet de se masquer, de vivre dans un monde spécifique de références, différent de celui des listes du personnel et des fiches de paye : riches d'imagination, ils répondent à des fonctions d'identification — « Gégène », pour distinguer Eugène des autres Saulnier, le « Flapi » pour dire la placidité d'une allure — mais renvoient aussi à des conduites exemplaires — comme ce « Toby » givordin gagnant, au travers d'anecdotes fort complexes, de s'appeler ainsi à cause de son astuce à tourner les contraintes du chronométrage dans les années 1920. On pourrait évoquer bien d'autres conduites, dont on verra plus loin l'importance et le développement, au fur et à mesure que se mettent en place les règles d'un travail contrôlé qu'elles contribuent, justement, à tourner ou à dévoyer.

Le premier réflexe, en effet, c'est ce haut-le-corps d'un Georges Navel, cette angoisse un peu sourde d'un Eugène Saulnier. Comment en irait-il autrement devant cet univers de violence qu'est devenu l'espace de travail usinier ? C'est, en permanence, la chaleur des fours de verrerie ou d'aciérie, d'autant plus malsaine qu'elle contraste avec le froid de bâtiments mal joints, souvent à demi ouverts à des courants d'air glacés à la mauvaise saison ; l'architecture industrielle du XIXᵉ siècle ne se préoccupe guère du bien-être des gens qu'elle abrite. Ce sont la poussière, la fumée, « si dense, si âcre que l'atmosphère en devenait irrespirable et malsaine » (E. Saulnier), les odeurs aussi qui, par exemple, donnent aux ateliers de mégisserie un perpétuel remugle de pourriture. C'est le bruit des centaines de métiers battant sous le même toit, celui des marteaux et des pilons dans les forges : au Creusot, il fait partie de la légende locale ; mais à Rive-de-Gier, à l'usine Marrel, le vacarme est tel, dans les années 1890, que les ouvriers ne parviennent même pas à parler entre eux. Dans les usines chimiques, ce sont enfin les effluves de produits toxiques, d'autant plus dangereux qu'ils sont souvent imperceptibles et ne se repèrent qu'après coup, aux picotements des yeux ou à l'essoufflement de la respiration.

Dans bien des cas, rien de cela n'est une nouveauté de l'usine. Une vieille malédiction, semble-t-il, du travail manuel n'a pas non plus attendu la machine pour s'en prendre à l'intégrité des corps. Sous le Second Empire, le nombre des accidents du travail s'enfle brutalement dans les villes que transforme l'haussmannisation ; ainsi à Paris

A 250 m de hauteur, la peinture de la tour Eiffel pour l'Exposition de 1900 n'est pas sans risques.

La catastrophe de Courrières, en mars 1906. Les sauveteurs dans les galeries de la mine. Illustration du Petit Journal.

en 1867 quand s'ouvrent les chantiers de l'exposition universelle : maçons et charpentiers tombés des échafaudages, assommés par des pierres de taille... Depuis longtemps, les carriers sont parmi les travailleurs les plus menacés ; dans les années 1850, les ardoisières de Trélazé et d'Angers notamment ont une triste réputation, largement justifiée. Et le tranchet des mégissiers ou des cordonniers emporte aisément le doigt avec la bande de cuir.

Mais la grande industrie multiplie, semble-t-il, les dangers en concentrant les hommes. La mort au travail frappe surtout, dans les faits et dans les représentations collectives, ces ouvriers particulièrement exposés que sont les mineurs de charbon. A la Belle Époque, les 1 200 victimes de la catastrophe de Courrières portent l'horreur à son comble, et l'émotion qu'elle suscite est à la mesure de ses dégâts. Mais le bassin stéphanois avait connu, dans la seconde moitié du XIXᵉ siècle, un long cycle du grisou qui avait fait autant de morts en quelques décennies, et, de 1875 à 1900, les houillères de l'ensemble des bassins français sont ravagées par trente-sept explosions qui blessent ou tuent plus de 4 000 mineurs. On comprend que la profession soit la première à poser la question de la sécurité du travail. Au quotidien, c'est le danger permanent du coup de poussière, de la poche d'eau qui crève, du bloc qui se détache, de la galerie qui s'effondre. En 1937 encore, l'écrivain-ouvrier Constant Malva commence son journal par le récit d'un éboulement meurtrier, et, chaque jour, ses « bras sont criblés de pierres qui s'échappent du toit ». Le bleu des cicatrices tatouées au charbon devient le signe distinctif d'une profession dont, malgré l'attention précoce qu'on porte à sa sécurité, la *Statistique de l'industrie minérale* inscrit, à travers le relevé annuel des accidents, la permanence de la précarité. Et, sans qu'on ait à y déplorer de graves catastrophes — il n'y a pas de gaz —, les mines de fer ne sont pas moins meurtrières, où les éboulements sont beaucoup plus fréquents.

Au-delà de la puissance d'émotion légitime qu'elle sucite, la mine n'est pas seule en cause. Revenons à Lille, entre le 1er janvier 1847 et le 31 mai 1852 ; l'hospice Saint-Sauveur reçoit 377 blessés — dont 12 ne survivent pas —, apportés de 120 usines de la ville et de sa banlieue, et l'on a transporté directement à la morgue, dans le même temps, les 22 ouvriers tués sur le coup. Nous voici dans le Dauphiné de la soierie, pour quelques années, à la Belle Époque : 1er juin 1900, « une tisseuse [...] est frappée au-dessous de l'œil gauche et au nez par une navette échappée au métier en marche » ; 21 mars 1902, une tisseuse a la main droite coupée entre deux rouleaux ; 27 septembre 1902, une autre a deux doigts arrachés ; 20 février 1903, l'une a un doigt écrasé par la chute d'un rouleau, et une autre est brûlée au bras et à la jambe par de l'eau en ébullition ; 5 mars 1903, une main prise et endommagée entre la bielle et le bâti du métier, etc. Aux usines Citroën enfin, entre 1926 et 1932 : 973 accidents de manutention, 270 de machines, 153 de meules, 141 brûlures, 275 accidents de causes diverses — copeaux, projections, etc. —, et 390 blessures infectées. Dans les forges, ce sont les pluies d'escarbilles incandescentes ; dans les fonderies, l'explosion des chaudières — comme à Fourchambault en 1856 —, l'évasion du métal en fusion ; dans la Lorraine du XXe siècle, la hantise de l'éclatement du haut fourneau et celle, plus justifiée, de la chute dans son gueulard. Les machines textiles, pressées par un minimum d'espace, accrochent les robes, les blouses, les cheveux en entraînant souvent un membre, la tête, le reste. A partir de la fin du XIXe siècle — l'iconographie le dit mieux qu'une longue description —, la mécanisation fait de la plupart des usines une forêt d'arbres de transmission, de poulies, de courroies et d'engrenages qui multiplient la malchance d'y laisser un bras, une jambe, la vie, alors même que le vacarme étouffe les mises en garde ou les appels à l'aide.

Peu importe que la responsabilité soit partagée, qu'on néglige les consignes et les règlements, surtout quand commence à se mettre en place, après 1892, une législation préventive : dans les années 1930, les ouvriers de Berliet se gaussent de l'apprenti naïf qui porte un filet sur ses cheveux, comme on lui a appris avant son entrée à l'usine. Peu importe qu'on veuille souvent nettoyer la machine sans l'arrêter : c'est au cours des opérations d'entretien que surviennent la plupart des accidents individuels les plus graves. La menace paraît inhérente à l'enfermement dans l'usine, et J.-B. Dumay dit sa rage apeurée et impuissante à trouver une issue : « les murs étaient trop hauts pour être escaladés », le concierge refuse d'ouvrir lorsque, la jambe déjà blessée, du charbon incandescent met le feu à son pantalon de toile. Affaire de fatigue aussi, dans un horaire qui vous échappe. Une enquête de 1902 sur les dockers de l'Hérault montre que les accidents se produisent surtout entre 11 heures et midi, entre 17 et 18 heures, à la fin du poste, quand la vigilance s'assoupit. Il y a enfin l'horreur même des blessures, telle que l'évoque Pierre Pierrard à travers les archives hospitalières lilloises du Second Empire : celle des corps écrasés, déchiquetés, ébouillantés, qui sont aussi souvent ceux des plus faibles, des adolescents, des femmes, des vieillards. Sur le long terme, la courbe des accidents du travail — à partir de 1898 — montre bien l'incessant progrès de la protection et son efficacité. Mais désormais les secteurs nouveaux, la chimie, l'électrotechnique, introduisent d'autres modes de mise à mort industrielle. Tous les ouvriers ne meurent pas à l'usine ; à la Belle Époque, les premières enquêtes de l'Inspection du travail montrent que l'insalubrité est sans doute plus forte dans les petits ateliers — étroits, mal aérés, sans équipement collectif — que dans les grandes usines, plus respectueuses des règles d'hygiène et de sécurité. Mais l'émotion et la mémoire collectives n'en ont cure, pas plus qu'elles ne se laissent enfermer dans des nombres et des fréquences, même s'ils sont à la baisse et masquent la réalité d'autres changements, sans doute plus importants.

L'usine hors de l'usine

Car, pendant toute une partie du XIXᵉ siècle, l'usine n'est pas seulement le lieu où l'on doit travailler : il arrive qu'elle envahisse toute l'existence. Nombreux sont en effet les chefs d'industrie à ne pas séparer la fonction économique de l'entreprise de celle d'encadrement social. Idéologie réactionnaire, au sens fort du terme, qui colle étroitement à la voie française de l'industrialisation, encore si pénétrée des traditions rurales ; un néo-féodalisme, qui rencontre logiquement, à la fin du Second Empire, Le Play et son école. Le modèle familial, dont on a vu à quel point il soutenait le développement des firmes, est aussi conçu à l'usage des ouvriers, ou plus exactement de la communauté que ceux-ci forment avec leurs patrons dont le modèle le plus achevé est Jacques-Joseph Harmel : le « bon père », payant lui-même ses ouvriers à son tissage de Warmeriville, près de Reims, dans les années 1840, demandant des nouvelles des enfants, donnant des conseils aux parents. « Nous ne formons ici qu'une grande famille de travailleurs », déclare un peu plus tard Jules Chagot, patron des mines de Blanzy, « dont je m'honore d'être le chef et le patron ». Et Le Play d'évoquer, en 1864, ce patronage fondé sur « une réciprocité d'attachement et de services, [...] elle-même appuyée par [...] des idées morales de hiérarchie et de devoirs ».

Il serait tout aussi fallacieux de réduire un paternalisme qui se déploie largement jusqu'à la Belle Époque, soit à un acte de piété et d'altruisme, soit à un calcul strictement économique. Les deux motivations se mêlent, sans qu'elles paraissent contradictoires chez des hommes qui ne distinguent pas leur intérêt propre de celui de la communauté. On observe, chez beaucoup de chefs d'entreprise, un sens du devoir souvent animé par des considérations religieuses — les cotonniers protestants de Mulhouse dès le milieu du XIXᵉ siècle, les patrons catholiques du Nord à la Belle Époque, pour ne citer que deux groupes particulièrement cohérents — et la volonté d'atténuer les effets de l'urbanisation et de la prolétarisation, surtout visibles à partir du Second Empire. Mais, dans le même temps, on trouve le souci d'attirer et de stabiliser une main-d'œuvre que l'usine ne séduit guère, et pour cause ; tout le XIXᵉ siècle est jalonné des difficultés rencontrées à trouver des mineurs et des sidérurgistes. En 1870-1871, les industriels du Gard s'efforcent — avec un large succès — de faire exempter les leurs du service militaire : une manière de leur éviter la guerre, mais où l'on invoque aussi les besoins de la « chaîne industrielle ». Garder longtemps les mêmes gens, c'est se garantir leur formation et leur qualité technologiques, c'est aussi créer des liens qui assureront la nécessaire discipline du travail et, tout simplement, une docilité qui est très tôt mise à mal. En 1867, Michel Chevalier fait un portrait élogieux des Dietrich, apôtres, précisément, de la politique paternaliste ; il se félicite que, sur 1 074 ouvriers permanents, 249 aient au moins trois ans de séjour à l'usine ; et d'ajouter : « Aussi les grèves sont-elles absolument inconnues dans les établissements de MM. de Dietrich. »

Par ailleurs, 228 d'entre eux sont eux-mêmes fils ou gendres d'ouvriers de la maison. Ne serait-ce pas là cette autoreproduction de la main-d'œuvre à leur botte dont rêvent beaucoup de patrons français ? Elle passe, on l'a vu, par une politique du logement qui s'épanouit jusqu'à la seconde guerre mondiale. Il ne s'agit cependant pas d'aligner les cités et d'ajouter les maisons aux maisons : c'est la ville tout entière qui naît de l'usine et en reçoit sa marque, à la fois dans son architecture et son urbanisme, et aussi dans sa manière d'être. Voici l'archétype, Le Creusot des Schneider, une grande « villa » à la carolingienne, dit Georges Duby, fichée dans le plat pays et en même temps étrangère à lui. Le système qui s'incarne dans ses pierres — et qui demeurera pratiquement intact jusqu'aux années 1950 — couvre chaque instant de la vie de l'ouvrier comme chaque âge de son existence. Au-delà des traditionnelles institutions d'assistance, les écoles de l'usine assurent à la fois la formation précise des techniciens dont on a besoin et la formation des individus avec une efficacité dont ne rêverait pas un théoricien de la mobilité sociale par l'éducation : par fractionnements successifs, les meilleurs enfants d'ouvriers accèdent gratuitement aux Arts et Métiers avant de se retrouver ingénieurs chez les Schneider. Ceux-ci plantent leurs statues sur les places, leurs épouses se consacrent aux œuvres de charité ; des cérémonies périodiques marquent avec faste l'alliance renouvelée des travailleurs et de leurs patrons et, au cœur de la ville, le château de la Verrerie se donne des airs de petit Versailles sur lequel on hisse le drapeau quand le maître est là, d'où on l'enlève quand il s'en va.

« Le Creusot, terre féodale », dit un pamphlet des années 1870. Tous les chefs d'entreprise n'en sont pas là et les formes de l'emprise peuvent varier. Voici Montceau-les-Mines, tout proche : l'architecture des cités y reproduit hors de la mine les hiérarchies minutieuses du travail, par l'allure des jardins, la taille des logements, la sophistication des décors de façades. En 1912 aussi, N. Binet remarque, à propos du bassin lorrain de Briey, à quel point la hiérarchie des formes se calque étroitement sur celle de l'usine : de l'intérieur d'un ouvrier à celui d'un ingénieur, la surface au plancher varie de 1 à 3,5 ; les pierres répètent la nécessaire discipline mais, en multipliant les formes intermédiaires, montrent la relative aisance à en gravir l'échelle. Parce qu'il est offert, le logement doit se mériter : il faut être marié, bon père de famille et avoir obtenu une bonne note du contremaître. Bien sûr, la perte de l'emploi entraîne celle du logement et des avantages attachés à l'entreprise. Il n'est par ailleurs pas nécessaire d'avoir construit la ville pour en être le maître : il suffit souvent d'y être le plus gros patron ; E. Saulnier note, dans les années 1900, qu'Hippolyte Boulanger, maître d'une faïencerie locale, était « à sa façon le ''roi de Choisy'', [et qu'il] s'insérait dans la vie quotidienne de tous ses ouvriers, depuis les crèches jusqu'aux logements en passant par la fanfare, la caisse d'épargne, les assurances ». Dans maintes villes minières, la libération peut aussi passer, à la Belle Époque, par la création d'un groupe artistique syndical qui rivalise avec l'orphéon de la compagnie.

L'encadrement dans d'autres secteurs ne va pas forcément aussi loin que dans les mines et la sidérurgie. Cependant, les Montgolfier, à Annonay, logent leurs ouvriers, leur procurent pain et viande à bon marché ; les enfants sont pris en charge, de la salle d'asile des premiers âges à 13 ans, où on les embauche automatiquement ; un cercle et une bibliothèque viennent occuper les loisirs ; enfin, des primes récompensent à la fois la sédentarité des ouvriers, la propreté des logements et le bon goût du jardin. Ailleurs, ce sont des caisses de retraite ou d'assurances-maladie et accident — dès les années 1850-1860 —, des infirmeries, des économats patronaux, des caisses d'épargne privées, des bains-douches, des lavoirs et, naturellement, des chapelles et des aumôneries. A la limite, la communauté ouvrière ressemble à celle d'un ordre religieux, et le pas est franchi, effectivement, dans les célèbres usines-couvents du Sud-Est, qui se développent jusqu'aux années 1890, à l'image de ce qu'avait créé, dès les années 1860, le

Paternalisme bien pensant à l'usine. Caricature de L'Assiette au beurre, *16 avril 1904.*

— Mettez vos enfants chez les frères et mariez-vous à l'église, nous vous occuperons après. »

soyeux Claude-Joseph Bonnet à Jujurieux, dans le Bugey. Espace de travail et espace de vie se confondent, puisque les jeunes tisseuses sont internes et mènent une manière de vie conventuelle, partageant leur temps — inégalement, bien sûr — entre les exercices de piété et le travail, sous la surveillance des religieuses. Vers 1885-1890, il existe plusieurs dizaines de ces établissements en Lyonnais, en Roannais et surtout en Bas-Dauphiné. On entre avec un trousseau dans cette sorte de noviciat, et, sans qu'il soit jamais question de salaire, on en sort avec un pécule pour se doter et se marier.

En fait, une bonne part de la classe ouvrière est longtemps ordonnée, remarque Louis Bergeron, par la volonté d'un certain patronat — souvent le plus porté à l'innovation économique — de couler la nouvelle organisation industrielle dans le moule de la vieille société rurale, même si celle-ci est largement de fantaisie. Dans les grandes villes — où il est néanmoins plus rare, en tout cas plus malaisé à identifier —, le paternalisme tend désormais à se substituer à l'action charitable et indifférenciée des patriciats, peu portés, après le Second Empire, à perpétuer une tradition urbaine d'assistance héritée de l'Ancien Régime et encore perceptible sous la Restauration et la monarchie de Juillet. Dans les villes moyennes qui naissent de l'industrie, le patronage s'inscrit dans la totale concentration des pouvoirs ; même quand il ne s'agit pas d'une ville-usine, il est bien rare que le chef d'entreprise ne s'intéresse pas, aussi, à la vie politique locale. Mairie, conseil général, voire Chambre des députés : les cas de cumul sont fréquents, et la plupart des villes ouvrières — Carmaux, Saint-Chamond, Firminy, tant d'autres — ont, d'abord, été dirigées par des industriels. Comment en serait-il autrement ? La maîtrise de la municipalité est nécessaire si l'on veut éviter des heurts avec l'usine. Dans les années 1890, c'est précisément pour en finir avec cette confusion des intérêts que les militants socialistes vont se lancer à la conquête des mairies et libérer le citoyen de l'ouvrier.

C'est un débat de longue haleine, d'ailleurs. Nous voici en plein XXᵉ siècle, à La Grand-Combe : la compagnie, entre 1920 et 1940, met en jeu des stratégies qui sont celles des années 1840 ; elle cherche toujours à constituer des dynasties de mineurs, mais cette fois-ci parmi des familles qu'elle fait venir de loin, d'Italie, de Tchécoslovaquie, de Pologne ; même pendant la grande crise, elle n'hésite pas à prendre à sa charge à la fois le transport des meubles et le voyage des parents. À Givors ? les Souchon de la verrerie — « Pierre » et « Marie », « des saints », dit-on et laissent-ils dire — regroupent leurs ouvriers par origine dans les immeubles qu'ils ont fait bâtir, les Siciliens ici, les Ardéchois là ; ils entretiennent une école religieuse qui ne reçoit que les enfants de leurs ouvriers, subventionnent des colonies de vacances, distribuent — souvent en personne — du lait aux malades, de la viande de cheval aux blessés et de la layette aux nouveau-nés. À l'autre bout du pays enfin, la toute nouvelle Société — anonyme cependant — normande de métallurgie : elle aussi possède des écoles et des terrains de sport, un dispensaire et une Goutte de lait. Quant au système Schneider, il est plus vivant que jamais ; à la veille de la guerre, le valet de pied de Madame vient toujours apporter leurs cadeaux de mariage ou de naissance aux orphelins que l'« usine », comme on disait, avait élevés et n'avait garde d'oublier.

Cependant, ce sont déjà des conduites devenues assez rares pour qu'on en parle, même s'il demeure, pour longtemps, une tendance au paternalisme bien postérieure à la seconde guerre mondiale. En fait, un certain type de politique n'a pas résisté, à l'aube du XXᵉ siècle, à la bouffée d'agitation et de revendications qui a secoué à leur tour les grandes usines. Longtemps, celles-ci étaient restées assez à l'écart des grandes vagues du XIXᵉ siècle pour attester l'efficacité du système. Celui-ci ne se relève pas de la crise de la Belle Époque ni d'une brutale contestation qui surprend et attriste sincèrement ceux qui l'avaient mis en place ; de façon significative, il ne faut pas plus d'une décennie pour que s'évanouissent les couvents-usines. C'est la résistance du système Schneider qui constitue l'anomalie alors que disparaît ce type d'ouvrier dont G. Duveau avait noté l'originalité sous le Second Empire, dont toute la vie hors du travail était dictée par les normes mêmes qu'il rencontrait au travail, dont l'horizon se bornait aux murs de l'usine, même quand il se trouvait hors de celle-ci. À peu près dans le même temps, les organisations socialistes s'emparent de la plupart des villes ouvrières moyennes ; c'est un autre signe.

À cette libération, il n'est pas sûr qu'ait été véritablement opposée de résistance... Le paternalisme a tôt fait d'être remplacé par d'autres stratégies, associatives notamment : la constellation des syndicats maison est beaucoup plus large que ne le laisse deviner l'éphémère floraison des « syndicats jaunes », et ce n'est pas un hasard si ceux qui réussissent le mieux renvoient à quelques-uns des grands noms du paternalisme quelques décennies auparavant. C'est aussi, sans doute, une affaire de transformation des mentalités patronales, plus attachées désormais à la seule sphère de l'économique, et qui se sentent moins tenues au social par l'essor de la protection ouvrière hors de l'usine, d'une législation qui généralise (ou presque) après 1920 retraites et assurances sociales esquissées à la fin du XIXᵉ siècle dans certains secteurs. Entre les deux guerres, l'esprit maison qu'on tente de susciter, dans l'automobile notamment, est tout différent, fondé sur les seuls succès productifs de la firme. Enfin, et c'est peut-être l'essentiel, le paternalisme voulait, avant tout, créer un certain type de main-d'œuvre efficace. C'est sans doute chose faite au début du XXᵉ siècle, mais par d'autres moyens liés à la mutation de l'organisation même du travail.

Des solidarités du métier...

Très largement, pendant l'essentiel du XIXᵉ siècle, nonobstant le développement des grandes usines, ce sont les formes traditionnelles de la petite entreprise qui continuent à façonner les temps, les rythmes et les modes du travail ouvrier. Car le travailleur à domicile — dans le textile, dans la métallurgie différenciée... —, même s'il a cessé d'être un artisan au sens étroit du terme puisqu'il a perdu l'accès direct au marché, en garde toutes les apparences : il demeure maître d'organiser son travail — quand il en a —, d'en répartir lui-même les tâches et le calendrier. Son pouvoir paraît intact sur tout ce qui concerne les techniques et la fabrication. Encore une fois, voici le canut lyonnais ou le passementier stéphanois, leur longue familiarité (avant, pendant, après) avec la pièce d'étoffe à tisser d'après des instructions reçues par écrit mais qui ne portent que sur le décor ou le grain, la préparation minutieuse du métier, enfin la livraison en mains propres du fabricant, toutes les chicanes autour de la qualité finale, donc du prix de façon. Ce temps passé à charrier les cartons du dessin, la soie, l'étoffe paraît si loin du travail proprement dit et de ses contraintes que Norbert Truquin a tendance à voir dans ces tâches du temps perdu pour le tissage, plus intensif ; et on n'hésite pas à les accomplir la nuit, en cas de presse bien sûr, mais aussi pour augmenter les revenus du ménage. Tous les observateurs notent le temps qu'on passe hors de chez soi, en apparence à ne rien faire, au café, dans la rue. Il n'est pas jusqu'à la comptabilité que l'on doit tenir — comme un entrepreneur — qui ne dise les illusions de l'indépendance, l'amortissement du métier, les frais d'entretien, l'usure des outils dont on est souvent propriétaire et qu'on peut emporter avec soi à l'usine.

La petitesse de l'atelier semble garantir la cordialité des rapports où les subordinations du travail ne se distinguent pas des liens d'amitié, de camaraderie, plus parfois : une des clefs de l'homogamie des métiers est là et, de fait, N. Truquin y trouve une femme. J.-B. Dumay, qui n'y connaît que des amours de passage (mais il s'en souviendra avec nostalgie), dit cette cordialité des rapports, le verre que l'on va prendre ensemble, etc. En plein XXᵉ siècle, Gaston Lucas évoque le regret d'avoir dû quitter son premier patron et les occasions qu'il a eues d'en remplacer un autre auprès de la clientèle. Il finit par passer l'essentiel de son temps en dehors des chantiers : « Je menais mon travail à mon idée, je me sentais mon propre maître. » Le logement sur place et le repas partagé ajoutent à l'apparente chaleur de ces équipes que les photos des ateliers de la Belle Époque — dans le bâtiment, le meuble, etc. — montrent soudées, de l'apprenti au compagnon, autour du maître.

Or, longtemps, il n'en va pas autrement dans les grands établissements. Ceux-ci ne signifient pas forcément la mécanisation qui redistribue les postes de travail selon une autre logique que celle de la qualification, et encore moins la parcellisation et la complémentarité des tâches qu'une vision trop contemporaine pousse à leur attribuer :

au cours des années 1890, dans les premières usines automobiles, chacun des véhicules est encore fabriqué dans sa totalité par quelques compagnons capables de tout faire. L'extension des surfaces et des effectifs signifie simplement l'ajout de nouveaux métiers et de nouvelles places, semblables à ceux qui existaient avant : ainsi, la dimension des verreries, considérable pour la seconde moitié du XIXᵉ siècle, traduit simplement la multiplication de fours traditionnels. La survie du vocabulaire des métiers dans les secteurs apparemment les plus engagés dans la modernité le dit d'une autre manière : on se dit forgeron, ou frappeur, ou casseur de fonte « aux forges », « aux aciéries », grand garçon ou porteur de bouteilles « à la verrerie », mais jamais métallurgiste ou verrier. La crainte de l'usine ne s'explique donc pas par celle d'une déqualification, ou d'un changement du travail.

De fait — et voilà qui dit bien la permanence des modes de fabrication —, le XIXᵉ siècle français ignore largement ces grandes poussées de bris de machines qui font le luddisme britannique. On en trouve surtout à la fin du XVIIIᵉ siècle, assez localisés ; à la destruction de la tondeuse mécanique par les ouvriers lainiers de Vienne en 1819, on ne peut guère ajouter que quelques événements isolés, entre 1819 et 1823, à Lodève, Alençon, ou Clermont-l'Hérault. Les incendies de métiers qui marquent la révolution de 1848 dans la région lyonnaise s'expliquent par le seul refus de la concurrence suscitée par les providences et les communautés religieuses. Les insurrections de 1831 et 1834 ne touchent pas aux bâtiments — sinon à ceux des octrois —, respect qui annonce, au XXᵉ siècle, celui de l'« outil de travail » pour parler comme les organisations syndicales. Les violences matérielles à l'occasion de grèves de la fin du siècle demeurent marginales, des bris de vitres ou de lanternes. Chez les mineurs, la fréquente menace de détruire les machineries d'exhaure des eaux n'est jamais suivie d'effet, sinon dans les romans. Faut-il remarquer que jamais les attentats anarchistes des années 1880 ne s'attaquent aux usines, et quand il arrive, par hasard, qu'on en brûle une — le tissage Coquel d'Amiens en 1880, une boulonnerie dans la vallée de l'Ondaine une vingtaine d'années plus tard —, c'est surtout le « bagne » industriel, donc tout autre chose, que l'on vise. Les sabotages de la Belle Époque sont rares — des actes individuels surtout —, et le mot d'ordre de certains syndicalistes d'action directe ne mord à aucun moment sur l'ensemble de la classe ouvrière. Jusqu'en 1914 au moins, le discours ouvrier sur la machine — moyen d'oppression, moyen de libération — est suffisamment équivoque pour qu'il en aille autrement ; ceci, fondamentalement, parce que la condition ouvrière n'a jamais été vraiment bouleversée par l'accroissement de la taille des usines.

Il faut ajouter que, de ce fait, l'usine apparaît souvent comme un rassemblement de métiers, même divers, où le talent technique et la liberté qu'il signifie demeurent. L'illusion en est accrue par la pratique persistante du travail à la tâche, qui permet apparemment de doser l'intensité de son travail, d'en toucher directement la récompense, d'oublier la longueur de la journée — 15 à 16 heures encore vers 1840, 12 à 14 heures un demi-siècle plus tard dans les secteurs les moins favorisés — puisqu'on a la liberté de l'arrêter ; et plus encore par la pratique du marchandage qui fait attribuer telle tâche globale à une des équipes mises en concurrence : tel nombre de bouteilles, telle longueur de galerie, la coulée d'une fonderie. C'est ainsi faire confiance au talent et à l'expérience, à ces savoir-faire acquis d'une longue pratique et qu'il n'est guère possible d'intégrer dans la comptabilité rigoureuse d'une entreprise, « cette adresse, [cette] habitude du métier, une force qui ne s'obtiennent pas en un jour », écrit un journaliste du *Temps* en 1893 encore. Dans la verrerie, c'est une affaire de temps de cuisson ; dans la métallurgie, de réchauffement d'un lingot ; dans l'ajustage, le coup

Le cas de la verrerie : le cueilleur de verre.

d'œil qui permet de faire exactement la pièce ; dans la sidérurgie lorraine des années 1930 encore, on fait confiance à l'instinct des fondeurs qui savent se repérer à la couleur avant d'ouvrir le haut fourneau.

Au total, l'organisation usinière encourage la pérennité des équipes et, à l'intérieur de celles-ci, le développement des relations personnelles ; de leur qualité, de la cohésion du groupe dépendent la coordination et la régularité de l'activité productive, donc, à terme, de la productivité et du profit. Enfin, la plupart des grandes entreprises se heurtent, au XIXᵉ siècle, aux problèmes que pose la gestion d'une main-d'œuvre trop nombreuse et déjà trop diverse ; dans une large mesure, l'autonomie des équipes, sous la direction de leur tâcheron ou de leur chef, y remédie : le système déleste le patronat d'une partie de son autorité, au profit de tous. Le surveillant et le contremaître sont à venir, qui vont fonder leur pouvoir sur autre chose ; pour l'heure, celui-ci appartient au plus habile, au maître puddleur ou au maître mineur. Encore une fois, les taxinomies des livres de paye ou de l'état civil le disent en distinguant avec soin les apprentis des aides et les compagnons des maîtres.

Cette hiérarchie, sans doute, s'affirme comme telle, mais peut-être parce qu'elle se trouve tout entière à l'intérieur du monde ouvrier et parce que tous ses degrés peuvent être aisément franchis. Dans une certaine mesure, elle est à la fois une organisation des procédures du travail et une pédagogie en action par la transmission d'un savoir. Le cas de la verrerie est le mieux connu, parce qu'il a attiré les observateurs ; il est exemplaire : sur chaque « place » de four s'accroche une équipe de plusieurs dizaines de personnes selon une échelle qui est à la fois celle des savoirs, des salaires et des âges. Elle va du « gamin » chargé de toutes les tâches annexes où il se familiarise et s'imprègne de la totalité d'un travail ou d'une usine — entre les deux guerres, les souvenirs des métallurgistes givordins disent aussi cette disponibilité et cette liberté des plus jeunes —, jusqu'au « souffleur » qui achève la bouteille, en passant par le « cueilleur de verre » qui plonge la canne dans la pâte en fusion et le « grand garçon » qui donne sa première forme à l'objet. E. Saulnier, en évoquant un certain père Pilon, montre comment on se dégrossit peu à peu par l'exemple et l'initiation du spécialiste pour accéder pas à pas à sa qualification. Il y faut parfois des années, et les maîtres s'y donnent même la sévérité des vrais, ceux des écoles. Tout le XIXᵉ siècle ouvrier pleure sur la décadence de l'apprentissage ; c'est vrai, sans doute, pour celui des vieux métiers artisanaux ; mais les travailleurs de l'industrie savent l'adapter en en conservant le meilleur, c'est-à-dire cette manière d'échange entre des services et un savoir que formalisaient jadis les contrats passés devant notaire. Confusément, ils sentent que c'est là, face aux transformations de l'industrie, un atout considérable ; dans les années 1880, les verriers, encore eux — mais on trouverait bien d'autres exemples dans les cuirs et la métallurgie —, tentent de le pérenniser en imposant l'hérédité de l'apprentissage, donc, indirectement, le contrôle de l'embauche. C'en est trop, et on va les briser.

Familiarité de la petite entreprise, importance du tour de main, exclusivisme de l'apprentissage : dans une large mesure, ce sont là des thèmes du discours ouvrier. Tel quel, celui-ci traduit moins, au fur et à mesure qu'avance le XIXᵉ siècle, une situation de réalité que la crainte de la voir se dégrader parce que, justement, elle est progressivement entamée. Le savoir-faire ? Tous les récits d'apprentissage réel le mettent à mal. C'est le cas des tisseurs de soie, que toute une légende présente comme des gens hautement qualifiés, comme le produit de toute une existence d'exercice, voire d'une véritable hérédité technologique. Or, quand il arrive à Lyon, Norbert Truquin n'a jamais touché à un battant de jacquard ; on convient d'un apprentissage de trois ans ; il se met au velours et, dit-il, « j'y devins promptement habile » ; sept mois plus tard, quand le travail s'arrête, il possède tout à fait son métier, à tel point qu'un peu plus tard, on lui confiera des échantillons dont la confection demande beaucoup d'adresse. On sait la réputation du Creusot ; cependant, écrit J.-B. Dumay, un mois après l'entrée à l'usine, « j'avais pris mon métier en dégoût » ; il réduit la pédagogie technologique à l'exercice d'« une dextérité de mains extraordinaire avec la routine » ; au bout de cinq ans, il n'a vraiment appris qu'à tourner des boulons !

Quant à l'atelier qui se donne des allures de foyer, il n'est pas toujours le lieu de cordialité et de simplicité qu'on veut bien dire. « Les familiarités n'étaient pas de mise entre patrons et salariés », dit G. Lucas. Quand elles le sont, il arrive qu'elles aboutissent à une gênante confusion des rôles et, comme à la ville, la trop grande proximité est source de conflits ; à la Belle Époque, les garçons boulangers parisiens font grève pour se libérer du logement chez les patrons. Dans les années 1840-1860, Martin Nadaud raconte la violence contenue des relations entre gens de métier ou d'origine différents sur les mêmes chantiers, qui éclate parfois en bagarres ; Denis Poulot avait mis l'accent sur les violences dont les compagnons étaient coutumiers à la fin du Second Empire. Enfin, au-delà, la familiarité du cadre et des gens n'enlève rien à la dureté d'une condition : au début du XXᵉ siècle encore, Marie-Catherine Santerre est tisseuse avec son père et ses frères dans la cave de la maison natale ; elle n'a que 11 ans, et ses jambes sont trop courtes pour actionner les pédales du métier à tisser ; elle se lève cependant pour y travailler à 4 heures du matin, et ne se couche pas avant 10 heures du soir. Et l'on sait la dureté des ateliers de couture, de lingerie ou de blanchissage.

Enfin, l'ambiance générale de brutalité ne distingue guère l'atelier de l'usine. Norbert Truquin, toujours lui, se souvient des terribles corrections que, jeune apprenti vers 1830, il subissait d'un petit patron peigneur de laine, et de l'humiliation des volées de corde reçues à genoux. Dans les manufactures d'étoffes, le coup de tavelle appliqué aux plus nonchalants par les autres compagnons est devenu proverbial, et une sordide affaire de mœurs chez les laceuses de Saint-Chamond révèle que les habitudes de brimade n'épargnent pas non plus la main-d'œuvre féminine. J.-B. Dumay se souvient des insultes dont on l'abreuvait chez Cail, et des menaces du chef puddleur, « taillé comme un Hercule ». Pendant l'entre-deux-guerres encore, Gaston Lucas évoque « le bon coup de pied dans les tibias » que l'on risquait si l'on n'actionnait pas assez vite le soufflet de la forge, et Eugène Saulnier, ceux que donnaient aux gamins rêveurs les chefs de place, « de vraies brutes » souvent intempérants, « gare aux fesses de celui qui lambinait ».

... aux nouvelles disciplines de l'usine

La grande usine ne transforme pas, au moins en ce domaine, les manières d'être des ouvriers entre eux ; même s'ils n'ont rien de systématique, les exemples précédents tendent à le prouver. Il existe une violence, elle-même à double sens, qui peut ne pas exclure la camaraderie et qui trouve sa compensation dans cette transmission de savoirs qui sont aussi des pouvoirs : tels les coups, qui vont des adultes aux plus jeunes. Or, la grande dépression des années 1880 marque, globalement, un tournant dans les politiques d'entreprise et la mise en place de nouvelles pratiques de la main-d'œuvre. En fait, la tolérance de l'autonomie ouvrière n'avait jamais été qu'une attitude, fructueuse, de circonstance. Dès le milieu du XIXᵉ siècle, dans certains secteurs, on décèle déjà des tentations de la réduire : l'historien américain W. Reddy a montré la longue lutte des industriels textiles du Nord pour diminuer toute liberté d'appréciation dans la détermination du salaire, avec la codification des grosseurs du fil et de la nature des étoffes. Mais c'est dans les mines que sont apparues les tentatives les plus précoces et les plus déterminées pour maîtriser un travail que sa nature même rendait complexe : dès les années 1850, la compagnie de La Grand-Combe affirme son souci de « dresser » ses travailleurs et de « soumettre chacun à l'ordre et à la discipline qui sont les premières conditions de toute entreprise industrielle » : le souci de discipline est constant dans grand nombre de discours patronaux. Faute de modèle à imiter, on se tourne vers l'armée, et les cheminots par exemple vont y gagner un uniforme ; on recrute très tôt les gardes des mines parmi les anciens gendarmes, et l'on sait, par la suite, la séduction que les officiers vont exercer sur les patrons de l'automobile : dès 1925, c'est au colonel Lanty qu'André Citroën confie le service du personnel. A Carmaux, bien avant tout essai de mécanisation, c'est de la définition progressive et claire des postes et des qualifications que l'on attend les progrès de la productivité. Plus globalement, en s'appuyant pour la première fois sur ces qualifications, les accords salariaux de 1936 ne font que révéler cette longue définition souterraine, dont on connaît encore mal les étapes et les formes.

M. Hanagan montre comment, dès les années 1860-1875, les maîtres de forges de Rive-de-Gier et de la Loire brisent ces pouvoirs ouvriers et les équipes qui les incarnaient. La haute conjoncture économique qui permet toute une série de compensations salariales fait que leur action passe à peu près inaperçue des travailleurs eux-mêmes, qui cèdent sans se battre ; ils s'aperçoivent de l'affaire après coup, dans les années 1890, quand il est trop tard. Sans qu'il y ait eu révolution dans les techniques, le travail s'émiette déjà en tâches parcellisées et monotones, et le salaire à la tâche a disparu. Dans la verrerie, l'étape est plus dure à franchir : à compter des années 1890, le changement paraît plus lié à la mécanisation des fabrications, le four Siemens à fusion continue dans les années 1880, le soufflage automatique des bouteilles après 1900 ; à Carmaux comme à Rive-de-Gier, le choc est brutal, la bataille vite gagnée — ou perdue — selon le camp où l'on se place. C'est la fin des souffleurs, et si certains d'entre eux deviennent les servants des machines, d'autres s'en révèlent incapables et retombent au rang de manœuvres. Michelle Perrot repère, pour l'ensemble des secteurs, cette émergence de l'OS dans la fin du XIXe siècle, qui annonce la nouvelle segmentation de la classe ouvrière : il n'a rien à voir avec l'ouvrier qualifié et indépendant de métier, mais n'est pas non plus le manœuvre occasionnel, à cheval sur l'agriculture, l'industrie et bien d'autres activités. En fait, il n'est pas besoin de révolution technologique pour que l'on songe à organiser et rationaliser l'emploi de la main-d'œuvre, facteur longtemps essentiel des coûts.

Avec le siècle nouveau apparaissent des techniques plus sophistiquées, même si certaines d'entre elles — le taylorisme — ne reçoivent pas en France une application totalement conforme à la lettre de leurs inventeurs étrangers. On devine leur essor au mécontentement que suscitent leurs agents, ces nouveaux agents de maîtrise que sont les contremaîtres qui justifient leur pouvoir de moins en moins par une compétence professionnelle. « Impolis », « brutaux », « hostiles », « insolents », « antipathiques » et, voilà le grand mot lâché, « incapables », se plaint-on dans la région lyonnaise à la Belle Époque ; avec le grand et nouveau reproche : ils poussent au rendement ; déjà les concierges n'avaient pas bonne réputation, précisément parce qu'ils contrôlaient les heures d'entrée et de sortie et fermaient les portes de l'usine pendant le travail ; à Valenciennes, au début de 1936, on contraindra les porions à porter le drapeau rouge en tête des cortèges. On s'offusque des maximes qui apparaissent sur les murs, incitant à l'ardeur, à la propreté, à la politesse. Le temps n'est pas loin — les années 1920 — où certains patrons — Marius Berliet, par exemple — vont harceler leurs ouvriers de recommandations et de justifications productivistes, quitte à les emprunter à la Russie soviétique et aux discours de Trotsky !

De Taylor, qui fait les délices précoces d'une partie du patronat — *Shop management* compte six éditions françaises entre 1903 et 1913 —, on retient surtout l'étude du temps de travail et le chronométrage. C'est au printemps 1912 qu'éclate le premier conflit, chez Berliet, à Montplaisir, bientôt suivi par ceux de l'usine Arbel de Douai et surtout de Renault, à Billancourt, en février 1913. Les nécessités de l'« autre front » donnent pendant la guerre un élan décisif à l'organisation scientifique du travail qui va ensuite se déployer largement dans l'industrie automobile. L'usine elle-même s'adapte à ses exigences : André Citroën, Marius Berliet et Louis Renault rêvent d'immenses organismes intégrés, à l'américaine, séparant et liant rationnellement les divers stades de la construction, ce que faisait déjà, d'ailleurs, l'établissement des frères Marrel à Rive-de-Gier dès les années 1890. Encore une fois, les méthodes sont ambiguës, comme le montre S. Schweitzer pour Citroën : le vrai but, c'est la production, pas la discipline du travail. Les ouvriers de l'automobile sont encadrés par un système complexe fondé à la fois sur une politique de formation professionnelle dans des ateliers-écoles, sur un système de salaires qui mêle rémunérations à la tâche, à l'heure et au rendement pour contrôler et stimuler la production, sur un mélange de conciliation et de répression et tout un appareil d'intégration qui passe par la propagande interne — le journal de la firme — et sur des œuvres sociales traditionnelles — la crèche, une pou-

Promenade de la crèche, vers 1900, peint par É. Labrichon.

ponnière, l'infirmerie —, ou plus imaginatives — des clubs sportifs, une cantine, des séances de cinéma.

Sans doute l'organisation scientifique du travail progresse-t-elle lentement, même sous d'autres formes, notamment le système Bedaux chez Renault ou dans les mines de Valenciennes. Logiquement, ce sont bien les ouvriers de l'automobile qui annoncent les temps nouveaux, et l'on a eu parfois tendance à les confondre avec la totalité de la nouvelle classe ouvrière, inégalement touchée. Il n'empêche : avant la chaîne, voilà la monotonie et la répétition qui disent le dessaisissement du travail. « Rivé à mon tabouret [...], tout entier à mon souci de bien faire, je restais l'œil fixé sur mon moule [...], mes muscles s'engourdissaient de ce même mouvement répété des centaines de fois », dit E. Saulnier, en 1904. Simone Weil à l'Alsthom, dans le 15e arrondissement, évoque l'angoisse ambiguë du salaire : « Samedi 22, rivetage avec Ilion. Travail assez agréable — 0,028 F la pièce. Boni non coulé, mais cela en donnant toute ma vitesse. Effort constant — non sans un certain plaisir, parce que je réussis. Salaire probable, 48 heures à 1,80 F = 86,25 F. Boni : pour le mardi... », etc.

A la Compagnie d'Anzin, en période de hautes eaux de l'emploi, le taux d'instabilité, le *turn-over*, qui balance les entrées et les sorties de l'embauche, reste considérable en 1929 ; il est deux fois plus fort chez Escaut-Meuse à Valenciennes, presque trois fois plus à la Société française de constructions mécaniques. On retrouve cette fuite devant l'usine, ce déguerpissement des ouvriers du XIXe siècle, même si, désormais, on se contente de changer d'établissement et si, quelques années plus tard, quand la crise survient, on s'accroche à son emploi. L'échec du rattachement des cellules aux seules entreprises, lors de la phase, en 1924-1925, de bolchévisation du PCF, montre à l'évi-

dence qu'on ne se reconnaît toujours pas en elle. Il n'empêche que le nouveau quadrillage du travail émousse les résistances traditionnelles, celles que des décennies de vie à
l'usine avaient bien rodées dans un certain cadre et qui ne sont plus de mise puisque
celui-ci a changé. Le temps du travail se fait moins poreux sur le long comme sur le
court terme. Il y a bien longtemps — dès les années 1840-1850 — que la « Saint-
Lundi » s'est estompée ; désormais, le rythme des saisons — la dureté de l'hiver, les
explosions printanières du travail et de l'agitation — s'est à son tour effacé ; l'organisation de la journée ne se fait plus autour des pauses du repas, si importantes encore au
milieu du XIXᵉ siècle ; enfin l'on sait la révolution que suscite, en 1936, l'instauration
des congés payés : mais, dans une certaine mesure, ceux-ci ne font que ratifier l'organisation nouvelle du temps que l'on n'a pas su prévoir, et pas toujours discerner.

En effet, les mutations qui se sont produites au XIXᵉ siècle se sont opérées sans que
la majeure partie de la classe ouvrière reconnaisse leur importance. Les résistances qui se
sont manifestées à la Belle Époque s'opposaient à ce que M. Perrot a appelé le second
âge « classique » de la discipline industrielle, celui qui avait bardé les usines de règlements et de contrôles. Du reste, elles n'avaient pas été exemptes d'erreurs sur l'adver-
saire : au tournant du siècle, on s'était souvent attaqué à ceux qui n'étaient que les
signes de la déqualification — les manœuvres étrangers, les femmes réputées plus dociles et plus malléables — ou ses instruments — les contremaîtres. On est encore bien
plus mal armé pour reconnaître le troisième âge de l'organisation du travail, contractuel et scientifique, qui ne manque pas de séduction avec son idéologie de démocratie
industrielle. Face aux premières manifestations du taylorisme, les mécaniciens, héritiers
d'une tradition de qualification, renâclent à ce qui leur paraît un nouveau pas vers la
dévaluation des savoir-faire et des métiers. Mais les manœuvres n'y voient qu'une
menace pour leur salaire, que le patronat a tôt fait de désarmer ; peut-être aussi parce
qu'ils sont, pour la plupart, des nouveaux venus dans la métallurgie, comme une
bonne partie de la classe ouvrière l'est sans doute dans l'industrie entre les deux
guerres.

L'usine moderne offre aussi, désormais, des séductions qu'on ne lui trouvait pas
au XIXᵉ siècle : le grand patronat adhère plus aisément que le petit à la nouvelle législation sociale qui se met en place dans les années 1920 ; il applique avec moins de réticences les règlements d'hygiène et de protection du travail. Une tisseuse dauphinoise se
souvient aujourd'hui du plaisir qu'on avait, autour de 1910, à être embauché à l'usine
après avoir été domestique ; elle évoque les fous rires et la gaieté des ouvrières ; telle
autre dit n'avoir jamais regretté d'avoir choisi l'atelier plutôt que le bureau attenant.
Patrick Fridenson note qu'entre les deux guerres on vient s'embaucher à la grande
usine d'automobiles pour échapper aux hasards de la petite entreprise ; au moins, dit
un ancien de Berliet, tout y est prévu, « c'était la grande boîte, les choses étaient faites
correctement ». Bientôt, mille moyens apparaissent pour tourner les contraintes,
gagner du temps, tromper la maîtrise ; en même temps renaissent, dans les blancs de la
production organisée, les tours de main et les savoirs ouvriers qui recréent un pouvoir et
fondent de nouvelles résistances.

Tous les travailleurs n'en sont pas là, et une historiographie de l'entre-deux-
guerres encore naissante permet mal de prendre la mesure des changements qui se sont
produits. On les devine à quelques repères, tels qu'une nouvelle cristallisation des
tranches d'âge : les moins jeunes ont du mal à s'adapter et l'histoire des ateliers témoigne souvent de leurs mutations vers d'autres tâches et de la déchéance qui les
accompagne, avec tous ses signes de tension et de détresse. On observe une évidente
déshumanisation des rapports, avec la séparation grandissante entre la famille et

l'usine, la définition extérieure des modes et des normes de travail. Plus délicate à repérer est l'identité au travail, variable avec la nature des postes, l'ancienneté, etc. Mais tout à fait révélateur d'un désarroi est le conflit qui oppose les différentes organisations syndicales, leur difficulté à mordre sur cette autre classe ouvrière, leur incapacité à analyser les nouveautés de l'usine : en témoignent, dans les années 1920, d'une confédération à l'autre et, selon les moments, au sein de chacune d'entre elles, les incertitudes du débat sur le taylorisme. On retrouve cet anachronisme des espaces militants par rapport aux réalités du moment, déjà sensible dans les années 1900, à l'apogée du syndicalisme d'action directe. *La Vie ouvrière* de P. Monatte fait, dans les années 1900, une sorte de retour à l'histoire en publiant des biographies hagiographiques des grands ancêtres ; comme si l'incapacité de penser efficacement le réel amenait à se tourner vers des temps imaginaires en attendant, pour d'autres, de le faire vers des pays d'espérance un peu volontariste. L'essentiel, jusqu'à la seconde guerre mondiale, réside dans cette dépossession du travail qui aggrave la condition ouvrière à l'usine, lors même que la vie s'est améliorée en dehors d'elle : la voilà, la prolétarisation, porteuse d'autres conflits que ceux longtemps recelés par la détresse matérielle.

11
La montée
des antagonismes
collectifs

Un 1ᵉʳ Mai de la Belle Époque, le jeune Eugène Saulnier, alors âgé de 18 ans, à peine arrivé de son pays natal dans la verrerie de Dordogne où travaille son frère, va défiler avec lui et ses amis derrière le drapeau rouge et chante avec eux *L'Internationale*. Puis il va banqueter — une « franche camaraderie », se souviendra-t-il plus tard, « rigolade et propos peu sérieux » ; au dessert, il adhère à la CGT. Il n'y restera pas longtemps, mais y reviendra pourtant en 1936. Toutes les raisons qu'ont, précocement, les ouvriers de s'organiser ne tiennent pas à la chaleur communautaire d'une journée de printemps. Mais celle que vit E. Saulnier résume assez bien — quoique de manière caricaturale — ce qu'est l'association, dès le milieu du XIXᵉ siècle, pour nombre d'entre eux : le moyen de défendre des intérêts collectifs, le creuset d'une communauté qui se cherche. A tel point que, longtemps, l'histoire ouvrière s'est résumée, non sans une certaine raison, à celle des organisations syndicales et politiques.

De fait, à travers les combats, de plus en plus forts, de plus en plus larges, que suscitent les nécessités de l'existence et les contraintes du travail, les ouvriers plantent dans le champ du politique et de la vie collective un nouveau type de sociabilité fondé sur l'antagonisme des classes sociales. Une certaine historiographie y voit une marche d'une grande simplicité, allant de la réaction individuelle originelle du manœuvre isolé à l'émergence inéluctable d'une organisation unifiée, délivrée des soucis de l'immédiat pour s'élever à un projet global de société. Plus que toute autre, la classe ouvrière française colle à ce schéma, des années 1830 à — peut-être — 1947-1948 ; schéma simple, trop simple, qui ignore les retours, les hésitations, les divisions, et lit le passé en fonction du présent ; qui ignore aussi que les diffusions culturelles peuvent aller des dominés vers les dominants, et que les résistances et les attaques ne sont pas à sens unique dans la dialectique complexe des oppositions sociales.

DES RÉSISTANCES INDIVIDUELLES AU COMBAT COLLECTIF

Une classe dangereuse

« Ils remplacent par la violence ce qui leur manque en organisation », écrit au sujet des tisseurs d'Avesnes-lès-Aubert, dans le Nord, un préfet du Second Empire. Violence individuelle, qui se traduit par la délinquance de droit commun, une manière élémentaire, primitive au sens de Hobsbawm, de transgresser la loi et les valeurs dominantes de la société, et sur la signification de laquelle il faut s'interroger. Violence collective aussi : ce n'est pas une nouveauté de la société industrialisée, mais elle colle de plus en plus à ses tensions. Charles Tilly montre comment, dès les années 1830-1860, la carte de l'émeute, de quelque nature qu'elle soit, commence à se retirer des campagnes vers les villes, donc vers les concentrations ouvrières ; entre 1930 et 1960, elle ne s'éloigne jamais des grandes agglomérations : mouvement qui ne se contente pas de suivre le transfert des populations. D'une carte à l'autre, le mouvement ouvrier organisé finira par marquer la radicale différence. Il n'est pas sûr que, au XIXᵉ siècle — et même chez certains groupes un peu marginaux de l'entre-deux-guerres —, elle ait été véritablement justifiée.

On sait l'indignation des observateurs, pendant longtemps, devant les déviances de la vie personnelle. L'importance des naissances illégitimes n'est plus à prouver et, surtout, elle n'est pas une conduite typique de la classe ouvrière, d'ailleurs fort difficile à distinguer des autres catégories professionnelles du petit peuple. Le concubinage est déjà plus spécifique et, pendant tout le XIXᵉ siècle, la société Saint-François-Régis se donne pour seul but d'inciter les ouvriers à se marier ; des travaux récents sur Paris montrent l'importance des ménages illégitimes et, à Vienne, plus d'un mariage sur dix entre 1901 et 1910 entraîne la légitimation d'un ou plusieurs enfants qui attestent des relations et une cohabitation prémaritales. La force du groupe familial ne passe pas forcément par la légalité qui fonde la famille bourgeoise, et c'est sans doute là une source de bien des bévues. On y voit longtemps, au plan civil, les signes d'une immoralité évidemment plus inquiétante quand elle dégénère en délinquance pénale.

Au XIXᵉ siècle et à la Belle Époque — il n'est guère possible de poursuivre les séries dans l'entre-deux-guerres —, la corrélation statistique est cependant médiocre entre la délinquance et le rassemblement des ouvriers mesuré au travers de l'urbanisation. Après avoir connu sous la Restauration les plus hauts taux français de criminalité et de violence, Paris voit s'améliorer rapidement la sécurité de ses habitants. Sous la monarchie de Juillet et le Second Empire, dans les villes ouvrières du Nord et dans celles de la Loire, l'évolution innocente le milieu urbain lui-même. Mais en atteignant ses plus hauts niveaux pendant les phases d'urbanisation rapide (c'est vrai aussi pour le Paris des années 1820-1840, et plus tard pour le Marseille des années 1880-1900), c'est-à-dire les moments où se multiplient les travailleurs de l'industrie, elle met d'autant plus fortement l'accent sur la rupture des valeurs qu'entraîne le passage à la condition ouvrière.

C'est le vol qui soutient cette montée de la délinquance populaire. Affaire de détresse matérielle ? Sans doute, mais il se dissocie progressivement des crises de subsistance, de l'emploi, donc du besoin. Il ne se limite pas à la nourriture, s'étend aux outils, aux vêtements et à l'argent. Comment interpréter la part de ce chapardage permanent dans les ateliers, du détournement des matières premières — et même, entre les deux guerres, d'objets manufacturés — dont on a vu la place qu'il pouvait prendre dans l'économie familiale ? Les délinquants, eux, sont souvent des jeunes, citadins et ouvriers de fraîche date, délivrés des interdits de leur communauté originelle, pas encore gagnés par la morale de celle qu'ils viennent à peine de rejoindre, tentés aussi par l'étalage de la richesse et encouragés par l'apparente facilité du larcin, même si, en fait, la surveillance est plus forte en ville qu'à la campagne. A la Belle Époque, les registres matricules révèlent qu'un grand nombre de jeunes ouvriers ont eu maille à partir avec la justice dans leur jeunesse, et J. Rougerie avait déjà noté le passé délinquant d'un grand nombre de communards de 1871, sans en tirer les mêmes conclusions que leurs juges du moment. De même, on devine l'aisance avec laquelle on passe d'une prostitution occasionnelle à la permanence du trottoir ou de la maison de tolérance : de la chambre de bonne, de l'atelier de couture, du café, nombreuses sont les jeunes femmes — elles aussi récemment arrivées, souvent seules — attirées par la richesse facile qu'elles côtoient chaque jour.

L'intégration à la ville, au quartier, à l'équipe de l'usine entraîne souvent le retour dans le droit chemin, et les agrégats de la délinquance reflètent, pour chaque ville, cette adhésion aux normes. En se plaçant cette fois-ci du côté de la demande, A. Corbin montre qu'à la fin du XIXe siècle — sauf précisément dans les nouvelles cités de la seconde industrialisation, en Lorraine par exemple, envahies de célibataires italiens —, la clientèle de la prostitution est moins étroitement prolétarienne : la fin d'un ghetto sentimental et sexuel ? L'adoption des conduites qui se veulent plus maîtrisées de la petite bourgeoisie ? Mieux. Interrogés vers 1980, des compagnons anarchistes, anciens praticiens du « macadam », technique d'escroquerie à l'assurance-accident, hésiteront à reconnaître celle-ci, au nom d'une certaine morale du travail. A la Belle Époque, on n'en est pas là, et la théorisation de la « reprise individuelle » est moins innocente qu'il n'y paraît dans un milieu qui, on l'a vu, sait particulièrement bien s'imprégner de la sensibilité populaire : Arsène Lupin n'est pas totalement une figure romanesque, même si ses modèles ont eu dans la réalité moins de succès. Dans une certaine mesure, le vol est un moyen de sortir d'une situation de conflit que l'on ne maîtrise pas, à l'usine ou ailleurs, et de s'adapter, par une transgression brutale des règles, à une situation nouvelle, signe d'une évidente et inquiétante rationalité.

A côté de l'attentat contre la propriété, celui contre les personnes met encore une fois en cause la transition entre deux mondes. Ce n'est pas seulement la délinquance du tout-venant qui augmente dans les phases d'urbanisation rapide, à Paris comme à Saint-Étienne et à Marseille, mais l'agression physique — celle qui accompagne souvent le vol —, sous sa forme la plus grave, l'homicide. Affaire aussi d'héritage paysan : si l'on joue si longtemps du couteau dans les quartiers populaires, c'est parce qu'on ne se sépare pas en un jour d'un objet familier de la vie rurale ; entre les deux guerres, l'insécurité des barrières puis des banlieues ne fait que se calquer sur la géographie des

« Avec les trois francs qu'on avait pris, mon Président, on a d'abord acheté un saint-honoré à la crème. » Dessin par Naudin, L'Assiette au beurre, 12 septembre 1908.

immigrés les plus récents. De même, à la fin du XIXᵉ siècle, on remarque la plus grande brutalité des grévistes liés au plat pays, comme certains tisseurs du Nord, ou les mineurs, dont on a déjà fait le rude portrait : un travail récent sur la délinquance stéphanoise montre que, même dans la vie privée, ce tableau n'est pas caricatural.

Cependant, là non plus l'explication ne réside pas seulement dans la survie de mœurs paysannes, mais aussi dans une certaine manière populaire de vivre les relations avec les autres : un monde où l'on parle fort, où l'on a le geste et le coup faciles — on l'a vu à l'usine et à l'atelier —, ce qui n'exclut pas une certaine familiarité bourrue. Les grandes batailles compagnonniques de la Restauration, menées au son de « chansons féroces », dit Agricol Perdiguier, se terminent souvent par mort d'homme. Si l'on n'en est plus là dès les années 1850, on continue à se menacer des injures les plus exaltées. Tout peut devenir prétexte à bagarres : la querelle au cabaret, le rythme inégal du travail, le bavardage des femmes. Les Bellevillois de la Belle Époque en viennent aux mains pour un rien : dans la cour intérieure d'un immeuble pour une chanson trop bruyante, d'une fenêtre à l'autre ; on sait, à travers Zola, les disputes de lavoir, et comment elles peuvent dégénérer... Enfin, vie quotidienne et action organisée ne sont pas étanches au point de susciter des conduites et des manières différentes.

Déclin de la violence collective ?

La grève, logiquement, libère des attitudes d'ordinaire diffuses et tues. M. Perrot les a recensées pour l'ensemble des conflits qui ont éclaté entre 1871 et 1890. La pesée globale dit en fait la rareté des violences collectives. On n'y repère des rixes entre ouvriers que dans 6,5 % des cas, et de sérieux accrochages avec l'encadrement, les renégats ou les forces de l'ordre, du fait des grévistes, que dans 5,6 % d'entre eux. L'apaisement est évident par rapport à la première moitié du XIXᵉ siècle où la grève signifiait souvent l'émeute : du fait des pratiques policières, bien sûr, quand elle était illégale, mais aussi d'une fraction non négligeable de la classe ouvrière, pour laquelle le conflit du travail est un combat ; d'ailleurs, longtemps, elle s'en donne les armes — au sens littéral du mot —, celles du travail lui-même, l'alène des cordonniers, le compas des charpentiers, le tranchet des ouvriers du cuir et des chapeliers. A la fin du siècle, ce sont plutôt les pierres du chemin, dont on se bourre les poches, et les gourdins qu'on brandit bien haut, peut-être pour n'avoir pas à s'en servir. A la Belle Époque, on peut aussi emporter son revolver — « Mister Browning », dans la mythologie de la CGT de l'époque —, tels les ouvriers parisiens du bâtiment lors de leur fameuse descente sur Villeneuve-Saint-Georges en 1908. L'image de l'armée prolétarienne n'est pas qu'une formule journalistique ; étrange mimétisme, en effet, que celui de ces cortèges qui déploient des étendards et marchent au son des clairons et au roulement des tambours... Dans la banlieue parisienne des années 1900, il n'est pas rare qu'on échange des coups de feu avec les contremaîtres ; en 1905, on — qui ? — tire des crassiers de Moulaine, dans le bassin de Longwy, sur les renégats.

Peu de victimes, pourtant. On est loin des journées insurrectionnelles de la monarchie de Juillet et des prises d'armes de la Seconde République. Si la défenestration et la mort de l'ingénieur Watrin, à Decazeville en 1886, frappe si fortement les esprits avec ses rumeurs de mutilations imaginaires, c'est parce qu'elles sont uniques ; le tisseur qui tire en 1882 sur Bréchard, un patron roannais, a la chance de le rater : qu'importe qu'on ouvre une souscription pour lui offrir un revolver d'honneur ! Peu de morts mais des coups, assurément : la violence s'exerce rarement contre les patrons, mais contre les petits chefs détestés et, surtout, les renégats, les « renards ». Une grève qui s'aigrit tourne souvent mal à la « conduite », comme on dit, sans ménagement, de ceux qui risquent de la briser. Contre les étrangers, on perd toute mesure : à Lille et à Roubaix en 1848, à La Grand-Combe aussi, on avait déjà frôlé le pogrom. De 1881 à 1893, une trentaine d'Italiens y perdent la vie, dont une dizaine lors de l'affaire d'Aigues-Mortes, en 1893. Aux docks de Marseille en 1881, sur les chantiers des chemins de fer d'Uzès et d'Alais en 1882, à Beaucaire aux mines de La Jasse en 1884, en Arles en 1888, on retrouve ces brusques flambées de colère ; ailleurs, à Gerland — un faubourg lyonnais — en 1896, à Saint-Julien-de-Maurienne en 1900, souvent dans le bassin charbonnier de La Mure en 1902, ce sont de véritables chasses à l'homme — « à l'ours », dit le vocabulaire local — qui s'organisent, auxquelles on n'échappe qu'en prenant la fuite. Entre les deux guerres, la dénonciation des contremaîtres et des surveillants trop zélés par les « rabcors » aboutit parfois à des agressions individuelles autour des usines d'automobiles de la périphérie lyonnaise ou parisienne. En 1948 encore, on promène sans ménagement les mouchards déculottés à travers les corons du Nord et du Pas-de-Calais, dans une ambiance générale de violence proche du lynchage et qui n'est pas sans rappeler le premier XIXᵉ siècle.

A défaut des hommes que, de plus en plus, on se contente de menacer — « enlevez-les ! » —, voici les usines symboliquement lapidées, les maisons des ingénieurs ou des agents des compagnies assiégées et menacées. Encore une fois, Zola et *Germinal*... Dans les années 1900, il arrive qu'on fasse rouler d'énormes rochers pour tenter d'écraser les nouvelles usines électriques des vallées alpines. Comme on l'a vu plus haut, il arrive qu'on y mette le feu. Parfois, on utilise la dynamite : à Montceau-les-Mines en 1882, contre la chapelle et les croix érigées par les Chagot ; contre les jardins de renégats à Decazeville en 1886 ; à Cours, en Beaujolais textile, trois années plus tard ; et de nouveau dans la région stéphanoise un peu avant la guerre. « Vive le son d'l'explosion », dit une carmagnole fin de siècle ; « apprenez la chimie », lance un compagnon dans les années 1880. Sans oublier les pillages de boulangerie, à Vienne le 1er mai 1890, les boutiques que l'on oblige à fermer et les barricades parisiennes de 1906, les banques que l'on conspue à Lyon en 1919. Décrocher l'attelage des tramways est un exercice bien connu des manifestants ouvriers jusqu'à l'entre-deux-guerres. La crainte de voir cisailler les signaux a longtemps hanté les responsables des grandes compagnies ferroviaires, et il n'est pas rare que des pétards éclatent sur les voies ferrées pendant la grande vague revendicative du printemps 1936.

En vingt années, mieux connues — 1871-1890 —, une demi-douzaine de barricades, un ingénieur tué, quelques dizaines d'Italiens assassinés, quelques milliers de carreaux cassés, c'est finalement peu de choses, conclut Michelle Perrot. Comment ne pas voir, malgré tout, le changement que signifie le détournement progressif de la violence physique ouvrière des hommes vers les choses ? Force est d'observer le remplacement progressif des actes par les mots, les insultes, les menaces, tandis que s'enrichissent le bestiaire de l'ennemi de classe et le vocabulaire avec lequel on le dénonce : renégats « fainéants », « galvaudeux » ; patrons « tyrans », « seigneurs », « repus », « vautours », « tigres », « sangsues » ; plus familièrement, « singes », dans la revue des « bagnes » que tiennent les journaux ouvriers de la fin du XIXe siècle. « J'ai de l'estime pour mon patron, mais je voudrais bien le voir pendu », écrit un travailleur parisien en février 1886... Pieux souhait, et fort ambigu, bien sûr. A la fin du XIXe siècle, il devient tout à fait exceptionnel que les menaces proférées par les placards incendiaires ou les lettres furieuses (et anonymes) que reçoivent patrons ou magistrats, lors d'une grève ou la veille des journées du 1er Mai, soient suivies d'effet.

On menace et on insulte d'autant plus qu'on frappe moins ; on provoque d'autant plus qu'on n'agit pas. Les marques de défi sont le drapeau rouge, longtemps interdit, qu'on arbore en ne déroulant pas totalement le pavillon tricolore ; le noir, évocateur de la guerre civile ; la chanson de révolution, un moyen des plus populaires, sur l'air des vieux hymnes de 1792 mais aussi sur les airs à la mode ; l'enterrement civil, qui ne dégénère cependant plus en émeute comme jadis ; le geste obscène aussi, comme celui de ces femmes de mineurs montcelliens narguant les gendarmes de la Belle Époque de leurs jupes retroussées. Le rêve de sabotage ne s'incarne à peu près jamais, et « Mamzelle Cisaille » reste, même en pleine poussée révolutionnaire des années 1906-1908, un personnage de fiction. Pourtant, les mots eux-mêmes et les gestes les plus vains ne sont pas totalement innocents même s'ils jouent, au revers de la réalité, leur fonction cathartique.

Jusqu'à la seconde guerre mondiale au moins, gît au cœur de la classe ouvrière une tentation de violence dont les manifestations, individuelles ou dispersées, disent la force lorsque, sur le long terme, on tente de les mettre en séries. La preuve en est dans la séduction qui demeure d'un certain extrémisme politique ; d'ordinaire, il reste muet en dehors de groupuscules qui se fondent sur lui ; il peut surgir à tout instant, propice ou provocateur, au sein des organisations les plus formellement établies. C'est à coup sûr un des traits de cette sensibilité ouvrière qui ne s'exprime guère par l'écrit, mais

Sanglantes émeutes à Limoges : les porcelainiers en grève essayent d'enfoncer les portes de la prison. Le Petit Journal, *30 avril 1905.*

assez fort pour être saisi d'instinct par les compagnons anarchistes des années 1880, avant les syndicalistes d'action directe une vingtaine d'années plus tard et certains militants communistes ou « unitaires » de l'entre-deux-guerres. De la « marmite » fin de siècle au rêve plus permanent du Grand Soir, il a toujours du mal à se codifier dans un programme revendicatif ou à se figer dans une organisation ; il resurgit dès que les formes modernisées de l'action collective butent sur l'imprévu.

Au fond, souvent occultées, difficiles à cerner, vivement combattues par les responsables syndicaux et politiques, la transgression de la loi et la récurrence de la violence restent, jusqu'au beau milieu du XXe siècle, parmi les signes les plus évidents d'une étrangeté persistante de la classe ouvrière, toujours mal intégrée à la société industrielle — et bourgeoise —, et à ses normes. Le potentiel de désordre et de bouleversement est de plus en plus fortement tenu en rênes, au fur et à mesure qu'avance le XIXe siècle, par les ouvriers eux-mêmes. Ce n'est pas forcément plus rassurant pour les uns, si c'est porteur d'espérance pour les autres : chaque explosion de la violence laisse deviner toute l'ampleur des réserves de celle-ci et les tensions qui se cachent derrière les apparentes quiétudes du quotidien, tandis que la rationalité grandissante de ses manifestations collectives indique l'usage redoutable qu'on peut en faire.

Croissances de la grève

C'est au travers de la multiplication des grèves que se marquent à la fois la progressive rupture de l'apparente communauté d'intérêts et l'élargissement de la fracture qui sépare les travailleurs des autres classes de la société. Ce n'est pas une nouveauté ni du XIXe siècle, ni même de l'industrialisation, et le vocabulaire français porte en lui-même la marque de l'Ancien Régime. Sous la Restauration et la monarchie de Juillet, la grève fait déjà partie, à côté de l'« interdit » et de la « damnation », des armes habituelles de ceux qui en sont les plus directs héritiers, les gens de métiers des compagnonnages. Ce sont eux qui organisent, déjà, les premières grèves générales d'une profession, comme celle des chapeliers de Lyon en 1817 ou celle des charpentiers — sur 7 000, ils sont 4 500 à 5 000 à s'arrêter — au printemps 1845 à Paris où l'on retrouve leur rôle dans d'autres branches en 1833, 1836, 1837, 1840, 1843, et qui, à l'occasion, peuvent donner à leur revendication une allure plus moderne, en dépassant les antagonismes des Devoirs, comme au printemps de 1832 où Soubises et Salomons se retrouvent côte à côte à Paris.

Cependant, jusqu'à la législation de 1864, il est malaisé de repérer la place que tient la grève dans les oppositions du travail, et sans doute hasardeux d'en dresser la comptabilité d'ensemble. Dans une certaine mesure, c'est la loi qui la crée, ou du moins lui donne une forme unique et identifiable. Avant 1864, c'est le temps de la « coalition » — interdite — informe et fugitive que la vigilance des pouvoirs publics et la brutalité des patrons empêchent souvent de s'incarner en grève. Selon E. Shorter et Ch. Tilly, la courbe des conflits se traduisant par un arrêt du travail serait, au-delà de poussées épisodiques, assez étale de la Restauration jusqu'aux débuts de la Troisième République, du moins à travers la pesée d'ensemble qu'ils tentent de réaliser. A vrai dire, même après 1864, leur identification reste difficile — surtout celle de leur ampleur et du nombre de participants —, au moins jusqu'en 1870-1871. Des analyses régionales, dont la généralisation amènerait sans doute à augmenter les agrégats nationaux, tendent au contraire à montrer que l'élan se développe dès le Second Empire, où s'affirme une nouvelle combativité ouvrière. Le mouvement part sans doute de plus haut qu'on ne le dit ; il n'en reste pas moins qu'il ne décolle vraiment que dans les années 1880.

Tous les indicateurs démontrent cette croissance de la grève à la fin du XIXe siècle. Revenons aux chiffres, même s'ils sont ce qu'ils sont. Sur le long terme, l'essor se mesure à l'ascension régulière du niveau des *peaks* annuels de la courbe : 90 grèves en 1833, 130 en 1840, 168 en 1855, 271 en 1882, 389 en 1890, 634 en 1893, 771 en 1899, 890 en 1900, 1 087 en 1904, 1 354 en 1906, 1 517 en 1910, 2 047 en 1919 et 16 907 en 1936 ! L'évolution du nombre des grévistes est tout aussi rapide : 32 000 en 1867, 88 000 en 1870, 100 000 en 1880, 119 000 en 1890, 172 000 en 1893, 177 000 en 1899, 218 000 en 1900, 270 000 en 1904, 474 000 en 1906, 1 319 000 en 1919 et 2 423 000 en 1936 ! On mesure très clairement l'accélération des années 1890-1913 où, de surcroît, se réduit l'intervalle chronologique entre les grandes flambées.

A quelque moment que l'on se place, la croissance des grèves est en tout cas beaucoup plus rapide que celle de la main-d'œuvre industrielle, dont la lenteur est si caractéristique du modèle français. Michelle Perrot calcule qu'entre 1866 et 1911, le taux de progression des grèves elles-mêmes est — en lissant les cahots de la courbe — de 1 667 % et que le nombre des participants s'enfle de 925 % ; quant au nombre de journées perdues, il est en augmentation de 2 858 % de 1872 à 1911. Comparativement, l'entre-deux-guerres est plus calme, paisible même : de 1915 à 1935, il n'éclate

Grève au Creusot, 1865. Les femmes des ouvriers manifestent leur colère.

en moyenne chaque année que 761 grèves contre 791 entre 1890 et 1914, et, un moment — de 1930 à 1934 —, 487 seulement quand il y en avait 746 entre 1900 et 1904, 1 138 de 1905 à 1909 et 1 188 de 1910 à 1914. Mais, si la progression paraît bloquée pour un temps, il n'y a pas vraiment de recul. Outre 1936 — on y reviendra —, les maxima vont être atteints après la seconde guerre mondiale, en 1947 (3 598 grèves et 2 997 600 grévistes) et 1948 (1 374 grèves, mais 6 561 200 participants) ; on peut légitimement se demander d'ailleurs si ce n'est pas là l'apogée de ce mouvement de longue durée qui a fait entrer la grève dans la pratique familière des ouvriers français en les y entraînant sans cesse plus nombreux.

Bien sûr, la marche du « pouvoir de grève » — c'est-à-dire de la part relative que chaque secteur prend à l'ensemble du mouvement — suit celle des répartitions sectorielles de la main-d'œuvre et de leurs recompositions. Ainsi, 12 % des conflits du travail entre 1864-1870 éclatent dans la métallurgie : or, celle-ci occupe 11 % des ouvriers en 1866 ; par la suite, l'évolution dans ce secteur est presque parallèle : le pouvoir de grève est à 13 % entre 1894 et 1913, à 19,4 % de 1919 à 1935, alors que, désormais, sa part de main-d'œuvre est passée à 15 % en 1911 et 23 % en 1935. Le cas de la chimie et des autres branches en expansion est tout aussi probant, avec un léger décalage chronologique entre l'expansion des effectifs et le pouvoir de grève, comme s'il fallait un temps de maturation des hommes et des choses avant que les conflits ne surgissent. Les grosses « boîtes », longtemps absentes, en tout cas au second plan, commencent à être touchées à la fin du XIXᵉ siècle au fur et à mesure que se développe la concentration des effectifs.

La grève n'épargne pas non plus les petits ateliers, eux aussi de plus en plus fréquemment atteints. Voici le bâtiment, apparemment à contre-courant : dès les années 1865-1880, c'est un lieu privilégié de l'agitation revendicative — 16 % des conflits —, immédiatement après le textile ; mais, alors que celui-ci voit sa part baisser avec son déclin économique, celle des maçons, des menuisiers, des charpentiers et de tous les autres métiers de la construction se hisse au premier rang à la Belle Époque — à 25 % de 1894 à 1913 — et y demeure entre les deux guerres, tandis que leur part recule dans l'ensemble de la main-d'œuvre. En fait, l'essentiel réside sans doute dans la généralisation de la grève, quel que soit le secteur, et dans sa prolifération vers ceux qu'elle avait un temps épargnés ; l'agriculture elle-même — bûcherons, ouvriers agricoles —, mais c'est une autre histoire ; les services surtout, au fur et à mesure qu'ils s'étendent : dès la Belle Époque, il éclate des grèves dans les transports — celles des cheminots suscitent une vive émotion —, parmi les employés de commerce et les petits fonctionnaires — les postiers font scandale en 1909 ; en attendant que ne soient entraînées des catégories proches de la petite bourgeoisie au moins par leur mode de vie, les enseignants par exemple et les employés de banque en 1936. Enfin, logiquement, à l'extension sectorielle de la grève qui, partie des seuls ouvriers, est devenue une conduite de l'ensemble des salariés, correspond une prolifération géographique ; longtemps urbaine, elle touche, depuis la fin du Second Empire, plus encore à la Belle Époque, les plus reculées des bourgades rurales : en 1890, on recense des arrêts de travail dans 52 départements contre 25 seulement dans le quart de siècle précédent, et l'on sait l'impression justifiée de submersion au printemps de 1936.

La longue baisse de l'ampleur moyenne des grèves — c'est-à-dire du nombre de participants pour chacune d'entre elles — atteste d'une autre manière cette diffusion d'une pratique qui, écrit M. Perrot, s'est progressivement acclimatée pour devenir familière. De fait, les maxima de sa courbe s'orientent régulièrement vers le bas : 760 en 1870, 618 en 1879, 447 en 1889, 415 en 1902. A l'inverse, la durée moyenne, calculée au nombre de jours chômés par gréviste, tend à fortement progresser : de 9,6 entre 1871 et 1880, elle passe à 16,2 entre 1891 et 1900 et à 18,6 dans la première décennie du XXᵉ siècle, puis à 20,5 entre 1931 et 1935 après une retombée à 14,3 de 1921 à 1930 ; on peut y voir un signe de la dureté grandissante de l'affrontement et d'une résistance accrue du patronat au moins égales à l'expérience progressive et à la meilleure organisation des ouvriers eux-mêmes, puisque la grève dure quand le conflit s'aigrit. Logiquement, ce sont les années de lutte aiguë des classes qui atteignent les maxima : 22 jours en 1902, 21 en 1909, 31 en 1928, plus de 34 en 1932, avec les premiers effets différés en Europe de la grande crise de 1929.

Le durcissement du combat n'empêche pas les ouvriers d'en sortir vainqueurs la plupart du temps, surtout quand ils en ont l'initiative ; l'échec est plus fréquent, majoritaire même, quand on se contente de répliquer à une initiative patronale, une hausse de salaires insuffisante, un renvoi, un allongement des horaires. Mais, au total, les succès — complets ou partiels — l'emportent nettement entre 1864 et 1914 sur les défaites — 56 % des cas contre 44 %. Et 64 % des grévistes sont du côté des vainqueurs, 38 % seulement du côté des vaincus : on retrouve dans les agrégats la part de ces grandes grèves sur lesquelles, finalement, une opinion populaire ne s'était pas trompée en vibrant à l'unisson de ses acteurs. Les défaites ne l'emportent que pour une dizaine d'années, toutes comprises entre 1875 et 1887, c'est-à-dire pendant la grande dépression de l'économie française. Au contraire, les succès sont régulièrement majoritaires entre 1888 et 1907, avant que ne réapparaissent les mauvaises années de l'immédiat avant-guerre, dont on a vu combien elles étaient difficiles pour la condition matérielle ouvrière. De plus, c'est une période où la lutte s'allonge, où le *lock out* devient une pratique familière, lui aussi. L'entre-deux-guerres ne modifie pas la tendance : de 1919 à 1935, la grève est victorieuse, au moins en partie, dans près de 59 % des cas, même si la réussite n'est totale qu'une fois sur cinq. Encore une fois, les plus mauvaises années sont celles de difficultés économiques — 1930-1934 surtout, avec 58 % d'échecs en 1931, et 57 % en 1932 —, mais à des taux encore très en deçà des pires exercices du XIXe siècle — 72 % en 1878 et 1885, 71 % en 1884.

Dès lors, la grève n'est-elle pas, simplement, un combat strictement économique pour des gens qui, on l'a vu, demeurent liés jusqu'en 1939 par les besoins de la vie matérielle ? Plusieurs facteurs semblent l'attester. D'abord la chronologie courte des conflits, et leur rythme saisonnier, qui ne subit pas de modifications sensibles du Second Empire aux années 1930. Entre 1871 et 1890, comme entre 1919 et 1935, c'est un phénomène printanier, de mars à juin (tout au plus observe-t-on un léger transfert des maxima de mai à mars), au lendemain des refoulements de la mauvaise saison et de ses privations, à la veille des besoins de main-d'œuvre de la belle saison ; longtemps, elle éclate aussi et surtout les jours de paie, le lundi, au début du mois. Sur le long terme, les corrélations avec les grands indices de l'activité économique sont moins nettes, mais elles varient beaucoup selon les secteurs. Ce qui est certain, c'est que la prospérité — celle de l'ensemble de la production, celle d'une branche — entraîne la multiplication des arrêts de travail. Le succès — plus fréquent, car le patronat cède plus volontiers — en entraîne d'autres, de proche en proche. Il existe une certaine rationalité économique de la grève, même si elle n'explique pas tout, que les travailleurs saisissent à travers ce que M. Perrot appelle la conscience (instinctive, faite de l'observation immédiate) ouvrière de la conjoncture.

D'ailleurs, le thème salarial n'est-il pas au cœur du combat ? Encore une fois, quel que soit le moment, il inspire 48 % des demandes présentées entre 1871 et 1890 quand celles-ci sont multiples ; on le retrouve dans 76 % des cas où l'on émet une revendication unique. Selon R. Goetz-Girey, entre 1919 et 1935, 76 % des grèves éclatent en moyenne chaque année pour des causes salariales. Dans l'entre-deux-guerres comme au XIXe siècle, la revendication s'exprime la plupart du temps à travers l'approche la plus simple, c'est-à-dire la demande d'augmentation du taux salarial en raison des difficultés matérielles de l'existence. Au début de la Troisième République, nombreux étaient encore les leaders ouvriers qui ne voyaient dans la grève qu'un réflexe défensif, auquel acculait la paupérisation de la classe ouvrière. On sait ce qu'il faut penser de celle-ci. Il n'en reste pas moins que joue la *relative deprivation* des sociologues anglo-saxons et que, dans une certaine mesure, la grève est aussi un moyen de s'insérer, à sa place, dans le libre jeu du marché, et de profiter de ses mécanismes, quand les circonstances s'y prêtent. Il se crée un apprentissage de la grève, au fur et à mesure qu'elle sort de l'exceptionnel, comme moyen limité de pression pour les ouvriers, comme règle des relations industrielles pour une partie du patronat.

Les armes de la classe ouvrière

La progressive intervention du législateur ne fait que refléter cet apprivoisement progressif de la grève, même si elle est très en retard sur la plupart des autres pays industriels, précocement soucieux de fixer les règles du jeu. Il faut attendre 1892 pour que soit promulguée une « loi sur la conciliation et l'arbitrage en matière de différends collectifs entre patrons et ouvriers ou employés » ; ce n'est qu'en décembre 1936 qu'elle deviendra obligatoire. Il n'en reste pas moins que le recours aux juges de paix — les conseils de prud'hommes se bornant depuis longtemps aux litiges entre les individus — introduit une possibilité de débat préalable et de compromis qui peut désarmer le conflit. La loi du 25 mars 1919 sur les conventions collectives esquisse, en leur donnant statut de contrat civil, ce dialogue entre le travail organisé et le patronat, déjà bien amorcé ailleurs. La situation française n'est d'ailleurs pas pire que dans la plupart des pays industrialisés et R. Goetz-Girey estime même qu'entre les deux guerres, elle révèle une propension à la paix sociale bien plus forte que dans le Royaume-Uni, en Allemagne, aux États-Unis et en Suède. Même sur le long terme, des années 1880-1890 à la seconde guerre mondiale, la fréquence des grèves y est inférieure (seule la Grande-Bretagne en est moins secouée), leur durée et le nombre de journées perdues plus faibles, la part des manifestants plus médiocre par rapport à l'ensemble de la main-d'œuvre.

A vrai dire, il est difficile d'enfermer la réalité et l'impact des grèves dans leurs seuls indicateurs statistiques, aussi raffinés et significatifs soient-ils. En 1906, par exemple, 61 000 mineurs du Nord et du Pas-de-Calais cessent le travail simplement pour demander l'augmentation des salaires ; mais le détonateur, c'est la catastrophe de Courrières ! Le hiatus est total entre la banalité de l'action et de la revendication et l'ampleur de l'émotion dans laquelle elles s'inscrivent. Le catalogue des demandes reflète rarement les causes véritables d'une grève, même si sa diversification à la fin du XIXᵉ siècle indique déjà la complexité des structures : pour l'ensemble du pays, 12 % d'entre elles concernent déjà des questions de discipline industrielle, entre 1870 et 1890 ; cette part double dans la région lyonnaise de la Belle Époque par rapport aux deux décennies antérieures. Mais ce type même de revendication, à son tour, unifie artificiellement nombre de situations différentes.

Surtout, même familières, même maîtrisées, les grèves s'entourent d'une charge émotive dès le premier jour où la rupture qu'elles signifient, la brutale substitution du conflit ouvert à l'apparent consensus du travail ne se fait pas toujours sans hésitations ni inquiétudes, et l'on a vu comment elles libéraient une violence longtemps refoulée. Mais à l'inverse — même si le sens est identique — elles prennent aussi, du moins à leur début, des allures de fête, comme chez ces verriers qui commencent la leur en habits du dimanche, dans la banlieue lyonnaise des années 1890. Elles sont une manière de libération — même éphémère ou trompeuse — des esprits et des corps à travers des cris, des slogans, des chansons, des cortèges, des réunions qui disent aussi le plaisir d'être ensemble, hors des contraintes de l'usine et du travail. Les bals populaires et les accordéons de juin 1936 ne constituent que l'aboutissement, à l'échelle de tout un pays, de cette tradition. En toile de fond, se profile le sentiment commun d'une force soudain révélée à soi-même et aux autres, celle qui arrête la machine et désarme le patron. Au-delà, enfin, la solidarité s'organise, non seulement celle du secteur, mais aussi des autres métiers, voire du pays tout entier. L'impact d'une grève sur l'opinion ouvrière et les conséquences qui en résultent ne tiennent pas forcément à son ampleur et à sa durée, mais à toute la charge émotive et symbolique qu'elle peut porter.

C'est le cas des conflits miniers, parce qu'ils traduisent à la fois la combativité exemplaire des travailleurs du sous-sol et une tentative réussie d'unifier les luttes de tout un secteur. La France ouvrière tout entière vibre avec les mineurs de la Loire, dès 1869, quand 9 000 d'entre eux tiennent plusieurs semaines ; plus encore à la Belle Époque, en 1891, quand 40 000 d'entre eux imposent, à travers la première convention d'Arras, une reconnaissance implicite de leur organisation aux compagnies du Nord et du Pas-de-Calais ; en 1893, quand ils recommencent en liaison avec les Gallois et les Anglais ; avant 1906 — au lendemain de Courrières —, avec la première grève générale de la profession, en 1902, pour demander la journée de 8 heures, et la retraite à 2 F par jour après vingt-cinq ans de fond : 115 000 grévistes, 3,2 millions de journées

Le mineur reste une figure centrale de la combativité ouvrière. Grève de juillet 1936.

de grève — les deux tiers de toutes celles du pays cette année-là ! Beaucoup plus tard, l'explosion des bassins miniers de 1948, qui prendra des allures de guerre civile, aura vite fait de plonger pour un temps dans l'oubli les grèves de 1947. En 1963, encore, la grève des mineurs aura dans toute la France un retentissement bien supérieur à son importance réelle. Du romanesque de *Germinal* à l'iconographie des années 1950, le mineur redevient une figure centrale de la sensibilité et de la combativité ouvrières. « C'est par le charbon que viendra la Révolution », disait déjà un poème de 1891. Il importe finalement peu que la réalité soit tout autre.

Pour des raisons voisines, on retrouve, dans l'imaginaire collectif, les cheminots, lors de leurs grandes tentatives, cependant largement avortées, de 1899 et de 1910 — de 1920 aussi —, car l'on voit en eux le fer de lance de la classe ouvrière tout entière. Mais l'image démultipliée d'une grève tient à bien d'autres facteurs, plus ponctuels : soit parce qu'elle éclate chez un patron particulièrement connu ou détesté, tel Schneider en 1869, ou dans les firmes de l'automobile entre les deux guerres ; soit parce qu'elle entraîne des heurts, voire des morts, ou parce que le relais des organisations politiques étend la solidarité aux quatre coins du pays, comme pour les verriers de Carmaux, à la fin du XIXᵉ siècle ; soit parce que, tout simplement, la grève a été la première tentative, dans une ville ou une région, pour briser l'absolutisme du pouvoir patronal : les luttes qui éclatent parmi les tisseuses de soie du Bas-Dauphiné à la Belle

Époque comptent peu dans les agrégats nationaux et ne créent pas de conduites ni de formes particulièrement originales, mais elles n'en suscitent pas moins sur place une vive émotion et laissent une trace durable dans la mémoire collective.

Fracture d'exception, la grève s'inscrit en effet assez fortement dans les préoccupations du quotidien pour que le retour au calme n'en efface pas la trace. Dès la fin du XIXe siècle, elle tend alors à devenir le creuset d'une nouvelle identité collective, tout comme l'unité des travailleurs anglais s'était forgée, selon E.P. Thompson, dans les combats politiques qu'ils avaient menés entre 1790 et 1850. La lutte d'un moment, par l'intensité d'un combat partagé et l'émotion qui l'accompagne, vient à point nommé pour reconstruire autrement des communautés qui se relâchent avec la crise des métiers et des quartiers, quand l'usine et la banlieue ne sont pas encore capables de faire naître de nouveaux liens. La mémoire collective, qui participait encore beaucoup d'une mémoire populaire locale, devient plus spécifiquement ouvrière. Elle s'accroche à d'autres lieux, ceux de l'incident, de la bagarre, voire de la fusillade ; elle s'appuie sur d'autres événements, pour les individus comme pour les groupes, et peut traverser les décennies. Léon Delfosse, leader des mineurs « unitaires » du Nord entre les deux guerres, exalte toujours le métier de piqueur des années 1920 — intelligence, adresse, esprit d'initiative —, mais au moins autant par le récit des luttes qu'à travers la solidarité des équipes. Quant aux charbonniers de Graissessac, ils évoqueront encore en 1945 le refus de donner une sépulture religieuse aux cercueils revêtus du drap corporatif en 1893, et expliqueront leur éloignement de l'Église catholique par l'hostilité des prêtres pendant les grèves de 1894 ! Tous les groupes professionnels n'ont pas la mémoire tenace des mineurs, facile à expliquer par leur cohésion et un évident enracinement géographique. Il n'empêche qu'on trouve un peu partout la trace de tels récits transmis de génération en génération par la seule parole.

Ces récits finissent par créer une histoire ouvrière différente, fondée sur le conflit, dont les organisations vont d'ailleurs saisir l'importance au XXe siècle : pour les mineurs de Carmaux, dans les années 1970, la Commune de Paris n'est pas l'échec d'une historiographie universitaire, mais une étape positive de plus au long d'un cheminement. Plus simplement, en se mettant en grève en 1892, ils se référaient à leur action de 1869 ; en 1936, ils n'ont pas oublié 1892 ; en 1963 encore, ils se souviennent de leur défaite de 1948. A l'inverse, les métallurgistes givordins de Fives-Lille vont gommer de leur mémoire les grèves avortées des années 1920 pour ne retenir que le printemps de 1936. Alain Cottereau a montré la sélection qu'opèrent, pour l'époque la plus contemporaine, les traminots de la RATP en fonction des luttes à venir ; comme si la grève déclenchait un processus à la fois cumulatif et sélectif, dans une conscience collective de mieux en mieux confortée, qui finit par transformer l'idée que les travailleurs se font d'eux-mêmes. Au XXe siècle, la figure du « bon ouvrier » n'est plus seulement tracée par le savoir-faire technologique, mais aussi par la capacité de se faire entendre du patron ou du contremaître, par le pouvoir de faire aboutir une revendication au plan quotidien. Plus largement, la grève contribue à tremper une nouvelle culture ouvrière : longtemps, les ouvriers autodidactes se sont efforcés d'accéder pour leur propre compte à la culture lettrée des classes dominantes ; au XXe siècle, on privilégie les valeurs spécifiques du travail et des antagonismes qu'il crée dans une éthique et une conduite de séparatisme auxquelles on reconnaît, d'après E.J. Hobsbawm, le signe d'une conscience de classe.

En effet, les vertus pédagogiques de la grève ne se bornent pas à cette réinvention permanente du passé au service du présent. « Elle éduque, elle aguerrit, elle entraîne et elle crée », affirme Victor Griffuehles, au début du XXe siècle. Les travailleurs eux-

Fédération des Trav. de l'Alimentation

LES
nombreuses familles
engendrent la misère et l'esclavage
AIE PEU D'ENFANTS
Lisez la **Bataille Syndicaliste.**

Fédération des Trav. de l'Alimentation

L'alcool est un poison
Pour toi, pour ta famille
Ouvrier, sois sobre
Combats l'alcoolisme
Lisez la **Bataille Syndicaliste.**

Fédération des Trav. de l'Alimentation

L'ouvrier conscient
connait les dangers de sa profession
Pour les camarades et pour lui
IL EXIGE ET IL PREND
DES GARANTIES DE SECURITE
Lisez la **Bataille Syndicaliste.**

Fédération des Trav. de l'Alimentation

PROPRETÉ DU CORPS !
PROPRETÉ DU CERVEAU !
PROPRETÉ DU LOGIS !
Voilà trois qualités qui se traduisent
par : DIGNITÉ
Lisez la **Bataille Syndicaliste.**

Fédération des Trav. de l'Alimentation

Procréer des enfants
sachant ne pouvoir leur assurer le
NECESSAIRE
C'est être criminel
Lisez la **Bataille Syndicaliste.**

Fédération des Trav. de l'Alimentation

Il ne suffit pas de donner à
nos enfants la nourriture du corps,
il faut aussi nourrir leur cerveau
Eduquons nos enfants
Lisez la **Bataille Syndicaliste.**

Fédération des Trav. de l'Alimentation

L'ALCOOL
est l'ennemi du travailleur
Il abrutit, il avilit, il tue.
Ouvrier, sois sobre
Lisez la **Bataille Syndicaliste.**

Fédération des Trav. de l'Alimentation

Défendre tes camarades
c'est te défendre toi-même
LA SOLIDARITÉ
EST LA PLUS BELLE VERTU OUVRIÈRE
Lisez la **Bataille Syndicaliste.**

Pour une nouvelle culture ouvrière. Papillons de la CGT en 1912.

mêmes l'ont obscurément senti, contre l'avis même de leurs élites, dans les années 1880. Lorsque, autour de l'équipe qui dirige la CGT dans les années 1900, prend corps l'idée d'une grève générale, levier de la révolution sociale, elle s'enracine profondément dans un sentiment diffus mais tôt exprimé. Le thème est déjà présent à l'automne 1888 parmi les grévistes de Paris, de Lyon, d'Amiens, du Nord et de la Loire. « Ce jour-là, la grève sera efficace, car elle sera générale », déclare en 1890 Michel Rondet, l'une des figures les plus modérées du premier syndicalisme minier. Durant la décennie suivante, c'est l'assomption d'une idée, dit M. Perrot, celle d'une action collective sans violence mais irrésistible et décisive, que l'on retrouve dans les centres ouvriers les plus médiocres, à Trélazé, à Vienne, à Cours en Beaujolais. Passer à l'acte est une autre affaire, et l'on échoue rapidement quand un comité central de grève tente, à l'automne 1898, de généraliser — seize professions sont touchées et les cheminots disent vouloir adhérer au mouvement — la grève des terrassiers et des démolisseurs parisiens ; de même à Marseille, en 1901, celle des ouvriers du port : le mouvement a beau entraîner au plus fort du combat 22 000 travailleurs, il s'épuise vite. La grève générale ne se déclenche pas par décret, même pour un 1er Mai, et l'on finit par se lasser de s'y entraîner sans cesse. L'espoir n'en est cependant pas détruit en 1919-1920, et un Léon Jouhaux lui gardera toujours une certaine tendresse, malgré sa conversion au

447

modérantisme. Il n'est sans doute pas de domaine de l'univers ouvrier où, des années 1840 à la seconde guerre mondiale, *praxis* et théorie paraissent mieux s'appuyer l'une sur l'autre pour marcher du même pas alterné.

De fait, les maxima, sur plus d'un siècle, de la courbe des grèves ne sont pas de simples repères statistiques sur un *trend* d'ensemble. Ils traduisent la force de ces vagues périodiques où l'accumulation du nombre de grèves sur un court laps de temps et la brutalité de leur extension sectorielle et géographique introduisent à chaque fois une nouveauté qualitative qui ne se mesure pas seulement à l'addition de chacun des conflits mais se traduit par l'incessante invention de formes d'action inattendues, jusqu'à l'occupation des usines au printemps de 1936. C'est d'abord la grande poussée de 1869-1870, dure et payante, partie des vieux métiers et des régions industrielles anciennes vers les domaines plus modernes du textile et des mines. Puis la flambée de 1878-1882, avec son paroxysme de 1880 et sa contagiosité régionale et professionnelle ; celle de 1888-1890, de Paris vers la province — Nord, Pas-de-Calais et Massif central —, dont la spontanéité et l'enthousiasme désarçonnent même les mieux implantés des leaders ouvriers ; celle de 1893, que mènent le textile et la construction. En 1899-1900 entrent pour la première fois massivement dans la lutte les grandes usines modernes et leur prolétariat — les métallurgistes notamment. L'explosion de 1906, encore plus étendue, est le premier mouvement d'ensemble soigneusement préparé et coordonné par un noyau centralisé. Celui-ci se manifeste avec encore plus de force en 1919-1920, lançant tour à tour chacune des professions dans la lutte comme autant de vagues d'assaut. Enfin, le printemps de 1936 est à tous égards exceptionnel par sa brutalité, sa spontanéité et le rôle primordial du réseau national de militants et d'organisations étendant pour la première fois le combat aux dimensions du salariat et du pays tout entier.

Derrière cet incessant élargissement, E. Shorter et Ch. Tilly notent le remplacement progressif des hommes de métier par les prolétaires de l'usine moderne, ce qui n'est pas surprenant. Mais ils mettent surtout en relief la coïncidence des grandes vagues grévistes avec les moments cruciaux du débat politique. De là à privilégier la dimension politique de la grève, même si elle n'est pas toujours éclatante, il n'y a qu'un pas. Dès le milieu du XIX⁣ᵉ siècle, disent-ils, c'est aussi pour obliger les pouvoirs publics à intervenir en leur faveur que les travailleurs arrêtent le travail — ce que dissimule le caractère local des conflits —, et qu'ils cherchent à faire pression sur eux à travers l'opinion publique « alarmée » de leurs malheurs et inquiète de leur force ; enfin, au XX⁣ᵉ siècle, c'est directement sur les options du gouvernement qu'ils veulent peser. Ainsi, la grève serait d'abord une forme de participation et d'action politiques, encore plus sensible en 1919-1920, en 1936 et, bien sûr, en 1947-1948, sans oublier Mai 1968. De fait, le rôle des ouvriers parisiens — ceux qui sont les plus proches du pouvoir — recommence à progresser à la Belle Époque, alors que les années 1860-1890 privilégiaient la province : 11 % des grévistes de 1899-1900, mais 29 % de ceux de 1906 et 32 % en 1919-1920. A la centralisation de l'État correspond celle des luttes. La grève peut bien s'être intégrée à l'univers familier des uns et des autres ; elle a cependant renouvelé son potentiel révolutionnaire, bras armé et menaçant d'un mouvement ouvrier désormais institutionnalisé mais qui s'est développé en s'appuyant sur elle.

DU MÉTIER A LA CONFÉDÉRATION SYNDICALE : LES ÉTAPES DE L'ORGANISATION OUVRIÈRE

De la coalition occasionnelle de la grève, tôt acceptée, à la coalition permanente de l'organisation, reconnue plus tardivement en 1884, les liens sont évidents s'ils ne sont pas schématiques. Pour les deux décennies 1871-1890 qui marquent précisément un tournant pour l'une comme pour l'autre, M. Perrot repère un parallélisme global des pulsions, bien que celles-ci ne soient pas parfaitement simultanées. Les poussées de revendications retombent plus vite mais redémarrent plus fort que celles de la syndicalisation affectée d'une certaine viscosité. Même si elles sont longtemps fragiles, souvent éphémères, les chambres syndicales constituent peu à peu des môles de continuité et de permanence de plus en plus solides, au lendemain des années 1920 et de 1936, par exemple, où elles demeurent en place quand se retire la vague de la combativité ouvrière.

Entre 1870 et 1891 encore, 72 % des grèves se déroulent en dehors de toute présence syndicale. Mais d'une décennie à l'autre, celle-ci progresse. Quand la lutte est préparée à l'avance et menée par une organisation, c'est dans 46 % des cas par un syndicat, et encore une fois plus souvent entre 1880 et 1890 que de 1871 à 1880. Il n'en reste pas moins que c'est toujours la grève qui commande à l'organisation, et, souvent, celle-ci naît, vit et meurt avec elle. A partir de la fin des années 1880, et jusqu'en 1913 au moins, la dépendance bascule et change de sens. Alors que la courbe des grèves conserve, sur un *trend* ascendant, son allure heurtée, celle des syndicats et des syndiqués connaît peu de régressions — 1895, 1897, 1908, les années de l'immédiat avant-guerre — et, quand le mouvement s'affaiblit, c'est par un simple palier. En 1914, l'organisation tient depuis longtemps le devant de la scène : sous sa forme corporative, la plus voyante et la plus spécifique. Mais pas seulement : la sociabilité ouvrière demeure multiple et est un aboutissement momentané d'une longue maturation qui ne s'effectue pas seulement dans le cadre de la grève.

De la tradition compagnonnique à la coopérative

Le compagnonnage constitue bien entendu la première forme d'association ouvrière. C'est à la fin du XVIIIe siècle qu'il avait sans doute atteint son apogée, mais il a bien survécu aux « coups funestes » de la Révolution. Le Premier Empire est encore jalonné de ces rixes par lesquelles il affleure à l'opinion publique, à Lyon, Chalon-sur-Saône, Blois, Rochefort. La Restauration et la monarchie de Juillet constituent l'époque privilégiée de ces grandes batailles rangées du « champ de carnage du Tour de France », comme dit Agricol Perdiguier : entre maçons à Lunel et à Vergèze, en 1817, sur les ponts bordelais de la Garonne en 1820, entre tailleurs et cordonniers à Lyon en 1833, à Alais en 1839, sur les chantiers de chemins de fer du Paris-Rouen en 1842 — il faut faire intervenir les lanciers ! —, toutes dominées par l'affaire des tailleurs de pierre de Tournus en 1825.

Pour célèbres qu'elles soient, ces batailles reflètent le dynamisme d'un mouvement implanté surtout au sud de la Loire, et suffisamment fort pour inquiéter un moment les autorités de la Restauration à Valence, Bordeaux, Nantes, Tours, Chartres, Orléans, Toulouse, Toulon, etc. Entre 1830 et 1835, on reçoit en moyenne 50 à 80 compagnons cordonniers dans les « cayennes » de Lyon, et la société des ferrandiniers y compte 3 000 membres en 1841. Le compagnonnage, surtout, ne s'enferme pas tout entier dans le rituel de ses pratiques et de ses rivalités ; Agricol Perdiguier n'est pas le seul à incarner ce mouvement de réforme pour l'adapter à la nouvelle réalité des années 1840 ; cet essai de modernisation s'appuie déjà sur l'idée d'une classe ouvrière, par-delà l'antagonisme des trois grandes obédiences, le Devoir de Maître Jacques, le Devoir de Liberté et l'Union. Et l'on sait l'enthousiasme qu'il provoqua chez des gens comme George Sand, Victor Hugo, Michelet, Eugène Sue, Lamartine, découvrant à travers lui la condition ouvrière. Le compagnonnage figure aux premiers rangs en 1848, et, sous le Second Empire encore, tente de s'élargir à de nouveaux métiers et de surmonter ses divisions internes, notamment dans les années 1860.

L'effort de rénovation n'en échoue pas moins, et le déclin du mouvement est sensible dès les années 1850. Son retrait des luttes collectives est déjà visible au Second Empire et, entre 1871 et 1880, il n'intervient guère que dans une dizaine de grèves pour l'ensemble de la France. La Société de tous les Devoirs réunis compte bien 11 000 membres en 1874 — à sa naissance —, la Fédération, puis l'Union compagnonnique, qui lui succède, n'en a que 3 000 autour de 1900. Sa rivale, l'Union des travailleurs du Tour de France (1883), n'en réunit que 4 000. A la fin du siècle, le compagnonnage décroche d'ailleurs du monde ouvrier, à l'image de ses dirigeants — Bonvous, par exemple, gros entrepreneur de couverture d'Angoulême, ou le Lyonnais Lucien Blanc, ancien serrurier devenu banquier. A la veille de 1914, c'est, avec les anciens, un petit monde de 25 000 membres au plus, concentrés dans les grandes villes. L'entre-deux-guerres est marqué par les éternelles querelles et scissions, et la réapparition des écharpes, des brassards et des cannes d'un rituel fossilisé après 1940 ne fait qu'illustrer l'archaïsme de Vichy et du pétainisme. A la base, les composantes du mouvement n'agissent depuis bien longtemps que comme de simples mutuelles corporatives.

Le mutuellisme ne vient pas d'aussi loin : ses premières sociétés n'en sont pas moins apparues, sous une forme modernisée, au début du Premier Empire, à Lyon et à Grenoble notamment, dans les années 1803-1804. Elles traduisent, fondamentalement, une volonté d'assistance réciproque dans un état d'esprit qui fait fi des différences sociales, même si les ouvriers en sont les seuls bénéficiaires. La plupart d'entre elles comptent des membres honoraires recrutés parmi les professions libérales et les patrons, quand ceux-ci n'en sont pas les créateurs et les responsables. Ainsi, on retrouve parmi celle des gantiers grenoblois, la plus ancienne de France, Xavier Jouvin, l'un des grands noms des affaires locales ; la Société générale de secours mutuels du Mans est longtemps présidée par l'imprimeur Monnayer ; en 1848 encore, toutes les classes de la société communient dans les 150 sociétés lilloises pour défendre — à un moment il est vrai exceptionnel — les idées nouvelles. Les dons des maîtres et des notables viennent renforcer le fonds constitué par les cotisations ouvrières pour attribuer des indemnités en cas de maladie, des secours aux veuves et aux orphelins, quelquefois un semblant de retraite, et prendre en charge les frais de funérailles. Presque toujours, on affirme un souci de moralité, qui se traduit par la perception d'un droit d'entrée et des exigences pouvant entraîner la radiation : pas de place pour les concubins, les ivrognes, les débauchés ; il arrive qu'on exige — *L'Abeille*, de Valence — un certificat préalable de bonnes vie et mœurs, et l'éponymie à résonance religieuse de nombre d'entre elles dit parfois ce souci de respectabilité.

L'histoire reste largement à faire d'un mouvement dispersé et qui, surtout, ne tient pas longtemps les premiers rôles. Mais jusqu'aux années 1850, sa force et son succès sont considérables. Trois exemples. Lyon, d'abord : de 1831 à 1853, 10 sociétés nouvelles viennent s'ajouter aux 8 qui existaient déjà. Le Mans : la principale d'entre elles compte 450 membres en 1857, et ce n'est qu'un début. Grenoble, enfin : celle des gantiers a 700 adhérents vers 1850, et il existe 26 autres sociétés ; en 1858, il y en a 35, dont 19 de femmes, avec 6 600 cotisants, soit un Grenoblois sur cinq. L'essor continue pendant tout le XIXe siècle, parallèlement aux autres formes associatives. Par ailleurs, une ville comme Marseille connaît une véritable explosion dans les années 1900, avec 300 sociétés de secours mutuels en 1911. Il est vrai qu'elles n'ont pas grand-chose à voir avec les buts et les formes originelles du mutuellisme.

A partir des années 1830, en effet, l'association ouvrière prend un tour résolument nouveau. H. Desroches note qu'apparaissent alors les deux premiers projets de coopérative, l'une de production, en 1831, parmi les menuisiers parisiens, l'autre de consommation pour les canuts lyonnais de la Grande Côte en 1834. Simples repères, qui n'aboutissent pas, les premières réalisations sont celles de la Société d'union fraternelle et philanthropique des tisseurs de Paris en 1832 et de l'Association typographique de Nantes en 1833. Ce sont des coopératives, mais aussi des sociétés de résistance vis-à-vis des maîtres, caractéristiques de cette « matrice communautaire » ambiguë qui se développe au début de la monarchie de Juillet et ne précise guère les fonctions que l'on attend de l'association. Ainsi, l'Association typographique de Nantes se lance dès sa naissance dans le soutien d'une grève en fournissant des secours réguliers aux ouvriers en lutte. En 1848, malgré ses statuts formels, la Société générale des chapeliers de Paris se crée autour de l'idée d'un tarif garanti et uniforme des prix de façon.

La mieux connue de ces sociétés, grâce aux travaux de F. Rude et R. Bezucha, l'une des plus célèbres aussi, est celle du Devoir des chefs d'ateliers de Lyon, apparue dès 1828, mais qui, avec 2 600 à 2 800 participants, atteint un premier apogée en 1834. Elle illustre parfaitement cette ambiguïté et cette multiplicité de fonctions. Au mutuellisme, d'abord, elle emprunte son titre, avec juste raison puisque son but premier est d'organiser l'entraide parmi ses membres. Mais elle adopte en même temps une allure de fraternité plus ou moins occulte pour régler la vie de la communauté tout entière, ce qui accrédite une hypothèse faite pour d'autres pays européens par W. Fischer : l'esprit associatif est aussi pour les ouvriers de la première moitié du XIXe siècle une réponse collective à la désagrégation de leurs communautés par les mutations de l'économie et de la société ; à aucun moment il ne faut négliger la part du besoin — et du plaisir — d'être tout simplement réunis pour mieux ressentir une appartenance collective qui explique notamment d'incongrues références bachiques. Le Devoir mutuel est enfin — et surtout — un moyen d'organiser collectivement la force des travailleurs face à celle des maîtres, un instrument de revendication et de lutte. « Le moyen de remédier à la misère des classes laborieuses », écrit en 1830 *L'Artisan*, un de ces journaux parisiens qui — comme le *Journal des ouvriers* ou *Le Peuple*, au sous-titre significatif : « Journal général des ouvriers rédigé par eux-mêmes » — marquent, en attendant *L'Écho de la fabrique* lyonnais, le nouvel esprit.

Celui-ci éclate tout au long de la monarchie de Juillet. Soit par la progression générale des effectifs dans ces sociétés à tout faire : les mutuellistes de la « fabrique » lyonnaise sont 8 000 en 1848, 5 000 encore en 1851. Soit par la floraison de nouvelles associations, celles des maçons, des tailleurs de pierre, des menuisiers, des corroyeurs, des fondeurs à Paris, des rubaniers à Saint-Étienne, des typographes et des tanneurs-corroyeurs à Marseille. Soit enfin par l'extension de leur aire géographique, qui ne se cantonne plus dans les murs des villes fondatrices mais tente de fédérer l'ensemble d'une profession : chapeliers, porcelainiers, typographes entre autres dès les années 1840 ; la Société philanthropique des garçons tailleurs finit par englober une trentaine de départements. Naturellement, le décret de février 1848 qui instaure la liberté de réunion pour les associations professionnelles libère les énergies encore contenues.

Naissance du syndicalisme

Faut-il souligner l'extraordinaire explosion associative qui s'ensuit — plus de 300 coopératives nouvelles de production dans un seul printemps, le rêve d'une banque du peuple pour les financer —, et la retombée aussi rapide des espérances ? Pendant tout le Second Empire, le mutuellisme poursuit néanmoins sa marche ascendante, avec la bienveillance des autorités qui accordent même leur appui aux sociétés « approuvées » à partir de 1852. Les coopératives, sous leurs deux espèces, connaissent un second printemps au début des années 1860. A partir de 1863, plus de 30 corporations parisiennes s'organisent pour la production — des boulonniers aux ouvriers du meuble sculpté, des fondeurs en fer aux fabricants d'instruments de musique — et, en 1864 seulement, apparaissent à Paris pas moins de 12 coopératives de consommation. Depuis 1861, la Société typographique s'étend plus largement à la province : Toulouse, Besançon, Lille, Amiens, Rouen. A la Croix-Rousse, on a du mal à dénombrer les coopératives : Société alimentaire, Épicerie ouvrière, L'Avenir des travailleurs, etc. ; au début de 1866, on compte une quinzaine de sociétés de ce genre à Lyon, et 25 en 1868, chacune d'entre elles rassemblant de 100 à 200 adhérents. Dans le Sud-Est, il en éclôt à Saint-Étienne, Romans, Vizille, et les ouvriers du textile se reprennent à rêver d'être leurs propres maîtres.

Le préfet du Rhône s'en félicite, avec l'ensemble des autorités impériales. Les ouvriers sont si occupés de coopération et d'association qu'ils ne pensent guère à la politique. On y voit aussi une façon de désarmer les antagonismes sociaux à plus long terme dans la mesure où ils s'orientent vers une sorte d'économie parallèle concurrente, et, parmi les travailleurs eux-mêmes, certains ne sont pas loin de penser que c'est là le moyen de transformer la société. Ainsi, en se coulant dans les formes de la tradition, l'association ouvrière perd de la charge subversive qu'elle avait eue sous la monarchie de Juillet. Voire ! Des statuts à la pratique, mutuelles et coopératives sont en fait en train de modifier totalement leurs finalités. En effet, il leur est de plus en plus difficile de ne pas se laisser entraîner par les grandes luttes revendicatives qui se développent alors — même si ce n'est pas tout à fait nouveau —, car ce sont souvent leurs sociétaires qui y participent : comment refuser à un ouvrier en grève l'allocation de chômage qui est prévue par certaines mutuelles ? Comment suspendre le crédit pour le pain et l'épicerie à ceux qui, momentanément, n'ont pas de salaire ? Finalement, on a tout intérêt, si l'on veut économiser les fonds ou récupérer ses avances, à ce que le conflit soit court et victorieux. Dans telle ou telle société, on commence à voir apparaître des caisses de grève. Peut-il en être autrement quand les grévistes sont aussi les coopérateurs et les mutuellistes eux-mêmes ! Mieux : la gestion des associations est en train de créer un type de responsable efficace et sûr que, spontanément, on contacte pour diriger la lutte et qui y rechigne de moins en moins. La société de résistance, déjà esquissée dans les années 1830, ne naît pas en dehors de ce qui existe déjà ; elle en sort par dérive de ses fonctions, qui deviennent celles d'une chambre syndicale. Enfin, symboliquement, maintes mutuelles modifient leurs statuts pour se resserrer sur les seuls ouvriers en écartant ceux qui ne le sont pas.

De la pratique à l'institution, il n'y a qu'un pas, d'autant plus que, s'ils demeurent hors la loi, les syndicats bénéficient de la neutralité des pouvoirs publics dont la tolérance demeure jusqu'en 1884, à l'exception de la fin du Second Empire et des lendemains de la Commune, puis à l'époque de l'Ordre moral. Les délégués ouvriers envoyés à l'Exposition universelle de Londres en 1862 — ils ont été désignés par les sociétés mutuellistes — en reviennent avec l'image d'un trade-unionisme anglais en plein essor après le chartisme, celle de sa force en nombre et en argent, de son efficacité aussi. Le manifeste des Soixante, qui pose en 1864 les bases d'un premier syndicalisme français, s'en inspire pour relancer un mouvement qui s'esquissait à peine et va durer jusqu'aux années 1880-1890, nonobstant les cassures du contexte politique. Dès 1867-1868, l'essor des chambres syndicales est vigoureux, surtout dans les grandes villes, et ce sont elles qui vont constituer l'armature de la puissance ambiguë de l'Internationale. Leur force éclate pendant les grèves de 1869 et 1870. Détruites à Paris par la répression qui suit la Commune, elles s'y reconstituent avec une rapidité qui dit bien leur vitalité. En province, elles n'ont fait que se mettre en sommeil pour un temps, et resurgissent intactes dès 1872-1873 pour reprendre leur marche en avant. A la fin de 1876, il y en aurait 82, avec 12 000 à 15 000 adhérents (chiffres sans doute minorés), et une centaine dans la capitale, pour 25 000 cotisants. En 1880, en tout, on compte 478 chambres syndicales et 65 000 inscrits. Surtout, l'essaimage commence à se faire autour et à partir des grandes villes fondatrices, longtemps les seules touchées. La géographie du syndicalisme commence à mieux décalquer celle de l'industrialisation dans les années 1860-1870, notamment dans les départements du pourtour du Massif central, et il pénètre jusqu'à de petits centres comme Bolbec ou Lodève. L'essor continue dans les années 1880 malgré les effets de la dépression économique sur la mobilité et les restructurations de la main-d'œuvre et, en 1889, on dénombre environ un millier d'organisations dans l'ensemble du pays.

Le bruit des débats du XXᵉ siècle a fait oublier l'importance et la réussite de ce premier syndicalisme français dans des voies qui vont s'estomper par la suite. Logiquement, il s'organise autour des vieux métiers urbains : ceux du meuble, du vêtement et surtout du bâtiment ; celui-ci est pionnier dans les années 1860 et conserve encore le premier rôle dans les années 1880. A la fin du Second Empire, le seul syndicat notable de la grande industrie est la Caisse fraternelle des mineurs de la Loire qui, deux ans après sa création (1866), rassemble 5 000 personnes ; ce n'est qu'au milieu des années 1870 que le syndicalisme commence à mordre sur le textile, notamment dans le Sud-Est. Il s'ensuit une longue survivance des formes d'organisation traditionnelle qui tranche avec la nouveauté de l'action. Ainsi, les très importantes associations de la soie lyonnaise et du coton en Lyonnais-Roannais qui, pour la première fois, associent les tisseurs de la ville à ceux des campagnes autour de 1875-1876 se divisent en « séries » de quelques dizaines de membres, à l'image du Devoir mutuel de 1828, et les cordonniers lyonnais font de même.

Surtout, les fonctions de l'association demeurent multiples et mêlées. A leur retour de Londres, d'ailleurs, les militants parisiens des années 1860 distinguaient la chambre syndicale, organisme de conciliation, éventuellement mixte, de la société de résistance. Dans les faits, les syndicats cumulent toutes les tâches d'une tradition diverse et ne lui substituent pas l'unique défense des intérêts professionnels, celle du salaire surtout, bien que celle-ci soit devenue prioritaire. Ils continuent souvent à être en même temps mutuelle et coopérative, et ajoutent à leurs activités des caisses de retraite, des bibliothèques, voire des associations funéraires ; sans oublier la fonction de sociabilité renforcée par l'installation fréquente du siège et la tenue des réunions dans un café, parfois celui du responsable qui a trouvé le moyen de vivre sans encourir la répression patronale. Du compagnonnage lui-même, on a gardé un certain style d'action : la lettre-préavis qu'on envoie au « singe », la mise en interdit, même si elle devient la grève tournante. On en a hérité aussi la valeur centrale du savoir-faire et la fierté du particularisme, voire des privilèges, du métier : quand l'organisation commence à mordre sur les grandes usines — celles de la verrerie, celles de la métallur-

Proudhon, 1809-1865, ouvrier d'imprimerie, puis journaliste, exerce une forte influence sur les organisations ouvrières et les intellectuels. Paris, musée Carnavalet.

gie —, à la fin des années 1880, elle ne s'intéresse pas aux manœuvres ; dans la décennie suivante, d'ailleurs, les métaux ne parviendront pas à s'unifier mais resteront partagés entre les fédérations des mouleurs de cuivre, de ceux du fer, des mécaniciens, des ferblantiers, etc.

Enfin, on ne distingue pas le plan du politique de celui du social ; à vrai dire, la question, formulée à partir des schémas d'aujourd'hui, n'a aucun sens au XIXᵉ siècle ; le syndicat des années 1880 se confond souvent avec le Cercle d'études sociales des diverses obédiences socialistes ; quand il s'en distingue, on y retrouve pourtant les mêmes militants et les mêmes responsables ; ils se mêlent les uns aux autres indistinctement dans les congrès qui marquent, dès la fin des années 1870, l'effort d'unification du mouvement ouvrier français. Là aussi, c'est un héritage, celui de la monarchie de Juillet où la rencontre s'était faite avec les sociétés républicaines face aux mêmes interdits et à la même répression, relancé par le recrutement hybride de la Iʳᵉ Internationale ; c'est lui qui, des années 1830 aux débuts de la Troisième République, rend si difficile à distinguer la part du social de celle du politique dans les grands mouvements populaires urbains. L'historien américain B. Moss peut à juste titre parler d'un « socialisme des métiers » ; à condition de remettre à sa place réelle l'adhésion ouvrière à des systèmes d'idées auxquels, finalement, les travailleurs français restent assez indifférents, d'autant plus que les divisions et les querelles des années 1880 les déconcertent. La rencontre peut bien se faire, sous les formes les plus classiques, pendant la monarchie de Juillet où les théoriciens trouvent une réelle audience auprès de ces ouvriers des villes, avides de savoir et grands dévoreurs de livres. Par la suite, elle s'opère plutôt par homologie entre des thèmes intellectuels — ceux de Proudhon, par exemple — et la pratique de métiers menacés par la montée de la grande industrie. Et l'on sait que Marx restera à peu près ignoré de tous jusqu'au milieu des années 1920, à l'exception des quelques milliers de militants guesdistes.

A la fin de 1891, après une nouvelle et forte flambée, le nombre des syndiqués s'élève à 300 000 environ, soit guère plus de 9 % des ouvriers de l'industrie. Aucun grand secteur nouveau n'est encore massivement organisé, sinon celui des mineurs : à Lens, une pancarte les invite dans chaque boutique à prendre leur carte. D'emblée, on perçoit, par comparaison avec les autres pays industrialisés, la faiblesse du taux de syndicalisation qui, sauf à de rares moments, va marquer aussi le XXᵉ siècle en en faisant une spécificité française. Mais la seule pesée d'ensemble fausse les perspectives... Au plan local, ou dans le cadre d'un secteur et d'un métier, le syndicat parvient souvent à enrôler la majorité d'une main-d'œuvre, quand ce n'est pas sa totalité. J. Rougerie relève déjà des taux particulièrement forts d'adhésions dans le Paris de 1869 : 40 % des mécaniciens, 60 % des bronziers, 66 % des fondeurs en fer, 71 % des typographes ; on retrouve de tels taux, plus tard, dans certaines branches cependant moins artisanales de la région lyonnaise : dès 1881, 1 043 des 1 200 mégissiers d'Annonay sont syndicalisés et, en 1894, 1 043 des 1 200 verriers de Rive-de-Gier ; en 1888, tous les tourneurs-robinetiers de Lyon ; à la fin du siècle, plus de 50 % des mineurs du bassin forézien et 80 % des drapiers de Vienne.

C'est sur cette force et cette influence que se construisent, dans les deux dernières décennies du siècle, les premières grandes fédérations de métier : celle des chapeliers (1876-1879), celle du livre (1881), celle des cuirs et peaux (1883-1888), celle de la verrerie (1890), celle du textile (1891-1895). Sur le même modèle commencent à poindre les regroupements des secteurs les plus modernes : les fédérations des mineurs (1883, puis 1892), des cheminots (1889 et 1895), et même des travailleurs municipaux (1892). Leurs débuts sont difficiles, ce qu'attestent les dates séparées de leurs naissances parfois dédoublées ; leur existence sera souvent de courte durée. Mais on les retrouve un moment derrière la généralisation sectorielle des luttes, appuyées sur ces groupes dont l'hérédité persistante, l'homogamie, la familiarité des lieux et des gens s'ajoutent à la maîtrise d'un savoir-faire commun pour cimenter l'homogénéité. Dans les années 1890, nombre de professions tentent d'imposer des formes d'organisation du travail — dans la verrerie, dans la mégisserie, dans certaines branches très spécialisées de la métallurgie différenciée — familières du syndicalisme à l'anglo-saxonne : monopole syndical de l'embauche, exclusivité, voire hérédité, de l'apprentissage, et aussi contrôle sur les niveaux de production. Il arrive que, pour un temps, elles y parviennent, à l'aube d'un tournant décisif du syndicalisme français.

Les chemins d'une unité

La mutation s'inscrit d'abord dans les chiffres : les années 1888-1893 marquent en effet un bond en avant qui, peu à peu, va entraîner la généralisation et la banalisation de l'organisation syndicale. En cinq ans, la vague déferle moins par l'élargissement des grands — encore que le nombre des mineurs passe de 8 700 à 22 500 — que par la multiplication des petits, ce que traduit la baisse du nombre moyen d'adhérents, déjà esquissée entre 1876 et 1880. Enfin sont largement pénétrés les secteurs de la grande industrie, les mines et surtout le textile hors des zones précocement organisées — l'Aisne, le Nord, la Somme —, la chimie, l'alimentation, etc. Le mouvement stagne de 1893 à 1898 à un palier de 440 000 adhérents, puis il reprend régulièrement jusqu'en 1907 — avec 957 000 membres — avant de se modérer pendant l'avant-guerre — 1 026 302 syndiqués en 1913, après un maximum de 1 064 413 en 1911, si l'on suit l'*Annuaire des syndicats professionnels* ; somme toute, un doublement tous les dix ans. L'entre-deux-guerres entraînera encore vers d'autres horizons, malgré — ou à cause de — la diversification du mouvement syndical.

Pour l'heure, l'emporte la première tentative réussie d'unifier l'ensemble du mouvement syndical. Une vieille idée, déjà présente chez Agricol Perdiguier, plus explicite, sous la monarchie de Juillet, chez des gens comme le cordonnier Efrahem, auteur d'une brochure *De l'association des ouvriers de tous les corps d'état*, ou Flora Tristan et son projet, exposé dans *L'Unité ouvrière*, de fédérer l'ensemble des travailleurs, sans distinction de sexe, de métier ou de nationalité. Mais jusqu'aux années 1890, on a vu que les regroupements suivent les seules lignes du métier. L'échec de la Fédération nationale des syndicats, créée en 1886 par les guesdistes, est patent ; ce n'est qu'un simple appendice du Parti ouvrier français qui ne mord jamais sur les grands syndicats et dont les effectifs demeurent toujours squelettiques. Le succès viendra d'organismes qui, d'ailleurs, s'insèrent profondément dans les pratiques les plus traditionnelles.

Les Bourses du travail — il en existe 14 en 1892 quand elles se fédèrent — veulent ressusciter la « place de grève », c'est-à-dire le lieu où se rencontrent, comme sous l'Ancien Régime, l'offre et la demande de travail ; en somme, un bureau ouvrier de placement. Ces Bourses sont d'abord un local, une maison, et leur histoire regorge de querelles avec les pouvoirs publics pour pleinement en disposer. De la Bourse part en même temps toute une série d'actions de solidarité, d'éducation professionnelle et générale, de propagande aussi. En 1905, E. Pouget, un des plus éminents dirigeants, va recenser dans les Bourses et parmi les syndicats qui y sont domiciliés pas moins de 718 caisses de chômage, 929 caisses de secours mutuels, 512 cours professionnels et 1 412 bibliothèques. Leurs militants sont des hommes du livre, dans la lignée du compagnonnage réformé et des sociétés ouvrières de la monarchie de Juillet, qui attendent aussi de son éducation l'émancipation de la classe ouvrière. Dans nombre de cas, on ressuscite le *viaticum*, cette somme d'argent donnée aux compagnons nomades pour leurs frais de voyage.

En 1901 déjà, le nombre des Bourses a quintuplé : on en compte 74 ; puis 157 en 1908. Elles n'étaient encore que 18 en septembre 1895 à Limoges pour fonder, avec les délégués — 75 en tout — de 28 fédérations de métiers et de 126 syndicats non fédérés, ce qui prend le nom de Confédération générale du travail (CGT). Encore une fois, les représentants des secteurs traditionnels y sont l'immense majorité, malgré la participation des gaziers et des cheminots. La longue maturation de l'organisation — de 1895 à 1902 —, marquée par l'instabilité de ses dirigeants, ne fait que refléter les incertitudes et les contradictions du syndicalisme de la Belle Époque et, au-delà, la diversité de la classe ouvrière elle-même. Adhésion des fédérations ou adhésion des syndicats eux-mêmes ? On hésite jusqu'à la seconde naissance de la CGT en 1902, à Montpellier. Mais la structure dualiste qui est alors adoptée — le Comité confédéral national est désigné par la Fédération des Bourses et par celle, parallèle, des syndicats — ne tranche pas sur l'essentiel. On laisse subsister les fédérations de métier, même si l'on donne la préférence aux fédérations d'industrie que l'on pousse à se constituer. C'est en 1906 seulement que l'on décide de n'en pas accepter de nouvelles. Il faut attendre 1918 pour qu'une réforme des statuts renforce l'appareil confédéral en abolissant les deux sections pour les remplacer par un croisement au sommet des fédérations et des unions départementales, et pour se doter d'un « programme minimum » commun.

On a décrit depuis longtemps la rencontre qui s'effectue, à travers la CGT des années 1900, d'une organisation syndicale en plein essor et d'un noyau de militants libertaires qui suivent les conseils du *Père Peinard*, le grand journal anarchiste d'E. Pouget, en entrant « dans les syndicales ». Ce qu'on a appelé le syndicalisme révolutionnaire, illustré par Pouget lui-même, mais surtout par les secrétaires de la CGT — Victor Griffuelhes — et des Bourses — Fernand Pelloutier —, est en effet bien spécifique de la France. Il est difficile de l'enfermer dans un texte, particulièrement dans la fameuse charte d'Amiens (1906) ; celle-ci n'est qu'un ordre du jour de circonstances pour éviter l'emprise des guesdistes et de la SFIO, et ne prendra des allures fondatrices qu'après 1910, justement quand la Confédération entre en crise, avant de devenir, jusqu'à nos jours, l'obligatoire mais équivoque référence pour justifier l'indépendance du syndicalisme vis-à-vis des partis politiques. Ce qui fait la spécifité du mouvement, c'est la primauté accordée à l'action directe des ouvriers, à la fois entraînement et éducation permanente en vue du changement de la société ; c'est cette primauté qui sous-tend les grandes vagues grévistes de la Belle Époque en leur donnant, en 1906 surtout, un ton d'apocalypse. Il existe un lien consubstantiel entre la revendication quotidienne et le projet révolutionnaire. « Les groupes corporatifs sont les cellules de la société fédéraliste prochaine », écrit F. Pelloutier. Le pansyndicalisme de ce « syndicalisme d'action directe », comme J. Julliard propose à juste titre de l'appeler, est bien, en soi, un autre projet politique, au sens large, même s'il ignore l'État et ses institutions plus qu'il ne les combat. Ce n'est pas un hasard si l'on retrouve, en 1920-1921, la deuxième génération de ses militants parmi les fondateurs du parti communiste et son projet de révolution radicale, du moins pour un temps.

Mais, précisément, le primat de l'action masque la faiblesse de l'institution, sa médiocrité matérielle, les échecs de sa propagande et les divisions de ses membres. Tout d'abord, le nouveau syndicalisme ne détruit pas totalement les anciennes formes associatives. Coopératives de consommation et sociétés de secours mutuels continuent à se développer, en dehors, et bien d'autres organisations, à finalité plus culturelle. A la Belle Époque, les ouvriers du Nord et du Pas-de-Calais vivent dans un réseau d'institutions multiples qui s'attachent à chaque moment de l'existence, formant une véritable société parallèle — la contamination de la Belgique voisine ? —, et qui subsisteront en partie jusqu'au lendemain de la seconde guerre mondiale. Les coopératives de production ne disparaissent pas, bien qu'elles aient renoncé à transformer la société et qu'une bonne partie d'entre elles, dans la mouvance de Charles Gide, soient désormais en dehors du mouvement ouvrier. Sans doute deviennent-elles souvent un simple refuge pour les responsables persécutés et les grévistes vaincus ; en 1865 déjà, 5 de celles qui étaient alors nées à Paris avaient des allures de queue de grève... C'est aussi le cas, autour de 1900, de la « mine aux mineurs » de Monthieux, près de Saint-Étienne, de la « verrerie aux verriers » de Vénissieux, dans la banlieue lyonnaise. Mais la mobilisation et l'enthousiasme que suscite la verrerie ouvrière d'Albi ne doivent pas tout au patronage prestigieux de Jaurès. Les associations ouvrières ont encore un bel avenir dans l'entre-deux-guerres et ensuite dans certains secteurs où domine la petite entreprise et où l'investissement de départ est modeste, l'imprimerie et le bâtiment par exemple. Enfin, on sait leur étrange récurrence contemporaine, et si lointaine, autour de Lip, de Manufrance et de bien d'autres.

Surtout, au sein même de la CGT ou à côté d'elle, les grandes fédérations surgies dans les années 1880-1890 sont plus fortes que jamais. Si beaucoup d'entre elles sombrent à l'approche du siècle nouveau, ce n'est ni parce qu'elles ont échoué ni parce que la masse ouvrière s'en est détournée : c'est parce que la restructuration de l'indus-

L'étonnant destin des canuts lyonnais. « Le costume, c'est la blouse pour les jeunes ouvriers, des habits et un chapeau à la mode au temps de l'Empire pour les vieux canuts, sans parler d'une sorte de bonnet noir en laine dont il reste de curieux échantillons. » L'Illustration, 29 mars 1851.

trie française sape leur base militante en la dispersant ou en la détruisant. Ainsi, l'étonnant destin des canuts lyonnais, pour lesquels la fin du XIXᵉ siècle est aussi celle d'un long cycle séculaire de luttes, est né de la fin du XVIIIᵉ siècle et de cette « émeute des deux sous » de 1786 où ils s'étaient définis pour la première fois comme des salariés, et s'est épanoui en 1831 et en 1834 autour de la revendication du tarif. En juin 1886, l'Union des tisseurs, lointaine héritière du Devoir mutuel de 1828, impose enfin le tarif aux fabricants, avec une émotion facile à comprendre. Mais vingt-cinq ans plus tard, il n'y a plus de canuts à Lyon, ou presque plus — le dixième des années 1880 —, leurs organisations ont fondu avec eux, et il y a bien longtemps que le tarif est oublié. Il en ira de même après 1900 pour les rubaniers de Saint-Étienne, et, un peu partout, pour les ouvriers du cuivre, des cuirs et surtout de la verrerie, dont la puissance s'effondre en quelques années. Seuls ceux du livre et les dockers vont prolonger, jusqu'à aujourd'hui, les acquis de ce premier syndicalisme, avec le monopole de l'embauche et la force de la conscience corporative.

Les mineurs, eux, sont plus forts que jamais, et de loin les plus nombreux — 185 000 au début de 1914. Or, ils restent à l'écart de la CGT jusqu'en 1908 après s'y être vivement opposés : on sait cependant la force et l'ampleur de leurs luttes, la place qu'ils tiennent à juste titre dans la symbolique ouvrière. Quand ils adhèrent à la CGT, ils ne font que renforcer un courant plus soucieux d'avantages immédiats que de chambardement et, en fait, déjà majoritaire, que seul le mode de scrutin écartait de la direction, et qui s'appuie sur les fédérations les plus populeuses — celles du textile (48 000 adhérents en 1914), du livre (47 000), des chemins de fer (60 000). Après l'affaire de Draveil-Villeneuve-Saint-Georges qui entraîne en 1908 l'emprisonnement du bureau confédéral, l'arrivée à la tête de la CGT de leaders plus modérés ne fait que traduire la réalité d'un rapport numérique de force déjà ancien. Dans les années qui suivent, les mots d'ordre des syndicalistes d'action directe — l'antialcoolisme, un antimilitarisme radical partagé avec l'extrémisme parfois suspect des franges socialistes — sont trop loin des soucis quotidiens pour avoir sur les masses le même impact qu'une vingtaine d'années auparavant. A la veille de la Grande Guerre, l'ensemble des forces ouvrières est impressionnant, avec son million de syndiqués, ses 5 000 coopératives, ses 71 journaux professionnels, du *Travailleur du bâtiment* au *Cri postal*, sans parler des organisations socialistes, avec 88 publications, 80 000 militants, 1,3 million d'électeurs. L'effondrement d'août 1914 montre les limites d'un mouvement dont le séparatisme social ne va pas, au-delà des mots, jusqu'à s'écarter de la communauté nationale quand celle-ci paraît menacée.

L'entre-deux-guerres : pluralisme et élargissement

Une fois passé l'épisode de l'« Union sacrée », la marche en avant du syndicalisme reprend, dès la fin de 1916 et le début de 1917, avec la poussée de revendications et de grèves. Jusqu'à la seconde guerre mondiale, le *trend* s'oriente encore plus nettement à la hausse qu'à la Belle Époque. A la veille de 1914, la seule CGT confédérait 700 000 personnes ; à la fin de 1936, elle compte sans doute 5,5 millions d'adhérents, mais seulement pour un mois ou deux. A l'inverse des années 1890-1913 et de leur régularité, l'entre-deux-guerres est marqué par deux très fortes poussées, en 1919-1920 et 1934-1938, séparées par une longue dépression qui se creuse à la fin des années 1920 et se comble dès le début des années 1930. C'est un effet de la conjoncture économique et des politiques gouvernementales, mais aussi des déchirements internes du mouvement syndical.

L'afflux qui suit la première guerre mondiale est sans précédent, même s'il n'a pas eu l'ampleur que lui ont donnée les observateurs du temps, aveuglés par les basses eaux de 1914-1916. Il n'en reste pas moins qu'en 1920, la CGT compte un million d'adhérents. De 1 190 en 1918, le nombre de ses syndicats passe à 2 942 en 1921. Toutes les grandes fédérations s'enflent et se concentrent, et, surtout, la vague traduit un nouvel élargissement de l'unité vers les travailleurs des services ; jusque-là autonomes, les fédérations des agents des PTT en décembre 1918, les instituteurs — qui transforment leurs amicales en syndicats — en septembre 1919, les fonctionnaires en mai 1920 rejoignent la Confédération, malgré l'interdiction qui leur est encore faite par la loi de se syndiquer. La scission de 1921 qui traduit celle du socialisme au plan corporatif va entraîner bientôt une baisse de longue durée. Quand elle éclate, la CGT a 837 000 membres, dont 488 000 lui restent fidèles tandis que 349 000 s'en vont à la CGT « unitaire ». Déchirée par les luttes de tendances, par l'usure des militants, par les épurations successives qui traduisent la « bolchevisation » — en 1929, le rôle dirigeant du parti communiste y est explicitement proclamé —, par le départ aussi, en 1926, de la CGT « syndicaliste-révolutionnaire » de P. Besnard et des libertaires, elle recule jusqu'en 1929 ; elle a beau se redresser ensuite, elle ne compte toujours que 264 000 cotisants en 1934. Ce qui reste de la CGT originelle pâtit aussi de la division, et n'a pas alors plus de militants — 491 000 — qu'en 1921, malgré le retour au sein de la confédération d'un grand nombre de responsables.

« Révolutionnaires sans révolution », dit des uns P. Lefranc, « réformistes sans réformes », dit-il des autres. La CGT-U, volontiers ouvriériste et volontariste, tente de coller aux nouvelles catégories de travailleurs, organise des sections d'entreprise, suit de près, par les « rabcors » communistes, la vie des grandes usines nouvelles. Dans l'automobile, chez Citroën, chez Renault, chez Berliet, elle donne parfois l'impression d'une force et d'une présence de tous les instants, dont la réalité est souvent plus modeste. Quant à la CGT, son programme minimum de 1918 révèle déjà une tentation du réformisme qui avait provoqué la création des comités syndicalistes révolutionnaires, embryon de la CGT-U, et que symbolise l'évolution de son secrétaire général Léon Jouhaux, ouvrier allumettier, anarchiste des années 1910 devenu vingt-cinq ans plus tard un familier des antichambres ministérielles et de l'Organisation internationale du travail. Aux yeux de la CGT, la grève devient un pis-aller ; elle soutient les lois d'aide au logement (1927) et celle sur les assurances sociales (1928), vivement dénoncées à l'extrême gauche. Dans les années 1930, elle élabore l'idée d'une planification de l'économie et certains de ses dirigeants commencent à lorgner, à l'époque du *New Deal*, vers l'expérience américaine. Comment en serait-il autrement, alors que ses fédérations les plus puissantes, celles qui ont permis sa survie, sont celles des travailleurs du tertiaire ?

En effet, l'entre-deux-guerres marque l'entrée en force dans l'organisation corporative des employés. Les prémisses remontent haut : le printemps de 1848 avait vu se créer une *Tribune des Employés* et un *Écho des employés* pour soutenir la « plèbe » du « prolétariat administratif ». La fin du XIXe siècle avait vu s'aigrir le mécontentement de ces « miséreux en habit noir », souvent moins payés que les ouvriers, et la Belle Époque avait été secouée à plusieurs reprises par les grèves des postiers. Les revendications ne sont pas forcément les mêmes ; elles mettent d'emblée en cause les conditions de travail, la discipline tatillonne des bureaux, la tyrannie des chefs accusés de favoritisme et de parasitisme ; elles s'insurgent contre le retard de la législation française à garantir les carrières et à organiser les avancements ; à la veille de 1914, on refuse un statut qui écarterait des droits syndicaux qu'on persiste encore à demander, même si, on l'a vu, on passe outre à l'interdiction. On se heurte, en même temps, aux réticences des organisations de travailleurs manuels, et, avant 1914, la CGT hésite beaucoup à accueillir les postiers et les instituteurs. La Fédération nationale des fonctionnaires n'en a pas moins 200 000 adhérents en 1911, plus que celle des mines et carrières. L'après-guerre voit tomber les préventions : c'est le signe, aussi, que les employés privilégient leur statut de salarié aux dépens de toute une tradition de partage des pouvoirs qui les avait fait longtemps regarder ailleurs. En 1936, le secteur public sera sans doute majoritaire dans le syndicalisme français. La *Tribune des fonctionnaires* et son principal responsable, Robert Lacoste, ont une influence considérable dans les années 1930, et pèsent efficacement en faveur d'une intégration du syndicalisme tout en restant attachés à la solidarité avec l'ensemble de la classe ouvrière.

Les longues réticences de la CGT n'en sont pas moins significatives d'une difficulté à intégrer de nouveaux secteurs : en se renforçant, le mouvement syndical tend à perdre de son imagination et de son ouverture, sclérose que l'on retrouvera dans les années 1950, au moment de la grande mutation de l'économie française. C'est laisser la place à un autre syndicalisme, totalement étranger à la tradition du XIXe siècle, qui commence à s'imposer dès les années 1920 sur fond de référence chrétienne. Ce n'est pas une création : dès 1887, un syndicat des employés du commerce et de l'industrie à Paris, puis, après l'encyclique *Rerum novarum* (1891), un certain nombre de petits groupes s'étaient créés en s'appuyant sur la doctrine sociale de l'Église, notamment dans le Nord et la région lyonnaise. Souvent implantés chez les employés, les femmes de la couture ou du textile — tels les syndicats professionnels du Bas-Dauphiné en 1914 —, ils s'étaient heurtés très violemment aux cégétistes qui les distinguaient mal des organisations inspirées par le patronat, sans cependant accepter le soutien qu'offrait

Gaston Tessier, 1887-1960, secrétaire général de la CFTC.

à l'occasion celui-ci. Les effectifs demeurent médiocres, 7 700 environ en 1914, 8 800 en 1918. Mais l'armistice leur apporte le renfort des syndicats « indépendants » d'Alsace-Lorraine. D'un Comité fédéral du travail chrétien créé durant l'été 1918 sort en février 1920 une Confédération française des travailleurs chrétiens (CFTC), dirigée par Jules Zirnheld et Gaston Tessier. Elle aussi profite de la vague syndicale et, quelques mois après, dénombre 578 syndicats et 150 000 membres dont, il est vrai, 65 000 seulement cotisent avec régularité. Les gros bataillons se trouvent chez les employés — 43 000 — mais aussi les mineurs — 10 000 dans le Nord et le Pas-de-Calais où les liens sont établis avec leurs homologues belges — et les cheminots ; les places fortes sont la Flandre, l'Alsace-Lorraine, secondairement la région lyonnaise. L'organisation se calque progressivement sur celle de la CGT, et la réticence devant la grève et ses dangers de déviation « politique » s'efface tôt devant la nécessité de résister à un patronat qui en est seul responsable ; une partie des réflexions doctrinales n'est pas éloignée de celles de la CGT quand celle-ci parle de contrôle ouvrier. En 1935, elle ne compte pourtant que 155 000 adhérents, sans grands progrès géographiques ni sectoriels sur 1920.

Mais, deux ans plus tard, elle compterait 500 000 membres, et commence à pénétrer dans le bâtiment et la métallurgie. Il est vrai qu'en cette même année 1937, la CGT en a peut-être 5,5 millions, au terme d'une poussée perceptible dès 1934-1935 (2,5 millions) et qui retombe à peine au cours de l'année suivante (un peu plus de 4 millions au début de 1938 encore). C'est un effet de sa réunification, apparu en 1935 dans le contexte du Rassemblement populaire — mais pas seulement —, prolongé aussi par les grèves du printemps 1936. De nouveau, syndicat et revendication marchent de pair, comme en 1919-1920, comme en 1906 ; pour la première fois, le travail organisé est reconnu et parle d'égal à égal avec le patronat. Au-delà de la fête qui accompagne une victoire à la fois sociale et politique, on connaît l'autre visage de 1936, pour les vaincus. La division externe et interne du syndicalisme, en invitant aux surenchères, n'est pas forcément plus rassurante que son unité ; son extension à de nouvelles couches salariales accentue la coupure de la société française entre ceux qui travaillent et ceux qui possèdent : chacun rejoint son camp, de plus en plus formidablement armé. Pour les uns comme pour les autres, 1936 a aussi un parfum de guerre civile, même s'il n'y a pas de victimes et, aux marges de chaque grande faction, on voit la Ligue des contribuables, qui se recrute dans la boutique, s'en prendre avec violence aux syndicats de fonctionnaires. En effet, la montée de l'organisation ouvrière ne signifie pas grand-chose si l'on oublie de regarder, en même temps, du côté de ses adversaires.

L'ALLIANCE PROGRESSIVE DES PROPRIÉTAIRES

L'action et l'organisation collectives du patronat apparaissent relativement tôt dans les grands secteurs de l'économie française. Dès la Restauration se manifestent un Comité des filateurs de Lille (1824) et une Réunion des fabricants à Lyon (1826) puis, un peu plus tard, le Comité des industriels de l'Est et le Comité des intérêts métallurgiques (1840). De celui-ci sort, dans les années 1860, le Comité des forges, avec celui des houillères et l'Union des constructeurs de machines. En même temps, pendant tout le XIXᵉ siècle, les chambres de commerce — il y en a 149 en 1883 — s'affirment progressivement comme les forteresses locales du patronat. Sans doute plusieurs tentatives de regroupement n'ont-elles guère de suite. Néanmoins, en rassemblant et unifiant les secteurs les plus modernes et les plus importants de l'industrie française, ces comités acquièrent une puissance considérable. Celle du Comité des forges, fortement organisé par Robert Pinot au début du XXᵉ siècle, correspond bien à celle que l'opinion publique lui attribue, et l'Union des industries minières et métallurgiques joue un rôle central dans toute l'économie du pays et la défense des grands intérêts.

Du Comité des forges aux deux cents familles

C'est d'ailleurs par dizaines que les dirigeants de ces comités mènent une double carrière de chef d'entreprise et d'homme politique. Le plus célèbre d'entre eux est évidemment Eugène Schneider, à la fois président du Corps législatif à la fin du Second Empire et l'un des principaux responsables du Comité des forges ; mais on peut citer aussi Henri Germain, le Lyonnais Auguste Isaac, le Marseillais Henri Bergasse, etc. E. Beau de Loménie a montré cette constante confusion des pouvoirs publics et des intérêts privés tout au long du XXᵉ siècle puis de la Troisième République, encore plus forte que ne le suspecte l'opinion publique à travers l'image des « deux cents familles » des années 1930. En effet, l'action de ces « dynasties bourgeoises » et de leurs groupes d'intérêt est longtemps peu perceptible, dans la mesure où elle s'exerce au plus haut niveau, par pression sur des assemblées législatives et des gouvernements d'autant plus dociles qu'y siègent leurs propres représentants, et s'organise prioritairement autour des problèmes douaniers. Ce n'est pas un hasard si l'éclosion d'associations patronales suit le traité franco-britannique de 1860, avant celle de la fin du siècle qui accompagne la mise en place d'une législation protectionniste. En 1919 enfin, la création d'une Confédération générale de la production française (CGPF), premier essai réussi d'unification du patronat, se fait sous la pression de l'État, au lendemain d'une guerre où les nécessités d'organisation de la production l'avaient déjà poussé à traiter globalement avec les responsables de chaque grand secteur.

Ce bloc progressif des intérêts n'est cependant pas sans failles pendant tout le XIXᵉ siècle. D'une branche à l'autre, il peut même y avoir franchement opposition. Ainsi, au lendemain du traité de 1860, les métallurgistes se heurtent aux patrons du textile, eux-mêmes divisés ; plus nettement encore à la fin du siècle, armateurs et industriels des ports vont à contre-courant. Le clivage peut même alors s'opérer à l'intérieur d'un secteur : dans la soierie, apprêteurs et imprimeurs défendent la liberté des échanges contre les tisseurs. Même au lendemain de la grande crise des années 1930, toute l'industrie française ne se retrouve pas dans l'Association pour la défense du travail national. D'autre part, les divers comités ne regroupent guère que le grand patronat. Jusqu'au début de la Troisième République, celui-ci se retrouve seul dans les chambres de commerce, et, après qu'une modification de la loi y a fait entrer l'ensemble des patentés, il y conserve les premiers rôles. De même, à partir de 1919, ce sont les grandes fédérations professionnelles qui constituent l'épine dorsale de la CGPF. En conséquence, la position de producteur a été longtemps privilégiée par rapport à celle de patron. C'est peut-être une des raisons d'une relative incapacité à mordre sur la petite et la moyenne entreprise jusqu'à la fin du XIXᵉ siècle.

Celles-ci, en effet, ne se sentent guère du côté du patronat bien qu'une définition trop théorique les y place, et que les premières tentatives d'association s'y soient faites, d'emblée, pour résister aux revendications des salariés. Sous la Restauration, la Société des maîtres charpentiers de Paris (1822), bientôt imités par les patrons boulangers et ceux de l'emballage, s'était constituée dans ce but. En 1833, le « Comité Schwarz », d'où sort l'année suivante une Société philanthropique des maîtres tailleurs, avait organisé une réaction collective de ce type en punissant d'amendes les patrons trop malléables et en dénonçant les meneurs ouvriers aux autorités. La Chambre syndicale des maîtres imprimeurs (1839) et le Conseil des métaux (1845) naissent aussi principalement pour résister à la pression des compagnons, et c'est de ces milieux que sort, en 1859, une éphémère Union nationale du commerce et de l'industrie.

Jusqu'aux années 1880, cependant, la plupart des artisans, boutiquiers et petits patrons se sentent trop proches de leurs ouvriers et employés pour s'organiser contre eux. Avec eux, ils constituent ce petit peuple urbain qu'unifient, en une « sans-culotterie » attardée, mille solidarités quotidiennes. On a vu comment petits commerçants et travailleurs d'industrie se multiplient de pair, dans les mêmes quartiers. Le crédit les lie en croisant leurs intérêts ; si la grève échoue, l'épicier et le boulanger risquent de n'être jamais payés, ce qui les amène souvent à la soutenir : jusqu'à la fin du XIXᵉ siècle, on les trouve nombreux sur les listes de souscriptions qui permettent de lutter et, moins voyants, à continuer de fournir le pain et l'épicerie en attendant la fin du conflit ; ils ne sont pas non plus absents des organisations ouvrières de tous ordres, avec lesquelles ils ont en commun certains adversaires, tels ces économats patronaux dont on cherche, pour les uns, à secouer la sujétion, pour les autres, à supprimer la concurrence. Vers 1848, l'idéal de l'« organisation du travail » ne distingue pas le salarié du petit artisan ou du commerçant indépendant, confondus dans le métier ; il les oppose aux oligarchies et aux monopoles centralisateurs — d'ailleurs, l'émotion que provoque en 1846 la concentration des mines de la Loire dépasse de beaucoup les milieux populaires. La fracture se creuse entre le peuple et le grand capital, dans l'unité de ces « couches nouvelles » qu'annonce Gambetta.

Les alarmes de la boutique

C'est à partir des années 1880 que s'amorce le virage. La crise accentue en effet cette turbulence sociale dont on a vu qu'elle était caractéristique de la petite entreprise, et, dans l'opinion de ses représentants, c'est le nombre des faillis qui donne le ton ; le marasme de l'alimentation et du commerce de nouveautés ne s'efface pas, dans les années 1895-1900, avec la reprise générale de l'économie. L'essor des grands magasins, en province notamment, donne un nouveau visage au spectre du monopole. Les chemins de fer développent la concurrence d'un commerce semi-nomade qui atteint alors son apogée. Enfin, la multiplication des coopératives ouvrières de consommation — qui ne sont pourtant pas une nouveauté — est désormais mal ressentie et provoque une vive réaction chez les petits commerçants. Ainsi, la Ligue syndicale pour la défense des intérêts du travail, de l'industrie et du commerce qui se crée à Paris en 1888 insiste encore fortement sur sa volonté de défendre la communauté locale de jadis et l'économie de quartier. Elle reprend des thèmes populistes « contre la féodalité financière », « contre l'aristocratie bourgeoise » ; mais à ses adversaires traditionnels, les grands magasins, elle ajoute désormais les coopératives et l'État, qui manifeste une certaine prétention à régler la vie économique et les relations sociales par la législation protectrice du travail qui commence à se mettre en place.

De fait, la Fédération des commerçants détaillants qui se forme à Paris en 1906 est explicitement créée pour s'opposer à la loi nouvelle sur l'obligation du repos hebdomadaire, même si les arguments ont un parfum d'antan : la clientèle ouvrière sera perdue puisqu'elle ne disposait que du dimanche pour aller faire ses achats. La même année, la création d'un ministère du Travail est ressenti comme une inacceptable preuve de l'ingérence publique dans un domaine qui ressortissait jusque-là au privé. Le Code du travail de 1910 n'empêche-t-il pas le patron d'être maître chez lui puisqu'il entrave son droit absolu de renvoyer ses salariés ? Plus généralement, les diverses mesures de protection sociale mises en place à la Belle Époque pèsent beaucoup plus fortement sur les petites entreprises qui disent n'en avoir pas les moyens et ne les appliquent pas. C'est déjà sur elles que retombent les pénalités de l'Inspection du travail, peut-être aussi parce que le grand patronat est plus habile à les éviter : on sait, par exemple, comment on dissimule les enfants dans les recoins de l'usine ou comment on les fait s'égailler dans la campagne voisine quand le contrôle arrive à l'improviste. Tout un petit patronat se sent persécuté, dès lors que sa situation matérielle n'est pas toujours florissante et que se développe la concentration.

C'est en toile de fond de ce découragement souvent rageur que se développe un syndicalisme qui met à profit la loi de 1884 avec bien plus d'empressement qu'une classe ouvrière d'abord méfiante. De 1890 à 1905, les organisations patronales sont plus nombreuses que celles des salariés — 61 % des associations professionnelles et 32 % des effectifs globaux. Ville par ville, l'*Annuaire* publié par les ministères du Commerce puis du Travail dit la progressive association du petit négoce et du petit patronat. En 1894, la Ligue syndicale ne compte pas moins de 148 000 adhérents (peut-être), alors que la CGT n'en aura que 100 000 en 1902. Cet élan, désormais, prend une allure de plus en plus hostile au mouvement ouvrier. Entre 1890 et 1900, on voit disparaître les petits commerçants — sauf les cafetiers — des organisations ouvrières : l'osmose du XIXe siècle fait place à un antagonisme déclaré. Comment en irait-il autrement ? Longtemps confinées aux grandes usines, les grèves n'épargnent plus les petites entreprises, ni même les plus modestes ateliers. Les ouvriers découvrent que la familiarité peut dissimuler la tyrannie, quand le crédit se paie à 20 ou 30 %, un véritable taux

Les syndicats ouvriers de la Seine réclament la journée de huit heures. Affiche de la CGT, 1919.

Affiche de la CGT pour le 1ᵉʳ mai 1936, à la veille du second tour des élections qui porteront au pouvoir le gouvernement du Front populaire.

d'usurier : à Nantes, à la Belle Époque, on estime que les ouvriers détestent les boutiquiers plus fort que leurs patrons. Malgré la pensée souvent nuancée des organisations socialistes, Jaurès se laisse aller à dénoncer dans *La Petite République* du 19 mai 1900 « l'anarchie misérable et égoïste » qu'ils représentent. Ligues, unions, associations de défense, dont l'éclosion spontanée et proliférante accompagne dans les villes de province l'expansion des grands magasins, s'en prennent autant aux coopératives — qui retrouvent alors un certain succès auprès des syndicats ouvriers — qu'aux « maisons monstres ».

La crainte des « gros » demeure ; elle se traduit toujours par la revendication d'une réforme de la patente et d'une fiscalité dissuasive pour frapper les « vampires » ; mais elle cède de plus en plus le pas devant la peur du collectivisme. Le petit commerce ne se sent plus du peuple, et il s'arc-boute dans ce qui est d'abord un refus. La Ligue syndicale gagne les quartiers périphériques de Paris puis s'étend à Nancy, Rouen, Le Mans, Dijon, Le Havre, et multiplie ses effectifs par neuf entre 1890 et 1896. La Ligue du parti commercial des départements du Centre, partie de Tours en 1898 — et qui devient la Fédération puis la Confédération des groupes commerciaux et industriels —, se définit explicitement comme une « digue contre le collectivisme ». De nouvelles alarmes paraissent lui donner raison avec le siècle : face aux retraites ouvrières et, surtout, à partir de 1907, au projet d'un impôt général sur le revenu qui déclenche « les pires inquiétudes », on se sent de plus en plus du côté des possédants. La propriété privée n'est-elle pas déjà en cause dans cette loi de 1901 qui introduit un impôt progressif sur le capital des successions et distingue la fortune « acquise » de la fortune « en formation » ?

Le rapprochement avec le grand patronat se fait d'abord par l'intermédiaire des responsables. De 1904 à 1914, le secrétaire général de la Confédération, Eugène Bellamy, est aussi président de la Chambre syndicale de la papeterie. Quant au fondateur de la Fédération des commerçants détaillants, Georges Maus, il est directeur d'un grand magasin parisien ! Dans la plupart des associations corporatives, si les petits sont nombreux, les postes de responsabilité sont souvent accaparés par les gros. Quand la menace d'impôt sur le revenu entraîne, en décembre 1907, la création d'une Association de défense des classes moyennes, la Confédération s'y retrouve avec l'Union des syndicats (patronaux) du textile. Il n'y est d'ailleurs plus question de réformer la patente, mais d'organiser la défense de la propriété ; c'est un premier aboutissement des efforts déployés, depuis la fin du XIXe siècle, par certains réseaux patronaux pour enrôler les boutiquiers. Divers projets de l'Association de défense recevront en 1910 l'appui du Comité des forges et de l'Union des industries minières et métallurgiques.

Cette nouvelle attitude, au tournant du XXe siècle, prend volontiers des aspects de crispation et de refus radical de la nouveauté. Elle n'est pas partagée par tous, loin de là, et le milieu de la boutique demeure en proie à des divisions internes. P. Gerbod montre par exemple la vie très accidentée — question de personnes, d'orientations, etc. — des deux organisations rivales de la coiffure, l'Union fédérale des patrons coiffeurs et la Fédération française de syndicats patronaux, qui vont fusionner en 1919 pour se séparer de nouveau en 1937. L'épicerie, elle aussi, reste toujours très partagée et, à la fin des années 1880, les milieux de la Ligue du parti commercial publient deux journaux concurrents, même si leurs titres, *La Crise commerciale* et *La Revendication*, disent la communauté d'une inquiétude et d'un combat. En outre, les associations professionnelles ont bien d'autres activités ; entre 1890 et 1950, il ne se publie pas moins d'une cinquantaine de revues et de journaux corporatifs dans la coiffure ; ils

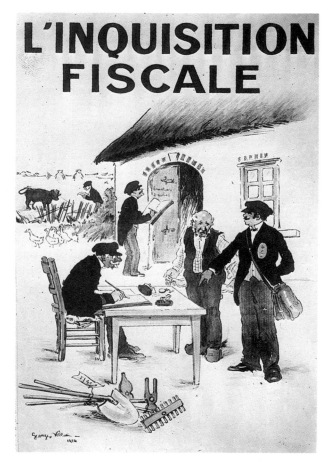

L'INQUISITION FISCALE

Devant la menace d'impôt sur le revenu. Affiche de 1914.

révèlent aussi toute une action de promotion de la profession — bals, concours, journées de propagande — et surtout d'éducation professionnelle, qui concerne aussi bien la gestion financière des salons que l'évolution des techniques de coiffure et de la mode. On découvre là tout un pan de transformations de la société française encore mal connu parce que occulté par l'attention trop exclusive portée à l'organisation ouvrière ou à celle du grand patronat. Mais la préoccupation essentielle n'en demeure pas moins celle d'un combat permanent contre les revendications ouvrières et la tyrannie de l'État.

Toute une fraction de la boutique parisienne s'était déjà montrée sensible à certains thèmes véhiculés par le boulangisme, quoique la crainte — typique — du désordre l'ait empêchée de les suivre totalement. Mais en 1898, Louis Gazon, vice-président de la Ligue, est aussi adhérent à la Ligue antisémite de Guérin. La dénonciation d'une « juiverie » identifiée au grand capital est encore un thème populiste ; on sait sa prochaine dérive. Surtout, à la Belle Époque, l'intervention est directe contre les organisations ouvrières dénoncées comme révolutionnaires. En 1906, la Fédération des commerçants détaillants subventionne la création d'un syndicat jaune, la Fédération nationale des employés ; en 1910, elle organise des milices privées pour aider la police

Multiplication des coopératives ouvrières. Affiche de la CGT, 1936.

contre les employés de commerce en grève. Ce n'est pas un hasard si quelques-uns des plus durs conflits de l'époque éclatent dans la boutique — chez les coiffeurs, les boulangers — où les difficultés de la lutte ouvrière n'ont d'égales que la volonté et la brutalité de résistance des maîtres. On retrouve ici certaines tendances du grand patronat qui, à la Belle Époque, compte de moins en moins sur l'État pour assurer l'ordre de la production.

De la violence de l'État aux rêves de l'hygiénisme social

C'est là le résultat — provisoire — d'une longue évolution, car longtemps, autour du travail et de ses problèmes, ce sont les pouvoirs publics qui avaient incarné cette résistance : attitude et action d'autant plus mal ressenties de la part des ouvriers qu'elles ne collaient pas à ce que l'on attendait d'eux. On se souvient comment les canuts lyonnais, en 1831 et 1834, avaient trouvé devant eux la force armée quand ils avaient demandé l'aide du préfet pour fléchir la volonté des fabricants. Tout le XIXe siècle foisonne d'actions d'ouvriers qui, avant de présenter leurs demandes, de quitter l'usine ou l'atelier, s'en allaient consulter le maire, le juge de paix, voire le commissaire de police. Qu'importe : jusqu'en 1864 la grève, jusqu'en 1884 l'organisation syndicale sont d'abord des affaires d'ordre public puisque interdites par la loi et traitées comme telles, bien qu'avec une inégale vigueur selon le contexte politique du moment — rigoureux dans les années 1830, les lendemains de 1851 et de 1871, la période de l'Ordre moral, plus indulgent le reste du temps. Même après la disparition des entraves légales, certaines dispositions de la loi — au nom de la liberté du travail, de la liberté des individus, de la paix civile ou de l'intérêt national — laissent la porte ouverte à une attitude qui ne varie pas jusqu'au lendemain de la première guerre mondiale. La répression qui suit les journées insurrectionnelles de la monarchie de Juillet et, surtout, les massacres qui liquident les journées de juin 1848 et la Commune de 1871 s'inscrivent dans le cadre plus général des relations sociales (et politiques) qui marquent la France du XIXᵉ siècle d'une trace sanglante unique en Europe et dont le souvenir a longtemps pesé dans les représentations collectives de chacun ; rien d'étonnant si les analyses de Marx sont venues y chercher la théorie de l'État instrument de classe.

Toute la fin du XIXᵉ siècle continue à égrener les fusillades : 1869, La Ricamarie ; 1891, Fourmies, dont les victimes sont toujours du même côté ! Jusqu'en 1914, on mobilise l'armée à la moindre alerte ; on ajoute dans les villes ouvrières les escadrons aux régiments ; à chaque mouvement d'humeur des cheminots de la Belle Époque, on semble se préparer à la guerre civile, et à écraser une insurrection à la veille de chaque 1ᵉʳ Mai : à tel point que c'est à travers l'ordre de bataille des autorités que l'historien d'aujourd'hui peut parfois tracer la géographie urbaine des usines ! Pourtant, si l'on excepte l'affaire de Draveil et ses suites à Villeneuve-Saint-Georges en 1908, c'en est fini des grandes saignées des trois premiers quarts du XIXᵉ siècle. Les heurts graves avec l'armée et la gendarmerie se raréfient, même si la parade est une provocation parfois meurtrière ; ne relevons que le cas de ce Huart qu'un malheureux hasard pousse un peu trop fort contre la lance d'un dragon, en 1906, devant la gare de Longwy, et qui y laisse la vie. L'opinion ouvrière peut bien haïr en Clemenceau la « bête rouge », et la CGT dénoncer un « gouvernement d'assassins » : la grande poussée revendicative du syndicalisme révolutionnaire du début du siècle se paie de quelques dizaines de victimes ; c'est certes trop, mais peu. L'État ne manque à aucun moment à sa tâche de maintien de l'ordre, mais son action, dans les faits, cesse d'en faire l'instrument d'une répression sociale.

A l'inverse, toute une classe dirigeante s'éloigne des travailleurs. Pendant une bonne partie du XIXᵉ siècle, sa fermeté publique à l'égard de leur action s'était souvent accompagnée d'une familiarité et d'une compréhension privées. On a vu la longue survie de la tradition d'assistance des patriciats urbains jusque sous la monarchie de Juillet, étayée par un sens du devoir des nantis et sur une image de la pauvreté venue de l'Ancien Régime. Mais observons, dans les années 1850, les notables du Mans : « Où le besoin absolu cesse, notre devoir s'arrête aussitôt », conclut un rapport adressé en 1854 à la municipalité. On commence à surveiller l'attribution des secours d'une façon tatillonne, à incriminer la paresse, l'imprévoyance, l'alcoolisme comme causes de la misère. Bref, les pauvres sont responsables de leur pauvreté. L'assistance ne disparaît pas dans la bonne société, mais elle est désormais abandonnée le plus souvent aux femmes — signe du statut secondaire de celles-ci ; elle se réfugie dans les associations d'inspiration religieuse, et se voit de plus en plus souvent soumise à des conditions de docilité et de bonnes mœurs quand ce n'est pas, comme dans le Nord de la fin du XIXᵉ siècle, à des manifestations de bigoterie. Globalement, l'aide aux miséreux devient le fait de minorités dont les motivations n'ont plus rien à voir avec ce qu'elles étaient encore au début du XIXᵉ siècle. A la Belle Époque, d'ailleurs, la pauvreté est étrangère au centre des villes puisqu'elle a été chassée vers les banlieues. Cette expulsion participe de la tendance générale à exclure ses déviants que manifeste la société de la fin du XIXᵉ siècle.

Dans les faits, l'exclusion précède d'ailleurs le discours sur la nécessité et les moyens de se débarrasser des indésirables. C'est à partir de 1854 qu'on a entrepris de déporter les bagnards au-delà des mers et, en 1885, on y relègue aussi à vie les multi-récidivistes. En 1898, si l'on se décide finalement pour la Guyane, c'est parce que, dit-on, le climat de la Nouvelle-Calédonie est trop salubre ! Aux marges de la société, le discours ne prend pas la peine de se farder. Mais d'autres groupes, pourtant plus dignes d'intérêt, subissent depuis longtemps une manière de déportation. Jeanne Gaillard montre, dans le Paris des années 1850, l'éloignement doucereux mais ferme des vieillards et des infirmes. Du faubourg Saint-Martin, les hospices s'éloignent vers la caserne Popincourt, puis à Ivry, et la tendance générale pousse les établissements hospitaliers vers les périphéries. Lyon a regroupé ses incurables au manoir campagnard du Perron et ses vieux au dépôt de mendicité banlieusard d'Albigny ; dans les années 1920, la démolition de la vieille Charité débarrassera la ville des derniers misérables de l'hôpital d'autrefois, les filles mères et les enfants abandonnés. Progressivement, il n'y a plus de place pour l'âge et l'infirmité, la pauvreté et la maladie ; seuls ont droit de cité le travail et le talent. L'évolution spontanée des espaces urbains accomplit d'ailleurs fort bien les purifications nécessaires.

A la fin du XIXe siècle, encore plus clairs sont les propos d'un hygiéniste qui tend à confondre corps biologique et corps social. En 1901, la Société de prophylaxie française compte bien, parmi ses membres, un fort des Halles ! Il s'y trouve certes un peu perdu au milieu non seulement d'une écrasante majorité de professionnels de la santé, mais aussi d'avocats, d'universitaires, de quelques hauts fonctionnaires et d'un certain nombre d'industriels. La nouvelle alliance tend à confondre l'art de gouverner les hommes avec une certaine propension à nettoyer et à épurer qui se pare des savoirs et des pouvoirs tout neufs de la médecine pastorienne et de la statistique sociale. La foule et ses convulsions ? De Zola — mais oui ! — à Gustave Le Bon : une femelle, tout simplement, que sa nature hystérique rend aussi imprévisible que l'est l'autre sexe ! Le rachitisme ? Une conséquence de l'hérédosyphilis ! La tuberculose ? Une maladie de la crasse et de l'obscurité ! La revendication ouvrière ? Un trouble « fomenté le verre à la main » : « Poivrot s'en va-t-en guerre », écrit un instituteur-chansonnier du Lyonnais à la Belle Époque ; « il a bu sa quinzaine, et se dit exploité ! » Voici venu le temps des grandes monographies familiales qui traquent la transmission des tares biologiques et la dégénérescence des individus. Les maux que toute une tradition attribuait à la misère et à la condition matérielle deviennent affaire de sang vicié, et le concept nouveau de « population » ignore les catégories sociales.

En apparence, du moins. Ainsi, Alain Corbin montre, derrière l'obsession du péril vénérien de la Belle Époque, le terreau social des hantises collectives, à travers le vocabulaire d'une littérature de circonstances — les « mancenilles », les « avariés » — et le discours réglementariste de la prostitution ; ce qu'on redoute, c'est la contamination des classes supérieures par ce qu'on appelle les « bas-fonds », concept très extensible. Derrière le biologisme de la pensée hygiéniste réapparaît, sous une forme redoutable, la vieille peur des pauvres, mais sans la compassion d'autrefois puisque, désormais, au-delà du corps social, c'est la race elle-même qu'ils mettent en péril. Personne, en France, ne se risque aux propositions radicales d'un eugénisme qui se développe à la même époque dans les pays anglo-saxons. Mais, chez certains, germe l'idée selon laquelle la question sociale se résume à l'éradication des grands fléaux collectifs qui prennent racine dans la condition populaire, surtout dans les milieux ouvriers. Les médecins paient en partie leur accession à la bourgeoisie des justifications scientifiques de la peur sociale.

C'est donc une récurrence du vieux thème rebattu des classes dangereuses, qui se mêle à ceux de l'alcoolisme, de l'immoralité sexuelle et de la menace allemande. La tuberculose prend bientôt, dans les années 1920 — justement au moment où sa menace recule dans les faits —, la place de la syphilis dans un certain imaginaire collectif. Il serait tout à fait erroné de borner la construction des grands ensembles montagnards de sanatoriums à la seule volonté d'exclusion ; mais celle-ci y trouve sa part : avant eux, n'envoyait-on pas le malade à la campagne, pour l'isoler, lors même que la médecine hésitait à conclure à sa contagiosité ? L'exaltation des vertus du grand air et de la saine fatigue paysanne, en attendant celle des exercices sportifs, n'est pas non plus suspecte d'arrière-pensées ; mais elle n'en porte pas moins une charge d'ambiguïté, tout comme la ligne pure du fer et du ciment armé de l'architecture de l'entre-deux-guerres, obsédée d'asepsie : l'esthétique ne se crée pas dans l'absolu. Et comment ne pas évoquer la figure équivoque du bon docteur Destouches, apôtre acharné, durant les années 1920, de la prophylaxie antituberculeuse, avant de devenir, sous un autre nom, l'obsédé d'une chasse à d'autres contaminations ? La perversion n'avait rien de fatal, mais la dérive a le mérite de mettre à nu certaines des virtualités de l'hygiénisme social du début du XXe siècle.

La Belle Époque des « syndicats professionnels »

Le patronat de la Belle Époque a d'autres soucis, plus immédiats, plus concrets, avec ses ouvriers. Il ne faut cependant pas ignorer l'action de ces idéologues, médecins ou autres, qu'il rencontre ici ou là et qui influencent une bonne part de la classe dirigeante. Un certain hygiénisme participe aussi de cette exaspération des tensions sociales avec lesquelles naît le XXe siècle, tout comme la radicalisation de la répression patronale. Celle-ci ne se mesure guère à l'essor des groupements professionnels, dont on a vu à la fois les progrès et les faiblesses. Elle réside dans le développement de solidarités locales ou régionales, par secteur ou par ville, face à la revendication. Elle s'appuie sur toute une résistance au plan quotidien, qui va de la surveillance des meneurs éventuels au mouchardage et à l'échange de renseignements, notamment ces « listes noires » qui circulent pour éliminer les indésirables. Ce n'est pas nouveau, mais l'ampleur de la pratique lui confère une autre dimension, tout comme l'appel aux briseurs de grève importés d'autres régions, voire de l'étranger.

La grande nouveauté, cependant, c'est l'encouragement, voire la création de toutes pièces d'organisations ouvrières destinées à contrer les « rouges ». On se rappelle la naissance autour de 1900 et l'affirmation en 1902, au congrès de Saint-Mandé, où 317 d'entre eux sont représentés, des syndicats « jaunes ». De l'Union ouvrière (1901) à la Fédération des jaunes de France de Biétry (1904), le mouvement ne cesse de s'affirmer — il existerait 862 groupes affiliés en 1907 —, de redire sa volonté de « sauvegarder la liberté du travail » et de substituer à la lutte des classes « les principes d'accord et d'entente [...] contre les monopoles et l'envahissement de l'État ». Des Bourses du travail « indépendantes » s'installent à Tours, Vierzon, Angers, Bourges, Saumur, Nantes, Saint-Nazaire, Toulon, Marseille, Belfort, etc. Dès 1902, le patronat s'adresse à elles pour remplacer ses ouvriers grévistes, tel celui du textile viennois qui, vainement d'ailleurs, en fait directement la demande à Paris. En dehors de la capitale, les centres les plus dynamiques siègent au Havre, à Caen et à Boulogne-sur-Mer. Mais les gros bataillons se forment dans le bassin minier de Meurthe-et-Moselle, où l'Union des métallurgistes compterait 20 000 membres en 1906, et dans l'ensemble industriel du

Le Petit Journal *mène campagne contre la « tyrannie des meneurs de grève », 17 septembre 1911.*

Nord-Pas-de-Calais, autour de Tourcoing, à Douai aussi où 8 000 mineurs seraient inscrits.

L'intervention financière de la Compagnie des mines d'Aniche semble directe, et Gaston Japy, de Besançon, n'est que le plus connu des bailleurs de fonds patronaux, avec Toutain, gros industriel de Laval, et Laroche-Joubert, d'Angoulême. Plusieurs chefs d'entreprise siègent dans les instances dirigeantes aux côtés d'un professeur au Collège de France, de l'économiste Paul Leroy-Beaulieu — qui avait dans les années 1890 polémiqué avec Guesde et Lafargue — et de quelques généraux. Tout un réseau de journaux — *Le Travail libre* à Lille, *Le Genêt breton* à Brest, *Le Journal des travailleurs* au Havre — prouve la puissance des moyens et des relations d'une organisation qu'il est bien difficile de qualifier de prolétarienne, comme le fait Z. Sternhell ; en effet, il ne faut pas se fier aux effectifs déclarés par les dirigeants de ce syndicalisme jaune, largement circonstanciel, dont la Fédération s'étiole rapidement à partir de 1908-1909 — justement en raison de la fragilité de sa base ouvrière et des liaisons politiques dangereuses de ses responsables —, après s'être elle aussi engagée, de façon éloquente, dans la lutte contre l'impôt sur le revenu.

Mais son déclin s'explique surtout parce qu'elle a cessé d'être utile. Le mouvement jaune, développé en contrepoint de la poussée du syndicalisme d'action directe, retombe logiquement avec lui. Surtout, les responsables parisiens dissimulent — et fardent un moment — une pratique un peu plus ancienne, plus pérenne aussi, que constitue l'encouragement, voire la création directe, de « syndicats professionnels », c'est-à-dire d'organisations maison, contrôlées et financées par le patronat. Les initiateurs du mouvement semblent bien être, entre 1899 et 1901, les Schneider et la Compagnie des mines de Blanzy, avec un tel succès que le patronat du Sud-Est fait même appel, un peu plus tard, à leurs spécialistes ; leurs syndicats passent bien par la Fédération des jaunes, mais ils existaient avant elle et vont lui survivre, après l'avoir d'ailleurs précocement quittée. Additionner les effectifs pour prendre la mesure globale d'un mouvement par nature morcelé et qui ne cherche guère à se fédérer n'aurait pas de sens. Dans la région lyonnaise de la première décennie du XXe siècle, le syndicat professionnel — on dit souvent le syndicat n° 2 — naît la plupart du temps d'une grève qui dure, lasse et s'aigrit. Dans tel secteur — à Vienne, chez les tisseurs de laine en 1903, chez les boulonniers de Firminy un peu plus tard —, il peut devenir majoritaire, le temps de son existence, c'est-à-dire le temps de « casser » le syndicat « rouge », au sens fort du terme : en juillet 1905, une bagarre fait un mort aux mines de pyrite de Sain-Bel ; en effet, l'affrontement physique est fréquent et provoque, au sein de la classe ouvrière, des conflits internes dont l'issue n'est heureusement pas toujours aussi tragique.

A partir des années 1907-1908, d'ailleurs, l'intervention patronale ne passe plus guère par les « jaunes » estampillés. Elle se fait plus directe comme, en 1911, au Chambon-Feugerolles, où, d'après Lucien Picart, président de l'Union française du commerce et de l'industrie, on a réussi « à chasser les mineurs révolutionnaires les plus exaltés », mais au prix d'un climat de guerre civile. En 1914, les ouvriers d'un chantier de la banlieue lyonnaise se plaignent de la présence de contremaîtres armés de revolvers. Pendant une bonne dizaine d'années, les patrons du Sud-Est entretiennent des relations avec une certaine Union prolétarienne, ou Comité ouvrier de propagande antirévolutionnaire. « Une bande d'apaches sans vergogne », écrit le préfet de l'Isère en 1906, pratiquant « le racolage au revolver ». De son siège lyonnais, elle offre ses services par circulaires, et, une bonne quinzaine de fois à la Belle Époque, on repère son intervention — envoi de petits groupes musclés et armés — pour pousser à la reprise du travail, comme à Voiron, Grenoble et Annonay en 1911.

L'union sacrée met un terme pour quelques années à ces pratiques. Mais la grande menace de la grève des cheminots, en 1920, montre qu'elles n'ont pas disparu. L'Union civique naît des inquiétudes des compagnies ferroviaires, en liaison avec les chambres de commerce et les autres fédérations patronales, ainsi que certaines associations d'anciens combattants. Elle recrute des spécialistes pour remplacer les ouvriers défaillants et, de fait, quand le travail s'arrête, elle en fournit plusieurs milliers — des élèves des grandes écoles surtout — pour conduire les locomotives et contrôler les aiguillages. Parmi eux, des polytechniciens, des centraliens — trois d'entre eux y laissent leur vie dans un accident —, mais aussi des élèves de l'école Sainte-Barbe à Alais et des Arts et Métiers à Aix : les fils de la grande bourgeoisie, mais aussi de la petite, sont symboliquement unis au patronat pour la sauvegarde de la société.

Naissance du patronat organisé

Jusqu'à la grande crise des années 1930, le syndicalisme patronal unifié poursuit une progression numérique qui n'est pas négligeable ; à sa création, en juillet 1919, la Confédération générale de la production française (CGPF) compte 1 500 organisations adhérentes ; au début de 1936, elle en a plus de 4 000. La reprise de la croissance économique, la division et l'impuissance du mouvement ouvrier à la fin des années 1920 désarment certaines préventions. Les grandes fédérations patronales et la CGPF ne sont pas hostiles aux conventions collectives instaurées au lendemain de la guerre ; elles recommandent même à leurs membres d'en négocier. Dans le débat qui agite les

La conférence de l'hôtel Matignon débute le dimanche 7 juin 1936 à 15 heures et s'achève par la signature des accords le 8 à 0 h 30. Présidée par Léon Blum, président du Conseil, assisté de Roger Salengro, ministre de l'Intérieur, elle réunit notamment Léon Jouhaux et Benoît Frachon, secrétaire général et secrétaire adjoint de la CGT, à gauche, et, à droite, les représentants des organisations patronales, Dalbouze, Richemond et Lambert-Ribot. Dessin de J. Simon dans L'Illustration du 13 juin 1936.

classes dirigeantes autour de la mise en place des assurances sociales, elles s'opposent à ceux — parmi les professions libérales, les médecins, les petites entreprises — qui la freinent en essayant simplement d'assurer leur contrôle sur les énormes sommes collectées par les caisses. Sans baisser la garde, la CGPF continue à faire pression sur le Parlement pour faire repousser divers projets de loi sur le salaire minimum, les congés payés, l'arbitrage des conflits du travail. Surtout, le patronat continue d'ignorer les confédérations ouvrières, même la CGT modérée d'avant 1935, auxquelles il dénie la prétention à représenter l'ensemble des travailleurs.

Or, c'est précisément cette ligne minimale de résistance qui s'effondre en 1936 avec les accords Matignon, d'où le patronat sort « battu de cinquante ans de luttes », écrira un de ses représentants en 1946. La CGPF a en effet reconnu *de facto* la CGT, puisque c'est avec elle qu'elle a discuté globalement et signé le protocole final. Elle admet implicitement la notion de salaire minimum et laisse ouvrir la porte à une législation qui va instaurer les congés payés et la semaine de 40 heures. Le contexte — les grèves du printemps — explique le « profond désarroi » où elle se trouve. S'il y a peu de véritables désordres, l'occupation des usines laisse cependant le patronat désemparé en contestant son pouvoir à sa source même, et plus d'un chef d'entreprise se souvien-

Occupation d'une usine métallurgique de la région parisienne : on ravitaille les grévistes (mai 1936).

dra du laissez-passer qu'il a dû obtenir du comité de grève pour se rendre chez lui ou en sortir. L'aide des pouvoirs publics fait défaut ; les préfets n'ont pas d'instructions pour expulser les intrus. Derrière le mouvement se cache la peur de la socialisation des usines, que laissent craindre certaines réflexions de la CGT sur les « nationalisations industrialisées ».

Furieuse de cette capitulation, la Fédération du textile quitte la CGPF. Les attaques les plus vives viennent du petit et du moyen patronat ; ceux-ci n'avaient jamais adhéré à l'idée des conventions collectives — d'ailleurs toutes mortes avec la crise —, et depuis 1931-1932, ils critiquaient la mollesse d'une centrale qui s'était contentée de contester certains aspects des assurances sociales et de l'allocation chômage, et n'avaient répliqué en 1934-1935 à la nouvelle combativité ouvrière qu'en renvoyant les dirigeants syndicalistes les plus actifs. Un nouveau président, dès octobre 1936, Claude Gignoux, fait modifier dans un sens significatif le titre lui-même qui devient Confédération générale du patronat français. Le sigle reste le même — CGPF — mais l'organisation affirme une autre nature, plus sociale qu'économique. Elle crée d'ailleurs un « service social », dont le responsable est le baron Petiet, président de l'importante Fédération de l'industrie automobile. En même temps naissent des regroupements locaux mieux aptes à organiser la résistance — comme la Fédération patronale de la Gironde, issue de la Chambre de commerce —, tandis que d'autres font semblant de se dissoudre pour n'avoir pas à appliquer les accords et, selon l'expression d'A. Detœuf, « ruser avec les contrats ».

La résistance s'organise ; elle s'oppose non seulement à tout élargissement de la législation sociale, mais refuse aussi de discuter globalement avec la CGT, de signer des conventions collectives, et laisse saboter l'application des accords de 1936. La CGPF accorde son appui au Comité de prévoyance et d'action sociale de Germain-Martin qui se veut un organisme de combat, préconise le retour aux syndicats « professionnels » du début du siècle — retrouvant ainsi le Parti social français (PSF) qui se place sur le plan politique —, et ne cache pas son admiration pour le corporatisme et certains modèles totalitaires de l'étranger, bien qu'il ne faille pas exagérer la part de la rhétorique et des excès verbaux. Les *Nouveaux Cahiers* d'Auguste Detœuf, directeur de l'Alsthom, qui regardent du côté de la Suède et prônent un ordre social à la fois antipaternaliste et antilibéral, fondé sur la discussion permanente de vastes syndicats ouvriers et patronaux confédérés, ne touchent qu'une minorité. On s'écarte résolument de cette nouvelle fraction du mouvement ouvrier qui voit le patronat sous un autre visage que celui de l'exploitation, née avec le début du siècle et l'accusation de malthusianisme, développée dans les années 1930 avec le courant planiste et son souci d'organisation de la production. La rencontre aura bien lieu, mais longtemps après.

Pour l'heure, l'échec de la grève générale de novembre 1938 est ressenti comme la revanche de 1936. Comme à la Belle Époque, le contact avec la petite et la moyenne entreprise contribue à la radicalisation du mouvement patronal. Ce sont elles qui ont eu, le plus fortement, l'impression d'avoir été bernées et volées à Matignon, et la CGPF leur fait une part plus large dans ses instances dirigeantes où arrive, par exemple, Léon Gingembre. C'est pour mieux séduire les petits patrons que le Comité de prévoyance adopte volontiers un ton plébéien, et ce sont eux qui sont les premiers séduits — surtout ceux des entreprises moyennes des industries légères — par le Comité central d'organisation professionnelle qui se situe dans la lignée du catholicisme social du XIXᵉ siècle — lui aussi affilié à la CGPF — et qui rêve d'un corporatisme modernisé. Les rancœurs qui les animent sont d'autant plus fortes que c'est en contaminant les petites entreprises que s'est gonflée la vague de syndicalisation de 1936.

Du reste, malgré ses efforts, la nouvelle ligne de la CGPF a du mal à mordre sur la petite et moyenne entreprise. Leurs charges ont été proportionnellement bien plus alourdies que celles des grandes firmes par les mesures de 1936, les congés payés, les 40 heures. On retrouve nombre de boutiquiers dans les ligues antifiscales qui fleurissent durant l'avant-guerre, et leurs alarmes auraient contribué à l'abandon du Rassemblement populaire par le parti radical qui sait être à leur écoute. En 1937, naissent spontanément un peu partout l'Union des commerçants à Lyon, le Comité de salut économique à Paris, des groupes plus musclés ; à plusieurs reprises, les organisations patronales de la coiffure appellent même à la résistance physique. Dans les grands établissements, le climat n'est pas meilleur et même la déclaration de guerre n'améliore pas les relations entre patrons et ouvriers ; on n'est pas en 1914, et, sauf quelques exceptions dans le Nord, malgré la pression des autorités, on refuse toute négociation avec les organisations de la CGT, bien que celle-ci se soit épurée de ses militants communistes ; à tel point qu'on peut voir là une des causes de l'échec de la production de guerre.

CONCLUSION

Les années de l'immédiat avant-guerre — 1934-1936 — portent donc à leur paroxysme des tensions que le déclenchement même des hostilités ne parvient pas à faire retomber. Jamais depuis 1871 peut-être — après l'alarme vaine de 1906 ? — elles ne semblent si près d'éclater en affrontement direct entre les possédants et ceux qui n'ont que leurs bras. « Tout est possible », espère-t-on en 1936 ; « Patrons, soyez des patrons », dit avec moins de lyrisme une brochure un peu postérieure. Les uns et les autres se rassemblent dans des organisations de classe qui n'ont jamais été si larges, et dont il ne faut pas oublier qu'elles se prolongent dans le champ du politique. La situation de juin 1848, de nouveau ? ou celle du printemps de 1871 ? Dans d'autres pays, les antagonismes sociaux n'ont-il pas, depuis la première guerre mondiale, éclaté en guerre civile ouverte — la Russie de 1917, l'Allemagne de l'armistice, l'Autriche des années 1930 — ou larvée — l'Italie des années 1920, l'Allemagne encore des débuts du nazisme —, en attendant l'Espagne de 1936-1938 ? Que la classe ouvrière des années 1930 ne soit pas le petit peuple urbain du XIXᵉ siècle ne change rien à l'affaire ; qu'elle soit plus nombreuse, mieux expérimentée, contribue au contraire à durcir les résistances, et, cette fois-ci, l'orage ne menace plus seulement à Paris et dans quelques grandes villes, mais à l'échelle du pays tout entier.

Pourtant, les orientations que, en France comme ailleurs, annonçait l'industrialisation dès le milieu du XIXᵉ siècle ne se sont pas vérifiées. L'incessant reclassement des destinées individuelles est venu modérer la séparation et la cristallisation des groupes sociaux. La précarité matérielle et l'insécurité de l'emploi entre les deux guerres font encore de la vie ouvrière une existence à crédit, mais la malédiction d'une paupérisation généralisée ne s'est pas réalisée, bien au contraire. La vie chère demeure une grave préoccupation, mais on est depuis longtemps sorti des menaces de la disette. Chaque étape a marginalisé les plus faibles, les isolés, les vieillards, les vieux métiers, les citadins trop récents, les étrangers, mais l'incessante reconstitution des solidarités autour du groupe familial ou du quartier est venue dans le même mouvement tisser la protection de nouvelles communautés. L'usine a accentué ses contraintes et le travail ses exigences, mais les adaptations individuelles, même déviantes, puis le développement des résistances collectives ont permis d'en atténuer ou d'en apprivoiser les effets. L'État enfin garde son rôle, parfois brutal, de gendarme, mais voilà que, depuis la fin du XIXᵉ siècle, il se fait aussi protecteur et arbitre ; un peu plus même, un court moment il est vrai, en 1936.

Il n'en reste pas moins que, en son essence, la société française des années 1930-1940 demeure ce qu'elle était un siècle auparavant. La promotion globale de la condition ouvrière, la progression du niveau de vie, l'insertion collective dans le jeu des relations sociales se sont faites sur la toile de fond d'un enrichissement général, même s'il se fait plus sélectif du côté des possédants traditionnels à partir de 1914-1918. On peut renverser les propositions des philanthropes des années 1840, avec leurs mots, même s'ils sont simplistes : moins les pauvres sont pauvres, plus les riches sont riches. De même, les relations de pouvoir dans les sphères du social comme de l'économique, au travail et hors de lui, ne se sont pas modifiées, et peut-être se sont-elles aggravées. P. Guillaume note avec justesse que l'apparent consensus du quotidien peut n'en pas moins signifier, dans le Bordeaux de la Belle Époque par exemple, l'étanchéité des barrières sociales et l'hostilité des sentiments.

On a vu l'impossibilité grandissante des travailleurs d'accéder à l'entreprise. La fermeture de la bourgeoisie ne se marque pas seulement par son éloignement économique. A la fin du XIXe siècle, on la voit se retirer de ces communautés urbaines où elle s'était formée, ne plus frayer qu'avec ses pairs. Du côté du patronat industriel, la séparation géographique de l'usine et de la demeure de maître fait au moins autant que l'anonymat du capital pour que s'estompe puis s'effondre ce paternalisme à la française qui était aussi adhésion des ouvriers eux-mêmes : il y a aussi, entre les deux guerres, un air de nostalgie, dans l'évocation du « père Riboud » ou de Marius Berliet... Plus largement, la tradition de responsabilité philanthropique des élites fait place au langage du darwinisme social et du mépris, quand ce n'est pas au rêve d'un drastique nettoyage. A son tour, la petite entreprise choisit le même camp, avec excès dans la mesure même où elle perd l'espoir de grandir et où, plus est mince la distance avec les travailleurs manuels, plus on veut la marquer et la défendre. Quant aux nouvelles professions libérales, c'est bien sûr, au contraire, la réussite qui joue ; mais elle va dans le même sens.

Vers l'autre pôle, à l'inverse, commence à la fin du XIXe siècle le ralliement des employés et des fonctionnaires longtemps partagés ; la parcelle du pouvoir qu'ils détiennent leur paraît moins importante que les sujétions du salariat dans lequel ils finissent par mieux se retrouver. A la veille de 1939, la crise d'identité commence même à toucher ceux qu'on appelle déjà les « cadres », tels les ingénieurs, une des cibles favorites des grévistes de juin 1936, mais qui mesurent aussi l'amoindrissement de leurs chances à devenir patrons au fur et à mesure qu'ils se font plus nombreux. Sans doute les deux blocs antagonistes sont-ils toujours hétérogènes ; chaque mutation de l'économie relance leur diversité, et il n'y a pas d'automatisme — dans le patronat non plus que dans la classe ouvrière — entre la condition sociale et les représentations ou les choix de l'action individuelle ou collective. Selon le moment l'emporte la marche vers le séparatisme ou la multiplication des passerelles. Dans les années 1930, c'est à l'évidence la première qui dessine les grandes lignes de la société française. Plus que jamais, celle-ci semble s'orienter vers la polarisation d'où naissent les antagonismes sociaux de l'industrialisation.

Revenons à la classe ouvrière. On a vu, sans retour, ce qu'il faut penser de l'hypothèse de la paupérisation. Beaucoup plus justement, la prolétarisation signifie la déperdition progressive de savoirs qui étaient autant de pouvoirs. A l'intérieur du processus lui-même du travail, c'est évident, et il n'y a pas à reprendre la question. Mais l'incompréhension du monde où vivent les travailleurs est beaucoup plus large, qui fonde cette manière d'étrangeté à une société dont ils constituent cependant le cœur. Comment en irait-il autrement ? La bourgeoisie elle-même, qui a tous les moyens de savoir, ne s'est-elle pas longtemps trompée sur sa nature ? N'a-t-elle pas d'abord confondu la mobilité géographique avec le vagabondage ? La revendication avec la délinquance ? Les effets du chômage périodique avec la misère de toujours ? L'iconographie du temps ne se révèle-t-elle pas aussi incapable de représenter le travail industriel ? Les photographies figent à la porte des usines des ouvriers qui brandissent leurs outils sans qu'on les voie jamais s'en servir... Déjà les encyclopédistes s'estimaient incapables de traduire par des mots le langage des gestes.

Ce n'est qu'avec le décalage du temps qu'apparaît à nos yeux un monde ouvrier d'autant plus étrange qu'il semble longtemps s'inscrire en négatif de l'univers, familier celui-ci, de la paysannerie. Autres temps, autres espaces. A la stabilité des uns s'oppose la mobilité des autres. Aux égalitarismes (même si ce sont de faux-semblants) de la communauté rurale, la hiérarchie renforcée de l'atelier et de l'usine. Aux liens du groupe villageois, l'anonymat menaçant des foules urbaines. Au morcellement de la propriété foncière, la concentration des entreprises. A l'accession progressive à la terre, la dépossession ou l'obsolescence du métier. Au tournant des années 1880, Michelle Perrot est frappée par le décalage, ou l'archaïsme, d'un certain vocabulaire ouvrier qui, par exemple, qualifie (sur le registre de la sensibilité) les patrons plus qu'il ne les décrit, « tyrans », « seigneurs », « fainéants », « incapables », ou bien « tigres », « requins », « vautours », ou qui n'évoque qu'en termes de morale les nouveaux antagonismes de l'économie et de la société, à travers les dichotomies maître-esclave, despote-valet, producteur-jouisseur, gaspillage-misère.

Il a finalement été bref le temps de ces hommes du livre qu'étaient les ouvriers de la monarchie de Juillet ou des débuts du Second Empire, avides de comprendre, comme ces travailleurs-écrivains à la Pierre Moreau, un serrurier d'Auxerre, ou le cordonnier Toussaint Guillaume, pour en citer parmi les moins connus, un Agricol Perdiguier aussi et sa boulimie de lecture et d'écriture. Une certaine volonté de savoir se réfugie après eux dans des groupes marginaux, même si elle renaît à la Belle Époque avec certains syndicalistes d'action directe et leur postérité diverse de l'entre-deux-guerres. A travers elle s'était élaborée cette culture ouvrière fondée sur l'exaltation du travail, surtout celui de ces métiers autour desquels s'établissaient en outre les solidarités et les sociabilités ouvrières. C'est sur elle aussi que s'étaient appuyées les premières revendications collectives, les organisations originelles, et l'on sait, en plein XIXe siècle, le rôle des ouvriers du bâtiment, un secteur demeuré précisément à l'écart de toute révolution technologique. Au-delà surgissait cette espèce de « socialisme » spontané, l'idée qu'une société nouvelle naîtrait de la fédération des métiers organisés pour remplacer les pouvoirs économiques et politiques des capitalistes. Au début du XXe siècle, la CGT a du mal à briser cette résistance des métiers au profit des secteurs industriels, et l'on peut s'interroger sur la dérive de certains de ses responsables, un René Belin, un Georges Dumoulin, vers le corporatisme vichyssois ; évolution qui, justement, évoque un certain archaïsme.

En fait, à partir des années 1880, la classe ouvrière perd la « science de son malheur », pour parler comme A. Merrheim ou P. Monatte qui, justement, voudraient la lui redonner. En vain. En dehors d'un savoir lettré des individus, elle s'est sans doute formée empiriquement, par l'expérience de la vie et des combats, dans les organisations elles-mêmes. Mais à peine celles-ci l'ont-elles acquise qu'elle devient caduque. Le monde industriel va trop vite pour qu'il en soit autrement avec, d'une part, l'incessant renouvellement des technologies au XXe siècle et d'autre part, surtout, avec celui des travailleurs eux-mêmes qui rend la classe ouvrière perpétuellement étrangère à elle-même ; on a vu la difficulté des organisations syndicales à passer du seul travail manuel au salariat, leur désarroi devant les nouvelles marges exotiques de l'emploi entre les deux guerres. L'accumulation spontanée des savoirs et des expériences prend toujours un temps de retard sur une industrie où le laboratoire et le bureau d'études sont en train de s'imposer. A l'intérieur même du travail ouvrier peut bien renaître sans cesse un savoir-faire propre, dans les usines d'automobiles par exemple ; il demeure partiel, et le patronat est en train d'apprendre à l'utiliser à son profit.

A l'extérieur même de l'usine apparaît cette manière de décalage, dans la définition de besoins sociaux — logement, retraite, temps de travail — pour la classe ouvrière mais en dehors d'elle ; il existe d'étranges manières d'habiter les HBM de l'entre-deux-guerres, quand on accepte d'y aller ; au-delà d'une imagerie symbolique — ces ouvriers marseillais qui auraient vu la mer pour la première fois en 1936... ! —, qu'a fait exactement de ses congés payés la grande masse des travailleurs du Front populaire ? A partir de la Belle Époque se fait jour un certain désarroi de la classe ouvrière, incertaine de ses buts et de ses moyens d'y parvenir. L'adhésion au syndicalisme d'action directe et à sa résurgence de violence doit moins à l'adéquation d'un corpus théorique qui n'existe pas qu'à une manière de répondre à ces incertitudes : l'action immédiate a l'immense mérite de les balayer en un bref instant. Mais la vague retombe aussi vite qu'elle s'était levée. Après 1920, la théorie est bien établie, complexe, scientifique, un peu cuistre aussi. Ce n'est pourtant pas elle qui attire une partie des ouvriers vers le communisme, mais la séduction d'un mouvement qui privilégie la lutte à l'usine et dans la grande industrie, qui invite à l'action immédiate et qui peut se targuer ailleurs de succès, même si... L'insertion de la classe ouvrière dans un contexte d'internationalisme qui, avant 1914, était resté difficile et formel n'est pas une mince étape. Dans l'immédiat, il contribue à morceler aussi les choix et les organisations ; ce n'est pas fait pour modérer les tensions. Plus que jamais, la classe ouvrière est en étrange pays en son pays lui-même, si l'on peut corrompre la formule du poète et l'avancer de quelques années. Car, malgré les craintes qu'on en a en 1939, le tissu social ne va pas se déchirer et la France va faire l'économie de la guerre civile. A moins que celle-ci ne se dissimule, dans les années qui suivent, sous celle qu'entraînent, en apparence, d'autres choix, bien que ceux-ci non plus ne collent pas aux antagonismes d'intérêts matériels et d'appartenance sociale.

Au verso
La ville française entre enfin dans le XXᵉ siècle. A Évry, ville nouvelle et préfecture de l'Essonne, le centre commercial du Parc-aux-Lièvres.

479

LIVRE IV

Une entrée décalée dans le XXe siècle ?

12
Destruction
de la paysannerie ?

En l'espace d'une vingtaine d'années, l'agriculture connaît la plus formidable mutation de son histoire, et fait accéder les paysans aux mêmes conditions d'existence que les autres catégories de Français. Ce qui caractérisait un petit nombre d'exploitations d'élite, avant 1914, devient la norme : investissements, techniques, matériel et rendements. C'est la généralisation rapide, sinon la brusque accélération des changements apparus dans le dernier tiers du XIXᵉ siècle, poursuivis entre les deux guerres où, malgré des efforts d'intensification et une volonté d'améliorer la condition paysanne qui se manifeste dans la JAC (Jeunesse agricole catholique), l'évolution du secteur agricole accuse un gros décalage par rapport à l'industrie.

En dehors de la paysannerie, aucun autre groupe social n'a connu pareil bouleversement et n'a été capable, en si peu de temps, d'une telle transformation, reflet de son dynamisme et de sa capacité d'adaptation. Semblable mutation paraissait encore impensable en 1945, date à laquelle « le paysan moyen était âgé, n'avait jamais dépassé le niveau des études primaires et n'avait reçu aucune formation technique : tout ce qu'il savait lui avait été appris par son père qui le tenait de son propre père. La routine paysanne paraissait insurmontable ». En deux décennies, il devient un entrepreneur de culture. Pourtant, le progrès ardemment désiré ne s'est pas révélé la panacée tant espérée, il n'a pas résolu tous les problèmes du monde paysan, il en a suscité de nouveaux et a finalement accentué les disparités en son sein.

A LA RECHERCHE DE LA MODERNITÉ

L'impératif technologique

La modernisation du secteur agricole résulte de la rencontre d'une volonté gouvernementale, d'une vision technicienne de la croissance défendue par des experts influents, d'une reconversion de la stratégie des investissements du capitalisme français, d'une aspiration à de meilleures conditions de vie de la paysannerie. Paradoxalement, « planistes » socialistes et défenseurs du capitalisme, au-delà de divergences idéologiques et de finalités fort différentes, admettent la nécessaire transformation technique de l'agriculture et la redéfinition de sa place dans l'économie. La pénurie alimentaire de l'après-guerre la rend d'ailleurs impérieuse ; elle est source d'inflation, aggrave le déficit financier en imposant l'appel au marché extérieur et constitue un goulot d'étranglement pour l'économie tout entière. L'agriculture doit donc produire le plus possible pour satisfaire à court terme les énormes besoins du pays, à moyen terme pour répondre à une forte demande intérieure stimulée par le *baby boom* et réduire les importations ruineuses. Dans ces conditions, il ne suffit pas de revenir à la situation de 1938, celle d'une agriculture frileuse, rémunérant mal les producteurs, mais d'opter pour une rénovation en profondeur, seule capable de procurer l'abondance et d'améliorer substantiellement la condition paysanne.

L'agronome René Dumont, dans un livre paru en 1946, développe les thèses techniciennes ; pour lui, le seul remède aux problèmes paysan et agricole est « une agriculture instruite, équipée, modernisée, productive [qui] prospérera dans un cadre adapté à l'économie d'abondance. Une agriculture routinière, repliée dans une position autarcique et malthusienne, conduirait à la ruine le pays entier : l'agriculture française sera moderne ou ne sera pas ». Conseiller agricole au Commissariat général au plan, ses vues sont dans la ligne du vigoureux élan réformiste de la Libération. La France doit devenir un grand pays industriel et l'agriculture se transformer rapidement afin, non seulement de ne pas être un frein à la croissance globale, mais encore de la stimuler. Tel est l'objectif du plan Monnet qui entre en application le 1er janvier 1947. Si l'accent est nettement mis sur l'industrialisation, on demande à l'agriculture de devenir concurrentielle sur le marché international, le pays devant compenser ses achats de matières premières par des exportations de produits agricoles et créer une branche agro-alimentaire rentable. Il faut rompre avec la traditionnelle autosubsistance, faire des paysans des producteurs compétitifs et des clients actifs de l'industrie pour en hâter le développement. Il faut donc investir, et priorité est donnée à la motorisation.

La modernisation de l'agriculture s'inscrit aussi dans une stratégie du capitalisme français qui ne peut plus comme autrefois accumuler le profit par une politique mondiale de placements financiers, compte tenu des bouleversements apportés par les deux guerres et de l'évolution des structures du capitalisme international passé sous contrôle américain. Le repli sur l'Hexagone suppose la recherche de nouvelles sources d'accumulation du profit, d'où la nouvelle place dévolue à l'agriculture et à la paysannerie. Sur le plan intérieur, l'importance de l'effort de modernisation, soutenu par un large financement étatique, offre de vastes perspectives à l'industrie : engrais, aliments pour le bétail, matériel agricole, transformation des produits du sol, équipement des ménages, un marché potentiel considérable à lui seul. Dans la logique d'une politique de croissance, l'objectif du capitalisme est de mieux intégrer l'agriculture à l'économie globale pour augmenter sa productivité, pour qu'elle dégage des surplus favorisant l'accumulation du capital et qu'elle libère, sur un temps court, des contingents massifs de main-d'œuvre pour l'industrie. Sur le plan extérieur, du fait de la restructuration du système économique mondial, on lui demande de mobiliser toutes ses capacités et d'exporter en permanence. Les paysans, auxquels on disait autrefois d'épargner pour que la France joue le rôle de banquier du monde, sont incités à s'endetter pour améliorer leur productivité et conquérir le marché international. Jadis une menace, il doit devenir le débouché naturel de l'agriculture française. Les exportations ont en outre pour vocation d'équilibrer une balance des comptes souvent déficitaire. La mise en place du Marché commun répond parfaitement à ces vues et ouvre au pays l'espace européen. Le rôle de l'État est d'organiser un consensus autour de ce projet conforme à l'intérêt général et à celui des agriculteurs, d'en mesurer les limites d'application ou les étapes pour tenir compte des rapports sociaux en présence, de neutraliser les forces hostiles.

En fait, nombre de cultivateurs veulent le changement pour participer à la société d'abondance qui est à leur porte. Ils prennent la mesure du retard de l'agriculture française, eux qui, prisonniers de guerre, ont travaillé dans les fermes allemandes, qui ont vu arriver en 1945-1946 les premiers spécimens du matériel agricole américain et rêvent du confort du *farmer*. Les plus ardents à se lancer dans la voie du modernisme, à accepter le pari de la prospérité sont les jeunes, plus nombreux qu'entre les deux guerres dans les mouvements d'action catholique qui donnent au syndicalisme des militants éprouvés et dynamiques, et des cadres au CNJA (Centre national des jeunes agriculteurs). L'idéal de la JAC, prônant la réhabilitation du paysan et son épanouissement humain à travers l'accomplissement d'une morale chrétienne et une amélioration de sa vie matérielle grâce au progrès technique, les prépare pleinement à adhérer à la mystique productiviste ambiante et à vaincre les résistances des nostalgiques de l'ordre éternel des champs encore défendu par certains notables syndicaux.

Si la politique du socialiste Tanguy-Prigent, ministre de l'Agriculture après la guerre, tend à faire de l'exploitation paysanne un instrument de production efficace au service d'un grand dessein, il veut aussi la protéger contre le danger de concentration capitaliste et garantir la liberté du producteur. On prévoit des facilités de crédit pour équiper les exploitations, leur remembrement, l'organisation du marché foncier, la définition d'une surface optimale de culture par région, le statut du fermage, la coopération et l'agriculture de groupe. Mais aux élections professionnelles de 1946, la puissante Fédération nationale des syndicats d'exploitants agricoles (FNSEA) passe sous le contrôle des anciens de la Corporation, avec son secrétaire général puis président René Blondelle, gros exploitant, ex-syndic régional de l'Aisne sous Vichy. La Fédération s'oppose avec succès à l'orientation « collectiviste » et « étatique », aidée d'ailleurs par l'éclatement de la coalition de gauche en 1947 et la remontée politique des forces de droite, symbolisée par la nomination de Paul Antier, président du parti paysan, au ministère de l'Agriculture. Dès lors, la volonté réformiste s'efface devant la gestion des intérêts acquis défendus par les représentants de la grande culture. S'opposant à toute réforme de structure, ils mettent l'accent sur une politique de garantie des prix agricoles, pour sauvegarder les revenus agricoles, menacés à partir de 1949 par l'effondrement des cours — en 1953, la baisse est de 30 à 40 % pour la viande. S'ils acceptent, à contrecœur, l'organisation des marchés de la viande et du lait, et la création de sociétés d'intervention financées par l'État, c'est parce que ces mesures désamorcent la colère des petits paysans groupés derrière le Comité de Guéret qui risque de déborder sur sa gauche la FNSEA, et parce qu'ils ont une influence prépondérante dans ces organis-

Le débarquement des tracteurs américains dans les exploitations agricoles françaises, 1947.

mes. Ils remportent un succès magistral en imposant, le 18 septembre 1957, l'indexation automatique des prix agricoles sur le coût de la vie. Véritable prime aux exploitants les mieux placés, car la fixation d'un prix uniforme pour tous avantage les fermes bien équipées. D'une manière générale, ce sont les régions riches, les exploitations progressistes, du fait de leur avance initiale, qui ont tiré le meilleur parti de l'aide financière de l'État, creusant l'écart avec les exploitations traditionnelles insuffisamment entrées dans la voie du progrès. Paradoxalement, les socialistes consentent à accorder « le maximum aux gros, pour tenter d'assurer le minimum aux plus faibles ».

Le rôle de l'État et les horizons de l'Europe

Les premiers résultats avaient révélé les pesanteurs, les rigidités, les déséquilibres de l'agriculture, et l'incapacité des dirigeants professionnels à proposer des solutions susceptibles d'aider tous les exploitants à rattraper leur retard. Deux rapports, du 13 novembre et du 8 décembre 1959, inspirés par Jacques Rueff et Louis Armand, formulent des critiques sévères sur l'état de l'agriculture encore handicapée par l'archaïsme de structures parcellaires, entraînant des coûts de revient trop élevés, et la formation professionnelle lacunaire de beaucoup de paysans. Son retard entrave l'expansion économique générale. Elle ne répond pas à l'espérance qu'on avait placée en elle, surtout depuis l'entrée en vigueur du traité de Rome, le 25 mars 1957. Georges Pompidou, rappelant une nouvelle fois le but qui lui est assigné, exprime le point de vue de la bourgeoisie d'affaires, des technocrates et des grands commis de la Cinquième République : l'Europe économique n'est concevable, en raison de la puissance de l'industrie allemande, qu'avec « un Marché commun fournissant à notre agriculture des débouchés importants à des prix rémunérateurs et permettant ainsi à l'État, déchargé pour une bonne part de la nécessité du soutien à notre agriculture, d'alléger les charges pesant sur l'industrie ». Le nouveau régime, jouant la carte d'une modernisation agricole en profondeur, supprime en février 1959 l'indexation des prix, malgré la vive opposition de la FNSEA. Il s'appuie sur les jeunes-turcs du CNJA avec Michel Debatisse qui, à la différence de leurs aînés pour lesquels hors une politique des prix il n'est point de salut, sont favorables à un remodelage des structures agraires ; ils admettent l'exode rural contre le syndicalisme traditionnel pour lequel il est une sorte de génocide. Bientôt, le CNJA définit trois sortes d'agriculture : la première et la troisième n'ont pas besoin d'aide, l'une parce qu'elle est concurrentielle, l'autre parce qu'elle ne peut raisonnablement le devenir. Seule la seconde mérite l'attention ; ayant déjà entrepris des efforts satisfaisants, il faut la soutenir pour qu'elle gagne son pari. Le premier ministre, Michel Debré, sur la base des propositions des jeunes agriculteurs, prépare une loi-cadre qui amorce une réforme des structures ; votée en juillet 1960, elle est renforcée par la loi complémentaire à la loi d'orientation agricole, dite loi Pisani du nom du ministre de l'Agriculture. Elles créent les SAFER (Sociétés d'aménagement foncier et d'établissement rural), instruments de régulation de l'appropriation foncière, et le FASASA (Fonds d'action sociale pour l'aménagement des structures agricoles) permettant aux agriculteurs âgés d'abandonner en échange d'une retraite leur terre aux jeunes, et aux paysans qui ne peuvent rester à la terre d'apprendre un métier. Une loi sur le développement de l'enseignement agricole et des mesures tendant à favoriser le regroupement de producteurs et d'exploitants dans les GAEC (Groupements agricoles d'exploitation en commun) parachèvent l'œuvre législative. Elle s'inspire curieusement de projets de Tanguy-Prigent et de Georges Monnet qui, en traçant les grandes lignes de développement de l'agriculture, avaient anticipé sur l'évolution agricole. Une même connotation productiviste marque en effet la législation agricole depuis la Libération. Si le statut du fermage et du métayage de 1946 a évidemment un contenu social, la limitation du pouvoir du propriétaire au profit de l'exploitant, garantissant à ce dernier la sécurité de ses investissements, vise à favoriser la production. Pareillement, SAFER et indemnité viagère de retraite sont conçues dans le but de faciliter la mobilité des terres, pour en faire bénéficier ceux qui sont aptes à les mettre en valeur selon les techniques les plus modernes. La naissance de l'Europe verte en 1962, « chance de l'agriculture française », donne tout son sens au contenu de la loi d'orientation qui met en place des mécanismes de sélection que n'avaient pas souhaités les hommes de la Libération. L'objectif est « d'établir la parité entre l'agriculture et les autres activités économiques » et « entre les villes et les campagnes une égalité de chances sur les plans économique, démographique, social et culturel ». Investissement et modernisation sont les clefs de l'amélioration des revenus. Ceux qui ne se plieront pas à ces directives devront quitter leur ferme ou végéter sans attendre aucune aide. Cette politique, lourde de conflits entre les cultivateurs productivistes et les autres, « intensifie la lutte pour la survie » au sein de la paysannerie. En tous cas, l'Europe verte devient l'espoir des agriculteurs français : les gros exploitants parce que le prix unique fixé à Bruxelles, supérieur au prix intérieur, leur permet de retrouver les avantages perdus avec l'abolition de l'indexation, les autres parce que le marché européen représente un débouché stable et protégé pour leurs produits, donc un revenu garanti.

Mais le 10 décembre 1968, le rapport de Sicco Mansholt, vice-président de la Commission de la Communauté européenne, fait l'effet d'une bombe. Il formule un diagnostic sans complaisance à l'encontre de l'agriculture européenne et bien sûr française. Sa production est galopante, des excédents chroniques entraînent de lourdes dépenses pour soutenir les prix et les marchés, les revenus agricoles n'ont pas assez augmenté et leur disparité s'est accentuée, la superficie moyenne des exploitations est insuffisante, la population agricole trop âgée et sans formation pour s'adapter facilement aux changements techniques. Il préconise une réforme, l'optique industrielle exigeant l'agriculture du « petit nombre » — il y a 5 millions d'agriculteurs en trop dans le Marché commun, leur réorientation professionnelle est indispensable. L'agriculture demande des investissements rentables, une spécialisation et une rationalisation accrues. Par ailleurs, Mansholt dénonce le système du prix unique, résultat de marchandages entre les États membres. Il est responsable des prix élevés qui, tout en privilégiant les agriculteurs les plus compétitifs, permettent la survie des exploitations marginales, freinent donc la modernisation et suscitent des excédents. En un mot, la production doit s'orienter en fonction des besoins réels du marché et les prix s'établir plus librement ; consommateurs et contribuables en profiteront. Pratiquement au même moment, le rapport Vedel ne dit pas autre chose quand il dénonce les excédents communautaires et préconise une limitation des prix. Afin de rentabiliser l'agriculture, Mansholt suggère la constitution d'unités de production, fixant un seuil correspondant à l'optimum économique : pour la production de céréales et de plantes sarclées 80 à 120 hectares, pour le lait 40 à 60 vaches, pour la viande 150 à 200 bovins, 450 à 600 porcs, pour les poulets 100 000 têtes par an. Les pouvoirs publics cessent de subventionner l'équipement d'exploitations ne répondant pas à ces normes. Enfin, pour achever de résoudre le problème des excédents, il conviendrait de réduire en dix ans la superficie cultivée de 5 millions d'hectares ; 4 millions d'hectares devraient être reboisés, la Communauté manquant de bois. Le reste, dans le cadre d'une politique de la santé, devrait servir à créer des parcs naturels et des zones de détente.

Si les milieux professionnels européens donnent, dans leur majorité, raison à Mansholt, les pouvoirs publics montrent une certaine réserve et sa thérapeutique brutale suscite un tollé chez les agriculteurs français, notamment à cause des seuils de rentabilité prévus. En réalité, le rapport Mansholt, malgré ses excès, correspond parfaitement à la vision technocratique des responsables politiques et économiques, et au projet des agriculteurs productivistes. « Vouloir livrer des combats d'arrière-garde, sauver des structures périmées peut pendant un temps paraître une solution mais, finalement, on recule pour mieux sauter », déclare le président Pompidou en 1971. De fait, la politique menée dans les années 1960-1970 tend à éliminer la petite paysannerie au profit des exploitants moyens. Ces derniers sont favorisés par la législation des prêts à long terme du Crédit agricole, alors qu'aucun prêt bonifié ou aucune aide pour acheter du matériel ou construire des bâtiments d'élevage n'est accordée au jeune cultivateur qui veut s'installer, si la surface exploitée n'atteint pas le seuil minimal d'installation. En 1976, les jeunes agriculteurs présentant un programme d'investissement minimal de 60 000 F en trois ans reçoivent une dotation de 25 000 F ; l'importance de l'apport personnel est, dans la logique de la politique antérieure, favorable à la moyenne culture. L'indemnité viagère de retraite destinée à promouvoir la structuration foncière profite aussi à la moyenne paysannerie, puisque l'agriculteur bénéficiaire doit après acquisition être à la tête d'une surface supérieure à un certain minimum. Parallèlement, on mène avec constance une politique de sélection des meilleurs, avec l'appui de la majorité des forces professionnelles ; elle doit accroître la productivité et les exportations. A Georges Pompidou déclarant le 10 janvier 1974 que « l'agriculture est pour la France une chance de succès et une richesse incalculable », Valéry Giscard d'Estaing répond en écho le 17 décembre 1977 : « L'agriculture française doit être une agricul-

On abandonne le village. La terre retourne à la friche.

ture de conquête. Ni l'Hexagone ni même l'Europe ne sont à la dimension de nos capacités agricoles. La vocation de l'agriculture française est l'expansion [...], l'agriculture doit être notre pétrole. »

Cependant, dès la fin des années 1960, on prend conscience des inconvénients de l'exode massif des actifs agricoles — 1 million entre 1968 et 1975. Des régions entières sont en voie de désertification, retournent à la friche, et les cours d'eau s'envasent. Or, vers 1965, l'espace devient source de profit : on vend du soleil en été, des « parts de neige » en hiver. Il faut faire face aux besoins et aux demandes croissantes en matière de loisirs. Des groupes immobiliers et financiers investissent dans l'or blanc ; le développement du tourisme social va rentabiliser des équipements très coûteux en hiver comme en été. Il devient donc nécessaire de maintenir une population d'accueil sur place. Promue gardienne du paysage — discours de Valéry Giscard d'Estaing à Vallouise en 1977 —, elle assure à peu de frais l'entretien de l'espace et les services indispensables. On vante désormais les avantages de la double activité qui permet de rester au pays, et l'État encourage les travailleurs du ski à s'installer comme agriculteurs en leur accordant une dotation et des prêts bonifiés à 4 %, et en élaborant un statut du double actif. Telle est la nouvelle place dévolue à cette paysannerie à laquelle on démontrait tout récemment encore son inaptitude à la rentabilité et qu'on poussait à partir. Ainsi s'esquisse peu à peu la stratégie des deux agricultures, officialisée par Georges Pompidou en 1974, une agriculture de progrès et une agriculture traditionnelle. Le président justifie l'assistance apportée à la seconde par le désir d'éviter la désertification et ses effets négatifs pour l'économie française. En période de récession, avec la montée du chômage, l'afflux de main-d'œuvre des campagnes vers les villes est remise en question et le maintien de la petite exploitation traditionnelle par voie de subventions est un impératif. En 1980, le ministre Pierre Méhaignerie, lors de la conférence agricole annuelle, déclare : « Il y a de la place pour deux types d'agriculture : une agriculture de productivité et une agriculture d'autosuffisance. » Le pouvoir politique a alors tout intérêt à s'approprier le discours écologique et néo-ruraliste, valorisant la vie au terroir, le régionalisme, le rôle irremplaçable des paysans comme jardiniers de la nature. Cette nouvelle stratégie trouve son point d'application dans la loi d'orientation du 4 juillet 1980 qui, tout en poursuivant la mise en œuvre de la modernisation de l'agriculture et une meilleure maîtrise des problèmes fonciers, prévoit une politique de la montagne et des zones défavorisées ou en difficulté. Politique d'aménagement rural et d'action régionale pour stabiliser la population, « encourager la participation des agriculteurs à l'entretien du patrimoine, au maintien des équilibres naturels ».

La gauche, au pouvoir depuis le 10 mai 1981, a fait son choix. Lors des débats budgétaires au Sénat, le 7 décembre 1981, Édith Cresson, ministre de l'Agriculture, se prononce sans ambiguïté pour une agriculture d'exploitants familiaux et entend appliquer « une politique foncière audacieuse, qui doit permettre de relancer l'installation des jeunes agriculteurs et alléger véritablement la charge foncière qui pèse sur eux ». La réforme des structures s'organisera autour de la création d'offices fonciers cantonaux et départementaux, dont le but est de régler le problème foncier et de mettre fin à la spéculation. Ces offices pourront louer des terres aux jeunes cultivateurs manquant de capitaux, et les SAFER faire de même avec celles du domaine public. Une loi sur l'aménagement de l'espace permettra, « dans un climat moins spéculatif, la coexistence des différents usages de l'espace : l'agriculture, la ville, mais aussi les transports et le tourisme ». Cette politique pourra-t-elle être appliquée ? Elle se heurte à l'hostilité de la FNSEA, dénonçant dans les offices fonciers un risque de nationalisation et de collectivisation. Elle a déjà été fort irritée, elle qui avait le monopole de la représentation paysanne auprès des précédents gouvernements, de la reconnaissance officielle d'organisations professionnelles minoritaires : le MODEF (Mouvement de défense des exploitants familiaux) créé en 1959 et proche du parti communiste, le MSTP (Mouvement syndical des travailleurs paysans) né en 1977 et proche du parti socialiste, la FFA (Fédération française de l'agriculture) fondée en 1969 par opposition à la FNSEA jugée trop à gauche. La volonté du ministre de moduler les aides selon les revenus des exploitants l'exaspère. La FNSEA pourra-t-elle mobiliser une majorité de paysans derrière elle pour s'opposer aux réformes projetées ? C'est un enjeu important pour l'avenir immédiat de la paysannerie.

Quand le progrès saisit les paysans

Entre 1950 et 1966, le monde paysan accomplit sa révolution agricole et les fermes françaises entrent dans la modernité. La technologie intégrée à l'exploitation, assimilée et dominée est le fondement de la croissance agricole. Des changements spectaculaires affectent les moyens de production : l'irruption massive de la motorisation et la vulgarisation des résultats obtenus par la recherche scientifique. La motorisation entraîne un rapide recul de l'utilisation des chevaux ; au nombre de 2 220 000 en 1938, 862 000 en 1964, ils ont aujourd'hui disparu. L'augmentation du parc des tracteurs, très forte de 1955 à 1963, se ralentit ensuite (figure p. 494, à gauche). D'autres matériels, tels que la moissonneuse-batteuse ou la ramasseuse-presse, connaissent une remarquable progression.

Progression de l'équipement agricole (en milliers)

	1938	1950	1954	1963-1964	1970	1979
Tracteurs	35	140	250	868	1 250	1 485
Moissonneuses-batteuses	0,3	5	14	78	100	134
Ramasseuses-presses	—	—	15	85	314	438

On n'hésite pas à recourir aux machines les plus perfectionnées et aux derniers produits de la technologie. De 1970 à 1979, le nombre des récolteuses de maïs passe de 42 000 à 72 000, celui des épandeurs de fumier de 11 400 à 217 000, celui des pulvérisateurs de 314 000 à 621 000. L'augmentation de la consommation d'engrais est rapide. Oscillant autour de 800 000 tonnes entre les deux guerres, elle atteint 1 million de tonnes en 1950, 2 millions en 1959, 3 millions en 1964, 5,4 millions en 1973. A partir de 1974, la crise économique et une augmentation de 50 % du prix des engrais freinent cette progression. Le plus remarquable est peut-être l'attention portée aux découvertes scientifiques et la rapidité de leur diffusion. Beaucoup d'agriculteurs montrent une grande faculté d'adaptation et d'assimilation des dernières techniques qui en font « les Japonais de l'économie française ». Pour les fourrages, la méthode de l'ensilage, pratiquement ignorée avant la guerre, se généralise. La nourriture des animaux repose désormais sur des principes diététiques rigoureux, comme le montre l'emploi croissant d'aliments composés, 11 millions de tonnes en 1973 contre 1 million en 1954. Des fermes se transforment en véritables usines à viande, produisant en série du poulet de batterie, du *baby beef*, recourant aux hormones pour accélérer la croissance et la prise de poids. Épisodiquement, des scandales mettent en question ce type d'élevage, rançon de la civilisation de l'abondance. Aussi spectaculaire est la « révolution fourragère » qui, à l'initiative de René Dumont et Pierre Chazal, substitue la culture de l'herbe à la prairie permanente avec un triplement des rendements. A la suite de l'introduction des hybrides, le maïs-fourrage voit sa production passer de 2 millions de quintaux en 1949 à 139 millions en 1977 et occupe maintenant de vastes superficies jusqu'en Picardie.

Le résultat de ces efforts est une étonnante intensification de la production et des rendements. Ceux-ci font un bond en avant : la viande de 150 kilos à l'hectare en 1938 à 600 kilos dans les années 1968, le blé de 23,5 quintaux à l'hectare à 39 quintaux sur quinze ans de 1954 à 1971, le maïs de 23,2 à 55 quintaux, la pomme de terre de 166 à 249 quintaux, la betterave industrielle de 307 à 469 quintaux, le lait de 2 033 à 3 098 litres par animal. Dans les années 1970, la production céréalière oscille entre 300 et 400 millions de quintaux, plus du double de ce qu'elle était à la fin du XIXᵉ siècle, quand « bêtes et gens dépendaient essentiellement » d'elle, preuve de l'importance du Marché commun après 1967 « comme instrument de spécialisation financière de l'agriculture française ». De 1955 à 1974, le tonnage de la production fruitière est le double de celui d'avant la guerre. Celui du vin, au travers de cycles irréguliers, ne subit guère de modifications et ne participe pas à la croissance générale qui multiplie la production par deux en un quart de siècle, et fait que, « pour la première fois de son histoire, la France produit beaucoup plus qu'elle ne peut consommer ». Devenue exportatrice, au deuxième rang mondial en 1974 — gagnant deux places depuis 1963 —, l'agriculture rapporte des devises et, comme cela était prévu, est une pièce importante de l'équilibre des échanges commerciaux, couvrant 14 % des besoins énergétiques en 1974, grâce surtout aux céréales. Ces résultats sont le fruit d'une productivité du travail sans précédent puisque, dans le même temps, la population agricole recule brutalement. En

1950-1955, un agriculteur nourrit sept personnes, en 1978, vingt-cinq. On comprend mieux le passage en une vingtaine d'années d'une centaine d'heures de travail par hectare pour produire 20 quintaux de maïs à vingt heures pour en produire 50. Néanmoins, ces progrès ne sont pas exceptionnels au sein des nations industrielles partenaires de l'OCDE. On a calculé que, de 1953 à 1973, la productivité agricole s'est élevée à 5,7 en France, à 6,1 en Allemagne et au Japon, et même à 7,4 en Italie.

Les transformations de l'agriculture ont requis d'énormes investissements, mais c'est le cas de tous les secteurs économiques dans ces années 1950-1960 dominées par la mystique de la croissance. « Les agriculteurs ont appris à dépenser de l'argent pour tenter d'en gagner. Et c'est dans cette transformation que réside l'essentiel de l'évolution parcourue depuis vingt-cinq ans. » Les dépenses pour les consommations intermédiaires passent de 19 % de la production agricole finale à 43 % en 1974. A l'évidence, la modernisation a exigé un recours massif au circuit monétaire ; le Crédit agricole mutuel est devenu la banque de prêt des paysans, après avoir été longtemps une simple caisse d'épargne. Entre 1950 et 1974, les prêts à court terme, en francs courants, ont augmenté de vingt-cinq fois, ceux à moyen terme pour l'équipement de l'exploitation de plus de deux cents fois, ceux à long terme pour les achats fonciers de quatre-vingts fois. Gros consommateurs de capitaux, les agriculteurs remboursent en 1954 pour leurs emprunts une somme équivalente à 2 % des charges inscrites au compte de l'exploitation de l'agriculture, 21 % en 1974. Et le processus s'accélère, en francs courants, de 1972 à 1978 ; l'endettement moyen par hectare a plus que doublé, en particulier dans les exploitations orientées vers les productions laitière et porcine. Le nombre des exploitants ayant emprunté plus de 200 000 F passe de 13,6 % en 1975 à 30,6 % en 1978.

La fin des paysans ?

La modernisation de l'agriculture a pour corollaire la disparition de nombreuses exploitations, la forte demande de l'industrie en main-d'œuvre amplifie la chute de la population agricole. Est-ce la fin des paysans comme d'aucuns le pronostiquent dans les années 1950 et encore au début des années 1960 ? Verra-t-on demain une France rurale de moins en moins agricole et de plus en plus peuplée de non-agriculteurs et de citadins en mal d'espaces verts, transformant les villages en communes-dortoirs ? Approche-t-on d'un seuil minimal de population, dans l'état actuel des techniques, risquant de mettre en cause l'équilibre démo-économique, comme semblent le craindre depuis quelques années les pouvoirs publics ? En tout cas, les chiffres sont là et témoignent de la précarité du peuplement actuel des communes rurales :

Évolution de la population agricole (en milliers)

1955	1963	1967	1970	1975	1980
8 200	7 013	6 383	5 969	4 946	4 327

Actuellement, la population agricole représente 8 % de la population française. En un quart de siècle, elle accuse un recul de 3,8 millions de personnes, au rythme moyen annuel de − 1,9 % de 1955 à 1963, de − 2,3 % de 1963 à 1971, de − 3,5 % de 1971 à 1980. La population agricole active s'est réduite de moitié entre 1955 et

1980, à la cadence de 3,4 % par an, pour s'établir à 2 687 000 individus ; quant au nombre des chefs d'exploitation, il est passé dans le même temps de 2 300 000 à 1 262 000, dont 9 % de femmes. Leur âge moyen reste élevé : 15 % d'entre eux ont moins de 40 ans, 67 % de 40 à 64 ans et 18 % ont 65 ans et plus. La diminution des aides familiaux est beaucoup plus sévère : 3 231 000 en 1955, ils sont 1 192 000 en 1980. Manifestement, le déclin de cette catégorie s'aggrave : – 4,1 % en moyenne depuis 1955, – 5,6 % entre 1975 et 1979 ; ce mouvement de départ est entretenu par l'augmentation de la productivité et la baisse tendancielle des produits agricoles, laissant auguer des revenus médiocres comparés à ceux des autres secteurs économiques. Autre signe inquiétant, des héritiers potentiels renoncent à la succession paternelle, ils reculent devant les charges à assumer : prix de la terre en hausse constante qui rend difficile tout achat et alourdit les soultes à verser aux cohéritiers, nécessité des investissements liée à l'intensification culturale, seule alternative à l'accroissement de la rentabilité. Le nombre des jeunes ménages recule sensiblement, celui des retours à la terre diminue : entre 1959 et 1964, 15 % des entrants dans l'agriculture des générations 1919-1949 sont d'origine non agricole, tandis que de 1965 à 1970, pour les générations 1941-1955, ce taux tombe à 12 %. Le mouvement de sortie du secteur agricole en cours de vie active est plus grave, il concerne plus de la moitié des migrants, avec un taux de fréquence supérieur, dans les petites exploitations non spécialisées, chez les filles et les jeunes dépourvus de formation agricole spécifique. Pourtant, l'incitation au départ est plus mal vécue qu'il y a vingt ans, en raison d'une image dépréciée de la ville, d'une meilleure connaissance des conditions de vie des nouveaux citadins et, depuis la crise, de la montée du chômage. Cela n'empêche pas les études prospectives effectuées pour 1985 et l'an 2000 d'être pessimistes. Au nombre de 2 833 464 en 1975, les actifs familiaux avoisineraient le million en l'an 2000. Un moment contenu, le recul des chefs d'exploitation s'accélérerait après 1985, passant de 1 331 111 en 1975 à 977 842 en 1985 et à 534 291 en l'an 2000. Or, plus que jamais, le chef de ménage est le maître d'œuvre de l'exploitation, si l'on juge de la quantité de travail accomplie sur celle-ci par la totalité de la population active mesurée en nombre d'unités de travail annuel. En 1979, les chefs de ménage fournissent 52 % du travail agricole, les conjoints 23 %, les autres aides familiaux 14 %, les salariés permanents 11 %.

A l'appauvrissement numérique de la population agricole correspond le dépérissement des exploitations. En 1892, 5 700 000 exploitations existent en France. En soixante ans, 3 millions d'entre elles, principalement des petites, disparaissent. Le mouvement continue jusqu'en 1929 — on en compte alors 4 millions —, s'amplifie après la guerre — on en recense 2 307 000 en 1955 et 1 262 000 en 1979. L'évolution lamine la petite exploitation qui a longtemps façonné le visage des campagnes. En 1929, 54 % des fermes de moins de 5 hectares mettent en valeur 10 % de la surface agricole ; à l'opposé, 3 % de fermes de plus de 50 hectares contrôlent 29 % des terres ; entre les deux, 43 % d'entreprises agricoles cultivent 61 % de la superficie. Un demi-siècle plus tard, 29 % des exploitations sont inférieures à 5 hectares et s'étendent seulement sur 2 % de la surface agricole utile (SAU), 60 % des exploitations de 5 à 50 hectares contrôlent 53 % de la SAU, et au-dessus de 50 hectares, 11 % des fermes disposent de 45 % de la SAU, ce qui constitue le changement le plus spectaculaire, à la fois sur le plan numérique et sur celui de la superficie. L'évolution des exploitations selon leur taille obéit à un triple mouvement depuis 1955 : une légère croissance jusqu'en 1970, puis une stabilisation relative des superficies en dessous de 1 hectare, consécutive à une augmentation des ateliers de production hors sol et à la création de petites unités de loisir ou de retraite ; une diminution sévère de toutes les catégories

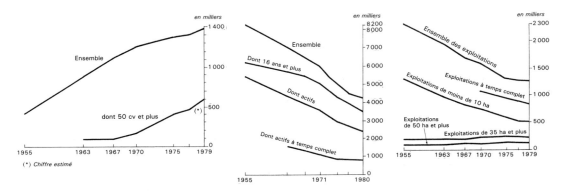

A gauche : évolution du nombre de tracteurs en propriété dans les exploitations, de 1955 à 1979. Au centre : évolution de la population familiale de 1955 à 1980. A droite : évolution du nombre d'exploitations agricoles de 1955 à 1979. D'après Recensement général de l'agriculture 1979-1980, INSEE, pp. 17, 21 et 7.

entre 1 et 35 hectares insuffisamment rentables : celles qui parviennent à se maintenir le doivent généralement à la pluriactivité ; une augmentation de toutes les catégories au-dessus de 35 hectares. La réduction du nombre des exploitations aboutit à un accroissement de la taille moyenne des entreprises qui est de 23,4 hectares en 1979 contre 14,1 hectares en 1955. Selon le calcul des experts, elle serait de 29 hectares en 1985, de 51 hectares en l'an 2000. Ce constant glissement vers le haut, exigé par l'évolution économique, fait qu'à soixante ans de distance, une même superficie recouvre une réalité sociale tout à fait différente.

Des Français comme les autres

L'une des principales raisons de la transformation du secteur agricole est la volonté des paysans de sortir du sous-développement matériel et culturel dans lequel était plongée la grande majorité d'entre eux, et d'accéder à leur tour au bien-être et aux avantages de la société de consommation. Ils veulent être des Français à part entière ; d'ailleurs, les pouvoirs publics leur ont promis la parité avec les autres catégories sociales. Bientôt, vivre à la ferme n'est plus synonyme d'inconfort. Si, en 1962, 28 % seulement des exploitants ont l'eau courante, 78 % sont dans ce cas en 1970 et 55 % ont l'eau chaude, contre 70 % des Français il est vrai ; toutefois, les jeunes ménages paysans rejoignent pratiquement la moyenne nationale. Les adductions d'eau permettent l'installation des WC, de salles d'eau, puis de salles de bains. Si la cuisinière à feu continu est encore utilisée, en particulier dans les montagnes parce qu'on possède du bois, elle se double d'une gazinière ou d'une cuisinière électrique, parfois à four autonettoyant, et nombreuses sont les fermes pourvues d'un chauffage central au mazout.

L'équipement domestique de base, indispensable sous peine de se sentir marginalisé, repose sur le triptyque réfrigérateur, machine à laver, télévision. Partis avec un fort handicap, les paysans ont rattrapé leur retard, dans les années 1970 essentiellement.

Modernisation de l'habitat en Bretagne : cuisine en formica dans une ferme du Morbihan, vers 1950.

Ainsi, les ruraux modernisent leur habitat, après avoir investi prioritairement dans leur exploitation. La télévision leur a donné une ouverture sur le monde sans précédent ; en 1974, 79 % d'entre eux la regardent au minimum un jour sur deux, chiffre le plus élevé de toutes les catégories socio-professionnelles en activité. Séduits par la culture des médias et gagnés par l'esthétique petite-bourgeoise, ils achètent des meubles de cuisine en formica et du néo-rustique pour la salle à manger-salon, appréciant trop tard la qualité et la valeur des meubles de ferme vendus au brocanteur.

La voiture, symbole de la société industrielle, est aussi nécessaire pour le paysan que le tracteur. Instrument professionnel, elle lui permet de transporter ses bidons de lait au bord de la route, d'aller à la coopérative chercher du petit matériel, de passer au bourg à la Caisse du crédit agricole ou de se rendre à une réunion syndicale ; sa banalisation et la prolifération des grandes surfaces et autres centres Leclerc amènent les agriculteurs à les fréquenter régulièrement, au détriment des commerçants du village ou de la coopérative locale. L'automobile abolit définitivement l'isolement, elle intègre les écarts les plus reculés. Accélérateur décisif du changement des comportements et des mentalités, elle donne aux jeunes le sentiment de la maîtrise de l'espace, d'une liberté sans frontières, que leurs grands-pères avaient déjà cru trouver avec la bicyclette. Le parc automobile d'un ménage peut compter plusieurs véhicules, les aides familiaux possédant souvent le leur, acheté d'occasion ; d'ailleurs, ils sont moins fréquemment renouvelés que ceux des citadins.

Équipement des ménages (en pourcentage)

	Ménages agricoles	Ensemble des ménages
Automobile		
1953	29	21
1975	82	64
Télévision		
1953	3,3	9,5
1975	82,2	84
Réfrigérateur		
1953	9,6	20,5
1975	89,7	89,2
Machine à laver		
1953	15,4	21,4
1975	81,8	71,8
Lave-vaisselle		
1953	1,3	2,4
1975	8,2	8,4
Congélateur		
1953	32,2	0,7
1975	52,6	16,9

Taux d'équipement en 1981 des principales catégories socio-professionnelles (en pourcentage)

	Automobile	Machine à laver	Lave-vaisselle	Téléphone (1980)
Agriculteurs	89,3	92	19,3	73,1
Salariés agricoles	69,2	80	10	37
Patrons (industrie, commerce)	89,4	92,2	39,6	87,6
Professions libérales, cadres supérieurs	92,9	89,3	54,1	92,4
Cadres moyens	90,7	88,5	30,8	80,5
Employés	76,6	82,3	16,1	64,2
Ouvriers	73,9	84,1	7,7	54,3

Les années 1950-1960 marquent la dissolution des structures familiales tradition-nelles. Les jeunes contestent l'autorité parentale, ne veulent plus être considérés comme des mineurs, refusent le statut d'aides familiaux soumis au père-patron, ils sou-haitent devenir des coresponsables. L'antagonisme père-fils s'exprime autour de la ges-tion et de la conduite de l'exploitation : routine et modernisme s'opposent. Les jeunes agriculteurs regimbent devant le père « retardataire » mais omnipotent. L'association des générations dans les GAEC, donnant au jeune la parité de gestion avec son père, reflète cette aspiration à l'indépendance et la modification des rapports familiaux. La loi du 13 juillet 1973 relative au statut des associés d'exploitation leur donne en partie satisfaction. La notion de communauté de travail, lien traditionnel du groupe familial, s'efface au profit d'une communauté d'habitat, dans la mesure où le travail à l'exté-rieur tend à devenir une habitude. Il augmente en effet de 60 % entre 1955 et 1970. L'affirmation du couple autour duquel s'organise le travail, son repli sur lui-même,

A Belle-Ile, labours traditionnels, 1979.

Moisson dans l'Essonne.

devient une exigence majeure des générations montantes. Les jeunes femmes entendent assumer leur identité et leurs responsabilités, leur « autonomie de mères, d'épouses et de ménagères ». Elles refusent dorénavant d'être soumises à la tutelle de leurs belles-mères. Le rôle de la femme dans la famille fait l'objet du même débat que chez les citadins. Certes, une majorité affirme encore que la femme est l'auxiliaire de la famille, mais une minorité importante réclame un statut social pour la mère de famille, milite pour l'émancipation dans le travail et remet en question le couple. Comme le souligne encore, en mars 1981, un rapport du groupe des femmes du CDJA du Finistère : « Les jeunes agricultrices ne veulent plus être les manœuvres de l'agriculture. Elles réclament un véritable statut qui les reconnaisse comme exploitantes à part entière, quand elles y travaillent en permanence. » Les couples, mettant en avant leur désir de liberté, contestent ouvertement la cohabitation : la relation conjugale s'inspire du modèle de l'idéologie dominante. Une enquête du CNJA-SOFRES montre qu'à la question : « Est-il souhaitable qu'un jeune agriculteur qui s'installe habite avec ses parents ? » les trois quarts des réponses sont négatives. La dislocation de la famille vivant à pot et à feu se concrétise par la construction de la maison du fils marié à côté de la vieille ferme. Toute une fraction de jeunes cultivateurs épousent, ou souhaitent épouser, des filles de la ville ou de la campagne ayant une vie professionnelle autonome qu'elles conservent une fois mariées. « On est loin du groupe domestique centré sur la reproduction du patrimoine et de l'exploitation. » Le mariage lui-même s'aligne sur le modèle urbain : c'est une fête des époux et de leurs amis, beaucoup plus qu'une alliance de deux familles et les retrouvailles de la parentèle. La noce, d'une durée ordinaire, se déroule au restaurant et la pratique des listes de mariage a gagné la campagne. Comme en ville, les cadeaux sont une aide économique indirecte au jeune couple. Autre preuve de l'influence du modèle urbain et de l'évolution des mœurs, l'union libre et la mère célibataire ont leur place au village.

Avec le discours agrarien chantant les louanges d'une paysannerie dépositaire des valeurs éternelles coexiste, on le sait, une vision dévalorisante de l'activité agricole, le dernier des métiers, un non-métier, un état plutôt qu'une profession. Cette image, très répandue encore dans les années 1950, facilite l'énorme transfert de main-d'œuvre paysanne indispensable à la croissance industrielle. Depuis, la révision est totale ; le paysan promu entrepreneur de culture occupe une place flatteuse dans la société technicienne. Il est porteur de progrès. Un professionnel au sens plein du terme, reconnu tel en raison de son savoir-faire et de son niveau de connaissances qui s'est nettement élevé en deux décennies. Maîtriser la technique signifie conquérir sa dignité. La machine symbolise l'émancipation du travail de la terre, jugé autrefois servile ; d'où la tractomanie de la fin des années 1950 engageant de petits exploitants dans la voie d'achats onéreux. Technicien, le paysan est aussi gestionnaire et économiste : l'exploitation est une entreprise semblable à une autre, s'administre selon les mêmes principes. L'agriculteur ou sa femme doivent se faire comptables, s'initier à la gestion et aux problèmes économiques, tâche facilitée par la création de centres de gestion agricole départementaux. Cette rationalisation de la pratique agricole est sans nul doute un support de valorisation de poids pour la profession. Cette compétence n'a effectivement pas été acquise à l'école, où la plupart des paysans ont reçu une instruction primaire, mais dans des stages, journées, séminaires, semaines rurales, organisés entre autres par la JAC ou les centres d'études techniques agricoles, rassemblant les exploitants soucieux de s'initier aux pratiques modernes. Cette formation parallèle, quelque peu informelle et tout à fait originale, leur a permis d'affronter avec succès les nouvelles méthodes de culture. Longtemps sous-scolarisés, les enfants des campagnes accèdent

*Maîtrise technique et revalorisa-
tion sociale : la fierté du conduc-
teur de tracteur. Extrait du film*
Jeunes Filles, *1952.*

tous depuis 1967-1968 à l'enseignement secondaire ; des CEG et des CES existent dans
chaque chef-lieu de canton, le taux d'entrée en sixième passe de 16 % en 1953 à 40 %
en 1962 et 100 % en 1976. Cette scolarisation massive et la réforme de l'enseignement
agricole, après 1960, ont été bien accueillies : elles répondent aux nécessités économiques et aux vœux des familles. Aux enfants obligés de quitter la terre, une meilleure
instruction évitera le sort de leurs aînés contraints d'abandonner l'agriculture sans
aucune qualification professionnelle, et aidera à leur insertion sociale. Une instruction
professionnelle permettra à ceux restant au pays d'assimiler plus vite le progrès technique en perpétuelle mutation. Des changements non moins considérables se produisent
dans le domaine de l'acculturation : 61,2 % des exploitants lisent un quotidien, soit
autant que les patrons, les cadres supérieurs et les professions libérales, 48,1 % un
magazine contre 34,2 % pour les patrons mais 76,7 % pour les cadres supérieurs et les
professions libérales ; enfin 50,5 % sortent le soir, devançant les ouvriers et les patrons.

Longtemps réticents à la notion de protection sociale, dans laquelle ils voyaient
une entrave à leur liberté d'initiative et une étape vers l'étatisation, les agriculteurs
bénéficient maintenant, après un grand retard, d'un régime de protection proche du
régime général des salariés. Ils perçoivent depuis 1938 les prestations familiales, 1952
l'assurance-vieillesse, 1961 l'assurance-maladie et 1966 l'assurance-accident. L'essentiel
de la gestion de cette protection sociale est confié aux caisses de mutualité sociale agricole. Dans le domaine des revenus, on assiste à l'alignement des agriculteurs sur les
salariés urbains. Entre 1954 et 1972, le revenu brut d'exploitation par exploitant évolue
comme le salaire net par salarié, il quintuple en francs courants. De 1959 à 1974, il progresse en valeur réelle de 3,99 % par an, avec des maxima de 8,8 % de 1970 à 1973.
En 1975, il atteint 36 850 F par exploitation, soit une augmentation quinquennale de
70 % en francs courants et de 13 % en francs constants. Les salaires agricoles ont crû
plus rapidement que la moyenne française ; de 1956 à 1970, leur taux de croissance
annuelle est de 4,8 % contre 3,8 %. Des économistes estiment en 1975 que l'agriculture a acquis la parité avec les autres secteurs économiques.

Les campagnes ne sont pas restées à l'écart de la civilisation des loisirs et ont
adopté les formes de la sociabilité urbaine ; elles bénéficient de structures de détente :
maisons des jeunes, salles des fêtes, terrains sportifs s'inscrivent dans le paysage rural.

La gestion d'une exploitation moderne : une responsabilité partagée.

De 1945 à 1956, 12 000 stades et piscines ont été construits, et le football devient un sport privilégié ; dans les montagnes, les enfants des écoles font régulièrement du ski de piste ou du ski de fond. Le conformisme du jean aidant, il est impossible de distinguer les jeunes paysans des jeunes vacanciers, tous fanatiques du hit-parade, du transistor et du flipper. Scolarisation hors du village, activité professionnelle extra-agricole de nombre d'adultes, réunions et déplacements à la ville voisine, télévision ont élargi l'univers spatial de toutes les catégories d'âge. Voilà pourquoi Valéry Giscard d'Estaing déclare le 16 décembre 1977 à Vassy dans le Calvados : « L'agriculture française a acquis la parité avec les autres secteurs de l'activité nationale : parité économique, parité des revenus, parité sociale, parité des conditions de vie, parité de la dignité. Pendant des siècles, la France a daubé sur les paysans tout en vivant de leur travail. Pour la première fois, parce qu'ils ont atteint la parité dans les autres domaines, ils ont aujourd'hui droit à la parité de la considération. Le président de la République est venu solennellement le leur dire. »

Les charmes de la terre

Ainsi, le premier personnage de l'État confirme officiellement la disparition du handicap paysan, les agriculteurs sont enfin des Français à part entière. Bien mieux, certains considèrent que ce sont des privilégiés. En 1976, leur patrimoine foncier est estimé à 688 milliards de francs, soit 13 % du patrimoine national, avec une moyenne de 764 000 F par ménage — 1 million en 1980 — contre 294 000 F pour la moyenne nationale. Devancés par les professions libérales, les industriels et les grands commerçants, ils se placent devant les cadres supérieurs, les artisans et les petits commerçants.

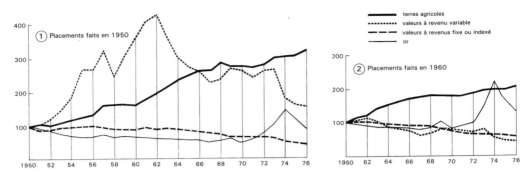

La terre agricole comparée à d'autres placements (France, 1950-1976). D'après D. Bergmann, « Le monde paysan », Les Cahiers français, n° 187, juillet-septembre 1978, p. 40.

Leur position est donc nettement plus favorable que sur le plan des revenus, avec cette restriction : les deux tiers de leur patrimoine sont à usage professionnel. Celui-ci est constitué essentiellement de terres dont la valeur n'a pas cessé d'augmenter depuis les années 1950. En 1974, son prix a décuplé par rapport à 1950, alors que les valeurs mobilières à revenu variable étaient multipliées par huit et le cours de l'or par deux. En 1980, le prix moyen de l'hectare atteint 21 300 F, soit un taux d'accroissement de 10 % par an sur trente ans et un triplement de valeur en francs constants. Sans nul doute, la terre comparée à d'autres placements est une valeur refuge fort rémunératrice ; par rapport à un cadre ou un membre des professions libérales ayant un portefeuille boursier, l'agriculteur est avantagé ; son patrimoine dégage constamment une plus-value. Cette envolée est le résultat d'un marché foncier très tendu, du fait d'une compétition permanente entre les exploitants pour s'agrandir, d'une forte demande à des fins non agricoles et de l'attrait de la terre comme valeur refuge contre l'érosion monétaire. Sur le court terme, la vente de terrain à bâtir aux collectivités, aux promoteurs, aux industriels et aux particuliers représente une opération des plus rémunératrices pour les propriétaires, les transactions s'opérant à des prix quatre ou cinq fois supérieurs aux prix agricoles. Sur 54 000 ventes en 1979, portant sur 55 000 hectares de terres agricoles destinées à des usages non agricoles, le prix moyen est de 100 000 F l'hectare, soit le quintuple de sa valeur normale. Cette hausse brutale se répercute évidemment sur le prix des terres agricoles, d'où la valorisation du patrimoine foncier paysan. Les collectivités locales et les agriculteurs ont cédé de vastes espaces fonciers ; en 1975, on estime que les ventes de terres procurent chaque année aux cultivateurs 1 milliard de francs. Certains terrains, maigres pâturages, chaumes stériles, landes infertiles, sont vendus à des prix très avantageux, en particulier pour l'aménagement des stations de sports d'hiver. Quant au patrimoine forestier, il a gagné 3 434 000 hectares entre 1948 et 1980 et a pris de la valeur, surtout depuis les années 1970. Le prix des terres s'inscrit dans une fourchette assez large, allant de 80 700 F en 1980 dans la Seine-Saint-Denis à 9 600 F en Corse-du-Sud.

Les paysans bénéficient aussi du renversement des valeurs attachées aux notions de ville et de campagne, la première devenant l'incarnation d'un monde technicien, déshumanisé, pollué, dont le nucléaire, mal maîtrisé, est le symbole menaçant. La vague

Manifestation à Paris, le 15 mars 1975, en faveur des paysans du Larzac.

de fond néo-ruraliste et le succès du mouvement écologiste témoignent de la redécouverte et de l'exaltation d'une nature et de ceux qui vivent le plus étroitement à son contact. Cet engouement pour le rustique, cet attrait pour le retour aux sources sont empreints de nostalgie pour un monde authentique dont on pressent la disparition et que l'on veut préserver, figer dans ses archaïsmes face aux masses de béton et aux cages à poules des villes, à l'industrialisme forcené, à l'asservissement croissant de l'homme à la machine, bref à la déshumanisation. Le paysan, jardinier et gardien de la nature en péril, maître de son temps et de son travail, jouit de la qualité de la vie et fait dès lors figure de privilégié. Stéréotypes et clichés abondent au travers d'une « littérature en sabots » et de multiples « histoires de vie » pour donner du paysan dans son village, modèle de l'antiville, valeur d'exemplarité : environnement à visage humain, enracinement dans le terroir, relations interpersonnelles chaleureuses, opposées à l'anonymat et à l'incommunicabilité dans la cité. Le village, « c'est le charme de la maison individuelle sans les horreurs du monde pavillonnaire ». Assuré d'une identité sociale à la différence des citadins en quête de leurs racines, détenteur d'un patrimoine culturel dont le patois — mais qui le parle encore ? — et les fêtes traditionnelles sont l'expression, le paysan est l'homme d'une nouvelle éthique que recouvre le slogan : *Volem viure al païs.* La lutte de dix ans menée par les paysans du Larzac, à partir de 1971, contre l'extension du camp militaire est le meilleur exemple de la défense d'un monde qui s'oppose à la rationalité économique, à la politique des grands équilibres voulus par le jacobinisme centralisateur et destructeur. Cette valorisation de la vie rustique est ambiguë, elle rassemble des options et des préoccupations hétéroclites : celles des promoteurs immobiliers, des vendeurs de loisirs et du tourisme vert, celles des contestataires pour qui le maintien de traits précapitalistes dans l'agriculture est « la préfiguration du XXIᵉ siècle économique et autogestionnaire au sens libertaire du terme » et celles des régionalistes qui, prenant appui sur les luttes paysannes, pensent élargir leur audience ; Occitanie et défense de la viticulture sont par amalgame le symbole d'un même combat.

Plus prosaïquement, pour bien des Français, la qualité de l'environnement, c'est d'abord une alimentation saine. Or, sur ce plan, les paysans sont grandement avantagés par rapport aux citadins. Ils vivent tout au long de l'année des produits de leurs potager, verger, basse-cour, porcherie, bergerie et même étable, l'abattage clandestin s'étant généralisé au grand dommage des bouchers villageois, à partir du moment où les fermes se sont équipées en congélateurs. En outre, sensibilisés par la publicité télévisée et les thèses écologistes à la notion de produit naturel, ils sont tentés de conserver par-devers eux les poules qui courent et picorent, les veaux sous la mère, le lait de la vache nourrie de foin. Pour les habitants des villes, la nourriture paysanne est devenue synonyme de santé. Leur nostalgie d'une alimentation sans fard explique la vogue des plats rustiques, le snobisme des potées et autres pot-au-feu servis dans les dîners et restaurants à la mode. Par un étonnant chassé-croisé, les citadins partent en quête des produits du terroir alors que les campagnes sont touchées par les modèles d'alimentation urbains.

Si le mode de vie paysan fait des envieux, l'opinion en apprécie mieux qu'autrefois les inconvénients. Selon un sondage de l'IFOP, de décembre 1980, 61 % des Français admettent que les agriculteurs ont une vie difficile, 51 % reconnaissent leur dépendance à l'égard des intermédiaires, et 50 % leur sujétion aux aléas climatiques. Cette compréhension n'occulte pas l'image de paysans privilégiés dans le domaine fiscal et auxquels on octroie subvention sur subvention. Les réactions d'hostilité sont donc prêtes à resurgir en toute circonstance. Ainsi en est-il à propos des destructions périodiques de fruits ou de légumes, qui montrent combien les producteurs sont indifférents aux besoins de la collectivité et des moins favorisés. La majoration fiscale due à l'impôt sécheresse en 1976 est exemplaire de la rancune enfouie dans la mémoire collective. Selon l'enquête du *Point*, du 13 septembre 1976, 49 % des personnes interrogées estiment que chaque profession a ses risques et doit les assumer. A l'annonce de cette imposition exceptionnelle, c'est une véritable levée de boucliers de la part des organisations syndicales et professionnelles, en particulier des PME et de la CGC. Très vite, la polémique s'engage sur le terrain de la fiscalité, on critique violemment le système du forfait et tous les avantages dont jouissent les agriculteurs : subventions d'équipement, d'installation, soutien des prix à la production, détaxe du carburant, protection sociale financée seulement à 18 % par les cotisations agricoles, régime de la TVA. On rappelle que le Conseil des Impôts a constaté en 1972 que seulement un tiers des exploitants payaient l'impôt sur le revenu contre 61 % des ouvriers, 75 % des employés et 91 % des cadres moyens. Ce consensus dans l'hostilité a laissé des traces profondes et beaucoup d'amertume chez les cultivateurs. Le débat mené sur le monde rural aux *Dossiers de l'écran* en février 1981, lors de la projection du *Cheval vapeur* de Maurice Faivelic et Jean-Dominique de La Rochefoucauld, ne contribuera probablement pas à l'effacer. Les questions posées par les téléspectateurs montrent bien la permanence de clichés péjoratifs : les paysans se plaignent tout le temps, les récoltes sont trop abondantes ou insuffisantes, ils se disent pauvres et ils sont riches, ils ne paient pas d'impôts, ils reçoivent de l'argent des pouvoirs publics. Bref, ce sont des privilégiés.

LES NOUVEAUX PARTAGES
DE LA SOCIÉTÉ PAYSANNE

Dans la course au progrès et au bien-être, chacun peut tenter sa chance, et de riantes perspectives sont ouvertes à ceux qui, secouant la routine, font preuve d'initiative et de dynamisme. En réalité, la formidable mutation de l'agriculture s'est opérée au prix d'une sévère sélection et au terme d'une âpre concurrence entre les paysans, voulue par le gouvernement et acceptée par nombre d'entre eux, persuadés qu'ils l'emporteront sur leurs voisins et seront parmi les élus. De 1900 à 1950, l'exploitation familiale triomphante a façonné les campagnes françaises, leur donnant l'apparence d'une société relativement uniforme où les distances sociales s'étaient émoussées par l'élimination des plus pauvres et l'effacement des « Messieurs ». La transformation de l'agriculture creuse à nouveau de profonds écarts au sein de la paysannerie, plus composite et hétérogène que jamais.

Une paysannerie fossile

Dans les années 1950, nombre de petits et de moyens paysans continuent à vivre comme par le passé, attachés à la polyculture de subsistance. Ils ont pu traverser l'Occupation et la reconstruction en se nourrissant mieux que la majorité des Français et en faisant quelques profits, vite rongés d'ailleurs par l'inflation. Sur des surfaces généralement peu étendues, ces cultivateurs réfractaires au changement par peur de l'aventure ou faute de moyens suffisants n'adoptent que très partiellement les innovations agronomiques et la motorisation. Leur effort d'équipement se limite à l'achat d'un tracteur, leurs journées restent longues et pénibles, leur travail essentiellement manuel. Sans perspectives d'avenir, sans confort, sous-scolarisés, sous-qualifiés, condamnés au célibat, ils sont pauvres : « Être pauvre n'est pas seulement avoir moins d'argent, c'est aussi avoir moins de tout, moins d'intelligence, de santé morale et physique, de sociabilité. Situation relative, la pauvreté est une inégalité ; situation totale, elle est une combinaison d'infériorités. » Dans de nombreuses régions, les exploitations faiblement intensives de moins de 20 hectares, seuil de « la superficie minimale d'installation », sont bloquées dans leur développement et voient se creuser au fil des ans le fossé qui les sépare de celles qui accroissent leur productivité. La majorité d'entre elles ont les orientations économiques les moins rémunératrices : spéculation bovine entre 5 et 10 hectares, polyculture-élevage de 10 à 20 hectares procurant des revenus inférieurs au SMIG. Elles utilisent des techniques traditionnelles et maîtrisent mal les processus de production. Leurs résultats sont plus incertains que ceux des exploitations mieux armées. Leurs faibles réserves financières rendent alors leur situation critique. Néanmoins, en période de crise, elles résistent mieux, n'étant pas obérées par de lourdes charges ; à la faiblesse des investissements répond la faiblesse de l'endettement, ne serait-ce que parce que l'accès au crédit ne leur est pas aisé. Les tentatives d'autofinancement ou d'emprunts à court terme sont vouées à l'échec, leur capacité d'épargne étant quasi inexistante. Vivant dans un équilibre précaire, ces petits cultivateurs ne peuvent vivre qu'en cédant peu à peu de leur capital foncier, ou avec un salaire d'appoint, et surtout le bénéfice de transferts sociaux.

La faiblesse des rentrées monétaires retentit sur l'alimentation, les conditions de logement, les dépenses de culture et de loisirs. Entre 1965 et 1972, la consommation de

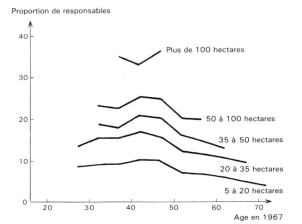

Proportion de responsables

Plus de 100 hectares

50 à 100 hectares

35 à 50 hectares

20 à 35 hectares

5 à 20 hectares

Age en 1967

Proportion de chefs d'exploitation exerçant des responsabilités professionnelles et syndicales, selon l'âge, pour diverses classes de surface (1967). D'après G. Jegouzo, J.-L. Brangeon, « La condition sociale des petits paysans », Données sociales, INSEE, *série « Ménages », 1979.*

la paysannerie pauvre est inférieure de plus du quart à la moyenne nationale. Les bâtiments d'exploitation sont vétustes, l'inconfort des logements criant : absence fréquente d'eau courante, équipement sanitaire rudimentaire. En 1970, en Ille-et-Vilaine, les fermes en polyculture-élevage inférieures à 10 hectares sont dépourvues de baignoire et de chauffage central, 50 % n'ont pas l'eau courante, 33 % ont une pièce unique. La situation des locataires est pire encore, souvent leur logement est délabré, 42 % ont une seule pièce et 28 % un sol en terre battue. Finalement, petite exploitation non spécialisée et pauvreté se recoupent très souvent ; la possession d'un modeste patrimoine ne rehausse pas le statut social. Privés de capital culturel, les petits paysans occupent rarement des postes de responsabilité dans les grandes organisations professionnelles agricoles, et par conséquent se font mal entendre de la profession comme des pouvoirs publics. Inversement, le cumul et l'importance des responsabilités varient en proportion de l'étendue des exploitations. Les petits paysans sont toujours moins pourvus de capital scolaire que les autres. En 1967, 48,7 % des exploitants de 5 à 10 hectares ne possèdent même pas une formation primaire générale, 35,8 % entre 20 et 50 hectares, 14,8 % au-dessus de 100 hectares ; pour la formation courte, les chiffres sont respectivement de 3,3 %, 10,2 % et 12,1 % ; pour la formation générale de 2,5 %, 4,1 % et 20,9 %. Leur infériorité est encore accentuée par une faible participation à la « formation permanente », tels les Groupements de vulgarisation agricole ; en 1972, 3 % seulement y adhèrent contre 17 % pour les autres catégories. La sous-scolarisation des parents pèse sur les enfants qui quittent l'école très tôt. Fréquentant en général les filières courtes (second cycle court à finalité professionnelle ou apprentissage), ils sont plus nombreux à avoir le certificat d'aptitude professionnelle que le baccalauréat agricole. La majorité s'oriente vers une formation technique non agricole, preuve que leur destin est déjà scellé : il y a une relation entre l'orientation scolaire, professionnelle, et l'importance de l'exploitation parentale. L'infériorité des petits paysans pauvres se perpétue après la scolarité obligatoire ; pour eux, l'apprentissage sur le tas est courant, pour les autres, il se fait à l'école. Évidemment, les possibilités d'accès à l'enseignement supérieur sont réduites ; en 1971, dans le Finistère, le taux est de 5 à 7 %. Rares sont les jeunes ayant obtenu le brevet de technicien agricole qui acceptent de s'installer sur de petites exploitations ; ils préfèrent les fermes modernes du Bassin parisien et du Nord-Picardie.

Solitude et pauvreté en Haute-Loire, vers 1950.

Le taux de célibat est proportionnel à la taille des exploitations ; en 1968, il est de 33 % pour les exploitants de moins de 5 hectares sans spécialisation et de 5 % pour ceux de 50 hectares et plus, car « la probabilité du mariage augmente quand la disparité dans les conditions de vie et de travail par rapport à la ville s'amoindrit ». Ce célibat, supérieur à celui des OS, est révélateur de toute une série de manques pesant sur la paysannerie traditionnelle. Il est aussi un facteur d'infériorité en matière de santé, la mortalité des célibataires masculins étant toujours supérieure à celle des hommes mariés de même niveau social. Le phénomène du célibat forcé s'accentue dans les régions sous-peuplées, au point de donner naissance à une immigration de femmes en provenance de l'île Maurice ou de la Réunion, immigration originale dans les départements du Sud-Ouest et du Massif central, mais les difficultés d'adaptation sont sérieuses.

Un destin sans espoir attend les enfants des paysans traditionnels, condamnés à l'immobilisme ou au départ ; beaucoup choisissent la seconde solution, d'où la diminution massive de cette catégorie. Ceux qui restent sont de plus en plus marginalisés dans une société fascinée par la croissance. Leur moyenne d'âge est élevée avec un fort contingent de sexagénaires qui savent que leur exploitation disparaîtra avec eux. Pour assurer leurs vieux jours, ils prévoient de louer leurs terres à de jeunes voisins, complément indispensable à la petite retraite à laquelle ils ont droit, au titre du minimum vieillesse du Fonds national de solidarité. Locataires, ils cherchent à racheter les terres qu'ils cultivent, car un petit patrimoine défiant l'érosion monétaire paraît la meilleure des garanties pour le futur. D'autres acceptent de céder leur bien pour percevoir l'indemnité viagère de retraite et vivre, peut-être, dans de meilleures conditions. L'âge venant, ils ne renouvellent plus ni troupeau, ni matériel, et s'en « sortent », quitte à faire des journées chez un cultivateur aisé du voisinage. Si leurs conditions d'existence se dégradent régulièrement, les actifs ne se prolétarisent pas.

Dans les monts du Forez, au hameau de Suc, « un bout du monde », deux frères, Joseph et Jean G., le premier marié, le second célibataire, cultivent 6 hectares en seigle, pommes de terre, carottes, betteraves, possèdent quelques vaches laitières et veaux de boucherie. Trop âgés (Joseph a 48 ans) pour changer de vie, ils reproduisent à peu de chose près le modèle paternel, pratiquant l'autoproduction et l'autoconsommation — sacrifice du cochon, ramassage des châtaignes, cueillette des myrtilles —, cassant les mottes de terre à la fourche, conduisant l'araire tirée par des vaches. Le morcellement des terres, la trop forte déclivité du terrain et la pauvreté ont entravé la mécanisation. Seuls signes de progrès, la motofaucheuse et la tronçonneuse. Isolés la moitié de l'année par la neige, ils sont les derniers rescapés d'un autre temps. Les six enfants apprendront un métier manuel. Les départs à la retraite, les décès de cultivateurs sans successeurs, l'émigration vident doucement cette catégorie. Du 1ᵉʳ janvier 1971 au 1ᵉʳ janvier 1974, 43,2 % des émigrants avaient 55 ans et plus, 50,5 % avaient moins de 25 ans. La politique des structures, menée à partir de 1960 — remembrement, sélection financière en matière de prêt sur des critères de surface de rentabilité, création des IVD (indemnités viagères de départ)— , a hâté sa décomposition. Le changement d'orientation de la politique agricole, face à la gravité de l'hémorragie rurale et par souci de maintenir un minimum de paysans dans les zones de dépeuplement intense, ne semble pas pouvoir enrayer un processus irréversible.

La petite paysannerie traditionnelle, condamnée par l'évolution économique, trouve son plus ferme soutien dans le Mouvement de défense des exploitations familiales qui lutte contre l'exode rural et la concentration des exploitations mais ne propose pas de changement dans l'organisation de la production. Elle lui apporte en retour son plus large appui, le MODEF groupant sur ses candidats le tiers des voix des exploitants. Ces paysans « fossiles » reçoivent le renfort des écologistes et des néo-ruraux qui voient en eux le conservatoire d'une paysannerie authentique. Tout cela en vain.

Oubliés de l'expansion et victimes du progrès

Défavorisés parmi les défavorisés, les salariés agricoles permanents sont 233 000, ils étaient 250 000 en 1975 et 470 000 en 1963, soit une réduction de moitié en seize ans. En 1979, ils sont employés dans 9 % seulement des exploitations et concentrés sur les grands domaines du Bassin parisien. Dans le florilège du paysanisme et des mythes véhiculés par le néo-ruralisme, ils font figure de marginaux et leur existence est gênante : « Ne ternissent-ils pas […] l'image tant exaltée de cette agriculture non capitaliste, formée d'individus libres et égaux ? » Que ce soit sur le plan des conditions de vie, de travail, des revenus, de l'épanouissement individuel, de l'avenir, les salariés agricoles sont les oubliés de l'expansion, figurant bons derniers dans de nombreuses enquêtes de l'INSEE. Ils se répartissent en deux catégories distinctes : ceux des grandes exploitations, les plus nombreux et en voie d'accroissement, et ceux des exploitations classiques, le quart des effectifs, peu différents du domestique d'antan ; ils ne bénéficient pas des conventions collectives, ne sont pas soumis à la législation sur la durée maximale du travail et leurs congés payés sont aléatoires. Ce sont souvent les laissés-pour-compte de la société rurale, débiles légers ou célibataires alcooliques. Leur salaire est faible, car ils jouissent d'avantages en nature, nourriture, logement, ordinairement surévalués, ce qui explique un état sanitaire parfois déplorable. En Picardie, dans la région de Doullens au début des années 1970, leur taux de tuberculose atteint un niveau comparable à celui de l'Algérie des années 1960. D'une façon générale, leurs conditions de travail restent ingrates, difficiles et dangereuses. En 1975, la durée hebdomadaire moyenne est de 49,2 contre 47,2 heures pour les gens de maison et 44 heures pour les OS. Très élevé, le taux des accidents du travail équivaut en 1974 à celui des travaux publics. La plupart des salariés agricoles effectuent un travail peu qualifié, ce qui ne veut pas dire sans complexité. La qualification s'accompagne d'une spécialisation qui n'est reconnue et effective que dans les entreprises comptant plusieurs salariés. Les exploitants jouent d'ailleurs sur le flou des classifications pour déterminer la qualification au moment de l'embauche ; il est rare que leur appréciation tourne à leur désavantage. Il faut dire que la majorité des salariés n'ont pas reçu de formation spécialisée : en 1975, 80,5 % des ouvriers non qualifiés et 64,7 % des ouvriers qualifiés n'ont pas de diplôme, ils n'ont donc aucune garantie contre le déclassement. Par rapport aux ouvriers de l'industrie, ils ont pâti d'un net retard dans le domaine de la législation du travail et des prestations sociales. Les premières conventions collectives datent de 1950. Jusqu'en 1968, le SMAG est inférieur au SMIG. Leur système de protection sociale en matière d'accidents du travail est aligné sur celui des autres salariés en 1973 ; l'alignement de la durée légale du travail sur les autres secteurs est acquis en 1974. N'adhérant pas au CNPF, les organisations professionnelles agricoles ne sont pas tenues par les accords signés entre syndicats patronaux et ouvriers. Même les conventions collectives à l'échelon du département sont loin d'être respectées, et l'ouvrier agricole reste à la merci de son employeur, à cause des avantages en nature accompagnant son salaire et d'une syndicalisation assez faible. La situation des salariés étrangers — 16 % en 1975 — et des salariés saisonniers occasionnels est encore plus précaire.

De nouvelles formes de pauvreté se dessinent chez les paysans qui ont joué la carte de la modernisation et adopté des filières de production intensives, très spécialisées, à faible valeur ajoutée : élevage laitier et porcin. Pour ce faire, ils ont usé d'un crédit libéralement distribué. Désormais, qui s'endette s'enrichit, l'endettement devient la mesure du dynamisme, de la capacité d'entreprendre ; ceux qui n'ont pas suivi cette voie dans les années 1950 se trouvent irrémédiablement distancés. Le paysan moderniste est relativement jeune, il mise sur la pérennité de son exploitation qu'il veut transmettre à l'un de ses enfants, les autres cherchant un emploi dans le secteur para-agricole, coopératives, mutualités, ou bien en ville après des études secondaires à peu près complètes. Il travaille avec sa femme, aidé par les enfants pendant les vacances scolaires. Les investissements requis pour la modernisation de l'équipement impliquent la recherche d'un seuil optimal de rentabilisation du matériel, par conséquent, bien souvent, la nécessité d'agrandir l'exploitation. La réussite est fonction de l'accroissement des moyens de production, de l'amélioration constante du cheptel mort et vif, de la rénovation ou de la construction de bâtiments d'exploitation, et la rationalisation économique exige la concentration des efforts sur un nombre limité de productions, c'est-à-dire la spécialisation. Mais cette spécialisation sous-entend de nouvelles obligations ; ainsi, l'abandon de l'élevage pour des productions uniquement végétales nécessite le recours systématique à des engrais minéraux. La simplification des assolements et le retour plus fréquent d'une culture sur une terre multiplient les parasites, donc l'emploi des herbicides et insecticides. Inversement, la spécialisation dans l'élevage, l'intensification des rendements en lait et en viande justifient l'utilisation d'aliments pour le bétail, sur laquelle s'établit la prospérité des firmes Sanders ou Duquesne-Purina. Si l'essor des industries d'amont est un facteur déterminant de la modernisation agricole et permet de creuser l'écart avec l'exploitation traditionnelle, le développement des industries de transformation des produits du sol favorise tout autant, au moins dans un premier temps, l'émergence d'une paysannerie moyenne. Une forte concentration

La traite mécanique se généralise.

s'opère dans l'industrie laitière, le Marché commun garantissant des débouchés pour le beurre et la poudre de lait, et accordant une vraie rente de situation aux industriels ; l'accumulation régulière des excédents ne les pénalise pas, mais elle pèse sur les prix à la production et freine leur augmentation. Leur intérêt est d'obtenir une matière première de qualité, répondant aux exigences de la transformation, et par conséquent d'appuyer la concentration des exploitations, moyen de réduire le coût du ramassage. Le paiement du lait en fonction de sa qualité bactériologique est une autre façon d'éliminer le petit producteur. La convergence d'intérêts entre paysannerie moyenne et industrie de transformation apparaît dans la mise en place de structures interprofessionnelles mixtes, réunissant les parties concernées : producteurs, coopératives de vente et de transformation, firmes privées, d'abord pour les volailles, ensuite pour le lait.

La course au productivisme provoque l'éclatement de cette paysannerie moyenne, les uns poursuivant leur marche ascendante, les autres s'enlisant, victimes de l'adage « qui n'avance pas, recule ». Cet écrémage par l'échec résulte de l'inégalité des conditions au début de la modernisation : une exploitation de taille médiocre fait qu'on ne réussit pas à franchir un seuil de rentabilité en hausse constante, surtout si, pour s'agrandir, on a dû acheter ou louer des terres et s'endetter trop lourdement par rapport au revenu dégagé. Les aléas du marché sont aussi responsables de la sélection : l'effondrement des cours du porc ou des volailles, alors qu'on vient d'investir à la limite de ses possibilités dans l'installation d'un atelier hors sol moderne, est une catastrophe. Systématiquement incités à emprunter, les paysans se sont essoufflés dans un constant effort de réduction des coûts de production pour maintenir la croissance et obtenir une rémunération acceptable de leur travail. L'engrenage productivité-endettement remplace le cycle infernal de la jachère de l'ancien régime économique.

Ceux qui ont succombé étaient « de cette frange inférieure au-dessus de laquelle plane le couperet du seuil de rentabilité capitaliste ; des emprunts trop lourds, les aléas du marché, l'absence de formation, des hésitations sur les options à prendre, autant de raisons expliquant l'échec ». Mais surtout, l'accroissement de la productivité « a été tel qu'une fraction des producteurs qui l'ont porté devait inexorablement cesser d'être un jour socialement nécessaire à la couverture des besoins alimentaires du pays ». Amers, désillusionnés, ils constatent, quand ils font le bilan de quinze ans de modernisation, la stagnation de leur revenu, et ils se posent la question du piège du productivisme.

Marie-Thérèse et Jean-François ont pris, en avril 1969, une ferme vétuste de 36 hectares dans les monts du Forez. Nantis de leur brevet d'enseignement professionnel agricole et d'une expérience au cours de stages dans plusieurs exploitations, mais démunis de capitaux, ils empruntent 100 000 F au Crédit agricole pour réaménager la ferme — travaux de drainage et de profilage — et acheter 18 vaches montbéliardes sélectionnées. Leur objectif est d'avoir 25 laitières et 100 000 litres de lait par an. Après dix ans de dur labeur, de privations, l'exploitation est déficitaire. Le troupeau compte toujours 18 bêtes et la production n'a pas dépassé les 50 000 litres. Le logement n'est pas rénové, les fonds attribués par l'Habitat rural ayant servi à boucher les trous du budget. Les raisons de l'échec ? Des bêtes trop fragiles, probablement mal adaptées au terrain et au climat, frappées de maladies ou d'infécondité, l'ensemencement trop tardif des prairies, des printemps froids et des étés secs réduisant leur nourriture. « On a tout de suite pris du retard dans la trésorerie et nous ne l'avons jamais rattrapé. » Une tentative de relance du troupeau en 1973 échoue, car le Crédit agricole refuse de financer l'opération et sanctionne le premier échec, éliminant les canards boiteux. La situation continue à se dégrader en 1975 et 1976. « On n'osait pas parler de nos problèmes d'argent et on s'enfonçait pour payer. On vendait une vache et on ne la renouvelait pas. » Le couple mise alors sur des cultures d'appoint — tabac et colza —, ce qui l'empêche de s'occuper convenablement du troupeau. « Ici chacun achète son matériel et travaille de son côté, sauf à donner la main pour l'ensilage. » La femme travaille à l'extérieur au contrôle laitier ; malheureusement, l'état de délabrement de sa voiture va l'obliger à renoncer à son gagne-pain. En 1978, la production moyenne de lait par vache stagne toujours autour de 3 500 litres.

Souvent donc, le processus de rationalisation ne peut être mené à son terme. Malgré la spécialisation dans un secteur généralement sous contrat — volailles, porcs, fruits, légumes — l'exploitation reste polyvalente, suréquipée, avec un revenu en baisse. Situation instable, c'est l'agriculture du surmenage et de l'angoisse, à la merci d'une mauvaise année climatique ou conjoncturelle. Enrayer la chute des prix à la production devient vital ; pour obtenir leur revalorisation, des pressions s'exercent sur les firmes agro-alimentaires. Rien d'étonnant à ce que ces paysans fournissent des troupes aux contestataires du système économique global et affirment leur solidarité avec les ouvriers. Bernard Lambert, ancien de la JAC et du CDJA, ex-député MRP passé au PSU, est leur leader à la tête des paysans-travailleurs. Depuis la crise économique, ils sont guettés non seulement par la pauvreté mais par la faillite.

Plusieurs possibilités s'offrent aux paysans en difficulté : quitter la terre, solution extrême à laquelle beaucoup répugnent, car ils y sont attachés et espèrent toujours « pouvoir s'en sortir » par un meilleur ajustement de leur production aux besoins du moment : renforcement de la spécialisation, intensification de la production hors sol avec en contrepartie une plus grande dépendance vis-à-vis des firmes industrielles, polyculture productiviste fort aléatoire, car elle suppose un savoir polyvalent. D'autres préfèrent renoncer à la course à la modernisation et redécouvrent les charmes d'un pay-

509

L'équipement des stations de ski ouvre de nouveaux emplois aux montagnards : « perchmen », pisteurs, moniteurs... Un « tire-fesse » à Val-d'Isère.

sanisme privilégiant l'autoconsommation. Mais la solution la plus habituelle est le recours à la pluriactivité ou activité à temps partiel, dont les économistes pronostiquaient la disparition dans les années 1960. En fait, l'agriculture à temps partiel recouvre des réalités différentes et revêt des formes multiples. Elle est pratiquée par des agriculteurs âgés qui ont réduit leur activité avec la taille de leur exploitation, touchent une retraite, parfois l'indemnité viagère de départ ; ils représentent, en 1980, 38 % des cultivateurs au-delà de 65 ans. Plus généralement, agriculture à temps partiel et pluriactivité se recoupent, c'est le prix que paie le tiers des exploitations en 1967 pour ne pas disparaître. En 1963, 18 % des chefs de ménage, en 1970 22 % et un quart des personnes actives vivant sur une exploitation ont une activité extérieure, les femmes tenant une place grandissante ; en 1980, les chiffres sont sensiblement les mêmes. Les emplois les plus fréquemment occupés sont ceux d'ouvriers, d'employés, d'artisans et parfois de cadres moyens. Le tourisme rural — pris dans son acception la plus large — est aussi créateur d'emplois. Ainsi, le développement des résidences secondaires fait vivre les artisans du bâtiment et des corps de métier annexes, donc nombre de cultivateurs qui travaillent comme maçons, plâtriers, etc. La nouvelle politique du tourisme familial et social des années 1970 procure du travail et des ressources complémentaires avec le camping, la table d'hôte, la pension de famille à la ferme, et la transformation de vieux bâtiments en gîtes ruraux grâce à des subventions. C'est en montagne, où l'agriculteur est durement pénalisé par les conditions naturelles dans le cadre d'une recherche permanente de la productivité et de hauts rendements, que le tourisme semble être le plus rentable pour le paysan, surtout depuis l'essor des sports d'hiver. Avec l'équipement des stations de ski, alpin en altitude, de fond en moyenne montagne, les aides familiaux et les valets de ferme se transforment en terrassiers, « perchmen », guides, accompagnateurs, moniteurs, employés de l'hôtellerie ou des services publics. Toutes les stations essaient de combiner tourisme d'hiver et tourisme d'été, en proposant durant la période estivale des stages équestres, des randonnées mycologiques, des circuits pédestres, ou des stages de haute montagne, de spéléologie et du ski de glacier. Depuis peu, on encourage les montagnards à conserver ou à reprendre une exploitation et à la moderniser pour la rendre rentable. Pour ce faire, on offre une dotation de 45 000 F, des prêts bonifiés à 4 % et on abaisse le seuil minimal d'installation de 22 hectares à 16 hectares. Le succès de la pluriactivité s'explique par les revenus qu'elle dispense et fondamentalement par le désir des agriculteurs de continuer à vivre au pays, d'autant qu'elle leur donne un niveau de vie égal et dans quelques cas supérieur à celui d'exploitants à temps plein, plus étoffés en patrimoine ou en équipement ; mais c'est, comme au XIXe siècle, au prix d'un surtravail.

Même si elle affecte de nouvelles formes, la pauvreté n'a pas disparu des campagnes, et pour être moins dramatique elle n'en est pas moins perçue comme telle comparée au niveau de vie moyen des Français. Si la pauvreté n'étonne pas quand elle frappe des paysans traditionnels ou des salariés agricoles, elle est plus surprenante parmi les jeunes agriculteurs bloqués dans leur élan de modernisation, lourdement endettés, tentés ou contraints d'abandonner leur exploitation.

Néo-ruraux, nouveaux paysans ?

Les néo-ruraux sont le symbole du renversement des valeurs attachées à la paysannerie, chantres du paysanisme et de la rusticité, rétifs au triptyque « métro-boulot-dodo ». La plupart, sans capitaux, espèrent recréer dans une vie communautaire et un idéal autarcique d'autoproduction et d'autoconsommation qui absorbe d'ailleurs l'essentiel de leur temps le système villageois d'antan. Le retour à la terre est « un appel au passé qu'on reconstitue souvent en un âge d'or magnifié, contre un présent qu'on rejette, en vue d'un avenir qu'on veut radicalement autre ». Ils ne doivent pas être confondus avec de jeunes bourgeois qui, suivant l'exemple de nombreux fils de famille du XIXe siècle, disposant de moyens financiers et d'une formation spécifique, se sont faits agriculteurs-exploitants. De 1950 à 1970, l'entrée dans le secteur agricole de non-paysans se ralentit, compte tenu de la vive compétition pour l'occupation du sol et d'une législation qui accorde la priorité aux enfants de cultivateurs. Il existe cependant un recrutement extérieur : les enfants, les collatéraux d'un propriétaire non exploitant ont un droit de préemption, reconnu aussi aux petits-fils d'exploitant ; enfin, dans certaines conditions, les exploitants sans successeurs peuvent céder leurs terres à des « étrangers ». Bien entendu, le mariage avec une fille de cultivateur règle le problème. En 1969, dans la Côte-d'Or, ces nouveaux agriculteurs sont au nombre de 104 et représentent de 1 à 3 % de la population active, ils contrôlent de 3,5 à 5,5 % de la surface agricole utile. Leur profil est différent de celui des paysans installés, comme l'indique une étude faite sur 40 ménages du Châtillonnais : 24 d'entre eux ont pour parents des cadres supérieurs et moyens ou des membres des professions libérales, les 16 autres sont descendants d'employés, d'ouvriers ou d'artisans ; 22 sont installés sur l'exploitation de parents proches ou lointains, 11 sur des propriétés appartenant à des parents par alliance, 7 sont locataires ou propriétaires par achat. Par rapport aux agriculteurs du cru, ils ont un âge moyen inférieur, un niveau d'étude supérieur, et sont plus souvent mariés. Ce ne sont pas des marginaux, ils recherchent la rentabilité et les responsabilités. Leur surface agricole utile a une moyenne de 122 hectares contre une moyenne générale de 79 hectares et leur capital d'exploitation est nettement plus élevé. Ils sont cinq fois plus nombreux à s'inscrire dans les centres de gestion et, occupant davantage de responsabilités dans les organisations professionnelles, ils briguent volontiers la charge de maire.

Tout autre est la démarche des néo-ruraux intellectuels. Leur retour au village s'esquisse au début des années 1960 avec les artisans d'art, prend de l'ampleur après mai 1968, culmine en 1970-1972, reflue ensuite. Il exprime des aspirations hétéroclites et des objectifs différents : affirmation d'un individualisme libertaire, parfois mystique, expérience de vie communautaire primitive, recherche de la non-civilisation, néopopulisme d'étudiants contestataires en 1966-1967 qui ressuscitent les veillées pour « rendre au peuple ce qui lui appartient », au premier chef son identité culturelle, dénonciation de l'artificialisation de l'agriculture et de ses dangers et désir de susciter le renouveau de l'agriculture traditionnelle « douce ». Tous s'installent dans des régions en voie de désertification : Ardèche, Cévennes où ils sont plusieurs milliers, Ariège, Haute-Loire, là où il est possible de trouver des terres peu chères, donc peu fertiles, et de « squatteriser » dans des maisons en ruine. Confrontés au froid, au problème de l'eau, à l'accueil méfiant des populations, en un mot à la réalité, ils passent de l'auto-subsistance totale à la petite économie marchande, miel, fromages de chèvre, confitures. Dépourvus de compétence professionnelle, les « youpies » et autres « zippies »

Néo-ruraux à la ferme. Elle s'appelle Martine et la chèvre Rosamonde.

réussissent mal, et après avoir épuisé leurs économies ou leurs indemnités de licencie-ment, ou quand ils ne reçoivent plus de mandats paternels, beaucoup, découragés, renoncent à l'Ordre éternel des champs. Certains, mieux nantis au départ, plus tena-ces, plus réalistes aussi, ont réussi à tenir : bergers et chevriers de l'Ariège, de l'Aude, des Alpes-de-Haute-Provence, jeunes éleveurs ovins des Cévennes ou du Sud-Est pyré-néen ; d'autres se sont installés « en gendre », sans toujours se marier, sur de petites exploitations. Tous veulent rester indépendants, à l'amont comme à l'aval, et refusent obstinément de s'engager dans la course à la productivité. Carrément hostiles aux cita-dins et aux résidents secondaires, ces nouveaux paysans d'origine urbaine sont des éco-logistes partisans de l'agrobiologie. S'ils ne rejettent pas les techniques modernes de production, ils entendent les contrôler et les subordonner à une tradition paysanne res-taurée. Ils veulent aussi régénérer la famille paysanne précapitaliste, rétablir l'unité de la vie domestique. Ils revalorisent le partage sexuel des tâches, l'apprentissage des ges-tes par les enfants au contact des activités parentales, ils trouvent des grands-parents de substitution en adoptant des autochtones âgés. En prenant le parti d'une société attar-dée, ils excluent le capitalisme et soutiennent une culture niée par le pouvoir. Cela ne leur paraît pas contradictoire avec leur volonté de lutter aux côtés des ouvriers contre le système économique dominant. Souvent formés politiquement, sensibles aux thèses des paysans-travailleurs, leur influence est indéniable sur les jeunes cultivateurs et les aides familiaux de leur voisinage. Quelques-uns, manifestant une plus forte volonté d'intégration au milieu local, renoncent à une marginalité folklorique et se mettent en quête de subventions et en rapport avec les organismes et institutions professionnels. Certains acceptent de les subventionner, quand ils ont fait leurs preuves ; un agent de la SAFER constate : « Il vaut mieux mettre des hippies qui entretiennent un petit peu le sol, que laisser les ronces l'envahir ». D'ailleurs, depuis 1973, les nouveaux arrivants n'ont plus grand-chose en commun avec la génération de 1968. Soit ils ont l'expérience d'une première tentative malheureuse, soit ils préparent leur installation par des con-tacts avec les institutions locales. Tous ceux qui ont réussi condamnent sans appel ceux qui ont échoué. Ils sont en passe de devenir de nouveaux notables, tentent des innova-tions ou, à la tête de la contestation paysanne, entendent faire la démonstration d'un modèle de développement possible pour les régions pauvres, infirmant la logique capi-taliste de l'abandon et du productivisme.

Entrepreneurs de culture

Au sein de la paysannerie moyenne, un second groupe, numériquement moins important que celui précédemment décrit, mais qui s'étoffe, réussit à franchir le seuil de la rentabilité capitaliste et bénéficie de la croissance. Ils sont persuadés que la réus-site dépend de la valeur individuelle et jugent sans indulgence les échecs de leurs voi-sins. Ces entrepreneurs de culture sont pris dans un engrenage irréversible : il leur faut « coller » au progrès, s'équiper sans cesse pour mieux rentabiliser leur ferme, seul moyen à leur disposition pour agir sur leurs coûts de production, car ils sont confrontés à l'amont et à l'aval à des firmes puissantes, et aux impératifs d'une politique commu-nautaire supranationale sur laquelle ils ont un faible pouvoir de décision. La crise éco-nomique accentuant le désir d'amortir au maximum leur équipement, leur problème majeur est de parvenir à agrandir leur exploitation. C'est, à leurs yeux, la condition majeure du maintien de leur situation, étant donné l'élévation constante du seuil de rentabilité ; ils admettent parfaitement l'élimination des moins productifs au nom de la rationalité économique : elle libère des terres. Ces paysans s'intègrent pleinement à la classe moyenne urbaine par leurs conceptions, leur gestion moderne, leur style et leur niveau de vie. Ainsi, Jean M., petit-fils de métayer, exploite 40 hectares en Seine-et-Marne après avoir payé 400 000 F de droit de reprise. En 1973, il y ajoute 40 hectares dans le Loiret, car il doit rentabiliser son équipement : tracteurs neufs, arracheuse de pommes de terre, silos et séchoir à maïs, d'une valeur de 400 000 F. Ses dettes sont à la mesure de son ambition avouée, devenir un « gros ».

Une distinction essentielle sépare les exploitations modernes, mais à main-d'œuvre familiale, de celles d'une superficie supérieure à 100 hectares utilisant des salariés, et qui sont aux mains d'une bourgeoisie agricole ou de capitalistes de la terre. Il ne faut pas confondre ces deux catégories, même si les limites qui les séparent sont fluides. Ces exploitations ont basé leur compétitivité sur la simplification des systèmes de production, la mécanisation des façons culturales, par conséquent sur la réduction des coûts salariaux. La bourgeoisie terrienne a toujours su se faire entendre, grâce à ses puissantes organisations professionnelles. Elle a profité de l'organisation dirigiste du marché de céréales, mise en place par le Front populaire ; la garantie d'un prix plancher lui assure la sécurité commerciale et lui permet de s'autofinancer et de moderniser systématiquement. La progression régulière des exploitations au-dessus de 100 hectares — 21 000 en 1955, 27 000 en 1970, 35 000 en 1979 —, est la preuve de leur solidité. Les céréaliculteurs sont les principaux bénéficiaires de la politique des prix et du Marché commun. Moins favorisés peut-être, les gros éleveurs n'en tirent pas moins leur épingle du jeu. En tout cas, nombre d'entre eux appartiennent aux couches privilégiées de la société. En 1971, S. dirige sur le plateau picard une exploitation de 145 hectares, emploie trois salariés gratifiés d'un treizième mois, possède 5 tracteurs et achète lait et œufs à la ferme voisine. Fils d'un éleveur normand, il s'est installé en 1951 à Rouvrel ; l'exploitation comptait alors 90 hectares, dont une partie appartenait à son grand-père. Il s'est lancé dans la céréaliculture. Sept ans plus tard, il louait une cinquantaine d'hectares. « L'achat ne m'intéresse pas. Je cherche la sécurité, la stabilité, et je les ai obtenues à peu de frais en louant mes terres en bail de longue durée. Si j'avais dû acheter les 100 hectares, comment aurais-je pu en plus financer mon capital d'exploitation ? » 800 000 F sont en effet investis en bâtiments, machines, engrais, semences de l'année pour la culture de 90 hectares de céréales, 30 hectares de pommes de terre et une vingtaine d'hectares de betteraves. Quand le prix des céréales devient moins rémunérateur, il agrandit son exploitation à 200 hectares et embauche un quatrième ouvrier. Bien entendu, il exerce de nombreuses responsabilités : président d'une importante union de coopératives, il est membre du conseil d'administration des producteurs de blé et maire de sa commune. Il lit le quotidien régional, une dizaine de bulletins professionnels, *Le Monde* et *L'Express* « quand il prend le train pour Paris ». Il regarde la télévision, va au cinéma, boit du whisky et part quinze jours en vacances aux Canaries, car « son épouse aime le soleil ». Mère de six enfants, elle tient le secrétariat de l'exploitation. Un seul des enfants reprendra l'entreprise, nanti d'un diplôme d'ingénieur agronome. M. est l'un de ces quarante agriculteurs de Seine-et-Marne qui contrôlent, en 1973, de 200 à 400 hectares. Moitié fermier, moitié propriétaire sur 250 hectares, son chiffre d'affaires dépasse le million. C'est le monde de la richesse. « Je suis une sorte de PDG. Mais un PDG qui travaillerait à la campagne [...] avec seulement deux ouvriers. Je me lève à 5 heures quand il le faut, mais je n'ai pas d'horaire écrasant. Je passe mes vacances à Val-d'Isère en hiver, je voyage au printemps. J'ai un bateau en Corse pour l'été. J'ai pour amis des médecins et des notaires du coin. Nous allons à la chasse, ma femme a deux manteaux de fourrure ; l'hiver, on joue au poker.

Une grande exploitation aux bâtiments imposants et rassemblés.

Le rêve quoi ! Un seul problème : il faut disposer au départ d'un très gros capital. Aujourd'hui, les belles fermes s'arrachent à 2 ou 3 millions, c'est aussi cher qu'une petite usine. Mais à ce niveau, il ne suffit plus de connaître l'agriculture, il faut aussi savoir lire un bilan. » Ajoutons qu'il possède une Maserati et un hélicoptère.

La modernisation agricole, responsable de sévères déconvenues, d'adaptations boiteuses ou factices, acceptées avec réalisme ou rejetées avec éclat, connaît aussi de beaux succès. Face à une agriculture de la pauvreté, de l'incertitude et du semi-échec, s'affirme une agriculture de la réussite, celle des entrepreneurs de culture, avec sa hiérarchie du paysan productiviste à la bourgeoisie agricole et aux capitalistes de la terre, qui entend représenter le monde paysan dans son ensemble, en donnant aux organisations professionnelles et syndicales représentatives leurs principaux dirigeants.

Les dirigeants paysans : génération spontanée ou rente de situation ?

La transformation profonde du monde agricole, la multiplication des organisations professionnelles encadrant les paysans, l'intégration de l'agriculture dans un espace économique européen favorisent l'émergence de dirigeants d'un type nouveau. La lourdeur, la complexité des tâches auxquelles ils se trouvent désormais confrontés nécessitent non seulement compétence professionnelle et capacité à dominer l'ensemble des problèmes socio-économiques, mais encore une grande disponibilité pour assumer ces fonctions. Aussi, à mesure qu'ils gravissent les échelons des responsabilités, leur est-il plus difficile de concilier vie professionnelle et vie publique, gestion de l'exploitation et activité syndicale. Accaparés par leurs fonctions, les responsables régionaux et nationaux, devenus des personnages publics, confient souvent leur ferme à l'un de leurs enfants, diplômé d'une grande école d'agriculture, qui suit les directives paternelles. La recherche du gain de temps explique la priorité accordée à des productions de type céréalier, qui se prêtent à la mécanisation la plus poussée. Ces dirigeants ont un mode de vie trépidant, rythmé par de nombreux déplacements consacrés à des réunions de travail, des rendez-vous au ministère, auxquels s'ajoutent des fonctions honorifiques. Bien entendu, la part consacrée à ces activités s'alourdit avec l'importance des responsabilités au niveau départemental, régional ou national. Paradoxalement, plus ils occupent une place élevée dans la hiérarchie et apparaissent comme les porte-parole officiels de la paysannerie, plus ils s'en éloignent par leur genre de vie. Par conséquent, il existe toute une gamme de situations possibles, du responsable départemental bénévole qui reste avant tout un exploitant, jusqu'au responsable régional ou national, véritable professionel de la représentation, permanent sinon *apparatchik* de l'organisation agricole. Mais, en tout état de cause, on maintient la fiction de liens intangibles avec la terre qui fondent le critère de la « paysannité » et donnent le droit de s'exprimer au nom de la paysannerie. Cette question est essentielle, car elle touche à la représentativité des organisations agricoles auprès des pouvoirs publics, basée sur les résultats qu'elles ont obtenus aux élections des chambres d'agriculture. D'où les griefs formulés par la FNSEA à l'encontre du MODEF, taxé d'organisation de faux paysans. On lui reproche ses cadres syndicaux rétribués par le mouvement et, pis encore, membres d'un parti politique, en l'occurrence le parti communiste ; généralisation abusive, mais en tout cas vice rédhibitoire, parce que le syndicalisme agricole, dans la tradition du syndicalisme français, s'en tient au mythe du strict cloisonnement des activités politiques et syndicales. L'engagement politique n'a pas bonne presse dans le milieu agricole où l'on est vite suspect d'être de connivence avec le pouvoir, à tout le moins de cautionner une politique dont les cultivateurs peuvent faire les frais. Vieille méfiance à l'égard de la société globale ? L'acceptation par Michel Debatisse, président de la FNSEA, du poste de secrétaire d'État aux Industries agro-alimentaires dans le gouvernement Raymond Barre, n'a pas toujours été bien comprise et a même suscité quelque hostilité de la base. Vis-à-vis des mandants comme de la société englobante, il importe donc pour les dirigeants agricoles de présenter une image à la fois sécurisante et crédible justifiant leur représentativité. Tout d'abord, il faut demeurer un « paysan parmi les paysans », c'est-à-dire garder des liens, aussi lâches soient-ils, avec son exploitation — et on verra tel dirigeant national, vivant pratiquement toute l'année à Paris, diriger par téléphone sa ferme confiée à son fils —, cela au prix d'un surcroît d'efforts. Ils se ménagent encore moins que les autres agriculteurs, de sorte que la réduction sensible de leur activité de producteurs, loin d'être considérée comme une rupture avec le milieu, est au contraire le signe de leur abnégation. Telle est la condition première d'une délégation de pouvoir de la base. On attend aussi un certain discours valorisant la paysannerie et montrant qu'ils restent attachés à leur origine. Rien ne l'illustre mieux que l'expression en termes actualisés d'une phraséologie fort ancienne sur la régénération physique et morale de l'individu par la vie des champs qui, seule, donne la justesse du jugement. Ainsi, Raoul Serieys, le nouveau secrétaire du CNJA, déclare à la revue *Jeunes agriculteurs*, en décembre 1964 : « Une matinée de tracteur, ça décrasse de trois jours de Paris. Et puis, ça remet l'esprit d'aplomb ». Mêmes propos du nouveau président du CNJA, François Guillaume : « Le travail sur l'exploitation, ça remet les pieds par terre et me débarrasse des crasses de Paris. Sans cela je crois que je ne tiendrais pas le coup ».

La compétence professionnelle est un autre critère auquel doivent satisfaire les dirigeants agricoles. L'efficacité de la gestion de leur exploitation, souvent choisie pour accueillir les stagiaires des instituts agricoles, la recherche constante de la rationalité, le recours systématique à l'innovation technologique en font des habitués des distinctions professionnelles, marques de leurs capacités et légitimation de leur rôle de porte-parole autorisés de la paysannerie. Ils sont en situation de pouvoir orienter l'évolution agricole et en viennent à « redéfinir les critères de l'excellence professionnelle, à décider pour les agriculteurs quelle évolution est la mieux adaptée, c'est-à-dire à quelle évolution ceux-ci doivent s'adapter ». Leur image d'agriculteurs de pointe tend à se projeter sur l'ensemble de la profession. Image à double face, car, si incontestablement une majorité de paysans se sent valorisée par identification à ces hommes dynamiques reconnus comme partenaires par la société globale, d'un autre côté, et c'est le danger, l'opinion tend à voir l'ensemble de la paysannerie à la lumière de ces brillantes réussites. Dès lors, elle ne comprend plus les manifestations de mécontentement des agriculteurs, grands bénéficiaires, semble-t-il, des transformations opérées après la guerre. Les nouveaux responsables agricoles, et c'est là une caractéristique essentielle, accèdent en effet aux cercles dirigeants nationaux, font partie de l'*establishment* au titre d'agriculteur. A la différence de la période antérieure, la profession se voit créditée d'un statut de parité avec les autres catégories sociales à travers le rang que tiennent ses représentants les plus qualifiés. Ils sont appelés à siéger comme experts dans les plus hautes instances nationales ; bientôt, ils débordent le cadre des problèmes agricoles : ils sont invités à participer à des groupes de réflexion ou de réforme traitant de questions étrangères à l'agriculture. Cela parce qu'ils exercent et conçoivent leur métier comme n'importe quel chef d'entreprise et parce que leur style de vie, leur façon d'être les éloignent de plus en plus de ceux de la majorité des exploitants et les font participer davantage à ceux de leurs interlocuteurs citadins. Dans l'exercice de leur mandat, ils côtoient d'autres milieux socio-professionnels, s'enrichissent de relations sociales et adoptent le style de représentation de leurs partenaires.

L'image de la paysannerie que les dirigeants agricoles entendent donner aux Français est le fruit d'un effort conscient de présentation extérieure. Cette image se forge au travers d'interviews journalistiques, de clichés photographiques et de passages à la télévision. Rien ne montre mieux cette recherche de présentation que l'adéquation de la tenue vestimentaire aux activités du moment : complet-veston strict et cravate pour les réunions officielles, tenue sport et col roulé pour les réunions locales, les meetings ou les interviews à domicile, vêtement de travail dans l'exercice de leur métier, pour les journaux spécialisés, afin de rappeler, si nécessaire, qu'ils ne sont pas coupés des réalités quotidiennes et de leurs racines sociales. Ils se composent pour les médias une identité : celle d'hommes de terrain, réalistes, efficaces et dynamiques, mais aussi d'hommes de dossiers, sachant les plaider avec une éloquence sobre, compétents sur les questions économiques, capables de débattre de la Sécurité sociale comme des problèmes communautaires ou de l'équilibre agro-alimentaire mondial. Image complaisamment véhiculée par les médias qui les présentent comme « des patrons, des *managers*, des décideurs », stéréotype classique du dirigeant moderne, quel que soit son secteur d'activité. Le cadre de vie, aspect déterminant de la représentation, allie modernisme des installations de l'exploitation et décor rustique de la maison d'habitation.

Finalement, la représentation de la société rurale donnée au monde agricole et à l'extérieur par les responsables professionnels est celle de leur propre réussite. Si elle gomme l'image traditionnellement dévalorisée des cultivateurs, elle marginalise aussi l'existence de la paysannerie besogneuse, bien que le discours officiel prétende prendre en charge l'ensemble des paysans. D'où les polémiques entre organisations syndicales sur le degré de représentativité et de « paysannité » de leurs leaders respectifs. La réussite publique semblant découler tout naturellement de la réussite professionnelle, c'est implicitement admettre que la paysannerie, après avoir éliminé ceux qui parlaient autrefois en son nom, notables traditionnels et non paysans, sécréterait ses propres cadres « montés » de la base, exploitants parmi d'autres, simplement les meilleurs, les plus qualifiés et les plus dévoués, distingués par leur seul talent. En somme, l'émergence des dirigeants résulterait de la « méritocratie ». En réalité, le choix des plus aptes à représenter la paysannerie, loin d'être le reflet social et économique des mandants, s'appuie au contraire sur les traits distinctifs les plus éloignés de la norme. Même s'ils sont issus du milieu paysan, ce sont des « héritiers », souvent descendants de grandes familles paysannes qui, dès la fin du XIXe siècle ou le début du XXe siècle, avaient investi les organisations agricoles à côté des rentiers du sol, des membres des professions libérales et des hommes politiques de la ville, pour les supplanter ensuite. Le milieu des dirigeants des organisations professionnelles de Meurthe-et-Moselle en est un bon exemple et infirme quelque peu l'assertion de la promotion de dirigeants venant de la petite et moyenne paysannerie, formés dans la JAC.

Les dirigeants agricoles de Meurthe-et-Moselle forment un groupe économiquement et socialement fort homogène. Il s'appuie sur un capital d'honorabilité caractérisé par de nombreuses distinctions honorifiques et par le nombre important de prêtres, religieuses, officiers de réserve que compte leur famille. Autant d'éléments de considération sociale qui rejaillissent sur l'ensemble de la parentèle. Dans une région dominée par la petite culture, les dirigeants sont à la tête de grandes fermes familiales — sur 32 exploitations leur appartenant, 5 se tiennent entre 71 et 99 hectares, 25 dépassent 100 hectares —, aux bâtiments imposants, isolés au milieu de leur finage dans un pays d'habitat groupé, avec un matériel ultramoderne et une technique de pointe pouvant aller jusqu'à la pulvérisation d'engrais par avion. Ils obtiennent régulièrement des prix dans les concours agricoles, et ils sont toujours en avance d'une agriculture sur les autres exploitants pour le choix de leur production. Économiquement homogène, leur groupe l'est aussi socialement ; leur réussite s'appuie sur les relations familiales et la parentèle. Le tableau dressant les liens de parenté entre leurs familles est l'illustration d'une généalogie fondée sur l'homogamie. Émile Delatte, de la ferme de Xoudailles, fondateur de la Fédération départementale des syndicats d'exploitants agricoles, en a été le président de 1945 à 1951. Son fils aîné, Charles, successivement président de la Caisse régionale de crédit agricole, de la Caisse nationale de crédit agricole, de la Confédération nationale de la mutualité, de la coopération et du crédit agricole, a été élu en 1979 sur la liste UDF au Parlement européen et a occupé la présidence du Rotary Club de Dijon-sud. Son fils cadet, Paul Delatte, président-fondateur du Centre départemental des jeunes agriculteurs, président de la FDSEA, puis président des Chambres départementale et régionale d'agriculture, est le gendre de Paul Genay, président-fondateur de la Coopérative de Lunéville, dont l'ancêtre Paul Genay dirigea le prestigieux Comice de Lunéville à partir de 1895. Le troisième fils est vicaire épiscopal à Nancy. Leur sœur, Geneviève Delatte, a épousé Henri Colson, vice-président de la Caisse de mutualité sociale agricole (CMSA). Leur neveu, J.-M. Delatte, a appartenu au bureau du CDJA. Enfin, le frère cadet d'Émile Delatte, Lucien, fut président de la Caisse régionale du crédit agricole, sa fille Lucienne responsable de secteur de la JAC féminine, et son fils Jean vice-président diocésain de ce mouvement.

Ci-contre

Relations familiales entre dirigeants du département de Meurthe-et-Moselle (représentation partielle). D'après S. Maresca, « Grandeur et permanence des grandes familles paysannes », Actes de la recherche en Sciences sociales, n° 31, janvier 1980, p. 43.

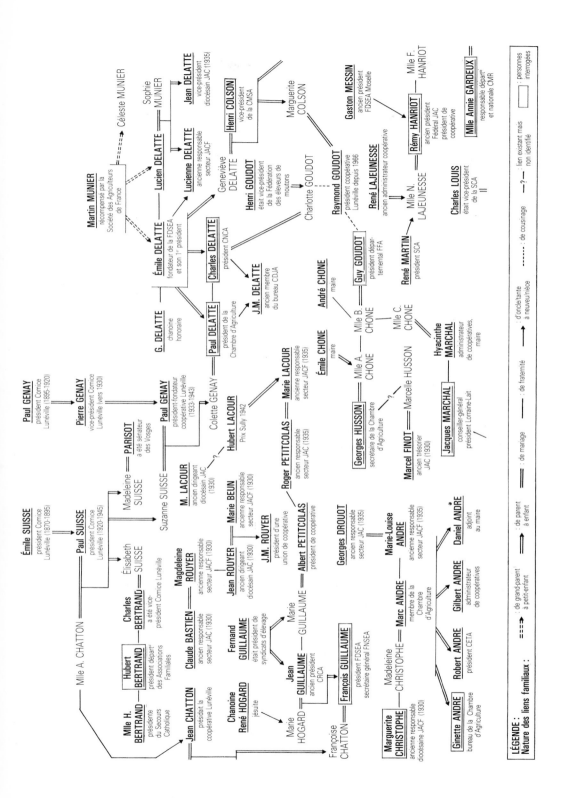

LÉGENDE :
Nature des liens familiaux :

===► : de grand-parent à petit-enfant	——— : de parent à enfant
———— : de mariage	——► : de fraternité
———— : de cousinage	·········· : d'oncle/tante à neveu/nièce
——?— : lien existant mais non identifié	

□ : personnes interrogées

519

La montée de ces grandes familles dans les instances agricoles s'affirme à la fin du XIXe siècle face à une bourgeoisie citadine qui, dans une région en voie d'industrialisation rapide, ne voit plus la nécessité de détenir des postes de responsabilité dans les organismes agricoles. Cette bourgeoisie de la terre, d'abord maîtresse des Comices, accède à la présidence de la Société centrale d'agriculture en 1912. La multiplication des syndicats, plus de 340 en 1925, lui permet d'encadrer la paysannerie. À l'heure actuelle, elle a la présidence de la Chambre d'agriculture, de la Caisse régionale de crédit agricole, de la FDSEA, du CMSA, du Centre de gestion, de Lorraine-Lait. La JAC lui a facilité sa prise de contrôle des responsabilités professionnelles. Le premier groupe jaciste est fondé en 1924 par l'abbé Charles Jacques, issu d'un milieu agricole aisé, pionnier des Œuvres rurales en Meurthe-et-Moselle. Initialement, la JAC est un lieu de sociabilité et de rencontres où se renforce la cohésion de la paysannerie aisée ; ainsi se nouent des alliances, des renchaînements d'alliances. Toutefois, la JAC se veut ouverte aux jeunes de toutes les couches rurales et, par la formation professionnelle et culturelle qu'elle dispense, entend donner leurs chances aux meilleurs des siens. Elle désire devenir le creuset d'une nouvelle paysannerie fière et compétente. En fait, la proclamation de ces valeurs permet surtout à la bourgeoisie agricole de justifier et consolider sa position dominante, puisque ce sont précisément celles qui la distinguent. Dès lors, l'accès aux postes dirigeants de ses membres est le fruit de leur compétence « sans qu'il pût apparaître que l'essentiel du capital mobilisé dans leur ascension avait été accumulé en dehors de la JAC ». En occupant les principaux postes d'encadrement dans le mouvement, ils faisaient l'apprentissage d'un pouvoir qui anticipait sur leurs futures responsabilités, suite logique de leur premier engagement. Limitée, l'accession de jeunes de la moyenne paysannerie à des postes de responsables existe cependant et constitue une réelle promotion. Mais cette ouverture de la JAC, loin de mettre en cause la prééminence de la bourgeoisie agricole, l'a au contraire confortée par son apparence égalitaire.

Jusqu'au début des années 1950, les familles, généralement nombreuses, donnent à leurs enfants une formation scolaire secondaire assez courte sur deux ou trois ans, complétée par des cours professionnels, des stages chez des exploitants modèles et une initiation à la mécanique chez un artisan, afin de maîtriser l'innovation technique. Le bref passage dans le secondaire répond plus à une demande spirituelle des parents qu'à une demande intellectuelle ; l'accent est mis sur la formation morale et chrétienne dispensée dans le célèbre collège Saint-Joseph des frères des Écoles chrétiennes à Nancy, ou l'institution Saint-Pierre-Fourier de Lunéville dirigée par le clergé séculier. Cette ébauche d'un cycle secondaire entraîne la rupture avec les enfants du village et l'établissement de relations avec ceux de la bourgeoisie citadine. Après 1950, la scolarisation « longue » prévaut, car il semble plus prestigieux, face au nivellement des compétences professionnelles, de faire donner aux enfants un enseignement théorique débouchant sur le baccalauréat. Ce choix procède aussi d'une stratégie de pénétration des cercles dirigeants du département, avec lesquels les responsables agricoles ont des contacts sur le plan professionnel ; incités à imiter les pratiques de la bourgeoisie citadine, ils mettent leurs enfants, non sans se heurter d'abord aux résistances de la bourgeoisie nancéenne, dans les collèges les plus huppés de la ville comme celui de la Malgrange à Nancy. Les jeunes gens qui ne militent plus à la JAC préfèrent participer aux activités extrascolaires de leur établissement, notamment au sein d'associations sportives où se créent des liens d'amitié, facilitant l'intégration ultérieure dans les milieux privilégiés. De ce fait, la JAC est marginalisée, sa formation dévalorisée. Elle perd de sa crédibilité aux yeux des jeunes agriculteurs comme pépinière des dirigeants des organisations professionnelles. Cette désillusion pourrait être une des raisons de son évolution vers une attitude contestataire ; elle se fond dans le Mouvement rural de la jeunesse chrétienne, politiquement orienté à gauche.

La famille Guillaume, une dynastie d'éleveurs, illustre les mécanismes d'accumulation d'un capital social faisant des enfants des « héritiers » préparés dès le départ à assumer la fonction de dirigeants. François Guillaume, l'actuel président de la FNSEA, après avoir gravi tous les échelons du cursus, cumule de nombreuses responsabilités. A un moment ou à un autre il détient : au niveau régional la présidence de la FDSEA, de l'Association lorraine pour la promotion en agriculture, de Télé-promotion rurale Est, la vice-présidence du Comité économique et social de Lorraine et de la Chambre d'agriculture ; au niveau national : la présidence du CNJA, le secrétariat général du Fonds d'assurance pour la formation des exploitants agricoles et des membres associés des exploitations agricoles, la vice-présidence de la Fédération des parcs naturels de France ; il est également membre du Haut Comité de l'environnement, du Conseil économique et social, de la Commission de développement économique régional (CODER), de la Commission de la croissance, de l'emploi et du financement au septième plan ; et à l'échelon européen, il appartient au Comité économique et social de la CEE. François Guillaume, élève au collège de la Malgrange de Nancy, obtient son baccalauréat et exploite comme fermier la ferme de son grand-père, Fernand Guillaume. Ce dernier avait racheté en 1921 une exploitation de 134 hectares dont il était locataire. Ses oncles, Guy Guillaume et Albert Petitcolas, sont anciens élèves de l'institution Saint-Pierre-Fourier ; le premier, auquel échoit la ferme paternelle en 1934, est lauréat de plusieurs concours agricoles ; le second est un éleveur souvent primé dans les concours régionaux, dirigeant de sociétés hippiques, président de la laiterie coopérative de Vézelise, de la Caisse régionale de crédit agricole. Le père de François Guillaume, Jean Guillaume, exploite une ferme de 104 hectares, puis une autre de 75 hectares. Consacré l'un des meilleurs éleveurs de vaches laitières de Meurthe-et-Moselle, il est vice-président de la Société centrale d'agriculture, de la FDSEA, président de la Caisse locale de crédit agricole et administrateur des Mutuelles 1900 de l'Est. Sa femme, Marie Hogard, fut secrétaire diocésaine des Semeuses de Lorraine, branche féminine de l'Action catholique agricole. Le beau-père de François Guillaume, Jean Chatton, est le neveu de Paul

François Guillaume à RTL,
le 15 mai 1983.

Suisse, président du fameux Comice de Lunéville, et il a repris son exploitation. Lui-même est président de la Coopérative agricole de vente de l'arrondissement de Lunéville, vice-président du Comité départemental des céréales, administrateur de la Caisse locale de crédit agricole de Lunéville. François Guillaume est père de quatre enfants, dont un fils élève de l'École supérieure d'agriculture d'Angers.

Les grandes familles paysannes ont investi depuis deux ou trois générations les organisations professionnelles agricoles ; leur influence sur les cultivateurs grandit conjointement. Elle se développe d'autant plus que les lois d'orientation agricole et la politique agricole européenne entraînent une réglementation croissante de la profession qu'elles sont généralement chargées d'appliquer. De ce fait, la bourgeoisie agricole parvient à se reconstituer une clientèle qui s'était effritée avec l'exode des journaliers et des petits exploitants. Elle la trouve chez les agriculteurs et au sein des organismes professionnels dont les employés et les cadres administratifs, souvent d'origine paysanne et anciens militants de la JAC et du CNJA, sont dans son sillage et adhèrent aux mêmes valeurs qu'elle. Cela permet aux dirigeants de la FNSEA de parler au nom de l'ensemble de la paysannerie, qui d'ailleurs se reconnaît majoritairement en elle, et de dénier toute représentativité aux autres syndicats.

MÉCONTENTS OU FRUSTRÉS ?

En dépit des formidables changements qui ont transformé le travail et la vie du paysan, un mécontentement endémique règne chez les exploitants, régulièrement accompagné d'explosions de colère et de manifestations. Les discours apaisants des différents chefs de l'État n'y font rien, et les cultivateurs ne sont pas convaincus d'avoir atteint la parité avec les autres catégories sociales. Le malaise est en fait largement imputable à la crise de croissance de l'agriculture, à la rapidité des mutations économiques et sociales, dans un secteur où la lenteur des évolutions était la norme. Le contraire eût été étonnant si l'on songe à la liquidation de centaines de milliers d'exploitations, à un exode massif déstabilisant totalement la population agricole, aux difficultés de ceux qui s'évertuent à atteindre les seuils de rentabilité, empêtrés dans leurs dettes et déçus par une politique foncière et une organisation des marchés insuffisantes. Quant au Marché commun, s'il a initialement répondu à l'attente des paysans en stimulant les prix, il apparaît aujourd'hui à leurs yeux comme une machine de guerre contre l'agriculture française. Et l'Angleterre, imposant à ses partenaires des mesures partisanes, est devenue leur bête noire. L'inquiétude des producteurs de fruits et légumes du Midi est grande devant l'entrée possible de l'Espagne dans l'Europe verte, après celle de la Grèce, alors qu'ils se jugent déjà sévèrement pénalisés par les importations espagnoles. Les agriculteurs n'ont plus confiance dans la politique européenne ; l'affaire des montants compensatoires le prouverait, s'il en était besoin. Deux autres questions essentielles cristallisent le mécontentement : celle du revenu et des conditions de vie, celle du contrôle de l'espace foncier.

Il est difficile d'appréhender les revenus agricoles et de les comparer à ceux des autres groupes sociaux. Faut-il envisager le revenu brut de l'exploitation ou le revenu par individu, prendre en compte ou non l'autoconsommation et le système fiscal du forfait, omettre ou ajouter les transferts sociaux ? Les organisations professionnelles, les pouvoirs publics et les économistes prennent rarement les mêmes bases de calcul. Ceux-ci estiment d'ailleurs que les conditions de vie des agriculteurs ne sauraient s'apprécier en fonction du seul revenu, qui n'est qu'un élément parmi d'autres, et qu'il est impossible de fixer un revenu moyen tant est grande la disparité des situations. Toujours est-il que, taisant les années de prospérité durant lesquelles le revenu des exploitants a allègrement grimpé, les syndicats agricoles, à l'instar des organisations ouvrières et des cadres, ne savent que revendiquer et évoquer la stagnation, sinon la détérioration du revenu agricole. De 1949 à 1958, on se plaint de l'insuffisance du revenu par personne au travail et de l'inflation ; le thème majeur est ensuite celui du rattrapage et la FNSEA dénonce, à tort ou à raison, une baisse du revenu de 1 % de 1962 à 1963, 2 % de 1963 à 1964, 4 % de 1964 à 1965. L'année suivante, le nouveau ministre de l'Agriculture, Edgar Faure déclare : « 1966 sera l'année de rattrapage du revenu agricole » ; celui-ci s'améliore effectivement de 5 % et continue globalement à progresser jusqu'à la crise économique. De 1974 à 1979, en termes réels, sa chute moyenne est de 2,3 % par an. En 1981, le revenu brut baisse de 0,4 % en francs constants par rapport à 1980, ce qui traduit une décélération, 1980 ayant été une année sombre marquée par une faible hausse des prix à la production et une forte hausse des consommations intermédiaires. En décembre 1980, l'État prévoit, pour maintenir le pouvoir d'achat, d'accroître les subventions aux exploitations ; une enveloppe de 4,1 milliards de francs s'ajoute aux aides du Fonds communautaire. Ces subventions relancent les éternelles controverses sur le soutien apporté par l'État aux agriculteurs, lesquels sont exaspérés d'avoir à justifier leur légitimité. Il est vrai qu'ils sont confrontés à de nombreux problèmes, en particulier au financement du capital. Ils ne peuvent vivre uniquement d'emprunts, ils sont contraints d'accumuler du capital pour investir, pour acheter de la terre ; or, ce n'est pas facile quand il faut dédommager les autres héritiers ou payer la rente foncière. Les exploitants sont donc en état d'épargne forcée et, malgré un patrimoine dont la valeur paraît élevée, leur revenu net est médiocre.

Autre raison de l'irritation des paysans : ils trouvent leur travail trop lourd — une enquête de 1974 indique une moyenne journalière de dix heures et demie —, et leurs loisirs insuffisants. Effectivement, ils viennent au dernier rang pour la fréquentation des cinémas, des musées et des monuments historiques, et précèdent les seuls OS pour les concerts. La progression des départs en vacances est lente : 10,2 % en 1970, 19,1 % en 1981, alors que 43,5 % des ouvriers, 75 % des cadres moyens en 1970, et respectivement 53,2 % et 77,5 % en 1981, partaient pendant leurs congés.

Si la généralisation du premier cycle de l'enseignement secondaire bénéficie aux enfants des campagnes comme à ceux des villes, l'écart scolaire qui les sépare de ceux des classes moyennes ne s'est pas réduit ; il a simplement changé de nature : « La disparité sociale s'est déplacée de la sixième à la seconde », elle existe aussi dans le pré-primaire caractérisé par un manque aigu de classes maternelles. Le cas de l'enseignement agricole est révélateur : plus il est de niveau élevé, moins il recrute dans le milieu rural, c'est vrai pour « l'Agro » comme pour l'Institut national de la recherche agronomique. Notons aussi qu'il y a moins d'options dans les CES cantonaux qu'en milieu urbain et que l'enseignement des langues mortes y est rarement dispensé. Sur 100 élèves sortis du primaire en 1963, le nombre d'étudiants en 1971-1972 était de 10 % pour les agriculteurs, 8 % pour les ouvriers. Une décennie plus tard, la situation a peu évolué. L'inégalité scolaire reflète parfaitement le mode de reproduction sociale, comme le prouve la difficulté d'accès pour les enfants de paysans aux positions élevées : sur ce plan, ils appartiennent en majorité aux catégories défavorisées. Ils ne peuvent généralement accéder à un autre emploi que celui d'ouvrier ou d'employé. La comparaison de la mobilité sociale des enfants d'agriculteurs entre 1953 et 1977 montre l'importance de la transformation de la population agricole en population ouvrière,

Comparaison de la mobilité sociale des enfants d'agriculteurs entre 1953 et 1977 (en pourcentage)

Catégorie sociale du père	Catégorie sociale du fils → Agriculteurs exploitants	Salariés agricoles	Artisans, petits commerçants	Industriels, gros commerçants, professions libérales	Cadres supérieurs	Cadres moyens	Employés, personnes de service, autres catégories	Ouvriers	Ensemble
Agriculteurs exploitants									
1953	59,7	6,1	7,8	1	0,7	2,1	5,1	17,5	100
1977	37,8	3,5	6,1	1,5	3	3,7	8,9	35,5	100
Salariés agricoles									
1953	13,4	25,8	12,7	—	0,4	0,4	7,3	40	100
1977	3,6	13,2	5,9	0,9	1,4	4,1	9,6	61,3	100

« suite normale de l'élimination et de la relégation scolaires que subissent tant de jeunes de la petite et de la moyenne paysannerie », à plus forte raison des enfants de salariés agricoles.

Exutoire au mécontentement paysan, les manifestations d'agriculteurs font désormais partie du paysage social français ; les barrages de route par les tracteurs, inaugurés en 1953, les étés « chauds » n'étonnent pas plus que la grève du métro ou celle des PTT. Entre 1962 et 1971, par exemple, on relève 605 manifestations, soit une par quinzaine, rassemblant au total plus de 700 000 personnes. La politique agricole et le problème des prix arrivent très loin en tête comme facteurs mobilisateurs, puisque les revenus en dépendent directement : 355 manifestations concernent la première, 156 le second, la chute des cours servant de détonateur ; 70 sont motivées par les questions foncières, remembrement, cumul, vente de terres à des étrangers, voire expropriation ; 24 ont des origines diverses. D'une façon générale, les manifestations reflètent une extrême sensibilité à la conjoncture. C'est particulièrement vrai pour les viticulteurs, nettement moins favorisés sous la Cinquième République que d'autres catégories de producteurs, et soumis à la concurrence des vins italiens. Bien organisés dans leurs comités d'action et dans la puissante Confédération générale des vignerons du Midi, ayant derrière eux une longue tradition de lutte, les vignerons se mobilisent aisément. La première crise grave que dut affronter le gouvernement socialiste dans le domaine agricole fut celle des producteurs du Midi dans l'été 1981.

Les manifestations se concentrent surtout à l'ouest d'une ligne Le Havre-Toulon. Elles prennent une ampleur particulière dans les régions de petites et moyennes exploitations, en Bretagne, dans le Sud-Ouest, l'Auvergne, le Midi et le Nord-Pas-de-Calais. Dans les années 1950, certaines expriment une réaction poujadiste de petits paysans mal équipés, condamnés à la paupérisation, animés d'un sentiment de frustration. Ce n'est pas un hasard si Dorgères, avec sa Défense paysanne, retrouve 75 000 adhérents et est élu en 1956 aux élections législatives en Ille-et-Vilaine, dans les zones économiquement déprimées et sous-développées du département. De la même manière, l'Union de défense des paysans, créée en 1955 par Pierre Poujade, trouve un écho chez les petits exploitants et viticulteurs des régions défavorisées du Gard, de l'Hérault, du Tarn, de l'Aveyron, de la Vienne, du Maine-et-Loire, ainsi que dans celles en voie d'appauvrissement et de dépeuplement de l'Isère. Néanmoins, majoritairement, les manifestations sont l'expression de l'inquiétude d'agriculteurs ouverts au progrès, animés par la crainte de la non-rentabilité de leurs investissements, soucieux de leur avenir, mais ne remettant pas en cause le système économique. Aussi le mécontentement à l'égard du pouvoir se concrétise-t-il rarement dans un projet politique et un vote-sanction. En dépit de leurs critiques parfois violentes contre les différents gouvernements de la Cinquième République, les cultivateurs ne contestent nullement le régime. Bien au contraire, il se produit une évolution favorable aux forces conservatrices, due à la montée de la paysannerie moyenne.

La protestation paysanne ne parvient pas souvent à revêtir une ampleur nationale, sauf en 1953, 1961, 1969, 1980, phénomène imputable à la fois à la diversité de la paysannerie, à son individualisme et à la spécificité des problèmes. Généralement, elle doit être replacée dans son contexte local. Les réactions des agriculteurs sont très proches de celles des « indépendants », petits patrons et petits commerçants, preuve d'une sensibilité commune. Leurs méthodes ne sont pas sans rappeler celles de l'Union de défense des artisans et commerçants de Poujade ou des petits commerçants du CIDUNATI de Gérard Nicoud : des manifestations spontanées, récupérées ou couvertes par les états-majors. La seconde caractéristique est le goût de l'action directe plus que celui de la concertation, le recours fréquent à la violence contre les symboles de l'État ou les biens de ceux jugés responsables des difficultés des cultivateurs. Pendant l'explosion de l'été 1961, provoquée par la politique gouvernementale et le retard dans l'application de la loi d'orientation, des urnes sont brûlées dans le Finistère le soir des élections cantonales, des fils téléphoniques coupés, la voie ferrée Saint-Malo-Rennes sabotée, des wagons incendiés à Béziers. Ce sont aussi les multiples opérations style commando, œuvre d'éléments incontrôlés : en août 1981, l'abordage d'un pinardier italien de 18 000 hectolitres ; en mars 1982, des dégâts sont causés au Comptoir agricole français qui importe des vins étrangers par des viticulteurs de l'Aude et de l'Hérault, plusieurs cuves sont plastiquées et 80 000 hectolitres de vin sont déversés dans le canal de Sète ; enfin, en juin 1982, neuf camions espagnols sont incendiés à proximité de Perpignan, pour ne prendre que des exemples très récents. Les affrontements avec les forces de l'ordre sont monnaie courante et dégénèrent rapidement. La manifestation d'Amiens, de février 1960, réunissant 30 000 participants, s'achève par de graves bagarres avec la police et fait près d'une centaine de blessés ; heurts violents aussi en mars 1976 à Montredon où un CRS et un manifestant sont tués. Cette violence ne doit toutefois pas masquer d'autres types d'action empruntant quelquefois des formes originales, tels les défilés de tracteurs bloquant la circulation, le déversement d'immondices devant les préfectures, la vente sauvage au prix de revient de pommes de terre ou d'artichauts bretons à Paris, la distribution gratuite sur la route des vacances de produits fermiers et de vin, assortie d'une campagne d'information sur les difficultés des paysans. Enfin, ils savent user des formes d'action les plus traditionnelles du syndicalisme : grèves des livraisons, défilés, meetings. Certains mouvements traduisent un militantisme de haut niveau, tel le meeting commun d'ouvriers et de paysans en juin 1961 à Saint-Nazaire, les manifestations communes d'agriculteurs européens à Bruxelles ou la lutte symbolique menée par les paysans du Larzac pendant dix ans. Le vaste rassemblement organisé à Paris par la FNSEA et le CNJA, le 23 mars 1982, doit être considéré comme un temps fort du malaise actuel. Toutes les interventions des représentants des diverses organisations professionnelles reprennent les griefs traditionnels contre la société globale. Alors que les paysans travaillent douze heures par jour et trois cent soixante-cinq jours par an, que voient-ils en face d'eux ? « Des cigales qui vivent en chantant », des fonctionnaires

La FNSEA donne du fil à retordre au gouvernement : à l'appel de son président, François Guillaume, 100 000 agriculteurs manifestent à Paris le 23 mars 1982.

au traitement de millionnaires, des citadins au revenu garanti, bénéficiant de grosses prestations sociales, de cinq semaines de vacances, bientôt de trente-cinq heures de travail hebdomadaire, et de meilleures écoles pour leurs enfants. Et le président de la FNSEA de conclure : « Les paysans ont besoin de considération, autant que de revenus. »

L'inquiétude paysanne trouve également son origine dans la question du contrôle de l'espace foncier, problème décisif pour l'avenir et l'équilibre de la communauté villageoise. Chaque année, les agriculteurs voient une partie de leur terroir leur échapper et ils se sentent justement lésés. Au développement des infrastructures (autoroutes 40 000 hectares, TGV Paris-Lyon 2 300 hectares, aéroports 150 000 hectares, réserves foncières pour la création de zones industrielles), aux 57 000 hectares reboisés chaque année depuis 1947, s'ajoutent 50 000 hectares par an pour les usages urbains. De 1968 à 1975, 2 000 hectares ont été urbanisés autour de Saint-Étienne, le tiers de ce qu'avait nécessité l'essor de la ville en un siècle et demi. Les logements individuels l'emportent nettement et occupent 2 500 m² ; les riches terres du Forez et du Roannais, les vignobles sont grignotés, transformés en espaces périurbains, puis urbains. Partout, la spéculation est reine et des zones entières sont gelées par des propriétaires qui ne veulent ni vendre, ni louer à des cultivateurs, dans l'espoir de la manne citadine. Une maison d'habitation stériliserait 15 hectares autour d'elle, dont elle fait automatiquement grimper le prix, dès lors inaccessible aux exploitants. Le problème est crucial pour les jeunes qui veulent s'installer. Mais la principale forme de pénétration de l'espace est actuellement celle qui répond aux exigences de la détente, des fonctions récréatives et du tourisme. On crée de multiples parcs régionaux et nationaux. Spolié de son espace, le paysan va-t-il être cantonné comme l'Indien dans des réserves et, relégué au rôle de personnage folklorique porteur de sa paysannité revalorisée, animer en costume traditionnel les festivités locales pour le plus grand plaisir des touristes ? Le fait le plus caractéristique, c'est l'invasion de la montagne, des zones littorales et surtout de la campagne profonde par les résidences secondaires qui mitent le paysage. On en dénombre, en 1975, plus de 1,5 million, avec un accroissement annuel de 5 % depuis 1962.

Les rapports entre les paysans et les « étrangers » se substituent peu à peu aux relations internes à la communauté et sont vécues de façon négative, sauf par ceux qui en profitent. La recherche systématique de maisons rurales fait flamber les prix, empêche les jeunes du pays de trouver un logement et provoque à la limite des réactions xénophobes. Des tensions très vives se manifestent en Ardèche, où des villages menacés d'abandon ont été repris par des Hollandais ; la population locale se plaint de ces « doryphores » qui apportent leur nourriture sous cellophane et n'achètent rien. Toutes les résidences secondaires ou presque sont fermées les trois quarts de l'année. Les touristes de passage piétinent les prairies, laissent des détritus, garent leurs voitures n'importe où, pratiquent le camping sauvage, ramassent les champignons. La création du Parc national des Écrins, haut lieu du tourisme, prive les agriculteurs de leurs droits de chasse, de cueillette, de pêche, limite celui de pâturage. Plus sérieux sont les conflits avec les résidents temporaires ou à plein temps. Ils portent sur les clôtures, les servitudes de passage. Dans les stations de sport d'hiver, comme à Monêtier-les-Bains dans les Hautes-Alpes, la multiplication des terrains clôturés entrave l'accès des éleveurs aux pâturages d'amont. Les citadins se plaignent des bruits, des odeurs ; leurs chiens sont accusés de commettre des déprédations dans les réserves de chasse communales. Par ail-

Un tourisme envahissant : aux bords du lac de Guerledan, Côtes-du-Nord. Photo H. Cartier-Bresson.

leurs, l'admission de résidents secondaires dans les sociétés de chasse divise la communauté villageoise. Sur le plateau de l'Espinouse à C., deux syndicats se sont constitués, celui du maire, qui s'est approprié tous les terrains communaux, ouvert aux extérieurs payants, et celui des cultivateurs du plateau « contraints de protéger, même pour la chasse, l'espace limité qui ne leur est pas encore enlevé ». Les résidents secondaires grèvent aussi les charges communales : voirie des écarts, ramassage des ordures, évacuation des eaux usées.

Dès lors se dessine une lutte pour le pouvoir, expression des conflits entre les paysans acharnés à défendre leur espace et ceux de l'extérieur : capitalistes, Office national des forêts, agents du tourisme, résidents secondaires. Partout où il pénètre, le tourisme donne naissance à des rivalités entre « jeunes turcs et vieille garde » du village. Et le jeu des forces extérieures est de s'appuyer sur les éléments autochtones intéressés aux transformations. L'inscription de résidents secondaires ou de professionnels du tourisme sur les listes électorales modifie les rapports traditionnels à l'intérieur de la société locale. Elle est source de tension, car on les soupçonne de vouloir prendre la mairie. C'est une nouvelle donnée des forces sociales en présence. A Saint-A., commune de 86 habitants permanents, 43 « installés » soutiennent une liste contre le maire sortant. Ailleurs, le pouvoir municipal est accaparé par des commerçants, des émigrés de retour au pays qui prétendent gérer la commune pour la rénover, en s'appuyant sur les éléments dynamiques ; ils favorisent le plus souvent les intérêts touristiques ou forestiers. A l'inverse, à Monêtier-les-Bains, de nouveaux résidents, inquiets du rythme des constructions, soucieux de leur tranquillité, veulent arrêter toute nouvelle intrusion, améliorer les équipements existants et essaient de constituer une liste avec les paysans aux élections municipales de mars 1977. Ces candidatures divisent la population locale et aiguisent les antagonismes contre les « étrangers ». Le pouvoir local devient un enjeu de première importance, car il est l'instrument de contrôle de l'espace foncier. Jusqu'à présent, la paysannerie n'a pu mener qu'un combat d'arrière-garde.

CONCLUSION

Dans une société française en évolution, la paysannerie, longtemps symbole de routine, a montré une capacité d'innovation et d'adaptation au progrès inégalée. Cette formidable mutation opérée en l'espace d'une génération pourrait donner créance à la thèse d'une paysannerie immobile jusqu'aux années 1950, tous les bouleversements postérieurs donnant l'impression d'un long XIX⁰ siècle figé et statique. On a vu qu'il n'en était rien. Les paysans, malgré des disparités régionales et chronologiques, et au besoin sur plusieurs générations, ont gagné leur émancipation. Au travers de bien des vicissitudes, c'est une lente conquête du sol, l'aspiration légitime à l'indépendance économique et à l'émancipation sociale hâtée par l'acculturation, le difficile affranchissement de la tutelle des notables. Lentement, la paysannerie forme ses élites et, à la fin du XIX⁰ siècle, commence à accéder aux responsabilités dans les organisations professionnelles et syndicales, mais aussi dans les mairies. Pourtant, pour le commun, le paysan reste un « cul-terreux », routinier, lourdaud et fruste, plus souvent objet de mépris que d'envie, et trop fréquemment encore, il se perçoit lui-même comme tel. Ses enfants, attirés par les lumières de la ville, ne songent qu'à s'y établir pour fuir la boue, l'inconfort, l'ennui, mais aussi parce que l'exploitation familiale est trop exiguë pour tous.

Aujourd'hui, jouissant d'un confort égal à celui des citadins, l'agriculteur « va aux champs » en voiture, prend la parole dans les réunions syndicales — et ses représentants sont des partenaires sociaux écoutés avec attention par le pouvoir —, il maîtrise des techniques culturales sophistiquées, s'initie à la gestion et à la comptabilité d'entreprise. Il est plus éloigné de son père par sa conception professionnelle et son mode de vie que ce dernier ne pouvait l'être de son arrière-grand-père. Par un étonnant renversement des valeurs, les agriculteurs suscitent l'envie de maints citadins. A la parité du confort s'ajoutent la qualité de la vie et celle de l'environnement. Dans le discours des écologistes et des néo-ruralistes, récupéré avec profit par l'idéologie dominante, le paysan apparaît comme le dépositaire des valeurs humanistes et d'une tradition menacée de disparition. Gardien et jardinier de la nature, il a conservé sa liberté et est resté maître de son travail ; il est l'homme enraciné dans un terroir, possesseur d'une culture, vivant dans une société d'interconnaissances. Tout le valorise face au citadin « délocalisé », écrasé par les contraintes, fondu dans l'anonymat. D'aucuns voient même dans la paysannerie une classe révolutionnaire en puissance et la préfiguration de la société future. En effet, elle a gardé dans ses formes de production artisanale des traits précapitalistes, elle a aussi une longue habitude de l'organisation de type associatif appelée à jouer un grand rôle dans l'avenir, elle développe enfin des expériences extrêmement neuves d'autogestion dans les GAEC, voire dans les Groupements fonciers agricoles. Elle serait par conséquent le laboratoire de la société de demain et remplacerait la classe ouvrière comme porteuse du changement social.

Or, au fur et à mesure que cette image se construit, elle est de moins en moins crédible. La paysannerie a disparu en tant que telle, éclatée en groupes aux intérêts de plus en plus divergents. Qu'y a-t-il de commun entre le gros céréaliculteur des plaines limoneuses du Bassin parisien appartenant à l'*establishment*, exerçant de hautes responsabilités professionnelles, voire politiques, dont les enfants font des études supérieures, de beaux mariages, et le paysan breton tirant l'essentiel de ses revenus de l'activité de sa femme à l'extérieur et de son atelier hors sol de porcs, travailleur à façon totalement intégré par une firme agro-alimentaire ? Quel point commun avec le cultivateur ardéchois traditionnel, marginalisé et pauvre, qui végète sans successeur sur sa petite ferme ? Quel lien idéologique peut rassembler les militants paysans-travailleurs soutenant les grévistes de chez Lip, les viticulteurs du Languedoc-Roussillon favorables à la création d'un Office du vin et les adeptes du productivisme prospères sur leurs exploitations compétitives, convaincus que le succès est à la mesure des qualités individuelles et inquiets devant les projets gouvernementaux qui « feraient d'eux des moujiks » ? Qu'est-ce qui peut rapprocher les paysans ouvrant leur village au tourisme et de plus en plus solidaires des gens du loisir, et ceux qui s'accrochent farouchement à leur terre et à leur vie de toujours ? Le discours usé, mais sans cesse répété, des représentants officiels de la profession sur l'unité, la solidarité et la spécificité de l'agriculture, dissimule de moins en moins bien les lézardes de l'édifice. Le problème est de savoir qui l'emportera. Et pendant que se désagrège la paysannerie, bousculée par la rapidité des changements et la rupture des équilibres traditionnels, angoissée par l'avenir, ne parvenant pas à se libérer de ses contradictions habituelles vis-à-vis de la société englobante, s'affirme dans l'opinion la vision de plus en plus mythique d'un paysan ancré dans ses certitudes et son terroir, ayant conservé les anciennes traditions, sorte de paysan éternel. Une fois encore, la société française manquerait-elle son rendez-vous avec la paysannerie ?

13
La classe dominante
de l'entre-deux-guerres
à nos jours

Les bouleversements structurels de l'économie française après la crise des années 1930 et la croissance de l'après-guerre ont profondément modifié les conditions d'exercice du pouvoir économique et social. La concentration de l'appareil de production agricole, industriel, commercial et bancaire a élagué le corps des entrepreneurs privés. Sa sophistication a donné un rôle primordial à des gens qui restent des salariés mais disposent d'une situation professionnelle et matérielle, d'un pouvoir de décision supérieurs à ceux des indépendants de jadis et de certains propriétaires d'aujourd'hui. L'extension du rôle de l'État dans les services marchands et non marchands, dans la sphère de la production avec les nationalisations de l'après-guerre, encore accru par celles de 1982, a créé de nouvelles catégories de responsables économiques parmi ceux qui, naguère, n'appliquaient leurs talents qu'à l'administration ou à la vie politique. Bref, origines des revenus, niveaux de vie et composition des patrimoines ne se déterminent plus à travers les partages d'hier. La transformation de l'économie française d'après 1945, soutenue et accompagnée par un effort sans précédent de scolarisation aux plus hauts niveaux, n'a-t-elle pas, logiquement, ouvert une nouvelle fois la chance aux talents, d'où qu'ils viennent ?

LES CHANCES D'UNE SOCIÉTÉ
EN RENOUVELLEMENT

La pierre de touche d'une telle transformation sociale devrait résider avant tout dans une modification et un renouvellement sensible de la classe privilégiée. Mais comment définir de nos jours cette classe ? S'agit-il toujours, comme au XIXᵉ siècle, de ceux qui par héritage ont réussi à se hisser à la tête des grandes affaires et que l'on désignait jadis sous le vocable de patronat, de grande bourgeoisie ou de capitalistes ? S'agit-il plutôt de ceux qui ont acquis le pouvoir politique et administratif ou encore de cadres supérieurs ? De technocrates qui n'ont plus besoin de posséder pour diriger ? Continuer à désigner les privilégiés sous des termes traditionnels serait ne pas tenir compte de la distribution nouvelle des statuts à l'intérieur de cet espace social dominant que les bouleversements structurels, rappelés ci-dessus, ont manifestement provoquée. Les patrons, par exemple, ne sont plus ce qu'ils étaient ; certes, le patronat familial, traditionnel et propriétaire, ou quasi propriétaire, d'une très grande entreprise — Michelin, Peugeot, Pernod, Ricard — se maintient mieux qu'on ne le dit, mais il ne constitue plus qu'une fraction de la couche dirigeante de l'économie. De nombreux patrons, ou leurs fils, se sont transformés en salariés-dirigeants de leur société ; et que dire de ces hauts fonctionnaires qui administrent maintenant de plus en plus des entreprises nationalisées ? Peut-on les assimiler à ces exploiteurs, vilipendés par Marx, eux qui ne possèdent pas, ou pratiquement pas, les moyens de production qu'ils gèrent pourtant ?

A la recherche de la classe dominante

Même si l'on convient de distinguer nettement les salariés-dirigeants de ceux qui sont subordonnés, les cartes sont brouillées puisque le salariat a pénétré la sphère des nantis. Les querelles de mots ne sont pas innocentes et désigner par un terme nouveau le groupe social qui reste en position de privilège, n'est-ce pas laisser entendre implicitement des changements profonds et, en particulier, reconnaître l'accession de couches nouvelles, comme disait Gambetta, à cet espace ? L'intrusion du salariat de direction dans les affaires privées signifie-t-elle qu'il y a eu mobilité sociale entre les générations et que, de ce fait, la distribution dans les rapports sociaux a changé ? Ou bien n'y a-t-il eu que changement de statut de direction entre les pères et les fils de mêmes familles ?

La réponse à cette question centrale sur la mobilité sociale est bien délicate. Les quelques études qui portent sur la comparaison entre deux générations indiquent toutes la très grande immobilité de la dispersion sociale. Le phénomène n'est bien entendu jamais intégralement vérifié et pour certains, grâce à cette mobilité marginale qui finirait par être cumulative sur plus de deux générations, il y aurait tout de même un renouvellement des bénéficiaires des privilèges. Malheureusement, des études sur le très long terme n'existent pas et seraient d'ailleurs malaisées à mener pour l'ensemble de la classe dominante. Les évolutions sont donc difficiles à retracer ; pour la première moitié du XXᵉ siècle, nous disposons d'études biographiques intéressantes, mais dans certains secteurs seulement — François de Wendel, Louis Renault, Ernest Mercier, Auguste Detœuf, Raoul Dautry, Louis Marlio —, voire dans certaines régions, mais peu de travaux généraux ; seuls les patrons de l'électricité (P. Lanthier) ou des trente plus grandes firmes cotées en Bourse (M. Lévy-Leboyer) ont donné lieu à des analyses ; de même pour la période plus contemporaine, les travaux, sans être beaucoup plus

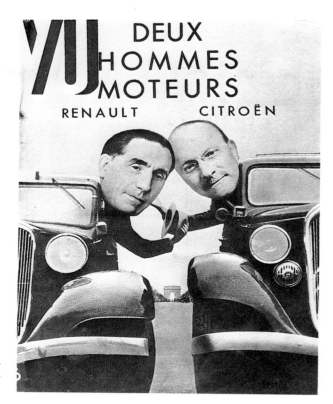

Deux concurrents : Louis Renault et André Citroën, couverture de Vu, *20 janvier 1935.*

nombreux, sont tout de même plus exhaustifs (C. Thélot) ; ils reprennent l'analyse des dictionnaires biographiques, en particulier le *Who's who* (P. Birnbaum) ou celle des administrateurs des plus grandes entreprises, des chefs de service des ministères, et les assortissent d'enquêtes orales (E.-N. Suleiman) révélatrices de mentalités. Certaines institutions de reproduction des élites — l'école, les grands corps, le mariage — ou de défense des privilèges — syndicats — sont mieux connues. Rien pourtant de sériel qui permette de confirmer que les fortunes se défont en trois générations.

Qu'est-ce au juste que la classe dominante, actuellement ? Il n'est pas possible de la définir uniquement par la possession de biens d'exploitation ; ce qui n'exclut pas pour autant une large part de détermination par la fortune et l'héritage. De plus, la grande mobilité du statut professionnel de direction, l'interpénétration de l'économique, de l'administratif et du politique, le passage aisé du public au privé (« pantouflage ») entraînent une définition et une étude larges qui tiennent compte de la variété des rôles, des méandres des carrières, de la cohésion de l'ensemble malgré les oppositions internes, de ce qui différencie cette classe et l'oppose aux autres couches de la population. La classe dominante comporte ainsi à la fois des dirigeants de l'économie, de la politique et de la haute administration, mais aussi des groupes de personnes qui ne dirigent pas : des professions libérales, des rentiers et des intellectuels influant sur les institutions culturelles de reproduction du système social. Pour mieux la cerner, nous verrons successivement : la mobilité du statut que provoque la modification des structures, la reproduction sociale, la cohésion idéologique.

Du service public au « pantouflage ». Wilfrid Baumgartner, inspecteur des Finances, fait une ascension rapide dans l'Administration : en 1949, il est gouverneur de la Banque de France, puis, de 1960 à 1962, ministre des Finances du général de Gaulle. Il deviendra PDG de Rhône-Poulenc en 1964 et administrateur de nombreuses sociétés.

Pour avoir une connaissance globale de l'évolution de la classe dominante, force est d'avoir recours aux recensements qui indiquent la répartition des catégories socio-professionnelles, c'est-à-dire qui comptabilisent des situations, des fonctions professionnelles, et non des informations sur les rapports sociaux eux-mêmes qui permettraient d'appréhender la classe dans ses relations. Les indications ainsi obtenues montrent que les périodes de stabilité ou de récession économiques passées ont limité la mobilité professionnelle de la classe dirigeante et l'ont vraisemblablement pétrifiée dans la défense de son statut. Par contre, la longue durée a eu pour conséquence de précipiter des mutations qui n'apparaissaient auparavant qu'à l'état latent. Le recrutement s'est élargi ; les qualifications et les compétences se sont précisées ; le statut et les carrières se sont transformés. Mais y a-t-il eu pour autant ouverture vers d'autres couches sociales ? De nouvelles filières d'accession aux situations privilégiées ont-elles vu le jour ? L'égalisation des chances a-t-elle pour autant été amorcée ? Autrement dit, le bouleversement des structures a-t-il entraîné un changement dans les rapports de domination ou simplement une adaptation fonctionnelle à l'intérieur de la classe dirigeante ?

Outre les recensements, des enquêtes de l'INSEE (C. Thélot) portant sur la population active masculine de 40 à 59 ans confirment que le nombre des patrons de l'industrie a baissé ; ils représentaient 4,4 % de la population ainsi définie, en 1953, et 3,1 % de celle-ci en 1970, ce qui s'explique à la fois par la disparition d'un certain nombre d'entreprises traditionnelles et par la concentration financière de l'appareil de production. Le nombre de dirigeants salariés et de cadres supérieurs du privé, à travers ces enquêtes, a doublé de 3,1 à 6,1 %. Parallèlement, de 1954 à 1968, les effectifs des cadres supérieurs de l'administration publique — rang A — ont progressé de 60 %. Bien entendu, toutes ces tendances sont apparues dans les années 1920, mais modestement. Ainsi, la lente désagrégation des rentiers « purs », à l'âge actif, date des premiers effets néfastes de l'inflation sur les revenus fixes ; de nos jours, il n'y aurait qu'environ 30 000 ménages non retraités vivant uniquement de leurs placements, essentiellement immobiliers, alors qu'il y aurait environ 300 000 foyers fiscaux assujettis à l'impôt sur les grandes fortunes. Si les professions libérales, grâce à leur attitude corporatiste, ont

Évolution des catégories socio-professionnelles liées ou proches de la classe dominante de 1954 à 1975 d'après les recensements

	Effectifs		Pourcentage de la population active		Taux annuel de variation
	1954	1975	1954	1975	1954-1975
Industriels	91 067	59 845	0,5	0,2	− 1,9
Gros commerçants	181 717	186 915	0,9	0,9	0,9
Professions libérales	120 341	172 026	0,6	0,8	1,7
Professeurs et professions littéraires et scientifiques	80 380	377 215	0,4	1,7	7,6
Ingénieurs	75 808	256 290	0,4	1,2	5,9
Cadres administratifs supérieurs	277 190	653 755	1,5	3	4,1
Total	826 503	1 706 046	4,3	7,8	3,5

su se préserver de l'envahissement, par contre l'influence et la croissance des effectifs de professeurs, si caractéristiques d'aujourd'hui, ont été déjà notées dans l'entre-deux-guerres, du temps de la « république des professeurs ». Quoi qu'il en soit, même s'il est difficile d'assimiler tous les membres des catégories socio-professionnelles privilégiées par leur fonction à la classe dominante, l'évolution des chiffres indique incontestablement une transformation du statut et une relative ouverture.

Les grandes affaires : héritage ou talent ?

La classe dirigeante se subdivise entre ceux qui mènent les grandes affaires privées et ceux qui font partie de la haute administration publique. Parmi les premiers, le nombre des patrons a diminué au profit des dirigeants salariés. Cette évolution est souvent interprétée comme le signe d'une dissociation désormais grandissante dans l'entreprise entre la possession du capital et le pouvoir de gestion qui aboutirait à faciliter l'accession aux postes clefs d'hommes compétents et dynamiques (les *managers*) et à restreindre le pouvoir de l'argent. Cette thèse est pourtant largement contredite par une observation minutieuse des faits.

La direction « managériale » s'accompagne d'un changement des structures juridiques et administratives dans les entreprises ; elle n'a toutefois pas le même succès selon les branches ou la taille des firmes. D'après F. Morin, et son étude sur la structure financière du capitalisme français, qui date de 1974, sur les vingt plus grandes entreprises industrielles, six étaient toujours sous contrôle familial, cinq sous contrôle étranger, trois sous contrôle étatique, quatre sous contrôle technocratique industriel et deux sous contrôle technocratique bancaire. La dépendance à l'égard du capital familial restait donc un fait bien réel dans les très grandes entreprises ; elle était, de plus, fort répandue puisqu'elle subsistait, même si le nom de ces anciennes familles ne figurait plus dans la raison sociale, dans plus de la moitié des deux cents plus grandes sociétés industrielles. Quant aux moyennes et petites sociétés, la salarisation des patrons ne constitue qu'une commodité personnelle pour le dirigeant et ne se différencie guère de la gestion patronale traditionnelle. Par conséquent, dans la majorité des cas, le patron est devenu

Jean Prouvost, un des grands patrons du textile du Nord. Il a fondé Paris-Soir en 1930. Il est nommé ministre de l'Information en juin 1940. L.O. Frossard, son prédécesseur, lui transmet les dossiers. J. Prouvost éditera, après la guerre, Paris-Match et Marie-Claire.

PDG ; son fils a des chances d'être tout d'abord cadre supérieur puis à son tour PDG ; le niveau des études n'est pas déterminant ; le mode de recrutement n'a pas beaucoup changé avec le statut et les liens avec le capital sont évidents. Lorsque, dans des sociétés plus importantes, la famille n'apparaît que dans les conseils d'administration et qu'elle a su s'adjoindre des hommes compétents qu'elle a délégués au plus haut rang, la subordination à l'argent n'en est pas moins réelle et la décision de la gestion, sans être directement liée par le sang aux anciens propriétaires, est cependant le plus souvent issue des mêmes milieux.

Dans les entreprises à gestion technocratique qui se situent, il est vrai, parmi les plus grandes — sept sur les vingt premières en 1974 et dix sur les quarante plus importantes — on pourrait penser qu'il y a plus de chances de promotion pour les plus compétents, si l'on entend par là les plus diplômés. Les dirigeants « technocrates » sont, sur un échantillon de deux cents sociétés dans les années 1970 (P. Bourdieu et M. de Saint-Martin), pour 31 % des polytechniciens ayant démissionné des grands corps (Mines ou Ponts et Chaussées), dans 38,5 % des cas des anciens élèves de Sciences politiques (le plus souvent énarques), dans 15,5 % des ingénieurs de Centrale ou des ingénieurs civils des Mines, et dans 2 % des anciens d'HEC. Il y a donc peu de chances, dans ces entreprises, d'accéder à la direction sans avoir réussi, tout jeune, un concours très sélectif dans une grande école. Dans les entreprises à contrôle étatique, le profil exigé est à peu près le même, sauf qu'il privilégie plus fortement le Droit et l'ENA, des études réputées, à juste titre, être encore plus exclusivement réservées à la grande bourgeoisie parisienne que Polytechnique.

Il est ainsi possible d'esquisser la carrière type du dirigeant actuel de grandes affaires. Il faut être Parisien, avoir suivi une scolarité dans un grand lycée de la capitale (Janson-de-Sailly, Louis-le-Grand) qui prépare avec beaucoup de chances de succès aux grands concours. Après avoir réussi Polytechnique ou l'ENA, il est nécessaire de sortir dans un bon rang, afin d'être admis aux Mines ou aux Ponts et Chaussées dans le premier cas, l'Inspection des finances dans le second ; il est souhaitable d'avoir fréquenté les allées du pouvoir dans un cabinet ministériel. Le haut fonctionnaire a désormais, s'il le désire et en fonction de ses relations, de bonnes probabilités d'être coopté, par ses pairs déjà en place, à la direction d'une grande entreprise privée ; puis au bout de vingt-cinq ans de formation diversifiée mais toujours à des postes de responsabilité, il devient, entre 56 et 58 ans, PDG du groupe et peut alors cumuler les conseils d'administration qui offrent jetons et tantièmes. Le haut fonctionnaire peut également, sans démissionner de son corps, rester dans la fonction publique en détachement auprès d'une entreprise nationalisée ; les inspecteurs des Finances vont plutôt du côté de la banque alors que les polytechniciens pantouflent le plus souvent dans la production ; les premiers se font d'ailleurs de plus en plus envahissants dans tous les domaines. De plus, il existe au cours d'une carrière une certaine mobilité entre les directions, ce qui montre à la fois la polyvalence de ce personnel et l'interpénétration du public et du privé, du bancaire et de l'industriel.

L'emprise des grands corps sur l'activité économique n'est pas nouvelle ; dès la fin du XIXᵉ siècle et le début du XXᵉ siècle, les grandes compagnies de chemin de fer avaient à leur tête d'anciens hauts fonctionnaires des corps techniques. Puis le pantouflage s'est propagé dans les industries liées, peu ou prou, à l'État par leur caractère de service public ; ainsi, à partir de la première guerre mondiale, ce personnel a pénétré la production et la distribution d'énergie (électricité, pétrole) et les industries électrotechniques. Certaines de ces sociétés étaient de véritables fiefs de grandes écoles ; ainsi,

La sortie du lycée Janson-de-Sailly, rue de Longchamp, dans le 16ᵉ arrondissement.

Une turne à l'École centrale.

Péchiney a été dirigé pendant trois quarts de siècle par des « X-Mines » (G. Gordier, J. Level, L. Marlio, R. de Vitry, P. Jouven, P. Thomas) ; le cas de la CGE, depuis P. Azaria, centralien, jusqu'à A. Roux, X-Ponts, est à peine différent. Après la seconde guerre mondiale, l'Inspection des finances pénétra en force dans les banques d'affaires (Paribas, Suez), et bien entendu dans les banques nationalisées ; il faut dire que, dès l'entre-deux-guerres, un de ses éminents représentants, É. Moreau, ancien gouverneur de la Banque de France, avait montré la voie en présidant aux destinées de Paribas. Seule l'ampleur du mouvement est caractéristique du développement contemporain.

L'invasion de la finance et des branches les plus dynamiques de l'industrie par cette élite, manifestement moins tributaire d'un important capital personnel, correspond-elle à un véritable renouvellement de la classe patronale ? Le terme de « technostructure » a été employé pour désigner non seulement une nouvelle méthode de gestion, mais aussi une nouvelle couche de dirigeants à la tête des grandes affaires. Qu'en est-il ? Dans la majorité des cas, ces hauts dirigeants-salariés sont fils de dirigeants ou de hauts fonctionnaires ; ils sont également issus de familles de professions libérales et de cadres supérieurs, très rarement des classes moyennes et encore moins souvent du monde ouvrier. En 1952, sur les 100 PDG des cent premières entreprises (P. Bourdieu et M. de Saint-Martin), 69 provenaient de la classe dominante et en 1972 ce pourcentage était de 81 ; au fil du temps, la fermeture de ce monde s'est accentuée. En 1952, sur ces 100 PDG, le tiers sortait de Polytechnique, dont 19 des grands corps ; les autres écoles d'ingénieurs avaient fourni 17 autres patrons et Droit et Sciences politiques, 15. En 1972, les grands corps techniques ont toujours des représentants aussi nombreux (19) ; par contre, Polytechnique seul décline (4) au profit du Droit et de Sciences-po (30), dont la majorité sort de l'ENA.

Le renouvellement des structures de production et la croissance économique ont sans doute offert un plus grand nombre de places de direction, mais elles ont été occupées par une fraction plus large encore de la classe dominante. Le recrutement très

Ambroise Roux, polytechnicien et patron de la CGE.

sélectif a évolué en faveur de la grande bourgeoisie parisienne dont les fils peuplent Sciences-po, aux dépens des enfants de la bourgeoisie provinciale laborieuse qui réussissent mieux à Polytechnique. Pour atteindre les sommets de cette « technostructure », un passage dans les grands corps de la fonction publique est obligatoire et les dernières nationalisations ne semblent pas avoir entamé l'ensemble de ce processus de sélection-promotion de la classe privilégiée. Celle-ci a su sécréter en son sein une couche nouvelle, capable de gérer les affaires d'une dimension plus large, de résister aux aléas de la vie politique tout en continuant à administrer l'appareil de l'État.

Les élites de la fonction publique

L'omniprésence, au nom du savoir-faire, d'une infime fraction de hauts fonctionnaires dans tous les lieux de direction économique, tant publique que privée, et du pouvoir administratif et politique, est l'une des caractéristiques les plus originales de la société française. Héritage sans doute d'une tradition centralisatrice, ce trait s'est encore renforcé avec la Cinquième République. Depuis le Second Empire, la séparation de l'administratif et du politique était pourtant une règle républicaine ; le gaullisme, en instaurant la professionnalisation de l'exécutif, a rompu avec cette tradition ; désormais, les énarques peuplent de plus en plus les cabinets ministériels, deviennent secrétaires d'État et ministres ; mais en même temps, ils se lient au pouvoir politique en place et briguent des mandats de député et dirigent les partis politiques. Cette pénétration aboutit-elle à promouvoir partout l'idée de service public ou bien à introduire les normes de l'efficacité et du rendement si chères au secteur privé ? C'est là toute l'ambiguïté de l'idéologie qui soutient cet état de fait et, en même temps, sa force puisqu'elle réussit à pérenniser le pouvoir de la classe dominante en lui assurant la maîtrise et la coordination indispensable entre l'économique, le politique et l'administratif.

Le nombre des cadres supérieurs de l'administration publique a sans doute doublé depuis la guerre — la croissance est de 60 % entre 1954 et 1968 —, en raison du rôle de plus en plus large de l'État ; les hauts fonctionnaires qui sont promis à une mobilité de carrière ascendante forment cependant une caste particulière ; sortis parmi les premiers de l'ENA ou de Polytechnique, ils doivent rentrer, rappelons-le, dans un grand corps technique (Mines ou Ponts et Chaussées) ou administratif (Inspection des finances, Cour des comptes, Conseil d'État, corps préfectoral ou diplomatique). Par conséquent, les énarques ou les polytechniciens qui ne passent pas par les grands corps ont beaucoup moins de chances d'être promus, et les places dans ces corps ont été volontairement très limitées. Quant aux admis, de bonnes relations familiales et politiques constituent une carte supplémentaire, quel que soit le corps d'origine ; ils peuvent alors, grâce à la très grande liberté que leur offre leur fonction, demander à être détachés dans d'autres établissements publics ou parapublics où les contacts avec le secteur privé leur donnent des chances de se lier au monde des affaires ; ils peuvent, si besoin est, retourner dans leur corps ; ce n'est pas, en général, un signe de succès, mais une sécurité.

L'École polytechnique forme les cadres de la haute administration, mais reste une école militaire dirigée par un général.

Tous les corps ne sécrètent pas pour autant le pantouflage ; si les corps techniques, les Finances et le corps préfectoral y sont particulièrement ouverts, par contre la Cour des comptes et le Conseil d'État maintiennent plus fermement l'esprit du service public (P. Birnbaum) et, dans de nombreux cas, le pantouflage dépendrait de l'origine sociale. Quoi qu'il en soit, le corps fonctionne comme une sorte de fraternité qui veille jalousement sur les privilèges et les aires d'influence de ses membres ; les règles tacites de carrière y sont très puissantes et le corporatisme de cette élite joue un grand rôle dans l'administration de l'État comme dans le privé ; ainsi, les règles hiérarchiques fonctionneraient même hors des administrations centrales. Ce modèle de caste bureaucratique, qui se caractérise par une très forte barrière à l'entrée et des possibilités de promotions hiérarchisées et réservées aux membres du groupe, semble être une pratique qui fait tache d'huile auprès des sous-ensembles de cadres supérieurs non dirigeants, des administrations et des entreprises, car la salarisation des directions des grandes sociétés technocratiques et les nationalisations de certaines d'entre elles se sont, en effet, accompagnées d'une véritable fonctionnarisation du haut personnel. Naturellement, le privilège des fonctionnaires des grands corps est de pouvoir, en raison de leur « polyvalence », changer de direction, et d'être assurés d'avoir toujours, malgré leurs mutations, des postes clefs.

L'origine sociale de ces hauts fonctionnaires n'est pas connue pour tous les corps, mais l'Inspection des finances qui, nous l'avons vu, est un des groupes les plus dynamiques, comptait par exemple en 1952 (P. Birbaum) 11 % d'inspecteurs qui venaient de l'aristocratie et de la grande bourgeoisie, 20 % dont le père était industriel ou banquier, 29 % dont le père était lui-même haut fonctionnaire. Le recrutement, c'est une tradition, est manifestement élitiste, pratiquement pour l'ensemble de ce niveau de la fonction publique (un peu moins pour les préfets). Les nouveaux héritiers ont donc de profondes racines dans la bourgeoisie et ont procuré à cette dernière de nouvelles possibilités de faire entendre sa voix dans l'arène politique. La république des professeurs a été remplacée par la république des hauts fonctionnaires, où toute excroissance des attributions de l'État constitue une chance supplémentaire pour ces derniers d'étendre leur empire.

Le développement d'après la guerre a donc incontestablement augmenté le nombre des situations privilégiées ; il a eu pour effet d'introduire la salarisation et, en partie, la fonctionnarisation de la classe dirigeante. L'élite patronale traditionnelle, sans disparaître, s'est métamorphosée en un groupe de *managers* et ses liens avec la haute fonction publique se sont renforcés. Avec le gaullisme s'est instaurée la république des hauts fonctionnaires et, au nom de leur savoir-faire et de leur polyvalence, les membres des grands corps de l'État ont pénétré dans tous les rouages de la vie politique et annexé une bonne partie de la direction de l'activité économique. Le pouvoir et les privilèges de cette nouvelle élite administrative et technocratique ne signifient pas pour autant un renouvellement de la classe dominante, car cette élite s'enracine dans un tissu familial ancien qui a su, grâce à des méthodes de reproduction sociale appropriées, préserver pour ses enfants les avantages de sa classe : richesse, culture et honneurs.

LES CHEMINS DE LA REPRODUCTION SOCIALE

La société française a connu une assez grande stabilité de la mobilité sociale sur deux générations (C. Thélot). L'autorecrutement des classes populaires y est très élevé, puisque les quatre cinquièmes des actifs de ces classes sont nés dans ce milieu ; à l'opposé, ce sont les classes moyennes qui paraissent les plus mobiles ; quant à la classe dominante, elle se caractérise par une très grande permanence du taux de reproduction à l'intérieur de son milieu. Son sens des affaires, sa stratégie des mariages, ses réseaux de relations et l'esprit de compétition inculqué à ses fils ont permis à ce groupe dirigeant de maintenir, voire d'élargir, au fil du temps, l'essentiel de ses acquis, tant du point de vue socio-professionnel que patrimonial.

Les cadres sociaux et culturels du pouvoir

Pour l'ensemble des couches dominantes (industriels, gros commerçants, membres d'une profession libérale, professeurs, ingénieurs, cadres administratifs supérieurs), il faut, encore une fois, distinguer les possibilités de recrutement hors du groupe dues à l'évolution des structures et les capacités de résistance à l'envahissement opposées par le groupe lui-même. Si l'on suit la population étudiée par L. Thélot, qui ne tient compte que des actifs masculins occupés de 40 à 59 ans entre 1953 et 1977, on remarque que, pendant ces vingt-cinq ans, les chances de la deuxième génération d'accéder à une position privilégiée par rapport à la première ont été multipliées par 2,3 dans la distribution générale des classes ; les couches dominantes en ont profité pour placer 2 fois plus de leurs fils dans ces catégories ; les classes moyennes ont également doublé leurs effectifs ascendants et les classes populaires ont eu ainsi la possibilité de placer 4 fois plus de leurs fils dans cette position privilégiée. En conséquence, la classe dominante, qui était alimentée en 1953 par 40 % de fils de privilégiés, 42 % de fils des classes moyennes et 18 % de fils des classes populaires, a vu son recrutement légèrement modifié au profit de ces dernières, puisqu'en 1977 les couches privilégiées comportaient 29 % de fils de la classe « supérieure », toujours 42 % de fils des classes moyennes et 29 % de fils des classes populaires. Cependant, en raison de la très grande inégalité en nombre de la population de ces trois groupes, les chances de mobilité ascendante, malgré l'évolution des structures, n'étaient pas du tout les mêmes ; aussi, en début comme en fin de période, les fils des strates dirigeantes ont-ils eu 50 % de chances de rester dans leur catégorie ; les fils des classes moyennes ont vu leurs possibilités d'ascension passer de 10 à 21 % ; dans les couches populaires, alors qu'en 1953, 2 % des fils étaient admis dans la catégorie privilégiée, en 1977, ce taux n'était passé qu'à 6 %. De plus, il est vraisemblable qu'une bonne partie des cas de régression depuis le groupe supérieur comprenait des fils dont le père était fraîchement arrivé en position privilégiée, et qui n'avaient pu s'y maintenir. Tout compte fait, la relative mobilité ascendante constatée dans la distribution des classes est essentiellement d'origine structurelle et ne porte pas vraiment atteinte à la reproduction endogène du groupe dominant.

La destinée sociale des classes dirigeantes, en vingt-cinq ans, indique une plus grande mobilité pour les patrons de l'industrie et du gros commerce que pour les cadres supérieurs. En 1953, 43 % des fils de patrons étaient devenus eux-mêmes patrons et 12 % étaient devenus cadres supérieurs ; en 1977, 21 % seulement des fils de patrons

Destinées sociales des classes dirigeantes entre 1953 et 1977 (fils : hommes actifs occupés de 40 à 59 ans)

Catégorie sociale du père	Catégorie sociale du fils	Salariés & exploitants agricoles	Artisans & petits commerçants	Industriels, gros commerçants, professions libérales	Cadres supérieurs	Cadres moyens	Employés, personnel de service	Ouvriers	Ensemble
Industriels Gros commerçants Professions libérales	1953	(4)	(10)	*43*	(12)	(7)	(7)	17	100
	1977	(1)	14	*21*	26	12	10	16	100
Cadres supérieurs	1953	(4)	(16)	(6)	*41*	(17)	(14)	(2)	100
	1977	(2)	(4)	10	*43*	22	9	10	100

Source : Enquête sur l'emploi de 1953 et FQP 1977, *in* C. Thélot, *Tel père, tel fils*. Paris, Dunod, 1982, p. 46. Les proportions mises entre parenthèses sont incertaines.

Recrutement des classes dirigeantes entre 1953 et 1977 (fils : hommes actifs occupés de 40 à 59 ans)

Catégorie sociale du père	Catégorie sociale du fils	Salariés & exploitants agricoles	Artisans & petits commerçants	Industriels, gros commerçants, professions libérales	Cadres supérieurs	Cadres moyens	Employés, personnel de service	Ouvriers	Ensemble
Industriels Gros commerçants Professions libérales	1953	(12)	17	*44*	(4)	(7)	(10)	6	100
	1977	13	22	*24*	11	7	6	17	100
Cadres supérieurs	1953	(8)	15	(9)	*24*	(8)	(24)	12	100
	1977	9	15	(11)	*16*	13	16	20	100

Source : C. Thélot, *op. cit.*, p. 47.

étaient encore patrons, mais 26 % étaient devenus cadres supérieurs, ce qui confirme la salarisation du patronat déjà analysée. La situation de cadre supérieur — en particulier dans la fonction publique — est beaucoup plus stable de père en fils. La manière de déchoir n'est pas la même pour les patrons que pour les cadres ; les fils de patrons deviennent plus souvent ouvriers, voire petits artisans ou commerçants ; quant aux fils de cadres supérieurs, ils ont tendance à rétrograder vers la situation de cadre moyen qui est la position la moins fragile de la petite bourgeoisie. Si l'on regarde, non plus la destinée, mais l'origine sociale des deux générations de dirigeants, on remarquera, comme cela était prévisible, un recrutement plus diversifié au fil des ans. Ainsi, les chances des petits commerçants et artisans de devenir patrons se maintiennent bien ; les ouvriers voient leurs possibilités d'accéder au patronat et à la catégorie de cadre supérieur s'accroître modérément. L'évolution des structures a donc incontestablement joué en leur faveur, sans toutefois remettre en cause la dispersion sociale.

Origine socio-professionnelle du grand patronat de 1912 à 1973 (en pourcentage)

	Dirigeants	Fonctions supérieures	Professions libérales	Cadres moyens	Entrepr. moyens	Artisans commerçants	Ouvriers	Employés	Manœuvres	Total	Effectifs sondés
1912	40,3	10,4	16,4	7,5	11,9	4,5	3	6	—	100	67
1919	48,8	13,8	9,9	11,3	8,7	1,2	2,5	2,5	1,3	100	81
1929	51,9	13,6	13,6	11,1	2,5	1,2	2,5	2,5	1,2	100	81
1939	54,2	8,5	23,2	7,3	4,9	—	1,2	—	—	100	82
1959	36,3	8,8	29,7	15,4	6,6	—	—	2,2	1,1	100	91
1973	38	6	27	17	7	1	3	1	—	100	100
Total	45	9,9	20,5	11,6	6,9	1,2	2	2,2	0,6	100	502

Source : M. Lévy-Leboyer, *Le patronat de la seconde industrialisation*. Éd. Ouvrières, 1979, p. 142.

Quant au haut patronat, celui par exemple des trente plus grandes entreprises sondées par M. Lévy-Leboyer entre 1912 et 1973, son recrutement social se referme très fortement puisque, sur toute la période, un peu plus de 75 % de ces patrons sont directement issus de la classe dominante. Certes, durant la croissance qui a suivi la seconde guerre mondiale, il y a eu un modeste mouvement d'ouverture, mais il s'est fait uniquement en faveur des enfants dont le père était cadre moyen, c'est-à-dire culturellement capable d'aider ses fils à franchir les barrières scolaires qui mènent aux grandes écoles. D'ailleurs, à l'intérieur même de la classe dirigeante, la mobilité sociale est soumise à un système complexe de tri qui explique une reproduction de plus en plus endogène, de la base au sommet.

Pour se maintenir de façon quasi permanente en situation de domination dans la dispersion sociale, les couches dirigeantes adoptent trois sortes de ligne de conduite : un choix réfléchi des alliances matrimoniales, des études et des carrières appropriées, une politique d'héritages et de placements des capitaux.

Le choix des conjoints dans la haute bourgeoisie n'a bien entendu pas donné lieu à de nombreuses études ; cependant, une enquête de 1967 (D. Hall et H.-C. de Bettignies) auprès de 159 PDG des cinq cents premières sociétés indique que 57,3 % des patrons des plus petites sociétés ont épousé des filles de patrons et que seuls 21,2 % des patrons des plus grandes l'ont fait. La politique de concentration de la fortune recherchée par le mariage à l'intérieur d'une même catégorie socio-professionnelle ou d'une même branche aurait donc tendance à diminuer avec l'effacement de la propriété familiale traditionnelle de l'appareil de production, et avec la salarisation et la fonctionnarisation de la situation de dirigeant. L'évolution, dans la mesure où elle est perceptible, ne va pas pour autant vers une mésalliance de classe ; la reproduction sociale reste une affaire de famille ; simplement, la fille d'un grand patron se marie désormais avec le fils d'un haut fonctionnaire et fonctionnaire lui-même. Ainsi, les filles d'industriel, de gros commerçant ou de père de profession libérale étaient, selon L. Thélot, 35 % à se marier en 1953 avec un industriel, gros commerçant ou membre d'une profession libérale, et 13 % seulement avec un cadre supérieur ; en 1977, ces proportions étaient respectivement passées à 11 et 32 %. Quant aux filles de cadres supérieurs, elles étaient, en 1953, 19 % à se marier avec un haut fonctionnaire et 18 % avec un fils de patron ou de profession libérale ; en 1977, ces taux étaient passés à 45 et 10 % ; la tendance à la clôture endogamique chez les hauts fonctionnaires se renforce donc très fortement par les femmes. Remarquons toutefois que les hommes de condition aisée ont un penchant nettement moins marqué à se marier à l'intérieur de leur groupe.

Les « échanges matrimoniaux » observés dans quelques grandes dynasties (P. Bourdieu et M. de Saint-Martin) sont intéressants dans la mesure où ils confirment l'inclination de certaines familles à diversifier à l'intérieur de leur caste les alliances dans différents milieux socio-professionnels ; elles obtiennent de ce fait un réseau de relations qui recouvre tous les espaces du pouvoir. L'alliance obligatoire avec l'aristocratie est ainsi passée de mode ; ce qu'on cherche, c'est à marier au sein d'une même famille capital privé, haute fonction administrative, pouvoir politique et influence culturelle. La famille de Michel Debré est à cet égard exemplaire ; par son père, il est lié au monde médical le plus prestigieux et à la famille de Wendel ; par ses oncles, à la Compagnie internationale des télécommunications (CIT) et au monde de l'architecture ; il est le gendre d'un ancien directeur en chef des bâtiments civils et palais nationaux, membre de l'Institut ; il est le beau-frère d'un conservateur du musée Condé de Chantilly et d'un ancien élève de l'École normale supérieure, conseiller culturel ; il est apparenté par sa sœur à la famille Monod ; lui-même, ancien ministre, est maître des requêtes honoraire au Conseil d'État. Bien entendu, d'autres grandes familles ont une parentèle moins diversifiée, mais la tendance à se marier entre cousins (Michelin) ou entre sidérurgistes de vieille souche, caractéristique des anciennes formes de concentration du capital, a fait place à la diversification du capital entre banque et industrie, entre industries diverses, obtenue ou symbolisée par ces nouvelles liaisons matrimoniales.

En somme, c'est à travers le mariage que la bourgeoisie d'affaires et les membres des grands corps de l'État apprennent à mieux se connaître et à mieux se comprendre ; malgré la libéralisation des mœurs, l'endogamie de classe reste élevée et de larges alliances constituent des réseaux d'informations et d'interventions qui vont dans le sens de la consolidation des acquis.

Un cursus scolaire réussi demeure un passage nécessaire pour accéder aux plus hauts sommets de sa classe. Certes, le temps d'un patronat non diplômé n'est pas totalement révolu dans de nombreuses entreprises à capital familial, mais le mouvement va dans le sens des entreprises technocratiques ou nationalisées — du moins pour les plus grandes — dirigées par des anciens élèves des grandes écoles. Or, l'enquête faite, en 1970, sur l'origine sociale des élèves, indique que 55 % des actifs occupés de 30 à 52 ans, nés d'un père de profession libérale ou cadre supérieur ayant obtenu un diplôme d'études supérieures, sont eux-mêmes dotés d'un diplôme d'études supérieures. A titre de comparaison, indiquons que seuls 2 % des fils d'agriculteurs n'ayant aucun diplôme atteignent le niveau des diplômes supérieurs, et qu'ils sont 4 % dans ce cas pour les fils d'ouvriers non diplômés. La voie qui permettrait aux enfants des classes défavorisées d'accéder, grâce à leurs mérites scolaires, à une situation privilégiée est donc particulièrement étroite ; cette voie est réservée aux enfants de diplômés de la classe dominante et éventuellement de cadres moyens. La « méritocratie » reste donc un mythe, car la clôture des carrières se fait par une sélection, à un très jeune âge, sur les critères d'une culture de privilégiés, pour favoriser les enfants nés dans le sérail.

En fait, les fils de cadres administratifs supérieurs, d'ingénieurs, de professeurs et de membres des professions libérales ne cherchent pas à faire n'importe quel type d'études ; leurs ambitions ne vont pas du côté des universités, abandonnées aux couches moyennes, mais vers les classes préparatoires scientifiques des grands lycées parisiens où ils représentent, en 1980, 63 % des effectifs ; l'autre voie passe par l'Institut d'études politiques de Paris. Les enfants d'industriels et de gros commerçants sont, par contre, pratiquement absents de ces formations. L'objectif des premiers est de pouvoir, grâce aux grandes écoles, accéder aux grands corps techniques et surtout adminis-

A l'École des hautes études commerciales, située dans un campus à l'américaine de la banlieue parisienne, à Jouy-en-Josas, un étudiant dans la salle d'informatique.

tratifs ; leur carrière est alors assurée, soit dans le public ou le privé, soit dans la banque ou l'industrie. Nous avons vu que les études juridico-politiques, puis l'ENA, tendent à prendre le pas sur les grandes écoles scientifiques (Polytechnique) et que cela favorise encore plus la haute bourgeoisie parisienne. En somme, la grande école offre l'occasion de se distinguer (P. Bourdieu) dans son groupe social, et le prestige qui y est attaché constitue un véritable capital ; elle permet d'acquérir une discipline de travail et un esprit de corps que renforce le sentiment élitiste ; elle n'a pas pour objet de spécialiser l'élève, mais au contraire d'en faire un généraliste capable de dominer de multiples situations. Ces écoles d'État forment au service public, mais sont en fait, par leur caractère très sélectif — le nombre des admis n'a que très peu progressé — et les carrières qu'elles procurent, le meilleur appareil de reproduction de la classe dominante.

Revenus et patrimoines : l'accumulation

Les stratégies des familles ne s'élaborent pas simplement grâce aux affaires matrimoniales ou à la poursuite de carrières ; elles cherchent plus prosaïquement à augmenter leurs revenus et leur patrimoine, à préserver leur fortune en toute sécurité. Tout est d'ailleurs intimement lié, car, de nos jours, la tranquillité naît de la diversité des ressources, de l'anonymat, d'un apparent hiatus entre pouvoir de gestion et propriété, et surtout de méthodes efficaces de lutte contre l'érosion du capital par l'inflation.

La première caractéristique de la classe dominante est qu'elle a su, malgré les tendances égalitaristes qui sont au cœur des enjeux politiques, préserver ses revenus et surtout ses biens. L'un des éléments essentiels qui doit être versé au dossier, pour comprendre la tactique employée à cet égard, est la diversification dans l'origine des revenus. En effet, la composition du revenu, en 1978, selon les catégories socio-professionnelles des chefs de ménage, montre que les professions indépendantes et les cadres supérieurs sont ceux qui ont les ressources les plus variées. Certes, le fait est plus marqué pour les professions indépendantes mais, si les salaires constituent l'essentiel pour les cadres supérieurs, les revenus de la propriété (12 %) jouent un rôle considérable. D'ailleurs, la différence entre le cadre supérieur et le cadre moyen ne se situe pas seulement au niveau des salaires ; elle provient également des revenus de la propriété. Les ressources des hauts fonctionnaires et des PDG sont également les plus sûres, car notre société d'inflation a engendré des réactions de sécurisation où salaires et fortune s'épaulent mutuellement. Les premiers ont pour fonction d'accroître la seconde qui, à son tour, a pour finalité de pérenniser une situation. Le patrimoine n'en crée pas moins une source de revenus supplémentaires et les revenus les plus élevés ne sont constitués en fait que pour un tiers par des salaires ; bénéfices industriels et commerciaux, revenus de la propriété et plus-values forment bien encore, à ce niveau, l'essentiel. Les revenus les plus élevés ont donc une double origine salariale et patrimoniale qu'il convient d'étudier successivement.

Les salaires des cadres supérieurs ont connu une période faste avec la croissance, mais depuis la crise ils ont tendance à se resserrer, tout particulièrement pour les fonctionnaires, quelle que soit leur catégorie. Il n'en reste pas moins que le salaire direct moyen du cadre supérieur était, en 1973, égal à 6,9 fois le SMIC et que cette relation n'est tombée qu'à 5,5 en 1980 ; il est juste d'indiquer que le salaire disponible — une fois effectués les prélèvements — n'était plus, à ces deux dates respectivement, que 4,6 et 3,2 fois celui du smicard. Toutefois, la hiérarchie des salaires à l'intérieur de la caté-

Origine des ressources, en 1978, des chefs de ménage des catégories socio-professionnelles dominantes (revenu primaire + retraite)

	Salaires	Bénéfices industriels et commerciaux	Bénéfices non commerciaux	Bénéfices agricoles	Pensions et rentes	Revenus de la propriété	Autres	Total
Professions indépendantes	12	56	18	1	2	9	2	100
Cadres supérieurs	81	1	3	—	2	12	1	100

Source : CERC.

Structure du revenu des catégories privilégiées selon son montant total

Revenu annuel en 1978	Salaires	Bénéfices industriels et commerciaux	Bénéfices non commerciaux	Bénéfices agricoles	Pensions et rentes	Revenus de la propriété	Autres	Total
10 000 à 140 000	63	12	5	2	8	10	—	100
140 000 à 170 000	51	18	10	2	6	12	1	100
Plus de 170 000	33	23	13	1	1	28	1	100

Évolution des salaires primaires mensuels moyens des cadres supérieurs

	Salaires moyens mensuels en francs courants	Rapport entre le salaire du cadre supérieur et celui de l'ouvrier	Évolution en indice du pouvoir d'achat du cadre privé	Évolution en indice du pouvoir d'achat du fonctionnaire
1950	660	3,47	100	100
1955	1 400	4,51	155	97
1960	2 200	4,58	195	108
1965	3 230	4,68	243	131
1970	4 550	4,46	287	134
1975	7 410	3,93	318	175
1980	11 800	3,54	308	178

gorie des cadres supérieurs est mal connue, mais elle est certainement très large. Ainsi, les dernières nationalisations ont suscité un certain nombre de révélations, utiles à verser au dossier : les anciens PDG des entreprises technocratiques nationalisées gagnaient, avec les jetons de présence des multiples conseils d'administration auxquels ils participaient, en 1981, en moyenne 2 millions de francs par an ; et le revenu annuel du mieux pourvu était de 10 millions de francs, soit environ 900 000 F par mois ! On envisage parfois d'attribuer aux nouveaux PDG qui viennent d'être nommés le double du salaire d'un conseiller d'État, qui est de 31 000 F par mois.

Quant à l'ensemble des revenus, salariaux et autres, ils sont moins bien connus. Cependant, alors que la moyenne des revenus disponibles déclarés était en 1975 de 59 500 F par ménage pour l'année, 13,3 % des ménages déclaraient entre 60 000 et 100 000 F, et 4,2 % plus de 100 000 F. Toujours pour la même année, les professions indépendantes avaient un revenu moyen disponible de 111 400 F et les cadres supérieurs de 114 800 F. En 1980, la moyenne pour l'ensemble des ménages se situait aux alentours de 100 000 F ; les professions indépendantes gagnaient 191 700 F et les cadres supérieurs 185 100 F. Certes, la progression du pouvoir d'achat de ces catégories entre 1975 et 1980 n'était plus aussi forte que dans la période d'avant la crise, mais gageons que, si nous connaissions les revenus réels et non les revenus déclarés — considérés par l'administration publique comme 1,5 fois plus élevés — d'un certain nombre de ménages particulièrement privilégiés, nous aurions des surprises tout aussi importantes en ce qui concerne l'éventail des revenus de la classe dominante que dans le cas des salaires étudiés précédemment. Dans ces conditions, on comprend que fortune et revenus, à ce niveau, ne soient que l'expression d'une même et unique politique d'accumulation.

Des loisirs qui supposent des revenus. Antoine Riboud, PDG de BSN.

Dans les années 1950, la valeur du patrimoine moyen des ménages classés dans les catégories socio-professionnelles privilégiées (industriels, gros commerçants, professions libérales, cadres supérieurs) a progressé d'environ 13 % par an ; au cours des années 1960, ce taux a été ramené à un peu moins de 10 %. Au total, en vingt-cinq ans, la progression pour les couches dirigeantes a été 3 fois plus rapide que pour les classes populaires ; de sorte que, en 1979, les ménages de profession libérale possédaient en moyenne un patrimoine de 370 000 F, soit 8 fois plus que la moyenne par ménage ouvrier. Pour se préserver contre l'inflation, les investissements se sont faits essentiellement dans l'immobilier. L'éventail des fortunes au sein de la classe dominante est également très ouvert ; rappelons que 1 % des ménages français possède 28 % du patrimoine total ; 5 % des ménages les plus fortunés possèdent 45 % de ce patrimoine. La fortune française appartient donc à une toute petite minorité qui a su, depuis la Libération, non seulement la préserver mais l'arrondir. Seule l'accumulation est, en effet, garante de la reproduction, sur plusieurs générations, des privilèges de classe.

La crise actuelle et les nationalisations qui ont suivi ont certes porté atteinte à un type d'épanouissement de la classe dominante, mais les effets en sont encore peu perceptibles. Depuis la crise des années 1930 et la seconde guerre mondiale, les couches dirigeantes n'ont, par contre, pas manqué de dynamisme ; elles ont su, du point de vue professionnel, social et financier, s'adapter à la transformation des structures, se maintenir et proliférer à la fois dans l'appareil d'État et les grands groupes industriels et financiers. C'était là, pour ces familles, une nécessité.

Apparemment, les grandes familles ont eu plus de liberté dans les stratégies de reproduction, tant dans le choix des mariages, des carrières, que dans les placements financiers. Il est vraisemblable que de mauvais calculs dans ces domaines ont pu précipiter des exclusions, mais, dans de nombreux cas, les décisions en matière matrimoniale ont permis de créer des passerelles entre des intérêts beaucoup plus diversifiés et mobiles qu'au début du XXᵉ siècle ; la sélection par les diplômes a certes contribué à renouveler, au sein du groupe dominant, l'élite de direction, mais, pour réussir, la part de privilèges acquis et d'aide obtenue par la famille est restée prépondérante. Lorsque le niveau exigé par la sélection était insuffisant, une forte accumulation de capital est toujours restée un élément essentiel de sécurité dans la reproduction sociale. Cette trilogie — exclusion, sélection, sécurisation — du jeu social, à l'intérieur de la classe dirigeante, est un modèle qui, pour fonctionner, a dû s'imposer aux autres groupes sociaux.

Pour se maintenir en tant que groupe — et non seulement par familles —, la classe dominante, ainsi reconstituée après la guerre, s'est donné une doctrine, à l'usage de ses propres membres et pour se justifier à l'égard des autres classes, qu'il convient maintenant d'analyser.

Unité ou diversité ?

Les nouvelles attitudes et stratégies imposées par certaines fractions de la classe dominante aux autres — poids de la sélection, pouvoir technocratique, sécurisation et diversification des ressources — n'ont pas été admises par tous sans grincements. L'opposition entre un patronat familial traditionnel et les représentants de l'appareil d'État, si souvent évoquée dans les relations quotidiennes à propos des affaires, met-elle en cause l'homogénéité de classe ? Interviennent non seulement les relations conflictuelles, mais les divergences entre ceux qui risquent leurs propres capitaux, ceux qui se rétractent frileusement sur l'investissement immobilier par crainte de l'inflation, et ceux qui sont bien placés pour utiliser les capitaux drainés par les institutions publiques ou parapubliques. D'un côté, il y a ceux qui sont accusés de ne savoir que gérer et non produire, et l'inverse ; ce qui recouvre, pour une large part, la distinction déjà notée entre ceux qui défendent les intérêts de l'État et ceux qui, au contraire, luttent contre ses empiétements. La liste des oppositions et querelles entre petits et grands possédants, entre ceux qui sont au bord de l'exclusion et ceux qui sont au contraire en position ascendante, est, sans doute, bien longue. Alors, division ou unité des couches dirigeantes ? Et dans ce dernier cas, il ne suffit pas de dire que c'est parce qu'elle est en permanence assiégée par les revendications de tous ordres des autres groupes sociaux que la classe dominante a su s'imposer une cohésion interne puisque, pendant près de trente-cinq ans, elle a pu sécréter un modèle de gestion sociale qui a fonctionné, à usage interne et externe, de manière dynamique pour son plus grand profit. Une doctrine, un modèle, malgré les clivages, est-ce possible ?

Quelles que soient l'interpénétration et la large similitude des couches dirigeantes, il n'en demeure pas moins des clivages. Vouloir les gommer, sous prétexte que l'unité l'emporte, serait s'exposer à ne rien comprendre à leur évolution interne.

Le patronat familial, avec ses intérêts spécifiques, sa mentalité, sa formation sur le tas, ne s'assimile pas tout à fait à la technocratie d'État. Cette dualité n'est pas nouvelle ; déjà, sous l'Ancien Régime, existaient une noblesse d'épée et une noblesse de robe liées à l'appareil absolutiste. Avec l'avènement de la bourgeoisie, cette coupure

A la Bourse, ceux qui risquent leurs capitaux.

s'est transformée : le patronat industriel, commerçant et bancaire s'est imposé, mais l'appareil d'État s'est maintenu et développé avec sa hiérarchie de hauts fonctionnaires devenus quasi inamovibles et tout-puissants désormais face à des gouvernements passagers. La nouveauté actuelle réside dans l'empiètement croissant des administrateurs publics sur l'activité économique et politique traditionnellement réservée à la bourgeoisie patronale ou libérale.

Certes, depuis un demi-siècle, ce patronat familial, avec ses réactions individualistes, son paternalisme social, son culte du fondateur, ses limites — parfois — dans la gestion des affaires, a été fortement contesté. Les critiques ne sont pas venues seulement de la gauche ou de l'extrême droite (Action française), mais elles émanaient également de l'appareil d'État et de cette première bourgeoisie technocratique, émancipée à l'égard du capitalisme familial par un passage plus ou moins large dans la fonction publique, et déjà parvenue à la tête de grandes sociétés anonymes par ses titres. Évidemment, il ne s'agissait pas d'une attaque de la classe patronale en tant que telle, mais d'une sorte d'autocritique par une fraction de cette classe placée autrement dans le processus de production. Les arguments visaient le libéralisme sauvage et le manque d'organisation qui débouchaient sur des crises de mévente et des difficultés sociales ; ils stigmatisaient la décadence nationale et la démocratie formelle ; ils ont été lancés pour la première fois, dans un pamphlet, en pleine première guerre mondiale (Lysis, 1917), puis repris différemment par le Redressement français dans les années 1920 et le groupe « X-crise » dans les années 1930. Bien sûr, la question de savoir si la production devait être organisée par l'État ou par ententes patronales n'était pas tranchée, mais nous avons vu que Vichy puis la Libération ont imposé la planification d'État en étroite collaboration avec les professions. La fraction technocratique de la bourgeoisie dominante venait incontestablement de marquer des points.

Puis les choses se sont précipitées ; la tendance à la monopolisation de l'appareil de production et de distribution, largement favorisée par la planification, a eu pour effet de mettre fin aux formes de relations individuelles et relativement égalitaires entre patrons ; elle a engendré la hiérarchisation et les clivages au sein du monde patronal. Les soumissions des uns et les victoires passagères des autres ne se sont pas opérées sans crises. Dans de nombreux cas, pour calmer les susceptibilités et les querelles des familles, on a fait appel à un dirigeant neutre, membre d'un grand corps, donc porteur de l'idéologie nouvelle, organisatrice et productiviste, qui a pris la tête des nouvelles structures. Certes, toutes les bourgeoisies patronales n'ont pas disparu ; elles subsistent, grâce au tissu des petites et moyennes entreprises ; cependant, au niveau des grandes firmes, ces luttes ont pratiquement éliminé l'ancien patronat provincial et ainsi renforcé, indirectement, le centralisme économique du pays, par conséquent le rôle des grands corps administratifs et techniques. L'entrée de ces administrateurs de haut rang dans les affaires publiques et privées correspond d'ailleurs à leur pénétration dans les rouages politiques, comme si les changements importants que la France a vécus dans ce dernier quart de siècle requéraient leur présence et pouvaient, de ce fait, être présentés comme leur œuvre.

Comment cerner cette fraction mouvante de la classe dominante ? Tout d'abord, nous avons suffisamment insisté sur les liens unissant toutes ces familles, sur le recrutement élitiste et sur l'existence, dans tous les cas, d'une accumulation, pour ne pas assimiler ce groupe à la strate supérieure d'une classe bureaucratique (M. Crozier) autonome dans la dispersion sociale. Il apparaît, au contraire, comme l'émanation d'une adaptation socio-professionnelle et d'une stratégie sociale d'une partie de la classe dominante face à une réalité en pleine mutation. Qu'il y ait, dans certains corps, une belle continuité dans le dévouement au service public ne fait aucun doute ; mais le niveau très général de l'activité administrative, l'extrême liberté d'action, le système hiérarchique pratiquement fermé vers le bas et les multiples possibilités de mutation font de ces hauts fonctionnaires une caste sans liens sociaux avec la piétaille bureaucratique. Quelques traits acquis dans l'administration pourraient faire croire à une similitude d'esprit entre le haut et le bas de la fonction publique ; il s'agit du sens hiérarchique d'origine non paternaliste, mais qui se fonde sur l'intérêt du corps ; on peut y ajouter cette sorte de détachement affectif que procure la stabilité de la fonction, quels que soient les aléas de la gestion... En vérité, pour la haute administration, tout cela constitue une méthode de commandement et de contrôle, alors que les subalternes vivent plus douloureusement ce climat. Naturellement, toute cette pratique gestionnaire est transférée dans les groupes ou les grandes banques, lors du pantouflage.

Managers et technocrates

Quel est l'apport de cette nouvelle vague de dirigeants-salariés, qu'ils soient originaires de la haute administration ou de condition plus modeste, par rapport à l'ancienne couche patronale ? Sont-ils désormais des sortes de missionnaires du service public auprès du monde des affaires ou, au contraire, les meilleurs interlocuteurs des grands groupes auprès des pouvoirs publics ? Quel est exactement leur rôle dans le changement advenu, dans l'innovation, voire dans la crise actuelle ? Les réponses à toutes ces questions sont difficiles à fournir, souvent faute d'enquêtes mais aussi parce que, dans la réalité, les questions ne se posent pas de manière aussi simple.

Rappelons ici que le langage commun distingue le *manager* du technocrate. Le

Monsieur Jouve, un patron à l'américaine.

premier est dirigeant-salarié, rarement issu des grandes écoles, plutôt formé sur le tas, après des études commerciales, parfois à l'étranger, et quelques expériences dans diverses directions. Il représente bien ce fils d'ancien patron traditionnel qui, pour se donner une nouvelle image de marque, a adopté le style et les méthodes du patron américain. Il ne sévit pas dans les grands groupes, mais plutôt dans les filiales françaises de sociétés étrangères, les grandes sociétés commerciales ou de services, les produits de luxe, etc. C'est un patron qui veut donner l'impression de bousculer les traditions et a obtenu assez de pouvoir pour le faire ; il milite volontiers dans la confédération patronale, car, ne faisant pas partie d'un corps, il se sent souvent isolé et recherche ses pairs. Il ne craint pas d'afficher qu'il est partisan du face à face, dans l'entreprise, au moment des tensions sociales. C'est un « battant » qui, pour conserver son prestige ou sa place, doit réussir. Il est ouvert à l'intégration des techniques de pointe mais surtout il veut innover, d'une part dans la gestion par le *marketing*, l'organisation de la prévision ou de la gestion par produit, d'autre part dans les relations humaines par certaines délégations de pouvoirs. En somme, le *manager* cherche à dépasser l'ancien taylorisme, qui s'était fixé comme but la rationalisation de la production, en motivant ses collaborateurs. Avec la crise, il semble bien que le modèle soit dépassé et inopérant.

Autant le *manager* peut paraître voyant, autant le technocrate se montre discret. Réservé, sûr de lui, ce dernier correspond bien à cet ancien « X-Mines », ou administrateur des Finances, appelé dans un grand groupe bancaire ou industriel privé, ou promu par l'État à la tête d'un groupe nationalisé. Il est auréolé naturellement du prestige de ses anciennes fonctions officielles (cabinets ministériels, etc.) et de sa « compétence ». Cependant, il n'apparaît pas comme un novateur sur le plan technique, d'autant que ses origines professionnelles sont de plus en plus juridiques et financières. Il aime à recréer dans le groupe une structure de direction de petite dimension qui réunit ses pairs et dont la mission n'est pas tant d'aller sur le terrain que de réfléchir, prévoir, réorganiser et bien sûr contrôler. Cette structure, qui prend souvent la forme d'une petite société de services au profit du groupe, comprend quelques administrateurs, eux-mêmes PDG d'autres groupes ou de vastes ensembles dépendant de la structure considérée. Il s'agit en somme d'une petite cellule de concertation, très fermée, qui a pour mission d'élaborer des stratégies et des tactiques dont la force provient de l'effet de synergie de ces regroupements. Ce sont donc bien là des situations et des structures assez comparables à celles des grandes administrations de l'État qui n'ont rien de commun avec une direction de *manager*, si ce n'est une plus grande propension à investir, emprunter et donc dépenser que l'entreprise familiale. Les caractéristiques d'une telle gestion technocratique sont de dépersonnaliser les relations hiérarchiques, de rendre la direction lointaine, de ne pas rechercher le face à face et surtout d'éviter les conflits par la mise en place de règles qui sont autant de tactiques juridiques.

Il existe donc au moins trois familles de dirigeants économiques, bien datées historiquement et repérables sociologiquement. La plus ancienne : le patron familial, à la tête de grandes entreprises, mais surtout de moyennes et petites entreprises. Le *manager*, quant à lui, est une sorte de métamorphose de l'ancien patron en salarié, à usage de la nouvelle génération ; il tire son prestige de la réussite américaine, mais la constance avec laquelle ce modèle est vanté aux jeunes gens de bonne famille, qui n'ont pas réussi aux concours, montre assez qu'il est conçu pour pérenniser des situations qui, bien avant la crise, étaient psychologiquement obsolètes. Enfin, les technocrates, puisés dans le vivier des grands corps, proches de la nouvelle couche politique, représentent bien la fraction de la classe dominante montante ; ils tirent en vérité pouvoir et prestige du fait qu'ils on su imposer, auprès des autres groupes et classes, le modèle et l'idéologie socio-politiques qui ont déterminé leur ascension.

Face à la croissance, face à la crise

Les clivages que nous venons de mettre en évidence ne portent pas atteinte à la grande unité de conception du modèle social, non seulement à cause de l'interpénétration des familles dans le système de reproduction, mais aussi des similitudes des pratiques culturelles de l'ensemble de la classe dominante et de leur influence sur les autres strates sociales.

Personne, bien entendu, ne remet plus vraiment en cause le système républicain, ni la constitution de la Cinquième République. La liberté individuelle, l'attachement à la propriété et une conception de l'égalité qui ne signifie pas nivellement mais que chacun reçoit selon son mérite et son travail, sont très certainement des valeurs intériorisées par la classe dominante.

En matière de gestion économique, rappelons que la planification à la française a imposé un système de concertations entre pouvoirs publics, syndicats ouvriers et représentants patronaux, au sein des commissions de modernisation où les hauts fonctionnaires ont eu une très grande place. Hommes de cabinets et de comités, ils se sont spécialisés dans les négociations entre intérêts divergents. Depuis la politique de R. Meyer et M. Petsche, ils se sont imprégnés d'arguments concernant la nécessité de désengager l'État d'interventions directes dans la production ou le financement et de redonner au marché libéral son rôle déterminant dans l'appréciation des décisions multiples ; ils n'ont pas pour autant renoncé à l'effet positif des politiques concertées entre l'administration publique et les grands groupes de producteurs... Avec la république gaullienne, cette double préoccupation d'une action commune des partenaires français,

Variations de quelques indicateurs de la pratique culturelle selon les différentes fractions de la classe dominante

	Professeurs	Cadres publics	Professions libérales	Ingénieurs	Cadres privés	Patrons industriels	Patrons commerciaux
Lecture de livre non professionnel 15 h et plus par semaine (p. cent)	21	18	18	16	16	10	10
Possesseurs de la radio MF (p. cent)	59	54	57	56	53	48	48
Non-possesseurs de la télévision (p. cent)	46	30	28	33	28	14	24
Lecteurs du *Monde* (p. mille)	410	235	230	145	151	82	40
Lecteurs du *Figaro littéraire* (p. mille)	168	132	131	68	100	64	24

Source : P. Bourdieu, *La Distinction*, Paris, Éd. de Minuit, 1979, p. 131.

prêts à affronter un marché libéral européen, convenait parfaitement. Libéralisme et synergie, tels sont les principes d'action de ce monde ; formule empirique et du juste milieu s'il en est, mais qui permet à ces hauts fonctionnaires de se positionner tout à la fois dans le public et dans le privé, avec le sentiment d'œuvrer dans tous les cas pour la France. Leur présence signifie une politique harmonieuse entre un libéralisme qui risque toujours de déraper dans l'anarchie et un interventionnisme qui peut sombrer dans le totalitarisme ; politique néanmoins efficace, car chacun sait que l'effet de synergie est d'autant plus puissant que l'environnement reste divisé, inorganisé et sous-informé. Il est donc difficile de renoncer au secret dans ces grands corps ; plus les discussions sont feutrées, menées entre initiés, plus elles ont de chances d'aboutir ; des pourparlers trop tapageurs n'ont d'autre objectif que d'afficher des positions pour s'y tenir. Les technocrates sont passés maîtres dans cet art de la négociation ; c'est là leur force.

En ce qui concerne la question sociale, la négociation est également fondée sur l'art de composer et d'afficher en même temps des objectifs, afin de ne pas laisser ce terrain aux syndicats. Ainsi, les idées brassées depuis les années 1930, pour sortir de la crise économique et sociale, par des groupes de technocrates réunis autour du Redressement français ou de « X-crise », dont nous avons déjà parlé, ont porté leurs fruits. Après la guerre, la politique contractuelle fut systématiquement développée, assortie d'un large système de sécurité sociale. Cela ne fut possible que grâce au déblocage de la productivité par d'importants investissements techniques, qui engendra une nette amélioration du niveau de vie pour l'ensemble de la masse des salariés et, en même temps, suscita une reprise de la demande et du profit. Dès lors, la liaison étroite entre croissance, innovation et progrès sociaux fut systématiquement mise en avant par la technocratie. La formule magique était enfin trouvée pour satisfaire tout le monde ; de la droite à la gauche, l'accord s'est fait, et une opération comme celle du *Concorde* fut très révélatrice, tant du pouvoir de la technostructure que des effets de consensus du fétichisme de la technique, alors que son échec était prévisible. L'autre grande trouvaille fut d'orienter systématiquement la consommation vers des produits à usage individuel ou familial reproductibles. Le cercle de l'auto-entretien de la croissance semblait

Un exploit technique, un échec commercial : le Concorde.

ainsi sans faille ; il impliquait l'ascension d'une couche nouvelle de là classe dominante, capable de se situer au carrefour des différents segments du pouvoir. Après 1974, les excès de cette politique furent évidents : surinvestissement, système inflationniste ; les graves accusations que le patronat familial traditionnel a lancées sur le caractère dépensier de la gestion technocratique dans l'entreprise révèlent assez où se situent les responsabilités de la crise du point de vue social.

Depuis 1968 et la crise, un certain nombre de hauts fonctionnaires ont abandonné le camp du libéralisme pour rejoindre le parti socialiste. Est-ce là une coupure profonde dans le bloc des technocrates ? Sans doute, dans les développements théoriques de cette fraction de hauts fonctionnaires, le retour du balancier vers des positions où la gestion de l'économique et du social retrouverait son équilibre, grâce à une reprise vigoureuse du rôle de l'État sur le secteur libéral, est-il largement perceptible. Avec la victoire du parti socialiste et les nationalisations, que peut-on constater ? Si un certain nombre de personnalités ont changé à la tête des grandes entreprises ou des cabinets ministériels, les bouleversements — tout le monde s'accorde pour le dire — n'ont pas été très grands et, de toute façon, malgré la nomination symbolique de quelques syndicalistes, les nouveaux promus sont issus des mêmes couches sociales : ils ont la même formation et les mêmes étiquettes. Tout porte donc à croire que l'on assiste à une alternance des familles technocratiques au pouvoir ; certes, les liaisons avec les autres couches de la classe dominante ne sont pas tout à fait les mêmes, ou ne sont pas encore établies, et les différences entre les anciennes équipes et les nouvelles sont essentiellement d'ordre idéologique. Il est vrai que, dans les programmes, il était question d'autogestion et de régionalisation qui peuvent, peut-être, remettre en cause la toute-puissance de la technocratie parisienne ; ces réformes semblent bien difficiles à réaliser, alors qu'il est effectif que les nationalisations ont fortement contribué à renforcer la centralisation économique qui, *de facto,* accélère la prise de pouvoir de la couche technocratique sur l'ensemble des activités. La distance dans les réflexes psychologiques de gestion entre les anciennes équipes et les nouvelles est-elle si grande ? N'est-il pas toujours question de croissance, d'innovation, d'équilibre... ? La nouvelle équipe, il est vrai, n'a pas encore fait les preuves — avec l'« état de grâce » — de ses capacités de négocier et de ne pas tout afficher d'un seul coup ; gageons que, par sa formation, elle saura rapidement composer, troubler la transparence des discours idéologiques, pour se maintenir au pouvoir, toujours au nom du service public.

La classe dominante française, depuis un demi-siècle, a donc beaucoup changé ; non qu'elle se soit beaucoup ouverte à l'ascension, en son sein, d'autres groupes sociaux, mais parce qu'elle a pris conscience, depuis le XIXᵉ siècle où son hégémonie était incontestée, qu'il lui fallait défendre l'espace des privilèges où elle se situe dans la dispersion sociale. Constatons que son dynamisme lui a permis, lors des crises, de reprendre le dessus et de durer, grâce à la montée d'une fraction de ses fils. Fonctionnaires des grands corps et haut patronat technocratique constituent son état-major conquérant qui, par sa stratégie et sa technique, lui ouvrent, par vents et marées, les perspectives de nouvelles fonctions à la tête de l'État.

14
De la croissance à la crise : commerçants, ouvriers et employés

Dans une large mesure, les directions prises par l'ensemble de la société française après la coupure de la guerre et de l'Occupation ne diffèrent pas vraiment de celles qui s'étaient esquissées dès la fin du XIXᵉ siècle et développées, avec une certaine lenteur, par la suite. Au cours des « trente glorieuses » de la croissance économique de l'après-guerre, pour parler comme J. Fourastié, la force des mutations a été au contraire telle qu'elle les a accélérées et amplifiées au point qu'on a pu, ici et là, conclure à l'apparition d'une nouvelle société. Au revers du déclin paysan — rappelons que l'agriculture occupe encore plus d'un Français sur trois actifs en 1946 (36,6 %) mais moins d'un sur dix en 1975 (9,5 %) — s'est effectivement opérée une large redistribution des secteurs d'emploi et des statuts sociaux. Le visage français de la société industrialisée s'est ainsi rapproché de celui qu'elle offre dans les pays les plus avancés : dès le début des années 1970, on relève notamment l'homologie des répartitions par qualifications à l'intérieur de l'emploi industriel avec l'Allemagne de l'Ouest ; à l'aube des années 1980, la part des services a rejoint celle qu'elle tient dans les autres pays de l'OCDE et tend à se rapprocher de celle qu'elle occupe aux États-Unis.

En même temps les instruments statistiques de l'INSEE se sont perfectionnés dans la saisie et la définition des catégories sociales et professionnelles. En apparence, l'analyse de la société en est facilitée. En fait, elle n'est pas plus aisée quand il faut passer à celle des classes sociales de la classique grille tripartite, que ce soit à travers la participation à la propriété et au pouvoir de décision ou par le lien entre la production et l'utilisation sociale de la richesse. C'est peut-être oublier que les groupes sociaux ne se définissent pas seulement par la place objective qu'ils y tiennent, mais aussi par l'image qu'ils s'en font et les aspirations qu'il en font naître ; somme toute, par cette conscience collective (même si elle n'est jamais totale) au moins autant créatrice d'eux-mêmes que leur participation réelle au pouvoir économique et aux revenus de la croissance.

UNE NOUVELLE GÉOGRAPHIE DES GROUPES SOCIAUX

Les éléments du décor

Plus que jamais, la France populaire est une France urbaine, dont la population a crû de plus de 13 millions de personnes entre 1946 et 1975, plus que dans tout le siècle précédent (+ 12 millions). À la fin des années 1970, plus de deux Français sur trois vivent en ville (68 % en 1975) au lieu d'un sur deux encore au lendemain de la guerre (53 % en 1946). L'agglomération parisienne a continué sur sa lancée (8,6 millions et plus de 16 % du total en 1975), mais les agglomérations de Lyon (1,17 million) et de Marseille (1,07) sont à leur tour devenues millionnaires, et celle de Lille-Roubaix-Tourcoing n'en est pas loin (0,94). Leur essor s'est fait au profit des banlieues qui récupèrent, au-delà, le recul des centres-villes, encore accentué dans les années 1980. Mais c'est l'ensemble du réseau urbain qui a été entraîné depuis la guerre — les villes dormantes du Massif central réveillées par un CES ! —, retrouvant, au-delà de la parenthèse des effets directs de l'industrialisation, les hiérarchies du début du XIXᵉ siècle. En dehors de Paris, 14,7 millions de Français vivent dans des villes de plus de 100 000 habitants, mais plus de 5,4 millions dans des cités qui n'en comptent pas 10 000. Enfin, la croissance urbaine s'inscrit dans une mobilité accrue des gens : en 1975, un Français sur trois n'habitait plus la même commune qu'en 1968, un sur quatre avait changé d'agglomération et un sur dix de région. Ce sont surtout les jeunes adultes qui bougent, les femmes surtout dont le départ est plus précoce, et c'est encore eux qui ont tendance à se diriger vers les grandes villes d'autant plus rajeunies qu'à la soixantaine, les plus âgés ont pris en partie l'habitude de les quitter avec la retraite.

France des villes, France de l'industrie ? On sait la longue tradition de parallélisme, malgré des nuances, de l'une et de l'autre. De fait, les deux décennies qui ont suivi la guerre ont aussi vu augmenter rapidement le nombre des travailleurs du secteur secondaire et leur part dans l'ensemble des actifs : 29,3 % en 1946, 40,2 % en 1968. Mais celle-ci stagne par la suite (39,2 % en 1975) devant l'essor accéléré des services : déjà au premier rang en 1962, c'est par eux que se créent les trois quarts des 3,7 millions d'emplois nouveaux entre 1962 et 1975. Au lendemain de la guerre, on n'y comptait qu'un Français sur trois en activité (34,3 % en 1946) et encore deux sur cinq seulement en 1962 (40,3 %). Dès 1975, il y en a déjà plus d'un sur deux (51,3 %) et

Fernand Léger, composition pour Les Constructeurs, *1950. Collection Maeght.*

J. Monneret, Raffinerie de Petit-Couronne *(près de Rouen), 1965. Collection particulière.*

sans doute trois sur cinq en 1980 (61 %). Car de 1959 à 1978, si l'accroissement des effectifs dans l'ensemble des industries (y compris le bâtiment et les travaux publics) n'atteint que 800 000 personnes, il dépasse les 3 millions dans le tertiaire.

Parmi ces nouveaux venus, on compte deux femmes sur trois. La percée des services s'accompagne à la fois d'une crue sans précédent de l'emploi féminin et de l'extension du salariat dans des activités où, par tradition, les travailleurs indépendants et les petits patrons occupaient une place exceptionnelle. En 1968 encore, les femmes ne représentaient que le tiers de la population active, après un quart de siècle de stagnation de leur nombre. En 1975, elles sont plus de 8 millions pour 12 millions d'hommes environ, soit deux cinquièmes de l'ensemble, et ont un niveau de salariat supérieur à celui de l'élément masculin. Ainsi, elles prennent donc une part importante à une mutation fondamentale, mais qui les dépasse ; celle-ci s'appuie, bien sûr, sur la fin des paysans, mais aussi sur le recul continu du travail à son compte et de la petite entreprise artisanale et commerciale, soit encore 12 % des actifs en 1968 (y compris le reste du patronat, lequel statistiquement ne compte guère), 7,9 % en 1975. En 1975, 73 % des actifs du tertiaire sont aussi des salariés, dans des activités où leur place était de tradition moins forte, et 95 % dans l'industrie. Globalement, plus de 82 % et, dans quatre-vingts départements, malgré la survivance d'une agriculture transformée, plus des deux tiers.

Mais il n'en est plus qu'un sur deux qui travaille de ses mains, au lieu de neuf sur dix, quel que soit le secteur, au milieu du XIXe siècle. Le nombre des ouvriers dans le classement de l'INSEE, c'est-à-dire des travailleurs manuels caractérisés par une médiocrité matérielle relative, une forte dépendance et une certaine insécurité du travail, a progressé de 7 % entre 1962 et 1968, de 6 % au cours des sept années suivantes. Or, pour les mêmes périodes, la crue est de 26 et 28 % pour les employés, de 34 et 38 % pour les cadres moyens, de 33 et 50 % pour les cadres supérieurs et de 54 et 43 % pour les techniciens. Si l'on y ajoute le personnel (indéterminé) des services, les ouvriers sont — hors l'agriculture — minoritaires dans l'ensemble de la population active en 1975, soit guère plus de 8 millions sur un total de 18. Cette évolution paraît aller, tendanciellement, dans le sens des prophètes d'une société post-industrielle, même si on n'en est pas encore là. C'est surtout aller un peu vite, notamment quand on parle de tertiarisation de cette société, si tant est que l'opposition ouvriers-employés soit totalement opératoire : parmi les seconds, on classe des gens dont les conditions de travail et de revenus sont parfois plus médiocres que celles d'une partie de ceux que l'on met parmi les premiers. Finalement, en 1975, le poste des ouvriers (8,2 millions) demeure le plus nombreux, face aux 3,8 millions d'employés, aux 3,7 millions de cadres moyens et de techniciens, au 1,3 million environ de cadres supérieurs. C'est l'exacte hiérarchie de 1962, même si l'éventail des différences numériques s'est resserré, notamment sous l'effet du doublement des techniciens (de 344 000 à 760 000) et des cadres supérieurs (qui n'étaient que 640 000 en 1962). Plus qu'à travers des comparaisons chiffrées forcément approximatives et réductrices, c'est par la dynamique interne de chacun des grands groupes qu'on parvient à éclairer les voies, multiples, d'une transformation qui oppose, toujours, les perdants de l'évolution — petits commerçants, artisans, professions libérales — à ceux qu'elle développe et met au premier plan.

Petits commerçants et artisans : de la prospérité à la révolte

On peut passer rapidement sur l'évolution de professions libérales, restées à peu près jusqu'aux années 1960 au niveau de ce qu'elles étaient dans les années 1930 : peu de monde au total, entre 125 000 et 135 000 personnes. Un peu à l'écart de l'évolution et de l'enrichissement général, ce que reconnaît une certaine indulgence en matière de fiscalité, elles sont souvent figées dans un rêve de *numerus clausus* ; c'est très minoritairement qu'avocats ou notaires ont tenté de s'adapter, notamment en se regroupant. Font aussi exception les professions de santé, portées par le développement de la consommation médicale, les pharmaciens et surtout les médecins, 30 000 en 1950, 130 000 en 1982, mais elles sont également atteintes par la salarisation. Les grands perdants sont plutôt les petits commerçants et les artisans.

La guerre et ses lendemains avaient cependant constitué une période faste pour eux. Sans doute le régime de Vichy avait-il manifesté une certaine méfiance envers l'esprit de lucre de la boutique ; mais il avait protégé l'artisanat à travers l'exaltation du métier, rempart contre la lutte des classes, cœur des solidarités familiales, porteur des valeurs du travail. Surtout, boutique et artisanat avaient été portés par les difficultés du ravitaillement, celles aussi de l'approvisionnement en pièces détachées, jusqu'au début des années 1950. De 1945 à 1952, on compte 210 000 inscriptions nouvelles au registre des métiers et 125 000 à celui du commerce. Petits commerçants et artisans sont 1,3 million en 1954, employant 1,25 million de salariés. Chacun d'entre eux vend ou fabrique peu, mais à bon prix ; les réussites sont réelles, même quand elles ne sont pas parties de rien et si l'image du commerçant surtout est équivoque — mais ce n'est pas nouveau —, guère distincte de celle du trafiquant de marché noir paré de toutes les tares, à l'image du BOF ou du crémier enrichi d'*Au bon beurre*. Pour être moins favorables, les décennies qui ont suivi la guerre n'en offrent pas moins de réelles chances. Encore une fois, le petit commerce suit les reclassements géographiques de la nouvelle France urbanisée. L'évolution des besoins domestiques crée de nouveaux métiers artisanaux ou en développe d'autres, ceux de la réparation automobile, radio, télévision et de la maintenance en général, que négligent les grandes firmes. La mécanisation du bâtiment joue paradoxalement le même rôle ; au début des années 1970 encore, les engins de levage, les bétonnières électriques, les échafaudages préfabriqués délivrent les spécialistes, maçons, charpentiers, cimentiers, etc., des tâches de manutention et préservent leur position ; en 1970-1971, ce sont des artisans qui construisent encore à eux seuls 140 000 des 180 000 maisons individuelles bâties en France.

La fin des restrictions — 1952-1954 — marque néanmoins un tournant, avec la libération des échanges et des prix, le retour à la concurrence, en attendant de nouvelles habitudes de consommation. Elle coïncide aussi avec un changement d'attitude des pouvoirs publics, portés jusque-là à accorder aux commerçants et artisans une faveur qui les mettait hors du commun. La défense à tout prix de la micro-entreprise cède à l'ambiance générale de modernisation et d'efficacité économique qui tend à l'ignorer. Du plan Monnet (1946) à la CECA (1951) se développe une tendance technocratique — déjà présente à Vichy, mais masquée par l'idéologie officielle — qui y voit plutôt un obstacle au progrès économique. Le blocage des prix par le gouvernement Pinay ne se soucie guère de gens dans lesquels l'opinion publique voit d'ailleurs aisément des fauteurs de vie chère. Plus tard, lorsque J. Chaban-Delmas se préoccupe d'intégrer la petite et la moyenne entreprise dans la croissance, ce n'est guère au commerce et à l'artisanat individuels qu'il se réfère. Dès les années de l'après-guerre, d'ail-

Nouveaux besoins, nouveau métier d'artisan : le réparateur de télévision.

leurs, l'application d'un droit social commun — en matière de sécurité sociale, d'assurance-vieillesse, etc. — constituait déjà un signe que la prospérité matérielle empêchait cependant de clairement percevoir. Par la suite, le nouveau régime fiscal s'applique à faire disparaître une rente ancienne de situation ; les quelques avantages un moment obtenus dans la lancée du poujadisme (un régime particulier pour les artisans, la non-application de la TVA) s'estompent dès les années 1960 ; l'imposition au forfait fait place à celle sur un « bénéfice réel simplifié », et la patente est multipliée par 3 entre 1959 et 1969 ; enfin, en mars 1962, un décret accentue la concurrence dans l'artisanat en supprimant la justification préalable d'une qualification pour s'établir.

On pourra donc bien chanter par la suite les louanges de la petite entreprise et de ses capacités d'innovation : ce n'est pas de la boutique et de l'atelier qu'il est véritablement question, et la loi Royer de 1973 marque plutôt une parenthèse, vite critiquée, dans une ligne générale de mise à l'écart. Or, cet abandon par l'État prend effet au moment même où d'autres dangers apparaissent dans le jeu du marché. C'est d'abord celui du nouveau grand commerce des super et des hypermarchés, dont la percée se développe à partir de 1958 ; en 1950, le secteur capitaliste ne représente encore que 10 % de la distribution au détail : au début des années 1970, il en accapare déjà 35 %. A compter de 1965-1966, c'est au tour des grandes maisons de matériel domestique — Darty, la FNAC — de développer leurs services après vente et de dépannage, lesquels viennent déloger les petits réparateurs que, dans un premier temps, ils avaient contribué à faire naître. Dans le bâtiment aussi, la préfabrication commence à faire reculer la part des artisans, désormais minoritaire : dès 1973, ils n'édifient plus que 100 000 des

Au supermarché, la mère de famille hésite entre de nombreuses marques de lessive, fabriquées souvent par la même société.

225 000 maisons individuelles mises en chantier. La nouvelle attitude des pouvoirs publics ne peut pas plus mal tomber.

Dès 1944, la Confédération générale des petites et moyennes entreprises (CGPME) créée et dirigée par Léon Gingembre s'en était prise au contrôle des prix et à l'intervention de l'Administration dans les questions salariales. Elle avait inspiré en 1947 une certaine agitation contre l'extension de la sécurité sociale aux travailleurs indépendants ; un Comité de défense des classes moyennes — une renaissance ? — avait prôné la grève des cotisations et on avait présenté aux élections de 1952 des listes de « Défense des contribuables ». Mais ce qui avait été finalement accepté dans une conjoncture de prospérité l'est beaucoup moins quand un certain retour à la normale fait stagner les bénéfices et rend donc moins tolérable le poids de l'impôt, surtout chez les plus modestes, ou parmi ceux dont la réussite est la plus fraîche, et la plus fragile. La CGPME s'était déjà séparée du CNPF sous l'impulsion de sa base. Il n'empêche que de plus en plus nombreux sont ceux qui ne se reconnaissent pas en elle, dans la mesure où elle s'appuie sur un commerce et un artisanat des grandes villes qui sont loin de s'essouffler et qui ne s'effraient pas des mutations qui pourraient s'imposer. La flambée protestataire va logiquement partir de professions récentes, peu organisées — commerçants ambulants, artisans du taxi, métiers de second œuvre du bâtiment —, et aussi des périphéries, tant du pays que de l'économie : le poujadisme va reproduire une certaine carte de la France retardataire, au sud de la ligne Genève-Saint-Malo, et, plus tard, le CIDUNATI (Comité d'information et de défense de l'Union nationale des artisans et travailleurs indépendants) aura du mal, dans les années 1970, à mordre sur la France du Nord ; l'un et l'autre naissent et prolifèrent à partir de petites bourgades oubliées de la croissance : depuis le Saint-Céré du papetier Pierre Poujade, à partir de La Bâtie-Montgascon du cafetier Gérard Nicoud. La grande manifestation du 24 janvier 1955 qui amène 100 000 poujadistes à la porte de Versailles prend l'allure d'un défi à Paris et à ses « polytechniciens tarés » d'une arrière-province des petits — ceux-là mêmes qui, en 1947 déjà, avaient suspendu leurs cotisations à la Sécurité sociale — de la boutique et de l'atelier, incapables de payer le prix du progrès et en accusant l'État.

De façon significative en effet, c'est la multiplication des contrôles fiscaux qui lance l'agitation en 1953 ; l'année suivante, un décret prévoyant la prison pour ceux qui y font entrave contribue à l'étendre. De même, en 1969, le CIDUNATI — né de la fusion de deux initiatives locales, l'une dans la Loire, l'autre dans l'Isère — sort de la mise en application d'une loi de 1966 étendant l'assurance-maladie obligatoire aux non-salariés. A quinze ans de distance, le feu prend rapidement de la même manière, hors des organisations corporatives et autour de quelques thèmes simples, voire simplistes : les « petits » contre les « gros » et leur complice, l'État ; l'égalité pour tous ; la dénonciation du grand capital. Le ton est celui d'un certain populisme. La compromission avec l'extrême droite de l'UDCA (Union de défense des commerçants et artisans) et du poujadisme n'y fait rien ; c'est plutôt une affaire de leaders — des demi-soldes du vichysme ne tardent pas à venir à la rescousse —, de temps aussi et de contexte politique : en s'opposant avec la même violence aux gouvernements du moment, on se

Pierre Poujade, libraire-papetier à Saint-Céré (Lot) et animateur de l'Union de défense des commerçants et artisans de France.

retrouve avec leurs pires adversaires et aux côtés des partisans de l'Algérie française. La plupart des militants — et des 52 élus députés de 1956 — n'en pensent sans doute pas tant, même s'ils se laissent emporter par la force des meetings. Le charisme des chefs tient à leur allure et à leur ton plébéiens, et il tient lieu de doctrine : l'éloquence à la fois simple et passionnée de « Pierrot », les pieds de nez à l'autorité d'un Gérard Nicoud qui joue les Robin des Bois en tenant deux mois le maquis en 1969. L'activisme des troupes — on enlève et on séquestre des fonctionnaires, on mure ou on met à sac des perceptions, on organise des rassemblements en forme de rallyes automobiles — ne débouche pas sur une véritable violence. L'inquiétante présence de thèmes racistes ou à résonances fascistes dans le poujadisme tient moins à une adhésion doctrinale qu'à l'expression à haute voix d'un certain nombre de préjugés hélas populaires. On sait d'ailleurs l'évolution politique d'un Pierre Poujade vers les socialistes dans les années 1970 ; en 1969, certains des militants qui suivent Gérard Nicoud en arrivent à flirter avec la gauche prolétarienne, un des groupes gauchistes les plus radicaux, dans le même souci de défense des exclus et d'action immédiate.

Malaise et crispations des travailleurs indépendants

Tout ceci explique qu'aucune de ces deux poussées, d'abord spontanées, cependant fortement insérées dans la frustration réelle d'un groupe social, ne se pérennise. Le succès même du poujadisme — qui engendre tôt des « Union et défense » d'autres catégories de travailleurs — réunit trop de gens divers pour que ne bourgeonnent pas aussitôt les dissidences ; celles-ci ont vite fait de s'éparpiller un peu partout, la plupart du temps loin du petit commerce. Un certain nombre de concessions techniques de la part des pouvoirs publics font le reste, pour empêcher que le mouvement ne surmonte son éclectisme idéologique et ne débouche durablement dans la contestation politique. Quant au CIDUNATI, il n'est précisément pas suivi quand il s'y risque, et c'est en y renonçant pour jouer le jeu des institutions traditionnelles qu'il parvient à durer. En 1974, il participe aux élections corporatives qui, dans la majorité des chambres de commerce, prend l'allure d'un combat des « commerçants » contre les « industriels », mais qui s'apaise vite. La même année, ses candidats obtiennent la majorité absolue lors du renouvellement des administrateurs des caisses d'assurance-maladie, et Gérard Nicoud devient le président de la Caisse nationale. La loi Royer du 27 décembre 1973 était venue apporter, quelque temps auparavant, des satisfactions non négligeables, en permettant l'apprentissage en atelier dès 14 ans, en multipliant les exonérations d'impôt, en aidant les commerçants âgés, surtout en modérant le développement des grandes surfaces désormais soumis à l'approbation préalable de commissions locales ; en 1975, la taxe professionnelle qui remplace la patente permet d'en dispenser les plus modestes. Enfin l'inflation qui souffle dans les années 1970 comme dans les années 1950 sur les prix de détail favorise la retombée d'un mouvement aussi prompt à s'apaiser qu'il l'avait été à prendre.

Il est vrai qu'aux élections législatives de 1956, 30 % seulement des petits patrons avaient voté pour les candidats poujadistes et leurs alliés dont le succès avait d'autres raisons, moins catégorielles. Aux présidentielles de 1974, Jean Royer n'en attire que 15 %, et le total de ses voix doit plus à son insertion régionale qu'à l'adhésion des petits commerçants et artisans. Leur diversité interdit qu'il en aille autrement, et les ambiguïtés des propos politiques d'un René Bernasconi, remplaçant de Léon Gingembre, à la veille du scrutin de mai 1981 illustrent parfaitement leurs hésitations. Une enquête d'opinion, avant les législatives de 1978, montre que les uns et les autres ne partagent pas les mêmes choix, qu'une plus large fraction des artisans penche à gauche et que, à l'intérieur de chacune des deux catégories, les attitudes varient avec le niveau du patrimoine et l'intégration plus ou moins forte au milieu. Au-delà de l'adhésion à un parti ou à un programme, il n'y en a pas moins pour la majorité d'entre eux un « ancrage à droite » — selon les termes de Nonna Mayer —, qui s'exprime, par exemple, au travers d'un anticommunisme presque aussi fort que celui des professions libérales. Il s'explique à l'évidence par l'attachement à un statut d'indépendance économique qui paraît menacé, toujours, par le collectivisme : argument d'ailleurs utilisé, dans la région lyonnaise, aux cantonales de 1982.

Toute l'évolution depuis un quart de siècle ne valide-t-elle pas ces craintes, même si le libre jeu du marché y a plus de part qu'un collectivisme à visage incertain ? Après être resté à peu près stable de 1962 à 1968, le nombre des artisans a reculé de 4,2 % par an, en moyenne, entre 1968 et 1975. Une enquête menée par Ch. Jaeger en 1973 met ainsi l'accent sur les difficultés qu'il y a désormais à s'établir. Ainsi, un réparateur de radio-télévision a besoin, au départ, de 10 000 F de pièces détachées s'il veut être capable d'intervenir sur toutes les marques — de 1944 à 1973, on compte 500 types différents de lampes et 800 de transistors ! —, et de 20 000 F d'appareils élémentaires, un contrôleur de tension, un voltmètre, un oscilloscope, un générateur, etc. ; en tout, donc, il lui faudra au moins 30 000 F. En 1980, la prime octroyée par l'ASSEDIC à un chômeur qui veut se mettre à son compte ne dépasse pas 3 000 F. On ne peut rassembler le capital de base qu'en travaillant au noir avant de s'installer, ou en s'équipant progressivement, ou encore en obtenant l'aide financière des amis, de la famille, d'un ancien patron, d'un prêt bancaire aussi qui signifie un long endettement. Or, le renouvellement trop rapide des modèles rend souvent la tentative vaine, en tout cas peu fructueuse, dans un milieu où les comptabilités ne sont pas toujours bien maîtrisées et qui n'a pas su se doter, à l'inverse de la paysannerie, d'un appareil de crédit spécifique. Aussi retrouve-t-on la traditionnelle turbulence du secteur : en 1977, 48 000 entreprises sont radiées du registre des métiers qui en inscrit 66 000 nouvelles. Les difficultés ne sont pas moindres pour qui veut se moderniser : petits commerçants et artisans s'estiment, souvent à juste titre, défavorisés par rapport au reste du patronat quand ils veulent augmenter leur productivité, au prix souvent d'un effort considérable. En 1973, leur revenu annuel moyen n'était-il pas de 30 000 F seulement ? Même s'il recouvre bien des différences de situation réelle, ce n'en est pas moins un niveau insuffisant pour financer une nécessaire et incessante adaptation. Parmi les cas observés par Ch. Jaeger, la durée hebdomadaire du travail oscillait entre 60 et 70 heures, avec un summum de 82, soit 13 heures par jour pour un réparateur de radio-télévision installé dans une grande ville ; durée bien plus longue, évidemment, que celle de leurs salariés, eux-mêmes défavorisés par rapport à ceux des grandes entreprises.

Enfin s'est progressivement évanoui un rôle social qui liait commerçants et artisans au reste de la population et les rapprochait parfois, au plan local, de la notabilité. Une enquête récente sur le changement social et culturel ne semble pas retrouver, parmi les formes de la sociabilité populaire, celle qui s'organisait hier autour de la boutique ; à moins qu'elle ne se soit pas posé la question, ce qui est tout aussi clair. A la Croix-Rousse, vers la fin des années 1970, des anthropologues ont bien noté le rôle persistant de l'épicerie, de la boulangerie ; mais il s'agit d'un quartier-conservatoire, et l'essentiel des achats ne s'en fait pas moins ailleurs, dans les hypermarchés de la périphérie. Le café lui-même a bien pu trouver une nouvelle fonction avec le PMU : c'est à jours et heures fixes, et limités. Dans les petites villes, cet amoindrissement peut aussi se mar-

Un ménage d'artisans électriciens au travail.

quer par le retrait — ou l'exclusion — des institutions, des conseils municipaux entre autres. Voici trois exemples, à partir de monographies précises. A Annonay, le petit commerce semble par contre investir, dès les années 1950, une mairie où il n'avait guère pénétré ; mais c'est parce qu'il sert de relais, au cœur des listes de droite, à un patronat local traditionnel que ses compromissions vichyssoises ont discrédité pour un temps. Sallaumines et Noyelles, au contraire plus typiques, sont deux cités minières du Nord à dominante de gauche : de 1919 à 1935, on trouvait respectivement 25,8 et 16 % d'artisans et de petits commerçants parmi leurs conseillers municipaux ; de 1965 à 1977, il n'y en a plus que 2,7 et 4,9 %.

A aucun égard, pas plus qu'au XIXᵉ siècle sinon moins, la petite entreprise (la moyenne d'hier, puisqu'un décret de 1970 a ramené son plafond à moins de 10 salariés au lieu de 5) ne permet une réelle promotion sociale ; moins que jamais elle ne constitue une étape dans l'accumulation du capital vers la grande entreprise. Commerçants et artisans conservent pourtant aux yeux du public un visage de nantis. En 1975, leur patrimoine moyen s'élève à 500 000 F environ ; sans doute est-il pour l'essentiel gelé dans la valeur des fonds ; c'est cependant un niveau plus élevé que la moyenne des cadres supérieurs. Ils constituent la catégorie socio-professionnelle — avec les paysans — la moins touchée par les prélèvements fiscaux et sociaux, 26,6 % de leur revenu originel. L'attrait demeure pour les salariés, pour lesquels, on le sait, la boutique et l'atelier ont toujours constitué une promotion à l'intérieur d'une carrière : parmi les nouveaux artisans observés par Ch. Jaeger en 1973, 77 % sont d'anciens salariés, et 35 % dans la maison même dont ils deviennent le chef. En 1970, 26 % des artisans et 32 % de leurs épouses de plus de 35 ans étaient fils et filles d'ouvriers.

Mais la crise restitue au petit commerce et à l'artisanat ce rôle de refuge qu'ils avaient déjà tenu dans les années 1880, ou au lendemain de 1930. Depuis 1975 (66 435 inscriptions)-1977 (73 171), les créations se font plus nombreuses. En 1980, on compte 53 000 entreprises artisanales de plus qu'en 1968 — 820 452 en tout, avec 950 000 salariés, soit un gain de 7 %. Les nouveaux venus sont particulièrement nombreux dans le bâtiment, la réparation automobile, les services ; mais aussi dans certains secteurs depuis longtemps sinistrés par la concurrence de la grande industrie, le textile, les étoffes, certaines fabrications métallurgiques.

La classe ouvrière : la fin d'une exclusion ?

Pourtant, lors de l'enquête menée en 1970, par échantillon, sur « l'ouvrier français » par G. Adam, F. Bon, J. Capdevielle et R. Mouriaux, 76 % des travailleurs interrogés disaient n'avoir aucune envie de s'installer un jour à leur compte. A cause de l'image surannée de la boutique, ou de la satisfaction — nouvelle — d'un statut social ? En tout cas, il est difficile de parler d'un déclin de la « classe ouvrière », en nombre du moins. La progression du nombre s'est poursuivie en nombres absolus, et si sa part est étale (autour de 37,7 %) depuis 1968, c'est à la suite d'un progrès notable dans les deux décennies de l'après-guerre (seulement 33,8 % des actifs en 1954). Rares sont les grands secteurs en déclin, à l'exception des mines — 358 000 mineurs en 1945, 69 000 en 1978 — et, après 1970, de la sidérurgie. La classe ouvrière a longtemps continué, classiquement, de se nourrir du recul de la paysannerie : au milieu des années 1970, 35 % des ouvrières et 64 % des ouvriers français sont filles et fils d'agriculteurs.

Il est devenu par contre plus difficile de délimiter exactement la condition ouvrière. La référence au travail manuel ne suffit plus, dans la mesure où le travail ouvrier ne s'identifie plus seulement à l'usage d'une force physique ou d'un tour de main. Dans l'industrie de l'après-guerre, l'ouvrier est aussi celui qui conduit une machine-transfert (capable de faire plusieurs opérations à la fois), qui abaisse la manette d'une commande numérique ou d'une ligne de fabrication automatisée, voire informatisée. A l'inverse, un certain nombre de gens mis au rang des « employés » du tertiaire, agents des PTT (les 80 000 facteurs), de la SNCF, magasiniers de tous ordres, serveuses et caissières des grandes surfaces (737 000 en 1975, dont 60 % de femmes), standardistes, voire dactylos regroupées en *pools*, accomplissent une tâche peu qualifiée, répétitive, de plus en plus mécanisée. La médiocrité de leur formation professionnelle, celle de leur salaire n'en font guère plus que des OS, avec lesquels ils partagent d'ailleurs une certaine insertion populaire, les modèles de consommation, un accès limité aux biens culturels et aux chances de l'école.

Ces réserves faites — que tous les reclassements statistiques ne peuvent, là non plus, corriger — sur sa définition, les progrès matériels de la condition ouvrière ont été plus rapides en trente ans qu'ils ne l'avaient été en un siècle : en 1950-1954 encore, les enquêtes de Chombart de Lauwe et de son équipe révélaient des situations guère différentes de celles des années 1920. Or, d'après A. Sauvy, le salaire s'est élevé deux fois et demie plus vite entre les années 1950 et les horizons 1970 que le coût de la vie, augmentation qu'il n'avait atteinte — et encore selon un rythme un peu moins rapide — qu'entre 1840 et 1910. Le « Salaire minimum interprofessionnel garanti » (SMIG), devenu « de croissance » (SMIC) en 1968, passe de l'indice 100 en 1970 à 311 en 1978, et le taux horaire ouvrier moyen atteint 282, alors qu'il n'était encore qu'à 196 en 1975. A la hausse du salaire nominal s'ajoute l'amélioration des prestations indirectes

Le bureau des dactylos. Un décor standard : tables, machines à écrire, classeurs à tiroirs, téléphones, plantes vertes... et réveil.

ou occasionnelles. Ainsi, quelle que soit la situation, l'indemnité en cas d'accident ne dépasse jamais 60 % du salaire en 1960 ; elle peut aller aujourd'hui jusqu'à 97 %, en cas d'invalidité permanente ; et le niveau de la retraite, qui n'en atteint encore que les deux tiers en 1970, parvient aux trois quarts dès 1976. En même temps s'améliore la sûreté du revenu : en 1964, pas plus de 5 % des ouvriers étaient mensualisés, 10 % en 1969 ; dès 1973, on en compte 75 % avant que le législateur, en 1978, ne généralise la pratique. Ainsi a disparu la différence, longtemps fondamentale, entre salaire et traitement, lors même que diminue le temps de travail ; jusqu'aux années 1960, l'allongement des congés payés — une semaine en 1936, deux en 1945, trois en 1956 — ne fait que compenser celui de la présence hebdomadaire, 46 heures encore en 1966 ; mais, par la suite, les deux mouvements s'ajoutent : quatre semaines de vacances en 1968, cinq en 1981, pour 42,3 heures en 1976, 41 en 1980, avant l'orientation vers les 35 heures amorcée en 1982. Même l'inflexion économique de 1974-1975 n'a pas renversé l'orientation salariale, et les diverses aides cumulées aux chômeurs permettent de percevoir, pendant un an, les deux tiers du salaire pour un célibataire, les quatre cinquièmes pour un ouvrier marié et père de deux enfants.

Il s'en est logiquement suivi un accès rapide et quasi général aux nouveaux biens durables, dont l'automobile est le symbole : en 1953, 4 % seulement des ouvriers en possédaient une ; en 1976, 75 % en ont « au moins » une. La montée du niveau de vie se perçoit dans l'acquisition des appareils ménagers, réfrigérateurs, postes de télévision, machines à laver le linge : 80 % des foyers français en sont équipés, et leur ventilation par statut socio-professionnel ne permet pas d'isoler une moindre participation ouvrière. Pas plus que dans le domaine des logements, dont 98 % en 1978 ont l'eau courante, 76 % des WC intérieurs, 60 % le chauffage central ; renvoyons aux chiffres de 1946 : c'est évidemment en faveur de la classe ouvrière qu'ont le plus fortement joué les effets de rattrapage avec les nouvelles politiques d'habitations à loyers modérés, développées surtout à la fin des années 1960. Pourtant, parmi les ouvriers eux-mêmes, la conscience de ce progrès s'est parfois révélée relativement médiocre — quand leur mémoire collective oppose l'après-guerre à l'avant-guerre, c'est à travers d'autres références ; 36 % des réponses ouvrières à une enquête de l'INED (Institut national des études démographiques) en 1956 (à un moment où le marché de l'emploi était stable et où, de 1949 à 1957, le gain salarial augmentait de 6,3 % par an) concluaient à une détérioration. En 1970, 34 % des réponses à l'enquête précitée affirmaient que la vie était moins facile que cinq ans auparavant.

Sans doute le progrès a-t-il été inégal. Dans le temps : jusqu'en 1955-1956, il est resté médiocre. Selon la taille de l'entreprise : en 1958, le salaire dans les grosses « boîtes » (plus de 1 000 salariés) est supérieur de 28 % à celui des petites (moins de 20 salariés). Selon la région : l'amélioration est plus lente dans les vieilles régions industrielles, le Nord, les zones périphériques du Massif central, que dans les nouvelles, la région parisienne, le Sud-Est, et la Lorraine, en attendant que celle-ci décline à compter des années 1970. Entre les branches enfin, dont le dynamisme est divers, même si la différence entre elles tend à s'estomper. Il n'empêche que la ligne générale est claire, bien qu'elle soit inégalement perçue. Il est vrai que la distance peut être grande entre l'analyse externe d'un phénomène et l'impression qu'on en ressent. A l'inverse, le recours au crédit peut être considéré, de l'extérieur, comme un développement nuisible de l'endettement : de fait, en 1973, 22 % des ménages ouvriers voient leur budget grevé par des traites à court terme ; le revers de l'équipement automobile, c'est souvent le sacrifice d'autres consommations plus gratifiantes ; mais, en 1970, 76 % des ouvriers estiment que le crédit est une bonne chose, parce qu'il leur permet de s'équiper. Au contraire, on peut noter qu'en 1976 encore, 48 % des familles ouvrières ne peuvent s'offrir des vacances d'été (16 % seulement de celles des cadres supérieurs n'en prennent pas) ; celles d'hiver sont encore plus discriminantes puisqu'elles sont quasi inexistantes dans 9 % des cas, alors qu'elles sont devenues de règle pour la majorité (53 %) des plus favorisés ; d'autre part, 34 % des ouvriers n'achètent jamais de livres, 10 % seulement peuvent pratiquer un sport avec régularité, etc. Sous bien des aspects, la société de consommation demeure un objectif à conquérir. Enfin l'on retrouve les vieux signes de l'anthropologie physique, qui disent la persistance d'une précarité matérielle : entre 1955 et 1971, pour un groupe de 1 000 personnes de 35 ans, on ne retrouve à 75 ans que 380 ouvriers qualifiés du secteur privé, 362 OS et 310 manœuvres, pour 448 employés, 489 cadres moyens et 551 cadres supérieurs. Michel Verret remarque que 40 % des condamnés pour des délits mineurs en 1976 sont des ouvriers, et que le vol reste aussi une conduite spécifique de leur condition. Par contre, si le mode de travail a cessé d'être un moyen de bornage, l'horizon quasi unique du salaire, déjà noté au XIXᵉ siècle par M. Perrot, est toujours là pour le marquer. C'est la seule question sur laquelle tous les ouvriers interrogés en 1970 ont une opinion unanime, et 78 % d'entre eux estiment que relever les plus bas salaires est un objectif très important. Pourtant, la transformation du travail lui-même a changé le contexte de celui-ci à un point tel qu'on a pu se demander si la nature même de la classe ouvrière n'en avait pas été modifiée.

Plus que jamais, l'horizon est celui de la grande entreprise et de l'usine géante ; aboutissement d'une évolution lente, mais partie de haut ? En 1975, 42 usines comptent plus de 10 000 ouvriers, soit 18,7 % du total ; 59 de 5 000 à 10 000, soit 7 % ; et 509 de 1 000 à 5 000, soit 17,8 % ; si bien que plus de deux ouvriers sur cinq (43,5 %) travaillent dans des établissements de plus de 1 000 salariés, sans prendre en compte le bâtiment, il est vrai. En 1980, 8 firmes en ont plus de 100 000 ; parmi les plus importantes, Peugeot-Citroën (265 000) et Renault (234 000), la Compagnie générale d'électricité (150 000) et Saint-Gobain-Pont-à-Mousson (148 000) à la veille de leur nationalisation. Une telle concentration reflète aussi la mutation du processus de production lui-même, à l'américaine : la mécanisation, l'automatisation, le triomphe de la « chaîne » signifient d'abord une augmentation de la qualification technologique de ceux qui les servent ; des responsabilités aussi, dans la mesure où la « ligne » de fabrication est bien plus complexe que le partage dualiste du taylorisme classique. Elle crée une longue hiérarchie des tâches auxquelles peut s'accrocher la promotion individuelle d'ouvriers plus instruits (les titulaires de CAP et des premiers grades de l'enseignement général se sont multipliés), qui n'a cependant rien à voir avec la parcellisation et la déqualification des tâches de la première organisation scientifique du travail. C'est le cas des mines où la mise en place, à partir des années 1950, des « tailles marchantes » n'entraîne pas une déqualification des métiers du fond, mais, au contraire, crée des professions entièrement nouvelles, de haut niveau ; cela touche d'ailleurs les jeunes diplômés de l'enseignement technique : en 1978, plus de 50 % des ouvriers de fabrication des industries de transformation sont directement affectés par une technologie intégrée ou l'OST, 23 % à la commande manuelle de machines, 32 % à la surveillance ou au contrôle de machines automatisées.

De fait, à un niveau plus général, la montée de l'ensemble des ouvriers qualifiés et des petits cadres a été beaucoup plus rapide que celle des non-qualifiés ; formant 38 % de l'ensemble de la main-d'œuvre ouvrière en 1962, ils en représentent 43 % en 1975, avant un nouvel élan. C'est leur percée qui détermine en partie, dans les années 1960-1970, l'idée, autour de S. Mallet et P. Belleville, qu'une « nouvelle classe ouvrière » est en train de surgir, même si l'analyse de ces auteurs est plus générale et fait largement appel à des traits extérieurs au travail, le niveau et le mode de vie, la fin de la ségrégation urbaine, l'influence des médias. Il se forme une sorte de bloc qui intègre, en une commune nature, l'ensemble des catégories salariales intervenant à tous les niveaux de la production, employés, techniciens, voire ingénieurs. On retrouve cette idée plus tard avec le « grand prolétariat » d'un D. Bertaux : il définit ainsi l'ensemble de ceux qui produisent la richesse, même si leur docilité en distingue les « classes moyennes salariées », exclues elles aussi par un N. Poulantzas, à l'inverse des « techniciens » que le travail productif, le cadre de l'usine, le niveau (celui du CAP), la dépendance et aussi l'origine sociale ne distinguent pas vraiment des ouvriers les plus qualifiés. Au niveau individuel enfin, le nouveau partage du travail multiplie, on l'a vu, les chances d'ascension, et ce n'est pas un hasard si celles-ci apparaissent dans les branches les plus modernisées, comme l'industrie pétrolière et la construction métallurgique.

Cette tendance, réelle, est cependant loin d'amener la liquidation du travail non qualifié ; en nombre absolu, d'ailleurs, celui-ci continue même à légèrement progresser entre 1962 et 1975. Il faut en effet tenir compte de la stagnation d'un certain nombre de secteurs restés à l'écart de la modernisation : le bois, le textile (45 % d'OS en 1954), le verre (30 % d'OS et 40 % de manœuvres), etc. En 1978, dans l'ensemble des activités de transformation, 44 % des ouvriers continuent à œuvrer à main nue ou

Chaîne de montage des 205 dans l'usine Peugeot de Mulhouse (avril 1983).

outillée. Parmi eux, c'est sûr, des ouvriers professionnels ; mais combien de médiocrement qualifiés ? De même demeure très vivace le secteur de la petite entreprise qui va dans le même sens, bien que celle-ci soit parfois hautement sophistiquée : en 1958-1960 encore, la norme restait l'usine de 100 à 500 ouvriers qui, même si elle était plus fréquemment intégrée sur le plan financier, n'automatisait souvent qu'une fraction limitée de la production. D'autre part, à l'intérieur des industries les plus modernes, la complexité des tâches multiplie, hors la fabrication proprement dite, les postes annexes qui n'exigent souvent pas grand savoir. En 1978, on ne compte à la fabrication que 35 % des ouvriers des deux sexes, pour 16,8 % à l'entretien et au réglage, et 21,7 %, soit plus d'un sur cinq, au balayage, au gardiennage, aux livraisons, à la manutention. Enfin, à partir de 1950, s'est produite au sein même de la fabrication une sorte de délocalisation de l'ouvrier professionnel expulsé vers sa périphérie, celle de l'entretien et du réglage. Le noyau, c'est l'OS, payé à la pièce et au boni, soumis au chronométrage et aux cadences, sans initiative réelle, mobile et interchangeable — dans *L'Établi*, R. Linhart dit bien la valse des mutations —, qui usine la pièce, avec l'assistance du manœuvre. Une enquête de P. Naville révèle, dès 1957-1959, que les OS représentent 80 % du personnel sur les outillages automatisés ; chez Citroën, on en compte en 1960 quatre fois plus que d'OP, alors que leurs effectifs étaient égaux avant la guerre.

Ce sont eux qui se recrutent désormais massivement chez les immigrés et chez les femmes, représentant à eux deux 45 % de l'ensemble des ouvriers non qualifiés en 1975. C'est avec l'arrivée massive des premiers, entre 1962 et 1975, que s'est constitué

Un travailleur nord-africain.

ce prolétariat à la fois traditionnel et neuf qui relance, à ses marges, une permanence de médiocrité de la classe ouvrière ; ils constituent 17 % des ouvriers, 8 % de l'ensemble des actifs en 1975, 4 millions de personnes avec leurs familles ; au travail, 360 000 Portugais, 205 000 Espagnols, 200 000 Italiens, et surtout 560 000 Nord-Africains, dont 335 000 Algériens, soit une immense majorité de gens venus de pays sans véritable tradition industrielle. D'emblée, ils ont été relégués dans les postes les plus malsains et les plus pénibles, tout en jouant un rôle d'amortisseurs de la conjoncture. Ainsi, en 1955, on ne comptait que 4,2 % d'OP parmi les travailleurs algériens, pour 24,2 % d'OS et 71,5 % de manœuvres. Depuis, leur qualification s'est améliorée, mais elle les a rarement fait dépasser le stade d'OS : à la fin des années 1970, 62 % des immigrés sont encore des ouvriers non qualifiés, particulièrement nombreux dans les mines, la métallurgie lourde, les travaux publics, le bâtiment. Hors de l'usine, la ségrégation urbaine ressuscite, sous leurs couleurs d'autrefois, les vieux ghettos ouvriers des garnis et des cités de transit. Le décalage culturel accroît les difficultés d'intégration déjà sensibles entre les deux guerres et qu'illustre la révolte de la deuxième génération ; n'a-t-on pas cru discerner dans l'agitation de l'automobile parisienne, en 1982, l'influence du réveil de l'intégrisme islamique ?

De même, sur 1,7 million de femmes ouvrières en 1975, on compte 732 000 OS et 614 000 manœuvres, dont la condition est encore aggravée par les discriminations salariales (longtemps de 20 à 40 % moins payées, à poste égal, que les hommes), la lenteur et la limitation des promotions, et, bien sûr, la « deuxième journée » que constitue le travail domestique, au retour : s'étonnera-t-on qu'en 1972, seulement 0,2 % des ménages ouvriers aient pu s'offrir une aide ménagère salariée à temps partiel ? D'autres victimes seraient à chercher du côté des jeunes, rarement acceptés comme apprentis ; mais aussi du côté des vieux ouvriers, toujours lents à s'adapter aux mutations technologiques, relégués dans des tâches secondaires mais où la pénibilité physique est plus grande, culpabilisés : dans les vingt années d'après la guerre, aux mines et aux aciéries de Lorraine, ils sont souvent aigris de leur propre impuissance. L'OS est, au moins autant que le technicien qui tend à s'évader vers le haut, une figure centrale de cette classe ouvrière cosmopolite, soumise à la perpétuelle menace du « bureau des méthodes » qui trace son destin, de ce mélange de Yougoslaves, de Noirs, d'Algériens (et de Bretons) qu'a rencontré R. Linhart chez Citroën, sous la surveillance de l'agent de secteur en cravate, du contremaître en blouse blanche, du chef d'équipe qui la porte bleue et du régleur qui, parfois, en met une grise. C'est lui qui vit le plus fortement les contraintes de la production et de la hiérarchie, qui les accepte le mieux, et s'y plie : longtemps, le cœur des syndicats alliés du patronat dans certaines grandes firmes automobiles, dont les dirigeants sont aussi les cadres de l'usine, se recrute parmi les immigrés. Il peut être aussi le plus prompt à les refuser, pendant en effigie les « petits chefs » en 1968, faisant sauter les entraves les plus rudes pendant les grèves, dans l'automobile encore, en 1982. « Une réserve de conscience et de révolte », écrit J.-P. Rioux, qui fait surgir une classe ouvrière oubliée mais soudain consciente que, malgré la montée de son niveau de vie, elle ne maîtrise pas son destin et qu'elle doit en arracher par elle-même et peu à peu son amélioration.

Des immigrés d'Afrique noire dans Paris.

Les liens de la classe ouvrière

Pourtant, où sont les ouvriers d'antan ? Les trois décennies qui viennent de s'écouler ont été marquées aussi par le délabrement des vieilles communautés qui avaient survécu à l'entre-deux-guerres ou s'y étaient retrempées. Le cas le plus connu est évidemment celui des villes minières dont la crise, après 1970, a été vécue d'autant plus douloureusement qu'elle succédait à une période d'exaltation. G. Gayot, C. Dubar et J. Hédoux ont ainsi suivi l'agonie de Sallaumines (« ici, c'est vraiment spécial [...], tout mineur », disent les interlocuteurs), où celle d'un métier s'est accompagnée de celle de toute une éthique et une sociabilité, où la mémoire magnifiée de la mine — un travail cependant épuisant — n'a pu déboucher que sur la crispation d'une mythologie de son éternité étrangère au monde réel, présente aussi, dans les années 1980, à Alès et Carmaux. L'ampleur et l'imagination des grandes luttes du bassin de Longwy, à la fin des années 1970, n'ont pas empêché l'éparpillement des hommes avec le démantèlement des usines, à l'image de toute la Lorraine du fer. Plus discrètement sont mortes, avec celles de la banlieue rouge, des bassins du Massif central, les communautés des vallées textiles des Vosges, celles du Nord, et aussi les cités cheminotes des dépôts et des ateliers de réparation, tuées par les *pools* régionaux de locomotives et la sous-traitance des opérations d'entretien.

Mémoire ouvrière et tactique syndicale : en mai 1976, les mineurs en grève du Pas-de-Calais évoquent la grève patriotique de 1941.

Les nouveaux ensembles urbains ne les ressuscitent pas, et la fin des quartiers est aussi celle d'une sociabilité de voisinage et de résidence ; parce qu'on ne fait qu'y passer — à Saint-Cévry, étudiée par S. Thievant, le *turn-over* annuel est de 30 % dans certains îlots — et qu'on n'a pas le temps de faire connaissance, mais aussi qu'on s'y refuse. « Jaricourt » (un pseudonyme) est une cité nouvelle particulièrement homogène mise en place dans les années 1970 : à 53 % ouvrière, des centaines de « chalandonnettes » toutes semblables, une mobilité qui n'a rien d'exceptionnel. Pourtant, O. Benoit-Guilbot montre l'extrême segmentation des relations, le souci de s'apparier avec les seuls gens « acceptables », la volonté de paraître et de se distinguer — le décor des jardins — dans un commun mépris de ces « pavillonnaires » pour les habitants des HLM. Dans les villes plus anciennes, on peut aussi poser la question des différences de génération : il n'est pas certain que la seconde, même demeurée ouvrière, soit aussi attachée à sa condition et à ses signes.

L'usine, même moderne, n'est pas pour autant devenue un havre de paix et de sécurité. R. Linhart dit la persistance de ses odeurs, celles du fer brûlé, de la ferraille, de la poussière, et la force de ses bruits, les vrilles, les chalumeaux, les martèlements. Elle reste aussi dangereuse : de 1944 à 1975, il s'est produit plus de 100 000 accidents graves entraînant 2 000 morts dans l'industrie (sans compter les mines ni la SNCF, les pires secteurs), et il survient peut-être un million de petits incidents par an. Pourtant, en 1971, 53 % des ouvriers estimaient qu'un progrès de leur entreprise aurait des effets positifs pour eux, et 51 % que, sans la discipline et les règlements, « ce serait la pagaille ». Les souvenirs des militants, même les plus engagés, révèlent un attachement ambigu à l'usine : interrogeant des responsables CFDT de Loire-Atlantique, J. Peneff découvre une sorte de « patriotisme de chantier » ; l'usine est le lieu d'une mémoire qui emploie un langage souvent ésotérique, à l'image de la complexité du travail ; on se souvient des luttes qu'on y a menées, rarement de celles qui ont eu une envergure plus large. En 1970 encore, 46 % des ouvriers estimaient que si l'entreprise restait privée, il en résulterait plutôt une amélioration de leur sort, alors que 21 % seulement attendaient celle-ci d'une gestion par l'ensemble du personnel, 16 % par l'État et 11 % par les syndicats. P. Fridenson remarque enfin que les ouvriers de l'automobile oscillent entre la résignation et la révolte contre leurs conditions de travail « qui n'est toujours pas celui dont ils ne cessent de rêver ».

En 1970 toujours, 29 % des ouvriers s'affirment plutôt de droite ou du centre, malgré l'ancrage persistant, épisodiquement affaibli après 1958, à gauche. Au-delà des attitudes au travail, on retrouve ce mélange équivoque de pratiques et de valeurs culturelles qu'a mises en relief une enquête récente de J. Frémontier. Permanence, à un siècle de distance, d'une certaine tradition : la nourriture qui tient l'estomac et la mythologie des aliments nourrissants, le goût des apparences qui a fait disparaître la casquette et la musette, l'attachement (cependant plus récent) au chez-soi et à des meubles solides et coûteux. Médiocrité d'un suivisme culturel qui privilégie le spectacle sportif aux dépens du sport et fait des maisons un « bric-à-brac prolétarien » de chromos, de chiens en plâtre, de calendriers des PTT et de souvenirs de vacances dans un univers de Skaï et de formica. Perpétuel souci de paraître ce qu'on n'est pas, par une mise en scène qui positionne dans l'échelle supposée des gains, des savoirs et des normes. Étonnant conformisme dans la vie familiale et personnelle (en 1970, 22 % des ouvriers pensaient que la pilule contraceptive devait être interdite et 21 % qu'elle devait être réservée aux femmes mariées), dans les ambitions de vie — gagner de l'argent, dépenser, épargner —, débouchant souvent sur l'antiféminisme et le racisme (en 1970 toujours, les Nord-Africains étaient trop nombreux selon près de trois ouvriers

« Bric-à-brac prolétarien » dans une famille de mineurs, Lens, 1954.

sur quatre). Enfin, morale du travail, la « belle ouvrage », même dans ses conditions les moins gratifiantes : « Les assiettes qui sortent toutes faites, j'aime bien les regarder. »

Par-delà le discours, il est malaisé de repérer la place des résistances individuelles, dans la mesure où celles-ci sont par nature discrètes, et fort diverses, même si on les devine à travers les tactiques patronales mises en œuvre pour les briser ou les contourner, voire les récupérer : il suffit au chef d'atelier évoqué par R. Linhart de séparer les trois Yougoslaves habiles à « remonter » la chaîne pour gagner, par rotation, espaces et moments de liberté. Quant au *turn-over*, il est trop complexe pour que son sens soit clair ; tout au plus peut-on estimer qu'il correspond plutôt à une fuite qu'à un projet personnel de promotion : en 1970, il est d'autant plus médiocre que le niveau de qualification est élevé. Au total, c'est prioritairement à l'action collective qu'on fait confiance — peu ou prou, dans 57 % des cas —, et d'abord à ces délégués multipliés depuis la guerre dans diverses instances sur le lointain modèle des « délégués mineurs » des débuts du XIXe siècle, véritable élite organique de la condition ouvrière, des gens dévoués — pense-t-on quatre fois sur cinq —, et plus compétents que la masse — soutient-on presque aussi souvent. Aussi le rôle des syndicats ne se mesure-t-il pas uniquement au niveau de leurs effectifs.

Ceux-ci restent, globalement, médiocres. Le sommet des lendemains de la Libération n'a jamais été retrouvé. En 1950 encore, au lendemain de la scission, les trois grandes fédérations dépassaient 4,7 millions d'adhérents, avec une CGT frôlant les 4 millions, le reste se partageant à peu près également entre la CGT-Force ouvrière (FO) et la CFTC. Après un reflux important — guère plus de 3 à 4 millions cette fois-ci, vers 1967 —, on est revenu à un niveau peu éloigné des effectifs de 1950, mais moindre que celui de 1938 (4,5 millions entre CGT et CFTC) : environ 4,3 millions entre 1973 et

1978 ; encore ces chiffres intègrent-ils un très grand nombre d'employés et d'éléments étrangers à la classe ouvrière proprement dite, fonctionnaires, etc. Cependant le mouvement institutionnel est entouré d'une large frange de gens qui rechignent à l'organisation, mais sont prêts à l'action qu'il faut lancer dans une situation précise, particulièrement dans le domaine salarial. Militantisme — qui peut être occasionnel — et adhésion ne sont pas forcément liés, et ce n'est pas un hasard non plus si la part d'influence syndicale augmente avec l'intégration au milieu ouvrier, son ancienneté, l'hérédité, etc., ni, à l'inverse, si elle est plus médiocre chez les nouveaux venus, les techniciens, les jeunes, dont la combativité peut être par ailleurs non négligeable. Le syndicat fait, lui aussi, partie intégrante de la culture ouvrière. C'est ce que reflète, au-delà de la division des confédérations, leur consensus, même inexprimé, sur quelques thèmes essentiels, tels que la libre discussion des salaires, le relèvement du pouvoir d'achat, la défense de l'emploi, la réduction de la durée du travail ; mais aussi le refus d'un syndicalisme strictement corporatif et, finalement, du capitalisme comme système — en cela la France se distingue des autres pays les plus industrialisés.

La grande nouveauté de l'après-guerre, c'est cependant la dispersion entre plusieurs confédérations — FO séparée de la CGT en 1948, la CFTC se « maintenant » après la transformation de sa majorité en CFDT après 1967. La remontée des années 1970 s'est faite, on l'a vu, au profit des rivales de la CGT, même si les élections aux diverses instances corporatives permettent d'isoler l'influence de chacune parmi les seuls ouvriers et de marquer, toujours, la prééminence cégétiste : en 1978, la CGT y a

Séparées par l'idéologie et les affinités politiques, les trois grandes fédérations syndicales se retrouvent parfois sur le terrain, unies pour une action commune. Manifestation des postiers, le 13 novembre 1974.

recueilli 44,9 % des suffrages dans le « premier collège », celui des ouvriers, contre 21,1 % à la CFDT, 9,5 % à FO et 2,6 % seulement à la CFTC. On peut pourtant faire une autre lecture de ces divisions, et des choix des uns et des autres, au-delà des orientations globales, politiques et professionnelles de chacune d'entre elles, tels les liens de la CGT avec le parti communiste (son engagement à ses côtés dans tous les grands combats depuis 1947, la part des militants de l'un parmi les dirigeants de l'autre) et son orientation « de classe », le thème cédétiste de l'autogestion, l'attachement à la négociation et aux contrats collectifs de FO et de la CFTC. Le pluralisme syndical ne traduit-il pas le nouvel éparpillement de la classe ouvrière, où d'autres clivages sont apparus dans les années 1970 entre travailleurs « stables » et « précaires » (contractuels, intérimaires, salariés à temps partiel), entre « protégés » (par un statut, des conventions collectives, etc.) et autres, clivages qui ne recouvrent pas parfaitement les anciens autour de la qualification ou de l'ancienneté plus ou moins grande des secteurs ?

De fait, les places fortes de la CGT sont la sidérurgie, la métallurgie, le bâtiment, les mines, les ports et docks, la SNCF, le livre, bastions d'une classe ouvrière ancienne et d'une élite sensibles à sa préférence pour de grandes actions unifiantes, sur de vastes plates-formes, qui renvoient à l'unité même de la classe ouvrière, ainsi qu'à son efficacité devant des situations un rien archaïsantes, comme la révolte des OS de l'automobile en 1982. Le pétrole, certains secteurs de la chimie, le textile des femmes, la construction électrique, l'agro-alimentaire ont un plus fort tropisme vers la CFDT, avec son souci de démocratie directe et d'initiative de la base, son ouverture aux catégories les moins expérimentées — femmes, immigrés, jeunes non qualifiés, néo-ouvriers — et, entre 1969 et 1978, son soutien à une certaine marginalité — grèves sauvages et actions violentes, chez Penarroya à Lyon, au Joint français —, voire à des luttes extérieures à la sphère professionnelle, notamment au sujet de l'environnement. FO tire sa force du secteur public ; la CFTC garde de son passé un certain ancrage dans les mines, outre le verre, le pétrole, etc. ; l'une et l'autre ont l'audience d'une fraction des employés, d'autres nouveaux venus.

De l'invention des cadres
aux « couches moyennes salariées »

Pour avoir considérablement progressé en nombre, le monde des employés du tertiaire n'en est pas plus aisé à définir étroitement qu'il ne l'était avant la guerre, sinon par un mode de travail non manuel. Les catégories socio-professionnelles de l'INSEE ne collent guère aux permanents dynamismes d'un groupe qui constitue un casse-tête pour les théoriciens de la société industrielle de l'après-guerre occupés à d'incessants reclassements pour faire surgir d'autres agrégats plus opératoires, en fonction du rôle des uns et des autres dans la production ou de leur participation à la décision économique. Plus simplement, il faut noter d'abord le lien entre l'essor numérique de ces différentes catégories et la modernisation globale de l'appareil productif, la sophistication grandissante de sa gestion et de son environnement. Plus que les employés de commerce — + 3,4 % par an de 1954 à 1968, + 2,4 % de 1968 à 1975 —, ce sont ceux de bureau (+ 3,9 % de 1954 à 1975) qui se sont multipliés avec les services d'étude des entreprises, ceux d'information, de statistique et finalement d'informatique, avec l'essor des services publics aussi. Ainsi, le nombre des instituteurs a progressé de 4,6 % par an entre 1954 et 1962, de 3,4 % de 1962 à 1975, et l'effectif total des enseignants est passé de 272 000 en 1954 à 607 000 en 1975 ; dans le même laps de

De Sciences-po à l'ENA, des étudiants pleins d'avenir.

temps, les salariés de la santé et des services sociaux (hormis les médecins) ont plus que triplé (de 88 000 à 303 000), ceux de la documentation et de la publicité (de 302 000 à 758 000) et du secrétariat (de 502 000 à 908 000) ont plus ou moins doublé. Tous les records sont évidemment battus par les informaticiens, de 20 % plus nombreux chaque année entre 1968 et 1975. Au-delà d'une très grande diversité de revenus — en 1957, 37 % des cadres moyens ont un salaire supérieur à 85 000 F par mois, mais 3 % seulement des employés —, tous bénéficient de la sûreté d'un traitement mensualisé, d'un statut garantissant emploi et carrière, qui se sont traduits par un accès relativement précoce aux nouvelles consommations, telles que l'automobile, l'équipement ménager, le logement, les vacances et les loisirs.

En fait, à partir du moment où l'on renonce à enfermer le groupe et ses catégories dans les chiffres, il apparaît que le secteur, dans son ensemble, est tiré par deux grandes tendances contradictoires définies aussi fortement par des choix culturels et sociaux que par la conscience d'une identité peu à peu construite et spécifique. D'un côté sont les « cadres » dont l'invention, pour parler comme Luc Boltanski, s'est faite des années 1930 aux horizons de 1960. D'emblée, le groupe naît en se différenciant des ouvriers, puisque les premières associations d'ingénieurs, au lendemain de 1936, naissent de la contestation du monopole cégétiste dans la représentation des salariés. Il prend forme au lendemain de la guerre dans la fascination des modèles américains de *management*, où il trouve une nouvelle conception des rapports dans l'industrie qui sait reconnaître, dans l'entreprise, les responsabilités du savoir et de la compétence. Les années 1950 voient s'établir en France les premiers « cabinets d'organisation », et les cadres se multiplient avec les promotions en hausse des écoles d'ingénieurs — 16 272 élèves en 1957-1958, 35 536 en 1977-1978 —, des instituts d'études politiques — dont les effectifs triplent dans le même temps —, des facultés de droit et de sciences économiques, enfin surtout des écoles de commerce dont la renommée progresse en même temps que le nombre (11 000 étudiants au lieu de 5 000 aux mêmes périodes) et dont les méthodes se calquent de plus en plus sur celles des *business schools* d'outre-Atlantique auxquelles il leur arrive de se lier.

Mais les cadres détiennent ainsi une science de l'organisation qui doit beaucoup moins aux héritages culturel et social que celle des ingénieurs ; on peut se faire soi-même, et L. Boltanski cite la satisfaction un peu naïve d'un de ces autodidactes, particulièrement nombreux — 44 % n'ont pas fait d'études supérieures — dans les services commerciaux. Au-delà des signes matériels et culturels communs qui marquent l'identité, le groupe est constitué dans les années 1960 autour d'une autre idée de l'entreprise privée désormais moins liée à la propriété et au capital qu'à l'efficacité, à tous les niveaux, de ses dirigeants ; il est fondé sur un sens aigu de la hiérarchie et de la valeur individuelle. De fait, la Confédération générale des cadres (CGC) était née en 1944 d'un souci d'affirmer une différence avec les autres salariés, de la crainte de voir écraser l'échelle salariale, et pour modérer la pression fiscale. La grève qu'elle lance en juillet 1947 veut sauvegarder un régime particulier de sécurité sociale et leurs propres caisses de retraite : à ses débuts, le syndicalisme-cadre parle un langage qui n'est pas sans rappeler celui des petits commerçants et artisans, et la forte présence en son sein des VRP (voyageur, représentant ou placier), dont le statut est hybride, contribue à le pérenniser. En 1947-1948, on dit sa crainte d'être « paupérisés », « dévalués », « écrasés », et l'on n'est pas loin de penser que la situation de cadre doit déboucher sur le patronat.

La méfiance est tout aussi vive à l'égard des nationalisations, accusées d'« étouffement de la personne » ; dans les années 1950, il existe au moins une part de commune sensibilité avec le Rassemblement du peuple français (RPF), où un Louis Vallon parle de « décapitaliser l'entreprise sans la décapiter ». On passe sur certaines références archaïsantes à un ordre moral pour retenir son refus du nivellement et son appel au sens des responsabilités : employés et cadres moyens sont trois fois plus nombreux au Rassemblement qu'ils ne sont, relativement, dans le pays, avec les ingénieurs et les professions libérales. La CGC même fait preuve d'un virulent anticommunisme — contre la CGT-K, K pour Kominform... —, affirme son adhésion aux valeurs du « monde libre », dit sa préférence pour une économie concertée ; c'est à titre personnel que son leader, André Malterre, se retrouve plus tard aux côtés des ultras de l'Algérie française, mais sa pérennité à la tête de la centrale reflète un certain nombre de penchants encore présents, dans les années 1980, parmi certains de ses membres.

La crise qui secoue la CGC à partir de 1963 va cependant bien au-delà des questions de personne. C'est un débat sur la place des cadres dans la nouvelle société française : pour les uns, ils en constituent le cœur, et les autres catégories finiront par les rejoindre ; les autres au contraire insistent d'abord sur leur condition de salariés, et le principal opposant, le Syndicat national des cadres de la banque, voudrait, à partir de 1972, attirer à lui l'ensemble des employés. En fait, les opposants à la ligne traditionnelle sentent confusément ce qui est en train de changer la place des cadres : la montée des techniciens, l'éloignement grandissant des centres de décision et l'apparition du chômage dans une catégorie jusque-là épargnée. Sans oublier la concurrence grandissante d'organisations de cadres rattachées aux confédérations ouvrières et longtemps à la traîne : l'Union confédérale des cadres CFDT, qui démarre en 1967 à partir d'une médiocre Fédération des syndicats d'ingénieurs et de cadres CFTC, et l'Union générale des ingénieurs, cadres et techniciens (UGICT) de la CGT. Au milieu des années 1970, pour un taux approximatif de syndicalisation qui ne dépasse pas 12 à 15 %, elles font quasiment jeu égal avec la CGC, bien que celle-ci ait triplé ses effectifs de 1945 :

Les cadres revendiquent : manifestation du 29 janvier 1979.

300 000 adhérents, pour 40 000 à la CFDT et 200 000 à l'UGICT. Cette influence est encore plus clairement partagée si on la mesure à la part de voix obtenue en 1974 aux élections des comités d'établissement : dans le troisième collège (ingénieurs et cadres), la CGC obtient 36,6 % des suffrages, pour 11 % à la CFDT et 7,8 % à la CGT ; mais dans le deuxième (agents de maîtrise et cadres) la CGT l'emporte, avec 25 % contre 17,1 % seulement à la CGC.

Ce reclassement correspond à l'émergence de ce que C. Grunberg appelle les « couches moyennes salariées » et qu'il évalue, en regroupant certaines catégories séparées de l'INSEE, à 3,5 millions en 1962 et à 6 millions en 1975, allant de certains cadres classés « supérieurs » — comme les professeurs — aux employés de bureau. Tous partagent une qualification certaine, mais pas assez élevée pour qu'ils soient en position d'exercer une autorité plutôt que de la subir : une sorte de savoir sans pouvoir. En raison de leur concentration dans les grandes entreprises publiques ou privées, ils penchent pour des formes collectives de défense, alors que l'esprit « cadre » se fonde sur des stratégies individuelles de carrière — encore une fois à l'image des petits commerçants et artisans, dont on a vu la difficulté à s'organiser sur le long terme. Ils sont fréquemment d'origine populaire : plus de la moitié des cadres moyens et des employés de bureau ont un père salarié ; cette insertion sociologique crée des comportements de proximité déjà vérifiés dans le vote différentiel de la petite entreprise : en 1978, 73 % des salariés moyens d'origine ouvrière ont voté à gauche, contre 51 % seulement des enfants de patrons ou de travailleurs indépendants. Ainsi, conditions de travail et sociologie des origines se rejoignent pour retrouver les valeurs habituelles du

L'adhésion massive des instituteurs au SNI (novembre 1974).

mouvement ouvrier traditionnel, telles que le combat collectif, la défense du droit de grève et la garantie de l'emploi, l'attachement à l'extension du secteur public, la valeur du syndicalisme comme mode de représentation et d'action. La grève des employés de banque du printemps 1957 a marqué une profession aussi fortement que maintes actions de travailleurs manuels.

La voie était déjà tracée pour certains secteurs où existait une tradition ancienne de syndicalisation, c'est-à-dire pour les techniciens, les enseignants, les petits fonction-naires. L'important est qu'elle ait été reprise ; particulièrement significative est l'adhé-sion massive au Syndicat national des instituteurs (SNI), un milieu cependant totale-ment renouvelé au lendemain de la guerre, et devenu ainsi une des professions les plus fortement organisées. Mais notons des nuances : ralliement ne signifie pas identifica-tion, sans doute parce que dans les bureaux — où se retrouvent les deux tiers de ces nouveaux salariés des services — les rapports d'autorité sont moins brutaux qu'à l'usine ; et surtout parce qu'ils représentent un salariat nouveau, celui d'une France plus fortement scolarisée, urbanisée, et d'un niveau culturel plus élevé que les ouvriers traditionnels ; ce que traduit, d'une autre manière, la jeunesse relative de ces secteurs neufs ou renouvelés : ainsi, en 1975, 47 % des femmes des services médicaux et sociaux avaient entre 20 et 29 ans. Entrés dans la vie active dans les années 1970, ils adhèrent d'emblée à ces formes d'action non partisane qu'Emmanuelle Reynaud ras-semble sous l'appellation de « militantisme moral ». Ce sont d'abord les mouvements féministes — Choisir naît en 1971, le Mouvement pour la liberté de l'avortement et de la contraception (MLAC) en 1973 — dont le rôle est d'autant plus important que ces nouveaux salariés sont souvent des femmes (de 1954 à 1975, leur part au sein des enseignants est de 65 % environ et, dans les métiers de secrétariat, elle augmente de 26 à près de 45 %). Mais, plus généralement, l'apprentissage de l'action s'est fait à travers des identités autres que celle du statut socio-professionnel : étudiants, mères célibataires, malades (le groupe « Information santé » apparaît en 1971-1972), justiciables, en attendant les groupes écologistes.

Par-delà les différences de sensibilité se fait jour un souci commun d'action immédiate et partielle plus que de clarté ou d'insertion doctrinale, autour d'une certaine idée de la qualité de la vie, ce « libéralisme culturel » dont parle G. Grunberg, fait d'hédonisme et d'anti-autoritarisme d'où va sortir le concept d'autogestion. Comme les cadres jadis, ces « couches moyennes salariées » s'inventent une identité, très forte, à travers ces choix communs, sans qu'on puisse vraiment parler d'une conscience collective comme il existe, sans doute, une conscience ouvrière. La jonction ne s'est pas faite avec une CGT ouvriériste, fortement marquée par la sensibilité communiste, étrangère à des revendications qualitatives, longtemps méfiante devant des catégories sociales irréductibles au classicisme de ses analyses sociologiques. L'éclectisme d'une CFDT moins engluée dans les traditions s'est révélé plus accueillant. Mais, surtout, sans qu'il y ait eu adhésion formelle de la masse, c'est vers le parti socialiste renouvelé que se sont tournées ces nouvelles couches. Au plus haut niveau, elles ont constitué la clientèle privilégiée des clubs dans la mesure où ceux-ci étaient plus soucieux de programmes concrets que d'idéologie. En 1975, 25 % des sections et des groupes socialistes d'entreprise étaient implantés dans les administrations, 11 % dans l'enseignement, et 29 % dans les entreprises nationalisées et les services publics ; 22 % de leurs militants étaient des employés, 26 % des cadres moyens, et même 16 % des cadres supérieurs. La part des enseignants parmi les nouveaux députés socialistes de 1981 vient renforcer un trait bien plus général, accentué depuis la victoire de François Mitterrand. Tout un groupe se reconnaît dans ce mélange d'exaltation des compétences et de souci de qualité de l'existence, et a pris forme avec lui au-delà des structures sociales ; il mord sur une partie des cadres traditionnels, y compris ceux qui lorgnent vers la CGC, par l'attrait d'un langage moderniste et volontariste dans le domaine de l'économie.

L'APAISEMENT DES TENSIONS ET L'ANCRAGE DES DESTINÉES

Ainsi, les mutations de la société française d'après la guerre ne se contentent pas de faire jouer les échanges — inégaux — de personnes entre les deux grands pôles qui l'attirent, depuis le XIXe siècle et les débuts de l'industrialisation. Pour la première fois semblent se développer, en son centre, des catégories originales qui, indépendamment du mouvement des périphéries, trouvent leur élan en elles-mêmes. Est-ce le signe que s'annonce, au moins, une autre société plus apaisée, plus égalitaire — toujours la vieille vocation des « classes moyennes » ! —, où les chances de chacun seraient enfin mieux assurées, comme le voudrait la vieille et grande promesse de la société industrielle ?

De l'esprit de négociation au recul des inégalités

Malgré la violence de certains épisodes, le premier trait semble être un apaisement relatif des affrontements collectifs, une « civilisation » de rapports sociaux, aux deux sens du terme : celui d'un enfermement progressif dans des règles légales qui les atténuent, celui aussi d'une banalisation qui finit par affecter les modes d'action. Sans que l'on renonce cependant, du côté des ouvriers notamment, aux formes traditionnelles du combat. La grève en particulier n'a fait que suivre, à partir de 1946-1947, ce flux qui s'enfle à chaque vague. Les luttes de 1947-1948 prennent même, on le sait, des allures insurrectionnelles, chez les métallos parisiens, à Marseille, pour les mineurs d'un peu partout. De 1958 à 1967, on compte en moyenne 1,11 million de grévistes par an, et 1,78 million entre 1969 et 1978. On observe toujours cette augmentation régulière, jusqu'aux années 1970 au moins, du niveau des *peaks* de la courbe : 2 623 conflits en 1957, 2 382 en 1963, 4 318 en 1971, 4 348 en 1976 ; de même sur celles des participants (1953, 1957, 1967, 1972, 1976) et des journées perdues, avec les records de 1963 et 1976. Mais le mouvement du printemps 1968, le plus puissant de toute l'histoire des grèves, brouille les cartes à tel point que — comme en juin 1936 — tous les instruments de mesure ont sauté.

La grève demeure encore souvent l'« embellie » dont parlait M. Perrot, avec ses réunions, ses cortèges, son mélange de résolution et d'inventivité, même si sa violence est plus rare et plus limitée qu'au début du siècle. Elle intéresse le plus souvent le « travailleur collectif », part des ouvriers non qualifiés et peu qualifiés, joue toujours ce rôle d'éveilleur dans une communauté nouvelle, de signal d'alarme pour des organisations qui auraient tendance à relâcher leur vigilance ou leur pression : en 1946, c'est l'agitation d'une grève sauvage dans l'automobile qui va progressivement amener la CGT à décrocher du productivisme gouvernemental ; après 1968, à un moment où le processus d'institutionnalisation des rapports sociaux est très rapide, c'est, chez les grévistes, à des conduites de rupture, aux limites de l'illégalité, que recourent certains marginaux (ou qui se sentent tels), les OS de Renault au Mans, les employés du tri postal (1974), etc. C. Durand estime, comme E. Shorter et Ch. Tilly, que, nonobstant les apparences immédiates, des enjeux plus généraux n'en sont jamais absents. Mais en même temps la fréquence de la grève la banalise, à tel point qu'elle s'est implantée dans d'autres catégories sociales — et décroche de la conjoncture, de la crise notamment : de 1974 à 1978, n'y a-t-il pas eu, à effectifs en gros comparables, 16 fois plus de grévistes qu'entre 1931 et 1936 ? La normalité, c'est la grève fréquente, massive, mais — 40 % des arrêts de travail de 1976 ne dépassent pas la journée — courte ; ceci n'est pas sans signification.

De fait, elle n'est devenue qu'un instrument, parmi d'autres, du jeu complexe et de plus en plus codifié des relations sociales. C'est un effet, d'abord, du renforcement et de l'unification des « adversaires de classe », pour parler comme les uns, des « partenaires sociaux », selon les autres. La dispersion qui s'en est suivie ne doit pas faire oublier ce qui fut, un moment, le nouveau visage reconnu du syndicalisme ouvrier à la Libération : unifié (l'accord du Perreux, d'avril 1943, pour la CGT, liée à la CFTC dans un comité d'entente), intégré aux forces vives de la nation (car adhérant au programme du Conseil national de la Résistance), présent au pouvoir par un certain nombre de ses leaders, A. Croizat, M. Paul, R. Lacoste, Ch. Pineau, A. Gazier. Par la suite, la division n'empêche jamais l'ensemble des forces syndicales de se retrouver, même de façon conflictuelle, sur des positions communes dans les moments cruciaux, en 1952-1953 déjà contre la politique libérale et déflationniste d'A. Pinay (les grandes grèves de l'été

1953 partent de FO), en 1957 pour l'augmentation des salaires, en 1964 dans l'hostilité à une « police » des rémunérations, en Mai 1968 aussi quoique dans le désordre, et plus encore, bien sûr — on y reviendra —, contre les premières mesures giscardiennes d'adaptation à la crise.

En face, l'unification est à la fois plus lente et plus simple. Le Conseil national du patronat français (CNPF) est né en mai 1946 du discrédit d'une Confédération générale du patronat français (CGPF) compromise avec les comités corporatistes de Vichy. Mais jusqu'en 1969, il hérite largement de ses traits : c'est avant tout un organe de liaison entre des entreprises très hétérogènes que dominent les plus puissantes — celles qui financent —, où s'opposent grandes entreprises et PME (la CGPME dispose de 75 sièges sur 500 à l'assemblée générale) et qui a du mal à s'engager comme interlocuteur unique et responsable vis-à-vis des salariés et de l'État. Les accords de Grenelle au printemps 1968 renvoient étrangement à ceux de Matignon de 1936, au refus de certains patrons de s'y reconnaître, à leur désir de transformer leur association pour l'adapter à une situation nouvelle. De fait, la réforme de mai 1969 du CNPF met l'accent sur le souci d'une politique industrielle par le développement de l'entreprise, se donnant ainsi une image plus positive en même temps qu'elle renforce sa cohésion pour appuyer et faire reconnaître sa vocation à parler au nom de l'ensemble des patrons. Surtout, tout en affirmant sa volonté de croissance, le retour aux principes du marché et à l'exaltation du profit, le CNPF se dote alors — sous l'impulsion d'un François Ceyrac qui va devenir son président — d'une politique sociale, pour reprendre un terrain abandonné au syndicalisme ouvrier mais où l'on va poursuivre une politique de négociations très antérieure.

La pratique de la négociation débouchant sur des conventions collectives répond en fait, à partir de 1950, à la libre fixation et discussion des salaires. Dans quelques grandes entreprises, elle aboutit à des accords globaux souvent très favorables, tels ceux de la fin 1955, chez Renault, Citroën, Peugeot, à la SNECMA, chez Merlin-Gerin, qui amorcent entre autres l'allongement des congés payés, en période il est vrai d'expansion de la production et de stabilité des prix. Cependant, la négociation collective ne se développe qu'inégalement, au contraire des autres pays européens : on reste longtemps persuadé que l'augmentation du niveau de vie suffira à désamorcer les antagonismes et videra les organisations ouvrières de leurs effectifs. C'est un jeu à trois qui se joue, avec l'État : la loi relaie ou étend les conventions privées partielles, ou bien elle les annonce et les facilite. Ainsi, le Fonds national pour l'emploi (1973) part de la convention passée dans la sidérurgie lorraine en 1967 et d'un accord interprofessionnel de 1969 ; de même, les lois globalisantes de 1971 et de 1976 sur l'organisation et le financement de la formation continue s'appuient sur des négociations et des textes fragmentaires de 1970. Il faudrait enfin repérer le rôle exact des fréquentes pressions des pouvoirs publics en cas de litiges, mais en dehors des procédures légales formelles.

A partir de 1969, ce sont encore les textes qui donnent le signal d'une nouvelle pratique : le rapport Nora est à l'origine d'une nouvelle politique contractuelle qui, de l'EDF-GDF (1969) et de la SNCF (1970), s'étend à plus de 150 entreprises et à la fonction publique, s'appliquant aussi bien à la durée du travail et à sa protection qu'au rattrapage des salaires et au reclassement dans leur échelle. Mais le patronat privé suit, cette fois-ci, malgré l'apparente détérioration des relations marquée, pendant cette période, par de violents incidents ; de 1968 à 1972 sont signés quatre fois plus d'accords d'entreprises qu'entre 1954 et 1968 ; ils débouchent sur quelques conventions d'ensemble spectaculaires : l'indemnisation du chômage partiel (1969), celle des licenciements économiques (1974), la garantie de l'emploi (1969, 1974), les conditions

François Ceyrac, le patron des patrons, donne une conférence de presse.

du travail, sa durée, etc., outre, on l'a vu, les questions de formation professionnelle. Ce sont souvent des accords-cadres qui ne liquident pas la discussion à la base, notamment en matière de salaires, mais qui révèlent, malgré l'affirmation quasi unanime des centrales ouvrières de leur opposition à une « collaboration de classe », un agrément mutuel à leur fonctionnement, fondé, pour un temps, sur une communauté d'intérêts.

Sans cette dernière n'eût pas non plus été possible la politique de redistribution de la richesse à travers des organismes gérés de façon mixte — caisses de sécurité sociale, de retraite, etc. —, venue fortement appuyer ce rôle d'atténuation des différences que l'État a développé depuis 1945. En 1960, l'ensemble du prélèvement (impôts, taxes, cotisations sociales) s'élevait à 39 % de celui des revenus, profits, intérêts, salaires ; en 1978, il atteint 45 %. Sa répartition est bien sûr horizontale, des bien portants vers les malades, des célibataires vers les familles nombreuses, de ceux qui sont en âge et ont la possibilité de travailler vers ceux qui ne le sont plus ; mais, pour l'essentiel, elle se fait des hauts revenus vers les plus bas, ceux des employés, des ouvriers — qui ont la plus forte réaffectation, en pourcentage, des prélèvements — et, bien sûr, des inactifs. Le visage français de l'État providence, accentué à l'époque giscardienne, contribue à rapprocher des conditions matérielles dont l'évolution générale des salaires tendait déjà à réduire l'écart. Car si, jusqu'en 1967, le SMIG s'est contenté de suivre le coût de la vie, chacun de ses progrès entraînant un relèvement corollaire et proportionnel de l'ensemble des rémunérations, il est devenu à compter de 1968 un instrument de rattrapage des bas salaires ; c'est là un effet des mutations du marché du travail, mais aussi, dans les années 1970, d'un choix qui s'est encore affirmé depuis 1981. On a vu qu'il avait dès lors marché plus vite que le taux horaire moyen du travail ouvrier. La prime a été encore bien plus forte par rapport aux employés et aux techniciens. De façon significative, le traitement des fonctionnaires du cadre A — les plus titrés — n'était qu'à 227 en 1978 pour 100 en 1970, alors que celui des cadres C et D — les plus modestes — était à 246. Plus globalement, après une phase générale d'ouverture de l'éventail salarial, de 1954 à 1972, on constate qu'il tend à se rétrécir ; en 1970, le salaire d'un cadre supérieur moyen équivalait à 4,24 fois celui d'un ouvrier, défini de même façon ; en 1980, le rapport n'est plus que de 3,40 à un.

Distances sociales et mobilités personnelles

On peut tout aussi judicieusement remarquer que les ouvriers ne récupèrent en prestations que les trois cinquièmes de ce qu'on leur a prélevé de diverses manières ; et les employés guère plus de la moitié, dans un système où, finalement, les seuls bénéficiaires nets sont ceux qui ne travaillent pas. Alors qu'il paraît les favoriser, il pèse plus lourdement sur les moins aisés des salariés. De même, le poids égal de la fiscalité indirecte sur les objets et les services — même si la TVA échelonne ses taux — ne tient pas compte de la condition sociale ou matérielle et reprend ici ce qui était donné là : 13,2 % du revenu des ouvriers et des employés, contre 9,6 % seulement de celui des cadres supérieurs. La progressivité réelle de l'impôt direct dérape dès qu'on s'écarte de l'assiette du salariat, la seule vérifiable et crédible. Facteurs qui sont tous insuffisants pour expliquer la plasticité d'une société, mais qu'illustre l'importance des résistances. Si bien qu'au-delà de la nouveauté de ses répartitions, la société française de l'après-guerre présente des traits de ressemblance étonnants avec ce qu'elle était auparavant. Au lendemain d'une croissance à long terme du revenu individuel moyen (toutes catégories sociales confondues), lente jusqu'aux années 1960 (+ 24 % de 1949 à 1954, + 18 % entre 1954 et 1959), accentuée après (un doublement de 1960 à 1978, acquis pour l'essentiel avant 1974), elle serait même l'une des plus inégalitaires d'Europe, si l'on en croit une enquête de l'OCDE en 1976.

De fait, en 1975, la pyramide des revenus s'échelonne sur une base de moins de 10 000 F par an, où se retrouvent 9,6 % des ménages, assez régulièrement jusqu'à 50 000 F ; au-dessus, elle s'amincit très vite, jusqu'à la tranche supérieure à 100 000 F où il n'y en a que 4,4 %... Les différences s'élargissent si, cette fois, on prend en compte les patrimoines : en 1977, les 5 % de Français les plus riches accaparent 45 % de la fortune nationale (à deux points en dessus de la situation aux États-Unis) ; et 10 % plus de la moitié (54 %) tout en ne touchant que le tiers du revenu global après impôt. Et l'échelle des patrimoines reproduit, toujours, celle des conditions sociales : la moyenne brute est de 311 600 F ; professions libérales (1,387 million) et gros négociants et industriels (1,321 million) apparaissent comme deux fois plus nantis que les artisans et commerçants (606 000 F) et les cadres supérieurs (530 000 F) ; très en deçà, les cadres moyens (245 000 F), les employés (144 000 F) guère mieux lotis que les ouvriers (111 000 F). Les 10 % de Français les plus pauvres ne possèdent, à eux tous, que 0,03 % des patrimoines.

En effet subsistent dans la France de l'après-guerre des marges de misère dont la part est malaisée à mesurer : on n'y définit pas, comme aux États-Unis, par exemple, un seuil de la pauvreté. Une étude de 1962 estimait que 27 % des ménages dont sans doute en majorité des immigrés (ils étaient alors 3 millions), beaucoup de vieillards, les ouvriers des vieilles régions industrielles, pas mal de petits commerçants et d'artisans inadaptés, y étaient encore tout juste capables de subvenir aux besoins les plus élémentaires. Une enquête des services d'action sanitaire et sociale en 1977 évalue encore leur nombre à 5 millions, dont 800 000 en deçà du SMIC, autant de petits travailleurs indépendants, 600 000 chômeurs non indemnisés ; et peut-être 2 millions de vieillards, en passe de constituer un des problèmes majeurs de l'assistance : avec l'allongement de la vie, F. Cribier ne remarque-t-elle pas que la vieillesse dure désormais plus longtemps que l'enfance et que l'adolescence, avec des ressources médiocres, des coûts plus élevés que l'âge adulte ? un effet imprévu du progrès dans une société qui, dit René Lenoir, « a changé de maux », en sécrétant de nouveaux exclus. Plus largement, toute une fraction de la population est encore loin d'aspirer à une certaine qualité de la vie, mais attend toujours la satisfaction de besoins minimaux. Pour d'autres, l'accès à certains biens de consommation durables est trop frais pour qu'on ne privilégie pas la satisfaction de l'usage qu'on en a — l'auto, par exemple — par rapport aux coûts sociaux que d'autres déplorent.

Bien sûr, une partie des patrimoines est dormante, ou bien constituée par les moyens de production : on sait les difficultés à distinguer ceux-ci de la possession personnelle et stérile dans le projet récent d'impôt sur les grandes fortunes — 3 000 sont supérieures à 10 millions de francs, d'après R. Lattès. L'ensemble est à 57 % constitué par des biens immobiliers — plus de la moitié des ménages en possède, quel que soit leur statut social ; leur part augmente, bien sûr, chez les moins fortunés : le logement (ou l'épargne destinée à l'acquérir) représente plus de 60 % des patrimoines d'employés (dont 35 % possèdent leur résidence principale) et d'ouvriers (28 à 37 % de propriétaires, selon les modes de calcul). Depuis 1960, l'évolution a d'ailleurs classiquement favorisé les détenteurs d'immeubles, dont la valeur a constamment progressé, et les spéculateurs, puisque les valeurs françaises (à revenu fixe, il est vrai) ont augmenté de 45 %, tandis que l'inflation laminait de 24 % les dépôts des caisses d'épargne et de 60 % l'argent conservé en liquide. C'est toujours la vieille prime au propriétaire, et, à travers l'accession au logement, un rêve en partie réalisé, même si c'est aux dépens de l'entreprise, du placement créateur, et au prix de la fixation géographique et d'une baisse de liberté qu'entraîne l'endettement. Ce n'est pas parmi les privilégiés de la fortune que la fiscalité sur les plus-values a suscité le plus d'inquiétude.

Indice d'une mobilité sociale ascendante étendue ? A coup sûr non, et l'on a vu, au-delà de la tradition d'ouverture relative, le verrouillage des classes dominantes. Mobilité dans l'univers élargi des autres catégories ? L'énorme effort de scolarisation qui a fait sauter la séparation entre la filière du « primaire supérieur » et celle des lycées, avant d'ouvrir l'enseignement supérieur, est là pour en soutenir au moins le projet. Même si leur part dans les universités est loin de correspondre à celle qu'ils ont dans le pays, celle des étudiants fils d'ouvriers a plus que doublé de 1960-1961 à 1979-1980, de 6 à 13,4 %, celle des enfants d'employés se maintenant de 8 à 9,1 %. Entre la bourgeoisie et ce qui reste d'une population prolétarisée fleurant encore le XIXᵉ siècle, on a vu l'ampleur des bouleversements et la multiplication des opportunités. Pourtant, une enquête de l'INSEE (et les travaux récents de C. Thélot) en disent à la fois la réalité et les limites en 1970 : deux fils d'ouvriers sur trois sont eux-mêmes ouvriers à l'âge adulte, et seulement un sur quinze s'est évadé vers l'entreprise ou l'indépendance économique ; parmi les filles d'ouvriers, 31 % sont ouvrières, 26 % employées et 18 % appartiennent au personnel de service. Si l'on renverse la perspective, 46 % des ouvriers ont un père ouvrier, contre 34 % des employés. 41 % des fils de ces derniers retombent dans la condition ouvrière, alors que 16 % s'élèvent vers le statut de cadre moyen et 14 % deviennent cadres supérieurs. Parmi ceux-ci, 36 % sont fils d'ouvriers, mais ce sont plus des techniciens que des commerciaux et des administratifs ; si 30 % de leurs enfants demeurent à leur niveau et à peu près autant s'élèvent au niveau supérieur, 18 % redeviennent ouvriers.

Ainsi apparaît la fragilité de ces nouvelles couches moyennes, caractérisées aussi par un très médiocre taux d'homogénéité (deux fois moindre que celui des milieux ouvriers, et presque trois fois moindre que celui des professions libérales et des industriels) qu'explique leur jeunesse ; la promotion est trop récente pour provoquer la constitution d'un patrimoine susceptible de freiner une rechute. Le va-et-vient d'un statut à l'autre ne dit pas tout. La progression numérique de certains groupes du tertiaire a pu

Les oubliés de la croissance.

se traduire par une baisse de statut qui est une des tendances à la « chute sociale » des cols blancs dont parle J. Lautman : devenir instituteur quand on est fils de cheminot n'avait pas le même sens en 1930 — le logement, la stabilité d'emploi, les congés, la retraite, le prestige intellectuel — que celui qu'il a en 1980 ; recul visible dans bien des corps de la fonction publique que l'on a tendance à oublier, les officiers mal payés en temps de paix et dont l'image s'est fortement altérée, les magistrats, etc. D'autre part, après une première phase où l'instruction a été privilégiée dans une situation de relative pénurie, son développement même a fait hausser la barre pour tel ou tel emploi puisqu'il y avait désormais tendance à une pléthore de diplômés ; c'est en ce sens que, *in fine*, l'appareil scolaire finit par favoriser les « héritiers » puisqu'il fait resurgir, dans cette deuxième phase, le poids et l'efficacité de l'environnement social et culturel. Enfin, il a pu arriver que l'entrée de jeunes diplômés dans le marché du travail directement aux plus hauts niveaux bloque les possibilités traditionnelles de promotion sur le tas : ainsi à la SNCF où les filières d'ascension ouvrière sont désormais tronquées vers le haut, et dans certaines banques qui, jusqu'aux années 1970, confiaient leurs plus hauts postes de responsabilité à des cadres formés sur place, au terme d'une longue ascension de carrière, avant de les remplacer par des anciens élèves des écoles de commerce ou des facultés de droit et de sciences économiques.

Finalement, les apparences de l'ascension sociale s'expliquent moins par l'ouverture de la société française que par la transformation de ses structures et l'élargissement des nouvelles classes moyennes. C'est une chance qui a été un moment saisie par les uns, mais qui s'est logiquement restreinte quand les autres ont voulu en faire de même. Mais c'est peut-être là que se situe le changement : dans le souci de la majorité des ouvriers d'échapper à leur condition, ce qui n'était pas évident au XIXe siècle ; un grand nombre d'entre eux n'hésitent pas à mettre la possibilité de faire instruire ses enfants parmi les grands progrès de l'après-guerre. Se fait jour aussi une nouvelle image de la promotion, qui ne passe plus par l'érosion du salariat ; mieux, le rêve de maint artisan de faire de son fils un fonctionnaire n'est pas caricatural : il traduit un souci de sécurité assez fort pour qu'on le paie désormais de l'indépendance.

CONCLUSION

Ainsi la croissance française, sur une durée trentenaire, a incontestablement amélioré le niveau de vie, surtout celui des plus défavorisés, sans entraîner cependant une diminution des disparités entre revenus et patrimoines, de l'inégalité des chances et de la distance entre les groupes. Jusqu'aux années 1964-1965, la société française a cependant paru plus orientée vers une égalitarisation des conditions, à laquelle on a tourné le dos depuis, comme le XIXᵉ siècle qui, à l'inverse, avait vu se succéder, après 1900, une phase de rétrécissement dans la distribution des conditions après que celles-ci se sont écartées les unes des autres. Retrouverait-on finalement cette sorte d'énorme respiration d'une structure identifiée pour les sociétés d'Ancien Régime ? Comparaison n'est pas raison. On est cependant encore loin de cette société « post-industrielle » que d'aucuns annonçaient, dans un pays où jamais l'industrie n'a employé plus de la moitié des gens, où l'exode rural a finalement été plus modéré que dans d'autres pays d'Europe, où l'artisanat garde une place non négligeable, où la concentration des entreprises demeure limitée... Reprenons, à la suite de B. Guibert, d'autres propos de J. Bouvier selon lesquels la course de l'industrialisation n'est « peut-être pas allée jusqu'au bout ».

Il n'en reste pas moins que la mutation a été plus forte en guère plus d'un quart de siècle que pendant la moitié précédente, et que, si la main-d'œuvre industrielle est la plus nombreuse, il s'est planté au cœur de la société ce bloc de « couches moyennes » dont la nature continue à alimenter le débat. « Les cadres, écrivait *La Chronique sociale de France* en 1975, nouvelles classes moyennes ou aspect nouveau de la classe ouvrière ? » Pour les uns, la salarisation les porte bien vers celle-ci (eux et nombre d'autres travailleurs du tertiaire) dans une sorte de « classe ouvrière élargie », même s'il arrive qu'on distingue parmi eux, avec F. Martos, un « tropisme prolétarien » (où instituteurs et contremaîtres retrouvent les artisans, d'une autre nature pourtant) et une « vocation bourgeoise » (des techniciens et des cadres moyens). Pour d'autres naît avec les cadres une catégorie à vocation hégémonique, cet « immense groupe central » giscardien, la moitié peut-être des Français, fondé sur la montée du niveau de vie, l'accès à l'éducation et à l'information, qui reprend le meilleur des valeurs de la bourgeoisie et du prolétariat, n'écarte de lui que les exclus de la croissance (à vocation d'assistés), et sur lequel a voulu s'accrocher une politique dont C. Ysmal montre la cohérence. Enfin, une tierce lecture fait au contraire des couches moyennes un renfort de la bourgeoisie traditionnelle, fraction diminuée de la classe dominante dont elle adopte les normes culturelles auxquelles les couches populaires n'ont pas accès. Une fois de plus, on remarque à quel point les réflexions du politique influent sur l'analyse sociologique et, à la recherche des classes d'antan, J. Lautman en vient même à séparer les partis de part et d'autre de la modernité selon la compréhension qu'ils ont de cette « société moyenne » de l'« indifférenciation molle », mais aussi « du travail, du développement scientifique et économique ».

Pour l'heure, la crise est venue, depuis la fin des années 1970, brouiller les cartes en bloquant des évolutions et en en accentuant d'autres. On a vu que la contractualisation des rapports sociaux paraissait un instrument approprié pour marier productivisme économique et redistribution sociale. Or, justement, 1975 a marqué un changement d'attitude de la part du patronat, moins soucieux de politique contractuelle et encouragé jusqu'en 1981 par les pouvoirs publics à modérer ses concessions. A compter de 1978, il a tendance à passer par-dessus les organisations syndicales, leurs délégués, les

Croissance urbaine et industrielle : Lyon.

La crise aggrave le chômage : la lecture des petites annonces.

comités d'entreprise, pour rechercher le contact direct avec les salariés ; attitude de rupture avec la progressive reconnaissance du rôle des formations corporatives, de remise en cause de la longue « légalisation » de la classe ouvrière et d'un certain type de rapports normalisés. C'est contraint et forcé par un pouvoir accentuant le rôle de la régulation étatique qu'il est revenu à la négociation, au lendemain des élections présidentielles de 1981. Politique logique cependant, dans la mesure où diminuent les fruits à répartir d'une croissance ralentie, menacée de blocage, et liée à celle du redéploiement industriel qui entraîne des transferts de fabrication à l'étranger, un recours accentué à la sous-traitance et au travail intérimaire et qui, surtout, supprime des emplois en liquidant des secteurs non rentables et en restructurant les autres.

L'autre nouveauté, c'est en effet bien sûr la fin du plein emploi inauguré au lendemain de la guerre. De 1966 à 1974, les licenciements économiques stagnaient à un niveau de 40 000 à 60 000 par an ; brutalement, ils se sont gonflés à 260 000 en 1975, le nombre des chômeurs est passé de 400 000 à 700 000 avant d'atteindre 1,4 million en 1978 et environ 2 millions en 1981-1983, où des mesures étatiques sont venues bloquer les effets du seul marché. Ce mal atteint les jeunes surtout, on le sait, et les femmes : une fois sur quatre, le portrait-robot du chômeur est celui d'une femme de moins de 25 ans. La combativité ouvrière n'est pas émoussée par les effets de la crise, et le nombre de journées perdues à la suite de conflits du travail est étale dans les années 1980. Mais dès le début de la crise s'est développée une baisse des effectifs syndicaux, souvent au lendemain de grèves difficiles (et jugées exemplaires, chez Alsthom à Belfort, à la SAVIEM de Caen), et essentiellement aux dépens de la CGT et de la CFDT, malgré le « recentrage » de celle-ci, en 1978, autour des questions concrètes de conditions de vie et de travail. Ici et là — dans la sidérurgie lorraine, dans les vallées vosgiennes du textile — c'est le fait, tout simplement, de la dispersion de la main-d'œuvre qui assurait leur base militante, phénomène déjà repéré dans les années 1890-1900. Mais c'est surtout parce que le retour à une insécurité de l'emploi — oubliée depuis la guerre — dans une classe ouvrière beaucoup moins mobile, peu prête à changer de métier et de région, a créé un syndrome d'inquiétude qui favorise les centrales plus pragmatiques, telles que FO et la CFTC ; même si elles ne récupèrent pas tout le monde, leur influence progresse, à partir de la crise, auprès de gens pour lesquels, en période de difficultés, il importe de sauver le peu qui puisse l'être.

La CGC, de son côté, a retrouvé une partie de l'influence qu'elle avait perdue, gagnant 3 % — et atteignant 39,2 % — aux élections des comités d'établissement dès 1979 dans le troisième collège, un peu moins dans le deuxième, aux dépens de l'UGICT et de la CFDT. La crise a relancé l'hostilité envers une redistribution des revenus qui abaisserait la place des cadres ; s'il y a eu des rapprochements tactiques avec la CGT, la méfiance est restée totale vis-à-vis de l'idéologie égalitariste cédétiste, de la part d'une centrale qui compte environ 40 % de cadres moyens d'entreprise parmi ses membres qu'ont particulièrement alarmés certaines pratiques ouvrières, telles que les occupations de bureaux ou la séquestration de dirigeants, et qui oublient les séductions du volontarisme économique devant les menaces que paraissent faire peser sur la hiérarchie certaines dispositions de la nouvelle législation sociale mise en place en 1982. On retrouve ainsi le mécontentement de la petite entreprise, qui s'estime victime au premier chef des lois Auroux et, plus que jamais, brimée et incomprise. N'était-elle pas déjà la catégorie qui profitait le moins des transferts sociaux, en ne récupérant que 7,9 % de son revenu originel ? alors même que revient l'accusation contre la boutique d'aider à l'inflation... La tendance à un séparatisme des « petits » y renaît avec le Syndicat national des petites et moyennes entreprises de Gérard Deuil, qui reprend certains thèmes des années 1950 et 1970. Rien des grandes flambées de jadis, pourtant. Peut-être tout simplement parce que ne sont plus là, justement, les éléments retardataires qui les avaient soutenues, 540 000 disparus entre 1954 et 1975, un petit commerçant ou artisan sur trois. Le mécontentement s'étend aussi à certaines professions libérales, médecins et pharmaciens par exemple, mais n'est pas exempt de contradictions puisque, au nom de la liberté d'entreprise, on demande à l'État de limiter le nombre des uns et de contrôler l'installation des autres.

Il n'empêche que la société française, dans ses couches les moins fortunées, a du mal à s'adapter au grippage de la croissance dont elle avait oublié jusqu'à l'éventualité. Il se marquait, depuis 1978, par une modération des rythmes de progrès dans la consommation — + 3,9 % de 1973 à 1978, au lieu de 5,5 % entre 1959 et 1973 —, sensible surtout dans le domaine des dépenses de loisir, d'équipement ménager, du vêtement et, déjà, d'alimentation. Depuis la fin de 1982, la nouvelle politique gouvernementale de rigueur l'accentue et l'étend à d'autres couches. A côté d'un syndicalisme ouvrier mal à l'aise vis-à-vis d'un pouvoir dont il est proche se développe de nouveau une manière de populisme où l'irrationalité des craintes a au moins autant de part que la conscience réelle d'une situation. Sous l'œil méfiant d'une paysannerie à demi étrangère réapparaît un certain visage crispé des « classes moyennes » de la tradition, la crainte d'une évolution qui serait menace plus que promesse. C'est le thème de l'insécurité, et la sensibilité des petits commerçants s'est détournée des suicidés pour persécution fiscale vers les victimes des agressions, qui y laissent parfois effectivement la vie ; en corollaire, celui de la menace du « travail étranger », une vieille affaire, est conforté par l'augmentation du nombre des immigrés, malgré le coup d'arrêt de 1975 et les politiques de contrôle successives : près de 4,5 millions au début de 1983, où le recul des Algériens, des Portugais, des Espagnols a été largement effacé par les progrès des Turcs, des Marocains, des Tunisiens, etc. Moins que le choix de politique générale ou les projets édilitaires, c'est ce complexe d'inquiétudes qui a donné le ton des élections municipales du printemps 1983. En tournant le dos, résolument, à la modernité. Pour un instant ?

BIBLIOGRAPHIE SOMMAIRE

Outre les ouvrages généraux, cette bibliographie met l'accent sur des travaux récents, éventuellement à paraître. Le lieu de parution n'est indiqué que lorsqu'il ne s'agit pas de Paris ; les titres qui se rapportent à plusieurs chapitres ne sont cités que pour le premier d'entre eux.

I. LA FRANCE PAYSANNE : RÉALITÉS ET MYTHOLOGIES

BARRAL P., *Les Agrariens français de Méline à Pisani*, 1968.

DUBY G., WALLON A. (sous la direction de), *Histoire de la France rurale* ; tome 3 : *Apogée et crise de la civilisation paysanne, 1789-1914*, 1976 ; tome 4 : *La Fin de la France paysanne de 1914 à nos jours*, 1977.

HOUSSEL J.-P. et coll., *Histoire des paysans français du XVIIIᵉ siècle à nos jours*, Roanne, 1976.

WEBER E., *Peasants into Frenchmen, the modernization of rural France, 1870-1914*, Stanford University Press, 1976 ; traduction française, *La Fin des terroirs*, 1983.

1. L'identité de l'homme et de la terre

ARMENGAUD A., *Les Populations de l'Est aquitain au début de l'époque contemporaine (vers 1845 - vers 1871)*, 1961.

BERNOT L., BLANCARD R., *Nouville, un village français*, 1953.

BONNAIN-MOERDIJK R., « L'alimentation paysanne en France entre 1850 et 1936 », *Études rurales*, n° 58, 1975.

BRÉKILIEN Y., *La Vie quotidienne des paysans en Bretagne au XIXᵉ siècle*, 1972.

BRUNET P., *Structure agraire et économie rurale des plateaux tertiaires entre la Seine et l'Oise*, Caen, 1960.

CORBIN A., *Archaïsme et modernité en Limousin au XIXᵉ siècle, 1845-1880*, 2 vol., 1975.

DÉSERT G., *Les Paysans du Calvados, 1815-1895*, 3 vol., dactyl., Lille, 1975.

DUBOST F., *Maisons riches et maisons pauvres : évolution des modèles sociaux d'habitat dans un village beaujolais*, thèse de 3ᵉ cycle, dactyl., Paris X, 1977.

DUPEUX G., *Aspects de l'histoire sociale et politique du Loir-et-Cher, 1848-1914*, 1962.

Études rurales, « Pouvoir et patrimoine au village », n° 63-64 (1976) et n° 65 (1977).

FABRE D., LACROIX J., *La Vie quotidienne des paysans du Languedoc au XIXᵉ siècle*, 1977.

FLANDRIN J.-L., *Les Amours paysannes*, 1975.

GAVIGNAUD G., *La Propriété en Roussillon. Structures et conjonctures agraires, XVIIIᵉ et XIXᵉ siècles*, thèse, 3 vol., dactyl., Paris I, 1980.

GRATTON Ph., *Les Luttes de classes dans les campagnes*, 1971.

GUILLEMIN A., *Le Pouvoir de l'innovation. Les notables de la Manche et le développement de l'agriculture (1830-1875)*, thèse EHESS, dactyl., Paris, 1980.

HÉLIAS P.-J., *Le Cheval d'orgueil. Mémoires d'un Breton du pays bigouden*, 1975.

HILAIRE Y.-M., *Une chrétienté au XIXᵉ siècle. La vie religieuse des populations du diocèse d'Arras, 1840-1914*, 2 vol., 1977.

HUBSCHER R., *L'Agriculture et la Société rurale dans le Pas-de-Calais, du milieu du XIXe siècle à 1914*, 2 vol., Arras, 1979 et 1980.

JOLAS T., VERDIER J., ZONABEND F., « Parler famille », *L'Homme*, 1970.

LAUTMAN F., SALITOT-DION M., « Le réseau social à Chardonneret, familles larges et amis », *Ethnologie*, n° 1-2, 1974.

LOUX F., *Le Corps dans la société traditionnelle : pratiques et savoirs populaires*, 1979.

MAYAUD J.-L., *Les Paysans du Doubs au temps de Courbet*, 1979.

MERLEY J., *La Haute-Loire de la fin de l'Ancien Régime aux débuts de la Troisième République (1776-1880)*, 2 vol., Le Puy, 1974.

MESLIAND C., *Les Paysans du Vaucluse de 1869 à 1939*, thèse, 4 vol., dactyl., Aix-Marseille, 1980.

MOREL A., « L'espace social d'un village picard », *Études rurales*, n° 45, 1972.

MOREL A., « Pouvoirs et idéologies au sein du village picard hier et aujourd'hui », *Annales ESC*, n° 1, 1975.

PINGAUD M.-C., *Paysans de Bourgogne. Les gens de Minot*, 1978.

RINAUDO Y., *Les Paysans du Var (fin du XIXe siècle - début du XXe siècle)*, 3 vol., Lille, 1982.

SÉGALEN M., *Mari et femme dans la société paysanne*, 1980.

TUDESQ A.-J., *Les Grands Notables en France, 1840-1849*, 2 vol., 1964.

VAN GENNEP A., *Manuel du folklore français contemporain*, 7 vol., 1943-1958.

VIGIER Ph., *Essai sur la répartition de la propriété foncière dans la région alpine*, 1963.

ZONABEND F., *La Mémoire longue. Temps et histoire au village*, 1980.

2. Les paysans et la société englobante

AGULHON M., *La République au village*, 1970.

AUGÉ-LARIBÉ M., *La Politique agricole de la France, de 1880 à 1940*, 1950.

BERGER S., *Les Paysans contre la politique*, 1975.

BERTAUX D., BERTAUX-WIASME I., *Jeunes migrants et migrantes dans le Paris de l'entre-deux-guerres*, EHESS, dactyl., 1980.

BOIS P., *Les Paysans de l'Ouest. Des structures économiques et sociales aux options politiques depuis l'époque révolutionnaire dans la Sarthe*, Le Mans, 1960.

BOUSSARD I., *Vichy et la corporation paysanne*, 1980.

BRUNET R., *Les Campagnes toulousaines*, Toulouse, 1965.

BURGUIÈRE A., *Bretons de Plozévet*, 1975.

CHASSAGNE S., « Aspects des phénomènes d'industrialisation et de désindustrialisation dans les campagnes françaises au XIXe siècle », *Revue du Nord*, n° 248, 1981.

CHATELAIN A., *Les Migrants temporaires en France, de 1800 à 1914*, 2 vol., Lille, 1977.

CHAULANGES M., *La Terre des autres*, 2 vol., 1970-1972.

CLÉMENT P., VIEILLE P., « L'exode rural », in : *Études de comptabilité nationale*, n° 1, 1960.

DEMANGEON A., *La Picardie et les régions voisines, Artois, Cambrésis, Beauvaisis*, 1905.

DUGRAND R., *Villes et campagnes en Bas-Languedoc. Le réseau urbain du Bas-Languedoc méditerranéen*, 1963.

Études rurales, « Foires et marchés ruraux en France », n° spécial 78-79-80, 1980.

FARCY H. DE, *Un million d'agriculteurs à temps partiel ?*, 1979.

FAUVET J., MENDRAS H., *Les Paysans et la politique contemporaine*, 1958.

GACHON L., *Jean-Marie, homme de la terre*, Paris, 1932.

GAUTIER E. abbé, *La Dure Existence des paysans et des paysannes. Pourquoi les Bretons s'en vont*, 1950.

GAUTIER E. abbé, *L'Émigration bretonne, où vont les Bretons émigrants, leurs conditions de vie*, 1953.

GRENADOV E., PRÉVOST A., *Grenadov, paysans français*, 1966.

HUBSCHER R., « Le progrès agricole : l'activisme au service de la France profonde (1887-1970) », *Revue du Nord*, n° 252, 1982.

INSEE, *Annuaire statistique de la France, rétrospectif*, 1966.

LAURENT R., *Les Vignerons de la Côte-d'Or au XIXe siècle*, 1957.

LÉON P., *Géographie de la fortune et structures sociales à Lyon au XIXᵉ siècle*, Lyon, 1974.

LÉVY-LEBOYER M. et coll., *Le Revenu agricole et la rente foncière en Basse-Normandie*, 1972.

MERLIN P., *L'Exode rural*, 1971.

MESLIAND C., « Gauche et droite dans les campagnes provençales sous la Troisième République », *Études rurales*, n° 63-64, 1976.

NADAUD M., *Mémoires de Léonard, ancien garçon maçon*, Bourganeuf, 1895.

PECH R., *Entreprise viticole et capitalisme en Languedoc-Roussillon. Du phylloxéra aux crises de mévente*, Toulouse, 1975.

PINCHEMEL Ph., *Structures sociales et dépopulation rurale dans les campagnes picardes, de 1836 à 1936*, 1957.

PITIÉ J., *Exode rural et migrations intérieures en France ; l'exemple de la Vienne et du Poitou-Charente*, Poitiers, 1971.

POSTEL-VINAY G., *La Rente foncière dans le capitalisme agricole*, 1974.

RAMBAUD P., *Société rurale et urbanisation*, 1969.

SCHWAB R., *De la cellule rurale à la région. L'Alsace, 1825-1960*, 1980.

TAVERNIER Y., GERVAIS M., SEVOLIN C. (sous la direction de), *L'Univers politique des paysans dans la France contemporaine*, 1972.

VINCIENNE M., *Du village à la ville. Le système de mobilité des agriculteurs*, 1972.

3. Modèle et antimodèle paysans

BARRAL P., « Note historique sur l'emploi du terme paysan », *Études rurales*, n° 20, 1966.

BARRAL P. (éd.), « Aspects régionaux de l'agrarisme français avant 1930 », *Le Mouvement social*, n° 67, 1969.

CHAMBOREDON J.-C., « Peinture des rapports sociaux et invention de l'éternel paysan : les deux manières de Jean-François Millet », *Actes de la recherche en sciences sociales*, n° 17-18, 1977.

« Cinémas paysans », *CinémAction*, n° 16, 1981.

FAURE M., « Ouvriers et paysans », *Esprit*, juin 1955.

GUILLAUMIN E., *La Vie d'un simple*, 1935.

HALÉVY D., *Visites aux paysans du Centre (1907-1934)*, 1935.

LEBAIGUE Ch., *Choix de lectures expliquées à l'usage des écoles primaires*, 1893.

LE LANNOU M., *Un Bleu de Bretagne*, 1979.

MAHO J., *L'Image des autres chez les paysans. Méthodologie et analyse de sept villages français*, 1974.

MASPETIOL R., *L'Ordre éternel des champs. Essai sur l'histoire, l'économie et les valeurs de la paysannerie*, 1946.

PONTON R., « Les images de la paysannerie dans le roman rural à la fin du XIXᵉ siècle », *Actes de la recherche en sciences sociales*, n° 17-18, 1977.

SYLVÈRE A., *Toinou. Le cri d'un enfant auvergnat*, 1980.

THABAULT R., *Mon village, ses hommes, ses routes, son école (1848-1914)*, 1945.

VERNOIS P., *Le Roman rustique de G. Sand à Ramuz*, thèse Paris, 1963.

YOLE J., *Le Malaise paysan*, 1929.

II. PERMANENCES ET RENOUVELLEMENT DU PATRONAT

Actes de la recherche en sciences sociales, « Le patronat », n° 20-21, mars-avril 1978.

BERGERON L., *Banquiers, négociants et manufacturiers parisiens du Directoire à l'Empire*, 1978.

BERGERON L., *Les Capitalistes en France (1780-1914)*, 1978.

BOST Ch., *La Vie des Zundel*, Yvetot, 1972.

CARTER C. II, FORSTER R., MOODY J.N. (ed), *Enterprise and Entrepreneurs in nineteenth —and tweentieth— century France*, Baltimore & London, 1976.

CHALINE J.-P., *Les Bourgeois de Rouen. Une élite urbaine au XIXᵉ siècle*, 1982.

CHALINE J.-P., *Deux bourgeois en leur temps. Documents sur la société rouennaise du XIXᵉ siècle*, Rouen, 1977.

COURCEL-BACOT, *Notes de famille*, 1948.

DAUMARD A. (sous la direction de), *Les Fortunes françaises au XIXᵉ siècle*, 1973.

DAUMARD A., *La Bourgeoisie parisienne de 1815 à 1848*, Paris, 1963.

DELAVENNE A., *Recueil généalogique de la bourgeoisie ancienne*, 1955.

FREEDEMAN Ch.E., *Joint-Stock Enterprise in France, 1807-1867. From Privileged Company to Modern Corporation*, Chapel Hill, 1979.

GUEYRAUD P., *La Chronique des Gueyraud. Contribution à l'histoire économique et sociale du XIXᵉ siècle*, Marseille, 1976.

LEUILLIOT P., *L'Alsace au début du XIXᵉ siècle. Essais d'histoire politique, économique et sociale (1815-1830)* ; tome II : *Les Transformations économiques*, 1959.

LINCOLN A., « Le syndicalisme patronal à Paris de 1815 à 1848 : une étape de la formation de la classe patronale », *Le Mouvement social*, n° 114, 1981.

MELUCCI A., *Idéologies et pratiques patronales pendant l'industrialisation capitaliste : le cas de la France*, thèse de 3ᵉ cycle EPHE, VIᵉ section, Paris, 1974.

PALMADE G.-P., *Capitalisme et capitalistes français au XIXᵉ siècle*, 1961.

PLESSIS A., *La Banque de France et ses deux cents actionnaires sous le Second Empire*, Genève, 1982.

PRIOURET R., *Les Origines du patronat français*, 1963.

SCHMITT J.-M., *Aux origines de la révolution industrielle en Alsace. Investissements et relations sociales dans la vallée de Saint-Amarin au XVIIIᵉ siècle*, Strasbourg, 1980.

SMITH M.S., *Tariff Reform in France 1860-1900. The Politics of Economic Interest*, Ithaca and London, 1980.

VALYNSEELE J., *Les Say et leurs alliances*, Paris, 1971.

En outre, tous les travaux de B. GILLE concernant l'histoire industrielle ou financière de la France au XIXᵉ siècle fourmillent d'indications originales.

4. La tradition du textile

ALEXANDRE A., *L'Évolution industrielle et démographique de la vallée du Cailly, de 1850 à 1914*, mémoire de maîtrise, Rouen, 1971 ; et *Études normandes*, pp. 3-31, 3ᵉ trimestre 1972.

CAZALS R., *Les Révolutions industrielles à Mazamet (1750-1900)*, Paris-Toulouse, 1983.

CHALINE J.-P., « Le patronat cotonnier rouennais au XIXᵉ siècle. Esquisse d'un groupe social », in : *Le Textile en Normandie*, Rouen, 1975.

CHASSAGNE S., *Oberkampf. Un entrepreneur capitaliste au Siècle des lumières*, 1980.

CHASSAGNE S., *Une femme d'affaires au XVIIIᵉ siècle*, Toulouse, 1981.

DORNIC F., « L'évolution de l'industrie textile aux XVIIIᵉ et XIXᵉ siècles : l'activité de la famille Cohin », *Revue d'histoire moderne et contemporaine*, n° 1, 1956.

FOHLEN Cl., *L'Industrie textile au temps du Second Empire*, 1956.

FOHLEN Cl., *Une affaire de famille au XIXᵉ siècle : les Méquillet-Noblot*, Paris, 1955.

GAYOT G., « Dispersion et concentration de la draperie sedanaise au XVIIIᵉ siècle : l'entreprise des Poupart de Neuflize », *Revue du Nord*, n° spécial (« Aux origines de la révolution industrielle ; industrie rurale et fabriques »), 1979.

HOUSSEL J.-P., *La Région de Roanne et le Beaujolais textile face à l'économie moderne*, Lille-Paris, 1979.

LAMBERT-DANSETTE J., *Quelques familles du patronat textile de Lille-Armentières, 1789-1914*, Lille, 1945.

LELEUX F., *A l'aube du capitalisme et de la révolution industrielle. Liévin Bauwens, industriel gantois*, 1969.

LE VERDIER P., *Une famille de haute bourgeoisie rouennaise. Histoire de la famille Rondeaux*, Rouen, 1928.

LOMULLER L., *Guillaume Ternaux, créateur de la première intégration industrielle française*, 1978.

POUCHAIN P., *L'Industrialisation de la région lilloise de 1800 à 1860*, thèse de 3ᵉ cycle, dactyl., Lille III, 1980.

POULL G., *L'Industrie textile vosgienne (1765-1981)*, Dombasle-sur-Meurthe, 1982.

SCHMITT J.-M., « Pierre Dollfus (1748-1826). Destin d'un pionnier de l'industrialisation de la Haute-Alsace », *Revue d'Alsace*, n° 107, 1981.

SMITH B., *Ladies of the leisure class. The Bourgeoise of northern France in the nineteenth century.* Princeton, 1981.

VALYNSEELE J., *Haussmann, sa famille et sa descendance*, 1982.

5. Entre la terre et l'usine

ANDRÉ B., *Bourgeoisie rentière et croissance urbaine. Vannes, 1860-1910*, thèse de 3ᵉ cycle EHESS, dactyl., Paris, 1980.

BELHOSTE J.-F., *Histoire des forges d'Allevard, des origines à 1970*, Grenoble, 1982.

BELHOSTE J.-F., ROUQUETTE H., *La Maison Seillière et Demachy, banque de l'industrie et du commerce depuis le XVIIIᵉ siècle*, Mayenne, 1977.

CORET D., *La Sucrerie de Vauciennes (Oise), de 1858 à 1966. Histoire d'une entreprise familiale*, mémoire EHESS, Paris, 1979.

FIÉRAIN J., *Les Raffineries de sucre des ports en France (XIXᵉ-début XXᵉ siècle)*, Lille, 1976.

HAMELIN, « L'ère française Menier à l'île d'Anticosti », *Annales de géographie*, 1980.

JEANNENEY J.-N., *François de Wendel en République, 1914-1940*, 1976.

LASSUS F., *Métallurgistes francs-comtois du XVIIᵉ au XIXᵉ siècle : les Rochet. Étude sociale d'une famille de maîtres de forges et d'ouvriers forgerons*, thèse de 3ᵉ cycle, Besançon, 1980.

MARREY B., *Menier ou le capitalisme idéal* (à paraître).

PONTEIL F., *Un type de grand bourgeois sous la monarchie parlementaire : Georges Humann (1780-1842)*, 1977.

RICHARD G., *Monographie d'une entreprise alsacienne : de Dietrich (1684-1918)*, thèse de doctorat d'État, dactyl., Paris I, 1983.

ROBERT Ph., « Paul Thoureau : échec d'une concentration métallurgique en Côte-d'Or (1840-1861) », *Annales de Bourgogne*, janv.-mars 1979.

ROBERT Ph., « Jalons pour le déclin de la métallurgie en Côte-d'Or (1830-1860) », *Annales de Bourgogne*, oct.-déc. 1980.

SÉDILLOT R., *Peugeot. De la crinoline à la 404*, 1960.

SÉDILLOT R., *La Maison de Wendel, de 1704 à nos jours*, 1958.

SUTET M., *Montceau-les-Mines. Essor d'une mine, naissance d'une ville*, Roanne, 1981.

THUILLIER A., *Un grand chef d'industrie au XIXᵉ siècle : Émile Martin (1794-1871)*, Nevers, 1964.

THUILLIER G., *Georges Dufaud et les débuts du grand capitalisme dans la métallurgie en Nivernais au XIXᵉ siècle*, 1959.

WORONOFF D., *L'Industrie sidérurgique en France pendant la Révolution et l'Empire*, thèse d'État, dactyl., Paris I, 1981.

6. Les voies du grand commerce

BERGERON L., « Négoce et industrie : transferts d'hommes et de capitaux en France dans la première moitié du XIXᵉ siècle », in : *Négoce et industrie en France et en Irlande aux XVIIIᵉ et XIXᵉ siècles*, Paris, 1980.

CATHY R., « Une ascension sociale au début du XIXᵉ siècle : Jean-Louis Bethfort et le commerce des blés à Marseille, de 1802 à 1820 », *Provence historique*, sur tiré à part, fascicule 92.

CATHY R., RICHARD E., « Contribution à l'étude du monde du négoce marseillais, de 1815 à 1870 : l'apport des successions », *Revue historique*, oct.-déc. 1980.

CHEVALLIER B., *Un grand bourgeois de Marseille : Jules-Charles Roux (1841-1918)*, mémoire de maîtrise, Aix-en-Provence, 1969.

DU PASQUIER Th., « Maisons de commerce neuchâteloises au Havre au XIXᵉ siècle », *Musée neuchâtelois*, oct.-déc. 1972.

FARAUT F., *La Belle Jardinière (monographie d'entreprise)*, thèse de 3ᵉ cycle EHESS, soutenance fin 1983.

MARREY B., *Les Grands Magasins, des origines à 1939*, 1979.

MILLER M.B., *The Bon Marché; Bourgeois Culture and the Department Store, 1869-1920*, Princeton, 1981.

ROY G.-E., *Souvenirs*, Nantes, 1906.

SIEGFRIED A., *Jules Siegfried (1837-1922)*, 1942.

7. Vers un renouvellement des entreprises et des hommes

BAUDANT A., *Pont-à-Mousson (1918-1939). Stratégie industrielle d'une dynastie lorraine*, 1980.

BELHOSTE J.-F., METGE P., *Dépérir ou être mangé ? Capitaux individuels et familiaux dans les entreprises industrielles*, 1981 (étude réalisée pour le Commissariat général au plan).

BLAIN M., *Un aspect des idées patronales dans l'entre-deux-guerres : A. Detœuf et les « Nouveaux Cahiers »*, mémoire de maîtrise, dactyl., Paris X-Nanterre, 1973.

CAYEZ P., *Crises et croissance de l'industrie lyonnaise, 1850-1900*, 1980.

DAVIET J.-P., *La Compagnie de Saint-Gobain, 1830-1939*, soutenance fin 1983, Paris I.

DAY C.R., « The development of technical education in XIXth century France : the case of the École d'arts et métiers, 1800-1914 », *The French Historical Review*, 1978, Spring.

FRIDENSON P., « L'idéologie des grands constructeurs dans l'entre-deux-guerres », *Le Mouvement social*, n° 81, 1972.

FRIDENSON P., *Histoire des usines Renault*, tome I, 1972.

HATRY G., *Louis Renault*, thèse dactyl., Paris I, 1982.

Ingénieurs et la société française aux XIXᵉ et XXᵉ siècles (Les), colloque, Le Creusot, octobre 1980 (à paraître dans *Les Cahiers du mouvement social*).

JEMAIN A., *Michelin. Un siècle de secrets*, 1982.

KENT C.H., *Camille Cavallier and Pont-à-Mousson: an Industrialist of the Third Republic*, Ph. D. Thesis, dactyl., Oxford, 1972.

KUISEL R.F., *Ernest Mercier, French Technocrat*, Berkeley and Los Angeles, 1967.

KUISEL R.F., « Auguste Detœuf, Conscience of French Industry, 1926-1947 », *International Review of Social History*, pp. 149-174, 1975.

OMNES C., *De l'atelier au groupe industriel. Vallourec, 1882-1978*, 1981.

Patronat de la seconde industrialisation (Le), études rassemblées par M. Lévy-Leboyer, *Les Cahiers du mouvement social*, n° 4, Paris, 1979.

RUST M.J., *The Comité des forges and the French Steel Industry, 1895-1914*, Ph. D. Thesis, Princeton, 1973.

SHINN T., *L'École polytechnique (1794-1914)*, Paris, 1980.

SHINN T., « Des corps de l'État au secteur industriel : genèse de la profession d'ingénieur, 1750-1920 », *Revue française de sociologie*, n° 19, 1978.

WEISS J.H., *The Making of Technological Man. The Social Origins of French Engineering Education*, Cambridge (Mass.), London, 1982.

III. LES VILLES ET L'INDUSTRIE : L'ÉMERGENCE D'UNE AUTRE FRANCE

Généralités

DUBY G. (sous la direction de), *Histoire de la France urbaine* ; tome IV, *La Ville de l'âge industriel*, 1983.

MERRIMAN J. (ed.), *French Cities in the nineteenth century*, London, 1982.

PROST A., *L'Enseignement en France, 1800-1967*, 1968.

SORLIN P., *La Société française*, 2 vol., 1969-1971.

8. Les chances inégales d'une nouvelle société

BEZUCHA R., *The Lyon uprising of 1834. Social and political conflict in the Early July Monarchy*, Cambridge (Mass.), 1974.

BOUVIER J., *Le Crédit lyonnais de 1863 à 1882. Les années de formation d'une banque de dépôt*, 2 vol., 1961.

BOUVIER J., *Le Krach de l'Union générale*, 1960.

CARON F., *Histoire de l'exploitation d'un grand réseau. La Compagnie du chemin de fer du Nord, 1846-1937*, 1973.

CARON F. (éd.), *Entreprises et entrepreneurs, XIXᵉ-XXᵉ siècles*, 1983.

CODACCIONI P., *De l'inégalité sociale dans une grande ville industrielle. Le drame de Lille, de 1850 à 1914*, Lille, 1976.

CORNUT P., *Répartition de la fortune privée en France, par département et nature de biens, au cours de la première moitié du XXᵉ siècle*, 1963.

DELEFORTRIE N., MORICE J., *Les Revenus départementaux en 1864 et en 1954*, 1959.

DESROZIÈRES A., « Éléments pour l'histoire des nomenclatures socio-professionnelles », *in : Pour une histoire de la statistique*, tome 1, sans date.

DEVILLERS C., HUET B., *Le Creusot. Naissance et développement d'une ville industrielle, 1782-1914*, Seyssel, 1981.

DUPEUX G., « La croissance urbaine en France au XIXᵉ siècle », *Revue d'histoire économique et sociale*, tome 52, 1974.

DUVEAU G., *La Vie ouvrière en France sous le Second Empire*, 1946.

HARRIGAN P.J., *Mobility, elites and education in French Society of the Second Empire*, Waterloo (Ont.), 1980.

HAUPT H.-G., VIGIER Ph. (éd.), « L'atelier et la boutique », études sur la petite bourgeoisie au XIXᵉ siècle, *Le Mouvement social*, n° 108, 1979.

HAUPT H.-G., VIGIER Ph. (éd.), « Petite entreprise et politique », *Le Mouvement social*, n° 114, 1981.

LAUX J.M., *In first Gear. The French Automobile Industry to 1914*, Liverpool, 1976.

LÉONARD J., *La France médicale au XIXᵉ siècle*, 1978.

OZOUF J., OZOUF M., *La Classe ininterrompue. Cahiers de la famille Sandre, enseignants, 1780-1960*, 1979.

Petite entreprise et croissance industrielle dans le monde aux XIXᵉ et XXᵉ siècles, 2 vol., 1981.

PLESSIS A., *La Banque de France sous le Second Empire*, thèse d'État, dactyl., Paris I, 1980.

ROYER J.-P., MARTINAGE R., LECOCQ P., *Juges et notables au XIXᵉ siècle*, 1983.

TOUTAIN J., « La population de la France de 1700 à 1959, *in : Histoire quantitative de l'économie française*, Cahiers de l'ISEA, 1963.

9. Les espaces de la société citadine

BASTIÉ J., *La Croissance de la banlieue parisienne*, 1964.

BONNET S., HUMBERT R., *La Ligne rouge des hauts fourneaux*, 1981.

CAROUX-DESTRAY J., *Un Couple ouvrier traditionnel*, 1974.

CHABOT M., *L'Escarbille. L'histoire d'Eugène Saulnier, ouvrier verrier, 1978.*

CHEVALIER L., *Classes laborieuses et classes dangereuses*, 1958.

COORNAERT, *Les Compagnonnages en France, du Moyen Age à nos jours*, 1966.

CORBIN A., *Les Filles de noce. Misère sexuelle et prostitution aux XIXᵉ et XXᵉ siècles*, 1978.

DARTIGUENAVE P. et coll., *Marginalité, déviance, pauvreté en France, XIVᵉ-XIXᵉ siècles*, Caen, 1981.

DUMAY J.-B., *Mémoires d'un militant ouvrier du Creusot (1841-1905)*, Grenoble, 1976.

FOURCAUT A., *Femmes à l'usine en France dans l'entre-deux-guerres*, 1982.

GUERRAND R.-H., *Les Origines du logement social en France*, 1967.

LENGRAND L., CRAIPEAU M., *Louis Lengrand, mineur du Nord*, 1974.

LEQUIN Y., *Les Ouvriers de la région lyonnaise, 1848-1914*, 2 vol., Lyon, 1977.

LEQUIN Y. (éd.), « Ouvriers dans la ville », *Le Mouvement social*, n° 118, 1982.

MAUCO G., *Les Étrangers en France*, 1932.

MURARD L., ZYLBERMAN P., « Le petit travailleur infatigable ou le prolétaire régénéré. Villes-usines, habitat et intimité au XIXᵉ siècle », *Recherches*, n° 25, 1976.

MURARD L., ZYLBERMAN P. (éd.), « L'haleine des faubourgs », *Recherches*, n° 29, 1977.

NOIRIEL G., *Les Ouvriers sidérurgistes et les mineurs de fer dans le bassin de Longwy pendant l'entre-deux-guerres*, thèse de 3ᵉ cycle, dactyl., Paris VIII, 1982.

Penser l'espace. Le mouvement ouvrier français et le problème du logement, 1982.

PERROT M., *Les Ouvriers en grève, France, 1871-1890*, 2 vol., 1974.

RAISON-JOURDE F., *La Colonie auvergnate de Paris au XIXᵉ siècle*, 1976.

TREMPÉ R., *Les Mineurs de Carmaux, 1848-1914*, 2 vol., 1971.

TRUQUIN N., *Mémoires et aventures d'un prolétaire à travers la Révolution*, nouvelle édition, 1977.

ZEHR H., *Crime and the development of modern society. Patterns of criminality in XIXth century Germany and France*, Londres, 1976.

10. La vie matérielle et les contraintes du travail

CAHEN L., « La concentration des établissements en France, de 1896 à 1936 », *Études et conjoncture*, n° 9, 1954.

CHEVALIER L. (éd.), *Le Choléra. La première épidémie du XIXᵉ siècle*, Bibliothèque de la révolution de 1848, tome XX, 1958.

COTTEREAU A., « La tuberculose : maladie urbaine ou maladie de l'usure au travail ? », *Sociologie du travail*, n° 2, 1978.

COTTEREAU A. (éd.), « L'usure au travail », *Le Mouvement social*, n° 124, 1983.

Eugène Atget, 1857-1927. Intérieurs parisiens, photographies (catalogue), 1982.

GILLET M. (éd.), *L'Homme, la vie et la mort dans le Nord au XIXᵉ siècle*, Lille, 1972.

GILLET M. (éd.), *La Qualité de la vie dans la région Nord-Pas-de-Calais au XXᵉ siècle*, Lille, 1975.

GUILLAUME P., *La Population de Bordeaux au XIXᵉ siècle*, 1972.

HALBWACHS M., *La Classe ouvrière et les niveaux de vie*, 1912 ; réédition 1970.

HIRSCH A., « Le logement », *in* : Sauvy A., *Histoire économique de la France entre les deux guerres*, tome 4, 1972.

LHOMME J., « Le pouvoir d'achat de l'ouvrier français au cours d'un siècle : 1840-1940 », *Le Mouvement social*, n° 63, 1968.

MALVA C., *Ma nuit au jour le jour*, 1978.

MARNATA F., *Le Loyer des bourgeois de Paris, 1860-1958*, 1961.

MERRIMAN J.M., « Incident at the statue of the Virgin Mary: the conflict of Old and New in Nineteenth century Limoges », *in* : Merriman J.M. ed., *Consciousness and class experience in nineteenth century Europe*, New York-Londres, 1979.

Parisien chez lui au XIXᵉ siècle (Le), 1814-1914, 1976.

PELLOUTIER E., PELLOUTIER M., *La Vie ouvrière en France*, 1900 ; réédition 1975.

PERROT M., *Le Mode de vie des familles bourgeoises, 1873-1953*, 1961.

PERROT M. (éd.), « Travaux de femmes dans la France du XIXᵉ siècle », *Le Mouvement social*, n° 105, 1978.

PERROT P., *Les Dessus et les Dessous de la bourgeoisie. Une histoire du vêtement au XIXᵉ siècle*, 1981.

PETITOT P., *Le Catalogue Manufrance. Analyse sémiologique*, Saint-Étienne, 1979.

PIERRARD P., *La Vie ouvrière à Lille sous le Second Empire*, 1965.

POULOT D., *Le Sublime...*, 1870 ; réédition 1980, présentée par A. Cottereau.

ROUGERIE J., « Remarques sur l'histoire des salaires à Paris au XIXᵉ siècle », *Le Mouvement social*, n° 63, 1968.

SCHWEITZER S., *Des engrenages à la chaîne. Les usines Citroën, 1915-1935*, Lyon, 1982.

SINGER-KEREL J., *Le Coût de la vie à Paris, de 1840 à 1954*, 1961.

11. La montée des antagonismes collectifs

ANDREANI E., *Grèves et fluctuations. La France de 1890 à 1914*, 1968.

AUZIAS C., *Mémoires libertaires, Lyon, 1920-1940*, thèse de 3ᵉ cycle, dactyl., Lyon II, 1980.

BARROWS S., *Distorting minors. Visions of the crowd in late nineteenth century France*, Newhaven, 1981.

CAZALS R., *Avec les ouvriers de Mazamet dans la grève et l'action quotidienne, 1909-1914*, 1978.

DOLLEANS E., *Histoire du mouvement ouvrier*, 3 vol., 1953.

GOETZ-GIREY R., *Le Mouvement des grèves en France, 1919-1962*, 1965.

HANAGAN M.P., *The logic of solidarity. Artisans and industrial workers in three french towns, 1871-1914*, Urbana-Chicago, Londres, 1980.

JULLIARD J., *Clemenceau briseur de grèves*, 1965.

JULLIARD J., *Fernand Pelloutier et les origines du syndicalisme d'action directe*, 1971.

KRIEGEL A., *Aux origines du communisme français, 1914-1920*, 1964.

LEFRANC G., *Le Mouvement syndical en France sous la Troisième République*, 1967.

LEQUIN Y., MÉTRAL J., « A la recherche d'une mémoire collective : les métallurgistes retraités de Givors », *Annales ESC*, n° 1, 1980.

MAITRON J., *Dictionnaire biographique du mouvement ouvrier français*, 20 vol. parus, 1964-1983.

MAITRON J., *Histoire du mouvement anarchiste en France*, 3ᵉ éd., 1982.

PERROT M., « Comment les ouvriers parisiens voyaient la crise d'après l'enquête parlementaire de 1884 », *in : Conjoncture économique, structures sociales. Hommage à E. Labrousse*, 1974.

PROST A., *La CGT à l'époque du Front populaire*, 1964.

REBÉRIOUX M., *Les Ouvriers du livre et leur fédération*, 1981.

ROUGERIE J., *Procès des communards*, 1964.

SCOTT J.W., *The Glassworkers of Carmaux*, Cambridge (Mass.), 1974 ; traduction française, 1981.

SHORTER E., TILLY C., *Strikes in France, 1830-1968*, London, 1974.

IV. UNE ENTRÉE DÉCALÉE DANS LE XXᵉ SIÈCLE ?

FOURASTIÉ J., *Les Trente Glorieuses, ou la révolution invisible de 1946 à 1975*, 1979.

MENDRAS H. (sous la direction de), *La Sagesse et le Désordre, France 1980*, 1980.

PARODI M., *L'Économie et la Société française depuis 1945*, 3ᵉ éd., 1981.

REYNAUD J.-D., GRAFMEYER Y. (sous la direction de), *Français, qui êtes-vous ? Des essais et des chiffres*, 1981.

12. Destruction de la paysannerie ?

AGULHON M., BODIGUEL M., *Les Associations au village*, 1981.

Autrement, « Avec nos sabots... », la campagne rêvée et convoitée, n° 14, 1978.

BLANC M., *Les Paysanneries françaises*, 1977.

BOURDIEU P., « Célibat et condition paysanne », *Études rurales*, n° 5-6, avril-sept. 1962.

HOUILLIER F., « Structures foncières et exploitations agricoles », *Notes et études documentaires. La Documentation française*, février 1982.

INSEE, *Recensement général de l'agriculture, 1979-1980. Premiers résultats*, 1980.

JEGOUZO G., BRANGEON J.-L., *Les Paysans et l'école*, 1976.

LATIL M., *L'Évolution du revenu agricole*, 1956.

MARESCA S., *Les Dirigeants paysans*, 1983.

MARIE M., VIARD J., *La Campagne inventée*, 1978.

MENDRAS H., *Sociologie de la campagne française*, 1959.

Monde paysan (Le), Cahiers français, n° 187, 1978 (notamment les articles de D. Bergmann, M. Bodiguel et F. Énel).

PINOL J.-L., « Dix ans de manifestations paysannes sous la Cinquième République (1962-1971) », *Revue de géographie de Lyon*, 1975.

Pour, « Les nouveaux paysans », n° spécial 57, 1977.

Revue française de sociologie, « Les transformations des sociétés rurales françaises », numéro spécial, vol. VI, 1965.

WYLIE L., *Un village du Vaucluse*, 1968.

13. La classe dominante de l'entre-deux-guerres à nos jours

BAUDELOT C., ESTABLET R., MALEMORT J., *La Petite Bourgeoisie en France*, 1981.

BERTAUX D., *Destins personnels et structure de classe*, 1977.

BIRNBAUM P., *La Classe dirigeante française*, 1978.

BIRNBAUM P., *Les Sommets de l'État*, 1977.

CROZIER M., *Le Phénomène bureaucratique*, 1963.

DEBRAY R., *Le Pouvoir intellectuel en France*, 1979.

HAMON H., ROTMAN P., *Les Intellocrates*, 1981.

LUC J.-N. BARBE A., *Des normaliens*, 1982.

POULANTZAS N., *Les Classes sociales dans le capitalisme aujourd'hui*, 1974.

SULEIMAN E.-N., *Les Hauts Fonctionnaires et la politique*, 1976.

THÉLOT Cl., *Tel père, tel fils ?*, 1982.

14. De la croissance à la crise : commerçants, ouvriers et employés

ADAM G., BON F., CAPDEVIELLE J., MOURIAUX R., *L'Ouvrier français en 1970*, 1971.

Archives de l'observation du changement social et culturel, tome IV et tome VI, 1982 (contributions de O. Benoit-Guilbot, J.-P. Fleury et coll., S. Tiévant).

BOLTANSKI L., *Les Cadres. La formation d'un groupe social*, 1982.

DUBAR C., GAYOT G., HÉDOUX J., « Sociabilité minière et changement social à Sallaumines et à Noyelles-sous-Lens, 1900-1980, *Revue du Nord*, n° 253, 1982.

DURAND G., DUBOIS P., *La Grève, étude sociologique*, 1975.

EHRMANN H.W., *La Politique du patronat français, 1936-1955*, 1959.

FRÉMONTIER J., *La Vie en bleu. Voyage en culture ouvrière*, 1980.

JAEGER Ch., *Artisanat et capitalisme*, 1982.

LAVAU G., GRUNBERG G., MAYER N. (sous la direction de), *L'Univers politique des classes moyennes*, 1983.

LEFRANC G., *Les Organisations patronales en France*, 1976.

LINHART R., *L'Établi*, 1978.

MOURIAUX R., *La CGT*, 1982.

PENEFF J., « Autobiographies de militants CGTU-CGT », *Cahiers du LERSCO*, n° 1, 1979.

REYNAUD J.-D., *Les Syndicats en France*, 2 vol., 1972.

VERRET M., *L'Espace ouvrier*, 1979.

VERRET M., *Le Travail ouvrier*, 1982.

Deux beaux livres s'imposent par le choix et la qualité des photographies ainsi que par la précision des notices. Nous leur avons emprunté des documents pour l'illustration de cet ouvrage. Il s'agit de :

JUIN H., *La France 1900, vue par les frères Seeberger*, Belfond, 1979.

CABAUD M., *Paris et les Parisiens sous le Second Empire*, Belfond, 1982.

INDEX

Abbeville, 13, 306.
ABOULKER M., cinéaste, 127.
ABOUT Edmond, romancier, 138, 143.
AGACHE, industriels, 175 ; — Donat, 174 ; — Donat (petit-fils), 174, 175 ; — Édouard, 174.
AGACHE-DROULERS, filateurs, 175.
AICARD Jean, romancier, 138.
Aigues-Mortes, 437.
Ailly-sur-Somme, 178.
Ain, 91.
Aire, 16.
Aisne, 178, 180, 214, 216, 218, 219, 221, 225, 226, 455.
Aix-en-Provence, 287, 343, 346, 472.
Albi, 457.
Alençon, 348, 424.
Alès, 437, 449, 472, 576.
ALEXANDRE Auguste, façonnier, 254.
Alfortville, 374.
ALLART Léon, industriel, 166.
ALLART-ROUSSEAU, industriel, 162.
Allevard, 198, 201, 203.
Allier, 42, 208.
Alpes, 18, 19, 20, 26, 48, 94, 96, 271, 310, 344.
Alpes (Hautes-), 24.
Alpes-Maritimes, 304.
Alpes-du-Sud, 103, 513.
Alsace, 24, 25, 87, 100, 102, 103, 119, 188, 197, 257, 262, 304, 345.
Alsace-Lorraine, 302, 461.
Ambert, 345.
Amiens, 115, 148, 178, 183, 361, 424, 447, 452, 525.
Amplepuis, 350.
ANDRÉ R., cinéaste, 127.
Angers, 288, 417, 470, 522.
Angoulême, 346, 361, 450, 471.
Anjou, 46.
Annonay, 262, 310, 317, 373, 420, 455, 472, 568.

Anor, 179.
ANTHÈS, maîtres de forges, 197.
ANTIER Paul, 485.
Anzin, 344, 352, 392, 412.
Apt, 21, 85.
Aquitain (Bassin), 24, 37, 64.
Aquitaine, 305, 342.
Ardèche, 91, 252, 512, 527.
Ardennes, 25, 90, 248, 344.
ARDOUIN-DUMAZET, écrivain, 91, 242.
Ardres, 219.
Ariège, 207, 512, 513.
Ariégeois, 345.
Arles, 353, 437.
ARMAND, armateurs : Albert, 238 ; — Amédée, 238.
ARMAND Louis, 486.
Armentières, 171, 176, 179, 362, 363, 387.
ARPIN Jacques, industriel, 180.
Arras, 16, 79, 86, 306, 444.
Ars-sur-Moselle, 281.
Artois, 17, 25, 215, 350.
Asnan, 103.
ATGET Émile, photographe, 409, 410.
Athies, 218.
AUBAN-MOËT, négociants : Thomas, 248, 249 ; — née SABBE, 248, 249.
Aube, 193.
Aubervilliers, 310, 409.
Aubigny, 218.
AUBIN Jean, 358.
Auboué, 348.
Aubrac, 30.
Auch, 263.
Auchy-lès-Hesdin, 161, 167.
Aude, 513, 525.
Audincourt, 200, 377.
Auge (pays d'), 51.
AUGÉ-LARIBÉ, 148.
AUROUX Louis, 593.
AUTANT-LARA Claude, cinéaste, 127.
Auteuil, 330.

Authie, 12.
AUTRAN J., poète, 135, 141.
Auvergne, 21, 30, 53, 276, 524.
Auxerre, 263, 347.
Avenelles, 179.
Avesnes, 179, 181, 350, 406, 434.
Avesnes-le-Comte, 87.
Avesnois, 91.
Aveyron, 20, 524.
Aveyronnais, 144.
Avignon, 124, 251, 346.
Ax-les-Thermes, 54.
Ay, 246.
AZARIA P., 538.
Azerailles, 252.

BADER Théophile, négociant, 262, 264.
BADIN Adrien, industriel, 287.
BADIN Auguste, industriel, 184.
Bagneux, 374.
Bais, 263.
Baixas, 115.
BAKOUNINE, 294.
BALARD, chimiste, 285.
BALGUERIE Jules, négociant, 233.
BALGUERIE-STUTTENBERG Pierre, négociant, 233.
BALLAND (Mme), façonnière, 254.
BALZAC Honoré de, 72, 122, 125, 137, 294.
Banon, 107.
Banteux, 219.
Barbentane, 78.
Barentin, 184.
BARRAL (de), industriels, 198, 201 ; — Paulin, 201.
BARRE Raymond, 516.
Barrois, 199.
BASLY Jules, syndicaliste, 314, 352.
Basque (Pays), 24, 52.
Basse-Indre, 351.
BASTIAT Frédéric, 5.
BAUWENS Liévin, 174.

TABLE DES HORS-TEXTE
EN COULEURS

TABLE DES MATIÈRES

ILLUSTRATIONS

Achevé d'imprimer
sur les presses de l'Imprimerie Moderne de l'Est
Dépôt légal : novembre 1983
N° d'ordre : A. Colin 8585